玉树大地震救灾重建志

（卷一）大事记·附录

《玉树大地震救灾重建志》编纂委员会　编

方志出版社
Publishing House of Local Records

图书在版编目（CIP）数据

玉树大地震救灾重建志．卷一，大事记·附录 /《玉树大地震救灾重建志》编纂委员会编．—北京：方志出版社，2024.7

ISBN 978-7-5144-5214-3

Ⅰ．①玉… Ⅱ．①玉… Ⅲ．①地震灾害—重建—玉树县 Ⅳ．① D632.5

中国国家版本馆 CIP 数据核字（2024）第 010395 号

责任编辑：齐　笑
责任校对：张玉霞
责任印制：梅中英
出 版 者：方志出版社
地　　址：北京市朝阳区潘家园东里 9 号（国家方志馆 4 层）
邮　　编：100021
网　　址：http://www.zgfzcb.cn
发　　行：方志出版社图书营销中心（010-67110500）
印　　刷：北京中科印刷有限公司
开　　本：889 毫米 ×1194 毫米　1/16
印　　张：44.75
字　　数：1086 千字
版　　次：2024 年 7 月第 1 版
印　　次：2024 年 7 月第 1 次印刷
定　　价：480.00 元

玉树

2010.4.14　7：49

7.1级大地震

4月14日7时49分37.9秒 青海省玉树藏族自治州玉树县发生里氏7.1级强烈地震

总受灾面积约为35862平方千米，重灾区面积约8022平方千米，246842人受灾，2698人遇难，270人失踪。此次地震为当地有历史记录以来最强烈的地震

4月14日8时许 青海省消防总队玉树支队成立救援组、医疗救护组和县中队看守所增援组，当即开始紧急救援，成为第一支救援部队、第一个救出生命的部队、第一家开设集中安置点的部队

4月14日9时许 青海省委、省政府召开紧急会议，立即启动Ⅰ级应急响应，安排部署抗震救灾和应急处置工作

4月14日10时 卫生部启动自然灾害卫生应急Ⅰ级响应

4月14日上午 温家宝致电强卫，对青海省玉树抗震救灾工作做出重要指示

4月14日中午 受胡锦涛、温家宝委托，回良玉率领国务院有关部门和军队、武警部队负责人紧急赶赴灾区

4月14日11时30分 强卫主持召开十一届省委第92次常委会会议，部署抗震救灾工作

4月14日15时20分 省长骆惠宁一行乘坐专机抵达结古镇，开展现场指挥救援工作

4月14日19时40分 四川省救援队抵达玉树灾区，随即赶赴救援现场。

4月15日11时 甘肃省组织的应急救援队38人、带10辆救护车到达玉树灾区

4月15日17时15分 温家宝乘飞机抵达玉树考察灾情慰问各族干部群众，指导抗震救灾工作

4月15日下午 首架运送震区伤员的飞机抵达西宁机场，38名伤员随即被送往医院

4月17日 卫生部疾病预防控制局局长于竞进带领由25人组成的国家卫生防疫队抵达玉树地震灾区

4月17日 青海省红十字会在西宁市中心广场举行玉树“4·14”抗震救灾大型募捐活动

4月17日 玉树州孤儿学校学生率先复课

4月18日11时 胡锦涛乘专机抵达玉树灾区视察

《玉树大地震救灾重建志》编纂委员会

《玉树大地震救灾重建志》评审小组

组　　长	高　煜			
副 组 长	杨松义			
成　　员	曹多珠	王化平	邓尔平	吴解勋
	索　南	韩新华	李泰年	王　升
	陈宇琪	凌　晨		

《玉树大地震救灾重建志（卷一）大事记·附录》编纂委员会

主　　任	杨松义	高　煜	王振青	
副 主 任	李泰年	魏守良	刘德然	
委　　员	云公保太	刘淑青	马　渊	杨树寿
	石　砺	董得华	高惠莉	师玉洁
	徐欣蓉	张海玲		

主　　编	杨松义
副 主 编	师玉洁

《大事记》分纂	张海玲
《附　录》分纂	师玉洁

凡　例

一、《玉树大地震救灾重建志》（以下简称“全志”）编纂，以马克思列宁主义、毛泽东思想、邓小平理论、“三个代表”重要思想、科学发展观、习近平新时代中国特色社会主义思想为指导，坚持辩证唯物主义和历史唯物主义的立场、观点和方法，存真求实，全面、客观、系统地记述2010年4月14日发生在青海省玉树藏族自治州玉树县的里氏7.1级地震灾情灾害、抢险救灾、医疗防疫、社会赈灾和恢复重建的全过程，全景展示中共中央、国务院的坚强领导和青海省委、省政府及各族人民群众抗震救灾的奋斗历程，充分展示社会主义制度的优越性和中华民族强大的凝聚力、向心力，大力弘扬大爱同心、坚韧不拔、挑战极限、感恩奋进的玉树抗震救灾精神。

二、全志共分六卷，卷一为《大事记·附录》，卷二为《图志》，卷三为《灾情灾害志·抢险救灾志》，卷四为《医疗防疫志·社会赈灾志》，卷五为《灾后重建志》，卷六为《集体·人物》。

三、各卷记述时限，上限均为2010年4月14日，下限根据记述主体内容有所区别。卷一《大事记·附录》，卷二《图志》下限为2013年12月31日；卷三中的《灾情灾害志》下限为2010年6月20日，《抢险救灾志》下限为2010年8月31日；卷四《医疗防疫志·社会赈灾志》下限为2010年8月31日；卷五《灾后重建志》下限为2013年12月31日；卷六《集体·人物》下限为2014年1月。为保持记述内容的相对完整，对必要的背景内容、捐赠款物统计及与抗震救灾工作密切相关的原始文件、重大事件后续发展等方面，记述时限适当上溯、下延。

四、全志记述的地域范围，灾情灾害部分为玉树大地震的主要灾区，重点记述玉树藏族自治州1个极重灾区（结古镇）、4个重灾区（隆宝镇、仲达乡、安冲乡、巴塘乡）的情况；其他部分为事件相关地域。

五、全志采用述、记、志、传、图、表、录、索引等体裁，以志为主。内容记述，横分门类，纵述史实。篇目结构，除《大事记·附录》外，其余各卷原则上按篇、章、节编次，节下设目。各卷卷首设《编纂说明》。《凡例》中没有涉及但需要说明并作特殊处理的原则和内容，在各分卷《编纂说明》中分别予以说明。全志除《图志》集中编排图片外，其他各卷图片随文插录。图片不编号，表格以各分卷的篇为单位排序编号。所用地图均以国家测绘部门审定的为准。

六、全志采用现代语体文记述，除前言、概述、无题述外，坚持述而不论，寓观点于记述之中。

七、全志涉及国家法律、法规和有关部门规章的，以现行法律、法规和有关部门规章为准。数字用法、标点符号分别采用国家标准《出版物上数字用法》（GB T15835-2011）、《标点符号用法》（GB T15834-2011），计量单位采用国家技术监督局1993年12月发布的《量和单位》系列国家标准。行文规范，按照全志编纂委员会制定的《〈玉树大地震救灾重建志〉行文规范》执行。

八、全志资料来源为各级档案馆、图书馆和各种媒体及有关单位。统计数字采用省政府统一提供的公开发布的数据和统计局发布的数据。

九、编纂要点。《大事记·附录》居全志之首。《大事记》采用编年体，适当结合纪事本末体，依时间顺序按年、月、日记载玉树大地震救灾重建全过程中的大事、要事、新事、特事。《附录》按文体分类，主要辑存有关抗震救灾和灾后恢复重建的重要文献。

《图志》按专题分类，采用图片下附简要文字说明的形式，直观再现玉树大地震前后灾区面貌和抗震救灾、灾后重建全过程。

《灾情灾害志·抢险救灾志》《医疗防疫志·社会赈灾志》《灾后重建志》为全志的主体部分。其中，《灾情灾害志·抢险救灾志》主要记述玉树地震灾区地理概况、区域历史地震、玉树大地震造成的巨大破坏和次生灾害情况；中国共产党、人民政府、全国各族人民和海内外各方紧急救援玉树地震灾区情况。《医疗防疫志·社会赈灾志》主要记述灾区医疗救护、疫病防治、伤员康复、医疗卫生机构恢复重建等情况；全国各地、国际社会对玉树地震灾区的赈济及捐赠款物的管理发放情况及群众生活安置工作。《灾后重建志》主要记述灾害调查评估、恢复重建工作的组织实施及验收等情况。

《集体·人物》按人物传、人物简介、人物表分类，坚持“生不立传”的原则，以事系人。区分表彰层次，以相应形式记载为抗震救灾和恢复重建做出贡献并受到表彰的英雄集体和模范。

十、全志一般不采用注释，个别特殊需要加以说明的采取页下注或文内括注方式。

十一、鉴于玉树市于2013年11月1日正式挂牌成立，为尊重历史事实，全志对玉树县、玉树市不作统一处理，两称并存。

编纂说明

一、《玉树大地震救灾重建志（卷一）大事记·附录》是《玉树大地震救灾重建志》的一部综合性分卷，由青海省地方志编纂委员会办公室牵头承编，主要参编单位有青海省玉树地震灾后重建工作领导小组办公室、省委宣传部、玉树州政府、省政府应急办、省发展改革委、省文化新闻出版厅、省档案局、省军区、武警青海总队、青海电视台、青海日报社、《青海政报》编辑部。

二、本卷内容组织力求重大史实突出、宏观面貌清楚、要事新事不漏，记述方法着眼整体、因类而异、各有侧重，以期对全志起统领提挈作用。

三、《大事记》编纂坚持以编年体为主、纪事本末体为辅，以时系事，一事一条，凡抗震救灾和灾后重建中有全局性影响的大事、要事应收尽收。对“黄金72小时”发生的事情的记述，尽量精确到时、分，以显示反应快速、急群众所急的工作状态。

四、《附录》由法律法规、规划方案、文件辑要、讲话摘录、专题报道、评论、文艺作品七个板块组成。《附录》内容的辑选统筹考虑全志的逻辑关系，侧重收录与抗震救灾和灾后恢复重建有关的法律法规、重要文献、部分媒体评论及文艺作品，同类文献按公布、刊发时间顺序排列；收入的原始文献，只校正其中的错字、漏字、衍字以及明显有错误的标点符号，标题、目题版式根据全志统一要求予以调整。

五、《大事记·附录》卷前设前言，卷末列索引、后记及全志编纂始末。

总目录

（卷一）大事记·附录

（卷二）图　志

（卷三）灾情灾害志·抢险救灾志

灾情灾害志

抢险救灾志

（卷四）医疗防疫志·社会赈灾志

医疗防疫志

社会赈灾志

（卷五）灾后重建志

（卷六）集体·人物

目　录

前　言

众志成城　抗震救灾

前 言

2010年4月14日7时49分，一场突如其来的强烈地震袭击了中国青海省玉树地区。顷刻之间，山崩地裂、桥塌路断、房倒屋垮，昔日美丽的玉树顿时满目疮痍，众多鲜活的生命陨落凋零。这次地震震级高、烈度大、震源浅、余震多、破坏力强。主震震级达里氏7.1级，最高烈度9度，震源深度14千米，余震3000多次。短短23秒的大地震波及青海省玉树藏族自治州玉树县、称多县、治多县、杂多县、囊谦县、曲麻莱县和四川省甘孜藏族自治州石渠县7个县的27个乡镇，造成992平方千米的极重灾区、7030平方千米的重灾区，夺走2698人的生命，受灾人口达到246842人，受灾面积达到3.59万平方千米，直接经济损失达228.5亿多元。受灾最重的玉树藏族自治州首府所在地结古镇，平房全部倒塌，楼房倒塌过半，机关、学校、医院等公共设施和供电、供水、通信等基础设施大面积损毁，通往结古镇的主要通道国道214线多处断裂沉陷、桥涵坍塌，崩塌、滑坡、泥石流等次生灾害隐患剧增，城乡产业损失严重，生态环境遭受严重破坏。这是继2008年四川汶川"5·12"特大地震后中国土地上发生的最大一次地震，也是玉树地区有历史记录以来破坏最严重、涉及范围最广、人员伤亡最多、救灾难度最大的一次重大地震灾害，给灾区人民群众的生命财产造成巨大灾难，给经济建设和社会发展带来极其严重的影响。

大地一摇，天下震惊；地震无情，人间有爱。面对突如其来的强烈地震，中共中央、国务院、中央军委果断决策，迅即对抗震救灾工作做出全面安排部署，国务院依法成立抗震救灾总指挥部，组织指挥抗震救灾工作。全党全军全国人民紧急动员、全力相助，各路救援大军千里驰援、抢救生命，灾区各族干部群众临危不惧、奋起自救，在不到20天的时间内，圆满完成了这次世界范围内海拔最高、难度极大的紧急救援任务，再次谱写了中华儿女不屈不挠、气壮山河、感天动地的英雄凯歌。在紧急救援中，各级党委、政府第一时间组织动员一切力量最大程度地挽救受灾群众的生命，最大程度地降低灾害造成的损失。在"黄金72小时"及其以后的宝贵时间里，累计抢救压埋人员2008人，成功转移群众22.5万名，救治伤员1.1万名，转移3109名重伤员到外地接受治疗，为6.55万人次提供医疗服务。在救灾安置中，以最快的速度紧急从全国各地组织调运帐篷、食品、饮用水、药品等救灾物资，震后第五天基本实现受灾群众有帐篷住、有饭吃、有干净水喝、有病能医治、有棉衣御寒的目标。累计发放各类补助资金1.88亿元，保障了灾区群众的基本生活。在灾后恢复中，以最快的速度抢修恢复基础设施。震后第一天，紧急修复了被损毁的道路交通，当晚8时全面恢复机场通讯，次日凌晨5时开始恢复玉树县通讯。震后第二天，基本恢复供电供水。震后第四天，玉树州孤儿学校率先复课。震后第六天，市场恢复营业，银行、邮政临时营业网点开张，党政机关日常办公秩序全面恢复。在实现由应急救灾到有序救灾的全面转变的同时，在最早的时间启动灾后恢复重建工作。震后次日，即派人到四川学习汶川灾后恢复重建的经验；16日晚，部署启动灾后重建的前期工作；震后第七天，青海省委、省政府召开灾后恢复重建工作会议，正式部署启动灾后重建工作。

玉树地震灾区地处长江、黄河、澜沧江的发源地，是全国重要的生态安全屏障；位于青海、四川、西藏三省区交界处，是区域交通要道和商贸集散地；民族文化底蕴深厚、宗教影响广泛，是民族宗教工作的重点地区；贫困面广、贫困程度深，是扶贫开发攻坚的重点和难点地区。玉树地震灾区海拔高，自然条件严酷，生态环境脆弱，交通设施落后，经济基础薄弱，一年有效施工时间短。上述灾区特点决定了做好地震灾后恢复重建工作的重要性和艰巨性。在灾后重建中，党和政府为玉树大地震抗震救灾提供了坚实的社会基础和物质保障，动用了强大的国家力量。震后，中共中央、国务院统揽全局，迅速进行灾后恢复重建工作的决策部署，明确规划任务，组织动员各方力量，举全国之力，开展玉树地震灾后恢复重建。灾后恢复重建所需资金以中央财政资金为主，同时包括省级财政资金、社会捐赠资金以及居民和企业少量自筹资金。财政部、国家发展改革委共安排玉树地震灾后恢复重建资金 316.5 亿元，落实恢复重建总体规划和各专项规划，支持原址或异地重建项目，包括城乡居民住房建设、公共服务设施建设、基础设施建设、生态环境建设、特色产业和服务业发展、和谐家园建设共 6 大类 1248 项。中共中央、国务院决定，由青海省、四川省人民政府负总责，建立强有力的领导机构和现场指挥调度系统，明确任务，落实责任，科学高效地组织实施玉树地震灾后重建，确保灾区社会和谐稳定。青海省委、省政府不折不扣、坚决落实，在灾后重建工作伊始就郑重承诺：坚持科学重建、依法重建、高效重建、和谐重建；不留遗憾、不留败笔、不留骂名；苦干三年、跨越二十年！在灾后重建的岁月里，青海省各级党委、政府注重科学规划的引领作用，注重发挥政策的支撑作用，注重创新公共机制，注重加强项目管理，注重推动廉洁重建，注重创造良好社会环境，依法组织重建，科学推动重建，高效实施重建。灾区广大人民群众尤其是玉树人民不等不靠，自立自强，用自己的双手奋力建设美好新家园。各援建地区和单位与灾区人民携手并肩、同甘共苦，为恢复重建立下了汗马功劳。人民解放军指战员、武警部队官兵、民兵预备役人员和公安民警坚决听从党的召唤，为恢复重建作出了重要贡献。经过三年艰辛努力，在实际不到两年的有效施工期内，重建总体规划确定的 1248 个项目全部建成，灾区的人居条件焕然一新，公共服务设施大为改观，基础设施全面提升，生态修复与环境保护成效显著，特色优势产业顺势兴起，和谐家园同步推进，一批支撑玉树长远发展的重大工程相继建成，城乡面貌发生了脱胎换骨的历史性变化。

玉树抗震救灾和灾后恢复重建，是一场艰苦卓绝的斗争，条件之艰苦、环境之恶劣、面临的困难之多、挑战之大世所罕见。在这场伟大的斗争中，不仅重建了一个物质家园，也收获了丰硕的精神家园成果。在抗震救灾和灾后恢复重建中涌现出的可歌可泣的先进典型，永远是学习的榜样；在抗震救灾和灾后恢复重建中形成的“大爱同心、坚韧不拔、挑战极限、感人奋进”的玉树抗震救灾精神，永远是宝贵的精神财富。这次抗震救灾斗争再次说明，中国共产党具有突出的先进性，是中国特色社会主义事业的坚强核心；社会主义制度具有巨大的优越性，能够有效动员和组织人民不断创造伟大业绩；伟大抗震救灾精神具有强大的影响力，是推进改革开放和现代化建设的宝贵财富；民族大团结具有特殊的凝聚力，是维护祖国统一促进社会和谐的重要保障。玉树抗震救灾的伟大实践也充分证明，只有进一步加强防灾减灾和高度重视应急机制和能力建设，建立健全集中领导、统一指挥、反应灵敏、运行高效的工作机制，专业化与社会化相结合的应急救援队伍，保障有力的应急物资储备供应和医疗防疫体系，符合国情的巨灾保险和再保险体系，才能最大限度地减少自然灾害及其他突发事件造成的危害。

玉树抗震救灾和灾后恢复重建，是一次爱国主义传统的大弘扬，是一次政治制度优势的大展现，是一次民族团结进步的大赞歌，是一次防灾减灾能力的大提升。青海作为玉树地震的重灾区，铭记灾难，感恩国家和人民，一个重要方面就是要总结好巨灾应对的做法，提炼好抗震救灾的基本经验，记录下抗震救灾的历史，为今后人们更好地应对自然灾害资以借鉴，为新青海的建设发展增添智慧和力量。历史是客观的真实存在，既需史志的客观记载，更需百姓的口心传唱。震后不久，青海省委、省政府高瞻远瞩，以强烈的政治敏感性和高度的文化自觉性，果断决定编纂《玉树大地震救灾重建志》。历时十余载，这项系统的修志文化工程业已告成。《玉树大地震救灾重建志》以马克思列宁主义、毛泽东思想、邓小平理论、“三个代表”重要思想、科学发展观、习近平新时代中国特色社会主义思想为指导，遵守党的路线、方针和政策，坚持人民利益至上的原则，以《中华人民共和国防震减灾法》《青海省防震减灾条例》等来衡量成败得失，总结经验教训，具有较高的资料性、著述性、科学性以及资政资治价值；从文化建设高度挖掘精神文明成果，突出社会主义制度的优越性，充分体现中共中央的坚强领导和全国人民的关心关爱，展现青海省各级党组织、各级政府及社会各界的不懈努力和艰苦付出，特别是地震灾区少数民族群众的坚强意志和不屈不挠的奋斗精神；基于记述地震的成因与灾情，揭示自然与社会的关系，体现防灾减灾的客观规律；基于记述抗震救灾的做法及成果，揭示人民至上、生命至上的宗旨，弘扬自强不息的精神，激发砥砺前行的发展力量；基于记述社会救助的大爱与行动，体现党和政府的温暖，展示中华民族团结互助的基因，丰富社会主义崇高的精神谱系。该志收集、借鉴玉树地震发生后十多年来各方面的资料和研究成果，采用新观点、新材料、新方法，增强了资料性、科学性、著述性、权威性；遵守地方志书的基本规范，追求信史、佳志目标，具备特殊事件志的特色和品质，是青海地方志编纂史上的一项创造性成果。

玉树大地震抗震救灾和重建新家园留下的宝贵财富是一座精神文化的宝库，希望该志的出版能为读志用志和研究、弘扬玉树抗震救灾精神提供帮助。

大事记

众志成城　抗震救灾

2010 年 4 月

4 月 14 日 7 时 49 分 37.9 秒 青海省玉树藏族自治州玉树县（北纬 33.2 度，东经 96.6 度）发生里氏 7.1 级强烈地震，震源深度 14 千米，最大烈度Ⅸ。

此次地震为前震—主震—余震型。14 日 5 时 39 分 57.5 秒，玉树县（北纬 33.2 度，东经 96.6 度）发生里氏 4.7 级地震，震源深度 6 千米，为前震。9 时 25 分，玉树县（北纬 33.2 度，东经 96.6 度）发生里氏 6.3 级强余震。截至 12 月 7 日，记录到地震序列 3359 次，其中 3.0 ～ 3.9 级 41 次、4.0 ～ 4.9 级 10 次、5.0 ～ 5.9 级 2 次、6.0 ～ 6.9 级 1 次、7.1 级主震 1 次。

地震震中位于玉树县结古镇上拉秀乡日麻村，波及四川部分地区，总受灾面积约为 35862 平方千米，重灾区面积约 8022 平方千米，246842 人受灾，2698 人遇难，270 人失踪。此次地震为当地有历史记录以来最强烈的地震，其破坏之严重、人员伤亡之多、救灾难度之大是青海历史上空前的，给人民生命财产和经济社会发展造成了巨大损失。

4 月 14 日 8 时 青海省国土资源厅紧急启动《青海省国土资源厅自然灾害应急预案》，成立以厅长刘山青为组长的国土资源系统抗震救灾领导小组，下设玉树指挥部、西宁指挥部及宣传报道组、后勤保障组、协调联络组。

4 月 14 日 8 时 中国地震局启动西北地震应急协作联动工作机制，命令国家地震灾害紧急救援队和青海、西藏、甘肃、陕西、宁夏等省（自治区）地震灾害紧急救援队，立即前往灾区开展紧急救援行动。国家救援队首支救援队伍于 9 时 50 分出发，22 时 30 分抵达结古镇，其他救援队和现场应急工作队也同时赶往灾区。

4 月 14 日 8 时至 16 日 8 时 青海机场公司共派出安全保证救灾航班 139 架次，其中西宁机场 75 架次、玉树机场 54 架次、格尔木机场 10 架次；接送救灾物资 382.66 吨，其中西宁机场 164.94 吨、玉树机场 217.72 吨；接送救援人员 6297 人次，其中西宁机场 4007 人次、玉树机场 2290 人次；接送伤员 358 名。

4 月 14 日 8 时许 青海省消防总队玉树支队成立救援组、医疗救护组和县中队看守所增援组，当即开始紧急救援，成为第一支救援部队、第一个救出生命的部队、第一家开设集中安置点的部队。

4 月 14 日 8 时 10 分 青海省卫生厅紧急召开党组扩大会议和各处室负责人会议，对抗震救灾医疗救治工作做出安排部署。由副厅长李晓东率领的工作组立即出发，当晚到达灾区后，与玉树州卫生局共同组成医疗救援先遣指挥部，现场指挥医疗救治工作。

4 月 14 日 8 时 20 分 中国人民解放军和中国人民武装警察部队启动卫勤保障预案，抽调 18 支医疗队 1209 名医疗卫生人员紧急赶赴灾区，由 3 所地方医院组成的 3 支专业医疗队、

10个医疗救护组同时跟进，深入一线开展应急救援。解放军总后勤部迅速筹措、紧急调运85个品种、价值6048.6万元的药品、装备发往灾区。

4月14日8时30分 国家减灾委、民政部紧急启动国家Ⅳ级救灾应急响应，并根据灾情发展于12时将响应等级提升至Ⅰ级。民政部紧急从天津、沈阳、郑州、武汉、西安的5个中央救灾物资储备库，向青海灾区调拨5000顶棉帐篷、5万件棉大衣、5万床棉被。

4月14日9时许 中共青海省委、青海省人民政府召开紧急会议，启动Ⅰ级应急响应，安排部署抗震救灾和应急处置工作。省委书记强卫主持会议。会议决定成立青海省玉树抗震救灾指挥部，省长骆惠宁任总指挥，省委常委、常务副省长徐福顺任常务副总指挥，副省长张光荣、省军区参谋长党国际、武警青海总队总队长谢才书、省政府秘书长高华、省发展改革委主任曹文虎、省地震局局长张新基、省民政厅厅长更阳任副总指挥。抗震救灾指挥部下设玉树现场指挥点和西宁指挥点，玉树现场指挥点由骆惠宁任指挥长，西宁指挥点由徐福顺任指挥长。

4月14日9时 武警青海总队向第1支队、第4支队下达开进命令，在青驻训某部经武警总部同意同时开进，共计3100人，于15日零时前陆续抵达玉树结古镇展开救援。

4月14日9—17时 青海省发展和改革委员会通过明传电报连续3次向国家发展改革委汇报灾区情况。因青海省的紧急申请，国家发展改革委确定先向玉树灾区下达抗震救灾中央预算内资金5000万元，专项用于青海省玉树地震抗震救灾和损毁设施恢复重建。

4月14日9时50分 65名救援人员和地震专家从西藏自治区昌都地区出发赶往玉树。

4月14日10时 卫生部启动自然灾害卫生应急Ⅰ级响应。青海医疗队、四川医疗队出发；西藏、甘肃、北京、天津医疗队及中国疾控中心防疫队整装候命。

4月14日上午 正在国外访问的中共中央总书记、国家主席、中央军委主席胡锦涛，中共中央政治局常委、国务院总理温家宝，分别作出重要指示，要求全力做好抗震救灾工作，千方百计救援受灾群众，同时加强地震监测预报，落实防范余震措施，切实安排好受灾群众生活，维护灾区社会稳定。

4月14日上午 温家宝致电强卫，对青海省玉树抗震救灾工作作出重要指示。要求青海省委、省政府全力以赴做好抗震救灾工作，特别是要安排好受灾群众的生产生活，确保受灾群众有饭吃、有住处、有衣穿。吴邦国、贾庆林、李长春、习近平、李克强、贺国强等中央领导心系灾区，也在第一时间作出重要指示。

4月14日上午 根据胡锦涛、温家宝重要指示精神，国务院成立抗震救灾总指挥部，中共中央政治局委员、国务院副总理回良玉任总指挥，强卫和国务院有关部门负责人任副总指挥，下设抢险救灾、群众生活、卫生防疫、基础设施保障和生产恢复、地震监测、社会治安、宣传、综合8个工作组。19日，总指挥部增设灾后恢复重建组。

4月14日11时 青海省财政厅紧急下拨玉树抗震救灾应急资金1000万元，用于灾区群众生活和急救药品救助等方面。同时，与省相关部门沟通联系，紧急调运5000顶棉帐篷、2.5万件棉衣被和200个应急灯，装车送往灾区。

4月14日11时30分 强卫主持召开十一届省委第92次常委会议，部署抗震救灾工作。

会议决定成立以强卫为组长、骆惠宁为第一副组长，徐福顺为副组长，沈何、吉狄马加、多杰热旦、张书领、邓本太、张光荣、马顺清、高华为成员的省委、省政府抗震救灾领导小组，全面负责玉树当前抗震救灾工作。

4月14日11时41分 中国人民解放军兰州军区制发“赴玉树地区抗震救灾”电报，对部队参加抗震救灾进行紧急部署。

4月14日上午 中共青海省果洛藏族自治州委员会、果洛州人民政府召开专题会议安排部署救援工作，并由民政、卫生、消防、公安等部门组成63人的救援队，赶赴玉树灾区。

4月14日中午 受胡锦涛、温家宝委托，回良玉率领国务院有关部门和军队、武警部队负责人紧急赶赴灾区。回良玉一行于当晚8时左右进入地震震中玉树县结古镇，看望慰问受灾群众，实地察看灾情，指导抗震救灾工作，并于当夜9时主持召开抗震救灾总指挥部会议，全面分析玉树地震灾情，作出10项具体部署。青海省领导强卫、骆惠宁、齐玉、张光荣等参加会议。

4月14日中午 强卫代表省委、省政府就玉树抗震救灾工作向全省广大党员干部和各族群众提出要求：全省上下迅速行动起来，全力投入抗震救灾斗争。省政府召集相关部门召开玉树灾区抗震救灾紧急部署会议。

4月14日13时 省委、省政府派出由解放军、武警、医疗等单位的相关人员组成的5000余人的救护队奔赴灾区。

4月14日13时 青海省海北藏族自治州从西海煤电、西海煤炭两家矿山救护队抽调25名骨干，组成海北抗震救援队前往灾区。15日5时50分到达玉树灾区，先后在禅古寺、玉树州职业技术学校展开救援工作。

4月14日13时 中国人民解放军青海省军区独立团1002人启程向灾区昼夜机动，解放军第4医院医疗队31人、6台车随队出发。

4月14日13时许 中国人民解放军空军3架伊尔–76运输机紧急起飞，执行空运救援人员和物资任务。

4月14日13时20分 中国地震局将玉树地震应急响应由最初的Ⅱ级提升为Ⅰ级。

4月14日13时50分 四川省甘孜州医疗队首批49名先遣队员带着药品和急救车，抵达玉树地震灾区赛马场和集中安置点开展救援。

4月14日15时20分 省长骆惠宁一行乘坐专机抵达结古镇，开展现场指挥救援工作。

4月14日16时20分 强卫乘坐专机飞赴玉树，现场指挥抗震救灾工作。

4月14日16时20分 四川省石渠县地震救援队抵达玉树灾区。该救援队还带来了灾区急需的一批食品、药品、棉被、帐篷等物资。

4月14日16时30分 青海省重大灾害紧急救援队政委姜玉伟一行抵达玉树机场，奔赴救援一线进行现场指挥。至17时55分，武警青海总队玉树支队官兵共计抢救、疏散被困人员180名。19时，青海省重大灾害紧急救援队第一批62人从西宁出发到达灾区开展救援工作。至19时40分，省重大灾害紧急救援队已有139名官兵、9台救援车，以及2条搜救犬和救援装备，投入紧张的救灾工作中。

4 月 14 日 17 时 45 分 青海省气象局召开抗震救灾紧急会议，传达国务院抗震救灾紧急会议精神，研究部署气象部门抗震救灾、应急保障、业务技术服务等工作。

4 月 14 日 18 时前 公安部部署灾区周边交通管理部门疏导交通，全力配合救援工作；启动物资调配机制，紧急调配帐篷、食品等物资运往灾区支持救灾工作。卫生部派出青海、四川、西藏、甘肃的 5 支 287 人的医疗卫生救援队伍携带医药物资赶赴灾区。

4 月 14 日 18 时 由中国地震局应急司侯建胜带队的中国地震局现场工作队 12 人和青海省地震局副局长哈辉带队的青海省地震局现场工作队 18 人到达灾区，投入救援工作。

4 月 14 日 18 时 省卫生厅紧急制订《玉树地震灾区卫生防疫工作方案》《玉树灾区疾病监测方案》《灾区鼠疫防治应急预案》《灾区炭疽防治应急预案》等技术方案，印发《青海省抗震救灾防疫人员工作手册》。

4 月 14 日 19 时 40 分 四川省救援队抵达玉树灾区，随即赶赴救援现场。

4 月 14 日 20 时 30 分 由甘肃省地震局副局长周志宇、武警甘肃总队参谋长刘志强带队的 180 名武警官兵（含 50 名医护人员、15 名专家）和省地震局 16 名专家组成的甘肃省地震灾害紧急救援队携带救援专业设备，从兰州出发奔赴玉树灾区参加抢险救援。

4 月 14 日 21 时 武警云南省边防总队抗震救灾队 60 名医疗队队员携带救灾药品、帐篷，乘包机飞赴青海玉树地震灾区，开展医疗救护工作。

4 月 14 日 21 时许 国家地震灾害救援队 60 名救援人员到达结古镇开展救援。

4 月 14 日 22 时 50 分 中国气象局应急办向国务院应急办专送震区震前震后卫星高分辨率影像图，供决策指挥参考。

4 月 14 日 23 时 骆惠宁主持召开省玉树抗震救灾现场指挥部第一次会议，贯彻落实回良玉当日傍晚在玉树灾区视察时所作的指示精神，紧急安排部署抗震救灾的具体工作。强卫出席会议并讲话。

4 月 14 日 省玉树抗震救灾指挥部下发《关于确保省内外通往玉树道路交通畅通和油料供应工作的紧急通知》《关于向玉树地震灾区迅速增派应急救援队伍的紧急通知》《关于省卫生厅、西宁市政府、海南州政府做好医疗救治玉树地震伤员准备的紧急通知》《关于做好救灾物资调动的紧急通知》《关于紧急启动省级粮食应急预案的通知》《关于玉树周边州组织救援队伍赴玉树救灾的紧急通知》《关于省直各部门、人民团体组织向玉树灾区捐送食品的紧急通知》《关于进一步动员医疗救助队伍和药品的紧急通知》。

4 月 14 日 中共中央组织部向青海省委组织部发出《关于迅速组织各级党组织和广大党员干部投入抗震救灾工作的通知》，对动员党组织和党员全力以赴做好抗震救灾工作提出明确要求。同时，向青海下拨中央管理党费 200 万元，用于抗震救灾。中组部常务副部长沈跃跃致电青海省委组织部主要负责人，详细询问了解灾情及抗震救灾情况，转达中央政治局委员、书记处书记、中组部部长李源潮和中组部的慰问。

4 月 14 日 中共青海省委组织部发出紧急通知，要求全省各级党组织、领导干部和广大共产党员迅速行动，在抗震救灾中充分发挥战斗堡垒、模范带头和先锋模范作用，团结带领广大群众，全力投入到抗灾自救和支援地震灾区的各项工作中。同时，印发《关于倡议广大党员自愿多交纳党费用于支援抗震救灾工作的通知》，倡议各地、各部门、各单位党组织发扬“一方有难、八方支援”的精神，发动和组织广大党员积极自愿多交纳党费用于支援抗震救灾工作。当日，省委组织部从省管党费中向玉树灾区拨款50万元，专项用于抗震救灾。

4月14日　中共青海省委宣传部召开由中央驻青海媒体和省垣各新闻媒体负责人参加的新闻协调通气会。省委常委、宣传部部长吉狄马加对抗震救灾宣传报道工作作出安排部署。

4月14日　中共青海省委常委、统战部部长多杰热旦召集专题会议，对统战系统支援抗震救灾工作以及组织各民主党派、工商联和无党派人士开展抗震救灾慰问及捐助作出安排。省委统战部随即向玉树藏族自治州委统战部、玉树县委统战部发出慰问电，并拨付救灾慰问金20万元用于救灾。

4月14日　中共青海省直机关工委下发《关于立即行动起来积极支援玉树灾区的紧急通知》，随后又转发省委组织部《关于倡议广大党员自愿多交纳党费用于支援抗震救灾工作的通知》，要求各单位党组织按照省委、省政府统一部署，迅速行动起来，全力投入抗震救灾工作，广泛组织开展捐款捐物献爱心活动，动员广大党员自愿多交纳党费支援抗震救灾。

4月14日　中共青海省玉树藏族自治州委员会、玉树州人民政府第一时间成立抗震救灾应急救援指挥部，启动应急预案，及时对外公布指挥部电话号码和接受捐款的银行账号。

4月14日　民航局执飞玉树航线的东方航空公司调配2架空客A319飞机飞往西宁，执行西宁至玉树的救援人员和物资运输任务。同时，要求民航西北管理局全力配合当地政府及相关部门做好抗震救灾工作。至15日，玉树机场开通了至西宁、西安的定期航班。中国国际航空公司紧急抽调3架高原机型，执行青海地震救灾飞行任务。

4月14日　青海省住房和城乡建设厅会同省政府法制办起草《玉树地震灾后房屋建筑安全鉴定修复加固拆除实施办法》。

4月14日　青海省农牧厅启动青海省农牧业重大自然灾害突发事件应急预案，迅速组织成立厅玉树抗震救灾指挥部，厅党组书记、厅长曹宏带领厅办公室、兽医局、畜牧业处、草原处和经作处负责人赶赴灾区开展抗震救灾工作。

4月14日　省财政厅成立厅玉树抗震救灾应急工作领导小组，启动财政应急预案，按照省委、省政府抗震救灾工作要求，向玉树州紧急下拨地震救灾应急资金1000万元，主要用于受灾群众的生活救助等。同时，财政厅还建立了值班制度和信息通报制度。

4月14日　青海省公安厅召开会议，启动救灾应急预案。2名厅领导带领厅治安、刑侦、交通、通信等部门警力赶往地震灾区，现场指挥调度公安、武警开展救援，维持社会秩序。各警种迅即展开救援行动，200名消防官兵、140名特警、2100名武警官兵携带救援器材，紧急驰援灾区，沿途交警紧急开辟了“绿色通道”。

4月14日　青海省海南藏族自治州组织由3辆急救车，12名具有丰富临床经验、技术娴熟的业务骨干和专家组成的医疗队，携带价值11.5万元的急救药品、医疗器械、常规检查仪器设备，赴震区投入救援。随即又组建由骨科、普外科、脑外科、护理科、心内科等的 44 名医护人员组成的 5 支医疗救护队，携带价值 34.7 万元的各类急救药品、10 辆医疗车辆赶往灾区。

4 月 14 日　第 64 届联合国大会主席图里基、联合国秘书长潘基文分别发表声明，就青海地震向中国政府和人民表示慰问。

4 月 15 日零时前　已有 107 名外省（区）医疗队队员抵达玉树地震灾区。

4 月 15 日 4 时 26 分　中国人民银行支付系统和网络连通全部恢复，玉树州银行支付系统畅通，当日汇划资金 6.1 亿元，其中救灾资金 5220 万元。

4 月 15 日 7 时 30 分　兰州军区副参谋长王振国带领作战部副部长李兴荣等抵达玉树灾区，组织协调抗震救灾。

4 月 15 日 9 时 30 分　兰州军区副司令员赵建中、副政委刘晓榕率工作组飞抵玉树结古镇，召开军区前方指挥部第一次会议。截至 20 时，兰州军区和武警部队共出动工兵、医疗、防疫、陆航等 13 个救援分队，总兵力 6356 人，3 架直升机参加抗震救灾。

4 月 15 日 10 时 10 分　解放军总参谋部电示，在军委主席胡锦涛和其他军委首长直接领导下，四总部成立军队抗震救灾指挥协调组；派出由总参作战部部长白建军任组长的四总部前方工作组，在玉树灾区参加国家抗震救灾总指挥部抢险救灾组和卫生防疫组有关工作。22 时，解放军四总部前方工作组召集会议，成立指挥组、政治组、后勤组和保障组，分别由白建军、总政群工办副主任石楚敬、总后卫生部部长张雁灵、总装通用装备保障部副部长李明泉任组长。22 时 30 分，前方工作组召开兰州军区、武警部队和二炮 56 基地、四川省军区等任务部队领导会议，传达学习 15 日上午军委专题会议精神，交流分析有关情况，研究贯彻落实军委、总部指示，组织部队救灾行动的措施。

4 月 15 日 11 时　回良玉在结古镇主持召开国务院抗震救灾总指挥部和青海省玉树抗震救灾指挥部联席会议，研究解决抗震救灾中存在的突出问题，制定出台受灾群众安置政策，进一步明确抗震救灾各项任务时间表。强卫、骆惠宁、齐玉、张光荣等参加会议。

4 月 15 日 11 时　甘肃省组织的应急救援队 38 人、10 辆救护车到达玉树灾区。

4 月 15 日 11 时 40 分　省玉树抗震救灾指挥部发出通知，要求处理地震遇难人员遗体时要严格遵守操作规程，尊重死者尊严，尊重少数民族丧葬习俗，并做好亲属的安抚工作。

4 月 15 日 12 时　省玉树抗震救灾指挥部新闻中心在西宁举行第二次新闻发布会。截至 8 时，共记录到灾区余震总数为 750 次，其中 3 级以上余震 8 次；至 9 时，地震共造成 617 人遇难，313 人失踪，9110 人受伤，其中重伤员 970 人；地震致使 15000 户民房倒塌，10 万名受灾群众需要转移安置。

4 月 15 日上午　中央国家机关工委向玉树地震灾区发来慰问电，通过省直机关工委转达中央国家机关工委对灾区广大基层党组织和共产党员崇高的敬意和深切的慰问，并从中央国家机关工委管理的党费中拨付 100 万元，委托省直机关工委转交玉树灾区。

4 月 15 日上午　青海省黄南藏族自治州派出 12 人医疗救援小分队，携带呼吸机、心电监护仪等器械及急救药品，驰援灾区。随即又组织 30 人的医疗救援小组，携带大量食品、药品和医疗器械赶赴灾区。

4 月 15 日 13 时 强卫到玉树县下拉秀镇加吉娘移民村，给正在这里全力以赴抢险救灾的党员干部授党旗和党员突击队旗。

4 月 15 日 15 时 省玉树抗震救灾指挥部发出《关于防范和应对地震灾害次生环境污染事件的紧急通知》，要求由省环境保护厅按照《地震灾害次生环境污染事件应急预案》，负责做好人员、物资、车辆、仪器等应急准备工作，一旦发生突发环境污染事件，立即做好应急处置工作，切实控制和减少次生环境危害。

4 月 15 日 15 时 30 分 青海省教育厅召开省、州、县教育系统抗震救灾指挥部第一次会议，对教育系统抗震救灾工作作出全面安排部署。截至 18 时，全省教育系统捐赠物资价值达 423.8 万元。

4 月 15 日 16 时 30 分 玉树地震灾区遇难人数上升至 760 人，失踪 243 人，受伤 11477 人。其中，重伤 1174 人，伤愈出院 4200 人。

4 月 15 日 17 时 15 分 温家宝乘飞机抵达玉树考察灾情，慰问各族干部群众，指导抗震救灾工作。20 时 40 分，温家宝在国务院抗震救灾总指挥部临时搭建的帐篷办公地点主持召开会议，听取玉树抗震救灾情况的汇报并作出重要指示。他指出，抗震救灾重点要做好 10 项工作：一是救人；二是医疗工作；三是安置群众；四是基础设施恢复；五是预防余震；六是做好受灾群众生活补贴发放工作；七是搞好灾后评估，尽早制订重建方案；八是保持社会秩序稳定；九是信息公开，做好抗震救灾工作的宣传和舆论引导；十是加强领导，统一指挥。

4 月 15 日 17 时 30 分 由西安火车西站发往青海省的首批 4 列铁路专列救灾物资——750 顶棉帐篷、2500 床棉被运抵西宁东货场，即刻运往灾区。

4 月 15 日 18 时 青海省玉树抗震救灾指挥部新闻中心在西宁举行第三次新闻发布会，通报省民政厅、省红十字会接收捐赠款物统计情况：截至下午，省民政厅、省慈善总会和省救灾物资储备中心累计接收到账国内捐款 5296 万元，接收捐赠物资折价 452.12 万元；省红十字会收到捐款 563.3 万元以及价值 551 万元的物资。

4 月 15 日下午 首架运送震区伤员的飞机抵达西宁机场，38 名伤员随即被送往医院。

4 月 15 日 20 时 青海省人大常委会召开党组扩大会议，安排部署省人大常委会机关支援抗震救灾工作。省人大常委会副主任刘晓、郭汝琢、昂毛出席会议。

4 月 15 日 20 时 一批从地震灾区现场救出的伤员被送抵青海省和西宁市各大定点医院进行救治。省委常委、省纪委书记仁青加，省委常委、秘书长沈何，副省长马顺清到医院看望慰问在玉树地震中受伤的群众和坚守岗位的医护人员。

4 月 15 日 21 时 30 分 兰州军区 21 集团军工兵团救援队地面梯队抵达玉树灾区，随即展开救援。

4 月 15 日 22 时 兰州军区兰州总医院医疗队 27 人、第一医院医疗队 60 人先后抵达玉树灾区展开救援。

4 月 15 日 23 时 骆惠宁主持召开省玉树抗震救灾现场指挥部会议，安排部署贯彻落实温家宝对玉树抗震救灾工作的指示精神，提出 15 项具体贯彻措施。强卫出席会议并讲话。

4 月 15 日 23 时 24 分 人民银行西宁中心支行救援队伍和救援物资抵达灾区。

4 月 15 日 中央政治局常委、中央纪委书记贺国强在四川出席会议期间，会同四川省委、省政府研究制订玉树地震灾区救援方案。贺国强强调，要大力弘扬伟大的抗震救灾精神，充分发扬四川与青海玉树地理相邻的优势和在汶川抗震救灾中积累的经验，全力投入支援玉树抗震救灾工作，为夺取抗震救灾斗争的胜利再立新功。16 日，贺国强还到华西医院看望接受治疗的玉树地震伤员。

4 月 15 日 中央组织部再次发出通知，强调灾区各级领导班子和领导干部要深入抗震救灾第一线，身先士卒、靠前指挥，奋不顾身、争分夺秒，带领广大干部群众以最快的速度、最有力的措施，全力抢救被困群众、救治受伤人员，做好群众的紧急安置和生活保障工作，尽最大努力降低灾害损失。

4 月 15 日 国家民委紧急拨专款 100 万元；国家宗教局发出慰问信，并紧急拨专款 30 万元，用于抗震救灾工作。

4 月 15 日 省政府办公厅下发《关于支援玉树灾区抗震救灾的紧急通知》，要求全省各级行政机关、企事业单位、社会各界立即行动起来，共克时艰、献出爱心，紧急组织开展募捐活动，全力支援抗震救灾。同时，公布青海省财政厅玉树抗震救灾捐赠资金及省红十字会、省慈善总会捐赠账号。

4 月 15 日 省玉树抗震救灾指挥部下发《关于部队医院及海东地区医院做好救治玉树伤病员准备的紧急通知》《关于海东、黄南、海北组织救援队伍赴玉树救灾的紧急通知》《关于防范和应对地震灾害次生环境污染事件的紧急通知》《关于切实做好玉树抗震救灾工作中科学施救减少次生事故的通知》。

4 月 15 日 省玉树抗震救灾指挥部印发《关于地震遇难人员遗体处理的意见》。

4 月 15 日 省玉树抗震救灾指挥部印发《关于迅速拟定灾后重建规划方案的决定》，要求迅速启动灾后重建规划工作，由省发展改革委牵头立即组成灾后规划编制工作领导小组；责成省住房城乡建设厅速派员赴四川省学习考察汶川灾区重建总体规划和部分城镇重建规划。

4 月 15 日 省玉树抗震救灾指挥部决定，成立西宁机场航班协调及救灾物资、人员进出领导小组。省政府副秘书长乌成云任组长。

4 月 15 日 省玉树抗震救灾物资集中采购工作协调小组办公室发出《关于玉树抗震救灾物资紧急采购有关事宜的通知》，要求明确采购程序，切实做好应急物资的采购工作，并制定《玉树抗震救灾物资紧急采购资金支付管理实施细则》。

4 月 15 日 公安部装备财物局组成前后方工作组并启动应急储备调运机制，开展抗震救援工作。从西北库、华南库和公安部警用装备物资储备中心，紧急调运帐篷、便携式发电机、对讲机、折叠床、升降灯、棉大衣等价值 150 余万元的救灾物资，连夜运往灾区。同时，拨专项经费 150 万元，用于就地采购灾区急需的食品、药物和御寒衣物等物资。从 10 个省份抽调 470 名公安特警、1732 名消防特勤和 170 名边防医疗救护人员，携带生命探测仪、破拆工具等救援装备和医疗器械、药物，赶赴灾区。

4 月 15 日 省财政厅发出《关于加强玉树抗震救灾捐赠资金管理的通知》，对接收的捐赠资金管理“约法三章”。一是严肃财经纪律；二是严格实行专户管理；三是规范救灾捐赠资金的分配使用程序，严格使用范围和方向。

4 月 15 日 省住房城乡建设厅召开会议，紧急部署开展玉树灾区灾后过渡安置房建设和重建规划编制前期工作等有关事宜。会议要求采取超常规的方法，尽快开展《玉树灾区房屋建筑和市政公用设施震后安全性应急评估工作专题报告》《灾后过渡安置规划导则》《地震灾区受灾群众过渡房建设工作方案》《玉树地震灾后恢复重建城乡住房建设专项规划》《玉树地震灾后恢复重建城乡体系规划》等 17 项相关规划和工作方案编制工作。

4 月 15 日 省卫生厅制订《玉树地震灾区高原病防治工作方案》，编印《高原病防治知识手册》2.5 万册。

4 月 15 日 根据省玉树抗震救灾指挥部的安排，省人民医院、青海大学附属医院、青海红十字医院、省藏医院、省第五人民医院、省中医院、省妇女儿童医院、武警青海总队医院、西宁市第三人民医院、解放军第 4 医院、解放军第 536 医院、康乐医院、仁济医院以及海南州有关医疗单位等集中收治玉树地震灾区伤员 329 名。另有 200 名伤员分别送往成都和兰州救治。

4 月 15 日 青海省海西蒙古族藏族自治州成立由省政协副主席、州委书记罗朝阳任组长的支援玉树抗震救灾工作领导小组。320 人组成的抗震救灾救援队及卫生防疫应急队、2 支救护队，携带大量医疗设备和 115 台挖掘机、装载机、铲车等大型机械赶赴灾区开展救援。

4 月 16 日 5 时 玉树机场固定电话、C 网基站恢复正常运行，中国电信全面恢复灾区通信。

4 月 16 日 7 时 30 分 温家宝一行前往玉树州孤儿院、扎西科赛马场、上拉秀乡加吉娘村、禅古寺视察灾情，看望受灾群众。11 时 30 分，温家宝一行离开玉树返京。

4 月 16 日 9 时 省委常委、省总工会主席穆东升，省委常委、宣传部部长吉狄马加，省委常委、统战部部长多杰热旦，省人大常委会副主任刘晓、郭汝琢、昂毛，副省长邓本太、王令浚、高云龙、马顺清、张建民，省政协副主席仁青安杰、李忠保、马志伟到西宁市各大医院看望慰问在玉树地震中受伤的群众和坚守岗位的医护人员。

4 月 16 日 10 时 省委、省政府抗震救灾领导小组副组长、省玉树抗震救灾指挥部常务副总指挥、西宁指挥点指挥长徐福顺召集有关人员召开紧急会议，学习贯彻落实温家宝、回良玉重要指示和国务院抗震救灾总指挥部、青海省玉树抗震救灾指挥部联席会议精神，在已有工作的基础上，就有关紧急事项集中形成 10 条具体落实措施。

4 月 16 日 10 时 玉树地震灾区“临时邮局”与邮政流动服务车正式对外营业，邮政通信逐步恢复。至 4 月 18 日，玉树县“临时邮局”代理金融、电子化支局线路恢复，结束了灾区手工办理邮政业务的局面。

4 月 16 日 12 时 10 分 兰州军区政委李长才率工作组乘飞机从天水飞抵玉树抗震救灾一线。

4 月 16 日 12 时 20 分 回良玉在玉树灾区主持召开抗震抢险救灾工作联席会议，听取青海省玉树抗震救灾指挥部和总指挥部各组贯彻落实抗震救灾抢险工作进展情况汇报。

4月16日上午 国家人口计生委、中国人口福利基金会向玉树灾区首批捐款100万元，并编印《亲情与你同在——震后家庭健康知识简明读本（藏汉双语）》和《挺起坚强的脊梁重建心灵的家园——震后心理自助使用知识读本（藏汉双语）》图书4万册，发往灾区。

4月16日14时 中国农业银行股份有限公司青海省玉树分行"帐篷银行"在玉树灾区营业。15时20分，灾区金融机构对公业务全部恢复。至18日，个人业务全部恢复。

4月16日16时20分 强卫主持召开省玉树抗震救灾指挥部会议，贯彻落实温家宝和回良玉在玉树灾区视察指导抗震救灾工作时的重要指示精神。强卫要求，抗震救灾工作应从紧急状态进一步向有序状态转变，实现依法救灾、科学救灾。

4月16日 解放军总参谋部发出通知，成立军队和武警部队玉树地区抗震救灾联合指挥部，兰州军区副司令员赵建中任总指挥，副政委刘晓榕任政治委员，武警部队副司令员薛国强任副总指挥。

4月16日 省抗震救灾领导小组召开会议，贯彻落实温家宝、回良玉在玉树灾区视察指导抗震救灾工作时的重要指示精神。强卫主持会议。骆惠宁就如何推动抗震救灾工作从紧急状态进一步向有序状态转变作出具体部署。

4月16日 省玉树抗震救灾指挥部连续发出3次紧急通知，就确保通往玉树的公路中途安全、油料保障、物资发放办法等提出具体要求和安排。

4月16日 省玉树抗震救灾指挥部发布：截至当日16时，公安特警、消防部队、边防部队和武警部队从废墟中解救被困群众2283人，搜寻出遇难者遗体635具，救助伤员4191人，转移安置受灾群众4502人，救助受灾群众17000人次。

4月16日 中央纪委监察部发出通知指出，要防止抗震救灾资金、物资管理使用过程中出现违纪违法行为，切实加强对抗震救灾拨付资金、捐助款物管理使用情况的监督检查，确保及时发放到灾区和受灾群众手中。

4月16日 国家发展改革委下达青海省抗震救灾粮成品粮计划4600吨，从现有中央储备粮库存中无偿划拨，由青海省负责组织救灾粮出库、加工和调运，并免费发放给救助对象。

4月16日 中国残疾人联合会派出的神经外科、脊柱外科、骨科、内科和假肢装配、截瘫运动疗法等方面的专家抵达玉树灾区开展医疗救助。

4月16日 国家质检总局启动应急预案，成立玉树抗震救灾应急工作组，负责协调抗震救灾出入境检验检疫。青海省出入境检验检疫局与海关、民政、药监、卫生部门建立协作关系，严格实施凭证验放、批批查验、临时备案、先留样再检验等5类验放监管模式，确保重点入境援赠物资质量安全。

4月16日 省纪委监察厅发出《关于加强对抗震救灾资金物资监管的通知》，要求建立健全抗震救灾资金和物资管理的规章制度，确保救灾款物合理使用和规范募集。

4月16日 省财政厅出台《青海省玉树抗震救灾捐赠资金管理办法》，对捐赠资金的接收、管理、支出、跟踪检查等作出具体规定。同时，省财政厅下拨玉树州、省交通厅抗震救灾应急补助资金3000万元，专项用于灾区水、电、路、通信设施的抢修。

4 月 17 日 6 时 全省交通运输部门已调派客车 238 辆，运送抗震救灾人员 6354 人；调派货车 371 辆，运送抗震救灾货物 8090 吨。

4 月 17 日 7 时 40 分 兰州军区在省玉树抗震救灾指挥部驻地举行捐赠仪式，向玉树灾区捐款 500 万元，捐送 100 顶帐篷和其他物资。

4 月 17 日 8 时 骆惠宁前往玉树州职业技术学校、玉树县第一民族中学、扎西科赛马场，看望受灾群众、师生和参加救援的武警、特警及消防部队官兵。

4 月 17 日 8 时 50 分 强卫前往地震重灾区扎西大同村、西杭村、当代村，查看灾情，看望受灾群众，了解救灾物资发放等情况。

4 月 17 日 13 时 20 分 中央军委委员、总参谋长陈炳德抵达玉树灾区，看望慰问参加抗震救灾的军队和武警部队官兵，指导军队和武警部队抗震救灾工作。

4 月 17 日 14 时 玉树县结古镇至禅古水电站 35 千伏线路全线修复完毕。20 时 30 分，该线路以 T 接方式连接到结古镇至玉树机场线路，具备向玉树机场恢复供电条件。

4 月 17 日 15 时 胡锦涛主持召开中央政治局常务委员会会议，全面部署青海玉树抗震救灾工作。会议强调，在关键时刻必须以更加顽强的精神、更加迅速的行动、更加科学的方法，克服一切艰难险阻，坚决做好抗震救灾各项工作。

4 月 17 日 15 时 兰州军区司令员王国生一行 11 人到达玉树灾区。

4 月 17 日 15 时 30 分 济南军区解放军第 153 医院野战方舱医院摩托化梯队抵达结古镇。医疗方舱同时安排 100 张床位，为伤员实施治疗。

4 月 17 日 15 时 40 分 玉树州孤儿学校复课，强卫、骆惠宁出席复课仪式并讲话。

4 月 17 日 16 时 省民政系统、省慈善总会共收到各类捐赠款物折合 14167.91 万元。其中，接收捐款 10473.79 万元，接收物资折价 3694.12 万元。

4 月 17 日 17 时 地震遇难人数升至 1484 人，失踪 312 人，受伤 12088 人，其中重伤 1394 人。

4 月 17 日 17 时 15 分 受地震损坏的玉树县结古镇自来水管网恢复通水，灾区部分群众喝到了干净的自来水。

4 月 17 日下午 审计署审计长刘家义抵达玉树灾区，看望慰问奋战在抗震救灾第一线的审计干部，并就当前救灾工作中的审计工作作出具体部署。

4 月 17 日 20 时 省玉树抗震救灾指挥部召开工作汇报会。强卫、骆惠宁出席会议。省地震局党组书记、局长张新基代表地震监测组就地震监测和灾害损失调查评估等工作进行详细汇报。

4 月 17 日 21 时 省抗震救灾现场指挥部召开会议，听取指挥部各成员单位关于落实指挥部第三次会议精神的情况汇报和下一步工作意见，安排部署近日抗震救灾的具体工作。强卫出席会议并讲话，骆惠宁主持会议。

4 月 17 日 23 时 黄福荣遗体告别仪式在青海神安殡仪馆举行。穆东升、王令浚参加告别仪式。黄福荣，男，香港人，46 岁，生前在玉树藏族自治州一家孤儿院做慈善义工。7.1 级强烈地震使孤儿院严重损毁，他脱险后同他人一起救出了 3 个孩子和一位老师。当他继续救援另外两位老师时，在 9 时 25 分发生的 6.3 级强余震中不幸罹难。

4 月 17 日晚 中共中央政治局常委李长春主持召开中央宣传文化部门和主要新闻单位负责人会议，传达贯彻中央政治局常委会议精神，对进一步做好青海玉树抗震救灾宣传报道工作作出部署。中共中央政治局委员、书记处书记、中宣部部长刘云山出席会议。

4 月 17 日晚 回良玉主持召开国务院总指挥部第六次全体会议，学习传达中央政治局常委会议精神，研究细化、实化抗震抢险救灾工作的具体措施。

4 月 17 日晚 国土资源部召开第三次抗震救灾领导小组会议，研究部署全系统抗震救灾工作。随后，国土资源部多次召开抗震救灾领导小组会议，专门研究部署抗震救灾工作，下发《关于实行保障玉树地震灾后恢复重建特殊政策的通知》，从 4 个方面提出 16 条促进灾区恢复重建的特殊支持政策。

4 月 17 日晚 国家开发银行总行批准通过青海分行报批的玉树地震灾区 10 亿元应急贷款项目。这是玉树地震后第一笔投向灾区的贷款。

4 月 17 日 国务院抗震救灾总指挥部、青海省玉树抗震救灾指挥部联合发出通知，要求各级抗震救灾指挥机构和工作机构要加强组织协调，建立高效的工作机制，统筹安排和及时调拨救援物资装备。

4 月 17 日 省玉树抗震救灾指挥部作出《关于玉树地震灾区银行业金融机构办理支付结算业务有关事项的决定》，发出《关于采取措施恢复灾区正常商业活动的紧急通知》《关于做好地震灾区垃圾处理和厕所设置工作的紧急通知》。

4 月 17 日 解放军和武警部队玉树抗震救灾联合指挥部首场新闻发布会发布：截至 16 日零时，解放军和武警部队共出动兵力 12355 人。到达灾区 11359 人，其中解放军 7104 人、武警部队 4255 人。任务部队包括北京军区、兰州军区、成都军区部队，空军、二炮、武警部队和总参、总后直属部队。

4 月 17 日 卫生部疾病预防控制局局长于竞进带领由 25 人组成的国家卫生防疫队抵达玉树地震灾区。

4 月 17 日 省委组织部指导抗震救灾工作组决定，从非受灾地区和省直机关抽调 60 名党员领导干部赴灾区组织抗震救灾工作，充实一线力量。随即，省委组织部召开紧急会议落实抽调干部有关事宜。

4 月 17 日 省委宣传部召开中央驻青海媒体和省垣新闻单位负责人专门会议，传达中宣部抗震救灾宣传报道专题协调会精神，听取前一阶段抗震救灾宣传报道工作汇报，研究贯彻意见，部署下一阶段工作。吉狄马加主持会议并讲话。

4 月 17 日 省发展改革委下发《关于做好玉树灾区重要商品及物资价格稳定工作的紧急通知》，要求抗震救灾期间，省内各级价格主管部门不得出台政府调价项目，各级价格主管部门立即启动价格应急监测机制，建立信息通报制度。

4 月 17 日 省农牧厅组织省动物疫病防控中心、省动物卫生监督所、省兽药饲料监察所 40 名工作人员及青海大学农牧学院、省畜牧兽医职业技术学院 70 名学生，成立 6 支动物防疫应急预备队。

4 月 17 日 玉树地震灾区曲麻莱县和治多县开通 2 个应急卫星基站。

4 月 17 日 青海省红十字会在西宁中心广场举行玉树“4・14”抗震救灾大型募捐活动。中央驻青海单位、省党政军机关、企事业单位等 150 余家单位及市民 4000 余人参加，共向玉树灾区捐出 1.5 亿元救灾款及价值 5000 万元的物资。

4 月 17 日 青海庆华集团向玉树灾区累计捐款 1480 万元。其中，庆华集团董事长霍庆华及夫人周亚芹以个人名义捐款 1000 万元。

4 月 17 日 已有 54 支医疗队 3032 名医务人员（省内 846 人、省外 2186 人）和玉树州、县、乡三级医务人员 502 名，共计 3534 名医疗卫生工作者在灾区抢救伤员。

4 月 17 日 加拿大多伦多青海同乡会组织为玉树地震灾区募捐活动，共募集善款 6970.67 加拿大元。

4 月 17 日 玉树州孤儿学校学生率先复课。18 日，玉树县第一民族中学复课；21 日，州职业技术学校高中部高三班、玉树县巴塘乡中心学校复课；23 日，玉树州民族中学和玉树县第二民族中学高三年级全部复课；26 日，玉树县第一完全小学、第二完全小学、第三完全小学和隆宝镇中心寄校、哈秀乡中心寄校、安冲乡中心寄校、仲达乡中心寄校、上拉秀乡中心寄校、下拉秀镇中心寄校、小苏莽乡中心寄校开始复课；28 日，州红旗学校复课。到此，玉树县辖区乡镇以上 17 所中小学校全面复课。

4 月 18 日 11 时 胡锦涛乘专机抵达玉树灾区视察。下飞机后，胡锦涛一行随即赶往受灾最重的玉树县结古镇，到扎西大同村、体育场集中救治点视察灾情，看望慰问受灾群众和救援人员，实地了解救灾工作面临的突出困难，指导解决影响救灾工作进展的瓶颈问题。14 时，胡锦涛在玉树州孤儿学校黑板上题词“新校园，会有的！新家园，会有的！”。16 时，胡锦涛在玉树抗震救灾指挥部的帐篷会议室召开会议，听取抗震救灾工作汇报并作重要讲话。

4 月 18 日 21 时 强卫主持召开省抗震救灾现场指挥部会议，传达贯彻胡锦涛视察玉树地震灾区时的重要讲话精神和中央政治局常委会议精神，对进一步科学、依法、统一、有力、有序、有效地推进抗震救灾工作作出部署。骆惠宁安排部署具体工作。

4 月 18 日 21 时 台湾红十字会组织派遣的首支 20 人医疗队抵达西宁，其中医护人员 15 名，带有药品和医疗器械。医疗队主要救治对象是从玉树撤回到西宁，在西宁市第一人民医院接受救治的地震重伤人员。

4 月 18 日 根据省抗震救灾总指挥部第 36 号令和省长骆惠宁的有关指示精神，副省长王令浚召集会议，专题研究部署恢复玉树灾区商业网点正常运营工作。

4 月 18 日 省玉树抗震救灾指挥部作出《关于迅速深化开展地震灾害评估工作的决定》。

4 月 18 日 省玉树抗震救灾指挥部发出《关于全面落实受灾群众灾后各项补助政策的通知》，责成省财政厅会同省民政厅制定对受灾群众粮、款补助，遇难人员家属抚慰金，“三孤”人员（孤儿、孤老、孤残）补贴，转移安置群众补助等政策的具体实施办法，抓紧全面落实国家对玉树地震灾区群众的灾后补助政策。

4月18日 省玉树抗震救灾指挥部增设组织纪检组和审计组，启动对救灾款物的审计及监督检查工作。

4月18日 中央政法委发出通知，要求灾区政法机关和赶赴灾区的公安民警、武警官兵在当地党委、政府的统一领导下，积极开展逐村逐户排查、搜救被埋人员的工作，尽最大努力抢救生命。

4月18日 中华全国总工会发出《关于坚决贯彻中央政治局常委会对抗震救灾工作的全面部署，在抗震救灾中充分发挥广大职工和工会组织作用的通知》，要求各级工会组织动员广大职工以更加顽强的精神、更加迅速的行动、更加科学的方法，克服一切艰难险阻，坚决做好抗震救灾各项工作。

4月18日 青海省双拥工作领导小组发出慰问信，慰问奋战在玉树抗震救灾一线的解放军和武警官兵。

4月18日 省环境保护厅协调西宁市政府抽调2台垃圾处理车，并抽调省辐射环境管理站3名专家和技术人员，带着由环境保护部编印的7500册《玉树抗震救灾及灾后重建饮用水安全保障技术指南》《玉树抗震救灾及灾后重建固体废物安全处置技术指南》《灾后危险废物和危险化学品清理指南——现场操作手册》，赴灾区开展辐射环境应急监测工作，指导灾区做好垃圾清运、防范饮用水和大气污染，力保环境安全。

4月18日 青藏铁路公司与省交通厅、省民政厅、省卫生厅等相关单位在青藏铁路公司召开玉树抗震救灾物资运输专题会议，细化、修订抗震救灾物资运输方案，成立6个工作小组，全力配合，做好救灾物资到达西宁后的卸车、装车、检疫和运输事宜。

4月19日8时30分 强卫前往距震中70多千米的隆宝镇果青村、甘达村、措多村、君青村、杂年村，看望干部群众，查看灾情，了解受灾群众安置情况。

4月19日14时 在四川省绵阳市工商联举行的民企携手绵阳感恩捐赠仪式上，丰谷酒业有限公司将991.61万元物资悉数捐赠红十字会，并通过绵阳市红十字会捐赠给玉树灾区。15时许，向玉树捐赠物资的运输车队发车仪式在丰谷酒业公司举行。16时许，满载药品、御寒衣物等生活用品的15辆大货车出发，21日抵达地震灾区。

4月19日14时至20日14时 在玉树县城及国道214沿线共出动警力324人次，出动警车32台次，设立固定疏导岗17个、流动巡逻岗5个。

4月19日16时 抗震救灾各支援单位负责人会议传达学习胡锦涛重要讲话精神。19时30分，强卫主持召开省玉树抗震救灾指挥部会议，就深入贯彻胡锦涛视察玉树灾区重要讲话精神、落实18日晚省指挥部研究部署的重点工作的情况进行检查。

4月19日17时 青海省地震局现场工作队临时党支部举行入党宣誓仪式，两人火线入党。

4月19日19时30分 中国地震局副局长阴朝民在地震系统玉树应急工作指挥部，慰问看望现场工作队员。

4月19日19时40分 青海卫视大型赈灾晚会“永不放弃　向生命致意”在青海电视台演播大厅举行。晚会募得善款现金6.79亿元、物资价值2.23亿元，共计9亿多元。

4月19日21时 强卫到中央电视台、中央人民广播电台、新华社、《人民日报》、《经济日报》、《青海日报》、《西海都市报》和青海电视台、湖南电视台抗震救灾现场新闻报道人员驻地走访慰问。

4月19日23时30分 北京军区解放军第255医院方舱医院到达玉树灾区，在扎西科赛马场扎营开展医疗救治工作。

4月19日晚 西宁市教育局召开紧急会议，对接收玉树灾区学生到西宁就学工作进行再安排、再部署，确定安排15所学校安置830名学生。首批142名灾区学生已到西宁就学。

4月19日 中共中央政治局常委、全国政协主席贾庆林主持召开中央有关部门负责人会议，传达贯彻17日中央政治局常委会议精神，就充分发挥各方面作用，做好青海玉树抗震救灾和团结稳定工作作出部署。

4月19日 中共中央政治局常委、中央书记处书记、中央党的建设工作领导小组组长习近平主持召开中央党的建设工作领导小组会议，对党的建设战线做好青海玉树抗震救灾工作作出部署。

4月19日 回良玉在北京主持召开国务院抗震救灾总指挥部第七次会议，学习贯彻胡锦涛在玉树地震灾区考察时的重要指示精神，研究部署下一阶段和恢复重建各项工作。

4月19日 全国妇联副主席、书记处第一书记宋秀岩主持召开全国妇联党组、书记处扩大会议，传达学习中央政治局常委会议对青海玉树抗震救灾工作的全面部署、胡锦涛视察玉树地震灾区时的重要讲话以及国务院抗震救灾总指挥部《关于进一步有序做好支援地震灾区有关工作的通知》精神，对下一阶段妇联系统有序开展抗震救灾工作作出部署。

4月19日 兰州军区司令员王国生、政委李长才主持召开会议，传达学习军委主席胡锦涛重要指示精神，安排部署下一步救灾工作。会后，李长才赴现场检查指导救灾工作，看望慰问救援官兵及当地受灾群众。

4月19日 中华少年儿童救助慈善基金会决定接收玉树州则热福利院的15名孤儿赴京就读。20日，这些藏族孤儿到达北京。他们是第一批到北京接受救助的玉树灾区儿童。

4月19日 强卫在抗震救灾宣传简报上批示：省垣各媒体在玉树抗震救灾斗争中发挥了重要作用。希望继续努力，及时、准确地宣传报道玉树救灾的进展，为夺取抗震救灾的全面胜利提供强有力的舆论支持，营造良好的舆论氛围。

4月19日 省玉树抗震救灾指挥部下发《关于做好玉树震区民族文化遗产保护工作的紧急通知》《关于加快建设西宁铁路北货运中心等项目的紧急通知》。

4月19日 王令浚出席玉树地震灾区商业网点恢复正常营运工作启动仪式。

4月19日 中华全国总工会授予青海省人民医院医疗救援队、青海大学附属医院医疗救援队、青海省住房和城乡建设系统抗震救灾工程救援队等20支奋战在一线的救援队“工人先锋号”荣誉称号。

4月19日 国家测绘局制成首张玉树地震灾情雷达影像解译图，对地震灾区的倒塌房屋、学校、医院、道路、基础设施和滑坡体进行标注。

4 月 19 日 教育部党组在直属机关组织开展“为了灾区的孩子”主题捐款活动。教育部机关、在京直属单位及干部职工踊跃捐款，共募集资金 1000 万元。

4 月 19 日 省民政厅发出《关于收养灾区孤儿有关问题的公告》；省民政厅、省财政厅、省发展改革委颁布实施《青海玉树地震灾区困难群众补助款物发放管理办法》；省民政厅、省财政厅颁布实施《青海玉树地震灾区遇难人员抚慰金发放管理办法》。

4 月 19 日 省总工会代表全国总工会在玉树州体育场举行仪式，授予湟中县大才回族乡前沟村马宝祥农民工抗震救灾抢险队“工人先锋号”旗帜。马宝祥是湟中县大才回族乡前沟村的一位农民。地震发生后，他立即组成一支农民工救援队赶赴灾区，自筹资金购买 2 箱药品、100 箱方便面、4 顶帐篷分发给受灾的藏族同胞，并参与发放物资工作。同时，为 100 名遇难者家属每人发放 300 元救助金。

4 月 19 日 玉树灾区城镇供电主网抢修工作全部完成，基本恢复城区供电。

4 月 19 日 位于通天河一级支流巴塘河上的禅古水电站大坝修复工程开工。水电站总装机容量 4800 千瓦，是玉树藏族自治州区域供电网络中发电量最大的水电站。5 月 3 日正式下闸蓄水，5 月 5 日开始低水位发电。

4 月 19 日 澳门特别行政区政府宣布拨款人民币 1 亿元支援青海玉树地震灾区救灾工作。

4 月 19 日 四川宜宾五粮液股份有限公司筹措价值 1500 万元的罐头、帐篷、棉被、棉服等救灾物资，组成近 40 辆的运输车队启程出发，于次日抵达灾区。

4 月 19 日 西宁特钢集团公司向玉树灾区捐款 1200 万元，其中职工自发捐款 104.11 万元。

4 月 19 日 阳光财险青海省分公司拨付 1000 万元准备金，作为玉树地震专项备付赔款。

4 月 20 日上午 骆惠宁主持省委、省政府抗震救灾工作领导小组、省玉树抗震救灾指挥部联席会议，审议通过省发展改革委关于《青海省玉树地震灾后重建工作方案》和《青海省玉树地震灾后重建规划工作实施方案》，研究部署启动玉树地震灾区灾后重建工作。

4 月 20 日 19 时 30 分 省玉树抗震救灾指挥部召开会议，听取玉树州和指挥部各组的工作汇报，对抗震救灾全面转入新阶段的有关重点工作进行安排部署。强卫主持会议并讲话。

4 月 20 日 20 时 中央电视台举行“情系玉树　大爱无疆”抗震救灾大型募捐活动，共募集到各类款项 21.75 亿元。中共中央政治局常委李长春，中共中央政治局委员、国务院副总理、国务院抗震救灾总指挥部总指挥回良玉，中共中央政治局委员、书记处书记、中宣部部长刘云山，中共中央政治局委员、国务委员刘延东等党和国家领导人出席活动并捐款。

4 月 20 日 国务院下发公告，为表达全国各族人民对青海玉树地震遇难同胞的深切哀悼，决定 2010 年 4 月 21 日举行全国哀悼活动，全国和驻外使领馆下半旗志哀，停止公共娱乐活动。根据国务院公告，青海省人民政府下发公告，对青海省悼念活动作出安排。

4 月 20 日 中央纪委、中央抗震救灾资金物资监督检查领导小组发出《关于认真做好青海玉树抗震救灾监督检查工作的通知》，要求加强对中央关于青海玉树抗震救灾决策部署贯彻落实情况的监督检查；加强对抗震救灾资金物资管理使用情况的监督检查；建立健全监督检查体系；做好信息公开工作；严格执行纪律。

4月20日 财政部再次向青海省下拨3亿元抗震救灾综合财力补助资金，专项用于玉树州地震灾区抢险救灾（包括物资和设备采购）、受灾群众转移安置和生活救济、伤员救治、卫生防疫、学校复课、损毁设施修复等。至此，财政部对青海省抗震救灾综合财力补助资金达到5亿元。

4月20日 中国佛教协会副会长、第十一世班禅额尔德尼·确吉杰布，中国佛教协会副会长、第六世嘉木样·洛桑久美·图丹却吉尼玛在北京西黄寺共同举行法会，超度在青海玉树地震中遇难同胞的亡灵，祈愿灾区有情众生早日脱离苦难，祈祷世界和平、人类安康。

4月20日 中华全国总工会授予青海玉树州交警支队和玉树县公安局“工人先锋号”旗帜。

4月20日 省玉树抗震救灾指挥部发出通令，决定对符合两个条件的流动受灾群众及相关亲属予以救助。规定由其个人向所在地民政部门提出申请，经玉树县民政部门或西宁市民政部门审核，由民政部门所属的救助机构一次性发给单程返乡路费，并视路途远近发给适当的生活补助。

4月20日 省民政厅、省财政厅颁布实施《青海玉树地震灾区“三孤”人员生活补助金发放管理办法》《青海玉树地震灾区紧急转移补助金发放管理办法》。

4月20日 省工商局印发《青海省工商局关于玉树灾区恢复市场交易维护正常交易秩序的实施方案》。

4月20日 省卫生厅印发《心理危机干预方案》《玉树地震灾区干部心理援助工作方案》，并成立省卫生厅抗震救灾心理干预领导小组、省级抗震救灾心理干预专家组，组建心理救援队。

4月20日 武警玉树抗震救灾部队受领清墟任务，全力投入清墟行动。至5月28日上午，全面完成甘达、禅古、扎西科、民主路南、民主路北5个任务片区的废墟清理工作，警地双方举行了交接仪式。累计投入12万余人次、机械105台，完成清墟面积9.9平方千米，清运建筑垃圾83.8万立方米，回填建筑垃圾63.7万立方米，规整砖块4.4万立方米、木材2.1万立方米、钢材476.7吨，清理生活垃圾3303立方米，清理房宅户6694户，以及机关、学校、医院等单位11个，拆除危房3471间。

4月20日 地震灾害评估组10人完成在灾区的灾害调查和数据整理、分析及计算工作后乘飞机返回西宁，对报告进行进一步编写和完善。来自云南省地震局、山东省地震局、新疆地震局的4名专家将协助青海省地震局进行灾害损失评估工作。

4月20日 四川省康巴爱心利民协会通过青海省红十字会为玉树地震灾区捐赠的4220顶帐篷、1660床棉被、910件军用大衣以及药品、茶叶、糌粑、火炉等价值1398万元的物品送抵灾区。

4月21日10时 全国举行哀悼活动。全国和驻外使领馆下半旗志哀，停止公共娱乐活动。玉树地区、西宁市举行悼念活动，深切哀悼玉树地震遇难同胞。

4月21日10时30分 强卫在玉树接受中央电视台《面对面》栏目主持人专访。

4月21日下午 穆东升到中国水电四局医院看望并慰问从玉树灾区转移到西宁接受治疗的伤员。

4月21日下午 由中国文联、青海省委宣传部、中国摄影家协会主办的“影像凝聚力量，爱心传递真情——2010 青海玉树抗震救灾纪实摄影展”在西宁中心广场展出。

4 月 21 日 19 时 30 分 强卫主持召开省玉树抗震救灾指挥部会议，听取玉树州和指挥部各组关于当前重点工作进展情况和存在问题的汇报。

4 月 21 日 20 时 20 分 台湾红十字医疗团 20 名队员（6 名医生、7 名护士、2 名药师）抵达格尔木，投入到救治地震伤员的工作中。

4 月 21 日 回良玉在北京主持召开国务院抗震救灾总指挥部第八次全体会议，听取灾后恢复重建组工作方案汇报，研究部署灾后恢复重建、灾害评估及救灾捐赠款物管理使用等工作，全面启动玉树灾后重建规划工作。

4 月 21 日 马顺清主持召开专题会议，通报卫生部、省政府主要领导会谈情况，听取省卫生厅、省民宗委、省农牧厅、省环境保护厅、省旅游局关于灾区公共卫生、伤员救治、灾区水质监测、饮用水保障、生活垃圾处理、修建卫生厕所、医疗垃圾处理、动物尸体处理和省内外医疗机构治愈伤员及陪员安置等情况汇报，对近期卫生防疫、伤员救治等工作进行安排。

4 月 21 日 省玉树抗震救灾指挥部下发《关于加强玉树县地震灾区道路交通管理工作的通知》《关于做好玉树地震灾区损失评估报告和损失统计核报的紧急通知》《关于进一步加强新闻发布的紧急通知》。

4 月 21 日 经省委、省政府抗震救灾领导小组及省抗震救灾指挥部研究决定，成立青海省抗震救灾资金物资监督检查领导小组，省委常委、省纪委书记仁青加任组长。

4 月 21 日 第二炮兵部队向玉树地震灾区捐赠仪式在西宁胜利宾馆举行。骆惠宁代表省委、省政府接受捐赠。

4 月 21 日 国土资源部和省国土资源厅、建设厅、环境保护厅、水利厅、气象局等部门组织专家、技术人员对玉树地震灾后的资源环境承载能力及恢复重建选址进行评价，为省委、省政府部署玉树灾后重建工作提供翔实的科学依据。

4 月 21 日 商务部援助玉树灾区急需物资移交仪式在西宁举行。该批援助物资包括 3000 台取暖炉、50 套活动板房、35 顶帐篷、商务部“万村千乡市场工程”灾区流动售货车 6 辆。

4 月 21 日 人力资源社会保障部抗震救灾组组长、副部长胡晓义一行，到玉树地震灾区调研抗震救灾和灾后重建工作并慰问灾区干部职工。

4 月 21—26 日 受回良玉委托，青海省政协主席白玛在玉树灾区就灾后重建中修复寺院、安置僧侣、文物保护等问题进行调研，提出“寺院应恢复到灾前水平，僧侣居住条件与居民同标准”等建议。

4 月 21 日 省环境保护厅编制完成《青海省玉树地震灾区环境监测应急预警方案》和《青海省玉树地震灾区水污染应急处置预案》。

4 月 21 日 玉树—称多电网 35 千伏主网架基本恢复供电。2 条 35 千伏线路及 9 回 10 千伏出线恢复运行；拉贡水电站等 6 座水电站共计 1.89 万千瓦机组基本修复。青海省电力公司投入救灾资金 1400 万元，先后捐款 3100 万元。

4 月 21 日 灾区党政机关 14000 平方米办公用房开始搭建。

4 月 22 日 8 时 30 分 强卫前往玉树县扎西科赛马场囊谦县和民主路南曲麻莱县受灾群众集中安置点，了解、指导受灾群众安置和物资发放等。

4 月 22 日上午 省玉树抗震救灾指挥部举行新闻发布会，省教育厅、民政厅、农牧厅、商务厅、环境保护厅负责人分别向新闻媒体通报玉树灾区救灾物资发放、学校复课、市场恢复、生态环境保护、农牧业生产等方面的情况并回答记者提问。

4 月 22 日 19 时 30 分 省玉树抗震救灾指挥部召开会议，听取玉树州和指挥部各组工作汇报。强卫主持会议并就解决好有关重点问题提出具体要求。

4 月 22 日 省玉树抗震救灾指挥部印发《关于全省厉行节约压缩支出全力支持抗震救灾工作的通知》《关于加强高原病防治工作的紧急通知》《关于灾后恢复重建期间有关省级政策措施制定的紧急通知》。

4 月 22 日 省抗震救灾资金物资监督检查领导小组召开第一次会议，学习传达中央纪委、中央抗震救灾资金物资监督检查领导小组《关于认真做好青海玉树抗震救灾监督检查工作的通知》精神。

4 月 22 日 省住房城乡建设厅印发《青海玉树地震灾区过渡安置活动板房建设技术管理暂行规定》。

4 月 22 日 省交通厅召开专题会议，研究部署玉树灾后重建主要运输通道国道 214 线、省道 308 线交通保障服务机制相关事宜。

4 月 22 日 玉树灾区赛马场、结古寺两个受灾群众安置点通水。至此，玉树县 8 个乡镇有 7 个通了应急供水，极重灾区结古镇的 7 个受灾群众安置点也已通水，灾区基本恢复供水。

4 月 22 日 玉树灾区建筑垃圾清运、公路恢复重建工作全面启动。

4 月 22 日 即日起，玉树州实行抗震救灾工作任务每日督查单制度。督查单将根据每晚指挥部会议决定的事项和工作部署，结合州、县 19 个片区联系会议进行任务分解。

4 月 23 日 9 时 强卫前往玉树州电力公司、中国石油西杭加油站、中国国家救援队驻地、玉树县结古镇自来水厂、中国移动玉树州民师基站、玉树州职业技术学校公用设施清理点，视察电力、供水、通信等基础设施保障情况，并看望慰问参加抢险抢修的干部职工、武警官兵及驻守部队官兵。

4 月 23 日 9 时 玉树首批青海民族大学大专班玉树教学点 32 名学生和 1 名教师转移到青海民族大学西宁本部学习。

4 月 23 日 10 时 18 分 经过四昼夜连续工作，省国土资源厅找水分队在玉树县结古镇扎西科村附近打的第一眼应急供水井出水，日出水 1000 立方米，可解决 1.5 万人的饮水问题。

4 月 23 日 20 时 40 分 玉树地震灾区 671 名高三学生全部复课。白玛出席复课仪式。次日，高一、高二学生相继复课。25 日，中职学生复课，其他中小学因地制宜以灵活多样的方式就地陆续复课。28 日，玉树县辖区乡镇以上 17 所中小学全面复课。

4 月 23 日 水利部抗震救灾领导小组组织完成青海玉树地震水利震损工程统计评估，灾后恢复重建水利规划工作基本完成，规划报告初稿形成。

4月23日 省玉树抗震救灾指挥部下发《关于切实做好玉树抗震救灾工作中档案收集抢救保管工作的紧急通知》《关于转运玉树地震伤员的紧急通知》。

4月23日 省玉树抗震救灾指挥部研究决定，成立玉树地震灾区干部职工办公生活过渡用房建设工作组。玉树州委副书记、州长王玉虎为组长。

4月23日 徐福顺到抗震救灾指挥部审计组看望慰问现场工作人员，听取救灾审计工作开展情况的汇报，并对下一阶段审计工作提出要求。

4月23日 省委组织部，省委宣传部，省抗震救灾指挥部组织纪检组、宣传组，青海日报社，青海电视台等联合召开宣传协调会议，就加大抗震救灾先进事迹宣传力度工作作出安排。

4月23日 《青海省玉树抗震救灾粮油供应管理办法》制定出台。

4月23日 省财政厅当日共接收省内外有关单位和个人捐赠款5004.4万元。至此，省财政厅累计接收捐赠款38005.15万元。

4月23—24日 回良玉在玉树地震灾区考察指导抗震救灾工作，看望慰问受灾群众。23日晚，回良玉主持召开国务院抗震救灾总指挥部与青海省玉树抗震救灾指挥部工作联席会议，传达胡锦涛、温家宝近日关于抗震救灾的重要指示精神，重点研究部署灾后恢复重建前期工作。

4月23—25日 国务院扶贫办、省扶贫开发局灾情调查和恢复重建工作组抵达玉树灾区，慰问受灾群众，开展灾情调查工作。

4月24日17时 卫生部接报，累计接诊灾区伤员4万余人次。至此，灾区无新增伤员，累计收治伤员9145人；现有2541名伤员在医院接受救治，其中有664例重症和危重症伤员；伤员累计出院265名。现住院伤员分布情况：青海省1890人，四川省353人，甘肃省224人，陕西省55人，西藏自治区19人。灾区现有医疗卫生队73支2726人。其中，医疗救治队伍44支2323人（含军队医疗队伍1175人），卫生防疫队伍25支322人（含军队76人），卫生监督队伍4支81人。

4月24日19时30分 省玉树抗震救灾指挥部召开会议，学习贯彻回良玉视察灾区时的重要讲话精神，安排部署新一阶段抗震救灾工作。强卫提出具体要求，骆惠宁部署当前灾后重建工作。

4月24日 教育部部长袁贵仁到玉树地震灾区，先后到玉树县第三完全小学、玉树州职业技术学校、玉树州孤儿学校、玉树州民族中学查看灾情，看望师生，并就如何做好当前和今后一个时期学生复课、异地转移、高考招生、灾后重建等工作提出具体要求。

4月24日 住房城乡建设部部长姜伟新到地震灾区，先后在结古镇赛马场、玉树县第一完小和结古镇三岔路口建筑垃圾清运现场，查看救灾公共设施运行和建筑垃圾清理情况，了解灾区房屋应急评估进程，看望住房城乡建设系统参与抗震救灾抢险救援的专家组成员和救援队员。

4月24日 交通运输部党组副书记、副部长翁孟勇到玉树灾区查看震区公路、桥梁、交通附属设施损坏情况，慰问奋战在抗震抢险保通一线的交通系统职工。

4月24日 省玉树抗震救灾指挥部印发《关于宣传表彰在支援抗震救灾工作中事迹突出的党组织、干部和党员的通知》。

4 月 24 日 齐玉在玉树主持召开地震灾区干部职工办公生活过渡用房建设工作组会议，安排部署玉树地震灾区干部职工办公生活过渡用房建设工作。

4 月 24 日 邓本太看望慰问在玉树灾区救灾的农业部及省农牧厅动物防疫专家。

4 月 24 日 省卫生厅制订《玉树地震灾后重建过渡期医疗技术对口帮扶工作方案》，确定帮扶时限与玉树灾后医疗卫生服务重建过渡期一致，即 2010 年 4 月至 2012 年 4 月，为期 2 年，由省垣 15 所地方、军队、武警医疗卫生单位与玉树地震灾区州、县、乡医疗卫生机构结成“一帮一”帮扶对子，建立稳定、有效的帮扶关系。

4 月 24 日 玉树州委书记贾应忠主持召开省玉树抗震救灾指挥部玉树指挥点工作会议，决定下一步要切实做好受灾群众登记、过渡安置房、宅基地补偿、重建工作组织领导、废墟清理、环境卫生整治、恢复市场和学生复课、虫草采集项目工作和“两基”攻坚等工作。

4 月 24 日 玉树县公安综合信息网开通。至此，玉树灾区相继开通了玉树县新建路、民主路、胜利路派出所、州交警支队车管所、县交警大队、县公安局机关等办公场所的公安信息网，并延伸到 3 个帐房派出所。

4 月 25 日 9 时 省玉树抗震救灾指挥部在西宁青海神安殡仪馆举行杜金玉追悼会。杜金玉，男，42 岁，生前系青海省电力公司火电工程公司职工，在玉树抗震救灾中因公殉职。回良玉、强卫、骆惠宁等送花圈。

4 月 25 日上午 邓本太主持召开专题会议，听取省政府和玉树州政府有关部门关于先行两个村恢复重建工作的意见和建议。

4 月 25 日 16 时 省玉树抗震救灾指挥部组织纪检组召开玉树县乡镇党委书记、村（牧委会、社区）党支部书记座谈会。强卫出席并讲话。齐玉主持会议并就进一步加强基层党的工作提出要求。

4 月 25 日下午 省、州、县教育系统在玉树州职业技术学校举行州职业技术学校 2009 级 305 名学生转移启程仪式。骆惠宁出席仪式并为学生们送行。

4 月 25 日 19 时 30 分 强卫在玉树主持召开省玉树抗震救灾指挥部会议，听取玉树州和指挥部各组工作进展情况汇报，就一些具体问题提出要求。骆惠宁就有关重点工作作出安排部署。会议决定，从 4 月 26 日起，省玉树抗震救灾指挥部会议由省玉树抗震救灾总指挥部副总指挥、玉树州委书记贾应忠主持，省级领导和省指成员单位负责人继续参加会议，帮助玉树解决工作中遇到的突出问题。

4 月 25 日 强卫先后到称多县拉布乡达哇村巴热社、兰达村让那社、称文镇岗茸村然新社，土登寺、称多县医院门诊大楼、第一民族中学，察看灾情，看望慰问广大基层党员干部、受灾群众、在校学生和寺院僧侣。

4 月 25 日 骆惠宁先后到驻玉树灾区的武警、特警部队，电力、电信部门，移民社区，建设工地，金融和商业网点进行慰问和检查，强调要抓紧推进灾后重建基础工作。

4 月 25 日 省委、省政府抗震救灾工作领导小组、省玉树抗震救灾指挥部联席会议决定，省玉树地震灾后重建工作领导小组组长由骆惠宁担任，第一副组长由徐福顺担任，省政府各分管副省长任副组长。领导小组下设损失评估组、环境承载能力及重建选址评价组、规划编制组、城乡建设组、政策资金组、审计组 6 个工作组。

4 月 25 日 白玛、邓本太在结古镇扎西大同村第四社区了解灾后重建工作，并参加由兰州军区第一抗震救援队与该社区共建的灾后示范社区启动仪式。邓本太主持召开专题会议，研究部署恢复重建有关工作，确定禅古、甘达两村为先行恢复重建示范村，并到玉树县结古镇长古村和兰牙村察看受灾群众安置情况。

4 月 25 日 曹宏在玉树抗震救灾指挥部主持召开会议，传达省玉树抗震救灾现场指挥部第 11 次会议精神，并总结第一阶段抗震救灾工作。同时，就抓好农牧业生产和做好恢复重建工作进行安排部署。

4 月 25 日 省农牧厅抗震救灾工作组到玉树县巴塘乡当托村、结古镇代格村、称多县拉布乡德达村，指导帮助灾区农牧民开展恢复农业生产工作。

4 月 25 日 省玉树抗震救灾指挥部治安组召开维护稳定工作会议，对下一步维护治安稳定重点工作提出 7 项具体措施。

4 月 25 日 玉树民用机场灾后重建工作启动。

4 月 26 日 10 时 中共中央政治局常委、全国政协主席贾庆林到玉树地震灾区，先后到玉树县第一民族中学，结古寺、禅古寺以及周边 23 所寺庙，结古镇扎西科村，看望慰问受灾群众和救援人员，实地察看灾情。贾庆林在省抗震救灾指挥部召开会议，听取青海省委、省政府抗震救灾工作情况的汇报并讲话。当日，贾庆林还到西宁市第一人民医院看望台湾医疗救援队队员。

4 月 26 日 回良玉在北京主持召开国务院抗震救灾总指挥部第十次会议，专题研究部署玉树地震灾区学生复课、卫生防疫等工作。

4 月 26 日 邓本太在玉树主持召开先行两个村恢复重建工作协调小组专题会议，进一步研究部署先行两村恢复重建有关工作；听取省国土资源厅、省地震局等部门和玉树州政府关于先行恢复重建村的选址情况以及拟选址地区的地质灾害调查情况。下午，邓本太在玉树灾区看望慰问解放军医护人员。

4 月 26 日 国务院新闻办举行新闻发布会，青海省副省长、省玉树抗震救灾指挥部副总指挥张光荣通报抗震救灾及灾后重建工作情况。

4 月 26 日 省玉树抗震救灾指挥部召开会议，学习贯彻贾庆林视察灾区时的重要讲话精神，听取抗震救灾各工作组工作开展情况汇报。强卫传达讲话精神。邓本太对受灾群众安置工作提出具体安排。

4 月 26 日 国家文物局局长单霁翔带领专家组一行抵达西宁，赴玉树地震灾区看望慰问文化和新闻出版系统干部职工，实地调查和评估文物受损情况，研究、部署下一阶段文物抗震救灾工作。省文化新闻出版厅在专题汇报会上，向专家组做了灾区文物受损情况以及省文化新闻出版系统抗震救灾情况的汇报。

4 月 26 日 追授杜金玉全国五一劳动奖章仪式在其生前工作单位——青海火电工程公司

举行。受中华全国总工会委托，省总工会宣布《中华全国总工会关于授予杜金玉同志全国五一劳动奖章的决定》，并颁授奖章和证书。省总工会号召全省广大职工、工会干部广泛开展向杜金玉学习的活动。

4 月 26 日　玉树县结古镇自来水厂二号泵投入运行。至此，玉树灾区 19 个片区应急供水工程和过渡性供水任务全面完成。

4 月 26 日　安徽济人药业有限公司通过中华中医药学会向玉树灾区捐赠价值 1000 万元的药品。

4 月 27 日 8 时 30 分　强卫前往支援抗震救灾的 68303 部队、68710 部队、68211 部队驻地看望部队官兵，了解各救援部队开展抗震救灾工作和官兵的生活情况。14 时 30 分，强卫前往玉树县红卫村、团结村、新寨村、当代村和仲达乡受灾群众登记处帐篷党支部，了解基层组织和党员发挥作用情况，调研物资发放、人口登记等各项工作进展情况，听取基层党组织当前重点工作开展中存在的主要困难和问题的汇报，并慰问基层党员干部、受灾群众及参加抢险救援的部队官兵。

4 月 27 日 19 时 30 分　省玉树抗震救灾指挥部召开会议，听取当前工作落实情况的汇报，对下一步工作作出具体安排。强卫发表重要意见。

4 月 27 日　省委、省政府决定成立省玉树地震灾后重建工作领导小组，印发《关于成立青海省玉树地震灾后重建工作领导小组的通知》。骆惠宁任组长，徐福顺任第一副组长。

4 月 27 日　国土资源部调研组赴灾区实地调研，与州政府及发展改革、国土资源、建设、农牧、林业、水利、交通、环保等部门负责人，就灾后重建土地利用规划的范围、节约集约利用土地、用地功能分区、耕地保护等方面进行座谈交流；深入结古镇地震灾区，了解掌握当地实际情况，为编制灾后重建土地利用总体规划收集第一手资料。

4 月 27 日　国家档案局副局长、中央档案馆副馆长李和平在玉树灾区检查指导工作，就灾后档案抢救和保护工作提出具体要求。

4 月 27 日　省政府召开兰州军区支援玉树地震恢复重建对接工作座谈会。副省长马顺清、兰州军区政治部副主任李炳仁出席会议并分别讲话，省发展改革委、省民政厅、省住房城乡建设厅介绍抗震救灾和恢复重建的安排。

4 月 27 日　邓本太出席成都市委、市政府，成都市慈善总会向玉树灾区捐款 500 万元捐赠仪式。

4 月 27 日　王令浚察看玉树县结古镇省商业系统抗震救灾销售服务网点恢复经营情况。

4 月 27 日　省民政厅出台《地震灾区“四金”发放实施细则》，保证玉树地震灾区遇难人员抚慰金、转移补助金、困难群众生活补助金、“三孤”人员生活补助金发放工作规范、有序开展。

4 月 27 日　省农牧厅建立死亡动物巡查搜集制度，组织玉树州、海南州和玉树县动物疫病预防控制中心的工作人员在结古地区东至东风村、南至飞机场、西至扎西科村的公路两侧与河道沿岸进行不间断巡查，集中收集和无害化处理死亡动物尸体。

4 月 27 日　结古镇至巴塘机场公路铺筑沥青混凝土路面。5 月 18 日，实现半幅通车，12

月 15 日竣工验收。

4 月 28 日 9 时 省玉树抗震救灾指挥部在青海神安殡仪馆举行李德业追悼会。李德业，男，57 岁，湟中县人，生前是青海正平公路桥梁工程集团有限公司一名临时合同工。地震发生后他参加抢险修路工作，因疲劳而患了感冒。他带病日夜抢险，一直坚持到 23 日下午病情恶化，24 日 12 时 20 分经抢救无效去世。追悼会上宣布省委、省政府追认李德业为革命烈士的决定。

4 月 28 日 10 时 30 分 中央军委委员、总政治部主任李继耐等中央军委领导，到省玉树抗震救灾指挥部驻地，看望指挥部人员，并代表全军和武警官兵向灾区捐款 3.35 亿元。

4 月 28 日上午 邓本太在玉树灾区主持召开禅古、甘达两个村先行恢复重建工作协调小组第二次会议，听取两村恢复重建规划编制及开工奠基仪式筹备工作情况汇报，安排部署进一步加快推进两村恢复重建相关工作。

4 月 28 日上午 王令浚到玉树灾区慰问抗震救灾一线的省和州商务、工商、质检等部门的工作人员，并察看食品安全检测检验和特种设备安全运行情况。

4 月 28 日上午 邓本太出席在玉树州农技推广站举行的玉树地区重建温室开工仪式。玉树地区重建温室正式开工，标志着玉树灾区农业生产进入恢复阶段。

4 月 28 日 19 时 40 分 省玉树抗震救灾指挥部召开会议，强卫通报当天中央军委领导视察灾区、指导工作的情况，就明确当前工作目标发表意见，对下一步工作提出具体要求。至此，抗震救灾工作重点实现三大转变，即从搜救人员为主向清理废墟为主转变，从救治伤员为主向卫生防疫为主转变，从临时安置群众为主向进一步安置好受灾群众、恢复正常秩序、开展灾后重建为主转变。

4 月 28 日 21 时 20 分 玉树州召开州、县、乡三级党员干部大会，学习贯彻中共中央、国务院关于抗震救灾、灾后重建的决策部署和胡锦涛、温家宝等中央领导的重要讲话，总结前一阶段抗震救灾工作，安排部署下一阶段过渡安置、恢复秩序、灾后重建工作。

4 月 28 日 省军区抗震救灾前线指挥部在玉树召开会议，研究部署下一步抗震救灾工作。省委常委、省军区司令员张书领主持会议并传达军委领导指示精神，省军区政委段进虎就贯彻落实军委领导指示和做好下一步抗震救灾工作提出要求。

4 月 28 日 省抗震救灾资金物资监督检查领导小组召开新闻通报会。省民政厅、省财政厅、省审计厅分别通报救灾物资资金筹集、采购、管理、分配、拨付、发放、使用以及监督检查情况。

4 月 28—29 日 副省长高云龙先后到玉树州红旗小学、玉树县第一民族中学、玉树州孤儿学校、玉树州职业技术学校、玉树县第三完全小学，实地查看学校灾情，慰问师生，指导灾后教育工作。

4 月 29 日上午 邓本太主持召开禅古、甘达两个村先行恢复重建工作协调小组第三次会议，安排部署两个村恢复重建开工奠基仪式有关工作，并调研灾区房屋受损情况。

4 月 29 日下午 仁青加到玉树县结古镇红卫村、西杭片区检查指导基层党组织建设和救灾物资资金发放情况。

4 月 29 日下午　穆东升在玉树看望慰问省、州共青团和妇联抗震救灾工作组成员。

4 月 29 日　胡锦涛在视察上海世博园青海馆时指出，青海是长江、黄河、澜沧江的发源地，三江源地区在全国的生态地位非常重要，保护好三江源，责任重大。这次玉树地震，一定要做好灾后重建，保护好三江源，保护好母亲河。

4 月 29 日　回良玉在北京主持召开国务院抗震救灾总指挥部第 11 次会议，专题研究部署玉树地震灾区废墟清理、交通运输保障等工作，讨论通过《青海玉树地震抗震救灾捐赠资金使用管理监督办法》。

4 月 29 日　贾应忠主持召开州级四大班子领导，各县委、县政府主要负责人，州委各部门、州直各机关单位主要负责人会议，听取州抗震救灾各工作组当天工作开展情况的汇报，并就下一步工作进行再安排、再部署。仁青加参加会议并讲话。

4 月 29 日　抗震救灾“优秀青年志愿者”张建华烈士追悼会在西宁殡仪馆举行。张建华，男，41 岁，河北省人，西宁新华医院职工。地震发生后，积极参加医院青年志愿者突击队，第一时间赶赴灾区，负责后勤保障工作。4 月 23 日返回西宁途中，发生车祸，不幸以身殉职。

4 月 29 日　成都神钢集团将价值 211.5 万元的 1 台挖掘机和 3 台装载机送交青海省交通厅，支援玉树灾后交通道路恢复重建。

4 月 30 日 10 时 30 分　强卫前往省人民医院、解放军第 4 医院看望医护人员和玉树地震受伤的就医群众。

4 月 30 日上午　天津市市政公路管理局捐赠青海灾区公路抢通保通设备交接仪式在西宁举行。

4 月 30 日 15 时　省委召开常委（扩大）会议，通报玉树地震抗震救灾和灾后重建工作情况，研究审议《关于在全省党的基层组织和党员中深入开展创先争优活动的实施意见（送审稿）》。会议要求，玉树灾后重建，要把国家支持灾后重建政策与支持青海藏区发展政策结合起来，用 3 年时间完成恢复重建任务，在此基础上，再经过两年努力，把玉树州府所在地建成高原生态商贸旅游城市、三江源地区的中心城市、青海藏区城乡一体发展的先行地区，实现建设社会主义新玉树的宏伟目标。

4 月 30 日下午　邓本太到玉树县隆宝镇措桑村、君勤村，了解帐篷、口粮、火炉等救灾物资及其他款项的发放情况，检查指导灾后恢复重建工作。

4 月 30 日　国务院抗震救灾总指挥部发布《青海玉树地震抗震救灾捐赠资金使用管理监督办法》，明确提出捐赠资金的使用管理原则，要求合理确定捐赠资金使用范围。办法还明确提出，民政部接收和各地汇缴到民政部的捐赠资金，统一汇缴至民政部中央财政汇缴专户。

4 月 30 日　穆东升在玉树看望慰问抗震救灾抢险队伍，并主持召开省、州、县三级工会干部会议，对工会下一步抗震救灾工作提出要求。

4 月 30 日　省农牧厅玉树抗震救灾指挥部与玉树州农牧局在省玉树抗震救灾指挥部联合召开农牧业重建工作会议，专题安排部署蔬菜温室重建修复和游牧民定居工程等工作。会上，州农牧局与各县农牧局签订了农牧业灾后重建目标责任书。

4 月 30 日 《青海玉树民用机场抗震救灾应急工程实施方案》正式上报民航西北地区管理局、西部机场集团公司。

2010 年 5 月

5 月 1 日 强卫、骆惠宁分别就省垣媒体在抗震救灾前一阶段宣传工作作出批示。强卫在批示中说：省垣媒体在前一阶段抗震救灾斗争中的宣传报道十分有力，发挥了积极作用，特向全体参战同志表示慰问和感谢。骆惠宁在批示中说：新闻媒体在关键时期发挥了凝聚人心、鼓舞斗志的重大作用，为抗震救灾做出了突出贡献，向大家表示谢意和致敬！

5 月 1 日 基础设施保障和生产恢复组成员单位——省交通厅、省水利厅、省电力公司、省通信管理局会同玉树州政府和州电力公司召开专题会议，贯彻落实省委领导关于尽快实施集中居民过渡安置点供电的指示精神，研究居民过渡安置点供电事宜。

5 月 1 日 国务院扶贫开发领导小组副组长、办公室主任范小建一行到玉树的禅古、扎西大同、红卫、解放 4 个贫困村，看望慰问灾区贫困群众，调研受灾地区贫困村恢复重建等工作。

5 月 1 日 玉树巴塘机场抗震救灾应急工程正式开工。

5 月 1 日 省体育局、省体彩管理中心推出的“青海体彩为玉树灾区募集百万元公益金”活动在全省范围内正式启动，至 5 月 31 日结束。

5 月 1—2 日 温家宝第二次到玉树灾区，先后深入玉树县北京军区方舱医院、玉树县隆宝镇、玉树第三完小、结古寺、玉树州职业技术学校看望慰问广大干部群众和寺院僧侣，了解灾后群众安置情况，指导灾区恢复重建工作。1 日 21 时，温家宝主持召开抗震救灾工作汇报会，听取青海省委、省政府抗震救灾工作和关于启动玉树灾后重建情况的汇报，研究灾后恢复重建工作并作重要讲话。

5 月 2 日 14 时 省玉树抗震救灾指挥部召开会议，学习贯彻国务院总理温家宝视察玉树地震灾区时的重要讲话精神。强卫提出具体要求，骆惠宁进行工作部署。

5 月 2 日 省政府在玉树召开会议，进一步明确危房拆除及建筑垃圾清理的重要意义，分析面临的形势和主要工作任务，并就结古镇危房拆除及建筑垃圾清理工作方案征求玉树州政府及省、州相关部门的意见，对具体分工作出安排部署。

5 月 2 日 至 18 时，各抢险救援队和有关部门累计清理废墟 313773 立方米，清理垃圾 132105 吨。

5 月 2 日 贾应忠主持召开省玉树抗震救灾指挥部玉树指挥点工作会议，听取州抗震救灾各工作组各项工作开展情况的汇报，并就下一步工作进行安排部署。

5 月 2 日 禅古电站水库大坝除险加固项目通过水利部门专家组阶段性验收。3 日，水库大坝正式下闸蓄水。

5月2日 西宁—玉树远程网络教学直播系统正式开通。

5月2—3日 吉狄马加先后到中央和省内媒体记者驻地和玉树州民族中学看望慰问，并在省抗震救灾指挥部召开新闻媒体负责人会议，就进一步做好抗震救灾宣传报道工作提出8项重点要求。

5月3日9时 骆惠宁在玉树主持召开指挥部会议，专题研究《地震灾区危房鉴定拆除及建筑垃圾清运工作方案》（草案）和《受灾群众过渡期安置工作方案》（草案）。

5月3日9时 省委常委、秘书长沈何在玉树召开省和玉树州保密委员会会议，对做好当前机要保密档案工作提出要求，并看望慰问奋战在救灾一线的机要保密档案工作者。

5月3日18时 骆惠宁召开省抗震救灾指挥部有关负责人会议，研究禅古村一社地震滑坡隐患点险情问题，安排部署紧急救援事宜。

5月3日下午 国务院扶贫办与青海省政府在玉树县结古镇签署《关于支持玉树灾后恢复重建工作框架协议》。

5月3日下午 骆惠宁先后到人行玉树州分行、玉树州委、玉树州妇幼保健站、结古镇胜利路拉布寺巷、琼龙沟建筑垃圾填埋点、扎西科赛马场受灾群众安置点等地，察看震后受损房屋鉴定情况、建筑垃圾清运填埋和安置点环境卫生状况。

5月3日23时 骆惠宁召集在玉树的省委、省政府领导仁青加、沈何、吉狄马加、邓本太、张建民和玉树州、县领导开会，安排连夜实地了解结古地区受灾群众、机关干部夜间休息条件和帐篷发放情况。随后，省、州、县领导分11个小组，分片进行实地抽查。

5月3日 徐福顺主持召开会议，审查《结古镇灾后重建规划总体纲要》。

5月3日 省民政厅下发《关于规范玉树地震灾区救灾物资发放管理工作的通知》，要求玉树州及所属各县民政部门明确救灾物资管理责任人，并指定专人负责各类救灾物资的出入库登记、验收、保管，完善制度，严格执行救灾物资的收、发、存制度和操作流程。

5月3日 玉树抗震救灾军地联合指挥中心项目开工建设。

5月3日 省水利厅审查通过《玉树州结古镇城区沟道排洪应急除险加固工程设计报告》，确定该项目建筑物级别为Ⅳ级，防洪标准为30年一遇，工程投资4416万余元，工期为5个月。

5月4日上午 强卫在西宁会见由国家发展改革委、住房城乡建设部、教育部、卫生部、交通部和国家能源局等部门组成的国家玉树灾后恢复重建规划编制工作组一行，听取工作组的意见和建议，并就灾后恢复重建有关问题进行深入讨论、交换意见。

5月4日上午 相关单位负责人协调会在西宁机场召开，研究电力规划设计总院对青海班多变至结古变330千伏输电线路工程勘测设计执行航拍任务有关事宜。

5月4日上午 省人力资源社会保障厅、玉树州政府在玉树县禅古村举行玉树州灾后重建培训工作启动仪式，标志着通过技能培训、促进灾区劳动力参加灾后重建、促进灾区劳动力充分就业工作正式开始。

5月4日 省委常委、西宁市委书记王建军率西宁市四大班子成员并带着80万元的慰问金和慰问物资到玉树慰问灾区干部群众，看望慰问西宁市救援队员。

5月4日17时 沈何召集省抗震救灾指挥部综合组工作人员会议，听取做好综合组工作的意见和建议，就下一步工作作出具体安排。

5月4日 仁青加在省玉树抗震救灾指挥部主持召开省、州、县抗震救灾资金物资监督检查领导小组联席会议，强调要不断加大监督检查力度，狠抓工作落实，确保抗震救灾工作顺利进行。

5月4日 张光荣通报玉树抗震救灾工作有关情况，听取党外人士对进一步做好玉树抗震救灾工作的意见和建议。

5月4—5日 受省委、省政府委托，省政协副主席陈资全带领慰问组，赴兰州市看望慰问在当地治疗的玉树震灾受伤群众，向甘肃省委、省政府，兰州市委、市政府及有关单位表示感谢。

5月4日 禅古、甘达村新社区建设奠基仪式在玉树县举行，标志着玉树灾后重建正式拉开序幕。

5月4日 省教育厅开始实施青海玉树地震灾区毕业生就业援助行动。

5月4日 《青海玉树地震灾后水利恢复重建规划》在北京通过水利部组织的专家审查。

5月4日 美国政府向青海玉树地震灾区提供的净化水装置等救援物资运抵成都双流国际机场。随后，转运到玉树灾区。

5月5日 省委政法委召开书记办公会议，深入分析当前玉树地震灾区社会稳定形势，研究部署近期玉树地震灾区的维护稳定工作。

5月5日 贾应忠主持召开省玉树抗震救灾指挥部玉树指挥点工作会议，要求进一步加快“四项补助”发放进程，做好与州外其他地区工作组的衔接，调配好废墟清理队伍。

5月5日 受省委、省政府委托，省人大常委会副主任刘晓带领慰问组，赴成都慰问玉树地震伤员并到部队和地方单位致谢，赠送抗震救灾纪念牌匾。

5月5日 受省委、省政府委托，省政协副主席赵启中带领慰问组，赴西安市看望慰问在当地治疗的玉树震灾受伤群众，向陕西省委、省政府，西安市委、市政府及有关单位表示感谢。

5月5日 省交通厅下发《关于加强对玉树地震抗震救灾资金物资监督检查的通知》，对抗震救灾和灾后重建专项资金和物资设备监督管理提出严格的纪律要求。

5月5日 省民政厅出台“两孤一残”人员救助安置办法。

5月5日 结古镇堤防应急除险加固工程正式开工建设，吉狄马加、邓本太出席开工仪式。结古镇周边德念沟等9条灾害性沟道治理同日开工。

5月5日 玉树县结古镇格萨尔广场LED显示屏正式开播。

5月5日 中央政府驻港联络办已收到香港各界捐给玉树地震灾区的善款达8400余万港元。

5月6日上午 邓本太主持召开会议，专题研究受灾群众帐篷缺口问题、过渡期受灾群众安置点建设和灾区危房拆除及建筑垃圾清运工作。

5月6日上午 吉狄马加到结古镇东仓大藏经珍藏馆，看望慰问东仓家人。

5月6日下午 省人大常委会副主任、海东地委书记王小青带领海东地委相关人员到玉树慰问灾区干部群众，送去海东地区给玉树灾区总价值90万元的捐款和物资。

5月6日 回良玉在北京主持召开国务院抗震救灾总指挥部第13次会议，听取并审议国家减灾委专家委员会对玉树地震灾害的评估报告，研究灾后恢复重建工作指导意见。会议明确提出，力争用3年甚至更短的时间基本完成玉树地震灾区恢复重建任务，使灾区基本生产生活条件和经济社会发展全面恢复并超过灾前水平，使灾区人民生产生活和三江源地区生态环境建设上一个新台阶。会议原则同意《青海玉树地震灾害评估报告》，对国家减灾委专家委员会的工作予以充分肯定。

5月6日 国土资源部召开会议，专题听取青海省国土资源厅抗震救灾工作情况、需帮助解决的问题以及下一步工作计划汇报。

5月6日 省委组织部印发《关于认真做好玉树地震灾区干部分期分批轮休、休假和疗养工作的通知》。

5月6日 受强卫、骆惠宁委托，王令浚带领获救儿童，专程赴香港参加黄福荣葬礼，并看望其家属。在会见香港特别行政区行政长官曾荫权时，就香港同胞对玉树抗震救灾的关爱、支持表示感谢。

5月6日 玉树地震灾区乡镇恢复重建规划编制工作启动。

5月6日 中国国电集团公司党组成员、副总经理杨海滨一行赴青海，代表集团公司再次向玉树地震灾区捐款876万元。

5月7日上午 强卫、骆惠宁在西宁看望慰问在玉树抗震救灾中以身殉职的省电力公司职工杜金玉、省正平路桥公司职工李德业和青海兴华医院职工张建华3位烈士的家属。

5月7日下午 邓本太带领省政府办公厅、省住房城乡建设厅、省交通厅、省国土资源厅、省水利厅、省农牧厅和省地震局有关负责人，与玉树州、县、乡主管领导在结古镇甘达、禅古村检查、指导灾后重建工作，要求加快重建步伐，抓紧恢复生产。

5月7日 省委宣传部发出《关于在全省开展向李德业杜金玉张建华三位同志学习活动的通知》。

5月7—9日 强卫率领省有关部门负责人赴四川考察学习地震灾后重建工作。

5月8日 骆惠宁主持召开玉树地震灾后重建工作第二次会议。省委常委、常务副省长徐福顺，副省长张光荣分别通报灾后重建基础工作进展情况和重建支持政策研究情况。

5月8日 国土资源部印发《关于实行保障玉树地震灾后恢复重建特殊支持政策的通知》，要求加强地质灾害排查与监测，为编制灾后重建规划提供依据；加快灾区土地利用规划编制，确保灾后重建用地规模和布局科学合理；多举措加快建设用地批供，满足灾后重建用地需求；加强国土资源调查评价，为灾区经济社会长远发展提供技术和资金支撑。

5月8日 玉树灾后重建现场指挥部第一次会议在省政府召开。会议提出10项具体要求和前方工作规则，并抽调赵念农为玉树灾后重建现场指挥部成员。

5月8日 邓本太在玉树主持召开会议，听取玉树州政府和省农牧厅汇报，研究部署农牧区灾后恢复重建工作。

5月8日 省住房城乡建设厅在玉树灾区召开编制规划调研座谈会，围绕首批启动的玉树县隆宝镇等8个乡镇的规划编制，听取当地政府及建设、教育、卫生等行政主管部门的建议和意见。

5月8—9日 吉狄马加在玉树看望慰问玉树非物质文化遗产传承人，并对在灾后重建中抢救、整理、保护好非物质文化遗产提出要求。吉狄马加还到玉树州称多县拉布乡拉斯美朵村了解受灾情况，看望灾区群众，并看望慰问称多县基层宣传文化工作者，指导督查基层宣传思想工作。

5月9日 交通运输部部长李盛霖一行到青海，考察玉树灾后重建保通工作，看望慰问交通系统干部职工、抗震救灾中殉职的李德业的家属和武警官兵，并听取省政府关于青海交通玉树抗震救灾及灾后重建保通工作汇报。

5月10日14时30分 强卫先后到省抗震救灾军地联合指挥部，玉树州委、州政府，玉树县委、县政府和结古镇政府在建过渡办公板房施工现场，了解检查办公区板房建设进展情况。

5月10日18时50分 中共中央政治局常委、国务院副总理李克强到玉树视察抗震救灾重建工作。当晚，李克强在玉树县结古镇临时搭建的帐篷里主持召开灾后重建现场办公会，听取省委、省政府灾后重建工作汇报，并就有关问题交换意见。11日，李克强在结古镇了解受灾群众安置情况，看望灾区各族干部群众和救灾人员，重点考察灾后恢复重建、灾后防疫等工作。

5月10日 骆惠宁在玉树县结古镇的巴曲河、扎西科河沿线，实地检查防洪应急处理工程建设情况。

5月10日 交通运输部和青海省委、省政府在西宁召开会议，就玉树灾后重建保通保运工作交换意见。李盛霖参加会议并讲话。徐福顺主持会议。省交通厅党委书记、厅长杨伯让就保通工作的具体安排、运输组织以及存在的困难等问题进行了补充汇报。

5月10日 省人大常委会出台《玉树地震灾区有成员伤亡家庭再生育的决定》，对5类人群的再生育作出明确规定，并要求免费提供再生育技术服务和心理安抚工作。

5月10日 省住房城乡建设厅制定出台《玉树地震灾区危房拆除及建筑垃圾清理技术导则（试行）》。

5月10日 省住房城乡建设厅完成玉树灾后城镇体系规划、结古镇（市）灾后城市总体规划纲要的编制及地震遗址保护规划研究、结古镇（市）城市总体规划纲要（市政部分）、旅游发展总体思路等的前期调研工作。

5月10日 省公安厅召开青海省抗震救灾指挥部社会治安组工作会议，研究讨论《关于加强玉树地区灾后重建阶段维护社会稳定工作的意见》《关于加强玉树地区灾后重建阶段社会治安管理工作的实施方案》等5项工作方案和意见。

5月10—11日 多杰热旦率省垣统战系统慰问工作组到玉树看望慰问抗震救灾一线的州、县干部职工、军分区和武警部队官兵、民族宗教界代表人士、工商联代表人士、党外知识分子代表人士及孤儿学校在校师生、部分重点寺院僧众等。

5月11日14时 强卫主持召开省玉树抗震救灾指挥部会议，学习贯彻国务院副总理李克强视察玉树地震灾区时的重要讲话精神并提出具体要求。骆惠宁部署灾后重建工作。

5月11日下午 青海省玉树地震灾后重建现场指挥部成立。马顺清任指挥长，张建民任第一副指挥长，省军区参谋长党国际、玉树州委书记贾应忠、玉树州州长王玉虎任副指挥长。标志着玉树抗震救灾正式进入灾后重建阶段。

5月11日 受农业部部长韩长赋委托，副部长高鸿宾带领工作组一行在玉树灾区指导灾后恢复重建工作。工作组听取省农牧厅关于抗震救灾工作汇报，了解农牧业受灾情况，研究安排动物防疫和农牧业灾后重建工作。先后到玉树农牧系统办公旧址看望干部职工，到游牧民定居工程东尼移民社区、生态移民定居工程加吉娘移民社区和玉树县结古镇红卫村实地考察指导抗震救灾和灾后重建工作。

5月12日上午 玉树州灾后恢复重建动员大会在州体育场举行。州委各部门、州直各机关单位、省驻玉树单位人员，解放军和武警官兵，教育界、卫生界、宗教界人士，各族群众和来自各方的援建人员近万人参加。

5月12日下午 省玉树地震灾后重建现场指挥部在玉树县结古镇召开灾后重建总体规划意见征求会，征求灾区州、县两级相关部门意见。马顺清、张建民出席会议并讲话。

5月12日 强卫在玉树县仲达乡和结古镇新寨村调研灾后重建工作。

5月12日 罗朝阳率领海西州党政代表团赴玉树地震灾区慰问干部群众。

5月12日 省国土资源厅玉树抗震救灾指挥部决定优先启动村庄重建场址地质灾害危险性评估。

5月12日 省住房城乡建设厅制定出台《玉树地震灾区危房拆除及垃圾清理技术导则（试行）》。

5月12日 省农牧厅修改完成《玉树地震灾区农村牧区建设规划》，并向省发展改革委及时进行反馈。

5月13日10时 省交通医院派出两支巡回医疗队分赴玉树州治多县、果洛州玛多县，为公路沿线抗震救灾公路保通筑养路职工提供医疗保健、健康教育、急危重症病人转运等服务。

5月13日 国家统计局局长马建堂一行赴玉树灾区，检查指导灾后恢复重建统计工作，察看玉树州、玉树县两级统计系统工作环境，了解设备损害情况，慰问州、县统计系统职工并送去慰问金。

5月13日 省玉树地震灾后重建现场指挥部召开第一次工作会议，听取指挥部各成员单位工作情况汇报，部署灾后重建急需落实的工作。

5月13日 玉树县政府印发《关于尽快完成结古镇现建成区范围内土地权属核实确认的公告》。

5月13日 北京市政府副秘书长、北京对口援建四川地震灾区指挥部前线分指挥部指挥刘永富一行抵达西宁，开展玉树灾情考察和灾后重建对口援建经验介绍等活动，并与玉树灾后重建领导小组各成员单位及玉树州委、州政府和玉树县委、县政府有关负责人进行座谈交流。张建民出席座谈会。

5 月 14 日 回良玉在北京主持召开国务院抗震救灾总指挥部会议，听取并审议关于玉树地震灾后恢复重建承载能力评价报告，研究当前抗震救灾和灾后恢复重建有关工作。会议原则同意《玉树地震灾后恢复重建资源环境承载能力评价报告》。

5 月 14 日 青海省委、省政府发表感谢信，向中共中央、国务院，向奋战在抗震救灾和灾后重建第一线的广大干部群众、人民解放军指战员、武警部队官兵、民兵预备役人员、公安民警和各救援队伍，向大力支持抗震救灾和灾后重建的全国各族人民，向踊跃为灾区提供援助的港澳台同胞、海内外朋友和国际友人致敬，对他们给予玉树抗震救灾的亲切关怀及无私援助，表示最崇高的敬意和最衷心的感谢。

5 月 14 日 中国佛教协会副会长、第十一世班禅额尔德尼·确吉杰布在地震重灾区的玉树县结古镇结古寺举行超度祈福法会。

5 月 14 日 马顺清与北京市对口支援地震灾区考察团一行座谈，商讨玉树地震灾后重建工作。

5 月 14 日 省政府召开会议，听取省直各部门玉树重建规划编制进展情况。

5 月 14 日 玉树地震灾区文化遗产抢救保护工程启动。国家文物局副局长董保华，省政协原副主席、省政府参事蒲文成，国家文物局文物保护和考古司司长关强，以及省、州、县有关部门负责人出席。

5 月 14 日 省玉树地震灾后重建现场指挥部举行仪式，聘任蒲文成等 6 名藏族建筑设计、藏学和民族工艺、雕塑、文化方面的专家为玉树地震灾后重建顾问。

5 月 14 日 联合国世界粮食计划署通过省民政厅向玉树灾区捐赠 230 吨食用油和 50 吨青稞面粉。

5 月 14 日 在玉树抗震救灾中表现突出的玉树县结古镇扎西大同村村委会主任尕玛文索（藏族）、玉树县人民检察院干部张思庆（藏族），作为特邀嘉宾出席第四届全国体育大会开幕式。

5 月 14 日 大型纪实画册《永不放弃　同玉树在一起》首发式在省博物馆举行。

5 月 15 日 中国佛教协会副会长、第十一世班禅额尔德尼·确吉杰布在青海塔尔寺举行法会，祈愿死者安息、生者安乐、风调雨顺、国泰民安、世界和平。

5 月 15 日 财政部玉树抗震救灾调研组一行赴玉树灾区，就恢复重建和救援资金落实、使用等情况进行调研。调研组与省玉树地震灾后重建现场指挥部负责人进行座谈并看望慰问受灾群众。

5 月 15 日 省玉树地震灾后重建现场指挥部召开第二次工作（扩大）会议，就军队和武警部队开展废墟清运、援建学校及医院、灾后重建运力保障、卫生防疫工作，以及党员领导干部在灾后重建中发挥带头作用、州县部门与省直部门加强协调配合等工作作出具体安排。马顺清主持会议并讲话。会上，宣读了省委《关于同意成立中共青海省玉树地震灾后重建现场指挥部临时党委的批复》《青海省玉树地震灾后重建现场指挥部廉政规定》《青海省玉树地震灾后重建现场指挥部工作纪律》。

5月15日 农业部发展计划司就国家发展改革委编制的玉树灾后重建总规划中农牧业有关问题，与青海省农牧厅进行紧急会商，省农牧厅副厅长张文华组织研究提出了修改意见。

5月15日 由省委宣传部、新华社青海分社、青海日报社、省文化新闻出版厅主办，省博物馆承办的主题为“见证”——“4·14”玉树抗震救灾大型新闻图片展、实物展在省博物馆开展。强卫出席开幕式并宣布开展，吉狄马加致辞。

5月15日 省住房城乡建设厅下发《关于加强玉树地区灾后重建工程监理工作的通知》，要求省、州、县建设行政主管部门及工程质量安全监督机构加大对灾后重建工程的指导、检查、巡查力度，消除质量安全隐患，确保灾后重建项目质量合格、安全文明施工、按时交付使用。

5月16日 《求是》杂志发表强卫署名文章《众志成城，抗震救灾，再建美丽新家园》。

5月16日 由国土资源部、省国土资源厅编制的《青海玉树灾后重建土地利用专项规划》（以下简称“《规划》”），通过初步审查论证。《规划》分灾区概况、震前土地利用现状分析、土地安全性评估、土地生态保护、土地综合整治等章节，对过渡性安置用地、城镇用地、农村居民点用地、基础设施等建设用地规模进一步进行了测算论证，附有规划工作底图、土地利用总体特征分布图、土地生态保护管制图等相关图件。

5月16日 20万吨散装水泥配送中心暨30万立方米混凝土搅拌工程项目在玉树县结古镇东风村德卓滩正式开工建设。马顺清出席并宣布开工。

5月16日 青藏铁路公司向玉树灾区捐赠高原医用高压氧舱仪式在玉树县结古镇举行。马顺清出席移交仪式。

5月17日 查隆通、查日扣水电站项目正式开工。

5月17日 省玉树地震灾后重建工作领导小组召开第三次领导小组会议，听取并审议玉树灾后重建对口援建、建材保障、运输保障、施工保障、现场指挥调度5个方案编制情况汇报，并对方案提出修改完善意见。骆惠宁主持会议并讲话。

5月17日 国土资源部在青海召开国土资源系统玉树地震地质灾害应急排查工作总结会，总结前阶段国土资源系统抗震救灾各项工作特别是地质灾害应急排除工作情况，研究和部署灾后恢复重建相关事项。国务院参事、国土资源部总工程师张洪涛出席会议，并就做好玉树重建中的国土资源工作提出要求。

5月17日 马顺清会同中国城市规划设计研究院及省内文物、地质、规划、城建、旅游、地震、民宗等相关部门的专家，先后到玉树州孤儿学校废墟、加吉娘地震断裂带、格萨尔宾馆废墟、西北牛宾馆废墟、禅古寺大转经筒废墟、禅古寺大经堂废墟进行现场察看，探讨如何保护和规划遗址，使之成为彰显爱国主义精神和民族团结精神的教育基地。

5月17日 省交通厅对玉树重建政府指令性物资运输车辆实行免费通行制度。

5月17日 省直机关85个单位向玉树灾区干部捐赠价值100万元的11类生活用品。

5月17日 玉树县委组织部下发通知，在灾区全面部署开展“七个有”帐篷社区党支部活动，给每个帐篷社区党支部下拨5000元工作经费。

5月18日　省住房城乡建设厅印发《关于加强玉树地区灾后重建工程质量安全管理的通知》，要求必须落实灾后重建工程各方责任主体及有关机构质量安全责任，所有重建工程必须按规定纳入质量安全监管范围，住宅工程必须全面实行分户验收制度，必须加大对灾后重建工程质量安全的巡查、抽查，全面加强对施工图审查、进场原材料检验、施工过程控制、竣工验收等重要环节的监督管理。

5月18日　杨勇遗体告别仪式在成都殡仪馆举行。杨勇，男，46岁，生前系四川省卫生厅应急办副主任，于5月14日完成卫生防疫任务从玉树灾区返回途中遭遇车祸不幸遇难。

5月18日　玉树州孤儿板房学校建成交付使用。

5月19日　温家宝主持召开国务院常务会议，研究部署玉树地震灾后恢复重建工作。会议提出，用3年时间基本完成恢复重建主要任务，使灾区基本生产生活条件和经济社会发展全面恢复并超过灾前水平，为建设生态美好、特色鲜明、经济发展、安全和谐的社会主义新玉树奠定坚实基础。

5月19日　省玉树地震灾后重建现场指挥部在结古镇西杭村召开拥军大会。马顺清宣读中共青海省委、青海省人民政府的慰问信，并转交了慰问金、慰问品。军队和武警部队抗震救灾联合指挥部党委书记、政治委员、兰州军区副政委刘晓榕出席大会并讲话。

5月19日　马顺清主持召开省玉树地震灾后重建现场指挥部清墟工作专题会议，听取并审议省财政厅关于玉树地震灾后危房鉴定评估、房屋拆除和垃圾清运费用标准的汇报，原则同意省财政厅拟定的危房鉴定等3项工作费用标准意见。

5月19日　教育部召开玉树地震灾区中学生省外转移安置就学对接协调会，安排5074名玉树地震灾区中学生在学校重建期间，转移到天津、河北、山西、辽宁、山东、四川、宁夏等7个省（自治区、直辖市）就读。

5月19日　国家邮政局局长马军胜一行，到玉树灾区调研并慰问灾区邮政干部职工和家属，带来国家邮政局干部职工10万元捐款。马军胜先后到玉树州邮政局职工食堂、邮件分拣车间、快递车间和职工宿舍查看并详细询问受灾情况和灾后业务开展情况，听取玉树州邮政局领导有关抗震救灾的工作汇报。

5月20日　国家发展改革委与省政府在西宁举行座谈会，研究讨论玉树灾后恢复重建规划编制工作。国家玉树灾后恢复重建组副组长、国家发展改革委副主任穆虹主持会议并讲话，国家发展改革委西部开发司司长秦玉才介绍《玉树地震灾后恢复重建总体规划》（征求意见稿）的编制情况，徐福顺反馈青海省对该规划的相关意见和建议。

5月20日　省玉树灾后重建现场指挥部邀请部分农牧民群众代表、乡村干部参加农牧民住房建设设计方案征求意见会。会上，中国建筑设计院、青海人防设计院等设计单位先后介绍38套户型的农牧民住房建设规划方案并展示了效果图。

5月20日　省住房城乡建设厅完成玉树州城镇体系规划及玉树结古镇（市）灾后城市总体规划、总体城市设计、交通系统规划、基础设施规划等规划大纲的编制。

5月20日　由青海省社会科学界联合会和中国科学院心理研究所共同建立的“震后心理

援助玉树工作站”在结古镇扎西科受灾群众安置点正式挂牌成立，设立玉树和西宁两个工作站，工作周期3年。

5月20日 辽宁省援建巴塘乡前线指挥部成立。23日，辽宁省住房和城乡建设厅党组书记商向东带领规划、建筑设计、工程质量管理、施工企业、建设监理等专业人员赶赴灾区，开展工作对接和现场调研。辽宁省援建巴塘乡工作正式启动。

5月21日 省人大常委会副主任马福海、刘晓、昂毛赴玉树灾区，看望慰问各级人大代表和州、县人大机关干部职工。

5月21日 玉树地震灾后恢复重建工作专题培训班在省委党校开班。齐玉出席开班式并讲话。开班式后，45名干部赴四川灾后重建地区进行为期1周的学习考察。

5月21日 玉树县结古镇灾后重建绿色产业基地在东风村开工。

5月21日 国家农业综合开发办公室正式批准玉树农业综合开发地震损毁工程恢复重建项目实施方案。同时，为重建的蔬菜地配套修建机电井、蓄水井、输电线路、灌溉渠道、田间作业道路等基础设施，以最快的速度恢复结古地区的蔬菜生产，为结古市场和灾后重建援建人员生活就地提供新鲜蔬菜。

5月22日 共青团中央书记处第一书记陆昊在玉树灾区看望慰问奋战在灾区重建第一线的广大共青团员和各族青年，并代表全国共青团组织向玉树灾区捐赠3500万元，用于玉树地区青少年活动中心建设。

5月22日 国家发展改革委副主任穆虹一行到玉树实地调研灾后重建工作，马顺清就灾后重建存在的突出问题、困难和面临的挑战等情况作专题汇报。

5月22日 国家民委副主任罗黎明在玉树调研灾区重建工作。强卫会见调研组一行并主持召开专题座谈会。

5月22日 由青海物产集团与玉树金桥公司合作建设的灾后重建建材物流集散中心在玉树县结古镇民主村开工建设。马顺清宣布开工并讲话。

5月23日 省玉树地震灾后重建现场指挥部召开专题会议，安排部署城乡居民住房、学校、医院及寺院单体设计，清墟及地震遗址选址等工作。

5月23日 省财政厅、省监察厅、省审计厅印发《青海省玉树地震灾后重建建设物资采购实施办法（暂行）》，明确责任主体以及建设物资材料采购的原则，并提出特殊时期在遵循政府采购法定程序的前提下，要进一步缩短采购时间。

5月23日 人民银行西宁中心支行联合青海银监局、证监局、保监局等部门出台《关于贯彻落实〈一行三会关于全力做好玉树地震灾区金融服务工作的紧急通知〉的实施意见》，给予灾区特殊优惠金融政策。

5月24日 国务院印发《关于做好玉树地震灾后恢复重建工作的指导意见》。成立玉树地震灾后恢复重建组，协调有关部门大力支持，密切配合，及时帮助解决灾后恢复重建中的有关问题。安排力争用3年时间基本完成玉树灾区恢复重建主要任务，使灾区基本生产生活条件和经济社会发展全面恢复并超过灾前水平，生态环境切实得到保护和改善。

5月24日 省委常委会议、省政府常务会议分别讨论和审议通过《玉树地震灾后恢复重建总体规划》和《玉树县结古镇（市）总体规划》。会议要求，抓紧修改完善两个规划，特别是要加强规划与贯彻落实中央第五次西藏工作座谈会和国发〔2010〕34号文件的结合、与第二轮西部大开发战略的结合、与青海省“十二五”规划的结合，增强规划项目的前瞻性和可行性，不仅要满足实现重建目标所需，而且要突出长远发展所需，使规划能够更好地体现胡锦涛强调的上两个大台阶的要求，使规划成为玉树人民建设生态美好、特色鲜明、经济发展、安全和谐的新家园的宏伟蓝图。

5月24日 省玉树地震灾后重建现场指挥部召开专题会议，论证巴塘河、扎曲河两河景观设计方案。马顺清主持会议，灾后重建现场指挥部成员单位负责人、玉树州县相关部门负责人、中国城市规划设计研究院的专家及相关企业的负责人参加会议。

5月24日 玉树州委召开全州党员领导干部灾后重建群众工作组、老干部和宗教界人士灾后重建群众工作组组建动员大会。马顺清出席会议并讲话。

5月24日 由宝钢集团捐助、民政部主办，省民政厅、中国康复器具协会、中华慈善捐助信息中心协办的“宝钢玉树助残项目启动仪式”在西宁举行。宝钢集团通过中华慈善总会向灾区捐助500万元，专项用于残疾人配置假肢、矫形器、轮椅、助行拐杖等康复辅助器。

5月24—27日 国土资源部部长、党组书记、国家土地总督察徐绍史先后到玉树藏族自治州、循化撒拉族自治县、化隆回族自治县和西宁市，了解地震灾区恢复重建、黄河谷地百万亩土地开发整理项目、地质找矿专项实施进展以及青海省国土资源管理工作情况。

5月24—28日 中央纪委常委、监察部副部长、中央抗震救灾资金物资监督检查领导小组成员兼办公室主任王伟带领中央纪委监察部、民政部、财政部、审计署等有关单位共8人组成的中央抗震救灾监督检查组，对玉树抗震救灾资金物资管理及灾后重建工作开展情况现场进行指导、检查和调研。

5月25日 省玉树地震灾后重建现场指挥部召开专题会议，安排布置省第一批赴玉树地震灾区工作组与第二批工作组相关工作交接事宜，对第二批工作组需继续抓好的工作进行部署。马顺清主持会议并讲话。

5月25日 全国人大常委会原副委员长、中华少年儿童慈善救助基金会名誉会长、中国关工委主任顾秀莲一行，到华罗庚实验学校西宁分校，看望慰问从玉树地震灾区转移到西宁学习、生活的少年儿童，与灾区少年儿童共同欢度即将到来的“六一”国际儿童节。

5月25日 张建民在甘达、禅古两个示范村建设工地进行实地调研，并主持召开现场会，安排部署有关灾后重建工作。

5月25日 反映玉树抗震救灾题材的电影《玉树花开》举行开机仪式。吉狄马加代表省委和省委宣传部向摄制组授旗。

5月26日下午 青海省政府与北京市建委主任隋振江带领的北京市对口援建地震灾区先遣组举行座谈，商讨玉树地震灾后重建对口支援工作。强卫在座谈会后会见了隋振江一行。

5月26—27日 宋秀岩一行到玉树灾区看望慰问妇女儿童伤员。到省妇联看望妇联干部，并代表全国妇联向青海省妇联以及广大妇女工作者表示慰问。

5 月 26—29 日 骆惠宁率领青海省考察团赴四川考察学习灾后重建工作经验。四川省委书记、省人大常委会主任刘奇葆会见了考察团一行。其间，青海省政府和四川省政府召开了灾后恢复重建工作座谈会。会上，骆惠宁讲话指出，要从玉树实际出发，科学借鉴四川灾后重建的经验，把恢复重建与转变发展方式统一起来，把物质家园建设与精神家园建设统一起来，走出一条在高海拔地区科学重建新家园的成功之路。

5 月 27 日 回良玉在北京主持召开国务院抗震救灾总指挥部第 16 次会议，研究玉树地震灾区受灾群众过渡安置和灾后恢复重建对口援建工作。会议要求，要认真贯彻落实《国务院关于做好玉树地震灾后恢复重建工作的指导意见》，千方百计安排好过渡安置期间灾区群众的生产生活，同时要把恢复重建城乡居民住房摆在突出位置，精心组织对口援建工作，努力使尽可能多的群众在冬季来临前入住永久性住房，又好又快地完成灾后恢复重建的各项任务。

5 月 27 日 青海省抗震救灾资金物资监督管理及灾后重建情况汇报会在玉树召开。会议要求，各级纪检监察机关一定要以对党和人民高度负责的态度，切实做好玉树抗震救灾监督检查工作，确保中央决策部署不折不扣落到实处。仁青加主持会议。

5 月 27 日 省玉树地震灾后重建现场指挥部召开会议，学习传达强卫、骆惠宁 24 日在省委常委会、省政府常务会议研究《玉树地震灾后恢复重建总体规划》和《玉树县结古镇（市）总体规划》时的讲话精神，就切实做好玉树灾后恢复重建工作提出要求。

5 月 27 日 北京—青海玉树地震灾区重建工作座谈会在西宁召开，北京市对口援建地震灾区先遣组与青海省各相关部门就高水平开展玉树灾后重建工作，高起点描绘重建美好蓝图进行商榷。

5 月 27 日 西部机场集团在西宁召开玉树抗震救灾总结表彰大会，为获得“抗震救灾突出贡献单位”称号的青海机场有限公司玉树机场分公司、获得“抗震救灾先进集体”称号的青海机场有限公司运行保障部等 4 个单位及程珠祖等 33 名“抗震救灾先进个人”颁发奖牌和证书。

5 月 28 日上午 省卫生厅组织召开全省卫生系统赴玉树抗震救灾先进事迹报告会，全省卫生系统近千名干部职工聆听了 8 位报告团成员深情讲述的抗震救灾先进事迹。

5 月 28 日上午 武警玉树抗震救灾部队对扎西科等 5 个任务片区废墟清理完工，警地双方举行交接仪式，双方负责人现场签字交接。武警玉树抗震救灾部队自 4 月 20 日受领清墟任务以来，累计投入兵力 12 万余人次、机械 105 台，完成清墟面积 9.9 平方千米，清运建筑垃圾 83.8 万立方米，回填建筑垃圾 63.7 万立方米，规整砖块 4.4 万立方米、木材 2.1 万立方米、钢材 476.7 吨，清理生活垃圾 3303 立方米，清理房宅户 6694 户及机关、学校、医院等单位 11 个，拆除危房 3471 间。

5 月 28 日晚 省玉树地震灾后重建现场指挥部与北京市援建工作组对接会在玉树举行，双方就北京市援建玉树县结古镇、隆宝镇重建的各项工作进行积极对接，并达成基本共识。

5 月 28 日 张建民在玉树灾区深入街道商铺调研玉树灾后市场重建情况，先后到结古镇胜利路工商局灾区应急市场、胜利路马路市场、民主路灾后应急市场、赛马场居民安置点拟建应急市场进行调研，听取省工商局负责人关于灾后重建工作汇报，并就市场重建下一步工作提出具体要求。

5 月 28 日 省住房城乡建设厅召开玉树灾后重建工程地质勘查工作动员会，安排部署玉树结古地区震后重建项目工程地质初步勘查工作，明确工程地质勘查的目标任务、地域范围和深度等要求。

5 月 29 日 10 时 29 分 47 秒 玉树县（北纬 33.2 度，东经 96.6 度）发生里氏 5.7 级强余震，此后多次发生余震。

5 月 29 日 省民族团结进步工作领导小组在西宁召开弘扬抗震救灾民族团结精神座谈会，通报玉树抗震救灾工作情况暨民族宗教界人士参与抗震救灾情况。

5 月 29 日 《结古镇灾后重建总体规划》在结古镇格萨尔广场、扎西科赛马场向灾区群众公示，广泛征询社会各界的意见和建议。

5 月 30 日 保障玉树灾区受灾群众饮用水安全和防洪安全的两项重点工程——结古镇过渡性安置点供水工程及临时防洪工程开工建设。工程总投资 953.73 万元，与正在建设的民主村、红卫村应急水源和城镇原有水源相结合，新建给水管道 40.02 千米、阀门井 535 座。赛马场过渡性安置点临时防洪工程总投资 300 余万元，将修建沙袋堤防 9384.4 米。

5 月 30 日至 6 月 4 日 齐玉深入玉树县、称多县调研灾区基层党建工作，看望慰问基层党员干部和受灾群众，并送去慰问金。

5 月 31 日 国务院发布《关于支持玉树地震灾后恢复重建政策措施的意见》。《意见》提出，要支持和帮助玉树地震灾区恢复重建，统筹和引导社会各方面力量，又好又快重建新校园、新家园，建设社会主义新玉树，保证用 3 年时间基本完成恢复重建主要任务，使灾区基本生产生活条件和经济社会发展全面恢复并超过灾前水平。

5 月 31 日 强卫、骆惠宁到省妇女儿童医院，看望慰问在这里接受治疗的玉树地震受伤儿童。下午，强卫到结古镇扎西科村、扎西大同村、西杭村等废墟清理点，实地察看了解废墟清理进展情况，并到胜利路工商局灾后应急市场，察看市场恢复情况。

5 月 31 日 中华全国总工会在玉树抗震救灾现场举行授旗仪式，授予青海省国土资源厅地质灾害应急分队、青海省水文地质工程地质环境地质调查院、青海省环境地质勘查局找水打井应急分队“工人先锋号”荣誉称号。

5 月 31 日 审计署首次公告玉树地震救灾款及物资审计情况。截至 5 月 20 日，中央及青海省财政共安排抗震救灾资金 9.05 亿元，已用于民政救济、物资调运、卫生和基础设施抢修等方面支出 3.60 亿元，尚结存 5.45 亿元；全国共接收捐赠款物折合 70.44 亿元，已支出 4.73 亿元用于应急抢险，尚结存 65.71 亿元。

5 月 31 日 省抗震救灾指挥部在西宁举行新闻发布会。张光荣通报玉树地震遇难、失踪人员的核实情况，受灾群众安置、灾区恢复正常秩序和灾后重建情况。截至 5 月 30 日 18 时，经省民政厅、省公安厅和玉树州政府按相关程序规定核准，玉树地震已造成 2698 人遇难，其中已确认身份 2687 人、无名遗体 11 具，失踪 270 人。已经确认身份的遇难者中：男性 1290 人，女性 1397 人；青海玉树籍 2537 人，省内非玉树籍 54 人，外省籍 96 人（含香港籍 1 人）；遇难人员中有学生 199 人。

2010 年 6 月

6 月 1 日　中共中央政治局常委、中央书记处书记、国家副主席习近平赴玉树地震灾区，看望慰问灾区各族干部群众和灾后重建人员，考察群众安置情况和灾后重建工作。在省抗震救灾指挥部帐篷会议室，习近平主持召开会议，听取青海省委、省政府工作汇报，对前一阶段抗震救灾取得的成绩给予肯定，就继续做好恢复重建工作提出要求。

6 月 1 日　中共中央政治局委员、中央书记处书记、中央组织部部长李源潮到玉树地震灾区指导党建工作。

6 月 1 日　省军区在玉树召开抗震救灾前线指挥部会议，传达贯彻中央领导讲话、军队和武警抗震救灾联合指挥部和省委有关指示精神，研究部署第二阶段清墟任务。

6 月 1 日　玉树地震灾后重建工作宣传小组在西宁召开会议，强调 6 个方面的宣传报道重点，要求做好灾后重建宣传报道工作，安排部署当前及今后一段时间的宣传报道工作。

6 月 1 日　“我们在一起——与玉树灾区在宁就读儿童共度‘六一’主题活动”在青海省少年活动中心举行。

6 月 1 日　中国红十字基金会、百度网、省红十字会、玉树州红十字会在玉树州孤儿院共同举办迎“六一”——网聚爱心·点燃梦想，关爱玉树地震灾区孤残儿童活动，并向玉树州孤儿院、慈行喜愿会、酥油灯儿童之家幼儿园的 400 余名儿童发放价值约 20 万元的博爱书包套装和博爱温暖套装。

6 月 1 日晚　强卫在结古镇主持召开玉树县、乡（镇）、村干部座谈会，听取对灾后重建规划的意见建议，就扎实做好灾后重建工作提出要求。

6 月 1 日晚　骆惠宁在结古镇主持召开结古地区各界代表座谈会，征求对玉树结古镇（市）灾后重建总体规划的意见。

6 月 1—3 日　省教科文卫工会在玉树灾区举办了两场心理疏导讲座，为灾区 100 多名教师进行心理疏导。同时，在玉树州民族中学等 12 家单位，看望慰问 3115 名教职员工及医护人员。

6 月 2 日　回良玉在北京主持召开国务院抗震救灾总指挥部第 17 次会议，审议《玉树地震灾后恢复重建总体规划》（以下简称“《规划》”），研究玉树地震灾区学生复课和转移就学、伤员治疗康复和卫生防疫工作。会议决定，《规划》做进一步修改完善后，报国务院常务会议审议。

6 月 2 日　省抗震救灾指挥部召开会议，学习贯彻习近平视察玉树地震灾区时的重要讲话精神。强卫传达习近平重要讲话精神并就贯彻讲话精神、做好灾后重建工作提出具体要求；骆惠宁从 9 个方面作出具体安排。

6 月 2 日　骆惠宁到称多县歇武镇，实地调研“5·29”余震造成群众住房以及公共设施受损情况，看望受灾群众。骆惠宁强调，称多县进一步安排好受灾群众的生活，切实把灾后恢复重建和转变发展方式结合起来，在发展生态农牧业、促进群众持续增收上走在玉树州前列。

6 月 2 日　强卫在省玉树抗震救灾现场指挥部主持召开玉树州党政干部和各界代表人士座谈会，听取对灾后重建的意见和建议，就进一步扎实做好灾后重建工作提出要求。沈何、多杰热旦、齐玉、张建民等参加座谈会。

6 月 2 日　国家测绘局支援青海玉树地震灾后重建测绘保障工程正式启动。该工程包括在玉树灾区重点完成建设 15 个临时全球卫星导航（GSNN）连续运行基准站，解算灾区高精度似大地水准面，测制灾区 1∶10000 影像地图，建设灾后重建地理信息服务平台等。

6 月 2 日　全国佛教界为青海玉树地震灾区举行“七七”超荐祈福法会。据不完全统计，海内外佛教界通过各种渠道为青海玉树地震灾区捐献的赈灾款物折合 7000 万元。

6 月 2 日　《我们在一起》青海玉树抗震救灾专用邮资图首发仪式在西宁体育馆举行。

6 月 3 日 13 时 35 分 44 秒　玉树县（北纬 33.2 度，东经 96.3 度）发生里氏 5.3 级强余震。

6 月 3 日　省玉树地震灾后重建现场指挥部召开会议，传达学习习近平视察玉树地震灾区时的重要讲话精神。张建民提出具体要求。

6 月 3 日　强卫到玉树州治多县和曲麻莱县视察灾情，调研群众生活生产情况。

6 月 3 日　省公安厅政治部邀请中国人民公安大学、四川警察学院、青海省心理咨询中心、青海警官职业学院专家学者，组成心理健康辅导组，深入玉树灾区公安机关进行巡回辅导，做好心理抚慰工作，帮助民警度过心理高危期。

6 月 3 日　由省社科联、中国科学院心理研究所共同组建的震后心理援助西宁工作站在西宁正式成立。

6 月 3 日　由中华医学会高原医学分会主办，省高原医学研究院、省心脑血管病专科医院、中远威药业有限公司承办的玉树地震医疗急救及灾后重建高原卫生保障论坛会在西宁召开。

6 月 3 日　玉树州灾后恢复重建建材物资集散中心项目临时用地征地补偿工作完成，共计征用耕地 292.4 亩，发放临时用地补偿款 87.7 万元。

6 月 3 日　香港陈廷骅基金会向玉树灾区捐款 4000 万港元。基金会还与青海省政协、省教育厅、省财政厅签订《香港陈廷骅基金会重建青海省玉树藏族自治州寄宿制民族中学捐赠协议书》《香港陈廷骅基金会紧急救助青海省玉树县地震受灾群众捐赠协议书》。

6 月 3 日　中国初级卫生保健基金会向农工党青海省委捐赠价值 1000 万元的高原卫生保障用药品。

6 月 3 日　山西中远威药业向玉树地震灾区捐赠价值 1500 万元的防治高原病药品。

6 月 3 日　玉树州委、州政府对抗震救灾工作中表现突出的 5 家私营企业及 28 家个体工商户进行表彰。

6月3—5日 多杰热旦带领工作组，到玉树县让娘寺、结松寺、帮公寺、扎西尼姑寺、公主尼姑寺等寺院调研，慰问受灾僧众，查看寺院灾情，转达省委、省政府领导对寺院僧众的关心和问候，并送上慰问金。多杰热旦还就寺院灾后重建工作，在省玉树灾后重建现场指挥部召开座谈会，广泛征求州、县党委、政府和有关部门的意见和建议，并对下一阶段工作提出要求。

6月4日 省政府、国家能源局在西宁召开玉树地震灾后恢复重建电力保障工作座谈会，围绕玉树电力恢复重建以及远期发展目标，明确和细化近期玉树地震灾后恢复重建电力保障工作任务、时间进程和责任单位，并就临时电力保障措施、电力设备调运、电力项目建设前期工作等提出具体要求。国家能源局副局长钱智民、青海省副省长徐福顺出席会议并分别讲话。

6月4日 张建民查看玉树县生活垃圾处理厂选址点和卫生防疫工作。

6月4日 省交通厅印发《玉树灾后恢复重建公路保通实施方案》。

6月5日 中国中铁股份有限公司向青海玉树灾区捐款1000万元捐赠仪式在北京举行，双方就中国中铁在玉树参加援建工作进行商谈。骆惠宁、中国中铁股份有限公司总裁李长进出席捐赠仪式。

6月5日 由省委宣传部和省文化新闻出版厅组织的全省人民情系玉树“心连心”慰问演出活动正式启动。省歌舞剧院、省艺术剧院、海北藏族自治州民族歌舞团和省民族语影视译制中心的45名文艺工作者，赴玉树开展慰问演出和放映电影活动。

6月5日 省卫生厅制订《青海玉树地震灾区临时医疗卫生机构建设方案》。

6月5—7日 省玉树地震灾后重建现场指挥部和玉树州委、州政府联合召开《玉树州地震灾后恢复重建公共服务设施建设专项规划》《玉树州地震灾后恢复重建防灾减灾和生态修复专项规划》《玉树州地震灾后恢复重建生产力布局和产业结构调整专项规划》《玉树州地震灾后恢复重建基础设施建设专项规划》《玉树州地震灾后恢复重建农村牧区建设专项规划》《玉树州地震灾后恢复重建城乡住房建设专项规划》《玉树州地震灾后恢复重建土地利用专项规划》《玉树州地震灾后恢复重建文化遗产恢复抢救专项规划》《玉树州地震灾后恢复重建市场服务体系专项规划》9个专项规划意见征求会。

6月6日 省玉树地震灾后重建现场指挥部召开专题会议，研究玉树灾区建筑、生活垃圾填埋场选址，甘达、禅古示范村村内基础设施配套建设，结古镇废墟清理工作，要求对垃圾回收利用企业进一步严格管理，督促企业在垃圾回收处理完后完成原地造地、恢复生态任务。

6月7日 教育部对玉树地震灾区单独增加普通高等学校300名招生计划。

6月7日 青海玉树地震灾区1023名考生在玉树板房考场内参加高考。

6月8日 骆惠宁主持召开省政府第81次常务会议暨省玉树地震灾后重建工作领导小组第15次会议，听取玉树地震灾后恢复重建资金使用监管情况，以及对《玉树灾后恢复重建总体规划》实施情况中期评估有关准备工作的汇报。

6月8日 省玉树地震灾后重建现场指挥部召开天然气供气站建设专题会议，就中国石油天然气集团公司青海油田公司结古地区天然气建设项目实施方案听取汇报，研究部署当前项目实施重点工作。马顺清主持会议并讲话。

6月8日 省住房城乡建设厅向玉树灾区建设部门下发通知，要求玉树各地建设行政主管部门加强与工商、质监等有关部门的联系沟通，加强对建筑材料生产、销售企业的检查和抽查，严厉打击生产、销售假冒劣质建筑材料的行为，防止假冒劣质建筑材料进入市场。

6月8日 农发行青海省分行发放10亿元公路保通应急贷款，支持省交通厅恢复和维护通往玉树地震灾区主要交通运输道路，全力保障交通“生命线”的安全畅通。

6月9日 国务院印发《玉树地震灾后恢复重建总体规划》，明确恢复重建指导思想、基本原则和重建目标，提出力争用3年时间基本完成恢复重建主要任务，使灾区基本生产生活条件和经济社会发展全面恢复并超过灾前水平，实现居民拥有新家园、生态迈上新台阶、设施得到新改善、城乡呈现新面貌、社会和谐新局面的重建目标。该规划共10章，包括灾区概况和重建基础、总体要求和重建目标、重建分区和城乡布局、城乡居民住房、公共服务设施、基础设施、生态环境、特色产业和服务业、和谐家园、支持政策和保障措施。

6月9日 “携手同行·抗震救灾·民盟在行动”暨“爱心温州·善行天下·明眸工程青海行”启动仪式在西宁举行。全国人大常委会副委员长、民盟中央主席蒋树声，全国人大常委会委员、民盟中央副主席李重庵，省委常委、统战部部长多杰热旦，省人大常委会副主任马福海，副省长王令浚等出席，省政协副主席、民盟青海省委主委鲍义志主持启动仪式。

6月9日上午 马顺清一行到玉树州水务局住宅楼、玉树县第二民族中学教学楼等重点清墟现场，实地督导、检查清墟工作并召开清墟工作专题会议，对进一步做好清墟重点工作作出部署、提出要求。下午，马顺清一行先后到甘达、禅古两个灾后重建示范村建设施工现场，详细了解示范村建设工程进度，重点安排部署两个示范村的灾后重建工作。

6月9日 由省委宣传部、省文联主办，省书法家协会、省博物馆承办的“全国书法家玉树抗震救灾爱心捐赠书法作品精品展”在西宁开展。省委常委、宣传部部长吉狄马加宣布展览会开幕。

6月10日 玉树抗震救灾重大应急工程——格尔木物资转运站开工修建。工程造价约7000万元。

6月10日 青海省环境科学研究设计院完成的《玉树地震灾后重建总体规划环境影响评价专篇》通过省内专家组审查。

6月10日 工业和信息化部运行监测协调局在西宁市召开玉树地震灾后恢复重建建材保障工作座谈会。工业和信息化部党组成员、总工程师朱宏任出席会议并讲话。青海省经委介绍恢复重建建材保障工作安排情况，并提出建材保障初步意见。

6月10日 北京市政府向青海玉树州乡级以上67所寄宿制学校捐赠67辆学校生活用车，解决35000名师生日常生活用品和冬季取暖燃料运输问题。

6月10日 安徽省委、省政府及全省各界共向灾区捐款、捐物折合4600多万元。

6月10日 安徽省巢湖市再次向青海省捐赠1300万元，支持玉树灾后重建。青海省政府回赠“心系玉树灾区　爱洒三江源头”牌匾。

6月10日 甘肃、青海两省在西宁举行“玉树灾后重建合作座谈会暨捐赠仪式”。座谈会上，省经委介绍玉树灾后重建规划，甘肃省工信委介绍甘肃省钢铁、建材行业整体情况。

6月11日10时30分 中国国际航空公司完成北京至玉树直达航线开通的首次飞行。至此，玉树机场航班量由震前的每周3班增加到17班。

6月11日 财政部发布信息，为支持玉树地震灾区加快实施城乡居民住房和学校、医院等公共服务设施恢复重建，中央财政已于日前下拨2010年第一批玉树地震灾区恢复重建专项资金30亿元。其中，城乡居民住房恢复重建资金25亿元，学校、医院等公共服务设施恢复重建资金5亿元。

6月11—12日 青海第十一届全国人大代表和部分省人大代表在省人大常委会副主任马福海、郭汝琢带领下，深入玉树地震灾区开展专题调研，广泛征求玉树州、县、乡、村干部群众重建意愿和灾区各级人大代表意见和建议，听取省玉树地震灾后重建现场指挥部工作情况汇报，就灾区重建提出意见和建议。

6月12日 玉树州军分区玉树抗震救灾军地联合指挥中心竣工启用。工程分南北两区，建设总规模7321平方米，为一层彩钢活动板房，水、电、暖、通信、网络等设施配套齐全。北区位于玉树军分区机关营区，主要为玉树军分区机关办公住宿区；南区位于玉树军分区原教导队营区，占地约1.57公顷，由东向西依次为军队人员办公住宿区、综合接待区、地方人员办公住宿区和生活服务保障区。

6月12日 玉树州政府、中国电信青海公司灾后信息化重建战略合作协议签订仪式，在省玉树灾后重建现场指挥部举行。双方将在加强信息化规划研究、完善综合信息基础设施、加快信息技术普及应用和农村信息化进程、推进“平安城市”信息化建设、推进旅游信息化建设、加快培养信息化人才队伍等方面开展战略合作。

6月12日 由省政府集中采购的第一批玉树重建物资，分别从大通、西宁出发，运往玉树建材物流集散中心。这批物资包括6万吨水泥、2万吨钢材、1万立方米木材。

6月14日 省玉树地震灾后重建现场指挥部与中央军委总参谋部、总后勤部联合工作组就玉树州孤儿学校、玉树州职业技术学校、玉树县医院援建工作，在玉树进行对接并达成基本共识。马顺清、总参谋部作战部副部长贾建成参加会议并讲话。

6月14日 省玉树地震灾后重建现场指挥部召开专题会议，部署规划设计和基础设施部分调整变动等8个方面的工作，要求加快推进禅古、甘达两个示范村建设。

6月14日 玉树州委副书记、州长王玉虎主持召开330千伏变电站建设工作会议，专题研究变电站建设用地问题。

6月15日 骆惠宁主持召开省政府第59次常务会议暨省玉树地震灾后重建工作第五次会议，研究《关于支持玉树地震灾后恢复重建政策措施的意见》，原则通过玉树地震灾后重建有关政策措施、投资计划、资金安排、项目管理的意见；研究并通过《关于发挥群众主体作用，充分运用市场机制，加快推进玉树地震灾后重建的指导意见》；原则通过《关于成立省玉树地震灾后重建城乡规划委员会的请示》和《关于玉树“4·14”地震遗址选址的报告》。会议还听取玉树灾后重建工作情况和下一步工作安排意见的汇报。

6月17日 骆惠宁主持召开省政府第60次常务会议暨省玉树地震灾后重建工作第六次会议，听取省住房城乡建设厅关于《玉树县结古镇（市）总体规划（灾后重建）》征求意见和修改完善情况的汇报并批准《玉树县结古镇（市）总体规划（灾后重建）》，研究省住房城乡建设厅、省发展改革委、省农牧厅、省商务厅、省国土资源厅、省文化新闻出版厅、省民宗委和玉树州分别负责的关于玉树地震灾后恢复重建的《农村牧区建设规划》《基础设施建设规划》《公共服务设施建设规划》《生产力布局和产业调整规划》《防灾减灾和生态修复规划》《市场服务体系规划》《土地利用规划》《文化遗产恢复抢救规划》8个专项规划编制工作。

6月17日 玉树州召开灾后重建群众工作会议，总结前一阶段群众工作，重点安排部署下一步工作。

6月18日 省委召开常委会议，研究玉树地震灾后重建重点工作。会议要求，坚持科学推进灾后恢复重建，按照国家规划，进一步搞好各专项规划，形成一整套完整的规划体系。强卫主持会议。

6月18日 玉树州灾后重建生活必需品应急市场工程在结古镇民主路启动。马顺清出席并讲话。

6月18日 马顺清与军队和武警部队玉树地区抗震救灾联合指挥部总指挥、兰州军区副司令员赵建中进行座谈，就清理废墟工作和下一步灾后重建工作初步达成共识。

6月18日 省政府与北京市政府就玉树地震灾后援建事宜进行座谈，就援建协议主要原则和内容达成共识，并对协议涉及的一些具体问题交换了意见。

6月18日 武警抗震救灾部队在结古镇解放村举行清墟任务完工交接仪式。至此，武警抗震救灾部队第二阶段清墟任务圆满完成。

6月19日 回良玉到玉树灾区视察，听取灾区各族干部群众对恢复重建工作的意见和建议，指导受灾群众生活安置和灾后恢复重建工作。

6月19日 徐福顺就青海玉树地震灾后恢复重建援建协议及相关项目，与中国建筑工程总公司、中国中铁股份有限公司、中国铁建股份有限公司、中国水利水电建设集团公司有关负责人进行对接洽谈。

6月19日 国务院玉树地震灾后恢复重建协调小组办公室特派员孙波一行到玉树调研灾后重建工作。

6月19日 省政府与辽宁省政府就玉树灾后援建事宜举行座谈。

6月19日 省军区独立团在结古镇扎西大同村三社举行清墟任务完工交接仪式。该团自5月30日受领第二阶段清墟任务以来，先后清运废料10余万立方米、回填8万余立方米。

6月19—24日 省人力资源社会保障厅工作组深入玉树灾区开展就业帮扶工作。

6月20日 国务院抗震救灾总指挥部在西宁召开青海玉树地震灾后恢复重建工作会议。会议宣布成立国务院玉树地震灾后恢复重建协调小组，负责协调重大问题，指导重建规划落实；对玉树灾后恢复重建和对口援建工作作出部署。回良玉强调，要坚持科学、依法、统筹的方针，力争用3年时间基本完成恢复重建任务。

6 月 20 日　国务院玉树灾后恢复重建协调小组在西宁召开玉树地震灾后恢复重建对口援建工作会议。强卫致词，住房城乡建设部副部长仇保兴主持会议。国务院玉树灾后恢复重建协调小组组长、国家发展改革委主任张平就做好对口援建工作提出要求。辽宁省常务副省长许卫国、解放军总参谋部作战部副部长贾建成介绍对口援建情况和工作安排，国务院国资委副主任黄丹华介绍中央企业对口援建情况和工作安排，徐福顺介绍对口援建的各项保障措施。马顺清代表青海省分别与对口援建的北京市、辽宁省、中国建筑工程总公司、中国中铁股份有限公司、中国铁建股份有限公司、中国水利水电建设集团公司负责人签订对口援建协议。

6 月 20 日　省旅游局在玉树召开震后旅游业恢复重建现场会，明确下一阶段玉树地区旅游工作重点。

6 月 20 日　西宁北货运中心抗震救灾应急工程实现与宁大铁路三股道岔的铁轨合龙。工程包括新建货运“三台三线”及大量土石方、孔桩、电力线路、信号楼等项目。

6 月 20 日　结古镇当卡寺举行重建开工奠基仪式。

6 月 20 日　结古镇地震灾后重建工程地质初步勘察工作顺利完成。

6 月 21 日　省委发出《关于表彰玉树抗震救灾先进党委（党组）、先进基层党组织、优秀共产党员、优秀党员领导干部的决定》。决定在纪念建党 89 周年之际，对在玉树抗震救灾中表现突出的 20 个党委（党组）、56 个基层党组织、134 名共产党员、20 名党员领导干部予以表彰，分别授予“玉树抗震救灾先进党委（党组）”“玉树抗震救灾先进基层党组织”“玉树抗震救灾优秀共产党员”“玉树抗震救灾优秀党员领导干部”荣誉称号，并追授李德业为“玉树抗震救灾优秀共产党员”。

6 月 21 日　省政府与国务院国资委及北京市、辽宁省和 4 家对口援建央企负责人进行座谈。国务院国资委副主任黄丹华，青海副省长马顺清，北京市、辽宁省及中国建筑工程总公司、中国中铁股份有限公司、中国铁建股份有限公司、中国水利水电建设集团公司负责人参加座谈。座谈会上，马顺清向国务院国资委和援建地区单位详细介绍在玉树灾后重建中，青海省政府在交通、建材、电力、生活、燃料、卫生医疗等方面所提供的援建保障措施。黄丹华讲话，强调要做好对北京、辽宁和央企等援建单位的服务工作，加快推进水电路等基础设施建设，搞好建材等大宗物资的组织调运，为对口援建提供有力保障。

6 月 21 日　由省委宣传部、省文联、青海日报社、新华社青海分社、省摄影家协会主办的《玉树不倒——青海玉树 4・14 大地震影像纪实》《玉树挺起你坚韧的脊梁——玉树 4・14 抗震救灾新闻通讯特写集》《玉树 4・14 抗震救灾影像志》首发暨赠书仪式在西宁市举行。

6 月 21 日　玉树县结古镇甘达村甘达利众生态畜牧业专业合作社、禅古村禅古生态畜牧业专业合作社挂牌。

6 月 22 日　省政府出台《青海省人民政府关于支持玉树地震灾后恢复重建政策措施的意见》。

6 月 22 日　省政府召开西宁、海西、海东对口支援玉树灾后恢复重建工作会议。西宁市、海西蒙古族藏族自治州、海东地区是省委、省政府确定的省内首批对口支援玉树地震灾后重建援建地区，三地分别援建玉树地震一般灾区中的杂多县萨呼腾镇、治多县加吉博洛镇和称多县称文镇。西宁市政府、海西蒙古族藏族自治州政府、海东行署分别与玉树州政府签订对口援建协议，明确援建的区域、内容、方式、期限以及双方的责任和义务。标志着省内对口支援玉树地震灾区恢复重建工作正式启动。

6 月 22 日 省玉树地震灾后重建城乡规划委员会召开第一次会议。骆惠宁出席会议并讲话，从 4 个方面对该规划委员会工作提出要求。

6 月 22 日 省军区举行“投身玉树抗震救灾生动实践，践行当代革命军人核心价值观”先进事迹报告会，来自抗震救灾一线的玉树军分区司令员吴勇、某预备役步兵旅政委陈远英、某团团长王波涛、贵南县人民武装部政委尔见多杰、省军区司令部作训处处长喇世雄、某独立步兵团战士李正权 6 名先进典型作报告。

6 月 22 日 徐福顺主持召开专题会议，研究部署进一步动员社会力量深入开展玉树地震灾区恢复重建社会认捐认建工作。吉狄马加出席会议并讲话，张光荣就做好社会认捐认建工作提出具体要求。

6 月 22 日 玉树州召开拆违清墟和灾后重建群众工作联席会议。

6 月 22 日 省军区独立团部分官兵参加军地联合服务活动，协助当代村片区工作人员完成灾后居民区建筑受损情况登记工作，为下一步废墟清理和危房拆除工作打基础。

6 月 22 日 玉树州政协发出倡议书，倡议全州各级政协委员用心回报大爱，用实际行动参与支持家乡重建。

6 月 23 日 省委、省政府召开第二次省、州、县、乡四级干部灾后重建工作研讨会。仁青加、徐福顺、齐玉、张光荣围绕解决玉树灾后重建实际问题，提高各级领导干部领导灾后重建能力，促进依法科学统筹、有力有序有效地做好玉树地震灾区恢复重建工作作了讲话。

6 月 23 日 在 2010 中国上海国际摄影周暨第十届国际摄影艺术展上，“玉树抗震救灾摄影展”展出作品 100 幅，青海省摄影家协会获得“特别突出贡献奖”。

6 月 23—25 日 省委、省政府在省会议中心举行省、州、县、乡四级干部灾后重建工作研讨会，深入学习领会中共中央、国务院关于玉树地震灾后重建的方针政策和省委、省政府的具体部署，进一步统一思想、凝聚共识，研究解决玉树灾后重建中的实际问题，提高各级领导干部领导灾后重建的能力，促进依法科学统筹、有力有序有效地做好玉树地震灾区恢复重建工作。强卫就落实好国务院《关于做好玉树地震灾后恢复重建工作的指导意见》《关于支持玉树地震灾后恢复重建政策措施的意见》《玉树灾后重建总体规划》，提出工作中要注意把好“三关”；骆惠宁讲话着重就推动规划和政策落地，把握好重建重点问题，从 10 个方面提出了具体要求。玉树州委、州政府主要负责人就学习贯彻落实研讨会精神，扎实做好灾后重建工作作了表态发言。

6 月 25 日 团省委、省教育厅召开玉树灾后重建总体规划宣讲会，省发展改革委、省住房城乡建设厅、省教育厅分别就《玉树地震灾后恢复重建总体规划》《玉树县结古镇（市）总体规划（灾后重建）》《玉树地震灾后学校恢复重建规划》进行宣讲。

6 月 25 日 玉树州召开专题会议，学习贯彻落实《国务院关于支持玉树地震灾后恢复重建政策措施的意见》。

6 月 26 日 7 时 30 分 结古镇琼龙路至东大门道路两旁汇聚上千名群众，打着“千里驰援献爱心，依依惜别送亲人”等横幅，为回撤的兰州军区邱少云部队和武警某部大功团的官兵送行。在玉树灾区的 70 多天，部队先后完成人员搜救、入户排查、学校复课、孤儿学校帮建和清理废墟等各项任务。部队回撤后继续保留 700 多人进行第三期的废墟清理和“两校一院”的援建工作。

6 月 26 日 12 时 玉树灾区首批 1600 名学生陆续启程，赴四川省都江堰市转移就学。

6 月 26—29 日 分 3 次顺利完成前往内地省（自治区、直辖市）就读的玉树首批异地复课学生转运工作。根据青海省要求和教育部与相关省（自治区、直辖市）协商，到 9 月开学前，玉树地震灾区 5074 名学生转移安置到辽宁、山西、山东、四川、河北、天津、宁夏 7 个省（自治区、直辖市）学习就读。

6 月 27 日 7 时 20 分 玉树机场通信导航设备、目视助航灯光系统特殊飞行校验工作结束。

6 月 28 日 根据国务院统一部署，民政部、财政部、国家粮食局下发通知，部署青海、四川两省玉树地震灾区的困难群众后续生活救助工作。

6 月 29 日 省委召开青海省庆祝建党 89 周年暨玉树抗震救灾先进党委（党组）、先进基层党组织、优秀共产党员、优秀党员领导干部代表座谈会。强卫讲话，骆惠宁主持会议，受表彰的 4 名先进党组织和优秀党员、干部代表作了发言。

6 月 29 日 省十一届人大常委会第 16 次会议在西宁举行。徐福顺代表省政府作了关于玉树地震抗震救灾和灾后重建工作情况的专项工作报告，常委会组成人员和与会人员进行了审议讨论。

6 月 29 日 马顺清带领指挥部有关部门负责人，到玉树县青海健翔 CL 建筑体系样板房施工现场、中国石油青海油田援建玉树首个气化项目施工现场、甘达村牧民定居点施工现场 3 个重建施工工地，实地检查、督促重建工作进度。

6 月 29 日 省工商局召开“牵手助农”暨服务玉树灾区农畜产业发展座谈会。来自西宁、海东、海北、海南、玉树及省外的 50 名经纪人与玉树藏族自治州的 4 名经纪人签订冬虫夏草、藏茵陈、人参果、牦牛肉等特色产品购销协议，共计金额 1020 万元。

6 月 29 日 79 名玉树灾区孤儿赴北京进行短期休养。

6 月 30 日 玉树抗震救灾英模事迹首场报告会在省会议中心举行。报告团由 12 名成员组成。强卫出席报告会并讲话。

6 月 30 日 强卫到玉树县结古镇，看望慰问担负玉树灾后重建援建任务的中央企业广大干部职工。强卫一行还先后到禅古寺僧侣安置点、玉树州广播电视台板房办公区、玉树县第三完全小学和赛马场群众安置点，看望广大党员干部和群众，了解文物保护、广播电视恢复播出和藏语采编系统、学生复课以及基层群众文化生活等情况。

6 月 30 日 骆惠宁主持召开省政府第 61 次常务会议暨省玉树地震灾后重建工作第七次会

议，审议《玉树地震灾后恢复重建资金管理办法》和《青海省消防条例（草案）》。

6月30日 马顺清在结古镇主持召开专题会议，就第二批开工建设项目进行研究讨论。省、州、县各有关部门就初步确定的101个建设项目在会上征求专家的意见。

6月30日 西宁北货运中心抗震救灾应急工程正式开通运营。

2010年7月

7月1日 强卫在结古镇分别主持召开玉树州、县、乡党员干部及社会各界代表座谈会和玉树地震灾后重建现场指挥部成员单位、部队、援建企业、医疗单位座谈会。

7月1日 省政府办公厅转发省财政厅、省发展改革委关于《青海省玉树地震灾后恢复重建资金管理办法》的通知。

7月1日 省委组织部、省人力资源社会保障厅在结古镇甘达村举行灾后重建第一期技能培训班开班典礼。省委组织部与省人力资源社会保障厅制订出台《玉树地震灾后重建人员职业技能培训工作实施方案》。重建培训以3个月内短期培训为主，时间安排与重建工作保持有效衔接。

7月1日 全省法院系统召开玉树抗震救灾先进事迹报告会，还表彰玉树法院系统抗震救灾先进集体和先进个人。

7月2日 中央政治局常委李长春专程赴青海玉树地震灾区，看望慰问灾区各族干部群众和灾后重建人员，实地查看灾后恢复重建特别是文化重建情况，向玉树各族干部群众转达以胡锦涛为总书记的中共中央的亲切问候和深切关怀。刘云山、刘延东一同参加考察慰问。

7月3日 省委、省政府在玉树州召开会议，学习贯彻李长春视察玉树地震灾区时的重要讲话精神。强卫传达李长春重要讲话精神和刘云山、刘延东的讲话精神，就加快灾后重建工作提出具体要求。

7月3日 国家农业综合开发办公室正式批准玉树农业综合开发地震损毁工程恢复重建项目实施方案，专项安排农业综合开发资金2000万元。项目计划在结古镇东风、前进等村新建蔬菜大棚（拱棚）650座，同时为重建的蔬菜地配套修建机电井、蓄水井（池）、输电线路、灌溉渠道（管道）、田间作业道路等基础设施。

7月4日 玉树灾后重建第一批开工项目规划设计工作汇报会在西宁举行。省玉树地震灾后重建现场指挥部城乡规划委员会有关专家，就安冲乡、仲达乡、巴塘乡、隆宝镇4个乡镇20个村，结古镇4所学校、3所医院、广电中心、2个城镇居住组团等10个第一批项目建筑设计方案逐个进行汇报。现场指挥部规划项目组负责人就第二批计划开工建设的146个项目进行专题汇报。

7月5日 省玉树地震灾后重建现场指挥部在西宁召开学习会议，传达强卫、骆惠宁关于学习贯彻李长春视察玉树重要讲话精神和省政府《关于发挥群众主体作用充分运用市场机制加快推进玉树地震灾后重建的指导意见》《关于支持玉树地震灾后恢复重建政策措施的意见》《关于印发规范玉树地震灾后恢复重建项目审核管理工作意见的通知》，以及省政府办公厅转发省财政厅、省发展改革委《关于青海省玉树地震灾后恢复重建资金管理办法的通知》《关于印发玉树地震灾后恢复重建项目并联审核工作试行方案的通知》。

7月5日 省委宣传部、省文联、省摄影家协会召开表彰大会，授予青藏兵站部摄影学会等10个单位（组织）青海玉树“抗震救灾摄影组织贡献奖”，授予昂公扎西等48人为青海玉树“抗震救灾优秀摄影师”。

7月5日 省委统战部在青海会议中心举行全省统一战线“践行社会主义核心价值体系，弘扬抗震救灾伟大精神”报告会。多杰热旦出席报告会并讲话。各民主党派省委、省工商联以及西宁东关清真大寺、青海正平集团的代表分别作题为“社会主义核心价值体系，你我在灾难中共同践行”“风雨同舟，患难与共”等报告。

7月5日 省发展改革委出台《青海省玉树灾后恢复重建项目认捐认建办法》。

7月5日 西宁市政府就切实支援杂多县萨呼腾镇开展好灾后恢复重建援建工作召开专题会议，要求全市上下要高度重视玉树灾后对口援建工作，各地区、各部门要顾全大局，无条件地做好人员抽调等各项援建工作。

7月6日 省政府召开第62次常务会议暨省玉树地震灾后重建工作第八次会议，听取省住房城乡建设厅、玉树州政府关于玉树地震灾后恢复重建城乡住房建设专项规划和地震灾后城乡居民住房恢复重建及维修加固补助政策意见的汇报，原则批准《玉树地震灾后恢复重建城乡住房建设专项规划》《玉树地震灾后城乡居民住房恢复重建及维修加固补助政策的意见》。

7月6日 省政府召开玉树地震灾后重建规划设计工作会，安排第一批建设项目施工图设计阶段工作，部署北京市、辽宁省和中国建筑工程总公司、中国水利水电建设集团公司、中国铁建股份有限公司、中国中铁股份有限公司及西宁市、海东行署、海西州、海南州援建玉树地震灾区灾后重建第二批开工建设项目规划工作。马顺清就项目落地和有序推进提出要求。

7月6日 省政府印发《玉树地震灾后恢复农村牧区建设规划》。

7月6日 国家发展改革委副主任穆虹一行到玉树地震灾区检查指导工作。穆虹先后考察援建单位——中国铁建股份有限公司生活基地、燃油发电机组施工现场、青海省物产化工有限公司玉树建材物流集散中心、结古寺沟沙石料场等，并与玉树地震灾后现场指挥部、援建单位进行座谈。

7月6日 省政协举行玉树抗震救灾英模事迹报告会。玉树军分区干部张勇、省电力公司职工万建平、中国石油青海销售公司玉树分公司西杭加油站经理才让吉藏、解放军第4医院高原医疗队教导员武春莉、西部机场集团青海机场公司工会办公室主任张蔚等分别作了报告。

7月6日 国务院“新农保”试点工作领导小组成员、中国残联副理事长程凯率领由人力资源社会保障部、中央国家机关青联、中国科学院、北京大学等单位人员参加的考察慰问组一行，先后到玉树县、囊谦县、平安县慰问灾区受灾群众，了解“新农保”试点情况和即将开展试点的准备情况，并就地震伤员康复和残疾预防进行专题调研。

7月7日 张建民实地调研玉树县第一批开工项目准备工作及结古镇防雷减灾工作。在听取省、州、县地震部门对防雷减灾的工作汇报以及过渡板房防雷电装置建设情况汇报后，对玉树下一阶段防雷减灾工作提出要求。

7月7日 省委宣传部在省会议中心举行“玉树抗震救灾英模事迹报告会”。报告团成员武警青海总队政治部干事杨帆、玉树县公安局法制科科长马玉芳、省交通系统职工魏晓娟、省卫生系统职工索江、玉树州职业技术学校教师忠尕拉毛、青海电视台新闻中心记者赵莉等作了报告。

7月7日 省人力资源社会保障厅、省财政厅制定下发《关于对玉树地震灾区实行特殊阶段工作补贴的通知》。规定从2010年4月起到玉树灾区恢复重建工作完成，对青海省玉树地震灾区极重灾区、重灾区机关事业单位工作人员和一般灾区从事抗震救灾的机关事业单位工作人员，省直部门及其他地区派往灾区支援抗震救灾恢复重建工作的人员，发放特殊阶段工作补贴。

7月7日 玉树地震灾后重建赴日本专题培训班在省委党校开班。其间，中组部从国家各部委和四川、安徽等地，邀请8位专家、学者，举办“城乡规划及民族文化特色保护”“玉树地震灾后重建规划实施的原则及实施过程中应注意的问题”“灾后恢复重建项目前期工作及组织实施”等8个专题讲座。

7月7日 玉树州称多县藏医院住院楼、制剂楼工程开工建设。工程由四川省都江堰市投资710余万元援建。

7月8日 省玉树地震灾后恢复重建工作领导小组发布《关于玉树地震灾区灾后恢复重建认捐认建项目的公告》。认捐认建项目由省发展改革委统一协调管理，认捐认建项目确定后，捐赠资金汇缴到省民政厅、省财政厅、省红十字会、省慈善总会设立的认捐认建专门账户，实行专户管理。由省发展改革委、省财政厅等部门依据相关项目资金管理办法，按照捐赠单位或个人的意愿安排使用。

7月8日 省玉树地震灾后重建现场指挥部召开新闻发布会。受指挥部委托，青海省玉树地震灾后重建现场指挥部规划和项目管理协调组组长、青海省住房和城乡建设厅厅长匡湧，以及青海省玉树地震灾后重建现场指挥部副指挥长、玉树州委副书记、玉树州州长王玉虎通报了玉树灾后恢复重建进展情况。

7月8日 玉树灾后重建项目总承包合同暨第一批项目实施协议签字仪式在玉树举行。玉树州政府与6家援建单位签订青海玉树地震灾后重建工程总承包协议书；玉树县隆宝镇、安冲乡、仲达乡、巴塘乡政府与4家援建单位签订青海玉树地震灾后重建工程总承包合同；项目单位玉树州教育局、玉树州卫生局、玉树州广电局与6家援建单位签订州民族中学、州藏医院、州广电中心等地震灾后重建工程项目实施合同，玉树州政府与中石油股份公司签订LNG加气站项目实施合同。

7月9日 省玉树地震灾后重建现场指挥部与北京市对口援建玉树灾后重建项目对接会在

玉树举行。马顺清和北京市对口援建玉树指挥部有关负责人就灾后重建进行进一步对接。北京市援建指挥部专职副指挥金焱介绍项目前期规划设计、工程计划安排、施工营地建设等情况，工程建设处负责人就结古镇市政道路、隆宝镇完全小学、隆宝镇哈秀工作站民房设计方案进行详细说明。北京市援建单位就援建项目的用地、施工保障等问题进行工作衔接。

7月9日 省公安厅召开全省公安机关玉树抗震救灾先进集体、先进个人表彰大会，14个单位记集体二等功，14名个人记一等功，39名个人记二等功。当日，省公安厅党委发出《中共青海省公安厅委员会关于向全省公安机关抗震救灾先进集体和先进个人学习的决定》。

7月9日 省人力资源社会保障厅、玉树州和海西州联合举办玉树地震灾区恢复重建就业援助招聘会。来自三地的54家企业为玉树地区未就业人员提供了近3000个工作岗位。其中，1896人达成就业意向协议。

7月9日 玉树巴塘机场抗震救灾应急工程正式投入使用。至此，玉树机场具备全天候保障飞行能力。

7月10日 省委、省政府在结古镇召开万人誓师大会。强卫宣布玉树地震灾后重建第一批项目开工，骆惠宁致辞，张建民宣读《玉树灾后重建对口援建工作方案》。由此，玉树重建家园的大幕全面拉开。隆宝镇、巴塘乡、安冲乡、仲达乡4个乡镇的20个村村民住宅，玉树州民族高中、玉树县第一民族中学、玉树县第三完全小学、玉树州红旗小学、玉树州人民医院、玉树州广播电视中心、青海油田LNG供气站等项目以及结古寺、禅古寺和结古清真寺恢复重建工程将先后开工。

7月10日 玉树州结古镇LNG接收（气化）站项目正式开工。

7月10日 玉树藏族自治州藏医院恢复重建项目开工，标志着四大央企灾后重建项目进入实际施工阶段。玉树州藏医院总建筑面积13447平方米，2013年10月28日完成。

7月11日 《清华大学与玉树藏族自治州灾后重建科技服务合作协议书》签字仪式在结古镇举行。清华大学党委书记胡和平、党委常务副书记陈旭以及青海大学、玉树州的有关领导50多人出席了签字仪式。根据签署的科技服务合作协议，对口支援的清华大学将与青海大学携手，在3年内充分发挥两校的人才优势和科技优势，全力服务玉树灾后恢复重建工作，在农牧业科技示范园区建设和服务、生态畜牧业建设、良种家畜选育、科研项目合作、医疗合作、人才培养、技术培训、社会公共事业发展等方面提供科技服务和支持。

7月11日 省民政厅、省财政厅、省残联制定的《关于玉树地震灾区群众过渡性安置生活救助及伤残人员康复救助的意见》经省政府同意执行。

7月11—17日 玉树地震灾后重建考察团在日本进行专题访问和学习。

7月12日 省委宣传部召开专题会议，传达学习李长春、刘云山、刘延东视察玉树灾区讲话精神。

7月12日 玉树灾后重建现场指挥部与北京市、辽宁省、中国铁建股份有限公司、中国中铁股份有限公司、中国建筑工程总公司、中国水利水电建设集团公司以及西宁市、海西州等各援建单位负责人就第一批项目开工情况进行座谈。张建民出席座谈会并讲话。

7 月 12 日 兰州军区援建玉树地震灾区“两校一院”工作部署协调会在西宁召开。兰州军区政治部副主任李炳仁宣读《关于成立援建玉树地震灾区“两校一院”领导管理机构的通知》，青海省军区副司令员尹武平代表省军区就援建工作相关问题讲话。会上，军地双方举行援建协议签字仪式。兰州军区副司令员郭洪超中将出席会议。

7 月 12 日 东仓大藏经珍藏馆灾后维修重建工程正式开工。东仓大藏经珍藏馆于 2007 年开工建设，2008 年建成，总面积为 450 平方米。在玉树地震中，珍藏馆主体受损。2010 年 9 月 1 日维修工程竣工。

7 月 12 日 由中国中铁股份有限公司总承包、中铁二局负责实施的玉树县第一民族中学地震灾后重建开工典礼在结古镇南区举行。该工程占地面积约 4.4 公顷，规划建筑总面积 2.3 万平方米，按国家一流标准化非寄宿制学校设计，Ⅷ度抗震，设置 64 个教学班，可容纳 3000 名学生，工程投资 9462 万元。9 月 25 日建筑主体封顶，2011 年 8 月 16 日竣工。

7 月 12 日 玉树灾后恢复重建第一批项目举行开工仪式。团省委向中国水电集团等 16 支青年突击队授旗，号召广大支援承建任务的企业单位团组织积极行动起来，组织青年突击队全面开展劳动建功竞赛活动。

7 月 13 日 《青海日报》报道，近日，财政部、教育部下发《关于对玉树地震重灾区学生实施特别资助政策的通知》，凡生源地为玉树地震重灾区的高中阶段和高等教育阶段学生，恢复重建期内迁出省外和玉树州外就读的地震重灾区的初中和高中阶段学生，全部发放国家助学金或生活费补助，并免除 1 学年的学费。新增资金全部由中央财政负担。

7 月 14 日 省抗震救灾评选表彰领导小组召开第二次会议，传达省委办公厅、省人民政府办公厅、省军区政治部《关于开展全国和全省抗震救灾先进集体和个人推荐评选工作的通知》精神，对全国和全省抗震救灾先进集体和个人推荐评选工作进行安排部署。徐福顺对推荐评选工作提出具体要求。

7 月 14 日 张建民在玉树县隆宝镇实地检查北京市对口支援援建寄宿制小学、拆危清墟以及公共服务设施建设等玉树灾后重建第一批项目开工准备情况，慰问援建单位施工人员。

7 月 14 日 西宁市卫生局派出第五支卫生防疫队前往玉树灾区开展灾后卫生防疫工作。

7 月 14 日 共青团广州市委捐建的板房学校竣工仪式、援建曲麻莱青年活动中心签约仪式在玉树州职业技术学校举行。

7 月 15 日 省玉树抗震救灾先进事迹报告会在省军区举行。省军区副政委许金峰出席报告会，政治部副主任祁建青主持会议，省军区驻西宁单位的上千名官兵现场聆听报告。

7 月 15 日 玉树州职业技术学校高中部 2008 级 350 名学生前往辽宁本溪就读。这是该校第四批转移到外地免费就读的学生。

7 月 15 日 上海市城乡建设和交通委员会向省住房城乡建设厅捐赠实验仪器暨青海建院检测中心玉树检测站在玉树启动使用。张建民为检测中心揭牌，上海市城乡建设和交通委书记田赛男为捐赠牌揭牌。

7月16日 省综治办出台《关于加强玉树灾区基层综治维稳组织建设的指导意见》，就加强玉树灾区基层综治维稳组织建设工作做出具体部署。

7月16日 省民政厅会同相关部门研究制定《关于玉树地震灾区群众过渡性安置生活救助及伤残人员康复救助的意见》，明确玉树地震灾区群众过渡性安置基本生活救助政策，提出扶持残疾人教育和就业创业相关政策措施。

7月16日 四川、陕西、甘肃消防总队增援玉树灾区消防安保工作的50名官兵抵达玉树灾区，分别驻防胜利区、新建区、民主区灾区群众安置消防执勤点。

7月17日 玉树灾后重建城乡规划委员会召开第三次会议，听取玉树灾后重建城乡规划设计进展情况及初审意见情况的报告，以及专家和各援建单位对第一批落地项目方案设计的评审意见，并对进一步搞好项目规划设计审查、抓紧修改完善、力争早日开工建设等提出具体要求。张建民出席并讲话。

7月18日 玉树地震灾后恢复重建项目审批中心、灾后重建项目管理办公室暨三江源投资建设有限公司正式挂牌成立运行。

7月18日 玉树灾后重建消防工作会议在西杭社区集中过渡区举行。7月20日，省玉树地震灾后重建现场指挥部下发《关于进一步加强玉树地震灾区消防工作的意见》，从7个方面对灾后重建消防安全提出要求。

7月19日 省政府、商务部、中国人民银行、国家粮食局联合印发《玉树地震灾后恢复重建市场服务体系规划》，提出本年底完成玉树地震灾区市场服务体系恢复重建的主要任务。规划范围为玉树、治多、称多、杂多、曲麻莱、囊谦6个县的19个乡镇，其中极重灾区包括玉树县结古镇，重灾区包括玉树县隆宝镇、仲达乡、安冲乡、巴塘乡。

7月19日 青海银行玉树藏族自治州分行正式开业。

7月19日 省卫生系统举行玉树抗震救灾英模事迹报告会。由省委宣传部组建的玉树抗震救灾英模事迹报告团6名成员为省垣医疗单位医务工作者作报告。

7月20日 以"当好主力军，岗位做贡献，建设新玉树"为主题的玉树地震灾后重建劳动竞赛启动仪式在玉树州职业技术学校举行。启动仪式上，中国铁建股份有限公司、省电力公司、玉树公路总段的代表发言。

7月21日 中国红十字会与省政府在西宁签署《玉树地震灾后恢复重建项目备忘录》，标志着中国红十字会援助玉树灾后恢复重建工作全面展开。

7月21日 中华思源工程扶贫基金会向玉树地震灾区捐助1800万元。

7月21日 玉树灾区转移至四川省人民医院和华西医院治疗的最后一批7名伤员痊愈返回西宁。至此，玉树灾区转移至兰州、西安、成都和西藏昌都的768名伤员全部康复出院。

7月22日 中央组织部印发命名表彰决定，授予青海省玉树县结古镇党委等36个基层党组织"抗震救灾先进基层党组织"称号，授予青海省玉树县结古镇甘达村党支部书记叶青等29名共产党员"抗震救灾优秀共产党员"称号，追授四川省卫生厅应急办原副主任杨勇"抗震救灾优秀共产党员"称号。

7 月 22 日　省卫生厅制定印发《玉树地震灾区重建过渡期医疗卫生保障方案》，对灾后心理援助、卫生防疫、卫生监督等工作提出了详细的实施细则。

7 月 22 日　省公安厅举行玉树抗震救灾英模事迹报告会。报告团成员杨帆、马玉芳、魏晓娟、索江、忠尕拉毛、赵莉分别以“坚强挺立，只为救出更多的群众”“灾难中挺起不屈的脊梁”“山崩地裂撼不断青海交通魂”“大爱托起生命的希望”“无悔的抉择”“第一时间：新闻战士往前冲”为题作报告。

7 月 22 日　省科技厅出台以玉树县代格村科技支撑恢复重建为核心的《重建社会主义新玉树科技引领行动计划》，突出科技在玉树灾后重建中的示范带动作用。

7 月 23 日　张建民在中国建筑工程总公司玉树县安冲乡援建基地，看望慰问施工人员，听取中建公司和安冲乡有关负责人的汇报。

7 月 23 日　省政府出台《关于发挥群众主体作用，充分运用市场机制，加快推进玉树地震灾后重建的指导意见》，从强化宣传教育、尊重群众意愿、推进民主决策、完善监督机制、重建精神家园、加强基层组织等 14 个方面，提出了一系列具体措施。

7 月 24 日　玉树县结古镇灾后重建管委会成立誓师大会在格萨尔广场举行，宣告 10 个灾后重建管理委员会正式成立。

7 月 25 日　省政府在西宁召开玉树灾后重建城乡规划委员会第四次会议，通报第一批、第二批建设项目规划设计情况及有关问题，审议并原则通过第二批包括市政、住宅片区、学校和公建、村庄等在内的 147 个重建项目的规划设计方案，明确方案提交审查和项目开工时间节点。

7 月 27 日　中华慈善总会与青海省人民政府在北京签署备忘录。中华慈善总会代表全国各地慈善会（慈善总会、慈善协会、慈善基金会）向青海玉树地震灾区捐赠 23 亿元。其中，8 亿元用于援建城乡居民住房项目，8 亿元用于援建学校等教育项目，4 亿元用于援建社会福利设施项目，2.5 亿元用于援建农牧区基础设施项目，0.5 亿元用于援建生态环境项目。中华慈善总会会长范宝俊、常务副会长李本公、秘书长刘国林，青海省副省长张光荣和省政府办公厅、省民政厅、省慈善总会有关负责人出席签署仪式。

7 月 28 日晚　《玉树不倒　感恩祖国——青海玉树地震灾区重建美好家园特别节目》在北京电视台现场直播。中共中央政治局委员、北京市委书记刘淇，国家民委党组书记、副主任杨传堂，北京市市长郭金龙以及国家相关部委、北京市、青海省有关领导观看演出。

7 月 28 日　马顺清主持召开专题会议，听取省经委、交通、公安等部门和玉树州政府就灾后重建物资运输的情况汇报，并就下一步工作提出要求。

7 月 29 日　省玉树地震灾后重建现场指挥部召开专题会议，听取有关单位关于结古镇控制性详规编制及结古镇供水厂、污水处理厂、垃圾填埋场等选址设计情况和玉树州委、州政府关于灾后重建政策培训宣传、群众工作、分片包干、拆危清墟进展情况的汇报。马顺清听取汇报并就继续优化完善详规编制和选址设计工作提出要求。

7 月 29 日　全省 30 多所职业学校到玉树地震灾区开展职业教育宣传和招生活动。

7 月 30 日　马顺清带领省玉树地震灾后重建现场指挥部成员单位、省有关厅局负责人和玉树州政府负责人，到北京、辽宁对口援建指挥部和中国建筑工程总公司、中国水利水电建设集团、中国铁建股份有限公司等援建企业了解援建项目进度及施工保障等情况，现场解决灾后重建项目实施中出现的问题和困难。

7 月 30 日　武警青海总队在西宁召开抗震救灾暨抗洪抢险总结表彰大会，表彰在抗震救灾和抗洪抢险中做出突出贡献的 9 个单位、72 名个人。

7 月 30 日　玉树灾后重建物资抢运应急重点工程——格尔木货场应急工程建设完成并通过验收、交付使用。格尔木灾后重建应急货场位于格尔木火车站南侧，占地约 16.67 公顷。

7 月 31 日　青海玉树电网灾后重建暨结古 110 千伏变电站工程开工仪式在结古镇举行。

7 月 31 日　省住房城乡建设厅制定下发《关于加强全省城镇房屋建筑抗震鉴定与加固工作的通知》《关于加强玉树灾后重建工程设计管理工作的通知》，并编制完成《青海玉树地震灾区过渡安置活动板房建设技术管理暂行规定》《青海省农牧区居住房屋抗震设防设计要点》。

7 月 31 日　玉树州召开灾后重建维护社会稳定工作会议，安排部署灾后重建时期的社会稳定工作和治安管理工作。

2010 年 8 月

8 月 2 日　由中国扶贫开发协会组织的广东省广州鲁银投资有限公司、广东亚一照明科技有限公司、广州杰威迅电子股份有限公司、广州莱迪光电股份有限公司、中山市鸿宝电业有限公司 5 家企业与玉树州政府签订关于地震灾后部分援建项目框架协议。援建项目内容包括捐赠玉树地震灾区结古镇主街道 LED 太阳能路灯灯具、部分社区 LED 太阳能路灯建设、灾区贫困村产业建设等。

8 月 2 日　省财政厅拨付第二批玉树恢复重建专项资金 23 亿元，为玉树重建项目如期开工建设提供资金保障。

8 月 3 日　马顺清主持召开省玉树地震灾后重建现场指挥部专题会议，听取指挥部有关成员单位、玉树州政府和玉树县政府相关负责人关于玉树州震后城乡居民房屋受损核查情况的汇报，要求相关部门进一步做好核查工作，及时制定征地和拆迁办法，确定补偿标准，完善州、县两级攻府项目管理和协调机制，推动重建项目顺利开工建设。

8 月 3 日　玉树新闻网正式建成开通。标志着玉树州广播、电视、报纸等传统媒体和新兴网络媒体相结合的玉树媒体体系正式形成。

8 月 3 日　玉树灾后重建消防工作会议暨帐篷搭建试点现场会在西杭群众安置点举行。

8 月 3—5 日　多杰热旦在玉树调研指导寺院恢复重建工作。

8月4日　省玉树地震灾后重建现场指挥部召开玉树地震灾后重建第二批项目开工准备专题会，就进一步加快玉树灾后重建第一批项目施工进展，全力准备保证第二批项目如期开工做出安排部署。

8月5日　财政部、海关总署、国家税务总局联合制定出台《关于支持玉树地震灾后恢复重建有关税收政策问题的通知》。税收优惠政策涉及受灾企业、个人、灾区基础设施、房屋建筑物等恢复重建、社会各界捐赠以及灾区就业等多个方面。

8月6日上午　省民政厅在玉树召开灾区群众过渡安置和生活救助工作会议，总结玉树地震以来灾区群众转移安置和生活救助工作，分析研究当前所面临的困难和问题，并筹划落实今后群众过渡安置及生活救助措施。

8月7日　省公安消防总队为玉树州消防支队配备14辆消防摩托车。

8月9日　交通部下发《关于做好青海玉树地震灾后恢复重建道路运输保障工作的通知》。

8月9日　马顺清对玉树州广电中心、中国石油青海销售公司灾后重建项目部、州民族中学项目部、州藏医院、州人民医院、县人民医院、县红旗小学等第一批开工项目实施情况进行现场调研。

8月9日　玉树州政府召开全州第一次消防工作联席会议，通报当前玉树地区消防安全形势，通过玉树灾区消防联席会议工作制度，全面部署灾区重建期间的消防安全工作。

8月9日　玉树州委召开拆危清墟专项工作会议，对拆危工作进行再安排、再部署。会议决定，10—13日对结古镇玉树宾馆、大利都商贸城、拉布寺商铺等在“4·14”地震中震损的18处10多万平方米建筑物进行拆除清墟。

8月9日　治多县完全小学、加吉博洛镇城乡住房灾后重建项目正式开工。

8月10日15时28分　装机容量3万千瓦（10×3000千瓦）的玉树应急燃油电站1号柴油发电机组按期并网发电，各项运行指标良好，提前完成预定工期目标。6月5日，玉树应急电源项目在结古镇西杭电厂院内破土动工。7月6日下午，国家发展改革委副主任穆虹到施工现场检查指导工作。7月31日下午，国家发展改革委主任张平视察施工现场。

8月10日　中国石油青海销售玉树分公司结古镇油库正式开工建设。

8月10日　玉树宾馆、结古宾馆等11处受损严重或将在灾后重建中重新规划搬迁的重点建筑开始拆除。

8月10日　国道214线结古至巴塘机场公路路面工程完工。公路全长21.6千米，是通往玉树灾区的重要通道。

8月11日　中国水利水电建设集团公司承建的玉树州民族中学举行开工仪式，标志着玉树第二批灾后重建项目建设全面展开。

8月11日　由中国残联、国际助残组织、香港红十字会援建的玉树地震伤残人员康复训练中心在玉树县结古镇落成。

8月12日　省直机关抗震救灾先进事迹报告会举行。省民政厅直属机关党委副书记任燕蓉、中国石油青海销售公司玉树分公司党委书记周拉、省交通厅职工魏晓娟、省住房城乡建设厅职工张琰、省卫生厅职工索江、青海电视台新闻中心记者赵莉、省公安厅职工孟灵芝分别作报告。

8 月 12 日 省玉树地震灾后重建现场指挥部召开玉树县新寨村嘉那嘛呢石经城规划专题会议，听取北京中联环规划设计集团、清华大学城市规划设计研究院方案介绍，与会专家针对两个方案发表意见。马顺清提出具体要求。

8 月 12 日 省玉树地震灾后重建现场指挥部召开新闻发布会。省发展改革委、省住房城乡建设厅、玉树州人民政府分别就 2010 年玉树灾后恢复重建投资计划及第二批开工项目安排情况作了介绍。2010 年计划安排地震灾后恢复重建项目总投资为 162.86 亿元，主要用于城乡住房、基础设施、公共服务、和谐家园、特色产业项目建设。

8 月 13 日 中华慈善总会对青海玉树地震抗震救灾捐赠资金和物资接收使用情况进行第一次公示。截至 8 月 12 日，共接收玉树地震抗震救灾社会捐赠资金 26.72 亿元，其中总会本级接收 5.82 亿元，各地慈善会（总会、协会、基金会）汇缴 20.9 亿元。截至 8 月 10 日，已分配使用的捐款合计 23.14 亿元。其中，用于紧急救援用款 1416.80 万元，用于灾后恢复重建项目用款 23 亿元。

8 月 14 日 省委、省政府、省军区在青海会议中心召开全省抗震救灾表彰大会，全面总结玉树抗震救灾工作，表彰抗震救灾模范集体、模范个人和民族团结模范个人，进一步对玉树灾后重建和经济社会发展工作作出部署。强卫发表讲话，骆惠宁主持会议。8 月 11 日，省委、省政府、省军区印发《中共青海省委　青海省人民政府　青海省军区关于表彰全省抗震救灾模范集体、全省抗震救灾模范和全省抗震救灾民族团结模范的决定》，22 个集体获“全省抗震救灾模范集体”荣誉称号，302 名个人获“全省抗震救灾模范”荣誉称号，追授 5 名个人“全省抗震救灾模范”荣誉称号，12 个集体和 19 名个人获“全省抗震救灾民族团结模范”荣誉称号。

8 月 15 日 省玉树地震灾后重建现场指挥部召开玉树灾区 6 县村庄灾后重建项目专题工作会议。马顺清主持会议。

8 月 15 日 玉树州委、州政府和玉树军分区召开抗震救灾表彰大会，表彰玉树县直属机关党委等 35 个党组织为先进基层党组织、玉树州人大常委会等 110 个集体为先进集体、授予省接待办等 40 个单位为先进单位、吉洛等 211 人为优秀共产党员、李生德等 293 人为先进工作者、多杰等 344 人为模范个人，追授杜金玉等 6 人为模范个人称号。

8 月 15 日 省玉树地震灾后恢复重建现场指挥部召开 6 县村庄灾后重建项目专题工作会议。马顺清主持会议并讲话。

8 月 15 日 玉树灾区第二批重建 10 个项目正式开工。马顺清出席开工仪式。

8 月 15 日 玉树州首个办理灾后重建资金结算业务大厅在玉树农村信用合作联社正式开业。

8 月 16 日 国家发展改革委副主任穆虹到青藏铁路公司西宁北站货运中心调研玉树灾后重建铁路运输物资保障以及枢纽改造工程相关情况。

8 月 16—19 日 桑杰带领部分省人大常委会委员和省人大财经委委员组成的视察组，对玉树地震抗震救灾资金物资管理使用情况开展视察。

8月17日 中共中央政治局常委、中央纪律检查委员会书记贺国强赴玉树看望慰问灾区各族干部群众和奋战在恢复重建一线的广大建设者，实地考察受灾群众安置、灾后恢复重建及监督检查工作。贺国强出席在玉树召开的地震灾后安置、恢复重建暨监督检查工作汇报会，听取青海省、中央纪委、监察部、国家发展改革委、民政部、财政部、审计署有关负责人的汇报，并就做好灾后重建工作提出要求。

8月17日 由中央宣传部、中央统战部、中央外宣办、国家民委、新华社、解放军总政治部、青海省委联合举办的“玉树不倒青海长青——玉树抗震救灾主题展览”在中国人民革命军事博物馆举行。刘云山出席开幕式并讲话。

8月18日 国家发展改革委副主任穆虹、财政部副部长张少春在结古镇调研灾后重建工作。

8月18日 骆惠宁、马顺清看望慰问援建人员和片区干部。

8月18日 玉树州委、州政府抽调玉树州县两级政法委、建设局、统战部、信访局等部门共30余名领导干部和业务骨干，成立玉树灾后重建矛盾纠纷大调解州县联合协调指挥中心。

8月19日 中共中央、国务院和中央军委在西宁举行全国抗震救灾总结表彰大会。刘云山宣读《中共中央　国务院　中央军委关于表彰青海玉树全国抗震救灾英雄集体和抗震救灾模范的决定》。回良玉等领导向受表彰的玉树州抗震救灾指挥部等225个抗震救灾英雄集体和王玉虎等330名抗震救灾模范代表颁奖。23日，青海省委、省政府、省军区发出通知，要求认真学习贯彻全国抗震救灾总结表彰大会精神。

8月20日 强卫主持召开省委常委会议，学习贯彻贺国强在青海视察时讲话精神和全国抗震救灾总结表彰大会精神。

8月20日 省玉树地震灾后重建现场指挥部召开专题会议，听取玉树州委、州政府关于加快重建工作相关建议的报告，安排部署近期玉树重建工作。

8月20日 中央人民政府驻香港特别行政区联络办公室举行已故香港义工黄福荣表彰仪式。人力资源社会保障部部长尹蔚民代表国务院宣读表彰决定，追授黄福荣“抗震救灾舍己救人杰出义工”称号，并向黄福荣亲属颁授奖章和证书。香港特别行政区行政长官曾荫权在仪式上致辞。

8月21日 玉树州称多县在称文镇白龙村举行称多县农牧民房屋灾后重建工程开工仪式。称多县第一批开工建设的项目涉及县城称文镇、国道204线边的重镇歇武镇等5个乡镇的8036户农牧民。

8月21—24日 齐玉先后到玉树县西杭、扎西科、扎西大同北管委会和结古镇甘达村进行调研，了解基层党组织推动灾后重建工作情况，要求玉树州、县党委继续加强灾后重建阶段各管委会党工委及社区党支部的建设，进一步改进基层党组织活动和工作方式，积极探索从现有片区管理模式下的党建工作向规范化街道社区党建工作的转型。

8月22日 玉树灾后重建城乡规划委员会第五次会议在西宁召开，讨论结古镇新寨村嘉那嘛呢石经城，扎西科河和巴曲河两河沿岸景观带，结古镇胜利路、民主村和下西同村民居点等 6 个项目的规划设计方案。

8 月 22 日 省国土资源厅出台《关于玉树州灾后重建建筑用沙石、黏土开采管理的意见》。

8 月 22 日 玉树灾后重建过渡百货批发市场建成营业。

8 月 23 日 长江水利委员会向玉树灾区水利系统捐款、赠车仪式在玉树县结古镇格萨尔广场举行。该委员会 3 万余名职工共向地震灾区捐助资金 365 万元、车辆 6 台。

8 月 24 日 中国农业银行股份有限公司党委副书记、副董事长、行长张云带领工会、信贷等 7 个部门负责人赴玉树灾区检查指导工作，看望慰问受灾员工及家属，并与省玉树地震灾后重建现场指挥部，玉树州委、州政府及援建单位进行座谈。

8 月 26 日 张建民同省委统战部、省民宗委、省发展改革委、省住房城乡建设厅及玉树州、县相关部门负责人，先后到结古寺宾馆拆危清墟现场、结古镇清真大寺和当卡寺重建项目施工现场，实地检查寺院灾后重建进展情况。

8 月 26 日 玉树初中 495 名新生在 10 名教师的带领下，踏上赴山西省长治市的列车。这是玉树灾区学生省外转移安置第二阶段计划安排的首批学生。

8 月 26 日 玉树县城污水处理厂及污水管网工程正式开工建设，总投资 2.6 亿元。2012 年 9 月 28 日竣工。

8 月 27 日 张建民召集省发展改革委、省经委、省住房城乡建设厅、省交通厅、省环境保护厅、省纪委监察厅及玉树州相关部门负责人召开会议，专题研究玉树灾区建材供应及保障工作。

8 月 27 日 由青海省政府、香港《文汇报》联合主办的“玉树临风浴火重生——青海玉树赈灾图片展”在香港会展中心揭幕。

8 月 28 日 由军队和武警部队援建玉树地震灾区的玉树州八一孤儿学校、玉树州八一职业技术学校和玉树八一医院正式开工奠基。

8 月 29 日 省玉树地震灾后重建现场指挥部召开玉树重建工作省外援建单位调度会。省外各援建单位汇报援建工程开工进展情况、工作中存在的具体问题和困难及下一步施工计划与安排。省直各部门负责人就衔接服务工作中所遇到的实际困难和采取的相关措施，以及对下一步工作的意见和建议进行汇报。张建民出席会议并讲话。

8 月 31 日 张建民同省政府办公厅、省发展改革委、省财政厅、省住房城乡建设厅及玉树州、玉树县相关部门负责人，先后前往玉树地震灾后重建项目省州县并联审核中心、州县项目管理办公室和项目管理公司，检查指导灾后重建项目审批办理工作。

2010 年 9 月

9 月 1 日 国家发展改革委会同工业和信息化部、铁道部等部门下发通知，强调必须严格执行已商定的供应玉树地震灾后恢复重建建材的定价原则，即当市场价低于成本的时候，供货价格不能高于市场价；当市场价高于成本时，按照成本价供货。

9 月 1 日 由省委宣传部和部分兄弟省份宣传部共同主办，以“永不放弃　向生命致意”为主题的玉树抗震救灾图片展巡展在山东济南举行。

9 月 1 日 省民政部门开始向玉树灾区调运群众过冬救灾物资。次日，装满 30 辆卡车的 5000 顶棉帐篷运抵结古镇。

9 月 2 日 省玉树地震灾后重建现场指挥部举行玉树抗震救灾先进事迹报告会，5 名奋战在抗震救灾一线的英雄模范作报告，玉树州直机关各单位、公安民警、武警官兵代表聆听报告。

9 月 2 日 张建民在玉树州囊谦县毛庄乡，实地检查指导灾后重建工作。

9 月 3 日 省玉树地震灾后重建现场指挥部召开重建项目协调会，通报玉树地震灾后恢复重建第一、第二批未开工项目情况，传达《关于下达玉树灾后援建主要问题整改任务分解表的通知》和《关于进一步加快玉树地震灾后城乡住房建设的紧急通知》。北京市、辽宁省、中国建筑、中国中铁、中国铁建、中国水电和西宁市、海东州、海西州、海南州援建现场指挥部和中国城市规划设计院的有关负责人就灾后重建第一、第二批工程项目推进过程中出现的具体问题与省直有关部门和玉树藏族自治州、玉树县相关部门负责人进行沟通协调。

9 月 4 日 玉树灾后重建城乡规划委员会第六次会议在西宁召开。会议审查德宁格住宅小区、玉树州八一职业技术学校等 15 个重建项目的规划设计方案。其中，住宅类项目 6 个，公共建筑类项目 8 个，基础设施类项目 1 个。

9 月 5 日 玉树灾后重建阶段性总结表彰大会在省玉树地震灾后重建现场指挥部会议中心召开，共有 85 个集体、150 名个人受到表彰。

9 月 6 日 江苏省残疾人联合会、江苏省残疾人福利基金会向玉树地震灾区捐赠总价值 40 万元的 4000 台收音机。

9 月 7 日 玉树县结古镇德宁格住宅区、民主村住宅区、玉树州党校住宅区、玉树县西杭商住南组团 4 个城乡保障性住房项目开工建设。

9 月 7—9 日 驻青海全国政协委员视察团视察玉树灾后重建工作。视察团听取马顺清关于玉树地震灾后重建情况的汇报，先后实地察看禅古村、西杭燃油发电站、玉树县第一民族中学、玉树县第三完小、建材物资配送中心、中国石油 LNG 加气站、新寨绿色产业基地建设情况，召开基层干部群众座谈会、宗教人士座谈会，听取基层干部群众和宗教界人士的意见和建议。

9月8日　骆惠宁主持召开省政府第65次常务会议，对玉树地震灾区伤亡家庭再生育工作进行研究。会议原则同意《关于玉树地震灾区伤亡家庭再生育的意见》，决定提请省人大常委会审批。

9月8日　地处巴塘草籽站院内的玉树县救灾物资中转库正式交付使用。

9月8日　结古镇4项应急水源及过渡性安置点供水工程全部完工投入运营。共修建蓄水池3座、泵房8座、供水房32座，新建供水管网55千米、各类供水井600个，保证了12万人的安全用水。

9月9日　中共中央政治局委员、国务院副总理张德江到玉树县第一民族中学援建施工现场考察，看望慰问施工人员。

9月9日　省玉树地震灾后重建工作领导小组召开新闻发布会，张光荣通报玉树地震社会捐赠资金使用管理情况。

9月9日　玉树灾区第三批异地转移的610名职高学生启程前往山东学习。至此，玉树灾区2010年异地转移学生任务圆满完成。

9月10日　经玉树州委组织部、中国建筑玉树灾后重建前线指挥部党委研究决定，在玉树州红旗小学项目部开展“三号联创”创“双优”和准军事化管理活动。

9月10日　由北京市政路桥控股集团公司援建的玉树县结古镇市政配套工程北环路、红旗路、商业街道路建设工程正式开工。马顺清出席开工仪式并宣布开工。

9月12日　玉树燃油发电工程完工。

9月13日上午　由中共青海省委宣传部、中共江苏省委宣传部、江苏省地震局联合主办，江苏省委省直机关工委、江苏省教育厅、中共南京市委宣传部、南京图书馆协办的“永不放弃，向生命致意——青海玉树抗震救灾图片展”在南京图书馆开展。

9月13日　玉树地震灾后重建阶段性工作会议在结古镇举行，骆惠宁讲话，强调要奋战50天，坚决完成2010年灾后重建任务。

9月13日　省玉树地震灾后重建现场指挥部召开专题会议，对玉树灾区城乡居民住房建设“两个大部分”和“一个全面”的重建任务进行安排部署。马顺清主持会议，并从8个方面对玉树灾区年内重建工作提出新要求。

9月14日上午　强卫在青海民族大学作题为“玉树不倒　青海常青”的玉树抗震救灾形势报告。

9月14日下午　省玉树地震灾后重建现场指挥部召开玉树电信恢复重建专题会议，听取玉树电信恢复重建有关情况汇报，研究确定玉树电信恢复重建相关事宜。马顺清主持会议。

9月14日　省玉树地震灾后重建现场指挥部召开玉树地震灾后重建城乡居民住房建设工作会议，就全力推进玉树重建城乡居民住房建设作出安排部署。会上，省玉树地震灾后重建现场指挥部与玉树州委、州政府及各援建单位签订了《2010年度玉树地震灾后重建工作目标责任书》，玉树州委、州政府同时与6县签订目标责任书。

9月15日上午　省玉树地震灾后重建现场指挥部召开会议，专题研究协调重建急需施工设备铁路调运工作。下午，就灾后重建项目规范审批工作进行安排部署。马顺清主持会议，并对灾后重建项目规范审批工作提出要求。会议还对省内建筑企业对口援建玉树州一般灾区农牧民住房建设工作进行了研究部署。

9 月 15 日 玉树强盛混凝土有限公司举行开工仪式。该公司是浙江台州强盛混凝土公司支持玉树灾后重建确定的第一批定点建材生产企业。公司投资 5000 多万元，独立拥有大型洗沙制沙设备、双系统电脑控制搅拌设备、各种车辆近 30 辆，是玉树州最大的混凝土搅拌站。

9 月 16 日 玉树州召开动员大会，就结古镇区居民和机关单位进行集中安置事宜进行动员。安置遵循先易后难、先简后繁的原则，按照危房户、项目区内住户、个体工商户、行政事业单位（部队）的顺序进行集中安置。

9 月 16 日 省玉树地震灾后重建现场指挥部组织安排省内 11 家大型建筑企业援建玉树 6 县一般灾区农牧民住房建设并举行援建协议签约仪式。马顺清出席仪式并讲话。

9 月 16—17 日 国务院玉树灾后恢复重建协调小组调研组一行 3 人，先后到正在恢复重建的玉树燃油发电站、玉树县第一民族中学、胜利路商住组团、玉树县第三完小、玉树建材物资集散中心及中国石油 LNG 气化站等 31 个灾后重建工地现场进行调研，听取汇报，实地查看建设进度，广泛听取基层干部群众意见和建议。

9 月 18 日 上拉秀乡 7 个村 1090 户牧民住房在 16 个点集中开始建设，其中最大的集中建设点达到 161 户，最少的有 22 户。至 10 月 9 日，援建单位在多拉、沙宁等 6 个村的 7 个集中安置点陆续开工 524 套牧民住房建设，占总任务 1090 户的 48.1%，实际完成投资约 970 万元。

9 月 19 日 玉树灾后重建城乡规划委员会组织召开玉树灾后重建重点项目规划设计座谈会。座谈会上，中国建筑学会介绍六大重点建设项目设计任务分配及总体要求。

9 月 19 日 看卓措毛代表石家庄市玉树民族中学 286 名学生，给强卫写信，感谢家乡政府和父老乡亲对他们的关怀与帮助，为他们重新插上飞向梦想的翅膀，表示要用优异的成绩来报答家乡政府和父老乡亲。10 月 9 日，强卫回信，鼓励同学们勤奋学习，坚强生活，立志成才，报效祖国。

9 月 20 日 省玉树地震灾后重建现场指挥部召开玉树地震灾后重建环境保护工作会议，分析当前环境保护工作面临的形势，安排部署灾后重建中环境保护工作。会上，玉树州分别与各援建单位签订了环境保护目标责任书。

9 月 22 日 省玉树地震灾后重建现场指挥部召开玉树地震灾后重建项目审批审查情况通报工作会议。省发展改革委、玉树州、省住房城乡建设厅主要负责人就玉树地震灾后重建项目审批审查情况提出意见和建议。

9 月 23 日 玉树县扎西科河水源地 3 号大口井工程开工。

9 月 24 日 玉树州委、州政府印发《关于进一步加强结古镇灾后重建拆迁清墟征地安置工作的实施意见》，明确指出，结古镇区征地拆迁必须全面完成任务，确保各类重建项目按期实施，为早日实现中共中央、国务院和省委、省政府提出的灾后重建目标提供可靠的用地保障。

9 月 25 日 省玉树地震灾后重建现场指挥部召开进一步稳定重建建材价格做好建材运输

专题会。省发展改革委、省交通厅、省经委、省住房城乡建设厅和玉树州政府的主要负责人就玉树地震灾后重建项目材料价格和建材运输情况提出意见、建议。

9 月 25 日 省委宣传部、团省委、省委教育工委、省文明办、省教育厅、省学联在西宁举行玉树灾后重建总体规划宣传社会实践活动表彰大会，对 2010 年青海大中专学生暑期宣传玉树灾后重建总体规划社会实践活动中涌现出来的先进集体和个人进行表彰。

9 月 26 日 首个太阳能路灯示范项目在甘达村竣工。

9 月 26—28 日 由北京大学精神卫生研究所主办、省第三人民医院承办的“卫生部—联合国人口基金玉树震后社会心理支持项目培训班”在西宁举办，来自北京、上海、广州、沈阳等地的 9 位灾后心理干预专家授课。

9 月 28 日 玉树灾后重建工程质量安全专题会议在结古镇召开。王玉虎就进一步做好灾后重建工程质量安全工作提出具体要求。玉树州政府通报上一阶段灾后重建工程质量安全检查情况，北京援建指挥部、中国中铁股份有限公司、海西援建指挥部和省住房城乡建设厅的负责人就三树灾后重建工程质量安全方面的情况进行通报和交流发言。

9 月 28 日 玉树州人民医院及州级医疗服务中心三级乙等医院灾后重建项目正式开工。项目由中国中元国际工程公司设计，投资规模近 2 亿元，建筑面积达 3.65 万平方米。

9 月 29 日 玉树灾后重建社会捐赠资金管理中心挂牌暨援助玉树地震灾后恢复重建项目协议签订仪式在结古镇举行。

9 月 30 日 省玉树灾后重建工作领导小组第 11 次会议召开，听取玉树灾后重建近期工作进展情况的汇报，对当前灾后重建及灾区群众过冬安置工作进一步做出安排部署；还通过《关于玉树地震灾区有成员伤亡家庭再生育的决定》。骆惠宁主持会议并讲话。

9 月 30 日 玉树灾后重建农村住房建设墙材保障供应签约仪式在省经委举行。省玉树灾后重建现场指挥部交通、建材、电力保障组紧急召集全省 11 家主要标砖生产厂家和省内 12 家玉树援建施工企业在省经委进行对接，并签订《玉树灾后重建农村住房建设墙材保障供应框架协议》。

9 月 30 日 经过交通部门 4 个月的紧张施工，国道 214 线鄂拉山至雁口山 442 千米重点路段应急保通工程完工，西宁到玉树的道路通行时间缩短 3 小时左右。

9 月 30 日至 10 月 2 日 强卫赴玉树州看望慰问坚守在灾后重建一线的各援建单位干部职工和灾区各族干部群众，和大家共度国庆。

2010 年 10 月

10 月 1 日 青海省人大常委会公布《关于玉树地震灾区有成员伤亡家庭再生育的决定》。

10 月 3 日　省玉树地震灾后重建现场指挥部召开专题会议，研究切实推进玉树灾区城镇住房重建工作。张建民主持会议并讲话。

10 月 3 日　玉树州委召开全州农牧民城镇居民住房工程建设专题会，汇总各县农牧民城镇居民工程建设进展情况，通报出现的问题和采取的针对性措施等。

10 月 4 日　张建民赴杂多县检查指导灾后城乡住房重建工作。

10 月 5 日　张建民到玉树县西杭燃油电站厂区，了解燃油发电机组投产发电的准备情况；到扎西科管委会及德宁格、扎西科集中安置点，了解受灾群众集中安置点基础设施建设及过冬救灾棉帐篷、粮油、生活补助发放情况。

10 月 6 日　省玉树地震灾后重建现场指挥部召开会议，就开展玉树地震灾后城乡住房建设专项督查工作进行安排部署。

10 月 6 日　张建民到玉树县仲达乡尕拉寺、巴塘乡公主尼姑寺调研寺院僧舍情况。

10 月 8 日　张建民率省政府办公厅、省财政厅、省住房城乡建设厅、省监察厅、省审计厅、省民政厅、省水利厅及玉树州委、州政府等专项督查组成员，赴玉树县安冲乡、隆宝镇，治多县加吉博洛镇，督查城乡住房建设进展情况。

10 月 9 日　省玉树地震灾后重建现场指挥部城乡住房建设第一督查组到玉树县上拉秀乡、下拉秀镇、小苏莽乡督导检查农牧民住房建设进展。

10 月 9—10 日　仁青加一行在玉树县禅古采砂场、宝送免烧砖厂、禅古村、赛马场扎西大同群众过渡安置点、青海物流建材堆放点、仲达乡尕拉村农牧民住房建设施工现场进行检查调研，并与省、州、县、乡、村各级干部，以及援建单位负责人、当地群众座谈。

10 月 11 日　玉树灾后重建省外紧急物资运输工作启动，从山东、山西、天津、内蒙古、河北 5 省（市、自治区）开往玉树灾区的重建物资运输车辆一律免收车辆通行费。

10 月 12 日　省玉树地震灾后重建现场指挥部召开玉树灾后恢复重建城乡住房建设扩大会议，通报 10 月 7—10 日专项督查组督查玉树地震灾后城乡住房建设情况，对存在的问题提出要求，并就玉树地震灾后城乡住房建设进行再动员、再部署、再安排。

10 月 12 日　结古镇琼龙住宅小区工程开工建设。小区占地面积约 20 公顷，共计户数 1750 户，是一个集 110 栋住宅楼、1 个幼儿园、1 个社区服务中心、1 个市场和 1 栋社区商业楼于一体的住宅小区。

10 月 14 日　省玉树地震灾后重建现场指挥部召开专题会议，研究推进结古镇西杭片区、民主村、折龙达 3 个城镇住房建设项目工作。张建民主持会议并讲话。

10 月 15 日　张建民率省政府办公厅、省经委、省住房城乡建设厅、省财政厅、省监察厅、省审计厅、省水利厅等专项督查组成员，赴玉树县下拉秀镇、小苏莽乡城乡住房集中建设点，对城乡住房建设进展情况进行督查“回头看”。

10 月 15 日　大连实德集团在结古镇举行捐赠仪式，向玉树县巴塘乡捐赠价值 200 万元的铝合金门窗。

10 月 16 日　玉树州召开集中开展结古镇拆迁清墟动员大会，会议通报，要求采取集中时间、集中力量、多措并举、多管齐下、多头并进的办法，利用10月15日至12月15日两个月的时间，全力完成结古镇区的所有拆迁清墟任务。

10月17日 玉树灾后重建城乡规划委员会第七次会议在西宁召开，审议结古镇下西同试点村、折龙达居住组团、扎西大同村居住组团、加吉娘异地安置点、州公安局、州中级人民法院、结古镇中心寄宿学校（新寨）、州县计生站、结古镇两河景观、防洪10个项目的规划方案。

10月18日 小苏莽乡550套农牧民住房项目开工。结古镇禅古村、仲达乡电达村孜格社、安冲乡拉则村英群社区的34户农牧民群众搬进新居。

10月18日 玉树灾后重建结古镇扎西科道路工程完成首段公路沥青混凝土摊铺任务，正式开放通行。

10月18日 内蒙古自治区红十字会向玉树地震灾区捐赠8000床价值224万元的驼绒被。

10月19日 省玉树地震灾后重建现场指挥部召开推进省内援建地区城乡住房建设工作专题会议，听取西宁、海西、海南、海东4个省内援建地区城乡住房建设进展情况，研究解决存在的困难和问题，对下一步工作提出明确要求。

10月19日 省住房城乡建设厅在玉树举办灾后农牧民住房重建冬季施工管理和技术培训班。培训内容包括混凝土工程、钢筋工程、砌体工程冬期施工技术、越冬工程维护技术、土壤保温防冻计算、混凝土的热工计算、用成熟度法计算混凝土早期强度等内容。52家单位的200多人参加培训。

10月20日 结古镇当代社区组团、折龙达城镇住房组团正式开工建设。

10月21日 中铁二局纪委、玉树州纪委、玉树州人民检察院联合启动玉树灾后重建“三优一安企地共建”活动。

10月22日 玉树州委、中铁二局在玉树县下拉秀镇当卡村然美达集中安置点举行玉树灾后重建牧民住房建设誓师大会。下拉秀镇1000套牧民住房建设工程正式启动。

10月23日 省玉树地震灾后重建现场指挥部召开会议，传达10月20日全省党员领导干部大会精神，安排部署灾后重建近期工作。马顺清对4项重点任务、8项具体工作作出安排。

10月24日 马顺清到玉树州曲麻莱县巴干乡检查指导城乡居民住房建设工作，对该县在28天内保质保量完成132套城乡居民住房主体封顶的“曲麻莱速度”给予高度评价，并要求省、州、县相关部门和各援建施工单位团结干事、激情干事、踏实干事，在灾后重建的大战场上抢进度、拼质量、勇争先。

10月24日 玉树县对结古地区新规划的北环路、扎西科路、巴塘路3条主干道拆迁清墟工作进行再安排、再部署、再落实，副县级以上领导、各管委会主任及县城建局、拆迁办等部门负责人包抓，要求30天内完成拆迁清墟工作。

10月25日 中国石油玉树天然气站正式建成投产。这是玉树地震灾后援建的第一个温暖工程，玉树地区从此有了清洁、经济的天然气能源。

10月25日 玉树县结古镇城区沟道排洪应急除险加固工程完工交付使用。玉树县结古镇LNG接收（气化）站竣工投产。

10 月 26 日　青海玉树抗震救灾先进事迹报告会在北京人民大会堂举行。中共中央政治局常委李长春会见报告团全体成员并讲话。

10 月 26 日　玉树州召开全州灾后重建资金管理工作会议。会议提出，要充分认识加强重建资金管理的重要意义，切实加强灾后重建资金的精细化管理，高度重视灾后重建资金管理使用工作。

10 月 26 日　玉树灾区最大农牧民集中居住建设点“隆宝镇生态新村”项目破土动工。该项目总用地面积 100 公顷，分为 7 个组团，将建设居民住房 670 余套，总建筑面积 53600 平方米，可安置农牧民 4000 人。

10 月 27 日　省住房城乡建设厅、省监察厅、省质监局、玉树州政府及玉树州建设局分别牵头组成 5 个检查组，奔赴玉树州 6 个县开展新一轮城乡住房重建工程质量安全专项检查。

10 月 28 日　省玉树地震灾后重建现场指挥部召开灾后重建市政基础设施规划专题会议，研究结古镇市政道路、供水、供电等 9 项市政基础设施专项规划事宜。马顺清听取情况汇报并提出要求。

10 月 30 日 20 时　由中共青海省委宣传部、中共四川省委宣传部、成都军区政治部宣传部、青海省文化和新闻出版厅、成都市文化局联合主办的大型灾后重建话剧《情满玉树》在青海人民剧院举行首演。

10 月 30 日　马顺清主持召开省玉树地震灾后重建现场指挥部会议，专题研究玉树地震社会捐赠资金安全管理、使用以及寺院宗教活动场所和文物设施恢复重建资金管理工作。

10 月 31 日　受马顺清委托，省玉树地震灾后重建现场指挥部规划项目管理协调组组长、省住房城乡建设厅厅长匡湧主持召开结古镇征地拆迁工作专题会议，听取玉树州征地拆迁领导小组负责人关于结古镇征地拆迁工作的情况说明及援建地区、企业对征地拆迁工作的意见和建议，并就相关问题进行安排部署。

10 月 31 日　陕西省消防总队、甘肃省消防总队、四川省消防总队增援玉树灾区的第二批 50 名消防官兵抵达玉树灾区，分别驻防到新建区、扎西科、胜利区受灾群众安置点，担负辖区消防安全保卫任务。

10 月 31 日　省玉树地震灾后重建现场指挥部宣布：玉树地震灾后重建项目已陆续开工 249 项，完成投资 36.2 亿元。

2010 年 11 月

11 月 2 日　青海玉树抗震救灾先进事迹报告团二分团在青海会议中心作报告。青海玉树抗震救灾先进事迹报告团在北京人民大会堂作了首场报告后，分两路到昆明、沈阳、成都、石家庄、天津等地作巡回报告。二分团成员有青海省玉树军分区司令员吴勇，玉树县扎西大同村三社社长才哇和他的事迹代讲人忠尕拉毛，四川省甘孜州公安局党委委员、特警支队队长向学马，解放军第二炮兵某基地司令部工兵营政治教导员胡建民，新华社青海分社记者吴光于。

11 月 2—4 日 骆惠宁赴玉树县巴塘、结古、隆宝、哈秀、安冲等乡镇，察看群众住房建设及过冬安置情况。骆惠宁强调，要坚持科学施工，确保住房建设质量；做到精心安排，确保群众安全过冬。

11 月 3 日 国家发展改革委西部开发司司长秦玉才一行在结古镇与州委、州政府和各县政府负责人就玉树灾后重建工作进程、2010 年冬 2011 年春工作安排及重建中需国家层面支持解决的问题进行交流座谈。

11 月 4 日 玉树地震灾后重建工作座谈会在结古镇举行。骆惠宁强调，玉树灾后重建工作是人类灾难史上极其罕见、极其艰巨也极其光荣的重建任务，从现在开始，要一手抓年内，一手抓明年，统筹安排，协调推进，妥善做好 2010 年重建施工收尾工作，为决战 2011 年做好充分准备。

11 月 5 日 青海省玉树抗震救灾先进事迹报告团成员、玉树职业技术学校教师忠尕拉毛，解放军二炮某基地司令部工兵营政治教导员胡建民和新华社青海分社记者吴光于，在青海大学分别以“才哇，他比我们的亲人还要亲！”“始终战斗在救灾一线”“玉树：与人民同在，用真情传播”为题，为广大师生作报告。

11 月 7 日 玉树抗震救灾及灾后重建新闻宣传座谈会在西宁召开。吉狄马加出席并讲话。玉树州委宣传部、中央媒体驻青海单位、省级各媒体、西宁市及各州地媒体的负责人分别汇报本单位在玉树抗震救灾及灾后重建当中所做工作和下一步宣传报道工作打算。

11 月 7 日 省玉树地震灾后重建现场指挥部召开结古镇征地拆迁工作会议，听取玉树州委、州政府关于结古镇征地拆迁工作情况及存在问题的汇报。

11 月 8 日 省公安厅召开边防、消防、警卫 3 支公安现役部队抗震救灾抢险救援表彰大会，表彰在玉树抗震救灾、格尔木防汛抗洪和驰援舟曲特大泥石流灾害中做出贡献的公安现役部队先进集体和个人。

11 月 8 日 中国扶贫基金会、青海省扶贫开发局在玉树县结古镇甘达村联合举行甘达村加多宝运输队项目捐赠暨启动仪式。捐赠价值 248 万元的装载机、载货机、自卸机等大型车辆和 48 万元启动资金。

11 月 9 日 省玉树地震灾后重建现场指挥部召开两河（巴塘河、扎西科河）景观和防洪规划、新寨嘛呢石经城规划论证会。中国城市规划设计研究院就两河景观规划、省水利水电设计院就两河防洪规划、北京清华城市规划设计研究院和北京中联环设计院就新寨嘛呢石经城规划作了介绍，指挥部有关成员单位负责人、玉树州县领导和民俗、藏文化方面专家对 3 个规划提出意见和建议。马顺清主持会议并讲话。

11 月 10 日 10 时 安冲乡吉拉村尕查社举行住房入住仪式。

11 月 10 日 玉树州召开动员大会，决定从 11 月 10—16 日起，在全州开展增强党性感恩回报教育活动，并公布《关于在全州开展增强党性感恩回报教育活动实施方案》。

11 月 11 日 玉树地震灾后重建项目规划设计工作会议召开，对灾后重建启动以来的规划设计工作进行回顾总结，对 2010 年冬 2011 年春做好所有落地项目的规划设计工作进行安排部署。

11 月 13—14 日 受监察部委托，省玉树地震灾后重建监督检查组在玉树进行调研，听取各建设单位情况汇报。14 日晚，召开监督检查座谈会，马顺清向检查组就第一次检查期间提出的关于项目的规范管理、建材物资的运销保管、砂石料开采中的环保等存在问题的整改作了详细说明。

11 月 15 日 省玉树地震灾后重建现场指挥部召开 2010 年度灾后重建工作总结会。马顺清回顾总结 2010 年玉树灾后重建工作，张建民安排部署 2010 年冬 2011 年春重点要抓的工作。

11 月 15 日 结古镇甘达村举行灾后重建农牧民住房入住仪式。

11 月 18 日 玉树县哈秀乡中心寄宿小学工程主体结构封顶。

11 月 19 日 省玉树灾后重建重点工程项目设计方案专家研讨会在北京举行。会议通过充分论证，对进一步深化优化各设计方案提出较为具体的方向性意见和建议。

11 月 22 日 仁青加赴玉树灾区调研灾区重建工作和灾区群众安置情况，强调要千方百计确保受灾群众安全越冬。

11 月 25 日 由青海省委宣传部、四川省委宣传部、成都军区政治部宣传部、青海省文化和新闻出版厅、成都市文化局联合主办的大型灾后重建话剧《情满玉树》在中国评剧大剧院进行汇报演出。回良玉、刘淇、刘云山等中央领导和强卫等省（市）领导一同观看演出。

11 月 26 日 省公路局召开玉树地震灾后重建公路保通工作座谈会，对《青海省公路局玉树灾后重建公路保通专项资金使用管理办法》和《青海省公路局玉树灾后重建公路保通专项资金管理与会计核算的有关规定》进行讨论和修订。

2010 年 12 月

12 月 1—10 日 由省委组织部举办的玉树灾后重建骨干培训班在四川省成都市开班。来自玉树灾区的 90 名州（厅）级领导干部、县委书记、县长、州（县）主要职能部门和各管委会负责人，以及 19 个灾后重建乡镇的党政领导干部通过集中授课、座谈交流和参观考察等方式学习培训。

12 月 5 日中午 强卫、骆惠宁接见玉树地震灾后重建一线的有关部门及援建单位负责人。强卫代表省委、省政府向省玉树地震灾后重建现场指挥部、玉树州、各援建单位及所有参加和支持玉树灾后重建的部门（单位）的同志们致以崇高的敬意，对大家的辛勤工作表示感谢。

12 月 5 日 省玉树地震灾后重建工作领导小组召开第 12 次会议，总结 2010 年玉树地震灾后重建工作，安排部署 2011 年灾后重建及 2010 年冬 2011 年春相关工作。

12 月 6 日 玉树地震灾后重建项目规划设计工作会议在西宁召开，对 2010 年冬 2011 年春“灾后重建项目规划设计大会战”进行全面部署，对所有落地项目的规划设计工作进行全面衔接落实，对全力以赴推进玉树灾后重建进行再动员。

12 月 7 日 省玉树地震灾后重建现场指挥部分别致信感谢中共北京市委、北京市人民政府和中共辽宁省委、辽宁省人民政府为建设新玉树做出的突出贡献。

12 月 7 日 玉树抗震救灾资金物资监督检查领导小组召开年度总结会。

12 月 10 日 由文化部和青海省政府合作主办的“玉树不倒 · 青海长青——答谢澳门同胞展演活动”在澳门综艺馆举行。

12 月 10 日 中国建设银行玉树支行在玉树县结古镇正式开业。

12 月 23—26 日 鲍义志率教育、卫生系统组成的慰问团赴山东看望慰问转移到山东的玉树灾区职业学校的师生。

12 月 26 日 温家宝在中央人民广播电台直播间与玉树群众电话连线交流，了解当地群众冬季取暖情况，就灾区群众冬季生活的有关问题作出重要指示。省政府当即召开专题会议，决定在落实好已经出台的各项帮助玉树灾区群众安全越冬政策的同时，协调企业继续降低煤炭销售价格，再次提高受灾群众取暖补贴和困难群众临时价格补贴标准。

12 月 26—29 日 昂毛率慰问团赴河北省石家庄市、山西省长治市看望慰问玉树地震灾区异地转移就读的 1300 多名师生。

12 月 28 日 北京住总集团援建的玉树县哈秀乡岗日村、甘宁村 30 户农牧民住房入住庆典仪式在哈秀乡伊曲河畔举行。

12 月 29 日 玉树灾后重建重点工程项目设计方案汇报审查会在西宁召开，进一步审查新玉树十大标志性项目规划设计方案。骆惠宁会见住房城乡建设部原副部长、中国建筑协会会长宋春华率领的玉树灾后重建重点项目建筑设计大师及专家。新玉树十大标志性工程包括玉树州博物馆（含牦牛广场）、康巴艺术中心、玉树州游客服务中心、格萨尔广场、玉树地震遗址纪念馆、玉树州行政办公中心、文成公主纪念馆、新寨嘛呢石经城申遗核心区、结古镇两河景观和湿地公园、上巴塘示范区。

12 月 29—31 日 强卫在玉树县、治多县看望慰问灾区干部群众，与大家共迎新年。

12 月 30 日 玉树灾后重建城乡规划委员会第八次会议在西宁召开，听取各对口援建单位、玉树州项目办及 6 县项目办关于 2011 年重建项目规划设计情况的汇报，审查结古镇当代居住组团、牦牛广场商业区等 13 个民用及公共设施项目规划设计方案，安排部署相关工作。

2011 年 1 月

1 月 4 日 北京市对口援建玉树县隆宝镇 60 户受灾群众入住新居。

1 月 5 日 马顺清主持召开会议，专题研究玉树灾后重建 2011 年建材物资供需工作。省住房城乡建设厅、省经委就 2011 年灾后重建建材需求提出测算意见，各援建单位结合 2011 年援建工程量提出建材需求意见。

1 月 6 日 援助玉树灾区“母亲健康快车”发车仪式在西宁举行。全国妇联、中国妇女发展基金会捐赠 8 辆“母亲健康快车”，其中 6 辆定向援助玉树灾区。

1 月 6 日 四川省公安消防总队第二批赴玉树灾区 17 名增援官兵进驻青海省消防总队平安县教导大队训练基地，进行为期 5 天的高原适应性训练。

1 月 8 日 玉树灾后重建十大重点工程规划设计情况汇报会在西宁召开。强卫出席会议并讲话，骆惠宁主持。马顺清介绍十大重点工程规划设计进行情况，中国建筑学会和设计团队汇报项目规划设计方案。

1 月 23 日 玉树灾后重建十大重点项目规划设计方案在西宁举行第五轮汇报。玉树州人大代表、政协委员、宗教界人士和州、县相关人员听取汇报，并提出建设性意见和建议。

1 月 25 日 省玉树地震灾后重建现场指挥部在西宁召开项目规划设计工作会议，省住房城乡建设厅通报，2011 年玉树灾后重建规划设计建设项目共计 466 个（含 767 个子项），委托规划设计项目已达 450 个，占总设计任务的 97%。已完成规划设计方案 396 个，占委托任务的 88%、总任务的 85%。需提交规委会审查的项目 92 个，已提交并通过审查和拟审查的规划设计方案 62 个。

1 月 25 日 2011 年玉树灾后重建建材供需对接会在西宁召开。玉树建材物流集散中心和中国水利水电集团、青海新型建材工贸公司和玉树建材物流集散中心、祁连山水泥公司和中国铁建股份有限公司负责人签订《2011 年玉树灾后重建大宗建材物资保障供应框架协议》；青海朝阳物流有限公司和青海盈吉建筑集团有限公司负责人签订《2011 年玉树灾后重建大宗建材运输框架协议》。

1 月 26 日 骆惠宁主持召开省政府第 73 次常务会议暨省玉树灾后重建领导小组第 13 次会议，研究部署 2011 年玉树地震灾后重建有关工作。会议批准旦卓玛、韩慧瑛为革命烈士。

2011 年 2 月

2 月 2 日 骆惠宁专程到玉树看望灾区群众，代表省委、省政府为受灾群众送去节日的祝福。

2 月 12—17 日 国务院玉树地震灾后恢复重建协调小组调研组到青海调研。调研组赴玉树实地查看民居、学校等重建项目进展情况，听取当地干部群众意见和建议，与省、州、县相关方面及援建单位进行沟通交流，在西宁听取玉树地震灾后重建工作的汇报。调研组负责人、国家发展改革委重大项目稽查办特派员孙波对玉树地震灾后重建工作给予高度评价和充分肯定，对下一步重建工作提出指导性建议。

2 月 20—28 日 全省玉树地震灾后重建骨干培训班在省委党校举行。其间，组织并安排省政府领导、省直有关部门负责人及专家学者作了 17 个专题讲座和两次小组讨论，学员们系统学习了灾后重建的理论知识和相关法律、法规。马顺清在作讲座时强调，玉树地震灾后重建意义重大，一定要切实把灾后重建与加强三江源保护相结合、与促进民族地区经济社会发展相结合、与扶贫开发和改善群众生产生活条件相结合、与保持民族特色和地域风貌相结合，注意把握并处理好重建速度与质量等 10 个方面的关系，建设生态美好、特色鲜明、经济发展、安全和谐的社会主义新玉树。

2 月 22 日 玉树州 6 县土地利用总体规划编制工作顺利完成。该规划由国土资源部规划司和中国土地勘测规划院牵头，青海省国土规划研究院、江西省国土资源勘测规划院、甘肃省国土资源规划研究院、成都市国土规划地籍事务中心组成编制组共同开展工作，自 2010 年 9 月起，历时 3 个多月完成。

2 月 27—28 日 受国务院玉树地震灾后恢复重建协调小组委托，穆虹在结古镇就玉树地震灾后重建工作进展、群众过冬安置、2011 年开工准备等情况进行调研。

2011 年 3 月

3 月 10 日 玉树州委、州政府购置的 13 种 186 件（套）消防器材装备，分别配发至灾区 7 个消防执勤点，更新补缺装备，以便快速有效地处置各类灾害事故。

3 月 16 日 骆惠宁主持召开省政府第 75 次常务会议暨省玉树灾后重建领导小组第 14 次会议，听取省玉树地震灾后重建现场指挥部、玉树州及北京市、辽宁省、中国水电、中国中铁、中国铁建、中国建筑等援建单位的汇报。

3月17日　国务院玉树地震灾后恢复重建协调领导小组在北京召开第三次玉树灾后重建工作会议，研究玉树灾后重建有关问题，对2011年灾后重建工作提出具体要求。

3月20—25日　省玉树地震灾后重建现场指挥部工作人员培训班在省委党校举行。马顺清在开班仪式上就灾后重建总体情况、2011年重建准备和需要把握的十大关系给学员们授课。省委办公厅、省政府办公厅、省委宣传部、省发展改革委、省住房城乡建设厅、省财政厅、省国土资源厅等抽调到现场指挥部各工作组的68名工作人员参加培训。

3月21日　以"文明优质、畅通高效、安全规范"为内容的玉树灾后重建千里文明运输保障线创建活动举行启动仪式。

3月22日　玉树地震灾后恢复重建能源工作组第三次会议在西宁召开。徐福顺出席会议，国家能源局副局长钱智民主持会议。

3月22日　由中华慈善总会、中国教育学会主办，省社科联、西宁市教育局承办的首批22所玉树震后"1＋1心联行动"心理援助项目——"心联小屋"授牌仪式在西宁市第四高级中学举行。

3月25日　省政府召开玉树地震灾后重建省外援建地区和单位先进事迹座谈会，要求宣传部门及新闻媒体以"感恩奋进，加快建设社会主义新玉树"为主题，做好相关宣传报道工作，切实营造出良好的重建氛围，在全省上下掀起一个学先进、赶先进的热潮。

3月29日　玉树灾后重建交通重点建设项目——国道214线共和至玉树（结古）公路征地拆迁动员会召开。

3月29日　北京建工集团2011年度援建玉树灾后重建工作全面开工，动员誓师大会在玉树县隆宝镇德吉岭生态新村施工现场举行。

3月31日　省委组织部、省卫生厅召开玉树灾后重建期间开展干部心理援助工作协调会，省社科联、团省委、省妇联、省残联、玉树州委组织部、省第三人民医院等单位的负责人参加会议。

3月31日　玉树县抗震救灾暨灾后重建总结表彰大会在格萨尔广场举行。

3月　国家发展改革委办公厅下发《关于做好玉树地震灾后恢复重建进展情况统计工作的通知》，要求及时掌握玉树灾后恢复重建规划实施情况、对口援建工作进展情况。青海省玉树地震灾后重建工作领导小组决定，设立省玉树地震灾后恢复重建进展情况统计工作办公室。

2011年4月

4月1日　省委、省政府在西宁举行2010年玉树地震灾后重建总结表彰暨2011年灾后重建动员大会，徐福顺宣读《青海省玉树地震灾后重建工作领导小组关于表彰 2010 年度玉树地震灾后重建先进集体、先进个人的决定》。强卫等领导为受表彰的先进集体和先进个人代表颁奖。现场指挥部领导分别与北京市、辽宁省、中国中铁、中国建筑、中国水电、中国铁建援建指挥部负责人，以及西宁市、海东行署、海南藏族自治州、海西蒙古族藏族自治州政府负责人签订 2011 年度援建目标责任书。

4 月 1—2 日 穆虹在玉树地震灾后重建现场调研。骆惠宁、徐福顺分别会见穆虹等调研组人员。

4 月 2 日 省玉树灾后重建现场指挥部月度工作会议召开，对重建工作从工作目标、工作重点、工作要求方面作出详细安排部署。

4 月 2 日 “新玉树、新家园——‘4·14’玉树地震一周年美术书法摄影展”在中国人民革命军事博物馆举行开幕式。全国人大常委会副委员长韩启德、全国政协副主席孙家正出席开幕式。

4 月 2 日 省政府办公厅印发《金融支持玉树灾后重建有关政策实施办法》。

4 月 2 日 全国妇联捐建玉树县第三幼儿园签约仪式在西宁举行。全国妇联筹措 1000 万元善款，捐资修建玉树县第三幼儿园。

4 月 3 日 玉树灾后重建春季复工质量安全生产现场拉网式检查全面展开。此次检查包括 2010 年以来所有灾后重建在建项目，检查发现问题的项目必须进行整改后方可复工建设。

4 月 5 日 构建新玉树中心城区、结古镇交通大动脉的红卫路、民主路、胜利路等市政基础设施建设项目举行开工典礼。

4 月 6 日 青海玉树抗震救灾纪念邮册《见证》发行。

4 月 7 日 徐福顺在玉树主持召开省玉树地震灾后重建现场指挥部成员及临时党委扩大会议，学习贯彻强卫、骆惠宁在 2010 年玉树地震灾后重建总结表彰大会暨 2011 年灾后重建动员大会上的讲话精神，落实国务院玉树地震灾后恢复重建协调小组第三次全体会议纪要有关工作安排，部署指挥部和指挥部临时党委近期工作。

4 月 9 日 玉树抗震救灾及灾后重建先进事迹报告会在青海会议中心举行。强卫接见报告团成员。吉狄马加主持报告会。

4 月 9 日 省玉树地震灾后重建现场指挥部召开规划、项目、资金管理协调组和建材、运输、电力、施工保障组连组专题会议，贯彻落实省玉树灾后重建指挥部成员暨临时党委扩大会议精神。

4 月 9 日 玉树与青海主电网联网、青新联网工程项目正式启动。

4 月 9 日 占地面积 6.93 亩、建筑面积 8736 平方米的玉树移动通信公司灾后重建生产及调度楼开工建设。

4 月 11 日 省玉树地震灾后重建现场指挥部召开结古镇住房规划设计及重建工作会议，分析研究结古镇住房重建相关问题，并就 2011 年结古镇住房重建相关工作作出安排部署。

4 月 11 日 由省玉树地震灾后重建指挥部、省劳动竞赛委员会、省总工会组织发起的玉树州2011年灾后重建“当好主力军、岗位做贡献、建设新玉树”劳动竞赛活动，在玉树县第一民族中学举行启动仪式。徐福顺出席仪式并讲话。苏宁主持启动仪式。

4月11日 由省委宣传部、省外宣办和省文联主办，省摄影家协会承办的“江源玉树，幸福家园——纪念玉树‘4·14’地震两周年重建家园摄影展”在西宁开幕。

4月14日 纪念青海玉树强烈地震一周年活动在玉树县结古镇举行。中共中央政治局委员、书记处书记、中央宣传部部长刘云山，全国人大常委会副委员长韩启德，全国政协副主席李金华等出席纪念活动。强卫主持，骆惠宁、王建军、白玛、徐福顺、多杰热旦、王小青参加纪念活动。

4月14—21日 省玉树灾后重建现场指挥部工程验收组、省住房城乡建设厅、玉树州灾后重建工程质量安全监督工作领导小组，对结古镇区灾后重建所有公建项目进行安全管理大检查和春季复工“回头看”。

4月15日 纪念“4·14”玉树地震一周年大型民族歌舞剧《玉树不会忘记》，在北京天桥剧场首演。中共中央政治局常委、全国人大常委会委员长吴邦国，中共中央政治局委员、北京市委书记刘淇，全国人大常委会副委员长周铁农，全国政协副主席李金华，全国政协副主席、农工党中央常务副主席陈宗兴，以及中央部委和北京市有关领导出席首场演出。强卫、骆惠宁、吉狄马加等观看演出。

4月17日 禅古寺恢复重建项目举行开工典礼。

4月18日 由省委宣传部、省社会科学院、省行政学院、省社会科学界联合会共同主办的国家力量与玉树抗震救灾理论研讨会在西宁召开。强卫出席研讨会并讲话，吉狄马加致欢迎词。

4月18日 2011年西宁援建暨杂多灾后重建誓师动员大会在玉树州杂多县格吉滩草原举行。来自省内外的几十家施工单位和杂多县社会各界代表近千人参加誓师动员大会。

4月19日 中国水电集团承建的省玉树粮食储备库重建项目开工。

4月20日 玉树电网灾后重建项目110千伏称多输变电工程、下拉秀输变电工程正式开工。

4月23日 玉树州2011年度灾后重建职业技能培训正式启动。

4月23日 由中国建筑援建的结古镇解放路片区折龙达和民主北路两个城镇居民住房建设工程开工建设，玉树城镇居民住房建设全面铺开。

4月25日下午 青海省玉树灾后重建电力保障工作会在青海玉树电力公司召开。

4月28日下午 全省庆“五一”暨玉树抗震救灾灾后重建全国“五一”双奖表彰大会在青海会议中心举行。

4月28日 由五粮液集团提供建设资金，北京城建集团承建的五粮液玉树县结古希望小学工程正式开工。五粮液玉树县结古希望小学的建设分两期进行，首期为灾后恢复重建工程，总建筑面积为11053平方米，包括教学楼、宿舍楼、食堂、田径场的建设；二期为扩建工程，包括教工宿舍、多功能活动中心等建设。

4月29日上午 省玉树地震灾后重建现场指挥部召开玉树灾后重建电力供应保障协调会，研究解决结古镇各施工单位的电力需求。

2011 年 5 月

5 月 1 日 徐福顺到玉树县结古镇和巴塘乡各援建单位工地，看望慰问节日期间坚守在重建一线的建设人员。

5 月 1 日 纪念“4·14”玉树地震一周年大型民族歌舞剧《玉树不会忘记》在青海剧场演出。

5 月 2 日 徐福顺与西宁、海东、海西、海南 4 个地（州、市）援建玉树现场指挥部负责人座谈时强调，要把农牧民住房和学校建设作为重建工作的重中之重，抓好开工项目建设，在和谐重建社会主义新玉树中走在前列、做出表率。

5 月 2 日 玉树州召开专题会议，研究结古镇灾后重建商住房及商铺房建设工作。会议要求，在商住房建设上，要牢牢把握“节约利用土地，提升城市品位”的原则，规划一批，提交一批，建设一批，力争 4 月 30 日前委托部分规划设计项目，5 月中旬完成部分规划设计，5 月下旬开工建设部分项目。

5 月 3 日 徐福顺到玉树县下拉秀镇、查隆通水电站、小苏莽乡和囊谦县毛庄乡等重建施工现场检查指导工作。

5 月 3 日 玉树重建过渡安置房雷电防护工程全面完工。

5 月 5 日 省国土资源厅公布玉树灾后重建地质灾害防治工程中的结古镇卓涅隆巴泥石流防治工程勘查等 12 个标段的治理前勘查招投标结果，标志着玉树灾后重建地质灾害防治工程拉开序幕。

5 月 6 日 玉树地震灾后重建规划委员会召开第九次会议，汇报新玉树十大标志性工程项目技术审查及各设计单位相关设计方案修改情况，听取与会专家对规划设计方案的评议。

5 月 6 日 中国农业银行股份有限公司青海省玉树分行支持玉树灾后重建现场会在结古镇召开。省农行分别与中国水利水电第四工程局有限公司、青海玉能电力开发有限公司签订《银企合作协议》，向 9 位农牧户代表现场发放惠农卡和总计 56 万元的贷款。截至 3 月底，省农行共发放支持灾后重建和生产恢复贷款 3.7 亿元。

5 月 7 日 玉树州召开赴玉树灾区挂职锻炼干部座谈会。全省选派的第一、第二批 120 名挂职锻炼干部顺利完成挂职任务，返回各自工作岗位。

5 月 8 日上午 省玉树灾后重建现场指挥部召开玉树灾后重建安全生产工作会议，通报玉树地震灾后重建安全管理大检查和春季复工“回头看”情况。会议要求，各施工单位要切实健全安全生产责任体系，进一步规范现场生产作业行为，认真开展隐患排查治理，强化监理单位安全责任，加强施工班组安全管理和安全生产教育培训，切实做到以安全促质量、以安全保进度。

5 月 8 日 省农牧厅在玉树州结古镇东风村召开现场指导会，“手把手”指导当地群众、承包经营户种植温室大棚蔬菜。

5 月 9 日 共和至玉树高速公路一期工程在结古镇开工。公路全长 647 千米，设计时速 80 千米，总投资 107 亿元。徐福顺出席开工仪式。

5 月 10 日 中国建材集团“玉树捐建项目竣工交付暨玉树电力公司项目捐资仪式”在结古镇禅古村举行。由中央企业自己捐建、自己施工完成的首批项目——禅古村和甘达村两幢村综合活动中心交付使用。

5 月 11 日 玉树通信枢纽楼正式奠基。

5 月 12 日 玉树地震灾后重建跟踪审计进点会在结古镇举行。玉树灾后重建联合审计组，玉树州委、州政府主要领导，省玉树地震灾后重建现场指挥部各专业组负责人，玉树州、县有关部门负责人和援建单位负责人参加会议。

5 月 16—18 日 骆惠宁先后到玉树县隆宝镇、结古镇调研，指出在规划设计、群众意愿锁定、大小市政对接等方面存在的问题，对下一步工作提出明确要求。

5 月 22 日 省玉树地震灾后重建现场指挥部召开专题会议，就玉树灾后重建特别是加快推进结古地区城镇住房建设进行再安排再部署。

5 月 23—25 日 省玉树地震灾后重建现场指挥部组织有关单位，分别到北京市和四大央企援建指挥部，就推进玉树县结古镇城镇住房建设工作召开现场协调指导会。

5 月 28 日 省玉树地震灾后重建现场指挥部与北京市援建工作组对接会在玉树举行，双方就北京市援建玉树县结古镇、隆宝镇重建各项工作进行对接，并达成基本共识。

5 月 28 日 到玉树调研的国务院地震灾后恢复重建协调小组办公室专职特派员孙波一行，在省玉树地震灾后重建现场指挥部听取玉树灾后恢复重建进展情况汇报，同省外援建单位负责人就 2011 年玉树灾后重建情况进行座谈。5 月 29 日，调研组回到西宁，与徐福顺就灾后重建工作交换意见。

5 月 28 日 玉树恢复重建震前产业暨结古镇第一批企业重建项目集中开工仪式在玉树县结古镇举行。

5 月 30 日 省玉树灾后重建现场指挥部召开专题会议，督促各有关单位加快重建项目审查（审批）所需资料申报和审查（审批）工作进度，提出时间节点要求，确保 6 月底前完成 2010 年和 2011 年玉树地震灾后重建项目的前期审批手续。

5 月 31 日 玉树县第三完全小学主体工程完工并通过验收。

2011 年 6 月

6 月 1 日 玉树县第一民族中学教学楼、风雨操场等主体及附属工程地基基础工程质量、资料通过验收。玉树县第一民族中学教学楼建筑总面积 10782 平方米，可容纳 3000 名学生上课。

6月7日 徐福顺主持召开省玉树地震灾后重建现场指挥部月度工作会。

6月8日 骆惠宁主持召开省政府常务会议暨省玉树地震灾后重建工作领导小组第15次会议，听取玉树地震灾后恢复重建资金使用监管情况、对《玉树灾后恢复重建总体规划》实施情况中期评估有关准备工作的汇报。

6月10日 玉树县胜利路商住组团（二）和西杭商住组团正式开工。

6月12日 结古镇扎西科路工程进行路面沥青混凝土摊铺。

6月13—16日 强卫先后在玉树州玉树县、囊谦县、杂多县等地，深入灾后重建工地、央企援建指挥部、县乡基层组织和农牧民家中，看望慰问干部职工和灾区群众，了解灾区重建工作进展和群众生产生活情况，对重建工作和其他重大工作提出明确要求。

6月15日 玉树州委组织部、中铁二局集团公司党委联合举办“玉树重建党旗红，创先争优当先锋”党建主题实践活动经验交流暨表彰大会，30名奋战在玉树重建一线的优秀工作者举行入党宣誓仪式。

6月中旬 玉树州委决定建立州级党员领导干部与极重灾区、重灾区33个村“一对一”党建工作联点帮扶制度，要求州级党员领导干部要定期、不定期深入各自联点村指导检查基层党建工作，及时查找存在的问题，指导村“两委”班子采取有效措施推进联点村党建工作，把联点村打造成党建示范点，带动全州党建工作向更高层次推进，促进重建工作。

6月17日 省玉树地震灾后重建现场指挥部召开玉树灾区民政项目重建工作专题会议，听取省民政厅有关灾区民政项目重建工作进展情况汇报，并对灾区民政项目重建工作提出要求。

6月17日 省玉树地震灾后重建现场指挥部召开军队援建玉树“两校一院”相关问题军地联席会议，听取兰州军区援建玉树灾区工程指挥部介绍援建“两校一院”工作进展情况。

6月19日 玉树县德宁格统归自建区首套城镇居民住房完成内外装修，成为玉树灾后重建中首套竣工并具备入住条件的城镇居民住房。

6月20日 省玉树地震灾后重建现场指挥部与玉树州政府联合召开中央和省属垂直管理单位项目对接专题会议，要求中央和省属垂直管理单位在玉树的重建项目必须于7月中旬前完成前期工作，8月底前全部开工建设。

6月22日 由格尔木中浩天然气化工有限公司捐赠4000万元，在西宁新建玉树第二职业技术学校捐资仪式举行。强卫出席仪式并讲话。

6月23日 最高人民法院党组成员、副院长苏泽林一行到玉树检查指导全州两级法院审判和灾后重建工作。

6月25日 称多县称文镇赛河村48户农牧民迁入新居。

6月26日15时48分 玉树州囊谦县（北纬32.4度，东经95.9度）发生里氏5.2级余震，震中位于距囊谦县城64千米外的着晓乡。

6月28日 省玉树地震灾后重建现场指挥部、玉树州委、玉树州政府在玉树县结古镇召开灾后重建年中工作会议，总结上半年灾后重建阶段性工作，安排下半年灾后重建主要工作任务，提出保障任务落实的对策措施。

6月29日 首批恢复重建的隆宝镇中心寄宿制小学和哈秀乡寄宿制小学正式启用。

6月29日 玉树机场市内基地工程破土动工，工程总投资4150万元。

6月30日 董琼隆泥石流治理工程开工，揭开玉树地震灾区地质灾害治理的序幕。

2011年7月

7月1日 囊谦县毛庄乡举行建党90周年纪念大会暨农牧民住房入住仪式，白玛、徐福顺等出席。

7月2日 省玉树地震灾后重建现场指挥部召开结古镇重建风貌特色打造对接会，就如何打造具有特色风貌的新结古进行对接和商讨。

7月3日 徐福顺深入玉树各重建宗教场所，调研工程进展及党的宗教政策贯彻情况。

7月4日 水利部副部长胡四一、民盟中央副主席索丽生、长江水利委员会主任蔡其华、水利部总工程师汪洪一行到玉树就黄河河源区保护进行专题调研，并对结古镇水源进行考察。

7月4日 玉树新寨嘉那嘛呢震后文物保护抢险修缮工程正式开工。徐福顺出席开工典礼。

7月4—5日 仁青加在结古镇视察重建工作进展情况及居民安置情况，并分别召开央企、北京、辽宁援建单位和中规院等单位座谈会，听取重建过程中存在的问题和困难、意见和建议。

7月5日 国家旅游局副局长杜江一行到玉树检查指导工作。

7月5日 国务院国资委规划局副局长刘玉岐，中国建筑工程总公司副总裁王祥明、邵继江一行，先后在援建施工的玉树县第一民族中学、玉树州人民医院、玉树州红旗小学、民主北城镇住房、德宁格住宅小区及中国建筑玉树前线指挥部基地考察指导灾后重建工作。徐福顺与刘玉岐一行就玉树灾后重建工作进行座谈。

7月5日 省住房城乡建设厅和玉树州、县项目办组成联合检查组，对结古镇灾后重建建筑工程项目特别是住房项目开展为期10天的质量和安全检查。

7月7日 张光荣在玉树县、曲麻莱县、治多县慰问援建干部、职工及灾区困难群众，并进行调研。

7月10—12日 中国中铁股份有限公司总裁白中仁赴玉树灾区看望慰问重建一线干部职工，并召开中国中铁玉树灾后重建工作会议，出席中国中铁玉树灾后重建现场指挥部创先争优活动“一优两先”表彰大会暨中铁攻坚誓师大会。

7月上旬 省第三人民医院组织有关专家赴黄南州卫生职业技术学校、麻巴中学及黄南州儿童福利院，开展玉树灾区转至黄南州学生心理援助工作，对449名玉树灾区转移学生进行心理健康教育。

7月11日 解放军青藏兵站部某汽车团玉树灾后重建物资运输分队3个梯队从西宁出发，

承运 900 余吨灾后重建物资赴玉树灾区，标志着该部为期两年的玉树灾后重建物资运输任务全面启动。首批物资于 14 日全部运抵结古镇。

7 月 12 日　玉树州首个社会主义新农村示范点在称多县拉布乡拉司通村开工建设。省政协副主席仁青安杰出席开工仪式并宣布开工。

7 月 14—16 日　中国作协组织作家在玉树灾区开展采风活动。其间，作家们分 4 路赴甘达村、州藏医院、拉布寺、勒巴沟、文成公主庙、红旗小学等重建工地，以及民族特色建筑、自然景观和受灾群众已入住的新房等地，采访灾后重建、受灾群众生产生活、玉树民俗文化、民族团结等情况，体验牧民生活。

7 月 16 日　省委印发《关于开展向韩慧瑛同志学习活动的决定》。韩慧瑛，女，藏族，青海玉树人，1962 年 11 月出生。生前任玉树州卫生局党组成员、副局长，玉树州人民医院党委书记、院长、主任医师。“4・14”玉树大地震发生后，在她的带领下，玉树州人民医院在 4 天之内共救治伤病员 3400 余人，安全转移 400 余人。2010 年 8 月，韩慧瑛劳累过度，因病去世。

7 月 17 日　江苏省宗教局向玉树灾区仁青林寺、相古寺捐赠 38 万元，用于寺院灾后重建。

7 月 19 日　省玉树地震灾后重建现场指挥部、玉树州委、玉树州政府在结古镇召开玉树地震灾后重建工程质量安全工作专题会议。

7 月 19 日　玉树州召开动员大会，动员全州各族群众积极参与重建、服务重建，以实际行动回报党和政府以及社会各界的恩情，为重建家园贡献自己的力量。

7 月 20 日　玉树灾后重建规划委员会第十次会议在玉树召开，对玉树州游客服务中心、文成公主纪念馆、上巴塘示范区等重点项目方案进行审查。徐福顺出席会议并讲话。各设计单位汇报设计方案的修改情况及确定方案，有关委员、专家对方案进行评议。

7 月 20 日　玉树县结古镇新寨村整体重建项目正式开工，标志着玉树灾后重建十大工程正式启动。

7 月 21 日　青海省银行业金融机构支持玉树灾后重建对接暨现场签约仪式在结古镇举行。9 家银行与 8 家企业签订放款合同；4 家银行与省交通厅签订放款合同；年内支持玉树灾后重建的 47 亿元贷款全部落实到位。徐福顺出席并讲话。

7 月 22 日　交通运输部党组成员、副部长徐祖远一行到玉树调研。

7 月 23 日　玉树恢复重建震前产业暨第二批企业项目——结古镇和平宾馆开工建设。恢复重建震前产业项目规划落地企业共有 22 家，17 家企业已具备开工条件。

7 月 26 日　玉树贝大日如来佛石窟寺（俗称“文成公主庙”）和勒巴沟摩崖石刻危岩体抢险加固工程正式开工。

7 月 27 日　玉树州当卡寺、拉布寺等 9 座藏传佛教寺院知名活佛和高僧组成感恩代表团，前往省委、省政府及省委统战部、省民宗委，对党和政府及相关部门给予玉树抗震救灾和恢复重建的大力支持表示衷心的感谢，并敬献了感谢信和锦旗。

7 月 27 日　玉树八一医院医疗综合楼顺利浇筑封顶。

7 月 28 日　玉树州举行灾后重建保障性住房建设开工典礼。

7月29日 玉树地震灾后重建生态和环境保护工作会议在玉树州召开，总结通报一年多来灾后重建过程中的生态和环境保护工作，安排部署下一步工作。

7月30日 徐福顺同省民政厅、玉树州委、玉树州政府负责人一行，先后到兰州军区援建玉树指挥部、玉树州军分区、武警青海总队第四支队、玉树州公安消防支队、武警青海总队玉树支队，慰问玉树灾后重建一线的部队官兵。

7月31日上午 玉树灾后重建标志性工程格萨尔广场建设项目开工典礼在结古镇举行。徐福顺宣布开工。

7月31日 张平到玉树灾后重建现场进行调研指导，主持召开玉树灾后恢复重建工作座谈会，到军队和武警援建的玉树八一医院，中国建筑援建的玉树州红旗小学、扎西大通北统规自建区建设现场和禅古村进行调研。

7月底 玉树地震灾后重建固定资产投资已完成56亿元，累计开工重建项目413个。

2011年8月

8月1日上午 由中国水电集团承建的玉树县小苏莽乡草格村日乃一区首批农牧民住房移交当地政府。

8月1日 玉树县安冲乡中心寄宿制小学举行新校园入园仪式。

8月2日 省玉树地震灾后重建现场指挥部召开贯彻落实省委全委会议和省政府常务会议精神动员大会，通报玉树灾后恢复重建工作进展情况，安排部署2011年下半段及8月的重点工作任务。

8月2日 结古镇胜利路与扎西科路顺利衔接。

8月2—7日 省委常委、统战部部长多杰热旦在玉树州调研中央第五次西藏工作会议精神贯彻落实情况及寺院灾后重建工作。

8月4日 由海西蒙古族藏族自治州捐建玉树州治多县灾后重建的教育、卫生、文体广电、就业社会保障、社会管理、市政基础设施、人文关怀等20个项目正式开工。次日，海西州援建玉树灾后重建工作座谈会在玉树州政府宾馆举行。

8月4日 治多县加吉博洛镇农牧民住房建设点幸福小区竣工交接仪式举行。王令浚出席。

8月9日 王令浚赴北京市政路桥玉树援建指挥部，深入结古镇污水处理厂、垃圾填埋场、主要干道建设工地，调研玉树市政重建工程进展情况，听取指挥部负责人援建玉树市政建设工作进展情况汇报。

8月10日 全国人大常委会委员、全国人大环资委副主任委员蒲海清一行到玉树州调研。

8月10日 齐玉一行到玉树州基层县、乡检查指导基层党建工作并检查个别施工点，了解重建进展情况。

8 月 10—12 日　全国政协科教文卫体委员会副主任委员、人民日报社原副总编辑、中国扶贫基金会副会长江绍高率团在玉树灾区考察中国扶贫基金会援建项目，并参加中国扶贫基金会援建称多县拉布乡德达村奶业基地项目启动仪式。

8 月 11 日　国道 214 线结古至囊谦公路、省道 309 线多拉至杂多公路、省道 312 线珍秦至称多公路 3 个玉树灾后重建工程项目正式开工。3 个工程项目建设总里程 342.69 千米，大桥 7 座、1382.8 米，隧道 6 座、9654 米，工程投资 35.04 亿元。

8 月 11 日　玉树县第二完全小学举行竣工典礼。

8 月 11—12 日　省人大常委会组织青海省十一届全国人大代表赴玉树州调研灾后重建工作，听取省玉树地震灾后重建现场指挥部关于玉树地震灾后重建工作情况的汇报。

8 月 13 日　由国务院及中央党校组成的学者考察团在玉树地震灾区重点调研灾后文化恢复重建、社会管理及基层党建开展情况。

8 月 14 日　致公党中央副主席李卓彬一行 9 人到玉树调研，向玉树州捐赠 22 套总价值 600 万元的等离子拒雷装置。

8 月 16 日　由中铁二局承建的玉树县第一民族中学竣工。

8 月 17 日　中国国家疾控中心主任王宇一行在玉树检查指导灾后疾病预防控制工作，看望慰问工作在疾病预防控制一线的工作人员。

8 月 18 日　中共中央政治局委员、中央政法委副书记王乐泉在强卫、骆惠宁等陪同下到玉树州看望灾区群众、政法干部、武警官兵和援建职工。

8 月 18 日　全国人大北京代表团代表一行由北京市第十三届人大常委会主任、党组书记杜德印带队，在青海省人大常委会副主任郭汝琢的陪同下，赴玉树县实地考察并出席北京援建的胜利路等道路工程通车仪式，听取北京援建玉树指挥部的工作汇报，代表中共北京市委、市人大常委会、市政府、市政协向玉树州捐赠 2000 万元慰问金。

8 月 18 日　结古镇主干道胜利路等 5 条道路正式通车，标志着结古镇“四横十六纵”路网框架初步形成。此次通车的 5 条道路分别是胜利路、民主路、红卫路、八一西路和结曲路。

8 月 18 日　中铁二十一局二公司援建的玉树州民族中学竣工仪式举行。

8 月 18 日　曲麻莱县 1089 套灾后重建城乡居民住房全面竣工。

8 月 19 日　省玉树地震灾后重建现场指挥部在西宁召开玉树灾后重建省直部门和中央驻青海单位工作会议。

8 月 21—22 日　骆惠宁在玉树看望省内外援建人员，检查重建项目进展情况，指导灾后重建工作。骆惠宁强调，要抓住结古镇居民住房建设这个关键，进一步加强设计力量，加快意愿锁定，简化相关程序，改进工作对接，倒排工期，全力攻坚，确保入冬前大多数城镇居民和全部农牧民住进新家园。

8 月 22 日　中国建筑援建的玉树州红旗小学竣工。国务院国资委主任、党委书记王勇，副主任黄丹华在玉树州看望慰问 4 家中央企业的援建干部职工。

8月23日 玉树灾后重建青海高原“工人先锋号”授旗仪式在玉树中国水电集团德宁格城镇住房施工现场举行。中国水电集团玉树灾后重建现场指挥部第六工区等10家玉树灾后重建单位获青海高原“工人先锋号”称号。

8月23日 玉树州国税局、玉树县国税局灾后重建项目奠基。项目总投资2865万元，建筑面积7000平方米。

8月23日 新疆维吾尔自治区妇联、新疆妇女发展基金会将多方募集的9万元爱心善款发放到玉树灾区的90位贫困母亲手中。

8月25日 玉树州八一职业技术学校教学、办公综合楼封顶。至此，兰州军区援建玉树的“两校一院”工程全面封顶。

8月25日 玉树县宗教活动场所恢复重建项目隆宝镇结松寺宗教人员住所建成使用，教职人员入住新居。

8月26日 司法部党组成员、副部长郝赤勇一行到玉树地震灾区调研。

8月28日 中国青少年发展基金会、湖南省青少年发展基金会为玉树贫困大学生捐助资金发放仪式在玉树州政府会议室进行，一批品学兼优、家庭经济困难、在“4·14”地震中失去双亲的孤儿得到就学经费资助。

8月29日 省玉树地震灾后重建现场指挥部在北京召开援建工作座谈会。王令浚通报玉树灾后重建工作和北京、辽宁、四大央企以及中国城市规划设计研究院等援建单位和地区的工作进度，提出需要援建单位和地区的上级部门给予关心帮助和支持的期望。

8月30日 玉树州委、州政府召开玉树州教育卫生工作专题会议，总结玉树灾后重建以来教育卫生恢复重建工作并提出新的工作要求。

8月30日 北京建工集团承建的玉树县隆宝镇敬老院援建项目竣工并交付使用。该工程为砖混结构，总建筑面积为1024.8平方米。

8月31日 北京市援建玉树县隆宝镇和哈秀乡农牧民住房建设援建项目全部竣工。

8月31日 韩国红十字会组织向玉树州第三幼儿园，杂多县第一完小、第二完小、孤儿学校捐助价值110万元的教学设备，主要为电脑、电脑投影仪、速印机、打印机等。

8月 经专业部门严格鉴定，被列入灾后重建范围的87座寺院已全部进入恢复重建阶段。省民族宗教事务委员会同有关部门编制《文化遗产保护及寺院重建规划》，成立文化遗产保护与寺院重建工作领导小组、寺院重建协调组与寺院重建组。

2011年9月

9月3日 青海省玉树地震灾后援建央企指挥长联席会在中国水电集团援建现场指挥部召

开，王令浚就下一阶段援建工作提出要求。

9月4日 杂多县灾后重建群众住房入住仪式在昂赛乡举行。

9月6日 玉树县上拉秀乡多拉村首批161户牧民领到新居钥匙。

9月6日 结古镇孟宗沟泥石流治理工程开工。

9月11日 中央巡视组组长、第十届全国人大常委会教科文卫委员会副主任委员金炳华率中央巡视组一行专程到玉树州调研灾后重建工作和换届工作。

9月13日 王令浚到玉树州博物馆、玉树州行政办公中心等十大标志性工程施工现场，比对检查施工进度，现场解决问题，推进工程进展。

9月14日 省卫生厅组织的第六批赴玉树灾后重建医疗服务队工作启动仪式在玉树州民族中学进行。王令浚出席仪式。

9月15日 结古镇巴塘河、扎西科河防洪治理工程开工。

9月15日 巴塘乡八吉生态示范村开工。

9月19日 建立玉树地震灾后重建生态环境保护工作联席会议制度。联席会议由青海省环境保护厅、省发展改革委、省监察厅、省国土资源厅、省住房城乡建设厅、省水利厅、省农牧厅、省林业厅、省三江源管理办公室、玉树州及州属各县等组成。

9月19—23日 以中央办公厅督查室副主任程涛为组长的中央督查组赴玉树调研灾后重建进展情况，了解灾后重建工作存在的困难和问题，听取意见和建议。

9月20日 玉树灾后重建工程竣工验收暨竣工结算培训班在结古镇开班。

9月21—22日 国务院玉树灾后重建协调小组在玉树调研灾后重建工作进展情况。国家发展改革委重大项目稽察办特派员孙波一行听取省玉树地震灾后重建现场指挥部、玉树州委、玉树州政府近期玉树地震灾后重建工作进展情况，关于《国务院玉树地震灾后恢复重建协调小组恢复重建工作座谈会会议纪要》落实情况，以及下一步工作打算的情况汇报，现场察看玉树县第一民族中学、西杭商住组团、当代城镇建设情况，并召开玉树灾后援建单位座谈会，听取意见和建议。

9月23日 《青海日报》报道，近日，住房城乡建设部出台《住房城乡建设部对口支援青海省玉树县工作方案》，确定对口支援领域主要包括：灾后重建城乡发展规划制订、住房保障体系的建立和完善、城乡住房和基础设施建设、市政基础设施运营与城市管理、建筑业发展、历史文化名村保护、建筑节能和再生能源应用、建设领域人才培养和干部交流等。

9月26—28日 强卫和省、州领导看望慰问坚守灾后重建一线的干部职工和各族群众，检查重建进展情况。

9月27日 省扶贫开发局在玉树召开灾后扶贫开发产业重建工作会议，要求齐心协力抓好当前扶贫开发几项重点工作：一是精心组织实施好贫困村恢复重建产业发展项目；二是切实做好捐赠项目的衔接工作；三是科学组织实施各项扶贫开发项目；四是扎实开展玉树地震灾后恢复重建总体规划评估工作。

9月30日 省玉树地震灾后重建现场指挥部召开专题对接会。王令浚强调，要全力以赴全面加快商业住房的设计规划和建设步伐。

2011 年 10 月

10 月 2 日 王令浚代表省委、省政府到玉树县城管局结古环卫公司、县委和县政府驻地、县灾后重建综合执法大队、国家电网青海电力公司玉树电网重建筹备处、武警交通部队、州质监局、州公安局、省水利厅玉树灾后重建现场指挥部，慰问干部职工。

10 月 9 日 玉树地震灾后重建城乡规划委员会第 11 次会议在西宁召开。会议审议玉树州游客服务中心、民主路景观等 4 个项目设计方案，提出修改完善意见和建议；听取文化部门关于文成公主纪念馆选址情况介绍和玉树州项目组对设计方案提出的初审意见等。

10 月 11 日 省玉树地震灾后重建工作领导小组召开第 17 次会议，全面分析 2011 年以来灾后重建工作形势，谋划部署当前及2011年冬2012年春灾后重建工作。骆惠宁主持会议并讲话。

10 月 15 日 玉树灾区 18 条大沟的泥石流治理主体工程全面完成，达到安全度汛要求。

10 月 19 日 省玉树地震灾后重建现场指挥部、玉树州委、玉树州政府召开玉树全州农民工工资专项治理工作会议。

10 月 22 日 四川省都江堰市援建的称多县藏医院举行竣工典礼。

10 月 23 日 代格科技示范村整体入住仪式举行。

10 月 23 日 玉树县第三、第四完全小学正式竣工交付使用。

10 月 27 日 省玉树地震灾后重建现场指挥部召开援建单位现场负责人会议，研究对接重建工作。

10 月 28 日 王令浚在结古地区看望寺院僧侣、清真寺阿訇等教职人员，检查指导寺院灾后恢复重建工作。

10 月 28 日 中国建设银行青海省分行安排 15 亿元贷款规模，助推玉树灾后重建。

10 月 31 日 北京市对口支援隆宝镇、哈秀乡灾后重建项目整体交付仪式在玉树县隆宝镇德吉岭生态新村举行。王令浚出席仪式并看望入住新居的农牧民群众。

10 月 31 日 玉树州文成公主庙景区、勒巴沟景区恢复重建项目正式开工。

2011 年 11 月

11 月 3 日 省玉树地震灾后重建工作领导小组召开第 18 次会议，传达学习胡锦涛、温家宝关于玉树灾后重建的重要批示，并研究贯彻落实意见。此前，强卫就落实好中央领导重要批示精神提出明确要求。骆惠宁主持会议并讲话。

11 月 3—4 日 穆虹一行在玉树调研灾后重建工作，听取省、州工作汇报。

11 月 5—6 日 骆惠宁在玉树灾区察看工程进展情况，了解群众过冬生活安排，看望慰问基层干部群众。骆惠宁强调，要精心抓好当前重建工作和决战 2012 年的各项准备工作，为建设社会主义新玉树而不懈努力。

11 月 8 日 玉树县巴塘乡重建项目交接暨捐赠仪式在巴塘乡寄宿制小学举行。辽宁省向玉树县巴塘乡捐赠 300 万元。在巴塘乡，辽宁党政代表团一行考察铁力角村新落成的农牧民住房、巴塘乡卫生院、寄宿制小学，看望辽宁援建玉树前线指挥部的干部职工。

11 月 8 日 结古镇解放建委会折龙达小区城镇住房工程举行入住仪式。

11 月 16—18 日 白玛率住青海全国政协委员调研团在玉树州考察、调研灾后重建工作。

11 月 17 日 省玉树地震灾后重建现场指挥部召开 2011 年度下半年工作总结大会，总结 2011 年度各项重建工作，部署当前和 2011 年冬 2012 年春各项工作。

11 月 17 日 玉树县第一完全小学竣工并交付使用。

2011 年 12 月

12 月 1 日 省玉树地震灾后重建工作领导小组在西宁举行第 19 次（扩大）会议。骆惠宁讲话。

12 月 1—2 日 省玉树地震灾后重建现场指挥部召开省内外援建地区和单位援建工作汇报会。

12 月 3 日 玉树地震灾后恢复重建规划中期评估组再次到青海调研并听取汇报。徐福顺主持汇报会并与调研组交换意见。

12 月 5 日 兰州军区政委李长才一行在玉树灾区部队营房和部队援建单位，慰问战斗在一线的广大官兵。

12 月 6 日 玉树地震灾后重建项目规划设计工作会议在西宁召开。会议对 2011 年冬 2012 年春“灾后重建项目规划设计大会战”进行全面部署，对所有落地项目的规划设计工作进行全面衔接落实，对全力以赴推进玉树灾后重建进行再动员。玉树地震灾后重建工作开展以来，已完成结古镇总体规划，称多、治多、杂多、曲麻莱、囊谦 5 个县城规划，19 个乡镇、126 个村庄规划等共计 200 余项规划，完成和委托重建项目规划设计 308 项（含子项目 447 项）。根据安排，2011 年冬 2012 年春要完成规划设计项目 320 个大项。

12 月 7 日 省委创先争优活动领导小组、省玉树地震灾后重建现场指挥部党委、玉树州委在西宁联合举办玉树灾后重建先进事迹报告会。齐玉、桑杰、李忠保出席报告会。

12月23日 由省经委组织的2012年玉树地震灾后重建大宗建材供需现场对接会在西宁举行，签约金额102250万元。

12月29日 玉树灾后重建重点工程项目设计方案汇报审查会在西宁召开，进一步审查新玉树十大标志性项目规划设计方案。骆惠宁会见住房城乡建设部原副部长、中国建筑协会会长宋春华率领的玉树灾后重建重点项目建筑设计大师及专家组。

2012年1月

1月7日 国务院国资委与青海省政府在北京联合召开中央企业玉树地震灾后重建工作座谈会，对中央企业玉树地震灾后恢复重建工作进行总结，就目前存在的困难和问题进行研究，对下一阶段工作进行安排和部署。王勇、黄丹华出席会议并讲话。

1月11日 骆惠宁在玉树州了解冬春灾后重建各项准备工作进展情况。

1月19日 玉树州在西宁举行玉树灾后挂职及调离干部欢送茶话会，答谢并欢送调离玉树的干部及121名玉树“4·14”地震后到玉树挂职的省内各地区和单位的援建干部。

2012年2月

2月8日 玉树灾后重建规划委员会召开第12次会议，总结一年多来的工作，审查文成公主纪念馆和结古镇民主路、红卫路、胜利路景观规划设计，听取省内外有关专家意见和建议。

2月21—22日 强卫在王小青、张光荣等的陪同下，专程到玉树州同干部、群众共度藏历新年。

2月25日 骆惠宁在玉树继续调研冬春灾后重建各项准备工作。

2012年3月

3月1日 中国电建集团玉树灾后重建现场指挥部召开2012年度重建工作启动大会，传达省玉树重建工作专题会议精神，检查落实各单位准备情况，详细分解全年目标任务，具体部署当前重点工作。

3 月 7 日 北京市对口支援青海玉树 2012 年工作会议召开，确定 10 月 31 日之前全面完成确定的 114 个援建项目。

3 月 7 日 玉树县行政中心基础工程正式开建。

3 月 10 日 玉树州 16 所具备使用条件的中小学校搬入新校正式开课。玉树灾后重建学校春季开学入住仪式在玉树县第一民族中学举行。

3 月 10 日 中铁二十一局在中国铁建玉树灾后重建指挥部召开“大干一百天，誓夺开门红”动员大会。会上，指挥部与下属各项目部签订责任书。

3 月 10—11 日 张光荣深入灾后重建现场，全面了解群众意愿、征地拆迁和施工前各项准备工作等情况。

3 月 26 日 省玉树地震灾后重建现场指挥部召开冬春工作总结会议，回顾冬春各项准备工作，安排部署下一步任务。

2012 年 4 月

4 月 1 日 省玉树地震灾后重建工作领导小组召开第 20 次（扩大）会议，听取玉树灾后重建冬春准备工作情况的汇报，对 2012 年重建工作作出具体安排。骆惠宁强调，2012 年是玉树灾后重建的决战之年，要把对党和人民的忠诚体现到玉树重建每一项工作中，把工程质量、成本控制、安全施工和资金监管放在更加突出的位置来抓，坚决实现 2012 年基本完成 3 年恢复重建主要任务的预期目标，以打赢重建决战的实际行动，书写人类在高原高寒地区大规模灾后重建的新篇章。

4 月 1—2 日 穆虹在玉树地震灾后重建现场调研。

4 月 4—7 日 省玉树地震灾后重建现场指挥部组织规划项目、工程验收、保障、资金监管、督查、综合等组和玉树州、县相关部门，组成重建项目建设检查督导组，深入工地现场，检查重建工程装备和开复工情况。

4 月 6 日 玉树灾后重建决战之年劳动竞赛启动仪式在结古镇举行。匡湧参加仪式并讲话。

4 月 9 日 省玉树地震灾后重建现场指挥部召开推进玉树县结古镇统规自建院落建设专题会议。张光荣主持会议并讲话。

4 月 10 日 北京城建集团援建玉树的 12 支施工队伍进场，其中房建 6 支、市政 6 支，施工人员 600 余人，机械设备也全部进场，所有工程全部复工。

4 月 10 日 中铁二局在玉树举行 19 个项目开工仪式，正式拉开灾后重建决战之年的序幕。

4 月 11 日　省玉树地震灾后重建现场指挥部在西宁召开玉树地震灾后重建工作新闻发布会，向省垣新闻媒体介绍玉树地震灾后重建进展情况、重建资金安排和社会捐赠资金管理使用情况、2012 年玉树灾后重建准备工作情况及 2012 年重建工作安排。同时，就媒体关注的热点问题回答记者提问。

4 月 11—12 日　张光荣带领省玉树地震灾后重建现场指挥部相关工作组及玉树州有关负责人，先后到中国铁建、中国建筑、中国中铁、中国水电 4 家央企和北京、辽宁援建现场指挥部及其项目施工现场调研。

4 月 12 日　由省文化新闻出版厅主办，以“难忘的记忆”为主题的纪念玉树地震二周年工艺美术、书法摄影作品展在西宁举办。

4 月 13 日　省委召开常委会议，听取玉树地震灾后重建进展情况汇报，研究部署 2012 年年重建工作。会议要求，切实增强做好玉树灾后恢复重建工作的责任感和使命感。2012 年年底，全面完成城乡居民住房重建任务，教育、卫生、文化、广播电视等大部分公共服务设施建设项目竣工投运，基本完成市政、交通、通信、水利等基础设施，以及商贸、特色产业、生态修复、和谐家园等项目建设，实现投资 150 亿元以上，基本完成 3 年灾后恢复重建的主要任务。各地各部门特别是灾后重建各部门各单位一定要站在全局的高度，狠抓责任落实，敢于较真、敢于碰硬、敢于创新，讲政治、顾大局、做贡献、守纪律，继续坚持一线工作法、工程管理法、当面对接法，做到项目工作到位、保障工作到位、群众工作到位。

4 月 14 日　强卫、骆惠宁到玉树州八一孤儿学校、格萨尔广场和胜利路组团建设工地，调研重建项目建设进展情况。

4 月 14 日　玉树州“决战 2012 玉树灾后重建誓师动员大会”在结古镇的玉树州八一职业技术学校举行，标志着 2012 年玉树灾后重建各项工程全面开工。

4 月 14 日　反映玉树灾后重建的话剧《春回玉树》在青海人民剧院首演。

4 月 14—15 日　骆惠宁深入玉树重建现场，检查指导决战之年灾后重建工作。他强调，要加强统筹协调，把握重大时间节点，进一步科学组织，切实把工程质量、成本控制、施工安全和资金监管放在更加突出的位置，推动重建系统、有序、高效进行，坚决落实好重建工作部署。

4 月 17 日　玉树州委、州政府召开“决战 2012 灾后重建工作动员大会”，全面部署 2012 年灾后重建工作。会议强调，2012 年要完成投资 150 亿元以上，基本完成 3 年重建主要任务。必须按照城乡居民住房优先、公共服务和基础设施优先的原则，突出城乡住房建设这个重点，统筹推进其他项目建设。会议要求，全州各级领导干部特别是 21 个专项工作组，要牢固树立“八种意识”，在八个方面做到率先垂范，树立新作风，展示新形象，创造新业绩，开创新局面。

4 月 18 日　由香港红十字会援建的称多县清水河镇中心寄宿学校灾后重建项目举行奠基仪式。

2012 年 5 月

5 月 1 日 张光荣在玉树结古镇各援建单位工地，看望节日期间坚守在重建一线的建设人员。

5 月 2 日 省玉树地震灾后重建现场指挥部召开月度工作会议，传达学习省玉树灾后重建工作领导小组第 21 次会议精神，总结 4 月重建工作，安排部署 5 月重点工作。

5 月 3 日 玉树州第十二届州委 2012 年第 4 次常务（扩大）会议传达省玉树地震灾后重建工作领导小组会议和省玉树地震灾后重建现场指挥部专题会议精神，进一步部署安排灾后重建工作。

5 月 3 日 玉树州结古镇滨水商业文化旅游核心区康巴风情商业街（又称“玉树州两河景观项目”）正式开工。

5 月 5—6 日 人力资源社会保障部副部长信长星率调研督导组到玉树考察工作。

5 月 7 日 张光荣到玉树县隆宝镇中心寄宿制小学，治多县立新乡中心寄宿制小学、县民族中学、统规统建新居，检查指导灾后重建工作。

5 月 7 日 中国农业银行股份有限公司青海省玉树分行新建营业大楼举行办公大楼奠基仪式。中国农业银行党委副书记、监事长车迎新出席奠基仪式。

5 月 7—9 日 省委常委、省人大常委会副主任穆东升率领调研组到玉树州考察地震灾后重建工作。

5 月 8 日上午 省玉树地震灾后重建现场指挥部召开玉树灾后重建安全生产工作会议，通报玉树地震灾后重建安全管理大检查和春季复工“回头看”情况。

5 月 9 日 上海巨人集团捐资玉树贫困大学生仪式在玉树州委院内举行。巨人集团董事长史玉柱出席捐资仪式。

5 月 10 日 王玉虎在中国电建援建指挥部及有关工地座谈协调工作。12 日，王玉虎主持召开玉树州委、州政府灾后重建第二次定期对接会。13 日，王玉虎召集 21 个专项工作组负责人会议，专题听取重建进度汇报并提出新的要求。

5 月 22 日 玉树地震灾后重建重点项目之一——查隆通水电站试运行发电。

5 月 23—25 日 全国人大法律委员会副主任委员、全国人大常委会法制工作委员会主任李适时率专题调研组到玉树调研地方立法工作及新形势下如何推进社会主义民主法治建设等问题。调研组视察结古镇灾后重建情况及结古寺的重建进度。

5 月 26—27 日 张光荣到玉树县结古镇各重建工地、玉树县上拉秀乡和杂多县昂赛乡、萨呼腾镇检查灾后重建工作。

5 月 28 日 中国农业银行股份有限公司青海省玉树分行、青海银行玉树州支行和中国建设银行玉树州支行业务用房正式开工建设。

5月29日 省文化新闻出版厅举办玉树灾后重建非物质文化遗产保护工作培训班。

5月31日 中纪委常委、监察部副部长王伟一行在玉树调研灾后重建工作。

5月31日 位于玉树县结古镇城区中部扎西大同片区的百货批发市场工程正式开工。

2012年6月

6月1日 玉树县城南街道办事处、地税局与胜利路工商所、就业和社会保障综合服务设施3项小公建工程全部封顶。

6月6日下午 骆惠宁在玉树结古地区调研指导灾后重建工作，详细了解涉及住房建设的群众工作，以及工程质量、成本控制、施工安全和资金监管等情况。

6月6日 邮政储蓄银行玉树支行新建营业办公大楼正式动工开建。

6月7日 玉树州召开结古镇城乡住房建设推进大会，要求以省十二次党代会精神为指导，组织动员全州上下和各方援建力量，打一场住房建设攻坚战。

6月9日 玉树地震灾后重建城乡规划委员会第13次会议在西宁召开。会上，规划设计单位就十大标志性建筑中的文成公主纪念馆方案设计、康巴风情商街与红卫滨水休闲区规划、玉树新寨村民居灾后重建户型设计方案作了汇报。规委会专家委员、民俗专家以及特邀建筑专家、省发展改革委、省住房城乡建设厅、省国土资源厅、省旅游局、省文物局、省民宗委等单位有关人员对上述设计方案进行了审查，并就进一步完善项目建设程序，提高方案设计水平等提出了具有指导性的意见和建议。

6月11—13日 国务院玉树地震灾后恢复重建协调小组办公室特派员孙波一行到青海调研玉树灾后重建工作。先后与州、县、中国城市规划研究院、6家省外援建地区和单位负责人座谈，深入结古镇团结片区、州人民医院、州红旗小学、扎村托弋北组团、气象站等项目工地实地考察，听取省玉树地震灾后重建现场指挥部重建工作整体进展情况汇报。

6月12日 张光荣在结古镇考察在建的州社会福利中心、州新湖儿童新村、民主路社区服务站和县儿童福利院以及已竣工的文成公主敬老院和禅古村村委会综合服务中心等重建民政项目。

6月14日 省玉树地震灾后重建现场指挥部召开规划管理工作会议，通报重建项目设计审查情况。

6月16日 由中国铁建承建的结古镇扎西大同北社区920台居住组团、粮油组团共计402户城镇居民住房工程正式开工建设。

6月21日 国务院国资委、监察部联合召开中央企业玉树地震灾后重建工作座谈会。

6 月 21 日 玉树州在建装机规模最大的水电站——查日扣水电站全面复工。

6 月 26 日 玉树地震灾后重建住房建设现场观摩座谈会在结古镇民主北统规自建区现场召开。

6 月 27 日 玉树州委召开玉树地震灾后重建教育卫生项目建设汇报会。

6 月 30 日上午 省玉树地震灾后重建现场指挥部临时党委、玉树州委在玉树州民族中学校园召开玉树灾区庆祝中国共产党成立 91 周年大会。

2012 年 7 月

7 月 2 日 玉树机场市内保障基地楼封顶仪式在施工现场举行。

7 月 10—11 日 强卫到结古镇商住组团、居民住房、学校医院、公用设施等重建项目建设工地，就灾后重建工作进展情况进行调研，并看望基层干部群众和援建单位职工。

7 月 13 日上午 省玉树地震灾后重建现场指挥部召开玉树地震灾后重建文明标准化工地表彰大会，授予中国建筑等 8 家企业的 23 个项目“玉树地震灾后重建文明标准化工地”称号。

7 月 13 日 省玉树地震灾后重建现场指挥部召开玉树地震灾后重建宗教活动场所恢复重建和文物抢救保护工作会议。

7 月 14—15 日 省委副书记、政法委书记王建军在结古镇深入村社、建委会、矛盾调解中心、商住组团、居民住房等地，就灾后重建和社会管理创新工作进行调研，并听取州委、州政府工作汇报，强调要规划好、建设好、管理好社会主义新玉树。

7 月 17 日下午 全国人大常委、九三学社中央副主席、中国工程院院士丛斌在玉树州调研灾后重建及三江源生态保护问题。

7 月 20 日 中国电建集团承建的当代滨水休闲区项目开工典礼在巴塘河与当代路交会口举行。

7 月 22 日 玉树州委向各网络媒体介绍玉树地震灾后重建工作有关情况，有关领导分别就玉树地震灾后重建资金使用、民族风貌打造、按时完成灾后重建任务、如何处理好灾后重建与生态保护之间的关系等问题回答网络媒体记者提问。

7 月 30 日 省玉树地震灾后重建现场指挥部召开灾后重建资金监管会议，听取玉树地震灾后重建资金统筹拨付使用、监管情况，以及央企及地方援建单位资金管理和使用情况汇报。

7 月 30 日 玉树唐蕃古道商街项目正式开工。

7 月 31 日 玉树县政府会议及接待中心大楼顺利封顶。

7 月 31 日 张光荣率省审计厅、省财政厅有关领导到囊谦县调研。

2012 年 8 月

8 月 1 日 清华同学会与玉树州政府医疗卫生培训项目签字仪式、玉树州政府与国家民航总局座谈会先后在州政府会议室举行。

8 月 1—2 日 西藏自治区人大常委会党组副书记、副主任尼玛次仁带领西藏自治区考察团到玉树考察灾后重建工作。

8 月 2 日 骆惠宁赴玉树调研指导灾后重建进展情况，听取省玉树地震灾后重建现场指挥部、玉树州委、玉树州政府关于灾后重建工作情况的汇报。他强调，要牢牢把握重建工作的主动权，把实践中形成并不断丰富的对玉树重建规律的认识，进一步运用到新的重建中去，咬定目标，全力攻坚，全面完成结古镇住房建设，坚决打赢 2012 年决胜之战。

8 月 3 日 省玉树地震灾后重建现场指挥部召开月度工作会，听取督察组 7 月工作督察通报，总结上一阶段工作，部署下一阶段工作及 8 月重点工作。徐福顺、张光荣出席会议并分别讲话。匡湧主持会议。

8 月 3 日 徐福顺在北京、辽宁、中国铁建、中国建筑、中国中铁、中国电建灾后重建指挥部看望慰问干部职工。

8 月 5 日 省玉树地震灾后重建现场指挥部、玉树州委召开宗教场所恢复重建“百日攻坚战”动员大会。

8 月 13—15 日 桑杰率省人大调研组一行在玉树灾区实地察看新校园建设情况。

8 月 13—15 日 北京市石景山区政协主席岳德顺率党政代表团到玉树学习慰问，向玉树州赠送慰问金 30 万元。

8 月 21 日 省玉树地震灾后重建现场指挥部召开辽宁、青海两地援建工作座谈会。辽宁省负责援建的 51 个项目进展顺利。其中，居民住房项目 1132 户全部建成可以入住，学院和卫生院等 14 个公建项目全部竣工，林业、电力、水利等 27 个项目已经完工，还有 9 个项目进入收尾。

8 月 21 日 玉树灾后重建决战之年劳动竞赛“青海高原工人先锋号”授旗仪式在中国建筑援建玉树州行政办公中心项目部举行。中铁建工集团有限公司西北分公司玉树项目部被授予“青海高原工人先锋号”称号。

8 月 21 日 省委常委、总工会主席苏宁代表省委、省政府和省总工会看望并慰问辛勤工作在玉树地震灾后重建一线干部职工。

8 月 22 日 玉树州八一孤儿学校、玉树州八一职业技术学校、玉树八一医院工程竣工移交仪式在玉树州八一职业技术学校内举行。强卫、兰州军区副政委苗华为“两校一院”工程揭牌并移交钥匙。

8 月 22 日 玉树县百货批发市场首栋商住两用楼主体结构顺利封顶。

8 月 23—24 日 穆虹一行深入玉树地震灾后重建一线，实地察看已建成入住的玉树县隆宝镇德吉岭生态新村居民住房、隆宝镇区和隆宝镇中心寄宿小学，并召开玉树地震灾后重建工作座谈会，听取灾后重建最新进展情况汇报。

8 月 25 日 省玉树地震灾后重建现场指挥部在中国电力建设集团有限公司承建的下西同统规自建区召开结古镇城镇住房及综合配套设施建设现场观摩及交流会。

8 月 26 日 省玉树地震灾后重建现场指挥部召开定期对接分析会。次日，召开灾后重建前期项目“回头看”专题会议。

8 月 29—31 日 省委常委、省纪委书记多杰热旦在玉树州调研灾后重建工作，并出席 2012 年玉树灾后重建监督检查工作会议，强调要进一步增强重建工作的紧迫感和责任感，以更加务实的作风和更加有力的措施，不断加大重建工作的推进力度，加强灾后重建监督检查工作，确保 2012 年各项重建任务如期完成。

2012 年 9 月

9 月 1 日 省玉树地震灾后重建现场指挥部召开月度工作会议，听取督察组对重建各项重点工作督促检查情况的通报，总结 8 月重建工作，安排部署 9 月重点工作。

9 月 6 日 北京城建集团承建的玉树县结古镇寄宿制小学和新寨村 45 套民房工程顺利通过竣工验收。结古镇寄宿制小学工程建筑面积 10820.5 平方米，地上三层，包括 7277 平方米的教学楼和 3543.5 平方米的宿舍楼，可容纳 2000 名学生就读，是玉树州规模最大、设施功能最全、标准最高的一所现代化小学，也是北京援建玉树灾后重建项目中唯一创“鲁班奖”的工程。

9 月 7 日 由中国铁建援建的结古镇琼龙路商住旅游区（C47）项目正式开工。项目总占地面积 3200 平方米。

9 月 9 日 玉树州委召开 9 月第一次对接会，深入玉树结古镇两河景观区，检查了解当代滨水休闲街和康巴风情商业街 4 个片区的工程进展情况，慰问援建干部和职工。

9 月 14 日 由民政部批准的中央财政支持社会组织示范项目之一的“‘玉娃娃’幸福成长救助计划”捐赠仪式在玉树县第三完全小学举行。实施这个计划的中华社会文化发展基金会向玉树县第三完小、州直属幼儿园、称多县幼儿园的部分孤儿及特殊困难儿童捐赠了总价值 50 余万元的生活物资和玩（教）具。

9 月 15 日 结古镇康巴风情商业街北区项目开工典礼在北区工地举行。

9 月 15 日 省玉树地震灾后重建现场指挥部召开现场观摩与经验交流会，观摩学习北京援建指挥部推进结古镇市政基础设施和新寨村整体恢复重建先进经验和做法。

9月16日 卫生部党组成员、副部长兼国家中医药管理局党组书记、局长王国强一行在玉树州检查指导工作。

9月16日 玉树州召开结古镇土地权益处置和住房商铺建设相关数据统计核实工作动员、培训大会。会上，宣布成立由省国土资源厅、省住房城乡建设厅、省统计局和玉树州的相关负责人组成的联合领导小组。

9月19日 中国红十字会副会长郭长江与三星（中国）投资有限公司负责人一同到玉树县巴塘乡当托村，参加当托村灾后重建项目揭牌仪式。

9月19日 省政协主席仁青加赴玉树县结古镇调研玉树地震灾后重建工作。

9月20日 玉树州举行三江源清洁能源推广暨玉树州石油液化气储配站竣工典礼。

9月20日 玉树州妇幼保健院项目开工建设。

9月23日 中组部考察组付志方一行到玉树调研校舍重建情况，并在结古镇寄宿制小学举行捐书仪式。

9月25日 骆惠宁主持召开省玉树地震灾后重建工作领导小组第24次会议，研究重建工作有关事项。会议要求，进一步做好玉树重建规划项目调整工作，抓紧制定玉树重建公共房屋建筑及市政基础设施工程造价计价办法，系统安排好项目竣工验收工作。会议决定，进一步提高重建资金预拨付比例，严格资金监管，既保障重建需要，又做到安全、规范、高效使用。

9月25日 玉树地震灾后恢复重建项目当卡水电站正式开工。电站装机容量为1.2万千瓦，为河床式电站，正常蓄水位3802米，相应库容为1109×10^4立方米，最大坝高36.7米，是青海水电集团在玉树地震灾后恢复重建中继查隆通、查日扣之后开工的第三个新建电源项目。

9月26日 中国建筑玉树援建前线指挥部举行玉树县结古镇烟草地块居住组团工程竣工仪式。

9月27日 国际红十字会会同台湾红十字会、澳门红十字会组成的考察团，先后考察捐建的玉树县仲达乡和称多县歇武镇的寄宿小学、卫生院和计生服务站项目。

9月28日 中国中铁玉树灾后重建5个商住组团竣工仪式在胜利大道旁的西杭组团举行。

9月28日 玉树县城污水处理厂及污水管网工程正式竣工并通过验收。

9月29日 由玉树县通天河投资建设有限公司牵头，省、州、县、乡、村五级部门组成的工程验收委员会，对总投资32105万元的海南州援建玉树县上拉秀乡灾后恢复重建12大类33个项目进行竣工验收。

2012年10月

10月5日 玉树与青海主网330千伏联网工程唐乃亥—玛多330千伏输电线路首基铁塔

组立仪式在玛多县境内的第三标段举行。6日，玛多—玉树330千伏输电线路首基铁塔组立仪式在玉树县清水河的第五标段举行。两标段的首基铁塔试点组立，标志着该工程线路施工全面进入组塔转序阶段。10月16日，玉树联网工程建设中唐乃亥变电站、玛多开关站和玉树变电站土建工程完成率分别为84%、82%和84%，3站均完成土建交安工作。全线1252个基础中已浇筑1189基，剩余的基础中有16个因沼泽水位较高暂无法施工。

10月8日 玉树州政府召开结古镇环境卫生集中整治动员。

10月8日 玉树县粮油地块居住组团2号楼顺利封顶。

10月10日 省玉树地震灾后重建现场指挥部召开玉树地震灾后重建资金监管工作会议。会议强调，必须严格遵守各项财经纪律，不触高压线，时刻绷紧弦，不该花的钱坚决不能花，不该动的钱坚决不能动，不该挪的钱坚决不能挪，该拨的钱坚决不能截留，该上交的钱坚决不能延时，绝不能擅自扩大规模、变动计划，切实把各项职责落实到位，把监督要求落实到位。

10月10日 海西蒙古族藏族自治州委书记辛国斌，副书记、州长诺卫星一行在治多县了解海西援建的各类项目进展情况。

10月10日 结古镇入新居撤帐篷动员大会在玉树州政府举行。

10月16日 强卫到玉树县结古镇看望干部群众和援建单位职工。

10月16日 玉树州军民共建“两校一院”签约仪式在玉树军分区举行。

10月17日 省政府在西宁召开玉树地震灾后恢复重建规划项目调整方案审核会议，征求国家相关部委、专家及省州有关部门对调整方案的意见和建议。徐福顺出席会议并讲话。

10月17日 玉树州召开结古镇统规统建组团居住商铺分配启动大会。

10月18日 省玉树地震灾后重建现场指挥部召开10月份月度工作推进会。

10月19日 仁青加赴玉树县结古镇调研玉树灾后重建工作，并召开州、县政协主席和州政协机关干部座谈会。

10月22日 骆惠宁主持召开省玉树地震灾后重建工作领导小组第25次会议，听取玉树地震灾后重建整体工作进展及重点工作落实情况汇报。会议强调，2012年玉树重建工作已进入最后冲刺阶段，要再接再厉，全面加快住房项目及配套设施竣工验收，全面开展“拆帐篷、搬新家、清环境”工作，全面加强已建项目的运营管理，全面推进各项重建工作，坚定不移地实现基本完成3年重建的主要任务。会议决定，2012年12月1日至2013年3月31日，省现场指挥部、各援建单位及相关单位继续在西宁实行集中办公。

10月22日 玉树州召开地材企业生态修复工作动员大会，宣读《玉树州地震灾后重建地材生产企业生态修复工作方案》，称多县政府、州国土资源局、玉树县联合执法大队作了汇报和表态发言，各地材企业代表向州政府做出郑重承诺，将积极支持政府及相关部门开展生态修复工作。

10月25日 国家发展改革委稽察办特派员孙波一行在省联合指挥部召开座谈会，听取青海省关于玉树地震灾后重建的汇报。次日，孙波一行调研玉树州人民医院、红卫二区建设点、琼龙路商住组团、民主北等重建点。

10月26日 结古镇琼龙住宅小区举行入住仪式，标志着玉树灾后重建城乡居民住房、僧舍工程基本完成。

10月27日 玉树灾后重建学校、医院工程建设全面完成暨玉树州人民医院交付投运庆祝仪式在结古镇举行。

2012年11月

11月5日 省委教育工委书记、省教育厅党组书记燕海茂一行在玉树检查指导校安工程、中小学党的建设和思想政治工作。

11月7日 由玉树县委组织的“鸟瞰新家园，喜看新成果”活动在当代山顶举行。

11月9日 玉树州党政领导及所属6县政府有关领导，集体到艰苦奋战在玉树灾后重建一线的玉树与青海主网330千伏联网工程指挥部，看望并慰问指挥部成员及广大电力建设者。

11月10日 省玉树粮食储备库灾后恢复重建项目正式落成。该项目是玉树灾后恢复重建中第一批开工建设的省管项目，也是第一个竣工的省管项目。

11月12日 玉树县结古镇琼龙居住组团摇号分配大会在州中学礼堂内举行。该组团安置来自解放、扎北、扎南、民主南、民主北、扎西科、团结、红卫、当代9个建委会的956户集资楼住户和460户回迁安置户。

11月15日 玉树州政府召开标准化学校建设项目启动会暨校安工程项目通报会，安排部署中小学标准化建设贯彻的各项工作。会上，州政府与各县政府签订《玉树州标准化学校建设工作目标责任书》。

11月19日 玉树州康巴艺术中心核心建筑物之一的剧院大楼正式封顶。

11月22日 由省测绘地理信息局无人机航拍的64幅玉树灾后重建2012年影像图，交付省玉树地震灾后重建现场指挥部及玉树州和6个县政府部门。这些影像图直观地反映了灾区建设成就的全貌，为城市建模数字玉树提供了基础数据资料。

11月26日 2012年度玉树地震灾后恢复重建工作总结暨表彰大会在结古镇召开，总结“决战之年”的各项工作，安排部署冬春和2013年收官之年的重建工作。骆惠宁讲话。国家发展改革委西部司司长秦玉才受国务院玉树地震灾后恢复重建工作协调小组委派出席会议并讲话。

11月26日 秦玉才一行在玉树考察决战之年灾后重建工作。

11月27日 省民政厅、省财政厅、省慈善总会下发《关于下拨玉树地震灾区受灾群众过冬取暖补助资金的通知》，向玉树灾区安排2012年受灾群众过冬取暖补助资金6368.22万元。

11月30日 省玉树地震灾后重建现场指挥部和省政府新闻办公室召开新闻发布会，就玉树地震灾后重建总体进展情况向中央驻青海媒体、省垣新闻媒体和网络媒体进行通报。

2012 年 12 月

12 月 9 日下午 玉树州八一孤儿学校全体师生沉痛悼念“美丽妈妈”——李成环。州红十字会有关负责人及玉树各界群众纷纷前来祭奠。李成环，女，汉族，中共党员，25 岁，兰州市第二十四中学生活指导老师。2012 年 11 月 24 日，李成环与丈夫龚大锬和其他 3 名爱心人士驱车千里，将为青海玉树 700 多名孤儿准备的棉鞋、电脑、书籍等物品送到了孩子们的手中。在回兰州的路上发生车祸，李成环与丈夫龚大锬受重伤。12 月 4 日，李成环经抢救无效离开人世。2013 年 9 月 26 日，李成环被评为全国道德模范。

12 月 13 日 国务院国资委、青海省人民政府在北京联合召开玉树地震灾后重建援建央企座谈会。王勇、强卫分别讲话。骆惠宁主持会议，黄丹华讲话，徐福顺通报玉树灾后重建工作进展情况。

12 月 14 日 玉树与青海主网 330 千伏联网工程在玉树州境内海拔 4300 米的工程第六标段开始架线，标志着工程建设正式由地面作业转向空中作业，线路施工进入后期攻坚阶段。该工程贯穿玉树、果洛、海南 3 个藏族自治州，线路全长 803 千米，海拔在 3200 ~ 5000 米，其中海拔 4000 米以上线路 482 千米，是当时世界上海拔最高、线路最长的 330 千伏输变电工程。工程总投资 24.69 亿元。

12 月 31 日 温家宝再赴玉树县结古镇考察地震灾后重建工作，先后到玉树州党政机关临时驻地及居民过渡安置点、折龙达社区巴德加措家、玉树州红旗小学、玉树八一医院等地考察灾后恢复重建情况，并看望援建单位留守的干部职工。

截至 2012 年年底 玉树灾区 1248 项重建项目中，已开（复）工 1227 项，开工率为 98.3%，累计完成固定资产投资 375.89 亿元，占规划重建计划总投资的 122.76%。

2013 年 1 月

1 月 17 日 省玉树地震灾后重建现场指挥部在西宁召开冬春工作会议，就项目前期工作、工程审计、竣工财务决算、做好 2013 年项目开复工准备、竣工验收质量整改、实施结古镇春季造林绿化、全面完成结古镇征地拆迁以及住房、商铺资金收缴等重点工作作出部署。

1 月 22 日 玉树通信枢纽楼核心机房搬迁割接工作全面完成。

1月25日 中国农业银行股份有限公司青海省玉树分行等6家银行业金融机构与州人民政府签订《2013年金融支持玉树灾后重建和长远发展目标责任书》。

2013年2月

2月1—3日 中国气象局副局长沈晓农率中国气象局直属机关党委、局办公室及国际合作司有关人员赴玉树看望慰问灾区气象干部和职工，检查、指导气象部门灾后重建工作。

2月26日 中国移动青海公司玉树灾后重建机房搬迁网络割接正式启动。28日，重建中国移动机房搬迁网络割接互联互通电路割接成功。

2013年3月

3月8日 中国电建集团玉树重建现场指挥部召开2013年决战动员会，通报玉树重建2013年工作计划安排。

3月28日 新建的玉树中国移动通信机房开始运营，标志着玉树的中国移动从过渡期保障通信恢复到正常通信。

3月29日 省委召开常委会议，传达贯彻十二届全国人大一次会议和全国政协十二届一次会议精神，研究玉树地震灾后恢复重建工作。省委书记骆惠宁主持会议。会议听取做好全年玉树地震灾后恢复重建工作安排情况的汇报。会议指出，经过两年多的艰苦奋战，玉树地震灾后恢复重建已经取得了重大的阶段性成果。2012年冬2013年春的准备工作，措施得力，扎实有效，为2013年确保打赢重建决胜之战奠定了坚实基础。会议要求，2013年要全面完成恢复重建主要任务，健全城市管理体制，不断提高市民素质，向世人呈现一个社会主义新玉树的崭新形象。

2013年4月

4月3日 玉树电网与青海主网330千伏联网工程全线1252基铁塔组立全部完成，标志着线路工程全面进入导线展放攻坚收官阶段。4 月 14 日，联网工程第四标段圆满完成 115.033 千米架线任务，成为全线 6 个标段中首个完成架线任务的标段。6 月 6 日，玉树与青海主网 330 千伏联网工程成功投入试运行，玉树电网正式结束孤网运行的历史，长期缺电的玉树迎来“光明天路”。

4 月 4 日 玉树州委组织部在结古镇召开全州援青干部座谈会，回顾总结支援玉树近 3 年来的工作，研讨交流援青经验，并就做好下一步援青干部和对口支援工作、促进玉树政治经济社会发展和维护社会稳定征求意见和建议。

4 月 10 日 省玉树地震灾后重建现场指挥部召开 2013 年玉树地震灾后重建决胜收官动员大会，通报省重建现场指挥部领导分工、工作纪律和开复工准备检查情况。

4 月 13 日 玉树州委召开座谈会，省玉树地震灾后重建现场指挥部、玉树州及援建单位分别通报 2012 年冬 2013 年春灾后重建工作准备情况、人员到场情况以及 2013 年重建工作的主要任务和措施办法。

4 月 13 日 玉树地震灾后重建英模事迹报告会在省会议中心举行。

4 月 14 日 骆惠宁在玉树县结古镇实地调研并与玉树州和各援建单位负责人进行座谈。骆惠宁强调，全面完成重建任务，一要更加注重工作衔接，抓住重要时间节点，严密对接大小市政设施，加强环境整治，做好工程管护，抓好工程整改，优化工程管理；二要更加注重援建单位和地方联动，围绕重建做好群众工作，依靠群众支持保障重建，地方要为援建单位提供良好环境，做好各项服务和保障工作；三要更加努力，多出成果。

4 月 14 日 省玉树地震灾后重建现场指挥部召开“青海玉树‘4·14’地震三周年纪念暨绿色玉树建设活动新闻发布会”。匡湧在回答记者提问时说，玉树重建工作 2013 年 6 月底前全面完成住房和配套设施建设，9 月底完成所有市政基础设施和公共服务设施建设，实现城镇正常运转。玉树拉开各项重建工程复工和大规模植树造林活动的序幕。

4 月 14—15 日 省委副书记、代省长郝鹏先后到玉树县结古镇和称多县，实地察看城乡居民住房、公共服务设施和基础设施等重建项目的进展情况。郝鹏强调，玉树必须再接再厉，持续奋斗，全力抓好当前工作，确保 2013 年全面完成灾后重建主要任务，早日实现建设社会主义新玉树的目标。

4 月 21 日 玉树州召开玉树重建工作专题会议，确立年内重建工作的方向、目标及任务，即围绕“一条主线”，抓好“四项工作”，实现“五大提升”。

4 月 26 日 青海省公路局召开国道 214 线、省道 308 线 2013 年玉树灾后重建道路保通工程复工会议。

4 月 28 日 海南州召开援建玉树灾后恢复重建现场指挥部工作会议，安排部署 2013 年援建玉树县上拉秀乡灾后恢复重建工作。会议要求，一要进一步增强政治意识，二要全面完成援建收尾工作，三要进一步注意安全，四要加强团结协作。

2013 年 5 月

5 月 8 日　省委印发《关于向韩慧瑛、才仁松保同志学习的决定》。

5 月 10 日　省玉树地震灾后重建现场指挥部、省住房城乡建设厅、省财政厅、玉树州等在西宁联合召开玉树地震灾后重建工作情况通报会。

5 月 19 日　转移安置到山东省滨州职业学院的 142 名玉树灾区学生平安返回结古镇。至此，玉树州转移到外省的学生全部回到玉树就学。

2013 年 6 月

6 月 5 日　最高人民检察院检察长曹建明到玉树州调研基层检察工作。

6 月 6 日　省玉树地震灾后重建现场指挥部召开玉树重建城乡住房大会战暨市政工程攻坚战、质量整改攻坚战动员大会。

6 月 13 日　江西省人民政府代表团赴玉树学习考察并召开座谈会。

6 月 14 日　北京市援建的 2760 户住房全部完工，辽宁省援建的 1112 户住房和中国建筑援建的 2131 户住房全部交付使用，中国铁建援建的 4757 户住房中 4618 户全部完工，中国电建援建的 7155 户住房中 7025 户全部完工。

6 月 26 日　结古镇市政道路、桥梁工程竣工验收暨移交大会在北京市政路桥玉树现场指挥部召开。

6 月 29 日　灾后重建农牧民住房建设全面完工总结暨表彰大会在玉树县下拉秀镇召开。

2013 年 7 月

7 月 1 日　省委常委、省军区政委武玉德到玉树州八一孤儿学校看望慰问学校师生，并送去慰问物品。

7月10日 国家卫生和计划生育委员会组建的国家医疗专家队到玉树州开展为期1个月的巡回医疗活动。

7月11日 全国人大常委会委员、教科文卫委员会副主任委员严以新率全国人大教科文卫委员会工作组一行在玉树州调研灾后重建及防灾减灾工作。

7月16日 “送欢乐、下基层”中国文联文艺志愿服务团慰问演出在结古镇格萨尔广场举行。

7月16日 由中国红十字会筹集8655万元援建的玉树州民族中学举行揭牌仪式。

7月19日 省委副书记、省长郝鹏到玉树州治多县加吉博洛镇，调研牧民新村、学校社区、城建工地、民生改善、生态保护及城镇建设等情况。他强调，要始终把服务人民群众作为基点和归宿，进一步解放思想，开拓创新，在三江源核心区建设一个经济更加繁荣、民生更加改善、生态更加良好、社会更加和谐的治多。

7月19—20日 骆惠宁在玉树州检查指导工作，先后到州汽车站、唐蕃古道商业区、赛马场、胜利路过街通道、琼龙旅游区、州国税局和公检法业务用房等地，询问工程进度和质量、成本控制等情况。20日，骆惠宁在结古镇主持召开重建工作领导小组第26次会议，分析重建进展态势，研究重建工作相关问题，安排相关的后续工作，还研究了涉及规划、资金及政策管理等有关工作。省玉树地震灾后重建现场指挥部、玉树州和各援建单位作了工作汇报。

7月24—25日 省委常委、副省长王晓一行在玉树州调研民政、商务等工作。

7月25日 玉树州委、州政府召开结古镇区及周边区域环境集中整治活动动员大会。

7月25日 北京市对口援助玉树教师培训班在玉树州八一职业技术学校开班。

2013年8月

8月2日 省玉树地震灾后重建现场指挥部联合玉树州、玉树县党委和政府巡查结古镇环境整治情况。

8月2日 中央电视台“心连心”艺术团爱心小分队在文成公主敬老院进行慰问演出。

8月5日 玉树州委召开第27次常委（扩大）会议，传达学习中央、省委有关文件及领导讲话精神，安排部署近期灾后重建等重点工作。

8月5—7日 国务院扶贫开发领导小组副组长、扶贫开发办公室主任范小建率调研组到玉树调研扶贫开发工作。

8月6日 中国广播联盟2013年全国百家电台“走转改”青海行活动40名广播记者到达玉树，实地采访报道玉树灾后重建成果。

8月10日 玉树州召开玉树地震抗震救灾和灾后重建过程中纪念性实物和资料征集工作

动员会。

8 月 11 日 中国农业银行股份有限公司青海省玉树分行综合办公大楼竣工仪式在结古镇举行。

8 月 12—13 日 玉树州委、州政府组织观摩团，在全州范围内开展 2013 年灾后重建住房建设观摩活动。

8 月 13—14 日 十二届全国人大代表专题调研组到玉树视察玉树灾后重建情况并举行座谈。

8 月 15—16 日 省委常委、组织部部长王令浚一行 4 人专程到玉树调研指导灾后重建和基层党的建设工作。

8 月 16—17 日 全国政协民族宗教委员会副主任白玛一行到玉树专题调研灾后重建工作。

8 月 20 日 经玉树州委、州政府同意，州委组织部、州老干局组织省内玉树离退休老干部代表 30 余人，赴玉树实地考察灾后重建成果。

8 月 24 日 中央电视台“心连心”艺术团带着中共中央、国务院的关怀到玉树，在结古镇格萨尔广场为全州 5000 余名群众和参加灾后重建的部分援建者代表献上了一台精彩的文艺节目。

8 月 26 日 由加多宝集团和中国扶贫基金会援建的玉树农畜产品综合交易市场竣工交接仪式在结古镇举行。

8 月 28 日 中国输血协会、深圳市爱康生物科技有限公司向玉树州中心血站捐赠价值 58 万元全自动酶免系统设备仪式在结古举行。

8 月 28—29 日 中国地震局局长宋祥瑞一行到玉树调研。

8 月 29 日 全国政协常委、社会和法制委员会副主任季允石一行到玉树调研。

8 月 30 日 穆虹一行到玉树灾后重建一线考察，先后实地察看了玉树地震遗址纪念馆、玉树州博物馆、康巴艺术中心、结古镇两河景区、唐蕃古道商业街等项目建设情况和建成的玉树州人民医院运行情况。

8 月 30 日 省政协副主席、党组副书记陈资全，省政协副主席、党组成员李选生带领省政协调研组一行 11 人先后到玉树县第一民族中学、当卡寺、玉树州人民医院和玉树州八一职业技术学校调研玉树决胜收官之年灾后重建工作并召开座谈会。

2013 年 9 月

9 月 3 日 省委常委、政法委书记张光荣一行到玉树调研。

9 月 3—5 日 省委常委、省纪委书记多杰热旦到结古镇、歇武镇、称文镇调研纪检监察重点工作推进和灾后重建项目监督落实情况。

9月13日 省玉树地震灾后重建现场指挥部召开阶段性工作汇报会，研究部署9月主要工作。

9月13日 张建民调研旅游重建项目建设情况，并对玉树灾后旅游业恢复发展给予充分肯定。

9月15日 囊谦县毛庄乡举行灾后重建完工庆典。

9月16日 玉树市正式通过民政部批复设立。

9月17日 高云龙赴玉树灾后重建一线调研结古镇商铺、商住组团、院墙、大门建设和风貌打造情况，和当地干部群众深入交谈，详细了解金融支持灾后重建进展以及存在的困难和问题。

9月17日 国务院妇女儿童工作委员会副主任、全国妇联书记处第一书记宋秀岩到玉树调研妇女儿童工作。

9月19日 “蓝天春蕾计划”启动仪式在玉树县结古镇寄宿制小学举行。

9月20—22日 省住房城乡建设厅到玉树专题调研城市规划建设管理工作。

9月21日 治多县灾后重建竣工庆典大会在嘉洛草原举行。在庆典活动中，海西蒙古族藏族自治州向治多县交付工程竣工金钥匙，治多县委、县政府表彰了重建工作先进集体和先进个人。

9月25日 玉树州首座青少年活动中心举行竣工典礼。

9月25日 称多县举行灾后重建完工庆典。援建单位海东市领导出席庆典仪式。

9月25日 省民宗委副主任张宗寿带领第二批藏传佛教界代表人士考察团抵达玉树，参观考察灾后重建成果。考察团70人由海北、黄南、果洛、玉树的宗教界代表人士组成。

9月28—29日 郝鹏在结古镇调研，强调要全力以赴完成重建项目的收官任务、抓好2013年冬2014年春的各项重点工作和打赢城市管理这场“硬仗”，不仅要把新玉树建设好，更要管理好、运营好。

9月29日 骆惠宁在玉树检查指导重建收官工作。强调，要加速推进未完工项目建设，切实做好工程质量整改、验收移交等工作，全力以赴完成重建项目的收官决胜任务。发挥地方政府责任主体作用和援建单位帮扶作用，打赢城市管理运营这场硬仗。抓好总结表彰大会筹备、纪念馆展陈、撤县设市、市政设施维护运行、工程审计、资金清算等当前和2013年冬2014年春的各项重点工作。

2013年10月

10月9—10日 北京市工作组一行24人到玉树调研考察，帮助玉树做好市政管理营运能力建设。

10 月 19 日　玉树州干部职工、教师周转房入住仪式在琼龙 D 区举行，结古镇干部职工周转房竣工并投入使用，第一批符合条件的 940 名州行政机关干部开始陆续入住。

10 月 25 日　由中国电建集团玉树重建第五工区承建的玉树赛马场全面竣工。

10 月 28 日　省委宣传部召开“新玉树、新家园”玉树灾后重建理论研讨会。

10 月 28 日　玉树县结古镇廉租房分配入住仪式在玉树州民族中学举行，实行首批廉租房公开摇号。

10 月 28 日　玉树州委、州政府召开全州生态修复会议，通报近期修复检查情况，并安排部署下一步灾后重建修复整治工作。

10 月 29 日　团省委在玉树召开命名表彰大会，向 2010 年以来支援玉树地震灾后重建工作的中国铁建玉树地震灾后重建指挥部第二项目部等 21 个援建企业先进青年集体授予“青海高原青年文明号”称号；向中铁二十一局二公司职工徐荣鹏等 21 名先进青年授予全省“青年岗位能手”称号。

2013 年 11 月

11 月 1 日　玉树州玉树县撤县建市挂牌仪式在玉树市行政中心举行。

11 月 2 日　省玉树地震灾后重建现场指挥部在西宁召开玉树重建社会捐赠资金管理使用情况通报会，向媒体通报玉树地震社会捐赠资金管理使用的有关情况。玉树“4・14”地震发生 3 年多以来，全省共接收社会各界捐赠资金 99.7 亿元。其中，用于灾区群众临时救助等方面资金约 15.5 亿元，用于灾后恢复重建规划内项目资金约 84.2 亿元。

11 月 3 日　庆祝玉树灾后重建竣工大会在玉树新落成的赛马场举行。骆惠宁出席大会并讲话。他指出，玉树重建取得的伟大成就，彰显了中国共产党执政为民的理念，昭示了社会主义制度的优越性，体现了祖国大家庭的温暖，饱含了军、警、民的鱼水之情。郝鹏主持大会。3 年来，纳入国家重建规划的 1248 个项目全部开工，完工率 99.9%。累计完成投资 447.54 亿元。

11 月 3 日　玉树各族群众庆祝灾后重建竣工大会的大型感恩情景剧《梦圆玉树》首场演出在新落成的康巴艺术中心举行。

2013年12月

12月3日 省政府成立省玉树地震灾后重建后续工作协调领导小组。郝鹏任组长，马顺清、张建民、程丽华任副组长。

12月6日 省玉树地震灾后重建后续工作协调领导小组召开第一次会议，研究部署重建后续工作的重点任务，发出全面展开玉树灾后重建后续工作的动员令。郝鹏主持会议并讲话。他强调，要做好工程质量整改、工程验收移交等工作；严肃认真、科学规范地做好工程项目审计、资金清算决算等工作；坚定打赢城市管理运营这场硬仗的信心和决心，坚定不移地抓好市政运营管理、产业恢复提升等工作。

12月6日 省政府召开二轮志书及《玉树大地震救灾重建志》编纂工作推进会，通报全省二轮志书及《玉树大地震救灾重建志》编纂工作进展情况，分析存在问题，研究有关措施，协调加快推进编志进程。马顺清出席会议并讲话。

12月25日 玉树州召开灾后重建总结大会，总结3年来的灾后重建工作，表彰奖励灾后重建中各行、各业、各界涌现出的先进集体和先进个人。授予玉树州国土资源局等146个集体“玉树地震灾后恢复重建先进集体”称号，授予青鹰等496人“玉树地震灾后恢复重建先进个人”称号，授予邓东等“荣誉市民”称号。

附　录

众志成城　抗震救灾

法律法规

中华人民共和国主席令

（第 69 号）

《中华人民共和国突发事件应对法》已由中华人民共和国第十届全国人民代表大会常务委员会第二十九次会议于 2007 年 8 月 30 日通过，现予公布，自 2007 年 11 月 1 日起施行。

中华人民共和国主席　胡锦涛
2007 年 8 月 30 日

中华人民共和国突发事件应对法

（2007 年 8 月 30 日第十届全国人民代表大会常务委员会第二十九次会议通过）

第一章　总　则

第一条　为了预防和减少突发事件的发生，控制、减轻和消除突发事件引起的严重社会危害，规范突发事件应对活动，保护人民生命财产安全，维护国家安全、公共安全、环境安全和社会秩序，制定本法。

第二条　突发事件的预防与应急准备、监测与预警、应急处置与救援、事后恢复与重建等应对活动，适用本法。

第三条　本法所称突发事件，是指突然发生，造成或者可能造成严重社会危害，需要采取应急处置措施予以应对的自然灾害、事故灾难、公共卫生事件和社会安全事件。

按照社会危害程度、影响范围等因素，自然灾害、事故灾难、公共卫生事件分为特别重大、重大、较大和一般四级。法律、行政法规或者国务院另有规定的，从其规定。

突发事件的分级标准由国务院或者国务院确定的部门制定。

第四条 国家建立统一领导、综合协调、分类管理、分级负责、属地管理为主的应急管理体制。

第五条 突发事件应对工作实行预防为主、预防与应急相结合的原则。国家建立重大突发事件风险评估体系，对可能发生的突发事件进行综合性评估，减少重大突发事件的发生，最大限度地减轻重大突发事件的影响。

第六条 国家建立有效的社会动员机制，增强全民的公共安全和防范风险的意识，提高全社会的避险救助能力。

第七条 县级人民政府对本行政区域内突发事件的应对工作负责；涉及两个以上行政区域的，由有关行政区域共同的上一级人民政府负责，或者由各有关行政区域的上一级人民政府共同负责。

突发事件发生后，发生地县级人民政府应当立即采取措施控制事态发展，组织开展应急救援和处置工作，并立即向上一级人民政府报告，必要时可以越级上报。

突发事件发生地县级人民政府不能消除或者不能有效控制突发事件引起的严重社会危害的，应当及时向上级人民政府报告。上级人民政府应当及时采取措施，统一领导应急处置工作。

法律、行政法规规定由国务院有关部门对突发事件的应对工作负责的，从其规定；地方人民政府应当积极配合并提供必要的支持。

第八条 国务院在总理领导下研究、决定和部署特别重大突发事件的应对工作；根据实际需要，设立国家突发事件应急指挥机构，负责突发事件应对工作；必要时，国务院可以派出工作组指导有关工作。

县级以上地方各级人民政府设立由本级人民政府主要负责人、相关部门负责人、驻当地中国人民解放军和中国人民武装警察部队有关负责人组成的突发事件应急指挥机构，统一领导、协调本级人民政府各有关部门和下级人民政府开展突发事件应对工作；根据实际需要，设立相关类别突发事件应急指挥机构，组织、协调、指挥突发事件应对工作。

上级人民政府主管部门应当在各自职责范围内，指导、协助下级人民政府及其相应部门做好有关突发事件的应对工作。

第九条 国务院和县级以上地方各级人民政府是突发事件应对工作的行政领导机关，其办事机构及具体职责由国务院规定。

第十条 有关人民政府及其部门作出的应对突发事件的决定、命令，应当及时公布。

第十一条 有关人民政府及其部门采取的应对突发事件的措施，应当与突发事件可能造成的社会危害的性质、程度和范围相适应；有多种措施可供选择的，应当选择有利于最大程度地保护公民、法人和其他组织权益的措施。

公民、法人和其他组织有义务参与突发事件应对工作。

第十二条　有关人民政府及其部门为应对突发事件，可以征用单位和个人的财产。被征用的财产在使用完毕或者突发事件应急处置工作结束后，应当及时返还。财产被征用或者征用后毁损、灭失的，应当给予补偿。

第十三条　因采取突发事件应对措施，诉讼、行政复议、仲裁活动不能正常进行的，适用有关时效中止和程序中止的规定，但法律另有规定的除外。

第十四条　中国人民解放军、中国人民武装警察部队和民兵组织依照本法和其他有关法律、行政法规、军事法规的规定以及国务院、中央军事委员会的命令，参加突发事件的应急救援和处置工作。

第十五条　中华人民共和国政府在突发事件的预防、监测与预警、应急处置与救援、事后恢复与重建等方面，同外国政府和有关国际组织开展合作与交流。

第十六条　县级以上人民政府作出应对突发事件的决定、命令，应当报本级人民代表大会常务委员会备案；突发事件应急处置工作结束后，应当向本级人民代表大会常务委员会作出专项工作报告。

第二章　预防与应急准备

第十七条　国家建立健全突发事件应急预案体系。

国务院制定国家突发事件总体应急预案，组织制定国家突发事件专项应急预案；国务院有关部门根据各自的职责和国务院相关应急预案，制定国家突发事件部门应急预案。

地方各级人民政府和县级以上地方各级人民政府有关部门根据有关法律、法规、规章、上级人民政府及其有关部门的应急预案以及本地区的实际情况，制定相应的突发事件应急预案。

应急预案制定机关应当根据实际需要和情势变化，适时修订应急预案。应急预案的制定、修订程序由国务院规定。

第十八条　应急预案应当根据本法和其他有关法律、法规的规定，针对突发事件的性质、特点和可能造成的社会危害，具体规定突发事件应急管理工作的组织指挥体系与职责和突发事件的预防与预警机制、处置程序、应急保障措施以及事后恢复与重建措施等内容。

第十九条　城乡规划应当符合预防、处置突发事件的需要，统筹安排应对突发事件所必需的设备和基础设施建设，合理确定应急避难场所。

第二十条　县级人民政府应当对本行政区域内容易引发自然灾害、事故灾难和公共卫生事件的危险源、危险区域进行调查、登记、风险评估，定期进行检查、监控，并责令有关单位采取安全防范措施。

省级和设区的市级人民政府应当对本行政区域内容易引发特别重大、重大突发事件的危险源、危险区域进行调查、登记、风险评估，组织进行检查、监控，并责令有关单位采取安全防范措施。

县级以上地方各级人民政府按照本法规定登记的危险源、危险区域，应当按照国家规定及时向社会公布。

第二十一条 县级人民政府及其有关部门、乡级人民政府、街道办事处、居民委员会、村民委员会应当及时调解处理可能引发社会安全事件的矛盾纠纷。

第二十二条 所有单位应当建立健全安全管理制度，定期检查本单位各项安全防范措施的落实情况，及时消除事故隐患；掌握并及时处理本单位存在的可能引发社会安全事件的问题，防止矛盾激化和事态扩大；对本单位可能发生的突发事件和采取安全防范措施的情况，应当按照规定及时向所在地人民政府或者人民政府有关部门报告。

第二十三条 矿山、建筑施工单位和易燃易爆物品、危险化学品、放射性物品等危险物品的生产、经营、储运、使用单位，应当制定具体应急预案，并对生产经营场所、有危险物品的建筑物、构筑物及周边环境开展隐患排查，及时采取措施消除隐患，防止发生突发事件。

第二十四条 公共交通工具、公共场所和其他人员密集场所的经营单位或者管理单位应当制定具体应急预案，为交通工具和有关场所配备报警装置和必要的应急救援设备、设施，注明其使用方法，并显著标明安全撤离的通道、路线，保证安全通道、出口的畅通。

有关单位应当定期检测、维护其报警装置和应急救援设备、设施，使其处于良好状态，确保正常使用。

第二十五条 县级以上人民政府应当建立健全突发事件应急管理培训制度，对人民政府及其有关部门负有处置突发事件职责的工作人员定期进行培训。

第二十六条 县级以上人民政府应当整合应急资源，建立或者确定综合性应急救援队伍。人民政府有关部门可以根据实际需要设立专业应急救援队伍。

县级以上人民政府及其有关部门可以建立由成年志愿者组成的应急救援队伍。单位应当建立由本单位职工组成的专职或者兼职应急救援队伍。

县级以上人民政府应当加强专业应急救援队伍与非专业应急救援队伍的合作，联合培训、联合演练，提高合成应急、协同应急的能力。

第二十七条 国务院有关部门、县级以上地方各级人民政府及其有关部门、有关单位应当为专业应急救援人员购买人身意外伤害保险，配备必要的防护装备和器材，减少应急救援人员的人身风险。

第二十八条 中国人民解放军、中国人民武装警察部队和民兵组织应当有计划地组织开展应急救援的专门训练。

第二十九条 县级人民政府及其有关部门、乡级人民政府、街道办事处应当组织开展应急知识的宣传普及活动和必要的应急演练。

居民委员会、村民委员会、企业事业单位应当根据所在地人民政府的要求，结合各自的实际情况，开展有关突发事件应急知识的宣传普及活动和必要的应急演练。

新闻媒体应当无偿开展突发事件预防与应急、自救与互救知识的公益宣传。

第三十条 各级各类学校应当把应急知识教育纳入教学内容，对学生进行应急知识教育，培养学生的安全意识和自救与互救能力。

教育主管部门应当对学校开展应急知识教育进行指导和监督。

第三十一条　国务院和县级以上地方各级人民政府应当采取财政措施，保障突发事件应对工作所需经费。

第三十二条　国家建立健全应急物资储备保障制度，完善重要应急物资的监管、生产、储备、调拨和紧急配送体系。

设区的市级以上人民政府和突发事件易发、多发地区的县级人民政府应当建立应急救援物资、生活必需品和应急处置装备的储备制度。

县级以上地方各级人民政府应当根据本地区的实际情况，与有关企业签订协议，保障应急救援物资、生活必需品和应急处置装备的生产、供给。

第三十三条　国家建立健全应急通信保障体系，完善公用通信网，建立有线与无线相结合、基础电信网络与机动通信系统相配套的应急通信系统，确保突发事件应对工作的通信畅通。

第三十四条　国家鼓励公民、法人和其他组织为人民政府应对突发事件工作提供物资、资金、技术支持和捐赠。

第三十五条　国家发展保险事业，建立国家财政支持的巨灾风险保险体系，并鼓励单位和公民参加保险。

第三十六条　国家鼓励、扶持具备相应条件的教学科研机构培养应急管理专门人才，鼓励、扶持教学科研机构和有关企业研究开发用于突发事件预防、监测、预警、应急处置与救援的新技术、新设备和新工具。

第三章　监测与预警

第三十七条　国务院建立全国统一的突发事件信息系统。

县级以上地方各级人民政府应当建立或者确定本地区统一的突发事件信息系统，汇集、储存、分析、传输有关突发事件的信息，并与上级人民政府及其有关部门、下级人民政府及其有关部门、专业机构和监测网点的突发事件信息系统实现互联互通，加强跨部门、跨地区的信息交流与情报合作。

第三十八条　县级以上人民政府及其有关部门、专业机构应当通过多种途径收集突发事件信息。

县级人民政府应当在居民委员会、村民委员会和有关单位建立专职或者兼职信息报告员制度。

获悉突发事件信息的公民、法人或者其他组织，应当立即向所在地人民政府、有关主管部门或者指定的专业机构报告。

第三十九条　地方各级人民政府应当按照国家有关规定向上级人民政府报送突发事件信息。县级以上人民政府有关主管部门应当向本级人民政府相关部门通报突发事件信息。专业机构、监测网点和信息报告员应当及时向所在地人民政府及其有关主管部门报告突发事件信息。

有关单位和人员报送、报告突发事件信息，应当做到及时、客观、真实，不得迟报、谎报、瞒报、漏报。

第四十条 县级以上地方各级人民政府应当及时汇总分析突发事件隐患和预警信息，必要时组织相关部门、专业技术人员、专家学者进行会商，对发生突发事件的可能性及其可能造成的影响进行评估；认为可能发生重大或者特别重大突发事件的，应当立即向上级人民政府报告，并向上级人民政府有关部门、当地驻军和可能受到危害的毗邻或者相关地区的人民政府通报。

第四十一条 国家建立健全突发事件监测制度。

县级以上人民政府及其有关部门应当根据自然灾害、事故灾难和公共卫生事件的种类和特点，建立健全基础信息数据库，完善监测网络，划分监测区域，确定监测点，明确监测项目，提供必要的设备、设施，配备专职或者兼职人员，对可能发生的突发事件进行监测。

第四十二条 国家建立健全突发事件预警制度。

可以预警的自然灾害、事故灾难和公共卫生事件的预警级别，按照突发事件发生的紧急程度、发展势态和可能造成的危害程度分为一级、二级、三级和四级，分别用红色、橙色、黄色和蓝色标示，一级为最高级别。

预警级别的划分标准由国务院或者国务院确定的部门制定。

第四十三条 可以预警的自然灾害、事故灾难或者公共卫生事件即将发生或者发生的可能性增大时，县级以上地方各级人民政府应当根据有关法律、行政法规和国务院规定的权限和程序，发布相应级别的警报，决定并宣布有关地区进入预警期，同时向上一级人民政府报告，必要时可以越级上报，并向当地驻军和可能受到危害的毗邻或者相关地区的人民政府通报。

第四十四条 发布三级、四级警报，宣布进入预警期后，县级以上地方各级人民政府应当根据即将发生的突发事件的特点和可能造成的危害，采取下列措施：

（一）启动应急预案；

（二）责令有关部门、专业机构、监测网点和负有特定职责的人员及时收集、报告有关信息，向社会公布反映突发事件信息的渠道，加强对突发事件发生、发展情况的监测、预报和预警工作；

（三）组织有关部门和机构、专业技术人员、有关专家学者，随时对突发事件信息进行分析评估，预测发生突发事件可能性的大小、影响范围和强度以及可能发生的突发事件的级别；

（四）定时向社会发布与公众有关的突发事件预测信息和分析评估结果，并对相关信息的报道工作进行管理；

（五）及时按照有关规定向社会发布可能受到突发事件危害的警告，宣传避免、减轻危害的常识，公布咨询电话。

第四十五条 发布一级、二级警报，宣布进入预警期后，县级以上地方各级人民政府除采取本法第四十四条规定的措施外，还应当针对即将发生的突发事件的特点和可能造成的危害，采取下列一项或者多项措施：

（一）责令应急救援队伍、负有特定职责的人员进入待命状态，并动员后备人员做好参加应急救援和处置工作的准备；

（二）调集应急救援所需物资、设备、工具，准备应急设施和避难场所，并确保其处于良好状态、随时可以投入正常使用；

（三）加强对重点单位、重要部位和重要基础设施的安全保卫，维护社会治安秩序；

（四）采取必要措施，确保交通、通信、供水、排水、供电、供气、供热等公共设施的安全和正常运行；

（五）及时向社会发布有关采取特定措施避免或者减轻危害的建议、劝告；

（六）转移、疏散或者撤离易受突发事件危害的人员并予以妥善安置，转移重要财产；

（七）关闭或者限制使用易受突发事件危害的场所，控制或者限制容易导致危害扩大的公共场所的活动；

（八）法律、法规、规章规定的其他必要的防范性、保护性措施。

第四十六条　对即将发生或者已经发生的社会安全事件，县级以上地方各级人民政府及其有关主管部门应当按照规定向上一级人民政府及其有关主管部门报告，必要时可以越级上报。

第四十七条　发布突发事件警报的人民政府应当根据事态的发展，按照有关规定适时调整预警级别并重新发布。

有事实证明不可能发生突发事件或者危险已经解除的，发布警报的人民政府应当立即宣布解除警报，终止预警期，并解除已经采取的有关措施。

第四章　应急处置与救援

第四十八条　突发事件发生后，履行统一领导职责或者组织处置突发事件的人民政府应当针对其性质、特点和危害程度，立即组织有关部门，调动应急救援队伍和社会力量，依照本章的规定和有关法律、法规、规章的规定采取应急处置措施。

第四十九条　自然灾害、事故灾难或者公共卫生事件发生后，履行统一领导职责的人民政府可以采取下列一项或者多项应急处置措施：

（一）组织营救和救治受害人员，疏散、撤离并妥善安置受到威胁的人员以及采取其他救助措施；

（二）迅速控制危险源，标明危险区域，封锁危险场所，划定警戒区，实行交通管制以及其他控制措施；

（三）立即抢修被损坏的交通、通信、供水、排水、供电、供气、供热等公共设施，向受到危害的人员提供避难场所和生活必需品，实施医疗救护和卫生防疫以及其他保障措施；

（四）禁止或者限制使用有关设备、设施，关闭或者限制使用有关场所，中止人员密集的活动或者可能导致危害扩大的生产经营活动以及采取其他保护措施；

（五）启用本级人民政府设置的财政预备费和储备的应急救援物资，必要时调用其他急需物资、设备、设施、工具；

（六）组织公民参加应急救援和处置工作，要求具有特定专长的人员提供服务；

（七）保障食品、饮用水、燃料等基本生活必需品的供应；

（八）依法从严惩处囤积居奇、哄抬物价、制假售假等扰乱市场秩序的行为，稳定市场价格，维护市场秩序；

（九）依法从严惩处哄抢财物、干扰破坏应急处置工作等扰乱社会秩序的行为，维护社会治安；

（十）采取防止发生次生、衍生事件的必要措施。

第五十条　社会安全事件发生后，组织处置工作的人民政府应当立即组织有关部门并由公安机关针对事件的性质和特点，依照有关法律、行政法规和国家其他有关规定，采取下列一项或者多项应急处置措施：

（一）强制隔离使用器械相互对抗或者以暴力行为参与冲突的当事人，妥善解决现场纠纷和争端，控制事态发展；

（二）对特定区域内的建筑物、交通工具、设备、设施以及燃料、燃气、电力、水的供应进行控制；

（三）封锁有关场所、道路，查验现场人员的身份证件，限制有关公共场所内的活动；

（四）加强对易受冲击的核心机关和单位的警卫，在国家机关、军事机关、国家通讯社、广播电台、电视台、外国驻华使领馆等单位附近设置临时警戒线；

（五）法律、行政法规和国务院规定的其他必要措施。

严重危害社会治安秩序的事件发生时，公安机关应当立即依法出动警力，根据现场情况依法采取相应的强制性措施，尽快使社会秩序恢复正常。

第五十一条　发生突发事件，严重影响国民经济正常运行时，国务院或者国务院授权的有关主管部门可以采取保障、控制等必要的应急措施，保障人民群众的基本生活需要，最大限度地减轻突发事件的影响。

第五十二条　履行统一领导职责或者组织处置突发事件的人民政府，必要时可以向单位和个人征用应急救援所需设备、设施、场地、交通工具和其他物资，请求其他地方人民政府提供人力、物力、财力或者技术支援，要求生产、供应生活必需品和应急救援物资的企业组织生产、保证供给，要求提供医疗、交通等公共服务的组织提供相应的服务。

履行统一领导职责或者组织处置突发事件的人民政府，应当组织协调运输经营单位，优先运送处置突发事件所需物资、设备、工具、应急救援人员和受到突发事件危害的人员。

第五十三条　履行统一领导职责或者组织处置突发事件的人民政府，应当按照有关规定统一、准确、及时发布有关突发事件事态发展和应急处置工作的信息。

第五十四条　任何单位和个人不得编造、传播有关突发事件事态发展或者应急处置工作的虚假信息。

第五十五条　突发事件发生地的居民委员会、村民委员会和其他组织应当按照当地人民政府的决定、命令，进行宣传动员，组织群众开展自救和互救，协助维护社会秩序。

第五十六条　受到自然灾害危害或者发生事故灾难、公共卫生事件的单位，应当立即组织本单位应急救援队伍和工作人员营救受害人员，疏散、撤离、安置受到威胁的人员，控制危险源，标明危险区域，封锁危险场所，并采取其他防止危害扩大的必要措施，同时向所在地县级人民政府报告；对因本单位的问题引发的或者主体是本单位人员的社会安全事件，有关单位应当按照规定上报情况，并迅速派出负责人赶赴现场开展劝解、疏导工作。

突发事件发生地的其他单位应当服从人民政府发布的决定、命令，配合人民政府采取的应急处置措施，做好本单位的应急救援工作，并积极组织人员参加所在地的应急救援和处置工作。

第五十七条　突发事件发生地的公民应当服从人民政府、居民委员会、村民委员会或者所属单位的指挥和安排，配合人民政府采取的应急处置措施，积极参加应急救援工作，协助维护社会秩序。

第五章　事后恢复与重建

第五十八条　突发事件的威胁和危害得到控制或者消除后，履行统一领导职责或者组织处置突发事件的人民政府应当停止执行依照本法规定采取的应急处置措施，同时采取或者继续实施必要措施，防止发生自然灾害、事故灾难、公共卫生事件的次生、衍生事件或者重新引发社会安全事件。

第五十九条　突发事件应急处置工作结束后，履行统一领导职责的人民政府应当立即组织对突发事件造成的损失进行评估，组织受影响地区尽快恢复生产、生活、工作和社会秩序，制定恢复重建计划，并向上一级人民政府报告。

受突发事件影响地区的人民政府应当及时组织和协调公安、交通、铁路、民航、邮电、建设等有关部门恢复社会治安秩序，尽快修复被损坏的交通、通信、供水、排水、供电、供气、供热等公共设施。

第六十条　受突发事件影响地区的人民政府开展恢复重建工作需要上一级人民政府支持的，可以向上一级人民政府提出请求。上一级人民政府应当根据受影响地区遭受的损失和实际情况，提供资金、物资支持和技术指导，组织其他地区提供资金、物资和人力支援。

第六十一条　国务院根据受突发事件影响地区遭受损失的情况，制定扶持该地区有关行业发展的优惠政策。

受突发事件影响地区的人民政府应当根据本地区遭受损失的情况，制定救助、补偿、抚慰、抚恤、安置等善后工作计划并组织实施，妥善解决因处置突发事件引发的矛盾和纠纷。

公民参加应急救援工作或者协助维护社会秩序期间，其在本单位的工资待遇和福利不变；表现突出、成绩显著的，由县级以上人民政府给予表彰或者奖励。

县级以上人民政府对在应急救援工作中伤亡的人员依法给予抚恤。

第六十二条　履行统一领导职责的人民政府应当及时查明突发事件的发生经过和原因，总结突发事件应急处置工作的经验教训，制定改进措施，并向上一级人民政府提出报告。

第六章　法律责任

第六十三条　地方各级人民政府和县级以上各级人民政府有关部门违反本法规定，不履行法定职责的，由其上级行政机关或者监察机关责令改正；有下列情形之一的，根据情节对直接负责的主管人员和其他直接责任人员依法给予处分：

（一）未按规定采取预防措施，导致发生突发事件，或者未采取必要的防范措施，导致发生次生、衍生事件的；

（二）迟报、谎报、瞒报、漏报有关突发事件的信息，或者通报、报送、公布虚假信息，造成后果的；

（三）未按规定及时发布突发事件警报、采取预警期的措施，导致损害发生的；

（四）未按规定及时采取措施处置突发事件或者处置不当，造成后果的；

（五）不服从上级人民政府对突发事件应急处置工作的统一领导、指挥和协调的；

（六）未及时组织开展生产自救、恢复重建等善后工作的；

（七）截留、挪用、私分或者变相私分应急救援资金、物资的；

（八）不及时归还征用的单位和个人的财产，或者对被征用财产的单位和个人不按规定给予补偿的。

第六十四条　有关单位有下列情形之一的，由所在地履行统一领导职责的人民政府责令停产停业，暂扣或者吊销许可证或者营业执照，并处五万元以上二十万元以下的罚款；构成违反治安管理行为的，由公安机关依法给予处罚：

（一）未按规定采取预防措施，导致发生严重突发事件的；

（二）未及时消除已发现的可能引发突发事件的隐患，导致发生严重突发事件的；

（三）未做好应急设备、设施日常维护、检测工作，导致发生严重突发事件或者突发事件危害扩大的；

（四）突发事件发生后，不及时组织开展应急救援工作，造成严重后果的。

前款规定的行为，其他法律、行政法规规定由人民政府有关部门依法决定处罚的，从其规定。

第六十五条　违反本法规定，编造并传播有关突发事件事态发展或者应急处置工作的虚假信息，或者明知是有关突发事件事态发展或者应急处置工作的虚假信息而进行传播的，责令改正，给予警告；造成严重后果的，依法暂停其业务活动或者吊销其执业许可证；负有直接责任的人员是国家工作人员的，还应当对其依法给予处分；构成违反治安管理行为的，由公安机关依法给予处罚。

第六十六条　单位或者个人违反本法规定，不服从所在地人民政府及其有关部门发布的决定、命令或者不配合其依法采取的措施，构成违反治安管理行为的，由公安机关依法给予处罚。

第六十七条　单位或者个人违反本法规定，导致突发事件发生或者危害扩大，给他人人身、财产造成损害的，应当依法承担民事责任。

第六十八条　违反本法规定，构成犯罪的，依法追究刑事责任。

第七章　附　则

第六十九条　发生特别重大突发事件，对人民生命财产安全、国家安全、公共安全、环境安全或者社会秩序构成重大威胁，采取本法和其他有关法律、法规、规章规定的应急处置措施不能消除或者有效控制、减轻其严重社会危害，需要进入紧急状态的，由全国人民代表大会常务委员会或者国务院依照宪法和其他有关法律规定的权限和程序决定。

紧急状态期间采取的非常措施，依照有关法律规定执行或者由全国人民代表大会常务委员会另行规定。

第七十条　本法自 2007 年 11 月 1 日起施行。

（《中华人民共和国全国人民代表大会常务委员会公报》，2007 年第 6 期）

中华人民共和国主席令

（第7号）

《中华人民共和国防震减灾法》已由中华人民共和国第十一届全国人民代表大会常务委员会第六次会议于2008年12月27日修订通过，现将修订后的《中华人民共和国防震减灾法》公布，自2009年5月1日起施行。

中华人民共和国主席　胡锦涛
2008年12月27日

中华人民共和国防震减灾法

（1997年12月29日第八届全国人民代表大会常务委员会第二十九次会议通过，2008年12月27日第十一届全国人民代表大会常务委员会第六次会议修订）

第一章　总　则

第一条　为了防御和减轻地震灾害，保护人民生命和财产安全，促进经济社会的可持续发展，制定本法。

第二条　在中华人民共和国领域和中华人民共和国管辖的其他海域从事地震监测预报、地震灾害预防、地震应急救援、地震灾后过渡性安置和恢复重建等防震减灾活动，适用本法。

第三条　防震减灾工作，实行预防为主、防御与救助相结合的方针。

第四条　县级以上人民政府应当加强对防震减灾工作的领导，将防震减灾工作纳入本级国民经济和社会发展规划，所需经费列入财政预算。

第五条　在国务院的领导下，国务院地震工作主管部门和国务院经济综合宏观调控、建设、民政、卫生、公安以及其他有关部门，按照职责分工，各负其责，密切配合，共同做好防震减灾工作。

县级以上地方人民政府负责管理地震工作的部门或者机构和其他有关部门在本级人民政府领导下，按照职责分工，各负其责，密切配合，共同做好本行政区域的防震减灾工作。

第六条　国务院抗震救灾指挥机构负责统一领导、指挥和协调全国抗震救灾工作。县级以上地方人民政府抗震救灾指挥机构负责统一领导、指挥和协调本行政区域的抗震救灾工作。

国务院地震工作主管部门和县级以上地方人民政府负责管理地震工作的部门或者机构，承担本级人民政府抗震救灾指挥机构的日常工作。

第七条 各级人民政府应当组织开展防震减灾知识的宣传教育，增强公民的防震减灾意识，提高全社会的防震减灾能力。

第八条 任何单位和个人都有依法参加防震减灾活动的义务。

国家鼓励、引导社会组织和个人开展地震群测群防活动，对地震进行监测和预防。

国家鼓励、引导志愿者参加防震减灾活动。

第九条 中国人民解放军、中国人民武装警察部队和民兵组织，依照本法以及其他有关法律、行政法规、军事法规的规定和国务院、中央军事委员会的命令，执行抗震救灾任务，保护人民生命和财产安全。

第十条 从事防震减灾活动，应当遵守国家有关防震减灾标准。

第十一条 国家鼓励、支持防震减灾的科学技术研究，逐步提高防震减灾科学技术研究经费投入，推广先进的科学研究成果，加强国际合作与交流，提高防震减灾工作水平。

对在防震减灾工作中做出突出贡献的单位和个人，按照国家有关规定给予表彰和奖励。

第二章 防震减灾规划

第十二条 国务院地震工作主管部门会同国务院有关部门组织编制国家防震减灾规划，报国务院批准后组织实施。

县级以上地方人民政府负责管理地震工作的部门或者机构会同同级有关部门，根据上一级防震减灾规划和本行政区域的实际情况，组织编制本行政区域的防震减灾规划，报本级人民政府批准后组织实施，并报上一级人民政府负责管理地震工作的部门或者机构备案。

第十三条 编制防震减灾规划，应当遵循统筹安排、突出重点、合理布局、全面预防的原则，以震情和震害预测结果为依据，并充分考虑人民生命和财产安全及经济社会发展、资源环境保护等需要。

县级以上地方人民政府有关部门应当根据编制防震减灾规划的需要，及时提供有关资料。

第十四条 防震减灾规划的内容应当包括：震情形势和防震减灾总体目标，地震监测台网建设布局，地震灾害预防措施，地震应急救援措施，以及防震减灾技术、信息、资金、物资等保障措施。

编制防震减灾规划，应当对地震重点监视防御区的地震监测台网建设、震情跟踪、地震灾害预防措施、地震应急准备、防震减灾知识宣传教育等作出具体安排。

第十五条 防震减灾规划报送审批前，组织编制机关应当征求有关部门、单位、专家和公众的意见。

防震减灾规划报送审批文件中应当附具意见采纳情况及理由。

第十六条 防震减灾规划一经批准公布，应当严格执行；因震情形势变化和经济社会发展的需要确需修改的，应当按照原审批程序报送审批。

第三章 地震监测预报

第十七条 国家加强地震监测预报工作，建立多学科地震监测系统，逐步提高地震监测预报水平。

第十八条 国家对地震监测台网实行统一规划，分级、分类管理。

国务院地震工作主管部门和县级以上地方人民政府负责管理地震工作的部门或者机构，按照国务院有关规定，制定地震监测台网规划。

全国地震监测台网由国家级地震监测台网、省级地震监测台网和市、县级地震监测台网组成，其建设资金和运行经费列入财政预算。

第十九条 水库、油田、核电站等重大建设工程的建设单位，应当按照国务院有关规定，建设专用地震监测台网或者强震动监测设施，其建设资金和运行经费由建设单位承担。

第二十条 地震监测台网的建设，应当遵守法律、法规和国家有关标准，保证建设质量。

第二十一条 地震监测台网不得擅自中止或者终止运行。

检测、传递、分析、处理、存贮、报送地震监测信息的单位，应当保证地震监测信息的质量和安全。

县级以上地方人民政府应当组织相关单位为地震监测台网的运行提供通信、交通、电力等保障条件。

第二十二条 沿海县级以上地方人民政府负责管理地震工作的部门或者机构，应当加强海域地震活动监测预测工作。海域地震发生后，县级以上地方人民政府负责管理地震工作的部门或者机构，应当及时向海洋主管部门和当地海事管理机构等通报情况。

火山所在地的县级以上地方人民政府负责管理地震工作的部门或者机构，应当利用地震监测设施和技术手段，加强火山活动监测预测工作。

第二十三条 国家依法保护地震监测设施和地震观测环境。

任何单位和个人不得侵占、毁损、拆除或者擅自移动地震监测设施。地震监测设施遭到破坏的，县级以上地方人民政府负责管理地震工作的部门或者机构应当采取紧急措施组织修复，确保地震监测设施正常运行。

任何单位和个人不得危害地震观测环境。国务院地震工作主管部门和县级以上地方人民政府负责管理地震工作的部门或者机构会同同级有关部门，按照国务院有关规定划定地震观测环境保护范围，并纳入土地利用总体规划和城乡规划。

第二十四条 新建、扩建、改建建设工程，应当避免对地震监测设施和地震观测环境造成危害。建设国家重点工程，确实无法避免对地震监测设施和地震观测环境造成危害的，建设单位应当按照县级以上地方人民政府负责管理地震工作的部门或者机构的要求，增建抗干扰设施；不能增建抗干扰设施的，应当新建地震监测设施。

对地震观测环境保护范围内的建设工程项目，城乡规划主管部门在依法核发选址意见书时，应当征求负责管理地震工作的部门或者机构的意见；不需要核发选址意见书的，城乡规划主管部门在依法核发建设用地规划许可证或者乡村建设规划许可证时，应当征求负责管理地震工作的部门或者机构的意见。

第二十五条 国务院地震工作主管部门建立健全地震监测信息共享平台，为社会提供服务。

县级以上地方人民政府负责管理地震工作的部门或者机构，应当将地震监测信息及时报送上一级人民政府负责管理地震工作的部门或者机构。

专用地震监测台网和强震动监测设施的管理单位，应当将地震监测信息及时报送所在地省、自治区、直辖市人民政府负责管理地震工作的部门或者机构。

第二十六条 国务院地震工作主管部门和县级以上地方人民政府负责管理地震工作的部门或者机构，根据地震监测信息研究结果，对可能发生地震的地点、时间和震级作出预测。

其他单位和个人通过研究提出的地震预测意见，应当向所在地或者所预测地的县级以上地方人民政府负责管理地震工作的部门或者机构书面报告，或者直接向国务院地震工作主管部门书面报告。收到书面报告的部门或者机构应当进行登记并出具接收凭证。

第二十七条 观测到可能与地震有关的异常现象的单位和个人，可以向所在地县级以上地方人民政府负责管理地震工作的部门或者机构报告，也可以直接向国务院地震工作主管部门报告。

国务院地震工作主管部门和县级以上地方人民政府负责管理地震工作的部门或者机构接到报告后，应当进行登记并及时组织调查核实。

第二十八条 国务院地震工作主管部门和省、自治区、直辖市人民政府负责管理地震工作的部门或者机构，应当组织召开震情会商会，必要时邀请有关部门、专家和其他有关人员参加，对地震预测意见和可能与地震有关的异常现象进行综合分析研究，形成震情会商意见，报本级人民政府；经震情会商形成地震预报意见的，在报本级人民政府前，应当进行评审，作出评审结果，并提出对策建议。

第二十九条 国家对地震预报意见实行统一发布制度。

全国范围内的地震长期和中期预报意见，由国务院发布。省、自治区、直辖市行政区域内的地震预报意见，由省、自治区、直辖市人民政府按照国务院规定的程序发布。

除发表本人或者本单位对长期、中期地震活动趋势的研究成果及进行相关学术交流外，任何单位和个人不得向社会散布地震预测意见。任何单位和个人不得向社会散布地震预报意见及其评审结果。

第三十条 国务院地震工作主管部门根据地震活动趋势和震害预测结果，提出确定地震重点监视防御区的意见，报国务院批准。

国务院地震工作主管部门应当加强地震重点监视防御区的震情跟踪，对地震活动趋势进行分析评估，提出年度防震减灾工作意见，报国务院批准后实施。

地震重点监视防御区的县级以上地方人民政府应当根据年度防震减灾工作意见和当地的地震活动趋势，组织有关部门加强防震减灾工作。

地震重点监视防御区的县级以上地方人民政府负责管理地震工作的部门或者机构，应当增加地震监测台网密度，组织做好震情跟踪、流动观测和可能与地震有关的异常现象观测以及群测群防工作，并及时将有关情况报上一级人民政府负责管理地震工作的部门或者机构。

第三十一条 国家支持全国地震烈度速报系统的建设。

地震灾害发生后，国务院地震工作主管部门应当通过全国地震烈度速报系统快速判断致灾程度，为指挥抗震救灾工作提供依据。

第三十二条 国务院地震工作主管部门和县级以上地方人民政府负责管理地震工作的部门或者机构，应当对发生地震灾害的区域加强地震监测，在地震现场设立流动观测点，根据震情的发展变化，及时对地震活动趋势作出分析、判定，为余震防范工作提供依据。

国务院地震工作主管部门和县级以上地方人民政府负责管理地震工作的部门或者机构、地震监测台网的管理单位，应当及时收集、保存有关地震的资料和信息，并建立完整的档案。

第三十三条 外国的组织或者个人在中华人民共和国领域和中华人民共和国管辖的其他海域从事地震监测活动，必须经国务院地震工作主管部门会同有关部门批准，并采取与中华人民共和国有关部门或者单位合作的形式进行。

第四章 地震灾害预防

第三十四条 国务院地震工作主管部门负责制定全国地震烈度区划图或者地震动参数区划图。

国务院地震工作主管部门和省、自治区、直辖市人民政府负责管理地震工作的部门或者机构，负责审定建设工程的地震安全性评价报告，确定抗震设防要求。

第三十五条 新建、扩建、改建建设工程，应当达到抗震设防要求。

重大建设工程和可能发生严重次生灾害的建设工程，应当按照国务院有关规定进行地震安全性评价，并按照经审定的地震安全性评价报告所确定的抗震设防要求进行抗震设防。建设工程的地震安全性评价单位应当按照国家有关标准进行地震安全性评价，并对地震安全性评价报告的质量负责。

前款规定以外的建设工程，应当按照地震烈度区划图或者地震动参数区划图所确定的抗震设防要求进行抗震设防；对学校、医院等人员密集场所的建设工程，应当按照高于当地房屋建筑的抗震设防要求进行设计和施工，采取有效措施，增强抗震设防能力。

第三十六条 有关建设工程的强制性标准，应当与抗震设防要求相衔接。

第三十七条 国家鼓励城市人民政府组织制定地震小区划图。地震小区划图由国务院地震工作主管部门负责审定。

第三十八条 建设单位对建设工程的抗震设计、施工的全过程负责。

设计单位应当按照抗震设防要求和工程建设强制性标准进行抗震设计，并对抗震设计的质量以及出具的施工图设计文件的准确性负责。

施工单位应当按照施工图设计文件和工程建设强制性标准进行施工，并对施工质量负责。

建设单位、施工单位应当选用符合施工图设计文件和国家有关标准规定的材料、构配件和设备。

工程监理单位应当按照施工图设计文件和工程建设强制性标准实施监理，并对施工质量承担监理责任。

第三十九条 已经建成的下列建设工程，未采取抗震设防措施或者抗震设防措施未达到抗震设防要求的，应当按照国家有关规定进行抗震性能鉴定，并采取必要的抗震加固措施：

（一）重大建设工程；

（二）可能发生严重次生灾害的建设工程；

（三）具有重大历史、科学、艺术价值或者重要纪念意义的建设工程；

（四）学校、医院等人员密集场所的建设工程；

（五）地震重点监视防御区内的建设工程。

第四十条 县级以上地方人民政府应当加强对农村村民住宅和乡村公共设施抗震设防的管理，组织开展农村实用抗震技术的研究和开发，推广达到抗震设防要求、经济适用、具有当地特色的建筑设计和施工技术，培训相关技术人员，建设示范工程，逐步提高农村村民住宅和乡村公共设施的抗震设防水平。

国家对需要抗震设防的农村村民住宅和乡村公共设施给予必要支持。

第四十一条 城乡规划应当根据地震应急避难的需要，合理确定应急疏散通道和应急避难场所，统筹安排地震应急避难所必需的交通、供水、供电、排污等基础设施建设。

第四十二条 地震重点监视防御区的县级以上地方人民政府应当根据实际需要，在本级财政预算和物资储备中安排抗震救灾资金、物资。

第四十三条 国家鼓励、支持研究开发和推广使用符合抗震设防要求、经济实用的新技术、新工艺、新材料。

第四十四条 县级人民政府及其有关部门和乡、镇人民政府、城市街道办事处等基层组织，应当组织开展地震应急知识的宣传普及活动和必要的地震应急救援演练，提高公民在地震灾害中自救互救的能力。

机关、团体、企业、事业等单位，应当按照所在地人民政府的要求，结合各自实际情况，加强对本单位人员的地震应急知识宣传教育，开展地震应急救援演练。

学校应当进行地震应急知识教育，组织开展必要的地震应急救援演练，培养学生的安全意识和自救互救能力。

新闻媒体应当开展地震灾害预防和应急、自救互救知识的公益宣传。

国务院地震工作主管部门和县级以上地方人民政府负责管理地震工作的部门或者机构，应当指导、协助、督促有关单位做好防震减灾知识的宣传教育和地震应急救援演练等工作。

第四十五条 国家发展有财政支持的地震灾害保险事业，鼓励单位和个人参加地震灾害保险。

第五章　地震应急救援

第四十六条　国务院地震工作主管部门会同国务院有关部门制定国家地震应急预案，报国务院批准。国务院有关部门根据国家地震应急预案，制定本部门的地震应急预案，报国务院地震工作主管部门备案。

县级以上地方人民政府及其有关部门和乡、镇人民政府，应当根据有关法律、法规、规章、上级人民政府及其有关部门的地震应急预案和本行政区域的实际情况，制定本行政区域的地震应急预案和本部门的地震应急预案。省、自治区、直辖市和较大的市的地震应急预案，应当报国务院地震工作主管部门备案。

交通、铁路、水利、电力、通信等基础设施和学校、医院等人员密集场所的经营管理单位，以及可能发生次生灾害的核电、矿山、危险物品等生产经营单位，应当制定地震应急预案，并报所在地的县级人民政府负责管理地震工作的部门或者机构备案。

第四十七条　地震应急预案的内容应当包括：组织指挥体系及其职责，预防和预警机制，处置程序，应急响应和应急保障措施等。

地震应急预案应当根据实际情况适时修订。

第四十八条　地震预报意见发布后，有关省、自治区、直辖市人民政府根据预报的震情可以宣布有关区域进入临震应急期；有关地方人民政府应当按照地震应急预案，组织有关部门做好应急防范和抗震救灾准备工作。

第四十九条　按照社会危害程度、影响范围等因素，地震灾害分为一般、较大、重大和特别重大四级。具体分级标准按照国务院规定执行。

一般或者较大地震灾害发生后，地震发生地的市、县人民政府负责组织有关部门启动地震应急预案；重大地震灾害发生后，地震发生地的省、自治区、直辖市人民政府负责组织有关部门启动地震应急预案；特别重大地震灾害发生后，国务院负责组织有关部门启动地震应急预案。

第五十条　地震灾害发生后，抗震救灾指挥机构应当立即组织有关部门和单位迅速查清受灾情况，提出地震应急救援力量的配置方案，并采取以下紧急措施：

（一）迅速组织抢救被压埋人员，并组织有关单位和人员开展自救互救；

（二）迅速组织实施紧急医疗救护，协调伤员转移和接收与救治；

（三）迅速组织抢修毁损的交通、铁路、水利、电力、通信等基础设施；

（四）启用应急避难场所或者设置临时避难场所，设置救济物资供应点，提供救济物品、简易住所和临时住所，及时转移和安置受灾群众，确保饮用水消毒和水质安全，积极开展卫生防疫，妥善安排受灾群众生活；

（五）迅速控制危险源，封锁危险场所，做好次生灾害的排查与监测预警工作，防范地震可能引发的火灾、水灾、爆炸、山体滑坡和崩塌、泥石流、地面塌陷，或者剧毒、强腐蚀性、放射性物质大量泄漏等次生灾害以及传染病疫情的发生；

（六）依法采取维持社会秩序、维护社会治安的必要措施。

第五十一条　特别重大地震灾害发生后，国务院抗震救灾指挥机构在地震灾区成立现场指挥机构，并根据需要设立相应的工作组，统一组织领导、指挥和协调抗震救灾工作。

各级人民政府及有关部门和单位、中国人民解放军、中国人民武装警察部队和民兵组织，应当按照统一部署，分工负责，密切配合，共同做好地震应急救援工作。

第五十二条　地震灾区的县级以上地方人民政府应当及时将地震震情和灾情等信息向上一级人民政府报告，必要时可以越级上报，不得迟报、谎报、瞒报。

地震震情、灾情和抗震救灾等信息按照国务院有关规定实行归口管理，统一、准确、及时发布。

第五十三条　国家鼓励、扶持地震应急救援新技术和装备的研究开发，调运和储备必要的应急救援设施、装备，提高应急救援水平。

第五十四条　国务院建立国家地震灾害紧急救援队伍。

省、自治区、直辖市人民政府和地震重点监视防御区的市、县人民政府可以根据实际需要，充分利用消防等现有队伍，按照一队多用、专职与兼职相结合的原则，建立地震灾害紧急救援队伍。

地震灾害紧急救援队伍应当配备相应的装备、器材，开展培训和演练，提高地震灾害紧急救援能力。

地震灾害紧急救援队伍在实施救援时，应当首先对倒塌建筑物、构筑物压埋人员进行紧急救援。

第五十五条　县级以上人民政府有关部门应当按照职责分工，协调配合，采取有效措施，保障地震灾害紧急救援队伍和医疗救治队伍快速、高效地开展地震灾害紧急救援活动。

第五十六条　县级以上地方人民政府及其有关部门可以建立地震灾害救援志愿者队伍，并组织开展地震应急救援知识培训和演练，使志愿者掌握必要的地震应急救援技能，增强地震灾害应急救援能力。

第五十七条　国务院地震工作主管部门会同有关部门和单位，组织协调外国救援队和医疗队在中华人民共和国开展地震灾害紧急救援活动。

国务院抗震救灾指挥机构负责外国救援队和医疗队的统筹调度，并根据其专业特长，科学、合理地安排紧急救援任务。

地震灾区的地方各级人民政府，应当对外国救援队和医疗队开展紧急救援活动予以支持和配合。

第六章　地震灾后过渡性安置和恢复重建

第五十八条　国务院或者地震灾区的省、自治区、直辖市人民政府应当及时组织对地震灾害损失进行调查评估，为地震应急救援、灾后过渡性安置和恢复重建提供依据。

地震灾害损失调查评估的具体工作，由国务院地震工作主管部门或者地震灾区的省、自治区、直辖市人民政府负责管理地震工作的部门或者机构和财政、建设、民政等有关部门按照国务院的规定承担。

第五十九条 地震灾区受灾群众需要过渡性安置的，应当根据地震灾区的实际情况，在确保安全的前提下，采取灵活多样的方式进行安置。

第六十条 过渡性安置点应当设置在交通条件便利、方便受灾群众恢复生产和生活的区域，并避开地震活动断层和可能发生严重次生灾害的区域。

过渡性安置点的规模应当适度，并采取相应的防灾、防疫措施，配套建设必要的基础设施和公共服务设施，确保受灾群众的安全和基本生活需要。

第六十一条 实施过渡性安置应当尽量保护农用地，并避免对自然保护区、饮用水水源保护区以及生态脆弱区域造成破坏。

过渡性安置用地按照临时用地安排，可以先行使用，事后依法办理有关用地手续；到期未转为永久性用地的，应当复垦后交还原土地使用者。

第六十二条 过渡性安置点所在地的县级人民政府，应当组织有关部门加强对次生灾害、饮用水水质、食品卫生、疫情等的监测，开展流行病学调查，整治环境卫生，避免对土壤、水环境等造成污染。

过渡性安置点所在地的公安机关，应当加强治安管理，依法打击各种违法犯罪行为，维护正常的社会秩序。

第六十三条 地震灾区的县级以上地方人民政府及其有关部门和乡、镇人民政府，应当及时组织修复毁损的农业生产设施，提供农业生产技术指导，尽快恢复农业生产；优先恢复供电、供水、供气等企业的生产，并对大型骨干企业恢复生产提供支持，为全面恢复农业、工业、服务业生产经营提供条件。

第六十四条 各级人民政府应当加强对地震灾后恢复重建工作的领导、组织和协调。

县级以上人民政府有关部门应当在本级人民政府领导下，按照职责分工，密切配合，采取有效措施，共同做好地震灾后恢复重建工作。

第六十五条 国务院有关部门应当组织有关专家开展地震活动对相关建设工程破坏机理的调查评估，为修订完善有关建设工程的强制性标准、采取抗震设防措施提供科学依据。

第六十六条 特别重大地震灾害发生后，国务院经济综合宏观调控部门会同国务院有关部门与地震灾区的省、自治区、直辖市人民政府共同组织编制地震灾后恢复重建规划，报国务院批准后组织实施；重大、较大、一般地震灾害发生后，由地震灾区的省、自治区、直辖市人民政府根据实际需要组织编制地震灾后恢复重建规划。

地震灾害损失调查评估获得的地质、勘察、测绘、土地、气象、水文、环境等基础资料和经国务院地震工作主管部门复核的地震动参数区划图，应当作为编制地震灾后恢复重建规划的依据。

编制地震灾后恢复重建规划，应当征求有关部门、单位、专家和公众特别是地震灾区受灾群众的意见；重大事项应当组织有关专家进行专题论证。

第六十七条 地震灾后恢复重建规划应当根据地质条件和地震活动断层分布以及资源环境承载能力，重点对城镇和乡村的布局、基础设施和公共服务设施的建设、防灾减灾和生态环境以及自然资源和历史文化遗产保护等作出安排。

地震灾区内需要异地新建的城镇和乡村的选址以及地震灾后重建工程的选址，应当符合地震灾后恢复重建规划和抗震设防、防灾减灾要求，避开地震活动断层或者生态脆弱和可能发生洪水、山体滑坡和崩塌、泥石流、地面塌陷等灾害的区域以及传染病自然疫源地。

第六十八条 地震灾区的地方各级人民政府应当根据地震灾后恢复重建规划和当地经济社会发展水平，有计划、分步骤地组织实施地震灾后恢复重建。

第六十九条 地震灾区的县级以上地方人民政府应当组织有关部门和专家，根据地震灾害损失调查评估结果，制定清理保护方案，明确典型地震遗址、遗迹和文物保护单位以及具有历史价值与民族特色的建筑物、构筑物的保护范围和措施。

对地震灾害现场的清理，按照清理保护方案分区、分类进行，并依照法律、行政法规和国家有关规定，妥善清理、转运和处置有关放射性物质、危险废物和有毒化学品，开展防疫工作，防止传染病和重大动物疫情的发生。

第七十条 地震灾后恢复重建，应当统筹安排交通、铁路、水利、电力、通信、供水、供电等基础设施和市政公用设施，学校、医院、文化、商贸服务、防灾减灾、环境保护等公共服务设施，以及住房和无障碍设施的建设，合理确定建设规模和时序。

乡村的地震灾后恢复重建，应当尊重村民意愿，发挥村民自治组织的作用，以群众自建为主，政府补助、社会帮扶、对口支援，因地制宜，节约和集约利用土地，保护耕地。

少数民族聚居的地方的地震灾后恢复重建，应当尊重当地群众的意愿。

第七十一条 地震灾区的县级以上地方人民政府应当组织有关部门和单位，抢救、保护与收集整理有关档案、资料，对因地震灾害遗失、毁损的档案、资料，及时补充和恢复。

第七十二条 地震灾后恢复重建应当坚持政府主导、社会参与和市场运作相结合的原则。

地震灾区的地方各级人民政府应当组织受灾群众和企业开展生产自救，自力更生、艰苦奋斗、勤俭节约，尽快恢复生产。

国家对地震灾后恢复重建给予财政支持、税收优惠和金融扶持，并提供物资、技术和人力等支持。

第七十三条 地震灾区的地方各级人民政府应当组织做好救助、救治、康复、补偿、抚慰、抚恤、安置、心理援助、法律服务、公共文化服务等工作。

各级人民政府及有关部门应当做好受灾群众的就业工作，鼓励企业、事业单位优先吸纳符合条件的受灾群众就业。

第七十四条 对地震灾后恢复重建中需要办理行政审批手续的事项，有审批权的人民政府及有关部门应当按照方便群众、简化手续、提高效率的原则，依法及时予以办理。

第七章　监督管理

第七十五条　县级以上人民政府依法加强对防震减灾规划和地震应急预案的编制与实施、地震应急避难场所的设置与管理、地震灾害紧急救援队伍的培训、防震减灾知识宣传教育和地震应急救援演练等工作的监督检查。

县级以上人民政府有关部门应当加强对地震应急救援、地震灾后过渡性安置和恢复重建的物资的质量安全的监督检查。

第七十六条　县级以上人民政府建设、交通、铁路、水利、电力、地震等有关部门应当按照职责分工，加强对工程建设强制性标准、抗震设防要求执行情况和地震安全性评价工作的监督检查。

第七十七条　禁止侵占、截留、挪用地震应急救援、地震灾后过渡性安置和恢复重建的资金、物资。

县级以上人民政府有关部门对地震应急救援、地震灾后过渡性安置和恢复重建的资金、物资以及社会捐赠款物的使用情况，依法加强管理和监督，予以公布，并对资金、物资的筹集、分配、拨付、使用情况登记造册，建立健全档案。

第七十八条　地震灾区的地方人民政府应当定期公布地震应急救援、地震灾后过渡性安置和恢复重建的资金、物资以及社会捐赠款物的来源、数量、发放和使用情况，接受社会监督。

第七十九条　审计机关应当加强对地震应急救援、地震灾后过渡性安置和恢复重建的资金、物资的筹集、分配、拨付、使用的审计，并及时公布审计结果。

第八十条　监察机关应当加强对参与防震减灾工作的国家行政机关和法律、法规授权的具有管理公共事务职能的组织及其工作人员的监察。

第八十一条　任何单位和个人对防震减灾活动中的违法行为，有权进行举报。

接到举报的人民政府或者有关部门应当进行调查，依法处理，并为举报人保密。

第八章　法律责任

第八十二条　国务院地震工作主管部门、县级以上地方人民政府负责管理地震工作的部门或者机构，以及其他依照本法规定行使监督管理权的部门，不依法作出行政许可或者办理批准文件的，发现违法行为或者接到对违法行为的举报后不予查处的，或者有其他未依照本法规定履行职责的行为的，对直接负责的主管人员和其他直接责任人员，依法给予处分。

第八十三条　未按照法律、法规和国家有关标准进行地震监测台网建设的，由国务院地震工作主管部门或者县级以上地方人民政府负责管理地震工作的部门或者机构责令改正，采取相应的补救措施；对直接负责的主管人员和其他直接责任人员，依法给予处分。

第八十四条　违反本法规定，有下列行为之一的，由国务院地震工作主管部门或者县级以上地方人民政府负责管理地震工作的部门或者机构责令停止违法行为，恢复原状或者采取其他补救措施；造成损失的，依法承担赔偿责任：

（一）侵占、毁损、拆除或者擅自移动地震监测设施的；

（二）危害地震观测环境的；

（三）破坏典型地震遗址、遗迹的。

单位有前款所列违法行为，情节严重的，处二万元以上二十万元以下的罚款；个人有前款所列违法行为，情节严重的，处二千元以下的罚款。构成违反治安管理行为的，由公安机关依法给予处罚。

第八十五条　违反本法规定，未按照要求增建抗干扰设施或者新建地震监测设施的，由国务院地震工作主管部门或者县级以上地方人民政府负责管理地震工作的部门或者机构责令限期改正；逾期不改正的，处二万元以上二十万元以下的罚款；造成损失的，依法承担赔偿责任。

第八十六条　违反本法规定，外国的组织或者个人未经批准，在中华人民共和国领域和中华人民共和国管辖的其他海域从事地震监测活动的，由国务院地震工作主管部门责令停止违法行为，没收监测成果和监测设施，并处一万元以上十万元以下的罚款；情节严重的，并处十万元以上五十万元以下的罚款。

外国人有前款规定行为的，除依照前款规定处罚外，还应当依照外国人入境出境管理法律的规定缩短其在中华人民共和国停留的期限或者取消其在中华人民共和国居留的资格；情节严重的，限期出境或者驱逐出境。

第八十七条　未依法进行地震安全性评价，或者未按照地震安全性评价报告所确定的抗震设防要求进行抗震设防的，由国务院地震工作主管部门或者县级以上地方人民政府负责管理地震工作的部门或者机构责令限期改正；逾期不改正的，处三万元以上三十万元以下的罚款。

第八十八条　违反本法规定，向社会散布地震预测意见、地震预报意见及其评审结果，或者在地震灾后过渡性安置、地震灾后恢复重建中扰乱社会秩序，构成违反治安管理行为的，由公安机关依法给予处罚。

第八十九条　地震灾区的县级以上地方人民政府迟报、谎报、瞒报地震震情、灾情等信息的，由上级人民政府责令改正；对直接负责的主管人员和其他直接责任人员，依法给予处分。

第九十条　侵占、截留、挪用地震应急救援、地震灾后过渡性安置或者地震灾后恢复重建的资金、物资的，由财政部门、审计机关在各自职责范围内，责令改正，追回被侵占、截留、挪用的资金、物资；有违法所得的，没收违法所得；对单位给予警告或者通报批评；对直接负责的主管人员和其他直接责任人员，依法给予处分。

第九十一条　违反本法规定，构成犯罪的，依法追究刑事责任。

第九章　附　则

第九十二条　本法下列用语的含义：

（一）地震监测设施，是指用于地震信息检测、传输和处理的设备、仪器和装置以及配套的监测场地。

（二）地震观测环境，是指按照国家有关标准划定的保障地震监测设施不受干扰、能够正常发挥工作效能的空间范围。

（三）重大建设工程，是指对社会有重大价值或者有重大影响的工程。

（四）可能发生严重次生灾害的建设工程，是指受地震破坏后可能引发水灾、火灾、爆炸，或者剧毒、强腐蚀性、放射性物质大量泄漏，以及其他严重次生灾害的建设工程，包括水库大坝和贮油、贮气设施，贮存易燃易爆或者剧毒、强腐蚀性、放射性物质的设施，以及其他可能发生严重次生灾害的建设工程。

（五）地震烈度区划图，是指以地震烈度（以等级表示的地震影响强弱程度）为指标，将全国划分为不同抗震设防要求区域的图件。

（六）地震动参数区划图，是指以地震动参数（以加速度表示地震作用强弱程度）为指标，将全国划分为不同抗震设防要求区域的图件。

（七）地震小区划图，是指根据某一区域的具体场地条件，对该区域的抗震设防要求进行详细划分的图件。

第九十三条　本法自 2009 年 5 月 1 日起施行。

（《中华人民共和国全国人民代表大会常务委员会公报》，2009 年第 1 期）

中华人民共和国国务院令

（第 172 号）

现发布《破坏性地震应急条例》，自 1995 年 4 月 1 日起施行。

总理　李鹏

1995 年 2 月 11 日

破坏性地震应急条例

第一章　总　则

第一条　为了加强对破坏性地震应急活动的管理，减轻地震灾害损失，保障国家财产和公民人身、财产安全，维护社会秩序，制定本条例。

第二条　在中华人民共和国境内从事破坏性地震应急活动，必须遵守本条例。

第三条　地震应急工作实行政府领导、统一管理和分级、分部门负责的原则。

第四条　各级人民政府应当加强地震应急的宣传、教育工作，提高社会防震减灾意识。

第五条　任何组织和个人都有参加地震应急活动的义务。

中国人民解放军和中国人民武装警察部队是地震应急工作的重要力量。

第二章　应急机构

第六条　国务院防震减灾工作主管部门指导和监督全国地震应急工作。国务院有关部门按照各自的职责，具体负责本部门的地震应急工作。

第七条　造成特大损失的严重破坏性地震发生后，国务院设立抗震救灾指挥部，国务院防震减灾工作主管部门为其办事机构；国务院有关部门设立本部门的地震应急机构。

第八条　县级以上地方人民政府防震减灾工作主管部门指导和监督本行政区域内的地震应急工作。

破坏性地震发生后，有关县级以上地方人民政府应当设立抗震救灾指挥部，对本行政区域内的地震应急工作实行集中领导，其办事机构设在本级人民政府防震减灾工作主管部门或者本级人民政府指定的其他部门；国务院另有规定的，从其规定。

第三章　应急预案

第九条　国家的破坏性地震应急预案，由国务院防震减灾工作主管部门会同国务院有关部门制定，报国务院批准。

第十条　国务院有关部门应当根据国家的破坏性地震应急预案，制定本部门的破坏性地震应急预案，并报国务院防震减灾工作主管部门备案。

第十一条　根据地震灾害预测，可能发生破坏性地震地区的县级以上地方人民政府防震减灾工作主管部门应当会同同级有关部门以及有关单位，参照国家的破坏性地震应急预案，制定本行政区域内的破坏性地震应急预案，报本级人民政府批准；省、自治区和人口在100万以上的城市的破坏性地震应急预案，还应当报国务院防震减灾工作主管部门备案。

第十二条　部门和地方制定破坏性地震应急预案，应当从本部门或者本地区的实际情况出发，做到切实可行。

第十三条　破坏性地震应急预案应当包括下列主要内容：

（一）应急机构的组成和职责；

（二）应急通信保障；

（三）抢险救援的人员、资金、物资准备；

（四）灾害评估准备；

（五）应急行动方案。

第十四条　制定破坏性地震应急预案的部门和地方，应当根据震情的变化以及实施中发现的问题，及时对其制定的破坏性地震应急预案进行修订、补充；涉及重大事项调整的，应当报经原批准机关同意。

第四章　临震应急

第十五条　地震临震预报，由省、自治区、直辖市人民政府依照国务院有关发布地震预报的规定统一发布，其他任何组织或者个人不得发布地震预报。

任何组织或者个人都不得传播有关地震的谣言。发生地震谣传时，防震减灾工作主管部门应当协助人民政府迅速予以平息和澄清。

第十六条　破坏性地震临震预报发布后，有关省、自治区、直辖市人民政府可以宣布预报区进入临震应急期，并指明临震应急期的起止时间。

临震应急期一般为10日；必要时，可以延长10日。

第十七条　在临震应急期，有关地方人民政府应当根据震情，统一部署破坏性地震应急预案的实施工作，并对临震应急活动中发生的争议采取紧急处理措施。

第十八条　在临震应急期，各级防震减灾工作主管部门应当协助本级人民政府对实施破坏性地震应急预案工作进行检查。

第十九条　在临震应急期，有关地方人民政府应当根据实际情况，向预报区的居民以及其他人员提出避震撤离的劝告；情况紧急时，应当有组织地进行避震疏散。

第二十条　在临震应急期，有关地方人民政府有权在本行政区域内紧急调用物资、设备、人员和占用场地，任何组织或者个人都不得阻拦；调用物资、设备或者占用场地的，事后应当及时归还或者给予补偿。

第二十一条　在临震应急期，有关部门应当对生命线工程和次生灾害源采取紧急防护措施。

第五章　震后应急

第二十二条　破坏性地震发生后，有关的省、自治区、直辖市人民政府应当宣布灾区进入震后应急期，并指明震后应急期的起止时间。

震后应急期一般为 10 日；必要时，可以延长 20 日。

第二十三条　破坏性地震发生后，抗震救灾指挥部应当及时组织实施破坏性地震应急预案，及时将震情、灾情及其发展趋势等信息报告上一级人民政府。

第二十四条　防震减灾工作主管部门应当加强现场地震监测预报工作，并及时会同有关部门评估地震灾害损失；灾情调查结果，应当及时报告本级人民政府抗震救灾指挥部和上一级防震减灾工作主管部门。

第二十五条　交通、铁路、民航等部门应当尽快恢复被损毁的道路、铁路、水港、空港和有关设施，并优先保证抢险救援人员、物资的运输和灾民的疏散。其他部门有交通运输工具的，应当无条件服从抗震救灾指挥部的征用或者调用。

第二十六条　通信部门应当尽快恢复被破坏的通信设施，保证抗震救灾通信畅通。其他部门有通信设施的，应当优先为破坏性地震应急工作服务。

第二十七条　供水、供电部门应当尽快恢复被破坏的供水、供电设施，保证灾区用水、用电。

第二十八条　卫生部门应当立即组织急救队伍，利用各种医疗设施或者建立临时治疗点，抢救伤员，及时检查、监测灾区的饮用水源、食品等，采取有效措施防止和控制传染病的暴发流行，并向受灾人员提供精神、心理卫生方面的帮助。医药部门应当及时提供救灾所需药品。其他部门应当配合卫生、医药部门，做好卫生防疫以及伤亡人员的抢救、处理工作。

第二十九条　民政部门应当迅速设置避难场所和救济物资供应点，提供救济物品等，保障灾民的基本生活，做好灾民的转移和安置工作。其他部门应当支持、配合民政部门妥善安置灾民。

第三十条　公安部门应当加强灾区的治安管理和安全保卫工作，预防和制止各种破坏活动，维护社会治安，保证抢险救灾工作顺利进行，尽快恢复社会秩序。

第三十一条　石油、化工、水利、电力、建设等部门和单位以及危险品生产、储运等单位，应当按照各自的职责，对可能发生或者已经发生次生灾害的地点和设施采取紧急处置措施，并加强监视、控制，防止灾害扩展。

公安消防机构应当严密监视灾区火灾的发生；出现火灾时，应当组织力量抢救人员和物资，并采取有效防范措施，防止火势扩大、蔓延。

第三十二条 广播电台、电视台等新闻单位应当根据抗震救灾指挥部提供的情况，按照规定及时向公众发布震情、灾情等有关信息，并做好宣传、报道工作。

第三十三条 抗震救灾指挥部可以请求非灾区的人民政府接受并妥善安置灾民和提供其他救援。

第三十四条 破坏性地震发生后，国内非灾区提供的紧急救援，由抗震救灾指挥部负责接受和安排；国际社会提供的紧急救援，由国务院民政部门负责接受和安排；国外红十字会和国际社会通过中国红十字会提供的紧急救援，由中国红十字会负责接受和安排。

第三十五条 因严重破坏性地震应急的需要，可以在灾区实行特别管制措施。省、自治区、直辖市行政区域内的特别管制措施，由省、自治区、直辖市人民政府决定；跨省、自治区、直辖市的特别管制措施，由有关省、自治区、直辖市人民政府共同决定或者由国务院决定；中断干线交通或者封锁国境的特别管制措施，由国务院决定。

特别管制措施的解除，由原决定机关宣布。

第六章 奖励和处罚

第三十六条 在破坏性地震应急活动中有下列事迹之一的，由其所在单位、上级机关或者防震减灾工作主管部门给予表彰或者奖励：

（一）出色完成破坏性地震应急任务的；

（二）保护国家、集体和公民的财产或者抢救人员有功的；

（三）及时排除险情，防止灾害扩大，成绩显著的；

（四）对地震应急工作提出重大建议，实施效果显著的；

（五）因震情、灾情测报准确和信息传递及时而减轻灾害损失的；

（六）及时供应用于应急救灾的物资和工具或者节约经费开支，成绩显著的；

（七）有其他特殊贡献的。

第三十七条 有下列行为之一的，对负有直接责任的主管人员和其他直接责任人员依法给予行政处分；属于违反治安管理行为的，依照治安管理处罚法的规定给予处罚；构成犯罪的，依法追究刑事责任：

（一）不按照本条例规定制定破坏性地震应急预案的；

（二）不按照破坏性地震应急预案的规定和抗震救灾指挥部的要求实施破坏性地震应急预案的；

（三）违抗抗震救灾指挥部命令，拒不承担地震应急任务的；

（四）阻挠抗震救灾指挥部紧急调用物资、人员或者占用场地的；

（五）贪污、挪用、盗窃地震应急工作经费或者物资的；

（六）有特定责任的国家工作人员在临震应急期或者震后应急期不坚守岗位，不及时掌握震情、灾情，临阵脱逃或者玩忽职守的；

（七）在临震应急期或者震后应急期哄抢国家、集体或者公民的财产的；

（八）阻碍抗震救灾人员执行职务或者进行破坏活动的；

（九）不按照规定和实际情况报告灾情的；

（十）散布谣言，扰乱社会秩序，影响破坏性地震应急工作的；

（十一）有对破坏性地震应急工作造成危害的其他行为的。

第七章　附　则

第三十八条　本条例下列用语的含义：

（一）“地震应急”，是指为了减轻地震灾害而采取的不同于正常工作程序的紧急防灾和抢险行动；

（二）“破坏性地震”，是指造成一定数量的人员伤亡和经济损失的地震事件；

（三）“严重破坏性地震”，是指造成严重的人员伤亡和经济损失，使灾区丧失或者部分丧失自我恢复能力，需要国家采取对抗行动的地震事件；

（四）“生命线工程”，是指对社会生活、生产有重大影响的交通、通信、供水、排水、供电、供气、输油等工程系统；

（五）“次生灾害源”，是指因地震而可能引发水灾、火灾、爆炸等灾害的易燃易爆物品、有毒物质贮存设施、水坝、堤岸等。

第三十九条　本条例自 1995 年 4 月 1 日起施行。

（《中华人民共和国国务院公报》，1995 年第 4 号）

中华人民共和国国务院、中华人民共和国中央军事委员会令

（第 436 号）

现公布《军队参加抢险救灾条例》，自 2005 年 7 月 1 日起施行。

国务院总理　温家宝
中央军委主席　胡锦涛
2005 年 6 月 7 日

军队参加抢险救灾条例

第一条　为了发挥中国人民解放军（以下称军队）在抢险救灾中的作用，保护人民生命和财产安全，根据国防法的规定，制定本条例。

第二条　军队是抢险救灾的突击力量，执行国家赋予的抢险救灾任务是军队的重要使命。

各级人民政府和军事机关应当按照本条例的规定，做好军队参加抢险救灾的组织、指挥、协调、保障等工作。

第三条　军队参加抢险救灾主要担负下列任务：

（一）解救、转移或者疏散受困人员；

（二）保护重要目标安全；

（三）抢救、运送重要物资；

（四）参加道路（桥梁、隧道）抢修、海上搜救、核生化救援、疫情控制、医疗救护等专业抢险；

（五）排除或者控制其他危重险情、灾情。

必要时，军队可以协助地方人民政府开展灾后重建等工作。

第四条　国务院组织的抢险救灾需要军队参加的，由国务院有关主管部门向中国人民解放军总参谋部提出，中国人民解放军总参谋部按照国务院、中央军事委员会的有关规定办理。

县级以上地方人民政府组织的抢险救灾需要军队参加的，由县级以上地方人民政府通过当地同级军事机关提出，当地同级军事机关按照国务院、中央军事委员会的有关规定办理。

在险情、灾情紧急的情况下，地方人民政府可以直接向驻军部队提出救助请求，驻军部队应当按照规定立即实施救助，并向上级报告；驻军部队发现紧急险情、灾情也应当按照规定立

即实施救助，并向上级报告。

抢险救灾需要动用军用飞机（直升机）、舰艇的，按照有关规定办理。

第五条　国务院有关主管部门、县级以上地方人民政府提出需要军队参加抢险救灾的，应当说明险情或者灾情发生的种类、时间、地域、危害程度、已经采取的措施，以及需要使用的兵力、装备等情况。

第六条　县级以上地方人民政府组建的抢险救灾指挥机构，应当有当地同级军事机关的负责人参加；当地有驻军部队的，还应当有驻军部队的负责人参加。

第七条　军队参加抢险救灾应当在人民政府的统一领导下进行，具体任务由抢险救灾指挥机构赋予，部队的抢险救灾行动由军队负责指挥。

第八条　县级以上地方人民政府应当向当地军事机关及时通报有关险情、灾情的信息。

在经常发生险情、灾情的地方，县级以上地方人民政府应当组织军地双方进行实地勘察和抢险救灾演习、训练。

第九条　省军区（卫戍区、警备区）、军分区（警备区）、县（市、市辖区）人民武装部应当及时掌握当地有关险情、灾情信息，办理当地人民政府提出的军队参加抢险救灾事宜，做好人民政府与执行抢险救灾任务的部队之间的协调工作。有关军事机关应当制定参加抢险救灾预案，组织部队开展必要的抢险救灾训练。

第十条　军队参加抢险救灾时，当地人民政府应当提供必要的装备、物资、器材等保障，派出专业技术人员指导部队的抢险救灾行动；铁路、交通、民航、公安、电信、邮政、金融等部门和机构，应当为执行抢险救灾任务的部队提供优先、便捷的服务。

军队执行抢险救灾任务所需要的燃油，由执行抢险救灾任务的部队和当地人民政府共同组织保障。

第十一条　军队参加抢险救灾需要动用作战储备物资和装备器材的，必须按照规定报经批准。对消耗的部队携行装备器材和作战储备物资、装备器材，应当及时补充。

第十二条　灾害发生地人民政府应当协助执行抢险救灾任务的部队做好饮食、住宿、供水、供电、供暖、医疗和卫生防病等必需的保障工作。

地方人民政府与执行抢险救灾任务的部队应当互相通报疫情，共同做好卫生防疫工作。

第十三条　军队参加国务院组织的抢险救灾所耗费用由中央财政负担。军队参加地方人民政府组织的抢险救灾所耗费用由地方财政负担。

前款所指的费用包括：购置专用物资和器材费用，指挥通信、装备维修、燃油、交通运输等费用，补充消耗的携行装备器材和作战储备物资费用，以及人员生活、医疗的补助费用。

抢险救灾任务完成后，军队有关部门应当及时统计军队执行抢险救灾任务所耗费用，报抢险救灾指挥机构审核。

第十四条　国务院有关主管部门和县级以上地方人民政府应当在险情、灾情频繁发生或者列为灾害重点监视防御的地区储备抢险救灾专用装备、物资和器材，保障抢险救灾需要。

第十五条　军队参加重大抢险救灾行动的宣传报道，由国家和军队有关主管部门统一组织实施。新闻单位采访、报道军队参加抢险救灾行动，应当遵守国家和军队的有关规定。

第十六条 对在执行抢险救灾任务中有突出贡献的军队单位和个人，按照国家和军队的有关规定给予奖励；对死亡或者致残的人员，按照国家有关规定给予抚恤优待。

第十七条 中国人民武装警察部队参加抢险救灾，参照本条例执行。

第十八条 本条例自 2005 年 7 月 1 日起施行。

（《中华人民共和国国务院公报》，2005 年第 22 号）

中华人民共和国国务院令

（第 577 号）

《自然灾害救助条例》已经 2010 年 6 月 30 日国务院第 117 次常务会议通过，现予公布，自 2010 年 9 月 1 日起施行。

总理　温家宝

二〇一〇年七月八日

自然灾害救助条例

第一章　总则

第一条　为了规范自然灾害救助工作，保障受灾人员基本生活，制定本条例。

第二条　自然灾害救助工作遵循以人为本、政府主导、分级管理、社会互助、灾民自救的原则。

第三条　自然灾害救助工作实行各级人民政府行政领导负责制。

国家减灾委员会负责组织、领导全国的自然灾害救助工作，协调开展重大自然灾害救助活动。国务院民政部门负责全国的自然灾害救助工作，承担国家减灾委员会的具体工作。国务院有关部门按照各自职责做好全国的自然灾害救助相关工作。

县级以上地方人民政府或者人民政府的自然灾害救助应急综合协调机构，组织、协调本行政区域的自然灾害救助工作。县级以上地方人民政府民政部门负责本行政区域的自然灾害救助工作。县级以上地方人民政府有关部门按照各自职责做好本行政区域的自然灾害救助相关工作。

第四条　县级以上人民政府应当将自然灾害救助工作纳入国民经济和社会发展规划，建立健全与自然灾害救助需求相适应的资金、物资保障机制，将人民政府安排的自然灾害救助资金和自然灾害救助工作经费纳入财政预算。

第五条　村民委员会、居民委员会以及红十字会、慈善会和公募基金会等社会组织，依法协助人民政府开展自然灾害救助工作。

国家鼓励和引导单位和个人参与自然灾害救助捐赠、志愿服务等活动。

第六条　各级人民政府应当加强防灾减灾宣传教育，提高公民的防灾避险意识和自救互救能力。

村民委员会、居民委员会、企业事业单位应当根据所在地人民政府的要求，结合各自的实际情况，开展防灾减灾应急知识的宣传普及活动。

第七条 对在自然灾害救助中作出突出贡献的单位和个人，按照国家有关规定给予表彰和奖励。

第二章 救助准备

第八条 县级以上地方人民政府及其有关部门应当根据有关法律、法规、规章，上级人民政府及其有关部门的应急预案以及本行政区域的自然灾害风险调查情况，制定相应的自然灾害救助应急预案。

自然灾害救助应急预案应当包括下列内容：

（一）自然灾害救助应急组织指挥体系及其职责；

（二）自然灾害救助应急队伍；

（三）自然灾害救助应急资金、物资、设备；

（四）自然灾害的预警预报和灾情信息的报告、处理；

（五）自然灾害救助应急响应的等级和相应措施；

（六）灾后应急救助和居民住房恢复重建措施。

第九条 县级以上人民政府应当建立健全自然灾害救助应急指挥技术支撑系统，并为自然灾害救助工作提供必要的交通、通信等装备。

第十条 国家建立自然灾害救助物资储备制度，由国务院民政部门分别会同国务院财政部门、发展改革部门制定全国自然灾害救助物资储备规划和储备库规划，并组织实施。

设区的市级以上人民政府和自然灾害多发、易发地区的县级人民政府应当根据自然灾害特点、居民人口数量和分布等情况，按照布局合理、规模适度的原则，设立自然灾害救助物资储备库。

第十一条 县级以上地方人民政府应当根据当地居民人口数量和分布等情况，利用公园、广场、体育场馆等公共设施，统筹规划设立应急避难场所，并设置明显标志。

启动自然灾害预警响应或者应急响应，需要告知居民前往应急避难场所的，县级以上地方人民政府或者人民政府的自然灾害救助应急综合协调机构应当通过广播、电视、手机短信、电子显示屏、互联网等方式，及时公告应急避难场所的具体地址和到达路径。

第十二条 县级以上地方人民政府应当加强自然灾害救助人员的队伍建设和业务培训，村民委员会、居民委员会和企业事业单位应当设立专职或者兼职的自然灾害信息员。

第三章 应急救助

第十三条 县级以上人民政府或者人民政府的自然灾害救助应急综合协调机构应当根据自然灾害预警预报启动预警响应，采取下列一项或者多项措施：

（一）向社会发布规避自然灾害风险的警告，宣传避险常识和技能，提示公众做好自救互救准备；

（二）开放应急避难场所，疏散、转移易受自然灾害危害的人员和财产，情况紧急时，实行有组织的避险转移；

（三）加强对易受自然灾害危害的乡村、社区以及公共场所的安全保障；

（四）责成民政等部门做好基本生活救助的准备。

第十四条　自然灾害发生并达到自然灾害救助应急预案启动条件的，县级以上人民政府或者人民政府的自然灾害救助应急综合协调机构应当及时启动自然灾害救助应急响应，采取下列一项或者多项措施：

（一）立即向社会发布政府应对措施和公众防范措施；

（二）紧急转移安置受灾人员；

（三）紧急调拨、运输自然灾害救助应急资金和物资，及时向受灾人员提供食品、饮用水、衣被、取暖、临时住所、医疗防疫等应急救助，保障受灾人员基本生活；

（四）抚慰受灾人员，处理遇难人员善后事宜；

（五）组织受灾人员开展自救互救；

（六）分析评估灾情趋势和灾区需求，采取相应的自然灾害救助措施；

（七）组织自然灾害救助捐赠活动。

对应急救助物资，各交通运输主管部门应当组织优先运输。

第十五条　在自然灾害救助应急期间，县级以上地方人民政府或者人民政府的自然灾害救助应急综合协调机构可以在本行政区域内紧急征用物资、设备、交通运输工具和场地，自然灾害救助应急工作结束后应当及时归还，并按照国家有关规定给予补偿。

第十六条　自然灾害造成人员伤亡或者较大财产损失的，受灾地区县级人民政府民政部门应当立即向本级人民政府和上一级人民政府民政部门报告。

自然灾害造成特别重大或者重大人员伤亡、财产损失的，受灾地区县级人民政府民政部门应当按照有关法律、行政法规和国务院应急预案规定的程序及时报告，必要时可以直接报告国务院。

第十七条　灾情稳定前，受灾地区人民政府民政部门应当每日逐级上报自然灾害造成的人员伤亡、财产损失和自然灾害救助工作动态等情况，并及时向社会发布。

灾情稳定后，受灾地区县级以上人民政府或者人民政府的自然灾害救助应急综合协调机构应当评估、核定并发布自然灾害损失情况。

第四章　灾后救助

第十八条　受灾地区人民政府应当在确保安全的前提下，采取就地安置与异地安置、政府安置与自行安置相结合的方式，对受灾人员进行过渡性安置。

就地安置应当选择在交通便利、便于恢复生产和生活的地点，并避开可能发生次生自然灾害的区域，尽量不占用或者少占用耕地。

受灾地区人民政府应当鼓励并组织受灾群众自救互救，恢复重建。

第十九条 自然灾害危险消除后，受灾地区人民政府应当统筹研究制订居民住房恢复重建规划和优惠政策，组织重建或者修缮因灾损毁的居民住房，对恢复重建确有困难的家庭予以重点帮扶。

居民住房恢复重建应当因地制宜、经济实用，确保房屋建设质量符合防灾减灾要求。

受灾地区人民政府民政等部门应当向经审核确认的居民住房恢复重建补助对象发放补助资金和物资，住房和城乡建设等部门应当为受灾人员重建或者修缮因灾损毁的居民住房提供必要的技术支持。

第二十条 居民住房恢复重建补助对象由受灾人员本人申请或者由村民小组、居民小组提名。经村民委员会、居民委员会民主评议，符合救助条件的，在自然村、社区范围内公示；无异议或者经村民委员会、居民委员会民主评议异议不成立的，由村民委员会、居民委员会将评议意见和有关材料提交乡镇人民政府、街道办事处审核，报县级人民政府民政等部门审批。

第二十一条 自然灾害发生后的当年冬季、次年春季，受灾地区人民政府应当为生活困难的受灾人员提供基本生活救助。

受灾地区县级人民政府民政部门应当在每年 10 月底前统计、评估本行政区域受灾人员当年冬季、次年春季的基本生活困难和需求，核实救助对象，编制工作台账，制定救助工作方案，经本级人民政府批准后组织实施，并报上一级人民政府民政部门备案。

第五章　救助款物管理

第二十二条 县级以上人民政府财政部门、民政部门负责自然灾害救助资金的分配、管理并监督使用情况。

县级以上人民政府民政部门负责调拨、分配、管理自然灾害救助物资。

第二十三条 人民政府采购用于自然灾害救助准备和灾后恢复重建的货物、工程和服务，依照有关政府采购和招标投标的法律规定组织实施。自然灾害应急救助和灾后恢复重建中涉及紧急抢救、紧急转移安置和临时性救助的紧急采购活动，按照国家有关规定执行。

第二十四条 自然灾害救助款物专款（物）专用，无偿使用。

定向捐赠的款物，应当按照捐赠人的意愿使用。政府部门接受的捐赠人无指定意向的款物，由县级以上人民政府民政部门统筹安排用于自然灾害救助；社会组织接受的捐赠人无指定意向的款物，由社会组织按照有关规定用于自然灾害救助。

第二十五条 自然灾害救助款物应当用于受灾人员的紧急转移安置，基本生活救助，医疗救助，教育、医疗等公共服务设施和住房的恢复重建，自然灾害救助物资的采购、储存和运输，以及因灾遇难人员亲属的抚慰等项支出。

第二十六条 受灾地区人民政府民政、财政等部门和有关社会组织应当通过报刊、广播、电视、互联网，主动向社会公开所接受的自然灾害救助款物和捐赠款物的来源、数量及其使用情况。

受灾地区村民委员会、居民委员会应当公布救助对象及其接受救助款物数额和使用情况。

第二十七条 各级人民政府应当建立健全自然灾害救助款物和捐赠款物的监督检查制度，并及时受理投诉和举报。

第二十八条 县级以上人民政府监察机关、审计机关应当依法对自然灾害救助款物和捐赠款物的管理使用情况进行监督检查，民政、财政等部门和有关社会组织应当予以配合。

第六章 法律责任

第二十九条 行政机关工作人员违反本条例规定，有下列行为之一的，由任免机关或者监察机关依照法律法规给予处分；构成犯罪的，依法追究刑事责任：

（一）迟报、谎报、瞒报自然灾害损失情况，造成后果的；

（二）未及时组织受灾人员转移安置，或者在提供基本生活救助、组织恢复重建过程中工作不力，造成后果的；

（三）截留、挪用、私分自然灾害救助款物或者捐赠款物的；

（四）不及时归还征用的财产，或者不按照规定给予补偿的；

（五）有滥用职权、玩忽职守、徇私舞弊的其他行为的。

第三十条 采取虚报、隐瞒、伪造等手段，骗取自然灾害救助款物或者捐赠款物的，由县级以上人民政府民政部门责令限期退回违法所得的款物；构成犯罪的，依法追究刑事责任。

第三十一条 抢夺或者聚众哄抢自然灾害救助款物或者捐赠款物的，由县级以上人民政府民政部门责令停止违法行为；构成违反治安管理行为的，由公安机关依法给予治安管理处罚；构成犯罪的，依法追究刑事责任。

第三十二条 以暴力、威胁方法阻碍自然灾害救助工作人员依法执行职务，构成违反治安管理行为的，由公安机关依法给予治安管理处罚；构成犯罪的，依法追究刑事责任。

第七章 附则

第三十三条 发生事故灾难、公共卫生事件、社会安全事件等突发事件，需要由县级以上人民政府民政部门开展生活救助的，参照本条例执行。

第三十四条 法律、行政法规对防灾、抗灾、救灾另有规定的，从其规定。

第三十五条 本条例自 2010 年 9 月 1 日起施行。

（《中华人民共和国国务院公报》，2010 年第 21 号）

青海省人民代表大会常务委员会
关于玉树地震灾区有成员伤亡家庭再生育的决定

（2010年9月30日青海省第十一届人民代表大会常务委员会第十八次会议通过）

为帮助玉树地震灾区有成员伤亡家庭解决实际困难，坚持以人为本，推进灾后重建工作，根据《中华人民共和国人口与计划生育法》《青海省人口与计划生育条例》等法律法规规定，对地震灾区有成员伤亡家庭再生育问题特作如下决定：

一、因地震有子女伤残或死亡的家庭，依据现存子女状况，按照《青海省人口与计划生育条例》再生育的有关规定执行。

二、因地震有下列情形之一的，可以申请再生育一个子女：

（一）牧区少数民族牧民符合政策规定生育三个子女且都伤残不能成长为正常劳动力的；

（二）牧区少数民族牧民，依据现有子女状况，按照《青海省人口与计划生育条例》可以生育三个子女，夫妻一方或双方为丧偶再婚，双方现有子女数合计不超过三个的；

（三）城镇居民符合政策规定生育两个子女且都伤残不能成长为正常劳动力的；

（四）城镇夫妻一方或双方为三级以上伤残，按生育政策只能生育一个子女的；

（五）城镇夫妻一方或双方为丧偶再婚，双方现有子女合计不超过两个的。

三、符合本决定第一条、第二条再生育条件的，可以不实行4年的生育间隔时间。

四、县级以上人民政府及人口和计划生育等相关部门，应当免费提供再生育技术服务，做好心理安抚等工作。

五、本决定自公布之日起施行。

（《青海人大》公报版，2010年第6期）

青海省人民代表大会常务委员会公告

（第四十一号）

《青海省地震安全性评价管理条例》已由青海省第十一届人民代表大会常务委员会第三十二次会议于 2012 年 9 月 27 日修订通过，现予公布，自 2012 年 12 月 1 日起施行。

青海省人民代表大会常务委员会

2012 年 9 月 28 日

青海省地震安全性评价管理条例

第一条　为了加强对地震安全性评价的管理，防御和减轻地震灾害，保护人民生命和财产安全，根据《中华人民共和国防震减灾法》《地震安全性评价管理条例》和有关法律、行政法规，结合本省实际，制定本条例。

第二条　在本省行政区域内从事地震安全性评价及其管理活动，适用本条例。

第三条　本条例所称地震安全性评价，是指根据对建设工程场地及周围的地震地质环境与地震活动的分析，按照建设工程设防风险水准，给出与建设工程抗震设防要求相应的地震动参数或者地震烈度，以及场地的地震地质灾害预测结果。

本条例所称抗震设防要求，是指建设工程抗御地震破坏的准则和在一定风险水准下抗震设计采用的地震动参数或者地震烈度。

第四条　县级以上人民政府负责管理地震工作的部门或者机构，负责本行政区域内的地震安全性评价和抗震设防要求的监督管理工作。

县级以上人民政府发展改革、住房和城乡建设、水利、交通、国土资源以及其他有关部门应当按照各自职责，做好与地震安全性评价相关的工作。

第五条　重大建设工程、可能发生严重次生灾害的建设工程以及国家和本省规定的其他建设工程，必须进行地震安全性评价。

必须进行地震安全性评价的建设工程的具体范围，按照本条例所附《地震安全性评价建设工程范围》执行。

第六条　建设单位对必须进行地震安全性评价的建设工程，应当在选址之后初步设计之前，委托具备相应条件的单位或者机构对其进行地震安全性评价，并到州（市）人民政府负责管理地震工作的部门备案。

第七条 承担地震安全性评价的单位或者机构应当具备下列条件：

（一）具有独立法人资格；

（二）具有与承担地震安全性评价相适应的地震学、地震地质学、地震工程学三个相关专业背景的技术人员，每个专业具有高级专业技术职称人员不少于二人；

（三）具有承担地震安全性评价工作的技术装备和专用软件系统，并具备相应的实验、测试条件和分析能力；

（四）具有健全的质量管理体系。

第八条 承担地震安全性评价的单位或者机构在本省行政区域内承揽地震安全性评价业务的，应当到省地震工作主管部门和建设工程所在地州（市）人民政府负责管理地震工作的部门备案。

第九条 地震安全性评价单位对建设工程进行地震安全性评价后，应当按照有关规定和技术标准编制地震安全性评价报告，并对地震安全性评价报告的质量负责。

第十条 建设单位应当将地震安全性评价成果交由第三方技术审查机构进行技术审查。

地震安全性评价报告通过技术审查后方可使用。

第十一条 县级以上人民政府及其有关部门应当将建设工程的抗震设防要求纳入基本建设管理程序。对未确定抗震设防要求的项目，不予办理相关手续。

必须进行地震安全性评价的建设工程，负责项目审批、核准的部门应当将经审定的地震安全性评价结果确定的抗震设防要求，纳入建设工程可行性研究报告或者项目申请报告的审查内容。可行性研究报告或者项目申请报告中未包含抗震设防要求的，项目审批、核准部门不予审批、核准。

住房和城乡建设、交通、水利等其他专业主管部门，应当将抗震设计纳入建设工程初步设计或者设计文件的审查内容。建设工程的抗震设计未经审查或者审查未通过的，不得发放施工许可证。

第十二条 建设单位、勘察单位、设计单位、施工单位、工程监理单位，应当按照抗震设防要求和有关工程建设强制性标准，保证建设工程的抗震设防质量。

第十三条 必须进行地震安全性评价的建设工程竣工验收时，建设单位应当在通知消防、住房和城乡建设等部门的同时通知同级地震工作主管部门参加。建设工程不符合抗震设防要求的，建设单位应当组织整改，经复验合格后方可使用。

第十四条 除本条例第五条规定以外的其他建设工程，按照经审定的地震小区划图确定抗震设防要求；未制定地震小区划图的，按照国家颁布的地震动参数区划图确定抗震设防要求。学校、医院等人员密集场所的建设工程，应当在地震动参数区划图或者地震小区划图的基础上提高一档确定抗震设防要求。

第十五条 县级以上人民政府应当加强农村牧区民居抗震设防工作的指导和监督，制定相应政策，安排专项资金，组织实施地震安全示范工程，鼓励和扶持农牧民建设符合抗震设防要求的民居。

农村牧区建制镇、集镇规划区的公用建筑以及异地扶贫搬迁、生态移民搬迁等建设工程，应当根据国家地震动参数区划图或者地震小区划图确定的抗震设防要求进行设计、施工。

第十六条　县级以上人民政府负责管理地震工作的部门或者机构，应当向社会公布地震动参数区划图，并提供相关咨询服务。

第十七条　县级以上人民政府负责管理地震工作的部门或者机构应当会同发展改革、住房和城乡建设或者其他有关专业主管部门，对必须进行地震安全性评价的建设工程进行阶段性检查，对不符合抗震设防要求的，应当要求建设单位进行整改。

第十八条　违反本条例规定的行为，法律、行政法规已规定法律责任的，从其规定。

第十九条　违反本条例规定，有关行政管理部门对不符合抗震设防要求的建设工程给予批准、核准的，由上级主管部门或者监察机关责令改正，对直接负责的主管人员和其他直接责任人员依法给予行政处分。

第二十条　违反本条例规定，未按照地震安全性评价报告确定的抗震设防要求进行抗震设计的，或者未按照抗震设计进行施工的，由县级以上人民政府负责管理地震工作的部门或者机构责令限期改正；逾期不改正的，处以三万元以上三十万元以下的罚款。

第二十一条　本条例自 2012 年 12 月 1 日起施行。

附：

地震安全性评价建设工程范围

一、重大建设工程

（一）交通工程

1. 高速公路、一级二级干线公路，地下铁路、长度大于三十千米的铁路；

2. 铁路、公路上长度大于五百米的多孔桥梁或者单孔跨度大于一百米的桥梁，长度大于一千米的隧道，城市道路中长以上桥梁、高架桥，城市隧道、轻轨地下隧道；

3. 建筑面积八千平方米以上的铁路枢纽工程和大中城市的火车站、一级汽车客运站候车楼，机场。

（二）通信工程

1. 国际通信工程、国际卫星地面站；

2. 州（市）以上广播电视中心主体工程、广播电视发射塔、通信枢纽工程；

3. 规划人口五十万以上的城市邮政枢纽。

（三）能源工程

1. 总装机容量五十兆瓦以上的水电站，抽水蓄能电站；

2. 总装机容量一百兆瓦以上的热电厂；

3.330 千伏以上的变电所、直流换流站，州（市）以上电力调度中心。

（四）重要公共建筑工程

1. 五千座位以上的体育馆，一千座位以上的影剧院、礼堂、会议中心、大型公共娱乐等人员密集场所，单体永久性建筑面积二万平方米以上的贸易、金融、商场、宾馆等公共建筑；

2. 八千平方米以上的学校教学楼和学生公寓，二级三级医院的住院楼、医技楼、门诊楼以及疾病预防控制中心、急救中心、中心血库；

3. 存放国家一、二级文物的博物馆、展览馆，存放珍贵档案的场馆和具有重要纪念意义的大型建（构）筑物；

4. 独立人防工程，州（市）以上各类党政机关指挥中心、公安和消防指挥中心、防灾减灾指挥中心；

5. 坚硬、中硬场地高度八十米以上以及中软、软弱场地六十米以上的高层建筑物。

二、可能发生严重次生灾害的建设工程

（一）炼油厂，容量五万立方米以上的石油存储设施，煤气、天然气、石油液化气存储以及供应枢纽设施，输油、输气主管线；

（二）研制、生产、存放剧毒生物制品和天然、人工细菌与病毒的建筑或者其区段；存放放射性物质、剧毒、易燃、易爆危险品的设施以及危险废弃物处理中心和医疗废弃物处理中心；

（三）州（市）以上集中供热、供气、供水主体枢纽工程和城市污水处理工程；

（四）蓄水量一千万立方米以上或者坝高超过六十米的水库；

（五）大型矿山、化工、石化、冶炼等工程，大Ⅱ型尾矿坝。

三、其他建设工程

（一）位于地震动参数区划分界线两侧各四千米区域的建设工程；

（二）位于地震重点监视防御区和重点监视防御城市的重要建设工程；

（三）法律、法规、规章和国务院有关行业主管部门规定需要进行地震安全性评价的工程，以及省地震工作主管部门与有关部门共同确定的有特殊要求需要进行地震安全性评价的建设工程。

（青海人大网）

规划方案

国务院关于印发玉树地震灾后恢复重建总体规划的通知

国发〔2010〕17号

各省、自治区、直辖市人民政府，国务院各部委、各直属机构：

现将《玉树地震灾后恢复重建总体规划》印发给你们，请认真贯彻执行。

玉树地震灾后恢复重建工作事关灾区紧迫的民生问题和长远发展，事关三江源地区生态保护，事关民族团结和社会和谐稳定，具有重要和深远的意义。各地区、各部门要充分认识玉树地震灾后恢复重建的重要意义和特殊性，树立全局意识，切实加强组织领导，全面做好恢复重建各项工作。

国务院

二〇一〇年六月九日

玉树地震灾后恢复重建总体规划

编制单位：玉树地震灾后恢复重建组

组长单位：国家发展和改革委员会

副组长单位：住房和城乡建设部、财政部、国务院国有资产监督管理委员会、审计署、青海省人民政府

成员单位：四川省人民政府、教育部、科学技术部、工业和信息化部、国家民族事务委员会、公安部、民政部、人力资源社会保障部、国土资源部、环境保护部、交通运输部、铁道部、水利部、农业部、商务部、文化部、卫生部、国家人口和计划生育委员会、中国人民银行、国家税务总局、国家质量监督检验检疫总局、国家广播电影电视总局、国家体育总局、国家林业局、国家旅游局、国家宗教事务局、中国科学院、中国地震局、中国气象局、中国银行业监督管理委员会、国家电力监管委员会、国家能源局、中国民用航空局、国家文物局、国务院扶贫开发领导小组办公室、中华全国总工会、中国人民解放军总参谋部作战部、中国红十字会总会

谨以此规划

向玉树强烈地震中罹难的同胞致以深切悼念

向抗震救灾中自强不息的灾区干部群众，英勇无畏的解放军、武警官兵、公安干警和各方救援人员致以崇高敬意

向社会各界所有关心、支持和参与恢复重建的人们致以诚挚感谢

目　录

前　言

2010年4月14日7时49分，青海省玉树地区发生7.1级强烈地震，人民群众生命财产遭受严重损失。在党中央、国务院和中央军委的坚强领导下，灾区广大干部群众奋起自救，社会各界积极支援，全力抢救生命，及时救治伤员，妥善安置群众，恢复正常秩序，取得了抗震救灾重大阶段性胜利。

玉树地震灾后恢复重建意义重大，建设新家园、新校园、新玉树，是灾区群众的热切期盼，是全国各族人民的共同心愿。灾后恢复重建工作要以科学发展观为指导，坚持以人为本，尊重自然，统筹规划，合力推进，从玉树经济社会、自然地理、生态环境、民族宗教文化等实际情况出发，借鉴汶川地震灾后恢复重建的成功经验，切实把灾后恢复重建与加强三江源保护相结合、与促进民族地区经济社会发展相结合、与扶贫开发和改善群众生产生活条件相结合、与保持民族特色和地域风貌相结合，建设生态美好、特色鲜明、经济发展、安全和谐的社会主义新玉树。

为科学、依法、统筹，有力、有序、有效地推进灾后恢复重建工作，依据《中华人民共和国防震减灾法》、《国务院关于做好玉树地震灾后恢复重建工作的指导意见》（国发〔2010〕14号）、《国务院关于支持玉树地震灾后恢复重建政策措施的意见》（国发〔2010〕16号），在灾害评估、资源环境承载能力综合评价和房屋及建筑物受损程度鉴定的基础上，经过科学评估、专家论证，制订本规划。

第一章　灾区概况和重建基础

第一节　灾区概况

玉树地震给灾区人民生命财产造成重大损失。截至2010年5月30日18时，遇难2698人，失踪270人。居民住房大量倒塌，学校、医院等公共服务设施严重损毁，部分公路沉陷、桥涵坍塌，供电、供水、通信设施遭受破坏。农牧业生产设施受损，牲畜大量死亡，商贸、旅游、金融、加工企业损失严重。山体滑坡崩塌，生态环境受到严重威胁。

根据青海玉树地震灾害评估报告，玉树地震波及范围划分为极重灾区、重灾区、一般灾区和灾害影响区。本规划范围包括极重灾区、重灾区的各项恢复重建内容，以及一般灾区中受损居民住房和学校、医院等公用设施，涉及青海省玉树藏族自治州玉树、称多、治多、杂多、囊谦、曲麻莱县和四川省甘孜藏族自治州石渠县等7个县的27个乡镇，受灾面积35862平方千米，受灾人口246842人。

专栏 1　规划范围					
灾损程度	省	县	乡镇	受灾面积（平方千米）	受灾人口（人）
极重灾区	青海	玉树县	结古镇	992	106642
重灾区	青海	玉树县	隆宝镇、仲达乡、安冲乡、巴塘乡	7030	46910
一般灾区	青海	玉树县	上拉秀乡、下拉秀镇、小苏莽乡	22423	69624
		称多县	称文镇、拉布乡、歇武镇、尕朵乡、珍秦镇		
		治多县	加吉博洛镇、立新乡		
		杂多县	萨呼腾镇、昂赛乡		
		囊谦县	毛庄乡		
		曲麻莱县	巴干乡		
	四川	石渠县	奔达乡、德荣马乡、俄多马乡、洛须镇、蒙宜乡、尼呷镇、真达乡、正科乡	5417	23666
合计	7 个县		27 个乡镇	35862	246842

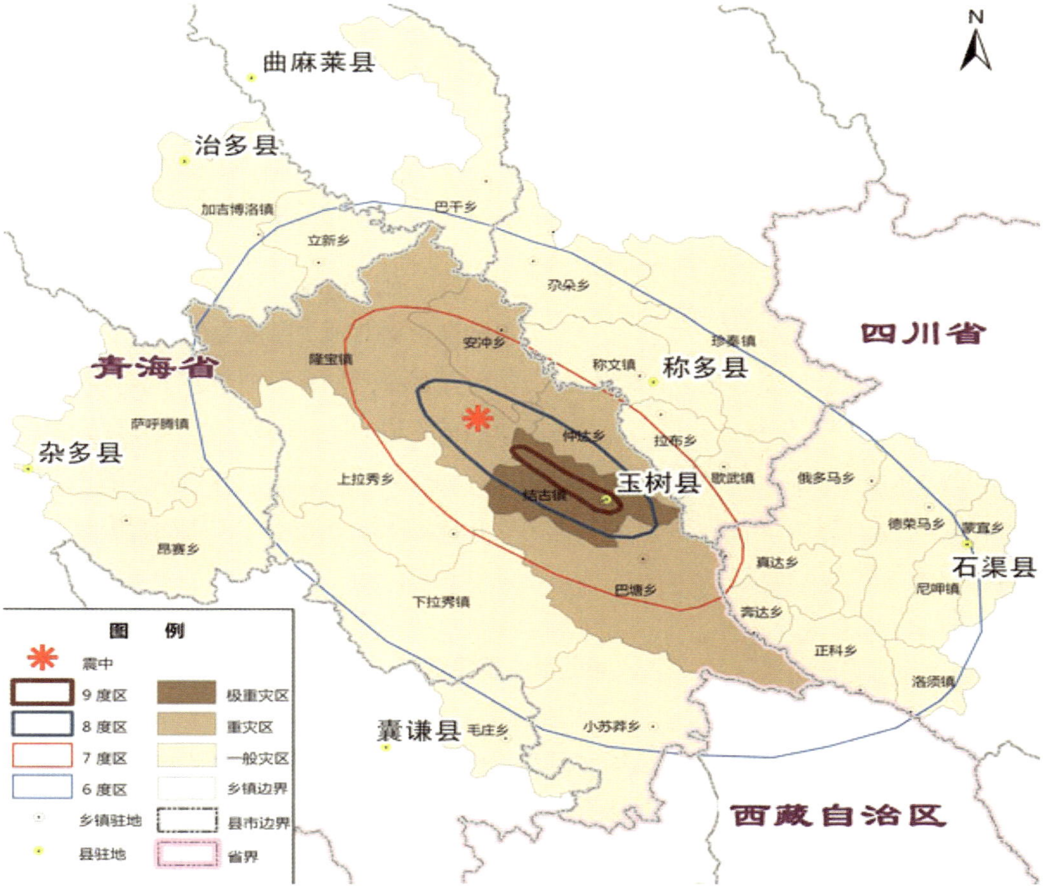

图 1　玉树地震灾害范围评估图

第二节　灾区特点

自然条件严酷。灾区位于青藏高原北端三江源地区，平均海拔4000米以上，高寒缺氧，昼夜温差大，无霜期短，每年有效施工时间只有5个月，给施工带来极大困难。

生态环境脆弱。大多数区域属于极为脆弱的高寒草甸生态系统，植被生长期短，水土易流失，对外部影响的抗逆性弱，受到破坏极难恢复。

交通设施落后。灾区地域广阔，公路路网密度低、路况差、保通难度大，主要运输通道仅有国道214线和省道308线，运距长、成本高。

施工条件较差。城镇地形狭窄，施工作业面小，大规模施工组织协调难度大，后勤保障能力弱。

建筑资源缺乏。当地主要建筑材料基本依靠外部输入，设计、施工、管理等专业人才严重匮乏，适应高原作业的专业建设队伍短缺。

经济基础薄弱。灾区以草地畜牧业为主，产业结构单一，地方政府财力十分有限，农牧民收入水平低、贫困面广、自我恢复能力差。

少数民族聚居。灾区人口中少数民族比重达到97%以上，其中藏族比重达到93%，玉树藏族自治州区域拥有丰富的民族文化遗存，地域特色鲜明。

宗教影响深厚。灾区是藏传佛教众多教派的聚集地，寺院多、僧侣多、信教群众多，宗教影响大。

第三节　重建意义

青海玉树地震灾区地处长江、黄河、澜沧江三大江河发源地，是全国重要的生态安全屏障；位于青、川、藏三省区交界处，是区域交通要道和商贸集散地；民族文化底蕴深厚、宗教影响广泛，是民族宗教工作的重点地区；贫困面广、贫困程度深，是扶贫开发攻坚的重点和难点地区。

做好玉树地震灾后恢复重建工作，关系解决当前紧迫的民生问题和长远发展，关系生态环境保护和构筑三江源生态安全屏障，关系民族团结和社会和谐稳定，对确保国家生态安全，实现青海等省藏区经济社会跨越式发展和长治久安，促进灾区各族人民生活水平不断提高和区域协调发展，具有重大战略意义。

第四节　重建条件

党中央、国务院对玉树地震灾后恢复重建工作的高度重视，社会主义制度集中力量办大事的政治优势，支持青海等省藏区经济社会跨越式发展的一系列政策措施，为恢复重建提供了根本保证。

灾区各级党委、政府有效组织领导，广大干部群众自力更生、奋发图强，社会各界大力支持，将形成推进恢复重建的强大合力。汶川地震灾后恢复重建的成功经验，将为玉树地震灾后恢复重建提供有益借鉴。

第二章　总体要求和重建目标

第一节　指导思想

充分认识玉树地震灾后恢复重建的重要意义和特殊性，以科学发展观为指导，发挥社会主义制度的优越性；切实从玉树实际出发，借鉴汶川地震灾后恢复重建的成功经验，坚持以人为本，把保障民生放在优先位置，尊重民族文化习俗和宗教信仰，注重生态环境保护；以灾区各级政府为主导、广大干部群众为主体，中央大力支持，各方积极援助；精心规划、精心组织、精心实施，又好又快地完成灾后恢复重建任务。

第二节　基本原则

以人为本，民生优先。把保障和改善民生作为恢复重建的基本出发点，优先恢复重建受灾群众住房和学校、医院等公共服务设施，抓紧恢复基础设施功能，改善城乡居民的基本生产生活条件。

保护生态，体现特色。充分考虑灾区生态环境的脆弱性和生态系统的重要性，按照构筑青藏高原生态安全屏障的要求，与三江源自然保护区生态保护建设统筹推进。要特别注重保护民族宗教文化遗产，充分体现当地民族特色和地域风貌。

统筹兼顾，协调发展。灾后恢复重建工作要与促进民族地区经济社会发展相结合，与扶贫开发和改善生产生活条件相结合，与加强民族团结和社会和谐稳定相结合，并为长远发展打下良好基础。

保证质量，厉行节约。城乡居民点和重建项目选址要避开重大灾害隐患点。严格执行抗震设防要求和建设规范，确保重建工程质量和安全。积极推广利用新技术、新能源、新材料。合理确定建设规模和标准，坚持安全、适用、省地、节俭，严格保护耕地和草地。

自力更生，多方支持。灾区各级政府要加强组织领导，动员广大干部群众自力更生、艰苦奋斗，努力建设美好家园。国务院有关部门大力支持，同时发挥社会各界援助的积极性，多方形成合力，共同推进灾后恢复重建。

第三节　重建目标

力争用三年时间基本完成恢复重建主要任务，使灾区基本生产生活条件和经济社会发展全面恢复并超过灾前水平，生态环境切实得到保护和改善，又好又快地重建新校园、新家园，为建设生态美好、特色鲜明、经济发展、安全和谐的社会主义新玉树奠定坚实基础。

居民拥有新家园。全面完成城乡居民住房恢复重建，使灾区群众早日住上安全、实用、省地、节俭的放心房。灾区教育、卫生等基本公共服务水平明显提高。

生态迈上新台阶。林草植被覆盖度和环境质量得到有效保护，防灾减灾能力明显增强，三江源地区生态建设和环境保护迈上一个大台阶。

设施得到新改善。交通、水利、能源、通信等基础设施及市场服务体系功能全面恢复，服务和保障能力显著提高。

城乡呈现新面貌。重点城镇市政功能完备，公用设施配套，农牧区水、电、路等设施得到恢复提高，城乡风貌特色鲜明，群众生产生活条件明显改善。

社会和谐新局面。弘扬各民族共同团结奋斗、共同繁荣发展的主旋律，弘扬伟大的抗震救灾精神，在各民族团结协作、共建美好新家园中，进一步巩固和发展平等、团结、互助、和谐的社会主义新型民族关系。

第三章　重建分区和城乡布局

根据资源环境承载能力综合评价，城镇及农村居民点的重建选址原则为就地重建、局部避让、积极设防、科学规划。加强基础设施和公共服务能力建设，适当吸纳三江源自然保护区核心区、缓冲区生态移民以及分散居住的人口向生态环境容量和就业容量相对较大的城镇集中。

第一节　重建分区

灾后恢复重建要与三江源、隆宝自然保护区规划相衔接，根据资源环境承载能力综合评价，将规划区国土空间划分为生态保护区、适度重建区和综合发展区。

生态保护区。主要指三江源、隆宝自然保护区的核心区、缓冲区和实验区，以及畜牧业适宜发展区。加强对生态功能退化的草地、林地和湿地的保护，控制人为因素对自然生态的干扰破坏，增强水源涵养、水土保持、生物多样性维护等生态系统功能。

适度重建区。主要指集中分布在玉树西北部和东部的农牧业适度发展区和人口相对集中区。对该区域内的乡镇实行就地重建，稳定人口规模，控制农牧业开发和乡镇建设强度。逐步恢复生态系统功能，重点实施退牧还草、退化草地治理、湿地与野生动物保护等工程，适度发展生态旅游等特色产业。

综合发展区。主要指 27 个乡镇驻地。以乡镇政府所在地为重点，适当集聚人口。在保护生态环境的同时，适度扩大用地规模，完善乡镇公共服务功能，拓宽就业渠道，发展农畜产品加工、生态旅游和特色产业，吸纳生态保护区人口转移。

专栏 2　重建分区				
类型	面积（平方公里）	占规划区比重（%）	人口（人）	占规划区比重（%）
生态保护区	18519	51.6	76274	30.9
适度重建区	16769	46.8	48875	19.8
综合发展区	574	1.6	121693	49.3
总计	35862	100	246842	100

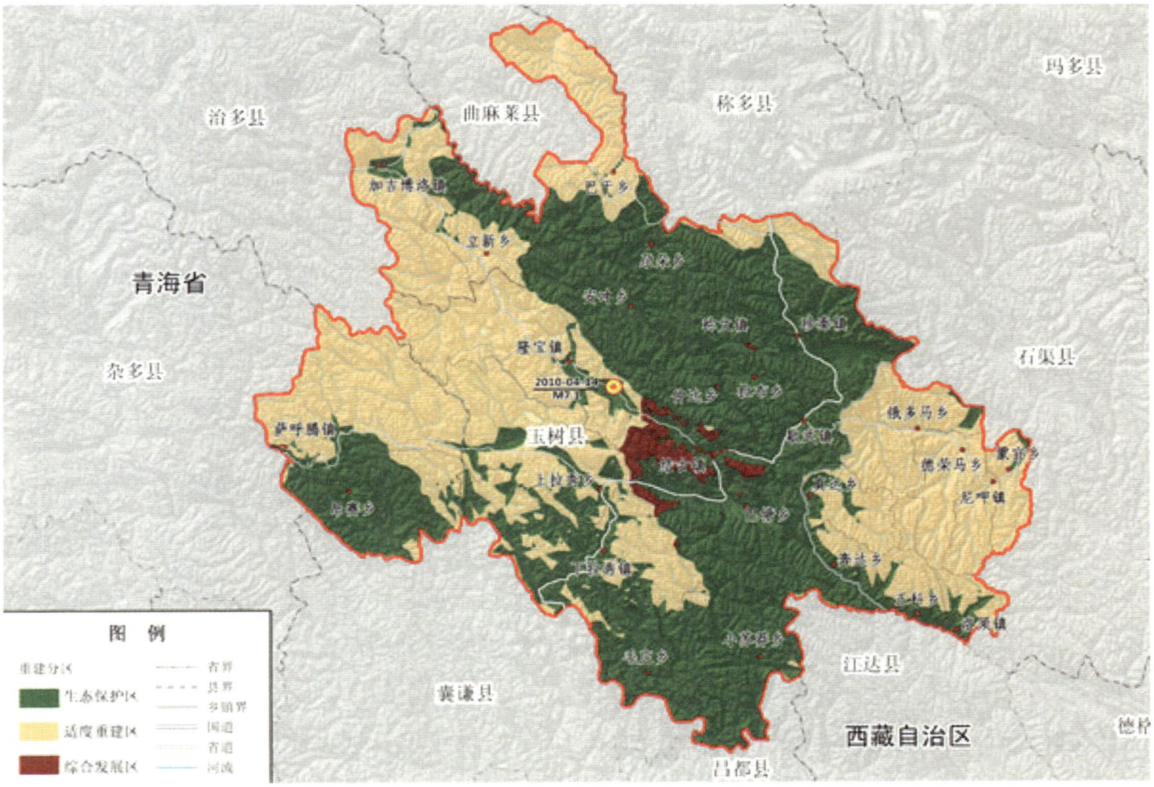

图 2　玉树地震灾区重建分区图（按自然单元）

第二节　城乡布局

按照全区总体保护、建设重点乡镇、两线适度发展、多点特色分工、大均衡小集中的布局原则，实行就地重建，提升城镇功能，适度集聚人口，实现人口、生态、经济、社会协调发展。

突出一镇。“一镇”指以极重灾区结古镇为恢复重建重点，按照区域性中心城镇进行规划建设，统筹城乡发展，改善基础设施条件，增强支撑能力，发挥辐射和带动作用，实现跨越式发展。

带动两线。“两线”指沿国道 214 线和省道 308 线分布的重灾区乡镇、一般灾区的重点镇及县城所在地，主要包括沿国道 214 线的珍秦、歇武、巴塘、下拉秀、称文等乡镇，以及临近省道 308 线的隆宝、加吉博洛、萨呼腾等镇，可适当扩大用地规模，集聚周边人口。

兼顾多点。其他乡镇和农牧区居民点适宜就地重建，在尊重当地群众意愿的基础上，有条件的可适度集中。在重建过程中，要加强对自然植被保护和恢复，禁止借机占用草地、开垦草原等行为。

第三节 结古镇规划

结古镇是玉树藏族自治州、玉树县两级政府驻地，曾是唐蕃古道上的历史重镇。结古镇是本次地震的极重灾区，几乎夷为平地，受灾人口占全部受灾人口的40%。建设好结古镇是灾后恢复重建的重要任务。

功能定位。结古镇是玉树藏族自治州行政、经济和文化中心，要在恢复重建的基础上发展成为高原生态型商贸旅游城市、三江源地区的中心城市、青海藏区城乡一体发展的先行地区。

人口规模。根据资源环境承载能力综合评价，结古镇建设应避开地震断裂带、山体滑坡等地质灾害隐患点，适宜建设区域有限。城镇建设的有效用地面积为12平方公里，重建人口发展规模控制在10万人以内。

总体布局。优先恢复重建居民住房，配套建设学校、医院等公共服务设施和市政配套设施。依托民主路、红卫路和胜利路等交通轴带，完善商贸和旅游文化服务功能。依托扎曲河、巴曲河、扎西河和湿地等自然资源，建设生态涵养区和自然生态景观区。

第四节 重建方式

灾后恢复重建必须依法在统一的城乡规划、土地利用规划和重建规划指导下进行，按照规划确定的目标、原则、空间布局和控制要求进行项目建设，因地制宜，创新机制，统建与分建相结合，统筹兼顾，突出重点，分步实施。

整体设计城镇风貌。依照城镇总体规划，对城镇公共建筑、居民住房、市政设施等各类建构筑物的功能分布，以及风格、尺度、色彩等景观要素进行整体设计，力求安全适用，节俭美观，特色鲜明。

统规统建公共设施。对于公共服务设施、市政工程、社会管理用房以及各项基础设施，采取统规统建，由政府统一组织实施。

分类建设居民住房。针对城乡居民住房建设的不同特点，在统一规划的指导下，采取统建、分建相结合的方式，充分尊重群众意愿，加强技术指导和服务，选择适宜的重建形式和模式。对于缺乏建房能力的居民，政府要组织力量帮助建设。

第五节 土地利用

统筹恢复重建城镇、农村、交通、能源、水利等各类用地需求，科学核算、合理安排各项用地的规模，优化用地结构与布局。

新增用地。保障恢复重建新增建设用地。恢复重建期间，安排临时用地 572 公顷，恢复重建新增建设用地 1675 公顷，其中城镇用地 530 公顷、农村居民点用地 80 公顷、基础设施和其他用地 1065 公顷，确保受灾群众临时过渡性安置和重建住房用地。

节约用地。严格保护草地、林地和耕地，各类重建项目应充分利用原有建设用地和废弃地，尽量不占用草地、林地和耕地等农业用地，合理控制建设规模，优化用地结构与布局，节约集约利用土地。

第四章　城乡居民住房

把恢复重建城乡居民住房摆在突出和优先的位置，先行开展农牧民住房恢复重建，抓紧开展城镇居民住房恢复重建。要科学选址，集约节约用地，严格执行抗震设防标准和建设规范，建筑风格要突出地域和民族特色。

第一节　农牧民住房

农牧区居民住房的恢复重建，要与新农村新牧区建设、生态移民、农村危房改造、游牧民定居等工作相结合，统筹使用资金，突出重点，分步实施。

按照保基本住房需求的原则，先满足农牧民基本生活需要的住房面积，并为今后农牧民自我改善住房条件留有余地。按照当地的抗震设防要求，科学确定建筑结构形式，推广使用节能环保材料，加强施工技术指导，确保建设质量，满足安全适用的要求。

建设部门要根据不同的经济条件和生活习俗，为农牧民提供多样化、有特色、不同规格的住房设计式样，供农牧民选择。

专栏 3　农牧民住房

省	县	新建		加固	
		户数	面积（平方米）	户数	间数
青海	玉树县	16138	1291040	125	625
	称多县	7796	623680	240	1200
	治多县	1237	98960	360	1800
	杂多县	1646	131680	80	400
	囊谦县	2074	165920	120	600
	曲麻莱县	524	41920	64	320
	合计	29415	2353200	989	4945
四川	石渠县	1593	127440	2681	9785
总　计		31008	2480640	3670	14730

第二节　城镇居民住房

城镇居民住房的恢复重建，要按照城镇总体规划的要求，优化空间布局，完善配套设施，推动适用新型建筑材料和建造技术的应用。

按照房屋受损程度鉴定结果，凡是能够维修加固、符合安全条件的住房，不推倒重建，要抓紧开展维修加固工作。对倒塌和严重损坏的住房进行重建。采取自建方式重建的，按统一标准给予补助。地方政府要建设经济适用房，以适当价格出售给符合条件的家庭，同时要加大廉租住房的保障力度。居民小区和居住组团要相应配套建设服务设施。

专栏4　城镇居民住房

省	县	新建		加固面积（平方米）
		套数	面积（平方米）	
青海	玉树县	26199	2095920	8000
	称多县	1698	135840	54000
	治多县	476	38080	2000
	杂多县	845	67600	2000
	囊谦县	0	0	0
	曲麻莱县	0	0	0
	合　计	29218	2337440	66000
四川	石渠县	0	0	52000
总　计		29218	2337440	118000

第五章　公共服务设施

公共服务设施的恢复重建，要根据地域特点和人口分布，整合资源，调整布局，统筹安排，推进标准化建设，建立覆盖城乡居民的公共服务体系，促进基本公共服务均等化。优先安排学校、医院等公共服务设施的恢复重建，严格执行依法确定的抗震设防要求和强制性建设标准规范，把学校、医院建成最安全、最牢固、群众最放心的建筑。

第一节　教　育

学前教育和义务教育。以义务教育为重点，高质量地恢复重建中小学校，促进义务教育均衡发展。合理调整学校布局，原则上初中建在县城，完全小学建在乡镇。加强中小学寄宿制学校和幼儿园建设。提高农牧区中小学现代远程教育能力。加快发展农牧区学前双语教育。办好特殊教育。

高中阶段教育。恢复重建普通高中学校和中等职业学校。按照基本普及高中阶段教育的需

要，大力发展中等职业教育，加强职业教育基础能力建设。调整学校布局结构，州举办高中阶段教育。统筹民办教育机构恢复重建。

双语教育。加强双语教学，建立健全适合藏区的教材、师资和教学模式相结合的双语教学体系，依托省内高校实施双语教师培训。

师资队伍建设。根据国家教师编制规定，配置合格教师和职工，采取多种举措补充合格的双语教师。按照教师编制的合理比例，建设教师周转住房。

专栏 5　教　育
义务教育　小学 41 所，初中 8 所。其中，石渠县小学 8 所，初中 1 所。
高中阶段教育　高中 3 所，中等职业学校 2 所，教师培训中心 1 个。
特殊教育　特殊教育学校 1 所。
学前教育　幼儿园 27 所。其中，石渠县幼儿园 1 所。

第二节　医疗卫生

公共医疗卫生。全面恢复州、县、乡、村四级基本医疗、公共卫生服务体系，恢复重建州县两级医疗和疾病预防控制、妇幼保健、卫生监督、食品药品检验机构，以及乡镇卫生院、村卫生室。加强鼠疫、碘缺乏病、包虫病、大骨节病、高原心肺病等传染病和地方病防治能力建设，提高医疗卫生应急处置能力。统筹民营医疗机构恢复重建。加强中医和藏医医疗服务体系建设，积极扶持藏医药发展。

计划生育。恢复重建计划生育服务机构。加强基层计划生育、妇幼保健与其他医疗卫生服务资源的有效整合。乡镇计划生育服务用房与乡镇卫生院统一建设，健全功能、优化管理。村计生室和卫生室在村级公共服务设施中统筹考虑建设。适当配置计划生育流动服务车，增强服务能力。

重建期医疗卫生服务。建设临时医疗卫生服务设施，配置高压氧舱、制氧站、急救设备和移动实验室等必要设备。合理安排医疗救治、卫生防疫和卫生监督人员。做好鼠疫、高原病的防治，抓好重点地区、重要环节的防疫工作，保障恢复重建阶段医疗卫生服务需求。

医疗卫生队伍建设。与相关政策相衔接，加强专业技术人员、藏医药人才和乡村医生培养培训。合理补充卫生专业技术人员，充实医疗卫生机构专业人才队伍。按照医护人员编制的合理比例，建设周转住房。

专栏 6　医疗卫生和计划生育
医疗卫生　恢复重建综合医院 6 个，民族医院 5 个，乡镇卫生院 26 个（含乡镇计生站），妇幼保健机构 6 个，疾病预防控制机构 6 个，卫生监督机构 6 个，药品检验机构 5 个，其他医疗卫生机构 10 个，社区医疗卫生服务机构 11 个。其中，维修加固和重建石渠县县级医疗机构 5 个，乡镇卫生院 7 个。

专栏 6　医疗卫生和计划生育
重建期医疗卫生保障　配备高压氧舱、急救车等设备。
计划生育　州级计划生育服务机构 1 个，县级计划生育服务机构 4 个。维修加固石渠县计划生育服务机构 1 个。

第三节　文化体育

文化场馆。恢复重建州、县、乡、村四级公共文化服务设施，重点恢复重建文化馆、图书馆、影剧院及乡镇综合文化站、村文化室、社区文化中心。恢复重建文化信息资源共享工程。统筹建设州县同城文化设施。

广播影视。恢复重建广播电视功能，重点恢复重建广播电台、电视台和无线广播电视发射台站、有线电视网络、监测台站，以及广播电视村村通和农村电影放映设施。提高藏语广播影视节目译制制作能力。

新闻出版。恢复重建新华书店、公共阅报栏、农家书屋，支持藏文图书出版印刷等文字工程建设。

体育设施。恢复重建民族传统体育场、高原训练和群众健身设施等。

专栏 7　文化体育
文化　州级文化馆、图书馆各 1 个，县文化图书馆 3 个，恢复重建乡镇综合文化站 27 个，社区文化活动室 5 个，影剧场（团）和文化信息资源共享工程服务点。其中，石渠县乡镇综合文化站 8 个。
广播影视　州县广播电视台站，中短波发射台 1 座，无线广播电视发射台 1 座，监测系统 1 个，应急广播系统 1 个，有线电视前端 1 个，流动电影放映车 4 辆，以及广播电视村村通设施。
新闻出版　州县新华书店 5 处。
体育　体育场 1 个，赛马场 1 处，以及社区群众健身设施。

第四节　就业和社会保障

服务平台。恢复重建州、县、乡镇、社区（行政村）劳动就业和社会保障服务设施，包括州、县级劳动就业和社会保障综合服务中心及乡镇、社区（行政村）劳动就业和社会保障工作平台，提供涵盖就业、技能培训、人才、社会保障、争议调解仲裁服务等功能的“一站式”服务。

信息系统。恢复重建人力资源和社会保障管理信息系统，建设州、县、乡镇、社区（行政村）广覆盖、全畅通、高效率的城乡一体的信息服务网络。

就业援助。实施就业援助工程，加强对灾区青壮年的职业技能培训，通过对口支援、定向招生、定向培养、劳务输出等方式，解决灾区劳动人口的就业问题。

专栏 8　就业和社会保障
服务机构　州级劳动就业和社会保障综合服务中心 1 个，县级劳动就业和社会保障综合服务中心 4 个。
基层工作平台　乡镇、社区（行政村）劳动就业和社会保障工作平台 30 个。
信息系统　人力资源和社会保障管理信息系统 1 个。

第五节　社会管理

党政机关用房。在做好民生工程恢复重建的前提下，恢复重建各级党政机关、政法机构、监督监管机构的办公业务用房，以及党校教学、干部周转用房。恢复重建公检法司、消防、人防设施。党政机关用房的恢复重建，要严格按照国家相关建设标准和人员编制实施，整合资源，集中建设，共建共享，厉行节约。

基层组织用房。统筹村级公共服务，建设综合办公服务设施，为村级组织办公、党员教育、社会事业、警务等提供统一共用场所。恢复重建城镇社区办公场所及综合服务业务用房。

第六章　基础设施

基础设施的恢复重建，既要加快灾区受损设施的功能恢复，又要充分考虑恢复重建的能力保障需求，根据灾区地质地理条件和城乡建设规划，调整布局，优化结构，合理确定建设标准，统筹各类设施建设，推进共建共享，充分发挥基础设施对经济社会发展的支撑作用和安全保障能力。

第一节　交　通

公路。加快干线公路恢复重建，提高国省干线公路技术等级和抗灾能力，构建“一纵一横两联”生命线公路通道，建设通县二级公路，提高西宁至玉树公路建设等级和保通能力。全面修复农村公路灾损路段，恢复建设便民桥梁，努力提高通达、通畅水平。修复重建客货运站场等设施。

民航。尽快修复玉树巴塘机场受损设施设备，建设目视助航灯光系统及市内保障基地等工程，建设航线通信工程等，提高机场吞吐能力和航空应急救援保障能力。

铁路。为加强恢复重建物资运输保障，实施青藏铁路相关站场货运设施配套完善工程。

邮政。恢复重建邮政业务用房及相关设施，完善邮政网点，配置相关设备，保障和提高邮政服务能力。

专栏 9　交　通
干线公路　构建“一纵一横两联”生命线公路通道:“一纵”为国道 214 线共和至多普玛（青藏界）段、“一横”为省道 308 线玉树至不冻泉段、“联一”为省道 312 线珍秦至称多段、“联二”为省道 309 线多拉麻科至杂多段。整治改造 1717 公里，其中一级公路 10 公里，二级公路 1277 公里，三级公路 430 公里。

专栏 9　交　通
农村公路　建设农村公路 343 公里；修复便民桥梁 65 座，总长 1822 米。
客运站场等设施　建设玉树州客运站及 9 个县乡客运站；恢复重建公路道段设施。
铁路　建设西宁北站铁路货运中心应急工程，配套完善平安驿、湟源、海晏、格尔木等站货运设施。
民航　修复玉树巴塘机场建筑、道路、供电、供油、通信、导航等设施，新建目视助航灯光系统、站坪、联络道、通信导航、应急救援等工程。建设玉树至西宁航线通信工程、西宁二次雷达工程。
邮政　重建及改造邮政业务用房 10 处，配置网络交换机等设施设备。新建邮政网点 30 处。

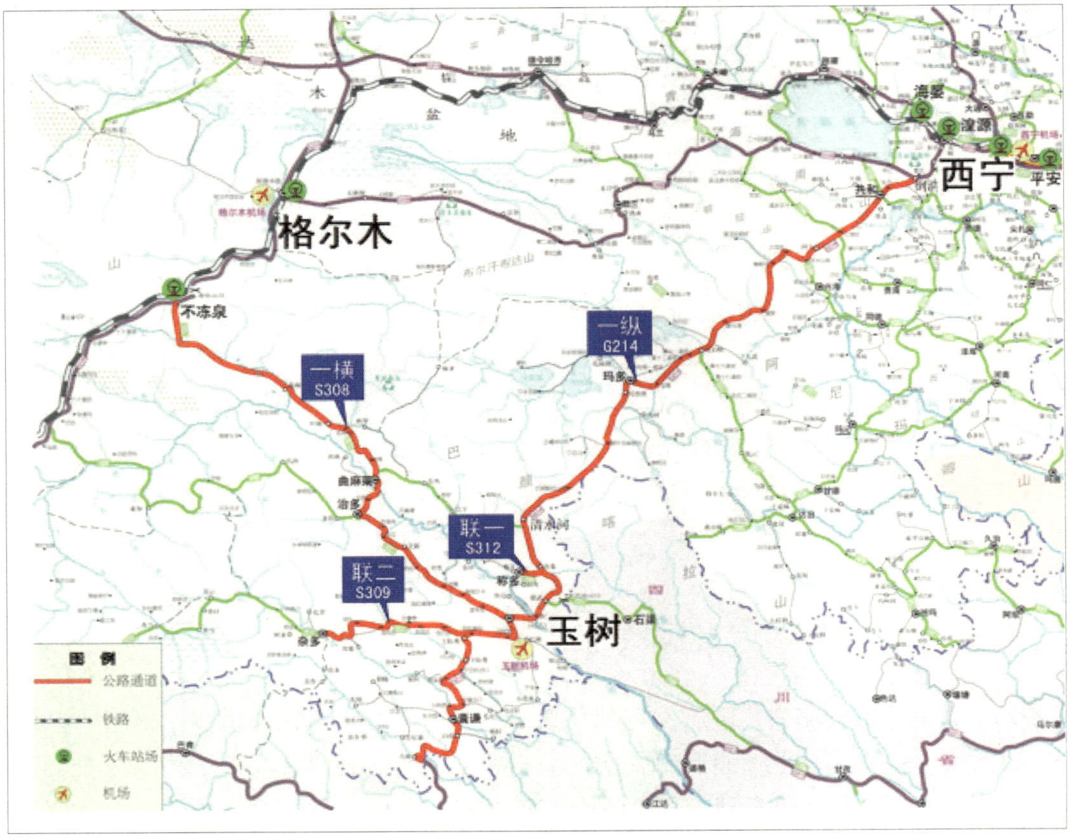

图 3　交通通道示意图

第二节　能　源

电网。恢复完善灾区供电网络，加快重建城镇电网，扩大农村电网覆盖范围。建设玉树地区六县电网互联工程，提高供电保障能力。尽快开展与电网主网互联工程的前期工作。

水电。修复重建受损小水电站及农牧区小水电设施，新建查隆通、查日扣水电站，增加有效电力供给。

新能源。推动太阳能等可再生能源利用，修复受损光伏电站设施设备，新建并网光伏电站，推广户用光伏电源，提高新能源供应水平。

应急能源。抓紧建设过渡期应急燃油机组。组织做好灾区煤炭、天然气、成品油等能源调配及相关设施配套工作，及时保障灾区恢复重建阶段生产生活用能需求。

专栏 10　能　源
配电网　修复和加固受损 35 千伏线路 159 公里，10 千伏线路 145 公里。全面恢复重建城乡中低压配电网络 1100 公里和进户设施。
六县联网工程　新建 110 千伏线路 589 公里，变电站（开关站）7 座，新增变电容量约 22 万千伏安，新建玉树地区电力调度中心。
水电　修复拉贡、禅古等 11 座受损水电站，重建西杭、当代 2 座水电站，新建查隆通、查日扣 2 座水电站。
光伏发电　修复光伏电站机房面积 579 平方米、设备（逆变器）6 台、线路 80 公里，更换蓄电池。新建 1 万千瓦光伏电站 1 座。采用户用光伏电源解决无电户用电问题。推广户用光伏电源 4 万户，共 7200 千瓦。
应急电源　新建 3 万千瓦应急燃油机组。
油气　建设成品油库 1 座，液化石油气灌装站 1 座。
供煤设施　新建结古镇封闭储煤场，占地 6000 平方米，储煤规模 3 万— 5 万吨。

第三节　通　信

公众通信网。加快公众通信网的恢复重建，修复受损的传输网、移动通信网、固定电话网和宽带互联网，提高城乡通信覆盖率、服务水平和安全可靠性，推进通信基础设施的共建共享和三网融合。

应急通信。加强应急通信建设，建立健全应急通信保障体系，提高应急通信、运输通信保障能力。

专栏 11　通　信
公众通信网　恢复重建固定电话网 3.34 万线，宽带网 4.23 万线，移动通信核心网设备 7 套、基站 587 个，通信光缆 1.57 万皮长公里、传输设备 418 套，通信局房、通信管道、杆路、铁塔、电源等配套基础设施。
应急通信　建设卫星应急通信设备 72 套、短波电台 10 套和其他配套设施。

第四节　水　利

农田水利。恢复重建玉树、称多、囊谦三县农牧区水利灌溉设施，改造灌区配套设施，提高农牧业综合生产能力。

防洪设施。建设结古镇防洪工程，加强河道综合治理，建设巴塘河和扎西科河堤防、北山排洪渠及沟道防洪工程。加强其他县镇防洪工程建设和重点河流河道整治。

水土保持。加强三江源自然保护区水土保持综合治理，以沟道拦蓄、沟岸防护、林草恢复为重点，加大水源地保护力度，提高水源涵养能力。

水文及水资源监测。恢复重建水文、水保设施，提高水文、水保监测能力。

专栏 12　水　利
农田水利　恢复重建 5 项农田灌溉工程，新建 33 公里输水渠道；改造 9 项农田灌溉工程，衬砌输水渠道 28 公里；恢复重建 7 项草场灌溉工程，新建引水口 13 座、输水管道 53 公里、阀门井 30 座、分水闸 20 座；恢复重建设施农业水利配套工程 5 项，引水堰（闸、坝）20 座、温棚 97 座、输水管道 20 公里、输水渠道 0.2 公里、水源 13 处、各类渠系建筑物 343 座、蓄水池 29 座。
防洪设施　除险加固水库 1 个；恢复重建堤防 7.6 公里、排洪渠 15.8 公里；新建堤防 48.7 公里、排洪渠 30.5 公里。
水土保持　重建谷坊 40 座、拦砂坝 33 座、沟岸防护 21 公里；新建谷坊 64 座、拦砂坝 8 座、沟岸防护 28 公里。
水文及水资源监测　恢复重建新寨水文站、直门达水文站、下拉秀水文巡测站、隆宝滩水文巡测站，配置相应的监测设备。

第五节　市政设施

结古镇。按照结古镇总体规划，建设道路及公共交通系统。加强供水、排水等设施建设，提高建筑节能标准，因地制宜地选择供热和采暖方式，推广利用可再生能源和清洁能源供热。配套建设污水、垃圾处理设施，建设必要的民用液化石油气储配设施，实现市政公用设施全面覆盖。按照标准设置紧急避灾场所和避灾通道。

其他城镇。加强城镇道路改造，加大水源设施及供排水系统建设力度，配套建设污水、垃圾处理及储配气站等设施。支持村镇垃圾处理和环卫设施建设。

专栏 13　市政基础设施
城镇道路、桥梁和公共交通系统　修复、新建城镇道路 238 公里，建设市政桥梁 26 座，新建公交场、站 12 处。
城镇供排水系统　改扩建自来水厂 4 座及配套附属设施，输配水管网 450 公里。建设排水管网。
城镇污水处理设施　新建城镇污水处理厂 4 座，配套中水回用及污水管道。
城镇燃气　建设液化天然气供气站 1 座及配套管道，建设液化石油气供应设施 9 处，贮存能力 1500 立方米。
城镇供热　恢复重建城镇供热设施，因地制宜建设太阳能等可再生能源与清洁能源供热系统。
生活垃圾处理　新建垃圾处理场 1 座，修复县城生活垃圾处理场 3 座以及相应配套环卫设施。

第六节　农牧区基础设施

饮水安全。恢复重建农牧区饮水安全工程，基本解决玉树灾区农牧区饮水安全问题。

配套设施。加强恢复重建村庄及居民点通水、通电、通路及必要的防护等配套设施。实施乡村清洁工程，有条件的村庄推行垃圾收集、填埋处理。

专栏 14　农牧区基础设施
饮水安全　恢复重建饮水工程 1463 处，受益人口 12.96 万人；新建饮水工程 786 处（含寺院饮水），受益人口 4.66 万人。
农村能源　恢复重建太阳灶 19886 台、生物质炉 64115 台，修复农牧区小水电设施。
乡村道路　油路 1374 公里，砂石路 206 公里。
清洁工程　建设乡村清洁工程 258 处。

第七章　生态环境

加强生态环境保护是恢复重建的重要内容。坚持尊重自然、尊重科学，加强三江源、隆宝自然保护区等建设，加大环境整治和土地整理力度，提高防灾减灾能力，努力实现高原生态系统良性循环。

第一节　生态修复

自然保护区。加强三江源、隆宝自然保护区建设，坚持自然恢复与人工治理相结合，加大天然林保护、封山育林和小流域综合治理等工程建设投入力度，加快开展水源涵养区、自然保护区管护设施恢复重建，逐步修复生态系统功能。

草原恢复。继续推进退牧还草工程，加大以草定畜、畜草平衡实施力度，加强草原封育，实行划区轮牧、休牧和禁牧，有条件的地方建设人工草场。积极开展鼠害防治和黑土滩治理，逐步恢复林草植被。

专栏 15　生态修复
自然保护区　修复三江源和隆宝 2 个国家级自然保护区管护设施等。
森林和草原防火　修复防火设施，维修防火道路等。
森林保护和城镇绿化　修复森林病虫害防治和森林保护设施，城镇及周边绿化造林、苗圃建设。
草地恢复　修复人工草地 0.4 万公顷和受损草地围栏。

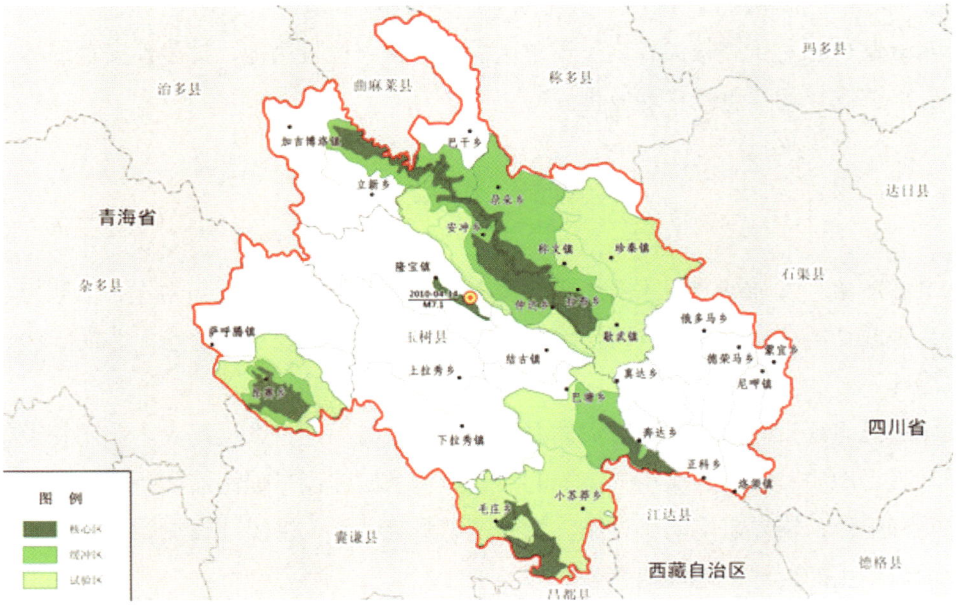

图 4　自然保护区示意图

第二节　环境整治

水源地保护。加强水源地保护，防止有害物质排入水源保护区，消除地震产生的病原微生物、消毒剂等多种次生灾害对集中式饮用水水源地环境影响。开展城乡饮用水水源地保护区环境整治和生态恢复，保障饮用水安全。

废弃物处置。加大固体废弃物安全处置力度，加强资源回收利用，完善再生资源分类、回收、加工、利用。鼓励对建筑废墟中的有用物质进行回收利用。加快玉树医疗废弃物处置中心建设，加强医疗废物产生、收集、运输、处置全过程监管，消除环境安全隐患。

环境监测。加强环境监测监管，恢复重建环境监测设施，建立完善的环境监管体系，增强生态环境与生态破坏的环境监察执法和突发事件应急能力。

专栏 16　环境整治
环境监测　修复环境保护机构的监测、监察、信息及实验室等业务用房。
应急监测　配备环境监测与环境监察的必要设备，实现环境监测、监察标准化建设。
专项监测　建设结古镇环境自动监测站、长江直门达和巴塘河兴寨断面水质自动监测站，修复珍秦、隆宝生态定位站。

第三节　土地整治

灾毁土地整理。加强对因灾受损土地的整治，确保受损耕地、抢险救灾和过渡性安置等临时用地恢复畜牧业和种植业综合生产能力。重点做好对灾毁耕地、牧草地、村镇建设用地的整理复垦，土地整治总面积 2139 公顷，其中复垦耕地 1160 公顷。

临时用地整理。对抗震救灾和恢复重建过程中的救灾抢险用地、过渡性安置用地、施工临时用地等，能够恢复的尽可能整理复垦。

第四节　灾害防治

次生灾害防治。加强地质灾害隐患排查及地质灾害调查，按照预防为主、治理与避让相结合的原则，采取切实可行的地质灾害防治措施。及时开展城镇及重要公路沿线泥石流、山体崩塌、滑坡治理。

防灾减灾能力建设。加强防灾减灾体系和综合减灾能力建设，提高灾害预防和紧急救援能力。加强地震、地质、气象、洪涝灾害等的专业监测系统建设，提高监测预测预警能力。加强雷电灾害防御工作，恢复雷电防御设施。加强基础测绘工作，恢复建设测绘基准基础设施，开展基础地理数据生产，建设地理信息公共服务平台。

专栏 17　防灾减灾
监测预警　地质灾害隐患点监测 302 处，地震监测点 48 个，地震活动构造探察和地震小区划 6 处，气象综合观测系统、预报预测系统和公共服务系统及其配套设施 14 处，恢复州气象台雷电防御中心、人工影响天气作业基地。
救援救助　州县乡三级救灾物资储备设施共 9 处，建设防汛仓库 5 处，防洪减灾信息化系统 5 处。
地质灾害治理　崩塌应急治理 138 处，综合治理 211 处。
测绘设施　连续运行参考站 7 个，遥感影像获取与地理信息数据生产；公共服务平台建设。

第八章　特色产业和服务业

以生态环境保护为前提，依托资源优势，适应市场需求，促进特色产业、服务业恢复和发展，夯实产业发展基础，扩大就业，提高群众收入水平，促进经济、社会、生态环境的持续协调发展。

第一节　农牧业

生态畜牧业。转变畜牧业发展方式，大力发展农牧民专业合作社，加大牦牛提纯复壮、藏羊品种选育和犏牛推广力度，推进良种繁育体系、养殖基地和养殖小区建设，恢复重建畜用暖棚、贮草棚。

种植业。推广优良新品种和新技术，加强青稞生产基地建设。建立青稞、马铃薯良种繁育基地，大力发展特色农业，发展马铃薯、高原蔬菜、中藏药材生产，在适宜地区建设高标准日光节能温室，逐步提高蔬菜自给水平。

生产设施。修复农牧业生产设施，因地制宜发展高原优势特色农畜产品，积极发展生态农牧业，稳步提高农牧业综合生产能力。

技术服务设施。按照整合资源、共建共享的原则，统筹安排农技、畜牧兽医、动物疾病预防控制、动物卫生监督和草原、农经、农机、农产品质检、农业有害生物预警等农牧业服务设施，以及农牧业信息网络平台建设。

专栏 18　农牧业生产设施
生态畜牧业　建设牛养殖场 2 个、藏羊养殖场 2 个、生猪养殖场 1 个。重建养殖牲畜暖棚及畜圈 3630 处，贮草棚 1515 处。建设动物防疫注射栏 760 个。
畜禽良种繁育　重建玉树州、县种畜场棚圈，配套饲养、繁殖、育种等设施设备。恢复重建玉树州种畜场（原良种场）1 个。
农作物良种繁育基地　建设青稞生产基地 2000 公顷，青稞良种繁育基地 866 公顷；建设白菜型油菜良种繁育基地 33 公顷；建设脱毒马铃薯种薯繁殖基地 66 公顷，马铃薯生产基地 400 公顷；建设芫根良种生产基地 33 公顷；建设中藏药材生产基地 660 公顷。
日光节能温室建设　恢复重建温室 1923 个，其中重建 1325 个、修复 598 个。
农牧场　恢复重建农牧场生产设施 2 个。
综合服务设施　建立州农牧业综合服务中心 1 个，县、乡农业综合服务中心 6 个。

第二节 旅游业

旅游设施。围绕“一区四带”旅游布局，恢复重建重点旅游景区景点。结合灾后交通基础设施建设，改善重要旅游通道交通条件。建设旅游安全应急救援系统，修复旅游服务设施，提高旅游服务水平。

旅游产品。加强旅游市场培育和宣传，建立和完善旅游市场营销体系，开发历史文化、民俗风情、高原自然风光等特色旅游产品，发展藏家乐旅游。

专栏 19 旅游业
一区四带 “一区”：打造结古镇旅游区，建设旅游信息、咨询、服务中心；“四带”：唐蕃古道旅游带、高原湿地草原旅游带、康巴民俗风情旅游带、宗教文化旅游带等四带。
重点景区景点 勒巴沟—文成公主庙景区、结古镇景区、巴塘温泉景区、尕尔寺峡谷景区、拉司通藏村景区、隆宝滩生态旅游区、赛巴寺宗教景区、尕朵觉悟景区、桑周寺景区、贡萨寺景区、苏莽景区、嘉塘草原景区等景区景点。
旅游设施 恢复重建旅游景区道路 19 条，旅行社 4 家，餐饮设施 5 项，购物设施 4 项，娱乐设施 3 项，游客服务中心 5 个，游客接待点 14 个，自驾车营地 2 座，景区环境整治工程 7 项，藏族文化观光休闲区 1 个，民俗旅游特色村落 3 个，停车场 11 个，旅游厕所 46 处，旅游标识等。
旅游安全应急救援系统 建设旅游安全预警系统 1 个，旅游应急救援中心 1 个。

图 5 玉树地震灾区旅游资源分布图

第三节　市场服务体系

商贸流通设施。发挥结古镇的区位优势，继承历史商贸传统，建设区域商贸流通中心。优先恢复重建保障灾区群众基本生活的商贸流通服务网点，建设农畜产品、消费品批发市场、农贸市场及生产、生活资料配送中心等流通基础设施。

服务网点。优化城乡服务设施网点布局，根据城乡建设规划，适度增加服务网点数量，支持民族贸易网点建设。恢复重建加油站。加强现代物流配送设施和信息网络建设，提高商贸、物流服务水平。

储备设施。恢复重建粮食储备库和粮食加工厂，适当增加粮油供应网点（含军粮）、粮食批发市场。建设肉类、蔬菜等生活必需品储备仓库。

金融服务。恢复重建农业银行、农业发展银行、邮政储蓄银行分支机构及保险业分支机构，支持农村信用合作社恢复重建，建设营业用房、金库和金融网络信息系统等设施。合理布局基层金融服务网点，鼓励商业银行和保险公司设立分支机构，方便群众生产生活，为灾区经济发展提供支持。

专栏 20　市场服务体系
零售业　恢复重建百货商场 4 个，综合超市及便利店 38 个，农贸市场 6 个，农牧区商贸综合服务中心 5 个，其他商业零售网点 205 个。
批发市场　恢复重建农畜产品批发市场 2 个，消费品批发市场 3 个。
物流配送中心　恢复重建万村千乡配送中心 1 个，建设生产资料配送中心 1 个、建材物流集散中心 1 个。
粮食流通设施　恢复重建粮食流通设施 4 个，其中：省级粮食储备库 1 个（4 座仓库），州级粮食物流中心 1 个及配套设施，县级粮食流通设施 2 个。
生活必需品储备设施　恢复重建肉类储备库 1 个，生活必需品储备库 1 个。建设蔬菜等生活必需品储备库 2 个。
牲畜屠宰场　恢复重建屠宰企业 4 个，其中牛羊屠宰场 3 个，生猪屠宰场 1 个。
餐饮住宿服务　恢复重建宾馆 10 个，维修加固餐饮设施 10 个，恢复重建餐饮设施 78 个。
加油站　恢复重建加油站 26 个（含加气站 2 个）。
金融机构　恢复重建农业银行分支机构 5 个，农业发展银行分支机构 1 个，邮政储蓄银行 1 个，农信社 4 个。恢复重建保险机构 1 个。

第四节　特色加工业

农牧产品加工。以满足本地和周边市场需求为重点，促进公司、基地、农牧户相结合，积极发展肉、乳、青稞等产品加工，提高精深加工水平。在保护生态和资源的前提下，发展冬虫夏草等药用生物资源加工生产，提高产品附加值。

民族手工业。加快民族佩饰、服装、特色家具、家饰等民族特需品生产恢复，满足群众的生活需要。做好唐卡、佛像等宗教用品的生产恢复。以旅游业发展为契机，积极发展石刻、剪纸、羊皮画、编织、藏绣、藏毯等特色旅游纪念品的生产加工。支持中小企业和民族特色手工业发展，繁荣民族工业，带动群众增收致富。

建筑材料。根据当地灾后恢复重建和经济发展，优先恢复建材生产企业，建设水泥粉磨站、混凝土搅拌站以及商品混凝土预制、新型墙体材料、节能门窗等建材企业。加强废旧建筑材料、建筑垃圾的综合利用，生产新型节能环保建筑材料。结合地质灾害整治，规范砂石料生产，避免破坏生态。

绿色产业聚集区。结合结古镇的恢复重建，按照合理布局、集聚发展、节约用地的原则，规划建设绿色产业聚集区，合理确定聚集区规模。加工类企业的恢复重建、新建原则上应入区建设。严格准入条件和环保要求，合理确定产业发展规模，高起点、高标准建设，发展循环经济和绿色经济。

专栏 21　特色加工业
农畜产品　恢复重建农畜产品加工项目 8 项，特色生物资源生产加工项目 2 项，建设农畜产品加工项目 5 项，特色生物资源生产加工项目 1 项。
民族特需商品　民族服饰服装、民族家具家饰、民族宗教用品生产项目 7 项。
旅游纪念品　恢复重建旅游纪念品、民族手工艺品项目 4 项。
建材生产　恢复重建建材项目 6 项，建设建材项目 9 项。
绿色产业聚集区　规划建设绿色产业聚集区及配套基础设施项目 1 项。

第九章　和谐家园

灾后恢复重建要体现人文关怀，加大扶贫开发力度，注重保护和传承民族优秀文化，落实民族宗教政策，构筑各民族和谐相处、和衷共济、和谐发展的美好家园。

第一节　人文关怀

心理康复。实施心理康复工程，组织汉、藏双语专业心理咨询人员，采取积极心理干预措施，医治灾区群众心理创伤，促进身心康复。

社会福利。实施弱势人群特殊关怀工程，增强社会福利、社会救助和优抚安置服务能力。恢复重建社会福利院、敬老院、儿童福利院、流浪未成年人救助保护设施。关爱残疾人，优先恢复重建残疾人康复设施，在城乡居民住房重建中优先安排残疾人家庭住房。恢复重建青少年活动中心。发挥社区（村委会）自治组织和社会组织作用，营造关心帮助孤儿、孤老、孤残的社会氛围。

专栏 22　人文关怀
福利设施　社会福利院（含儿童福利院、精神病院）10 个，敬老院 26 所。
服务设施　社区服务中心 9 个（含社区老年活动中心 4 个）、服务站 20 个，青少年活动中心 1 个。
救助设施　救助管理站 2 个（含流浪未成年人救助保护中心 1 个），社会救助和社会事务服务中心 5 个，殡仪馆 4 个，烈士纪念设施 4 个。
康复设施　残疾人康复中心 5 个。

第二节　扶贫开发

贫困村产业扶持。依托当地资源优势，建设高标准日光节能温室，发展蔬菜等经济作物种植、马铃薯种植、畜牧业养殖。发展民族家庭手工业和小型农产品加工业，扶持贫困村、贫困户建立综合性农贸市场和专业市场，多渠道增加受灾农牧民收入。开展贫困村互助资金试点。

易地扶贫搬迁。对居住在生态环境恶劣、存在地质灾害隐患等地区的贫困人口，有计划地实施易地搬迁，集中安置，配套基础设施建设，扶持产业发展。

劳动力转移培训。对青壮年劳动力进行“雨露计划”和实用技术培训，开展以中长期培训为主的民族服装加工、民族用品加工、机械修理、藏绣等各种专业的技能培训，提高贫困群众自我发展能力。

专栏 23　扶贫开发工程
贫困村扶持产业发展　建设各类市场、生产基地 80 个，兴办村级实体经济 8 个，修建商业铺面 700 间。
贫困劳动力转移培训　培训劳动力 3 万人，其中转移培训 1 万人，实用技术培训 2 万人。
整村推进　126 个贫困村实施整村推进产业项目，开展产业化扶贫。
贫困村互助资金试点　建立村级互助组织，增强贫困村发展后劲，在 126 个贫困村开展互助资金试点。

第三节　文化遗产保护

文物保护。对国家级、省级、县级文物保护单位和重要文物点实施保护性清理、维修加固和修复重建。对馆藏文物、寺内文物进行认定和修复。维修加固和重建受损的博物馆、文物库房、文管所。注重文物保护与当地居民生活特别是宗教生活的和谐共存，做好文物保护修复与开展传统宗教文化活动的协调工作。

非物质文化遗产保护。重点恢复重建受损国家级、省级非物质文化遗产和博物馆。培养民族民间文化传人，加强卓舞、依舞、民歌、安冲藏刀锻制技艺等的传承。

地震纪念设施。保留必要的玉树地震遗址，建设纪念设施。

专栏 24　文化遗产
文物保护　国家级文物保护单位 3 处，省级文物保护单位 17 处，县级文物保护单位 3 处，一般文物保护点 21 个，文物中心库房 1 个。
文化遗产　少数民族物质文化遗产保护 2 项，重建东仓大藏经珍藏馆。
非物质文化遗产　恢复重建非物质文化遗产博物馆（传习所）6 个。
遗址纪念设施　建设地震遗址纪念设施 1 处。

第四节　宗教设施

宗教活动场所。对损毁宗教活动场所及宗教教职人员生活用房的恢复重建，要一视同仁，同等对待，合理安排，给予支持。寺院等宗教活动场所的恢复重建，由相关部门进行评估并与寺院管委会协商，合理制定恢复重建方案。其中涉及文物保护单位宗教活动场所的原址恢复重建方案，要按规定报文物主管部门批准。

宗教教职人员生活用房。宗教教职人员生活用房的恢复重建，要合理确定建设规模和标准，与寺院管委会协商，统筹考虑施工组织方式。

专栏 25　宗教设施
宗教活动场所　玉树宗教活动场所（含清真寺 1 座）87 座，以及石渠县宗教活动场所维修加固。
教职人员生活用房　宗教教职人员生活用房 87358 平方米。
寺院配套设施　建设饮水、通电、通信、广播影视、道路等。
佛教学校　玉树藏传佛教学校 1 所。

第十章　支持政策和保障措施

鉴于玉树地区的特殊困难，采取特殊的支持政策和保障措施，恢复重建所需资金以中央财政安排为主，同时采取更加优惠的税收、金融、土地、援助、援建等政策措施。建立健全规划实施机制，明确目标任务，科学安排时序，加强各项保障，落实工作责任，坚持质量第一，强化监督检查，有力有序有效推进规划实施。

第一节　支持政策

财政政策。根据本规划确定的目标和恢复重建任务，玉树地震灾后恢复重建资金总需求约为320亿元。灾后恢复重建所需资金以中央财政资金为主，同时包括省级财政资金、社会捐赠资金以及居民和企业少量自筹资金。中央财政灾后恢复重建资金实行“总量包干，分类控制”的管理办法，由地方政府根据规划项目和轻重缓急统筹做好中央财政资金、省级财政资金、捐赠资金和其他自筹资金的安排使用。

税收政策。减轻受灾地区企业和金融机构的税收负担。对受灾地区个人和参与抗震救灾的一线人员取得的与抗震救灾有关的收入，免征个人所得税。采取税收优惠政策，支持受灾地区基础设施、房屋建筑物等的恢复重建。鼓励社会各界支持抗震救灾和灾后恢复重建，对捐赠受灾地区的企业、单位和个人免征相关税费。减免相关税收，支持受灾地区扩大就业。

金融政策。鼓励银行业金融机构加大对受灾地区信贷投放。增加对受灾地区再贷款（再贴现）额度，对支农再贷款执行优惠利率，对受灾地区地方法人金融机构执行倾斜的准备金政策。对灾前已经发放、灾后不能按期偿还的各项贷款适当延长还款期限。加大对受灾地区基础设施、居民住房、农牧业、中小企业和因灾失业人员的信贷支持力度。

土地政策。对灾后恢复重建需要的新增建设用地计划指标，在国家下达的土地利用年度计划指标中优先安排，指标不足的，可预先安排使用。为受灾居民新建安置住房，以及行政机关、学校、团体和企事业单位重建，免收新增建设用地土地有偿使用费和土地出让收入。为受灾群众重建住房、基础设施、公益设施等，可采用划拨方式供应土地。对新建工业或大型商业设施等项目用地，可根据实际情况降低地价标准。

援助政策。开展教育援助，对生源地为极重灾区、重灾区的高等教育阶段和高中阶段学生，以及在恢复重建期内迁出省外和玉树州外就读的初中和高中阶段的极重灾区、重灾区学生，在一定期限内提供学习和生活补助。开展就业援助，对因灾就业困难人员，纳入就业援助对象范围，优先保证受灾地区零就业家庭至少有一人就业。

援建政策。在中央加大政策支持力度的基础上，采取对口援建方式，组织东部省市、中央有关企业承担施工建设任务，军队和武警部队参加部分项目援建和承担部分运输任务。统筹组织东西扶贫协作、支援藏区的对口省市做好支持灾后恢复重建工作。青海省、四川省要在灾区开展以工代赈，并组织省内力量，大力支持灾区建设。鼓励相邻地区的设计、施工力量参与恢复重建。

第二节　保障措施

建材保障。灾区省级人民政府要做好重建主要建材需求量测算，制定建材保障工作方案。根据恢复重建任务合理确定建材需求，统筹组织省内及周边地区建材生产供应，采取集中采购与自主采购相结合的方式，确保建材供应。国务院有关部门对恢复重建所需建材供应给予必要的指导和支持。要切实加强对恢复重建建材质量的监督检查，确保各类重建建材安全、合格。要加强对建材市场价格的监督检查，防止哄抬物价，必要时对重建所需主要建筑材料启动价格干预机制。

运输保障。灾区省级人民政府要会同国务院交通运输部门制定运输保障方案，科学统筹组织物资运输。采取有效的工程措施，确保重要运输通道通行能力。加强道路管理，维护交通秩序和安全，实行物资运输全程监控，开辟绿色运输通道。统筹组织调度各方面运输力量支援灾后恢复重建物资运输。在重点交通运输通道沿线设立必要的交通服务站点，提供休息、维修、补给等服务，确保运输安全有序。

施工保障。灾区省级人民政府要制定施工保障方案，加强施工现场指挥调度，统筹安排，分片包干，协调推进，确保现场施工安全、有序、高效。加强电力保障，加快受损电网设施修复，尽快修复水电站，建设应急电源，保障恢复重建施工用电需要。加强用水用油保障，抓紧饮水工程抢修和应急水源建设，加大对灾区油料供应，满足施工用水用油需要。加强卫生保障，建设临时医疗卫生设施，做好施工人员健康保障工作。加强生活保障，做好后勤保障物资调控，组织粮油蔬菜等食品、生活用品供应。加强安全质量保障，建立完善安全质量监管体系和施工企业质量安全保证体系，落实安全质量责任制和各项规章制度。

第三节　规划实施

组织领导。青海省、四川省人民政府对玉树地震灾区的灾后恢复重建负总责，要建立强有力的领导机构和现场指挥调度系统，明确任务，落实责任，科学高效地组织实施，确保灾区社会和谐稳定。国务院有关部门要按照职能分工，加强指导，做好相关工作。国务院成立玉树地震灾后恢复重建组，协调有关部门大力支持、密切配合，及时帮助解决灾后恢复重建工作中的有关问题。

规划管理。本规划是统筹和制订恢复重建各专项规划的依据，灾区各级政府、国务院有关部门、各参建单位在恢复重建实施中都要自觉遵守并执行本规划，维护规划的严肃性。灾区省级人民政府要根据本规划及各专项规划制定恢复重建年度实施方案，适时开展规划实施情况的中期评估。

第四节　监督检查

强化监督检查。加强对恢复重建资金和物资使用各环节的监督检查，确保资金和物资合规使用。及时公布灾后恢复重建进展情况，自觉接受社会监督。加强对恢复重建资金、物资使用以及重点项目全过程的跟踪审计，定期公布审计结果。

建立档案制度。对各类恢复重建项目及恢复重建资金和物资的筹集、分配、拨付、使用情况要登记造册，建立健全档案，在建设工程竣工验收和恢复重建结束后，及时向建设主管部门或者其他有关部门移交档案。

严格项目管理。灾后恢复重建项目必须严格履行审核程序，由灾区省做好相关审核工作。恢复重建项目实行项目法人责任制，认真执行招投标制、合同管理制、工程监理制和竣工验收制。加强对建设工程质量和安全监管，组织开展对重大建设项目的监察。严格执行工程竣工验收规定，未经竣工验收不得投入使用。

结 语

玉树地震灾后恢复重建任务艰巨、时间紧迫、使命光荣。在党中央、国务院的坚强领导下，在灾区各级政府的有效组织下，在全国各族人民的大力支持下，灾区各族群众一定能够坚定信心，团结奋斗，同心同德，共克时艰，用勤劳的双手在雪域高原上建设一个更加美好的社会主义新玉树！

（《中华人民共和国国务院公报》，2010 年第 18 号）

国家突发公共事件总体应急预案

（2006年1月8日）

1 总 则

1.1 编制目的

提高政府保障公共安全和处置突发公共事件的能力，最大程度地预防和减少突发公共事件及其造成的损害，保障公众的生命财产安全，维护国家安全和社会稳定，促进经济社会全面、协调、可持续发展。

1.2 编制依据

依据宪法及有关法律、行政法规，制定本预案。

1.3 分类分级

本预案所称突发公共事件是指突然发生，造成或者可能造成重大人员伤亡、财产损失、生态环境破坏和严重社会危害，危及公共安全的紧急事件。

根据突发公共事件的发生过程、性质和机理，突发公共事件主要分为以下四类：

（1）自然灾害。主要包括水旱灾害，气象灾害，地震灾害，地质灾害，海洋灾害，生物灾害和森林草原火灾等。

（2）事故灾难。主要包括工矿商贸等企业的各类安全事故，交通运输事故，公共设施和设备事故，环境污染和生态破坏事件等。

（3）公共卫生事件。主要包括传染病疫情，群体性不明原因疾病，食品安全和职业危害，动物疫情，以及其他严重影响公众健康和生命安全的事件。

（4）社会安全事件。主要包括恐怖袭击事件，经济安全事件和涉外突发事件等。

各类突发公共事件按照其性质、严重程度、可控性和影响范围等因素，一般分为四级：Ⅰ级（特别重大）、Ⅱ级（重大）、Ⅲ级（较大）和Ⅳ级（一般）。

1.4 适用范围

本预案适用于涉及跨省级行政区划的，或超出事发地省级人民政府处置能力的特别重大突发公共事件应对工作。

本预案指导全国的突发公共事件应对工作。

1.5 工作原则

（1）以人为本，减少危害。切实履行政府的社会管理和公共服务职能，把保障公众健康和生命财产安全作为首要任务，最大程度地减少突发公共事件及其造成的人员伤亡和危害。

（2）居安思危，预防为主。高度重视公共安全工作，常抓不懈，防患于未然。增强忧患意识，坚持预防与应急相结合，常态与非常态相结合，做好应对突发公共事件的各项准备工作。

（3）统一领导，分级负责。在党中央、国务院的统一领导下，建立健全分类管理、分级负责，条块结合、属地管理为主的应急管理体制，在各级党委领导下，实行行政领导责任制，充分发挥专业应急指挥机构的作用。

（4）依法规范，加强管理。依据有关法律和行政法规，加强应急管理，维护公众的合法权益，使应对突发公共事件的工作规范化、制度化、法制化。

（5）快速反应，协同应对。加强以属地管理为主的应急处置队伍建设，建立联动协调制度，充分动员和发挥乡镇、社区、企事业单位、社会团体和志愿者队伍的作用，依靠公众力量，形成统一指挥、反应灵敏、功能齐全、协调有序、运转高效的应急管理机制。

（6）依靠科技，提高素质。加强公共安全科学研究和技术开发，采用先进的监测、预测、预警、预防和应急处置技术及设施，充分发挥专家队伍和专业人员的作用，提高应对突发公共事件的科技水平和指挥能力，避免发生次生、衍生事件；加强宣传和培训教育工作，提高公众自救、互救和应对各类突发公共事件的综合素质。

1.6　应急预案体系

全国突发公共事件应急预案体系包括：

（1）突发公共事件总体应急预案。总体应急预案是全国应急预案体系的总纲，是国务院应对特别重大突发公共事件的规范性文件。

（2）突发公共事件专项应急预案。专项应急预案主要是国务院及其有关部门为应对某一类型或某几种类型突发公共事件而制定的应急预案。

（3）突发公共事件部门应急预案。部门应急预案是国务院有关部门根据总体应急预案、专项应急预案和部门职责为应对突发公共事件制定的预案。

（4）突发公共事件地方应急预案。具体包括：省级人民政府的突发公共事件总体应急预案、专项应急预案和部门应急预案；各市（地）、县（市）人民政府及其基层政权组织的突发公共事件应急预案。上述预案在省级人民政府的领导下，按照分类管理、分级负责的原则，由地方人民政府及其有关部门分别制定。

（5）企事业单位根据有关法律法规制定的应急预案。

（6）举办大型会展和文化体育等重大活动，主办单位应当制定应急预案。

各类预案将根据实际情况变化不断补充、完善。

2　组织体系

2.1　领导机构

国务院是突发公共事件应急管理工作的最高行政领导机构。在国务院总理领导下，由国务院常务会议和国家相关突发公共事件应急指挥机构（以下简称相关应急指挥机构）负责突发公共事件的应急管理工作；必要时，派出国务院工作组指导有关工作。

2.2 办事机构

国务院办公厅设国务院应急管理办公室，履行值守应急、信息汇总和综合协调职责，发挥运转枢纽作用。

2.3 工作机构

国务院有关部门依据有关法律、行政法规和各自的职责，负责相关类别突发公共事件的应急管理工作。具体负责相关类别的突发公共事件专项和部门应急预案的起草与实施，贯彻落实国务院有关决定事项。

2.4 地方机构

地方各级人民政府是本行政区域突发公共事件应急管理工作的行政领导机构，负责本行政区域各类突发公共事件的应对工作。

2.5 专家组

国务院和各应急管理机构建立各类专业人才库，可以根据实际需要聘请有关专家组成专家组，为应急管理提供决策建议，必要时参加突发公共事件的应急处置工作。

3 运行机制

3.1 预测与预警

各地区、各部门要针对各种可能发生的突发公共事件，完善预测预警机制，建立预测预警系统，开展风险分析，做到早发现、早报告、早处置。

3.1.1 预警级别和发布

根据预测分析结果，对可能发生和可以预警的突发公共事件进行预警。预警级别依据突发公共事件可能造成的危害程度、紧急程度和发展势态，一般划分为四级：Ⅰ级（特别严重）、Ⅱ级（严重）、Ⅲ级（较重）和Ⅳ级（一般），依次用红色、橙色、黄色和蓝色表示。

预警信息包括突发公共事件的类别、预警级别、起始时间、可能影响范围、警示事项、应采取的措施和发布机关等。

预警信息的发布、调整和解除可通过广播、电视、报刊、通信、信息网络、警报器、宣传车或组织人员逐户通知等方式进行，对老、幼、病、残、孕等特殊人群以及学校等特殊场所和警报盲区应当采取有针对性的公告方式。

3.2 应急处置

3.2.1 信息报告

特别重大或者重大突发公共事件发生后，各地区、各部门要立即报告，最迟不得超过 4 小时，同时通报有关地区和部门。应急处置过程中，要及时续报有关情况。

3.2.2 先期处置

突发公共事件发生后，事发地的省级人民政府或者国务院有关部门在报告特别重大、重大突发公共事件信息的同时，要根据职责和规定的权限启动相关应急预案，及时、有效地进行处置，控制事态。

在境外发生涉及中国公民和机构的突发事件，我驻外使领馆、国务院有关部门和有关地方人民政府要采取措施控制事态发展，组织开展应急救援工作。

3.2.3 应急响应

对于先期处置未能有效控制事态的特别重大突发公共事件，要及时启动相关预案，由国务院相关应急指挥机构或国务院工作组统一指挥或指导有关地区、部门开展处置工作。

现场应急指挥机构负责现场的应急处置工作。

需要多个国务院相关部门共同参与处置的突发公共事件，由该类突发公共事件的业务主管部门牵头，其他部门予以协助。

3.2.4 应急结束

特别重大突发公共事件应急处置工作结束，或者相关危险因素消除后，现场应急指挥机构予以撤销。

3.3 恢复与重建

3.3.1 善后处置

要积极稳妥、深入细致地做好善后处置工作。对突发公共事件中的伤亡人员、应急处置工作人员，以及紧急调集、征用有关单位及个人的物资，要按照规定给予抚恤、补助或补偿，并提供心理及司法援助。有关部门要做好疫病防治和环境污染消除工作。保险监管机构督促有关保险机构及时做好有关单位和个人损失的理赔工作。

3.3.2 调查与评估

要对特别重大突发公共事件的起因、性质、影响、责任、经验教训和恢复重建等问题进行调查评估。

3.3.3 恢复重建

根据受灾地区恢复重建计划组织实施恢复重建工作。

3.4 信息发布

突发公共事件的信息发布应当及时、准确、客观、全面。事件发生的第一时间要向社会发布简要信息，随后发布初步核实情况、政府应对措施和公众防范措施等，并根据事件处置情况做好后续发布工作。

信息发布形式主要包括授权发布、散发新闻稿、组织报道、接受记者采访、举行新闻发布会等。

4 应急保障

各有关部门要按照职责分工和相关预案做好突发公共事件的应对工作，同时根据总体预案切实做好应对突发公共事件的人力、物力、财力、交通运输、医疗卫生及通信保障等工作，保证应急救援工作的需要和灾区群众的基本生活，以及恢复重建工作的顺利进行。

4.1 人力资源

公安（消防）、医疗卫生、地震救援、海上搜救、矿山救护、森林消防、防洪抢险、核与辐射、环境监控、危险化学品事故救援、铁路事故、民航事故、基础信息网络和重要信息系统事故处置，以及水、电、油、气等工程抢险救援队伍是应急救援的专业队伍和骨干力量。地方各级人民政府和有关部门、单位要加强应急救援队伍的业务培训和应急演练，建立联动协调机制，提高装备水平；动员社会团体、企事业单位以及志愿者等各种社会力量参与应急救援工作；增进国际间的交流与合作。要加强以乡镇和社区为单位的公众应急能力建设，发挥其在应对突发公共事件中的重要作用。

中国人民解放军和中国人民武装警察部队是处置突发公共事件的骨干和突击力量，按照有关规定参加应急处置工作。

4.2　财力保障

要保证所需突发公共事件应急准备和救援工作资金。对受突发公共事件影响较大的行业、企事业单位和个人要及时研究提出相应的补偿或救助政策。要对突发公共事件财政应急保障资金的使用和效果进行监管和评估。

鼓励自然人、法人或者其他组织（包括国际组织）按照《中华人民共和国公益事业捐赠法》等有关法律、法规的规定进行捐赠和援助。

4.3　物资保障

要建立健全应急物资监测网络、预警体系和应急物资生产、储备、调拨及紧急配送体系，完善应急工作程序，确保应急所需物资和生活用品的及时供应，并加强对物资储备的监督管理，及时予以补充和更新。

地方各级人民政府应根据有关法律、法规和应急预案的规定，做好物资储备工作。

4.4　基本生活保障

要做好受灾群众的基本生活保障工作，确保灾区群众有饭吃、有水喝、有衣穿、有住处、有病能得到及时医治。

4.5　医疗卫生保障

卫生部门负责组建医疗卫生应急专业技术队伍，根据需要及时赴现场开展医疗救治、疾病预防控制等卫生应急工作。及时为受灾地区提供药品、器械等卫生和医疗设备。必要时，组织动员红十字会等社会卫生力量参与医疗卫生救助工作。

4.6　交通运输保障

要保证紧急情况下应急交通工具的优先安排、优先调度、优先放行，确保运输安全畅通；要依法建立紧急情况社会交通运输工具的征用程序，确保抢险救灾物资和人员能够及时、安全送达。

根据应急处置需要，对现场及相关通道实行交通管制，开设应急救援“绿色通道”，保证应急救援工作的顺利开展。

4.7　治安维护

要加强对重点地区、重点场所、重点人群、重要物资和设备的安全保护，依法严厉打击违法犯罪活动。必要时，依法采取有效管制措施，控制事态，维护社会秩序。

4.8　人员防护

要指定或建立与人口密度、城市规模相适应的应急避险场所，完善紧急疏散管理办法和程序，明确各级责任人，确保在紧急情况下公众安全、有序的转移或疏散。

要采取必要的防护措施，严格按照程序开展应急救援工作，确保人员安全。

4.9 通信保障

建立健全应急通信、应急广播电视保障工作体系，完善公用通信网，建立有线和无线相结合、基础电信网络与机动通信系统相配套的应急通信系统，确保通信畅通。

4.10 公共设施

有关部门要按照职责分工，分别负责煤、电、油、气、水的供给，以及废水、废气、固体废弃物等有害物质的监测和处理。

4.11 科技支撑

要积极开展公共安全领域的科学研究；加大公共安全监测、预测、预警、预防和应急处置技术研发的投入，不断改进技术装备，建立健全公共安全应急技术平台，提高我国公共安全科技水平；注意发挥企业在公共安全领域的研发作用。

5 监督管理

5.1 预案演练

各地区、各部门要结合实际，有计划、有重点地组织有关部门对相关预案进行演练。

5.2 宣传和培训

宣传、教育、文化、广电、新闻出版等有关部门要通过图书、报刊、音像制品和电子出版物、广播、电视、网络等，广泛宣传应急法律法规和预防、避险、自救、互救、减灾等常识，增强公众的忧患意识、社会责任意识和自救、互救能力。各有关方面要有计划地对应急救援和管理人员进行培训，提高其专业技能。

5.3 责任与奖惩

突发公共事件应急处置工作实行责任追究制。

对突发公共事件应急管理工作中做出突出贡献的先进集体和个人要给予表彰和奖励。

对迟报、谎报、瞒报和漏报突发公共事件重要情况或者应急管理工作中有其他失职、渎职行为的，依法对有关责任人给予行政处分；构成犯罪的，依法追究刑事责任。

6 附 则

6.1 预案管理

根据实际情况的变化，及时修订本预案。

本预案自发布之日起实施。

（中国政府网）

国家地震应急预案

（2012 年 8 月 28 日修订）

1 总 则

1.1 编制目的

依法科学统一、有力有序有效地实施地震应急，最大程度减少人员伤亡和经济损失，维护社会正常秩序。

1.2 编制依据

《中华人民共和国突发事件应对法》《中华人民共和国防震减灾法》等法律法规和国家突发事件总体应急预案等。

1.3 适用范围

本预案适用于我国发生地震及火山灾害和国外发生造成重大影响地震及火山灾害的应对工作。

1.4 工作原则

抗震救灾工作坚持统一领导、军地联动，分级负责、属地为主，资源共享、快速反应的工作原则。地震灾害发生后，地方人民政府和有关部门立即自动按照职责分工和相关预案开展前期处置工作。省级人民政府是应对本行政区域特别重大、重大地震灾害的主体。视省级人民政府地震应急的需求，国家地震应急给予必要的协调和支持。

2 组织体系

2.1 国家抗震救灾指挥机构

国务院抗震救灾指挥部负责统一领导、指挥和协调全国抗震救灾工作。地震局承担国务院抗震救灾指挥部日常工作。

必要时，成立国务院抗震救灾总指挥部，负责统一领导、指挥和协调全国抗震救灾工作；在地震灾区成立现场指挥机构，在国务院抗震救灾指挥机构的领导下开展工作。

2.2 地方抗震救灾指挥机构

县级以上地方人民政府抗震救灾指挥部负责统一领导、指挥和协调本行政区域的抗震救灾工作。地方有关部门和单位、当地解放军、武警部队和民兵组织等，按照职责分工，各负其责，密切配合，共同做好抗震救灾工作。

3　响应机制

3.1　地震灾害分级

地震灾害分为特别重大、重大、较大、一般四级。

（1）特别重大地震灾害是指造成300人以上死亡（含失踪），或者直接经济损失占地震发生地省（自治区、直辖市）上年国内生产总值1%以上的地震灾害。

当人口较密集地区发生7.0级以上地震，人口密集地区发生6.0级以上地震，初判为特别重大地震灾害。

（2）重大地震灾害是指造成50人以上、300人以下死亡（含失踪）或者造成严重经济损失的地震灾害。

当人口较密集地区发生6.0级以上、7.0级以下地震，人口密集地区发生5.0级以上、6.0级以下地震，初判为重大地震灾害。

（3）较大地震灾害是指造成10人以上、50人以下死亡（含失踪）或者造成较重经济损失的地震灾害。

当人口较密集地区发生5.0级以上、6.0级以下地震，人口密集地区发生4.0级以上、5.0级以下地震，初判为较大地震灾害。

（4）一般地震灾害是指造成10人以下死亡（含失踪）或者造成一定经济损失的地震灾害。

当人口较密集地区发生4.0级以上、5.0级以下地震，初判为一般地震灾害。

3.2　分级响应

根据地震灾害分级情况，将地震灾害应急响应分为Ⅰ级、Ⅱ级、Ⅲ级和Ⅳ级。

应对特别重大地震灾害，启动Ⅰ级响应。由灾区所在省级抗震救灾指挥部领导灾区地震应急工作；国务院抗震救灾指挥机构负责统一领导、指挥和协调全国抗震救灾工作。

应对重大地震灾害，启动Ⅱ级响应。由灾区所在省级抗震救灾指挥部领导灾区地震应急工作；国务院抗震救灾指挥部根据情况，组织协调有关部门和单位开展国家地震应急工作。

应对较大地震灾害，启动Ⅲ级响应。在灾区所在省级抗震救灾指挥部的支持下，由灾区所在市级抗震救灾指挥部领导灾区地震应急工作。中国地震局等国家有关部门和单位根据灾区需求，协助做好抗震救灾工作。

应对一般地震灾害，启动Ⅳ级响应。在灾区所在省、市级抗震救灾指挥部的支持下，由灾区所在县级抗震救灾指挥部领导灾区地震应急工作。中国地震局等国家有关部门和单位根据灾区需求，协助做好抗震救灾工作。

地震发生在边疆地区、少数民族聚居地区和其他特殊地区，可根据需要适当提高响应级别。地震应急响应启动后，可视灾情及其发展情况对响应级别及时进行相应调整，避免响应不足或响应过度。

4 监测报告

4.1 地震监测预报

中国地震局负责收集和管理全国各类地震观测数据，提出地震重点监视防御区和年度防震减灾工作意见。各级地震工作主管部门和机构加强震情跟踪监测、预测预报和群测群防工作，及时对地震预测意见和可能与地震有关的异常现象进行综合分析研判。省级人民政府根据预报的震情决策发布临震预报，组织预报区加强应急防范措施。

4.2 震情速报

地震发生后，中国地震局快速完成地震发生时间、地点、震级、震源深度等速报参数的测定，报国务院，同时通报有关部门，并及时续报有关情况。

4.3 灾情报告

地震灾害发生后，灾区所在县级以上地方人民政府及时将震情、灾情等信息报上级人民政府，必要时可越级上报。发生特别重大、重大地震灾害，民政部、中国地震局等部门迅速组织开展现场灾情收集、分析研判工作，报国务院，并及时续报有关情况。公安、安全生产监管、交通、铁道、水利、建设、教育、卫生等有关部门及时将收集了解的情况报国务院。

5 应急响应

各有关地方和部门根据灾情和抗灾救灾需要，采取以下措施。

5.1 搜救人员

立即组织基层应急队伍和广大群众开展自救互救，同时组织协调当地解放军、武警部队、地震、消防、建筑和市政等各方面救援力量，调配大型吊车、起重机、千斤顶、生命探测仪等救援装备，抢救被掩埋人员。现场救援队伍之间加强衔接和配合，合理划分责任区边界，遇有危险时及时传递警报，做好自身安全防护。

5.2 开展医疗救治和卫生防疫

迅速组织协调应急医疗队伍赶赴现场，抢救受伤群众，必要时建立战地医院或医疗点，实施现场救治。加强救护车、医疗器械、药品和血浆的组织调度，特别是加大对重灾区及偏远地区医疗器械、药品供应，确保被救人员得到及时医治，最大程度减少伤员致死、致残。统筹周边地区的医疗资源，根据需要分流重伤员，实施异地救治。开展灾后心理援助。

加强灾区卫生防疫工作。及时对灾区水源进行监测消毒，加强食品和饮用水卫生监督；妥善处置遇难者遗体，做好死亡动物、医疗废弃物、生活垃圾、粪便等消毒和无害化处理；加强鼠疫、狂犬病的监测、防控和处理，及时接种疫苗；实行重大传染病和突发卫生事件每日报告制度。

5.3 安置受灾群众

开放应急避难场所，组织筹集和调运食品、饮用水、衣被、帐篷、移动厕所等各类救灾物资，解决受灾群众吃饭、饮水、穿衣、住处等问题；在受灾村镇、街道设置生活用品发放点，确保生活用品的有序发放；根据需要组织生产、调运、安装活动板房和简易房；在受灾群众集中安置点配备必要的消防设备器材，严防火灾发生。救灾物资优先保证学校、医院、福利院的需要；优先安置孤儿、孤老及残疾人员，确保其基本生活。鼓励采取投亲靠友等方式，广泛动员社会力量安置受灾群众。

做好遇难人员的善后工作，抚慰遇难者家属；积极创造条件，组织灾区学校复课。

5.4 抢修基础设施

抢通修复因灾损毁的机场、铁路、公路、桥梁、隧道等交通设施，协调运力，优先保证应急抢险救援人员、救灾物资和伤病人员的运输需要。抢修供电、供水、供气、通信、广播电视等基础设施，保障灾区群众基本生活需要和应急工作需要。

5.5 加强现场监测

地震局组织布设或恢复地震现场测震和前兆台站，实时跟踪地震序列活动，密切监视震情发展，对震区及全国震情形势进行研判。气象局加强气象监测，密切关注灾区重大气象变化。灾区所在地抗震救灾指挥部安排专业力量加强空气、水源、土壤污染监测，减轻或消除污染危害。

5.6 防御次生灾害

加强次生灾害监测预警，防范因强余震和降雨形成的滑坡、泥石流、滚石等造成新的人员伤亡和交通堵塞；组织专家对水库、水电站、堤坝、堰塞湖等开展险情排查、评估和除险加固，必要时组织下游危险地区人员转移。

加强危险化学品生产储存设备、输油气管道、输配电线路的受损情况排查，及时采取安全防范措施；对核电站等核工业生产科研重点设施，做好事故防范处置工作。

5.7 维护社会治安

严厉打击盗窃、抢劫、哄抢救灾物资、借机传播谣言制造社会恐慌等违法犯罪行为；在受灾群众安置点、救灾物资存放点等重点地区，增设临时警务站，加强治安巡逻，增强灾区群众的安全感；加强对党政机关、要害部门、金融单位、储备仓库、监狱等重要场所的警戒，做好涉灾矛盾纠纷化解和法律服务工作，维护社会稳定。

5.8 开展社会动员

灾区所在地抗震救灾指挥部明确专门的组织机构或人员，加强志愿服务管理；及时开通志愿服务联系电话，统一接收志愿者组织报名，做好志愿者派遣和相关服务工作；根据灾区需求、交通运输等情况，向社会公布志愿服务需求指南，引导志愿者安全有序参与。

视情开展为灾区人民捐款捐物活动，加强救灾捐赠的组织发动和款物接收、统计、分配、使用、公示反馈等各环节工作。

必要时，组织非灾区人民政府，通过提供人力、物力、财力、智力等形式，对灾区群众生活安置、伤员救治、卫生防疫、基础设施抢修和生产恢复等开展对口支援。

5.9　加强涉外事务管理

及时向相关国家和地区驻华机构通报相关情况；协调安排国外救援队入境救援行动，按规定办理外事手续，分配救援任务，做好相关保障；加强境外救援物资的接受和管理，按规定做好检验检疫、登记管理等工作；适时组织安排境外新闻媒体进行采访。

5.10　发布信息

各级抗震救灾指挥机构按照分级响应原则，分别负责相应级别地震灾害信息发布工作，回应社会关切。信息发布要统一、及时、准确、客观。

5.11　开展灾害调查与评估

地震局开展地震烈度、发震构造、地震宏观异常现象、工程结构震害特征、地震社会影响和各种地震地质灾害调查等。民政、地震、国土资源、建设、环境保护等有关部门，深入调查灾区范围、受灾人口、成灾人口、人员伤亡数量、建构筑物和基础设施破坏程度、环境影响程度等，组织专家开展灾害损失评估。

5.12　应急结束

在抢险救灾工作基本结束、紧急转移和安置工作基本完成、地震次生灾害的后果基本消除，以及交通、电力、通信和供水等基本抢修抢通、灾区生活秩序基本恢复后，由启动应急响应的原机关决定终止应急响应。

6　指挥与协调

6.1　特别重大地震灾害

6.1.1　先期保障

特别重大地震灾害发生后，根据中国地震局的信息通报，有关部门立即组织做好灾情航空侦察和机场、通信等先期保障工作。

（1）测绘地信局、民航局、总参谋部等迅速组织协调出动飞行器开展灾情航空侦察。

（2）总参谋部、民航局采取必要措施保障相关机场的有序运转，组织修复灾区机场或开辟临时机场，并实行必要的飞行管制措施，保障抗震救灾工作需要。

（3）工业和信息化部按照国家通信保障应急预案及时采取应对措施，抢修受损通信设施，协调应急通信资源，优先保障抗震救灾指挥通信联络和信息传递畅通。自有通信系统的部门尽快恢复本部门受到损坏的通信设施，协助保障应急救援指挥通信畅通。

6.1.2　地方政府应急处置

省级抗震救灾指挥部立即组织各类专业抢险救灾队伍开展人员搜救、医疗救护、受灾群众安置等，组织抢修重大关键基础设施，保护重要目标；国务院启动Ⅰ级响应后，按照国务院抗震救灾指挥机构的统一部署，领导和组织实施本行政区域抗震救灾工作。

灾区所在市（地）、县级抗震救灾指挥部立即发动基层干部群众开展自救互救，组织基层抢险救灾队伍开展人员搜救和医疗救护，开放应急避难场所，及时转移和安置受灾群众，防范次生灾害，维护社会治安，同时提出需要支援的应急措施建议；按照上级抗震救灾指挥机构的安排部署，领导和组织实施本行政区域抗震救灾工作。

6.1.3 国家应急处置

中国地震局或灾区所在省级人民政府向国务院提出实施国家地震应急Ⅰ级响应和需采取应急措施的建议，国务院决定启动Ⅰ级响应，由国务院抗震救灾指挥机构负责统一领导、指挥和协调全国抗震救灾工作。必要时，国务院直接决定启动Ⅰ级响应。

国务院抗震救灾指挥机构根据需要设立抢险救援、群众生活保障、医疗救治和卫生防疫、基础设施保障和生产恢复、地震监测和次生灾害防范处置、社会治安、救灾捐赠与涉外事务、涉港澳台事务、国外救援队伍协调事务、地震灾害调查及灾情损失评估、信息发布及宣传报道等工作组，国务院办公厅履行信息汇总和综合协调职责，发挥运转枢纽作用。国务院抗震救灾指挥机构组织有关地区和部门开展以下工作：

（1）派遣公安消防部队、地震灾害紧急救援队、矿山和危险化学品救护队、医疗卫生救援队伍等各类专业抢险救援队伍，协调解放军和武警部队派遣专业队伍，赶赴灾区抢救被压埋幸存者和被困群众。

（2）组织跨地区调运救灾帐篷、生活必需品等救灾物资和装备，支援灾区保障受灾群众的吃、穿、住等基本生活需要。

（3）支援灾区开展伤病员和受灾群众医疗救治、卫生防疫、心理援助工作，根据需要组织实施跨地区大范围转移救治伤员，恢复灾区医疗卫生服务能力和秩序。

（4）组织抢修通信、电力、交通等基础设施，保障抢险救援通信、电力以及救灾人员和物资交通运输的畅通。

（5）指导开展重大危险源、重要目标物、重大关键基础设施隐患排查与监测预警，防范次生衍生灾害。对于已经受到破坏的，组织快速抢险救援。

（6）派出地震现场监测与分析预报工作队伍，布设或恢复地震现场测震和前兆台站，密切监视震情发展，指导做好余震防范工作。

（7）协调加强重要目标警戒和治安管理，预防和打击各种违法犯罪活动，指导做好涉灾矛盾纠纷化解和法律服务工作，维护社会稳定。

（8）组织有关部门和单位、非灾区省级人民政府以及企事业单位、志愿者等社会力量对灾区进行紧急支援。

（9）视情实施限制前往或途经灾区旅游、跨省（自治区、直辖市）和干线交通管制等特别管制措施。

（10）组织统一发布灾情和抗震救灾信息，指导做好抗震救灾宣传报道工作，正确引导国内外舆论。

（11）其他重要事项。

必要时，国务院抗震救灾指挥机构在地震灾区成立现场指挥机构，负责开展以下工作：

（1）了解灾区抗震救灾工作进展和灾区需求情况，督促落实国务院抗震救灾指挥机构工作部署。

（2）根据灾区省级人民政府请求，协调有关部门和地方调集应急物资、装备。

（3）协调指导国家有关专业抢险救援队伍以及各方面支援力量参与抗震救灾行动。

（4）协调公安、交通运输、铁路、民航等部门和地方提供交通运输保障。

（5）协调安排灾区伤病群众转移治疗。

（6）协调相关部门支持协助地方人民政府处置重大次生衍生灾害。

（7）国务院抗震救灾指挥机构部署的其他任务。

6.2 重大地震灾害

6.2.1 地方政府应急处置

省级抗震救灾指挥部制订抢险救援力量及救灾物资装备配置方案，协调驻地解放军、武警部队，组织各类专业抢险救灾队伍开展人员搜救、医疗救护、灾民安置、次生灾害防范和应急恢复等工作。需要国务院支持的事项，由省级人民政府向国务院提出建议。

灾区所在市（地）、县级抗震救灾指挥部迅速组织开展自救互救、抢险救灾等先期处置工作，同时提出需要支援的应急措施建议；按照上级抗震救灾指挥机构的安排部署，领导和组织实施本行政区域抗震救灾工作。

6.2.2 国家应急处置

中国地震局向国务院抗震救灾指挥部上报相关信息，提出应对措施建议，同时通报有关部门。国务院抗震救灾指挥部根据应对工作需要，或者灾区所在省级人民政府请求或国务院有关部门建议，采取以下一项或多项应急措施：

（1）派遣公安消防部队、地震灾害紧急救援队、矿山和危险化学品救护队、医疗卫生救援队伍等专业抢险救援队伍，赶赴灾区抢救被压埋幸存者和被困群众，转移救治伤病员，开展卫生防疫等。必要时，协调解放军、武警部队派遣专业队伍参与应急救援。

（2）组织调运救灾帐篷、生活必需品等抗震救灾物资。

（3）指导、协助抢修通信、广播电视、电力、交通等基础设施。

（4）根据需要派出地震监测和次生灾害防范、群众生活、医疗救治和卫生防疫、基础设施恢复等工作组，赴灾区协助、指导开展抗震救灾工作。

（5）协调非灾区省级人民政府对灾区进行紧急支援。

（6）需要国务院抗震救灾指挥部协调解决的其他事项。

6.3 较大、一般地震灾害

市（地）、县级抗震救灾指挥部组织各类专业抢险救灾队伍开展人员搜救、医疗救护、灾民安置、次生灾害防范和应急恢复等工作。省级抗震救灾指挥部根据应对工作实际需要或下级抗震救灾指挥部请求，协调派遣专业技术力量和救援队伍，组织调运抗震救灾物资装备，指导市（地）、县开展抗震救灾各项工作；必要时，请求国家有关部门予以支持。

根据灾区需求，中国地震局等国家有关部门和单位协助地方做好地震监测、趋势判定、房屋安全性鉴定和灾害损失调查评估，以及支援物资调运、灾民安置和社会稳定等工作。必要时，派遣公安消防部队、地震灾害紧急救援队和医疗卫生救援队伍赴灾区开展紧急救援行动。

7　恢复重建

7.1　恢复重建规划

特别重大地震灾害发生后，按照国务院决策部署，国务院有关部门和灾区省级人民政府组织编制灾后恢复重建规划；重大、较大、一般地震灾害发生后，灾区省级人民政府根据实际工作需要组织编制地震灾后恢复重建规划。

7.2　恢复重建实施

灾区地方各级人民政府应当根据灾后恢复重建规划和当地经济社会发展水平，有计划、分步骤地组织实施本行政区域灾后恢复重建。上级人民政府有关部门对灾区恢复重建规划的实施给予支持和指导。

8　保障措施

8.1　队伍保障

国务院有关部门、解放军、武警部队、县级以上地方人民政府加强地震灾害紧急救援、公安消防、陆地搜寻与救护、矿山和危险化学品救护、医疗卫生救援等专业抢险救灾队伍建设，配备必要的物资装备，经常性开展协同演练，提高共同应对地震灾害的能力。

城市供水、供电、供气等生命线工程设施产权单位、管理或者生产经营单位加强抢险抢修队伍建设。

乡（镇）人民政府、街道办事处组织动员社会各方面力量，建立基层地震抢险救灾队伍，加强日常管理和培训。各地区、各有关部门发挥共青团和红十字会作用，依托社会团体、企事业单位及社区建立地震应急救援志愿者队伍，形成广泛参与地震应急救援的社会动员机制。

各级地震工作主管部门加强地震应急专家队伍建设，为应急指挥辅助决策、地震监测和趋势判断、地震灾害紧急救援、灾害损失评估、地震烈度考察、房屋安全鉴定等提供人才保障。各有关研究机构加强地震监测、地震预测、地震区划、应急处置技术、搜索与营救、建筑物抗震技术等方面的研究，提供技术支撑。

8.2　指挥平台保障

各级地震工作主管部门综合利用自动监测、通信、计算机、遥感等技术，建立健全地震应急指挥技术系统，形成上下贯通、反应灵敏、功能完善、统一高效的地震应急指挥平台，实现震情灾情快速响应、应急指挥决策、灾害损失快速评估与动态跟踪、地震趋势判断的快速反馈，保障各级人民政府在抗震救灾中进行合理调度、科学决策和准确指挥。

8.3　物资与资金保障

国务院有关部门建立健全应急物资储备网络和生产、调拨及紧急配送体系，保障地震灾害应急工作所需生活救助物资、地震救援和工程抢险装备、医疗器械和药品等的生产供应。县级以上地方人民政府及其有关部门根据有关法律法规，做好应急物资储备工作，并通过与有关生产经营企业签订协议等方式，保障应急物资、生活必需品和应急处置装备的生产、供给。

县级以上人民政府保障抗震救灾工作所需经费。中央财政对达到国家级灾害应急响应、受地震灾害影响较大和财政困难的地区给予适当支持。

8.4　避难场所保障

县级以上地方人民政府及其有关部门，利用广场、绿地、公园、学校、体育场馆等公共设施，因地制宜设立地震应急避难场所，统筹安排所必需的交通、通信、供水、供电、排污、环保、物资储备等设备设施。

学校、医院、影剧院、商场、酒店、体育场馆等人员密集场所设置地震应急疏散通道，配备必要的救生避险设施，保证通道、出口的畅通。有关单位定期检测、维护报警装置和应急救援设施，使其处于良好状态，确保正常使用。

8.5　基础设施保障

工业和信息化部门建立健全应急通信工作体系，建立有线和无线相结合、基础通信网络与机动通信系统相配套的应急通信保障系统，确保地震应急救援工作的通信畅通。在基础通信网络等基础设施遭到严重损毁且短时间难以修复的极端情况下，立即启动应急卫星、短波等无线通信系统和终端设备，确保至少有一种以上临时通信手段有效、畅通。

广电部门完善广播电视传输覆盖网，建立完善国家应急广播体系，确保群众能及时准确地获取政府发布的权威信息。

发展改革和电力监管部门指导、协调、监督电力运营企业加强电力基础设施、电力调度系统建设，保障地震现场应急装备的临时供电需求和灾区电力供应。

公安、交通运输、铁道、民航等主管部门建立健全公路、铁路、航空、水运紧急运输保障体系，加强统一指挥调度，采取必要的交通管制措施，建立应急救援“绿色通道”机制。

8.6　宣传、培训与演练

宣传、教育、文化、广播电视、新闻出版、地震等主管部门密切配合，开展防震减灾科学、法律知识普及和宣传教育，动员社会公众积极参与防震减灾活动，提高全社会防震避险和自救互救能力。学校把防震减灾知识教育纳入教学内容，加强防震减灾专业人才培养，教育、地震等主管部门加强指导和监督。

地方各级人民政府建立健全地震应急管理培训制度，结合本地区实际，组织应急管理人员、救援人员、志愿者等进行地震应急知识和技能培训。

各级人民政府及其有关部门要制定演练计划并定期组织开展地震应急演练。机关、学校、医院、企事业单位和居委会、村委会、基层组织等，要结合实际开展地震应急演练。

9　对港澳台地震灾害应急

9.1　对港澳地震灾害应急

香港、澳门发生地震灾害后，中国地震局向国务院报告震情，向国务院港澳办等部门通报情况，并组织对地震趋势进行分析判断。国务院根据情况向香港、澳门特别行政区发出慰问电；根据特别行政区的请求，调派地震灾害紧急救援队伍、医疗卫生救援队伍协助救援，组织有关部门和地区进行支援。

9.2　对台湾地震灾害应急

台湾发生地震灾害后，国务院台办向台湾有关方面了解情况和对祖国大陆的需求。根据情况，祖国大陆对台湾地震灾区人民表示慰问。国务院根据台湾有关方面的需求，协调调派地震灾害紧急救援队伍、医疗卫生救援队伍协助救援，援助救灾款物，为有关国家和地区对台湾地震灾区的人道主义援助提供便利。

10　其他地震及火山事件应急

10.1　强有感地震事件应急

当大中城市和大型水库、核电站等重要设施场地及其附近地区发生强有感地震事件并可能产生较大社会影响，中国地震局加强震情趋势研判，提出意见报告国务院，同时通报国务院有关部门。省（自治区、直辖市）人民政府督导有关地方人民政府做好新闻及信息发布与宣传工作，保持社会稳定。

10.2　海域地震事件应急

海域地震事件发生后，有关地方人民政府地震工作主管部门及时向本级人民政府和当地海上搜救机构、海洋主管部门、海事管理部门等通报情况。国家海洋局接到海域地震信息后，立即开展分析，预测海域地震对我国沿海可能造成海啸灾害的影响程度，并及时发布相关的海啸灾害预警信息。当海域地震造成或可能造成船舶遇险、原油泄漏等突发事件时，交通运输部、国家海洋局等有关部门和单位根据有关预案实施海上应急救援。当海域地震造成海底通信电缆中断时，工业和信息化部等部门根据有关预案实施抢修。当海域地震波及陆地造成灾害事件时，参照地震灾害应急响应相应级别实施应急。

10.3　火山灾害事件应急

当火山喷发或出现多种强烈临喷异常现象，中国地震局和有关省（自治区、直辖市）人民政府要及时将有关情况报国务院。中国地震局派出火山现场应急工作队伍赶赴灾区，对火山喷发或临喷异常现象进行实时监测，判定火山灾害类型和影响范围，划定隔离带，视情向灾区人民政府提出转移居民的建议。必要时，国务院研究、部署火山灾害应急工作，国务院有关部门进行支援。灾区人民政府组织火山灾害预防和救援工作，必要时组织转移居民。

10.4　对国外地震及火山灾害事件应急

国外发生造成重大影响的地震及火山灾害事件，外交部、商务部、中国地震局等部门及时将了解到的受灾国的灾情等情况报国务院，按照有关规定实施国际救援和援助行动。根据情况，发布信息，引导我国出境游客避免赴相关地区旅游，组织有关部门和地区协助安置或撤离我境外人员。当毗邻国家发生地震及火山灾害事件造成我国境内灾害时，按照我国相关应急预案处置。

11　附　则

11.1　奖励与责任

对在抗震救灾工作中作出突出贡献的先进集体和个人，按照国家有关规定给予表彰和奖励；对在抗震救灾工作中玩忽职守造成损失的，严重虚报、瞒报灾情的，依据国家有关法律法规追究当事人的责任，构成犯罪的，依法追究其刑事责任。

11.2　预案管理与更新

中国地震局会同有关部门制订本预案，报国务院批准后实施。预案实施后，中国地震局会同有关部门组织预案宣传、培训和演练，并根据实际情况，适时组织修订完善本预案。

地方各级人民政府制订本行政区域地震应急预案，报上级人民政府地震工作主管部门备案。各级人民政府有关部门结合本部门职能制订地震应急预案或包括抗震救灾内容的应急预案，报同级地震工作主管部门备案。交通、铁路、水利、电力、通信、广播电视等基础设施的经营管理单位和学校、医院，以及可能发生次生灾害的核电、矿山、危险物品等生产经营单位制订地震应急预案或包括抗震救灾内容的应急预案，报所在地县级地震工作主管部门备案。

11.3　以上、以下的含义

本预案所称以上包括本数，以下不包括本数。

11.4　预案解释

本预案由国务院办公厅负责解释。

11.5　预案实施时间

本预案自印发之日起实施。

（《中华人民共和国国务院公报》，2012 年第 28 号）

国务院办公厅关于印发国家自然灾害救助应急预案的通知

国办函〔2016〕25号

各省、自治区、直辖市人民政府，国务院各部委、各直属机构：

经国务院同意，现将修订后的《国家自然灾害救助应急预案》印发给你们，请认真组织实施。2011年10月16日经国务院批准、由国务院办公厅印发的《国家自然灾害救助应急预案》同时废止。

国务院办公厅

2016年3月10日

国家自然灾害救助应急预案

1 总 则

1.1 编制目的

建立健全应对突发重大自然灾害救助体系和运行机制，规范应急救助行为，提高应急救助能力，最大程度地减少人民群众生命和财产损失，确保受灾人员基本生活，维护灾区社会稳定。

1.2 编制依据

《中华人民共和国突发事件应对法》《中华人民共和国防洪法》《中华人民共和国防震减灾法》《中华人民共和国气象法》《自然灾害救助条例》《国家突发公共事件总体应急预案》等。

1.3 适用范围

本预案适用于我国境内发生自然灾害的国家应急救助工作。

当毗邻国家发生重特大自然灾害并对我国境内造成重大影响时，按照本预案开展国内应急救助工作。

发生其他类型突发事件，根据需要可参照本预案开展应急救助工作。

1.4 工作原则

坚持以人为本，确保受灾人员基本生活；坚持统一领导、综合协调、分级负责、属地管理为主；坚持政府主导、社会互助、群众自救，充分发挥基层群众自治组织和公益性社会组织的作用。

2 组织指挥体系

2.1 国家减灾委员会

国家减灾委员会（以下简称国家减灾委）为国家自然灾害救助应急综合协调机构，负责组织、领导全国的自然灾害救助工作，协调开展特别重大和重大自然灾害救助活动。国家减灾委成员单位按照各自职责做好自然灾害救助相关工作。国家减灾委办公室负责与相关部门、地方的沟通联络，组织开展灾情会商评估、灾害救助等工作，协调落实相关支持措施。

由国务院统一组织开展的抗灾救灾，按有关规定执行。

2.2 专家委员会

国家减灾委设立专家委员会，对国家减灾救灾工作重大决策和重要规划提供政策咨询和建议，为国家重大自然灾害的灾情评估、应急救助和灾后救助提出咨询意见。

3 灾害预警响应

气象、水利、国土资源、海洋、林业、农业等部门及时向国家减灾委办公室和履行救灾职责的国家减灾委成员单位通报自然灾害预警预报信息，测绘地信部门根据需要及时提供地理信息数据。国家减灾委办公室根据自然灾害预警预报信息，结合可能受影响地区的自然条件、人口和社会经济状况，对可能出现的灾情进行预评估，当可能威胁人民生命财产安全、影响基本生活、需要提前采取应对措施时，启动预警响应，视情采取以下一项或多项措施：

（1）向可能受影响的省（自治区、直辖市）减灾委或民政部门通报预警信息，提出灾害救助工作要求。

（2）加强应急值守，密切跟踪灾害风险变化和发展趋势，对灾害可能造成的损失进行动态评估，及时调整相关措施。

（3）通知有关中央救灾物资储备库做好救灾物资准备，紧急情况下提前调拨；启动与交通运输、铁路、民航等部门和单位的应急联动机制，做好救灾物资调运准备。

（4）派出预警响应工作组，实地了解灾害风险，检查指导各项救灾准备工作。

（5）向国务院、国家减灾委负责人、国家减灾委成员单位报告预警响应启动情况。

（6）向社会发布预警响应启动情况。

灾害风险解除或演变为灾害后，国家减灾委办公室终止预警响应。

4 信息报告和发布

县级以上地方人民政府民政部门按照民政部《自然灾害情况统计制度》和《特别重大自然灾害损失统计制度》，做好灾情信息收集、汇总、分析、上报和部门间共享工作。

4.1 信息报告

4.1.1 对突发性自然灾害，县级人民政府民政部门应在灾害发生后 2 小时内将本行政区域灾情和救灾工作情况向本级人民政府和地市级人民政府民政部门报告；地市级和省级人民政府民政部门在接报灾情信息 2 小时内审核、汇总，并向本级人民政府和上一级人民政府民政部门报告。

对造成县级行政区域内 10 人以上死亡（含失踪）或房屋大量倒塌、农田大面积受灾等严重损失的突发性自然灾害，县级人民政府民政部门应在灾害发生后立即上报县级人民政府、省级人民政府民政部门和民政部。省级人民政府民政部门接报后立即报告省级人民政府。省级人民政府、民政部按照有关规定及时报告国务院。

4.1.2 特别重大、重大自然灾害灾情稳定前，地方各级人民政府民政部门执行灾情 24 小时零报告制度，逐级上报上级民政部门；灾情发生重大变化时，民政部立即向国务院报告。灾情稳定后，省级人民政府民政部门应在 10 日内审核、汇总灾情数据并向民政部报告。

4.1.3 对干旱灾害，地方各级人民政府民政部门应在旱情初显、群众生产和生活受到一定影响时，初报灾情；在旱情发展过程中，每 10 日续报一次灾情，直至灾情解除；灾情解除后及时核报。

4.1.4 县级以上地方人民政府要建立健全灾情会商制度，各级减灾委或者民政部门要定期或不定期组织相关部门召开灾情会商会，全面客观评估、核定灾情数据。

4.2 信息发布

信息发布坚持实事求是、及时准确、公开透明的原则。信息发布形式包括授权发布、组织报道、接受记者采访、举行新闻发布会等。要主动通过重点新闻网站或政府网站、政务微博、政务微信、政务客户端等发布信息。

灾情稳定前，受灾地区县级以上人民政府减灾委或民政部门应当及时向社会滚动发布自然灾害造成的人员伤亡、财产损失以及自然灾害救助工作动态、成效、下一步安排等情况；灾情稳定后，应当及时评估、核定并按有关规定发布自然灾害损失情况。

关于灾情核定和发布工作，法律法规另有规定的，从其规定。

5 国家应急响应

根据自然灾害的危害程度等因素，国家自然灾害救助应急响应分为Ⅰ、Ⅱ、Ⅲ、Ⅳ四级。

5.1 Ⅰ级响应

5.1.1 *启动条件*

某一省（自治区、直辖市）行政区域内发生特别重大自然灾害，一次灾害过程出现下列情况之一的，启动Ⅰ级响应：

（1）死亡200人以上（含本数，下同）；

（2）紧急转移安置或需紧急生活救助200万人以上；

（3）倒塌和严重损坏房屋30万间或10万户以上；

（4）干旱灾害造成缺粮或缺水等生活困难，需政府救助人数占该省（自治区、直辖市）农牧业人口30%以上或400万人以上。

5.1.2　启动程序

灾害发生后，国家减灾委办公室经分析评估，认定灾情达到启动标准，向国家减灾委提出启动Ⅰ级响应的建议；国家减灾委决定启动Ⅰ级响应。

5.1.3　**响应措施**

国家减灾委主任统一组织、领导、协调国家层面自然灾害救助工作，指导支持受灾省（自治区、直辖市）自然灾害救助工作。国家减灾委及其成员单位视情采取以下措施：

（1）召开国家减灾委会商会，国家减灾委各成员单位、专家委员会及有关受灾省（自治区、直辖市）参加，对指导支持灾区减灾救灾重大事项作出决定。

（2）国家减灾委负责人率有关部门赴灾区指导自然灾害救助工作，或派出工作组赴灾区指导自然灾害救助工作。

（3）国家减灾委办公室及时掌握灾情和救灾工作动态信息，组织灾情会商，按照有关规定统一发布灾情，及时发布灾区需求。国家减灾委有关成员单位做好灾情、灾区需求及救灾工作动态等信息共享，每日向国家减灾委办公室通报有关情况。必要时，国家减灾委专家委员会组织专家进行实时灾情、灾情发展趋势以及灾区需求评估。

（4）根据地方申请和有关部门对灾情的核定情况，财政部、民政部及时下拨中央自然灾害生活补助资金。民政部紧急调拨生活救助物资，指导、监督基层救灾应急措施落实和救灾款物发放；交通运输、铁路、民航等部门和单位协调指导开展救灾物资、人员运输工作。

（5）公安部加强灾区社会治安、消防安全和道路交通应急管理，协助组织灾区群众紧急转移。军队、武警有关部门根据国家有关部门和地方人民政府请求，组织协调军队、武警、民兵、预备役部队参加救灾，必要时协助地方人民政府运送、发放救灾物资。

（6）国家发展改革委、农业部、商务部、国家粮食局保障市场供应和价格稳定。工业和信息化部组织基础电信运营企业做好应急通信保障工作，组织协调救灾装备、防护和消杀用品、医药等生产供应工作。住房城乡建设部指导灾后房屋建筑和市政基础设施工程的安全应急评估等工作。水利部指导灾区水利工程修复、水利行业供水和乡镇应急供水工作。国家卫生计生委及时组织医疗卫生队伍赴灾区协助开展医疗救治、卫生防病和心理援助等工作。科技部提供科技方面的综合咨询建议，协调适用于灾区救援的科技成果支持救灾工作。国家测绘地信局准备灾区地理信息数据，组织灾区现场影像获取等应急测绘，开展灾情监测和空间分析，提供应急测绘保障服务。

（7）中央宣传部、新闻出版广电总局等组织做好新闻宣传等工作。

（8）民政部向社会发布接受救灾捐赠的公告，组织开展跨省（自治区、直辖市）或者全国性救灾捐赠活动，呼吁国际救灾援助，统一接收、管理、分配国际救灾捐赠款物，指导社会组织、志愿者等社会力量参与灾害救助工作。外交部协助做好救灾的涉外工作。中国红十字会总会依法开展救灾募捐活动，参与救灾工作。

（9）国家减灾委办公室组织开展灾区社会心理影响评估，并根据需要实施心理抚慰。

（10）灾情稳定后，根据国务院关于灾害评估工作的有关部署，民政部、受灾省（自治区、直辖市）人民政府、国务院有关部门组织开展灾害损失综合评估工作。国家减灾委办公室按有关规定统一发布自然灾害损失情况。

（11）国家减灾委其他成员单位按照职责分工，做好有关工作。

5.2 Ⅱ级响应

5.2.1 启动条件

某一省（自治区、直辖市）行政区域内发生重大自然灾害，一次灾害过程出现下列情况之一的，启动Ⅱ级响应：

（1）死亡 100 人以上、200 人以下（不含本数，下同）；

（2）紧急转移安置或需紧急生活救助 100 万人以上、200 万人以下；

（3）倒塌和严重损坏房屋 20 万间或 7 万户以上、30 万间或 10 万户以下；

（4）干旱灾害造成缺粮或缺水等生活困难，需政府救助人数占该省（自治区、直辖市）农牧业人口 25% 以上、30% 以下，或 300 万人以上、400 万人以下。

5.2.2 启动程序

灾害发生后，国家减灾委办公室经分析评估，认定灾情达到启动标准，向国家减灾委提出启动Ⅱ级响应的建议；国家减灾委副主任（民政部部长）决定启动Ⅱ级响应，并向国家减灾委主任报告。

5.2.3 响应措施

国家减灾委副主任（民政部部长）组织协调国家层面自然灾害救助工作，指导支持受灾省（自治区、直辖市）自然灾害救助工作。国家减灾委及其成员单位视情采取以下措施：

（1）国家减灾委副主任主持召开会商会，国家减灾委成员单位、专家委员会及有关受灾省（自治区、直辖市）参加，分析灾区形势，研究落实对灾区的救灾支持措施。

（2）派出由国家减灾委副主任或民政部负责人带队、有关部门参加的工作组赴灾区慰问受灾群众，核查灾情，指导地方开展救灾工作。

（3）国家减灾委办公室及时掌握灾情和救灾工作动态信息，组织灾情会商，按照有关规定统一发布灾情，及时发布灾区需求。国家减灾委有关成员单位做好灾情、灾区需求及救灾工作动态等信息共享，每日向国家减灾委办公室通报有关情况。必要时，国家减灾委专家委员会组织专家进行实时灾情、灾情发展趋势以及灾区需求评估。

（4）根据地方申请和有关部门对灾情的核定情况，财政部、民政部及时下拨中央自然灾害生活补助资金。民政部紧急调拨生活救助物资，指导、监督基层救灾应急措施落实和救灾款物发放；交通运输、铁路、民航等部门和单位协调指导开展救灾物资、人员运输工作。

（5）国家卫生计生委根据需要，及时派出医疗卫生队伍赴灾区协助开展医疗救治、卫生防病和心理援助等工作。测绘地信部门准备灾区地理信息数据，组织灾区现场影像获取等应急测绘，开展灾情监测和空间分析，提供应急测绘保障服务。

（6）中央宣传部、新闻出版广电总局等指导做好新闻宣传等工作。

（7）民政部指导社会组织、志愿者等社会力量参与灾害救助工作。中国红十字会总会依法开展救灾募捐活动，参与救灾工作。

（8）国家减灾委办公室组织开展灾区社会心理影响评估，并根据需要实施心理抚慰。

（9）灾情稳定后，受灾省（自治区、直辖市）人民政府组织开展灾害损失综合评估工作，及时将评估结果报送国家减灾委。国家减灾委办公室组织核定并按有关规定统一发布自然灾害损失情况。

（10）国家减灾委其他成员单位按照职责分工，做好有关工作。

5.3　Ⅲ级响应

5.3.1　*启动条件*

某一省（自治区、直辖市）行政区域内发生重大自然灾害，一次灾害过程出现下列情况之一的，启动Ⅲ级响应：

（1）死亡 50 人以上、100 人以下；

（2）紧急转移安置或需紧急生活救助 50 万人以上、100 万人以下；

（3）倒塌和严重损坏房屋 10 万间或 3 万户以上、20 万间或 7 万户以下；

（4）干旱灾害造成缺粮或缺水等生活困难，需政府救助人数占该省（自治区、直辖市）农牧业人口 20% 以上、25% 以下，或 200 万人以上、300 万人以下。

5.3.2　*启动程序*

灾害发生后，国家减灾委办公室经分析评估，认定灾情达到启动标准，向国家减灾委提出启动Ⅲ级响应的建议；国家减灾委秘书长决定启动Ⅲ级响应。

5.3.3　*响应措施*

国家减灾委秘书长组织协调国家层面自然灾害救助工作，指导支持受灾省（自治区、直辖市）自然灾害救助工作。国家减灾委及其成员单位视情采取以下措施：

（1）国家减灾委办公室及时组织有关部门及受灾省（自治区、直辖市）召开会商会，分析灾区形势，研究落实对灾区的救灾支持措施。

（2）派出由民政部负责人带队、有关部门参加的联合工作组赴灾区慰问受灾群众，核查灾情，协助指导地方开展救灾工作。

（3）国家减灾委办公室及时掌握并按照有关规定统一发布灾情和救灾工作动态信息。

（4）根据地方申请和有关部门对灾情的核定情况，财政部、民政部及时下拨中央自然灾害生活补助资金。民政部紧急调拨生活救助物资，指导、监督基层救灾应急措施落实和救灾款物发放；交通运输、铁路、民航等部门和单位协调指导开展救灾物资、人员运输工作。

（5）国家减灾委办公室组织开展灾区社会心理影响评估，并根据需要实施心理抚慰。国家卫生计生委指导受灾省（自治区、直辖市）做好医疗救治、卫生防病和心理援助工作。

（6）民政部指导社会组织、志愿者等社会力量参与灾害救助工作。

（7）灾情稳定后，国家减灾委办公室指导受灾省（自治区、直辖市）评估、核定自然灾害损失情况。

（8）国家减灾委其他成员单位按照职责分工，做好有关工作。

5.4 Ⅳ级响应

5.4.1 启动条件

某一省（自治区、直辖市）行政区域内发生重大自然灾害，一次灾害过程出现下列情况之一的，启动Ⅳ级响应：

（1）死亡 20 人以上、50 人以下；

（2）紧急转移安置或需紧急生活救助 10 万人以上、50 万人以下；

（3）倒塌和严重损坏房屋 1 万间或 3000 户以上、10 万间或 3 万户以下；

（4）干旱灾害造成缺粮或缺水等生活困难，需政府救助人数占该省（自治区、直辖市）农牧业人口 15% 以上、20% 以下，或 100 万人以上、200 万人以下。

5.4.2 启动程序

灾害发生后，国家减灾委办公室经分析评估，认定灾情达到启动标准，由国家减灾委办公室常务副主任决定启动Ⅳ级响应。

5.4.3 响应措施

国家减灾委办公室组织协调国家层面自然灾害救助工作，指导支持受灾省（自治区、直辖市）自然灾害救助工作。国家减灾委及其成员单位视情采取以下措施：

（1）国家减灾委办公室视情组织有关部门和单位召开会商会，分析灾区形势，研究落实对灾区的救灾支持措施。

（2）国家减灾委办公室派出工作组赴灾区慰问受灾群众，核查灾情，协助指导地方开展救灾工作。

（3）国家减灾委办公室及时掌握并按照有关规定统一发布灾情和救灾工作动态信息。

（4）根据地方申请和有关部门对灾情的核定情况，财政部、民政部及时下拨中央自然灾害生活补助资金。民政部紧急调拨生活救助物资，指导、监督基层救灾应急措施落实和救灾款物发放。

（5）国家卫生计生委指导受灾省（自治区、直辖市）做好医疗救治、卫生防病和心理援助工作。

（6）国家减灾委其他成员单位按照职责分工，做好有关工作。

5.5 启动条件调整

对灾害发生在敏感地区、敏感时间和救助能力特别薄弱的“老、少、边、穷”地区等特殊情况，或灾害对受灾省（自治区、直辖市）经济社会造成重大影响时，启动国家自然灾害救助应急响应的标准可酌情调整。

5.6　响应终止

救灾应急工作结束后，由国家减灾委办公室提出建议，启动响应的单位决定终止响应。

6　灾后救助与恢复重建

6.1　过渡期生活救助

6.1.1　特别重大、重大灾害发生后，国家减灾委办公室组织有关部门、专家及灾区民政部门评估灾区过渡期生活救助需求情况。

6.1.2　财政部、民政部及时拨付过渡期生活救助资金。民政部指导灾区人民政府做好过渡期生活救助的人员核定、资金发放等工作。

6.1.3　民政部、财政部监督检查灾区过渡期生活救助政策和措施的落实，定期通报灾区救助工作情况，过渡期生活救助工作结束后组织绩效评估。

6.2　冬春救助

自然灾害发生后的当年冬季、次年春季，受灾地区人民政府为生活困难的受灾人员提供基本生活救助。

6.2.1　民政部每年 9 月下旬开展冬春受灾群众生活困难情况调查，并会同省级人民政府民政部门，组织有关专家赴灾区开展受灾群众生活困难状况评估，核实情况。

6.2.2　受灾地区县级人民政府民政部门应当在每年 10 月底前统计、评估本行政区域受灾人员当年冬季、次年春季的基本生活救助需求，核实救助对象，编制工作台账，制定救助工作方案，经本级人民政府批准后组织实施，并报上一级人民政府民政部门备案。

6.2.3　根据省级人民政府或其民政、财政部门的资金申请，结合灾情评估情况，财政部、民政部确定资金补助方案，及时下拨中央自然灾害生活补助资金，专项用于帮助解决冬春受灾群众吃饭、穿衣、取暖等基本生活困难。

6.2.4　民政部通过开展救灾捐赠、对口支援、政府采购等方式解决受灾群众的过冬衣被等问题，组织有关部门和专家评估全国冬春期间中期和终期救助工作绩效。发展改革、财政等部门组织落实以工代赈、灾歉减免政策，粮食部门确保粮食供应。

6.3　倒损住房恢复重建

因灾倒损住房恢复重建要尊重群众意愿，以受灾户自建为主，由县级人民政府负责组织实施。建房资金等通过政府救助、社会互助、邻里帮工帮料、以工代赈、自行借贷、政策优惠等多种途径解决。重建规划和房屋设计要根据灾情因地制宜确定方案，科学安排项目选址，合理布局，避开地震断裂带、地质灾害隐患点、泄洪通道等，提高抗灾设防能力，确保安全。

6.3.1　民政部根据省级人民政府民政部门倒损住房核定情况，视情组织评估小组，参考其他灾害管理部门评估数据，对因灾倒损住房情况进行综合评估。

6.3.2　民政部收到受灾省（自治区、直辖市）倒损住房恢复重建补助资金的申请后，根据评估小组的倒损住房情况评估结果，按照中央倒损住房恢复重建资金补助标准，提出资金补助建议，商财政部审核后下达。

6.3.3 住房重建工作结束后，地方各级民政部门应采取实地调查、抽样调查等方式，对本地倒损住房恢复重建补助资金管理工作开展绩效评估，并将评估结果报上一级民政部门。民政部收到省级人民政府民政部门上报本行政区域内的绩效评估情况后，通过组成督查组开展实地抽查等方式，对全国倒损住房恢复重建补助资金管理工作进行绩效评估。

6.3.4 住房和城乡建设部门负责倒损住房恢复重建的技术支持和质量监督等工作。测绘地信部门负责灾后恢复重建的测绘地理信息保障服务工作。其他相关部门按照各自职责，做好重建规划、选址，制定优惠政策，支持做好住房重建工作。

6.3.5 由国务院统一组织开展的恢复重建，按有关规定执行。

7 保障措施

7.1 资金保障

财政部、国家发展改革委、民政部等部门根据《中华人民共和国预算法》《自然灾害救助条例》等规定，安排中央救灾资金预算，并按照救灾工作分级负责、救灾资金分级负担、以地方为主的原则，建立完善中央和地方救灾资金分担机制，督促地方政府加大救灾资金投入力度。

7.1.1 县级以上人民政府将自然灾害救助工作纳入国民经济和社会发展规划，建立健全与自然灾害救助需求相适应的资金、物资保障机制，将自然灾害救助资金和自然灾害救助工作经费纳入财政预算。

7.1.2 中央财政每年综合考虑有关部门灾情预测和上年度实际支出等因素，合理安排中央自然灾害生活补助资金，专项用于帮助解决遭受特别重大、重大自然灾害地区受灾群众的基本生活困难。

7.1.3 中央和地方政府根据经济社会发展水平、自然灾害生活救助成本等因素适时调整自然灾害救助政策和相关补助标准。

7.2 物资保障

7.2.1 合理规划、建设中央和地方救灾物资储备库，完善救灾物资储备库的仓储条件、设施和功能，形成救灾物资储备网络。设区的市级以上人民政府和自然灾害多发、易发地区的县级人民政府应当根据自然灾害特点、居民人口数量和分布等情况，按照布局合理、规模适度的原则，设立救灾物资储备库（点）。救灾物资储备库（点）建设应统筹考虑各行业应急处置、抢险救灾等方面需要。

7.2.2 制定救灾物资储备规划，合理确定储备品种和规模；建立健全救灾物资采购和储备制度，每年根据应对重大自然灾害的要求储备必要物资。按照实物储备和能力储备相结合的原则，建立救灾物资生产厂家名录，健全应急采购和供货机制。

7.2.3 制定完善救灾物资质量技术标准、储备库（点）建设和管理标准，完善救灾物资发放全过程管理。建立健全救灾物资应急保障和征用补偿机制。建立健全救灾物资紧急调拨和运输制度。

7.3 通信和信息保障

7.3.1 通信运营部门应依法保障灾情传送网络畅通。自然灾害救助信息网络应以公用通信网为基础，合理组建灾情专用通信网络，确保信息畅通。

7.3.2 加强中央级灾情管理系统建设，指导地方建设、管理救灾通信网络，确保中央和地方各级人民政府及时准确掌握重大灾情。

7.3.3 充分利用现有资源、设备，完善灾情和数据共享平台，完善部门间灾情共享机制。

7.4 装备和设施保障

中央各有关部门应配备救灾管理工作必需的设备和装备。县级以上地方人民政府要建立健全自然灾害救助应急指挥技术支撑系统，并为自然灾害救助工作提供必要的交通、通信等设备。

县级以上地方人民政府要根据当地居民人口数量和分布等情况，利用公园、广场、体育场馆等公共设施，统筹规划设立应急避难场所，并设置明显标志。自然灾害多发、易发地区可规划建设专用应急避难场所。

7.5 人力资源保障

7.5.1 加强自然灾害各类专业救灾队伍建设、灾害管理人员队伍建设，提高自然灾害救助能力。支持、培育和发展相关社会组织和志愿者队伍，鼓励和引导其在救灾工作中发挥积极作用。

7.5.2 组织民政、国土资源、环境保护、交通运输、水利、农业、商务、卫生计生、安全监管、林业、地震、气象、海洋、测绘地信、红十字会等方面专家，重点开展灾情会商、赴灾区现场评估及灾害管理的业务咨询工作。

7.5.3 推行灾害信息员培训和职业资格证书制度，建立健全覆盖中央、省、市、县、乡镇（街道）、村（社区）的灾害信息员队伍。村民委员会、居民委员会和企事业单位应当设立专职或者兼职的灾害信息员。

7.6 社会动员保障

完善救灾捐赠管理相关政策，建立健全救灾捐赠动员、运行和监督管理机制，规范救灾捐赠的组织发动、款物接收、统计、分配、使用、公示反馈等各个环节的工作。完善接收境外救灾捐赠管理机制。

完善非灾区支援灾区、轻灾区支援重灾区的救助对口支援机制。

科学组织、有效引导，充分发挥乡镇人民政府、街道办事处、村民委员会、居民委员会、企事业单位、社会组织和志愿者在灾害救助中的作用。

7.7 科技保障

7.7.1 建立健全环境与灾害监测预报卫星、环境卫星、气象卫星、海洋卫星、资源卫星、航空遥感等对地监测系统，发展地面应用系统和航空平台系统，建立基于遥感、地理信息系统、模拟仿真、计算机网络等技术的“天地空”一体化的灾害监测预警、分析评估和应急决策支持系统。开展地方空间技术减灾应用示范和培训工作。

7.7.2 组织民政、国土资源、环境保护、交通运输、水利、农业、卫生计生、安全监管、林业、地震、气象、海洋、测绘地信等方面专家及高等院校、科研院所等单位专家开展灾害风险调查，编制全国自然灾害风险区划图，制定相关技术和管理标准。

7.7.3 支持和鼓励高等院校、科研院所、企事业单位和社会组织开展灾害相关领域的科学研究和技术开发，建立合作机制，鼓励减灾救灾政策理论研究。

7.7.4 利用空间与重大灾害国际宪章、联合国灾害管理与应急反应天基信息平台等国际合作机制，拓展灾害遥感信息资源渠道，加强国际合作。

7.7.5 开展国家应急广播相关技术、标准研究，建立国家应急广播体系，实现灾情预警预报和减灾救灾信息全面立体覆盖。加快国家突发公共事件预警信息发布系统建设，及时向公众发布自然灾害预警。

7.8 宣传和培训

组织开展全国性防灾减灾救灾宣传活动，利用各种媒体宣传应急法律法规和灾害预防、避险、避灾、自救、互救、保险的常识，组织好“防灾减灾日”“国际减灾日”“世界急救日”“全国科普日”“全国消防日”“国际民防日”等活动，加强防灾减灾科普宣传，提高公民防灾减灾意识和科学防灾减灾能力。积极推进社区减灾活动，推动综合减灾示范社区建设。

组织开展对地方政府分管负责人、灾害管理人员和专业应急救灾队伍、社会组织和志愿者的培训。

8 附 则

8.1 术语解释

本预案所称自然灾害主要包括干旱、洪涝灾害，台风、风雹、低温冷冻、雪、沙尘暴等气象灾害，火山、地震灾害，山体崩塌、滑坡、泥石流等地质灾害，风暴潮、海啸等海洋灾害，森林、草原火灾等。

8.2 预案演练

国家减灾委办公室协同国家减灾委成员单位制定应急演练计划并定期组织演练。

8.3 预案管理

本预案由民政部制订，报国务院批准后实施。预案实施后民政部应适时召集有关部门和专家进行评估，并视情况变化作出相应修改后报国务院审批。地方各级人民政府的自然灾害救助综合协调机构应根据本预案修订本地区自然灾害救助应急预案。

8.4 预案解释

本预案由民政部负责解释。

8.5 预案实施时间

本预案自印发之日起实施。

（《中华人民共和国国务院公报》，2016 年第 10 号）

青海省重大自然灾害救灾应急预案

（2005 年 4 月 21 日）

为增强对重大突发性自然灾害的应急反应能力，有效实施灾害救助，迅速控制灾情，最大限度地减少人员伤亡和财产损失，维护灾区社会稳定，根据国家救灾工作方针和民政部编制的《自然灾害救助应急预案框架指南》的总体要求，结合我省实际，特制定本预案。

一、总 则

（一）工作原则

坚持统一领导、分级管理、分工负责、协调一致的原则。凡发生重大自然灾害，实行统一指挥。依据本预案对自然灾害等级的划分，发生大灾、特大灾时，由省政府统一指挥开展紧急抢险和救灾工作；发生中等以下自然灾害，由发生灾害所在地的州（地、市）县政府统一指挥开展应急抢险和救灾工作，省灾害管理部门给予支持和指导。在实施重大自然灾害应急抢险和救灾工作中，各成员单位要按照职责分工，密切配合做好救灾工作。各级民政部门是救灾应急工作的综合协调部门。

（二）适用范围

凡在我省区域内发生的地震、洪灾、旱灾、风灾、雪灾、山体滑坡、泥石流等自然灾害造成大灾、特大灾的，均适用于本预案。

二、组织指挥体系及职责任务

（一）应急组织机构

1．决策机构

省政府抗灾救灾领导小组是全省抗灾救灾决策和议事协调机构，在省委、省政府领导下开展工作。决策机构由以下人员及单位组成：省政府常务副省长任组长，分管副省长、省军区副司令员任副组长，省发展改革委、省经委、省民政厅、省财政厅、省水利厅、省交通厅、省农牧厅、省国土资源厅、省公安厅、省住房城乡建设厅、省卫生厅、省广播电视局、省教育厅、省地震局、省气象局、省林业局、省粮食局、省食品药品监督管理局、省通信管理局、民航青海监管办、省电力公司、青藏铁路公司、省供销合作联社、省外事办公室、武警青海总队、公安厅消防总队等单位的主要领导任成员。

2．应急指挥机构

当重大自然灾害发生后，省政府临时设立省救灾应急指挥部。由省政府常务副省长任总指挥，由归口管理灾害的副省长和省军区副司令员任副总指挥。省应急指挥部成员由省直相关部门的负责人组成（成员名单见附件1）。应急指挥部在省民政厅设办公室，由省民政厅厅长兼任办公室主任。各州（地、市）、县政府设立救灾应急指挥机构，负责本地区的抢险救灾工作。

3．救援机构

应急指挥部下设救援机构。根据工作需要，设若干工作组：

预测评估组由气象、地震、民政、农牧、水利、国土资源、林业等部门组成。

人员抢救组由卫生、红十字会、食品药品监管等部门组成。

抢险转移安置组由民政、省军区、武警青海总队、公安、公安消防总队、交通等部门组成。

工程抢险组由水利、电力、建设等部门组成。

生活保障组由民政、财政、粮食、供销等部门组成。

交通恢复组由交通、公安、铁路、民航等部门组成。

宣传报道组由广播电视、《青海日报》等新闻单位组成。

通信保障组由通信、移动等部门组成。

恢复重建组由民政、发展改革委、经委、农牧、水利、教育、交通、建设、电力等部门组成。

各工作组首列单位为牵头单位。

4．现场指挥机构

省、州（地、市）、县三级政府共同组成统一的现场指挥机构。由省应急指挥部副总指挥任现场总指挥，受灾地州（地、市）、县政府一把手和军分区首长为副总指挥，成员由省、受灾地州（地、市）、县相关部门的负责人组成。

（二）主要职责

1．决策机构

根据灾情信息和灾情的发展趋势，研究确定是否启动预案；研究解决有关救灾应急工作的重大问题，对救灾应急的全过程实施指挥、决策。

2．救灾应急指挥部

全面负责抢险、救援、转移、安置、重建及其它需要紧急处置事项的指挥和部署；督促检查救灾应急工作中的人、财、物落实情况；检查下一级救灾应急指挥部和有关部门的救灾工作；派出人员赶赴受灾一线参与现场指挥和进行督导工作。

救灾应急指挥部办公室主要负责应急指挥部日常工作，向救援机构的各工作组传达应急指挥部工作指令并监督落实；收集各工作组工作进展情况，及时向应急指挥部报告；负责灾情和救灾工作信息发布；及时收集、评估灾情，向上级有关部门汇报灾情和救灾工作情况；协调救灾工作过程中的职能交叉问题。

3．救援机构

预测评估组负责灾情、险情的监测、预测以及信息的收集、整理和上报工作；及时发布灾情、险情预警；负责灾害损失的评估。

人员抢救组负责现场受伤人员的紧急抢救治疗。

抢险转移安置组负责抢险、转移安置灾民和抢救重要财产。

工程抢险组负责水、电、路、燃气及其他受损设施的抢险工作。

生活保障组负责为灾民提供吃、穿、住、医等物资保障。

交通恢复组负责抢修被毁的公路、铁路、航道。通信保障组负责保障灾区通信畅通。

宣传报道组负责对抢险救灾工作进行宣传报道。

恢复重建组负责灾区恢复生产、生活，修缮因灾倒塌和损坏的群众住房、学校校舍；恢复被损的交通、水利、电力等基础设施。

4.现场指挥机构

负责现场的紧急抢险、人员、物资转移安置工作；负责现场救灾的组织指挥、物资调运、排除险情、社会治安等工作；负责现场其他重大问题的处理工作。

5.部门主要职责

省民政厅组织、协调救灾工作；核实、报告灾情；申请、管理和参与分配救灾款物；组织指导救灾捐赠；转移安置灾民；负责灾民倒塌房屋的恢复重建；承担省抗灾办的日常工作。

省水利厅承担省防汛抗旱指挥部的日常工作；负责水情、旱情、汛情的监测和上报工作；制定防汛抗旱抢险应急预案；负责抗洪抢险和抗旱调水；对主要河流、水库实施调度；负责灾后水利设施的修复工作。

省经委协调铁路、邮电、电力、商业、物资、医药等部门的抢险救灾工作。

省发展改革委安排重大救灾基建项目，协调有关方面落实项目建设资金和以工代赈资金。

省财政厅负责救灾应急资金的筹集、拨付和资金使用情况的监督。

省交通厅负责修复中断的道路，负责转移灾民及财产所需车辆的征集和调配，保证救灾物资的紧急运输和公路畅通。

省住房城乡建设厅负责灾区重建的规划工作；组织勘察设计力量开展房屋及工程设施抗震鉴定和恢复重建的勘察设计工作；负责灾后恢复重建工程的监督与管理工作。

省国土资源厅负责地质灾害防治；开展地质灾害调查，编制防灾预案，建立群测群防的监测体系；协调重大地质灾害防治的监督管理。

省农牧厅负责农牧业灾害的监测、预测、预警和防御工作；指导灾后农牧业生产自救，做好灾区种苗供应和动植物疫病的防治工作。

省卫生厅负责调度卫生技术力量、抢救伤病员；对重大疫情、病情实施紧急处理，防止灾后疫情、疾病的传播、蔓延；负责各种传染性疾病防治及应急处理预案的制定工作。

省教育厅负责转移受灾学校的人员、财产，做好灾后学校教育、教学组织工作；协调有关部门共同做好灾后校舍恢复重建工作。

省公安厅负责灾区的社会治安、安全警戒和交通管制工作。

省气象局负责气象灾害的监测、预报工作，及时发布气象预报和灾害性天气警报，提出气象灾害防御措施，开展重大灾害性天气、气象灾情的调查评估和对发生灾害的气象成因鉴定。省林业局负责森林灾害的监测、预测、预警和防御工作；负责森林火灾扑救工作。

省粮食局负责救灾粮的调拨、供应等组织协调工作，保证灾区粮、油供应。

省地震局承担省抗震救灾指挥部的日常工作；在地震现场开展强余震监视和震情分析，及时提供震情发展趋势；负责地震现场灾害调查、损失评估和科学考察工作；参与震后重建工作中的抗震设计方案审定，制定灾区各类重建房屋的抗震设防标准。

省电力公司负责抢修因灾损毁的电力设施；保证灾区电力供应并负责灾后电力设施的恢复重建工作。

省通信管理局负责抢险通信的保障工作和灾后通讯设施的抢修工作。

省食品药品监督管理局负责紧急救助所需食品、药品、医疗器械的质量监督；负责国内外捐助药品和医疗器械的质量检验工作。

青藏铁路公司负责省境内救灾物资的运输调度工作。

民航青海监管办负责重大、特殊紧急航空运输（通用）救灾物资的协调工作。

省外事办公室负责国际及港澳捐赠活动的协调、联络工作。

省供销合作联社负责省级相关救灾物资的储备和管理工作，并按照调拨指令做好调拨和供应工作。

省军区负责协调、调集驻青部队、民兵预备役部队参加抢险救灾、营救群众、转移物资等工作。

武警青海总队帮助灾区抢险救援、转移灾民、维护灾区社会治安。

（三）组织体系救灾应急描述

当自然灾害发生后，从报警开始，到应急活动结束，按本预案“组织指挥体系及职责任务”的规定，以自然灾害应急响应全过程为主干线，形成联动机制，协调有序地开展紧急救援工作（组织指挥体系救灾应急流程图见附件 2 ）。

三、灾害预警和灾情报告

（一）灾害预警

气象、地震、水利、国土资源、农牧、林业等部门为灾害预报部门，负责对全省年度内可能发生的各种灾害进行科学预测，按照早发现、早报告、早处置的原则，分析灾害可能对特定区域内群众生命财产造成的威胁或损失程度，及时发出预警。地震灾害由相关预警部门按规定通过省抗震救灾指挥部发布临震应急预警；水旱灾害由相关预警部门通过省防汛抗旱指挥部发布抢险预警；地质灾害由省国土资源厅和气象局联合发布应急预警，气象灾害由气象局发布应急预警；农作物及森林灾害分别由省农牧厅和省林业局通过相应的指挥部发布应急预警。预警发出后，当地政府和省灾害管理部门对险段、险情要加强领导，严密监控，明确责任，落实防范措施，并按程序执行日报告制度。

（二）重大自然灾害的报告时限和程序

重大自然灾害发生后，受灾地的县人民政府必须在接到报告后 2 小时内向上一级人民政府和有关部门报告初步灾情，并迅速组织有关部门调查核实灾情，情况特殊的，可越级报告；州（地、市）人民政府接到重大自然灾害报告后 1 小时内向省人民政府和灾害管理部门报告；省级灾害管理部门接到重大自然灾害灾情报告后要在 30 分钟内向省人民政府报告，并在 12 小时内赶赴现场。

（三）灾情报告的内容

灾害种类、发生时间、地点、范围、程度、灾害损失情况、采取的措施以及灾民生活方面需要紧急救援的事项等。

四、应急响应

（一）灾害等级的划分

自然灾害按一次性灾害过程和有关专业灾害预案等级划分指标规定值，划分为特大灾、大灾、中灾和轻灾四个等级。

1. 一次性灾害造成下列后果之一的为特大灾

（1）农作物绝收面积 8 万公顷以上；

（2）倒塌房屋 1 万间以上；

（3）死亡 50 人以上；

（4）牧区牲畜死亡 10 万头（只）以上；

（5）7 级和 7 级以上造成严重后果的地震；省会城市为 6 级以上地震；

（6）一次性灾害过程直接经济损失 1.5 亿元以上。

2. 一次性灾害造成下列后果之一的为大灾

（1）农作物绝收面积 5 万～ 8 万公顷；

（2）倒塌房屋 5000 ～ 10000 间；

（3）死亡 20 ～ 50 人；

（4）牧区牲畜死亡 5 万～ 10 万头（只）；

（5）6 级以上 7 级以下造成严重后果的地震；省会城市为 5 级以上 6 级以下地震；

（6）一次性灾害过程直接经济损失 1 亿～ 1.5 亿元。

3. 一次性灾害造成下列后果之一的为中灾

（1）农作物绝收面积 1.5 万～ 5 万公顷；

（2）倒塌房屋 2000 ～ 5000 间；

（3）死亡 10 ～ 20 人；

（4）牧区牲畜死亡 1 万～ 5 万头（只）；

（5）5 级以上 6 级以下造成严重后果的地震；

（6）一次性灾害过程直接经济损失5000万～1亿元。

4．未达到中灾划分标准的均为轻灾

（二）预案启动的条件和方式

预案启动的条件，凡遇特大灾、大灾，省政府抗灾救灾应急预案启动，受灾地的州（地、市）、县（市、区）政府预案同时启动。遇中灾按照“分级负责”的原则，由受灾地的州（地、市）、县（市、区）政府启动本级预案。

预案启动的方式。省级预案由省决策机构根据预警预报，召开有关部门和专家参加的会议，经专题会议研究，决定发布启动命令。州（地、市）、县（市、区）预案由同级救灾应急指挥部发布启动令。

（三）信息报送和处理

对于来自群众和社会其他方面的信息，当地县、乡政府要予以高度重视，立即进行现场核查。一经核实立即以明传电报、传真的形式向上一级政府和灾害管理部门报告初步灾情，情况特殊的可越级上报；上级政府接到灾情报告后立即做出反应，及时对上报的灾情信息、报告提出明确意见，并以传真等快捷方式向下反馈领导批示、工作意见和要求。

（四）通信联络

明确省重大自然灾害应急指挥部成员联系方式（见附件3），并每年向社会公布一次。

（五）指挥和控制

灾害发生后，指挥机构应立即进入应急状态，在指挥部内部设立信息分析、专家咨询、损失评估等工作小组，明确各工作组任务，对灾情控制形成信息传递、事项报告、请示、督导、传达决策、现场指挥（以属地化为主）为主的工作体系链，全方位开展工作。

（六）紧急处置

当需要特大灾、大灾现场紧急抢险救援时，省政府救灾应急指挥部将部署调派省救援机构的抢险、抢救等工作组赶赴现场（需驻青部队参加抢险救援按有关规定先行与部队沟通），抢险用各种设备、器械、物资、药品等由各工作组对口的部门负责准备，各工作组间的衔接配合由省应急指挥部办公室负责协调；受灾地紧急抢险救援队伍由当地干部、群众、驻军、武警、公安消防部队、民兵及社会团体的人员组成，受现场指挥部的统一调遣。中等以下灾害的紧急处置由受灾地的州、县政府按此程序组织开展工作。

（七）转移安置

当突发性灾害对群众生命安全造成威胁时，必须进行转移安置。转移安置由现场指挥部统一组织实施。转移安置的程序：发出紧急通知，明确疏散撤离的范围、路线、地点等。安置方式可采取投亲靠友、借住公房、搭建临时避难住所、安排救灾帐篷等。转移安置通知发出后，有关部门要全力做好动员、转移等相关工作，妥善解决转移安置灾民的清洁饮用水、卫生食品及衣物，加强转移安置地和灾区的社会治安管理，防止灾区次生灾害，如火灾、疫病等的发生。要对转移安置灾民进行详细登记，对灾害造成的伤残人员进行慰问安抚，对在转移安置过程中存在的问题和困难及时报告。

（八）社会力量的动员和参与

开展紧急抢险救援需要大量的人力、物力、财力，根据灾区紧急救援的需要，可采取紧急征用、临时采购、政府调拨等办法解决；通过政府发布公告、新闻媒体倡导等方式发动社会力量向灾区捐款捐物；通过动用社会志愿者队伍，补充救援力量，尽力满足救灾现场人力、物力资源的需求。

（九）新闻报道

在自然灾害的救灾过程中，要发挥新闻媒体的作用，架起灾区与社会公众沟通的桥梁，及时对灾区一线抢险救灾工作进行宣传报道。根据需要，以召开新闻发布会和设立专职新闻发布人等形式向外界通报情况，新闻发布会由灾害归口管理部门牵头组织。发布原则：客观公正，实事求是；发布内容：包括灾害发生的时间、地点、范围、灾害等级、人员财产损失、现场救灾、工作进展、存在的困难和问题等；召开新闻发布会应事先向当地政府汇报，发布程序及范围要向当地宣传部门请示并接受审查。

（十）应急结束

当灾情趋于稳定，紧急救援工作结束并转入正常工作时，由省抗灾救灾领导小组（决策机构）适时发出应急工作结束的命令。

五、应急保障

（一）通信与信息保障通

信转输部门，灾前要加强对灾害管理部门救灾网络专线建设的指导；在紧急抢险救援期间要对重点单位、重点线路进行专门的检修维护，确保信息畅通。

（二）应急支援与装备保障

1．应急队伍保障

各类自然灾害应急响应的单位和人员是：各级政府、驻军部队、武警部队、公安消防部队、机关团体、企事业单位、公益性团体、民兵、社会志愿者及其他公众人员。

2．交通运输保障

各灾害管理部门要常备紧急抢险救援用交通工具。特殊情况下，由交通部门临时从企业、社会上征用交通运输工具（包括交通运输工具拥有者的营运人员），一经征用，均由现场指挥部统一调遣，发生的费用及人员报酬由当地政府承担。

3．医疗保障

卫生、食品药品监管等部门要做好应急用药品、器械的日常储备，严把储备药品的质量关；组建专门应急救援医疗队，为灾民和抢险救灾人员提供医疗救治并做好灾区的防疫工作。

4．治安保障

采取有效措施，对灾区实施特别管制，预防和打击各种犯罪活动，维护救灾现场及各救灾应急场所的社会治安和公共安全。

5．物资保障

救灾应急物资包括抢险物资和救助物资。抢险物资主要包括抢修水利、道路、电力、通信设施等应急抢险所需的物资和抢救伤员所需的药品。救助物资包括粮食、方便食品、帐篷、衣被、饮用水和其他生存性救助所需的物资。救援物资由水利、交通、卫生、电力、通讯、建设、经委等部门筹集和储备。救助物资由民政、粮食等部门筹集和储备。

各级政府要加强救助物资中心的建设，设立本级救助物资仓库，储备必要的救助物资。县级政府应储备 5 万～ 10 万元救助物资；州（地、市）级储备 50 万～ 100 万元救助物资；省级储备 500 万～ 1000 万元救助物资。

6．资金保障

资金的来源主要是争取中央财政补助一部分、地方财政列支一部分、境外援助和社会捐赠一部分、群众自筹解决一部分。通过加强对项目资金使用和效果的监督检查，做好资金的管理工作，把有限的资金用于自然灾害的救助、防灾基础设施建设和物资储备上，保证关键环节、重点部位救灾资金落实到位。

7．社会参与保障

救灾工作是一项全社会参与的工作，需整合方方面面的力量和资源，各级政府在处置突发性自然灾害过程中可根据预案的相关规定，层层实行社会力量紧急动员和调遣，确保有足够的人力、物力资源来支撑救灾工作的顺利开展。

（三）技术保障

省直灾害管理和专业部门要成立本领域的专家组，依托自身业务的优势和专长，针对我省易发灾害，选取科研课题进行开发与研究，建立灾情档案和数据库，为评估灾情、开展救灾提供信息、技术支持。

（四）宣传、培训和演习

1．加强公众信息交流

要通过报刊、电视、广播、宣传单、宣传栏、通信等各种形式和手段，广泛向社会传递自然灾害应急预案信息，宣传发生灾害的报警渠道和报警电话，宣传对自然灾害的预防和紧急情况下的避险、自救、互救常识，增强广大群众防灾抗灾意识和参与救灾的自觉性，最大限度地减轻灾害损失。

2．培训

对紧急救援物资的管理人员和紧急救援应急队伍，采取集中授课的办法，加强对紧急救助知识、救灾专用器械的管理、使用等相关科目的专门培训。

3．演习

在重点地区不定期组织有关部门进行预案情景模拟演练，提高应急反应能力。

六、后期处理

（一）善后处理

灾情趋于平稳，紧急救援结束后，受灾地政府要尽快制定灾后恢复生产、重建工作方案，有计划、有步骤地组织灾民返迁；妥善解决灾民在生产、生活、就医、就学方面的困难；加强政府引导，统筹规划，落实扶持政策，带领群众重建家园。

（二）社会救助

各级民政部门要着力解决灾民口粮问题。除通过互助互济、以工代赈、劳务输出、外出务工等形式增加群众收入、解决灾民口粮外，对重灾地区要采取重点扶持的办法，在资金、粮食的分配上给予倾斜。对缺少衣被的灾民要通过社会捐赠和救济等多种渠道予以妥善解决。

民政、财政、建设部门要把修复和重建灾民住房作为灾后救济工作的重点，搞好整体规划，统一组织实施。修复和重建灾民住房要采取灾民自筹、社会互济、政府补贴和对口支援等办法解决。

卫生部门要加强灾后疾病预防和疫情监测工作，组织医护人员深入灾区，宣传防疫防病知识，净化水源，搞好环境卫生，保证重点药品供应，为灾民提供医疗卫生服务，避免大灾过后大的疫情发生。

教育部门要会同有关部门尽快修复被损校舍，补充教学设施，恢复正常教学。对灾区学校的学生免收学杂费，保证有课本和必要的学习用品，不因受灾而失学。

农牧部门要组织好灾民生产自救工作，帮助灾区恢复生产，发展多种经营，提高自我救助和保障能力，把灾害损失降到最低限度。

财政、工商、物价、国税、地税等部门要按照政策规定，制定优先办证、减免税费、调控价格等政策措施，保护和扶持灾区恢复和发展生产。农业银行、建设银行要加大对灾区建设和灾民生活所需信贷资金的投入力度。

七、附　则

（一）自然灾害等级定义

1．特大灾

一次性自然灾害达到本预案灾害等级划分特大灾标准内任何一项损失后果指标的，称为特大灾。

2．大灾

一次性自然灾害达到本预案灾害等级划分大灾标准内任何一项损失后果指标的，称为大灾。

（二）预案管理和更新

各类应急预案的制定实行分级负责管理制，即各级政府负责本级综合性应急预案的制定和管理；省级各防灾指挥部负责专业性灾害预案的制定和管理；灾害管理部门负责部门预案的制定和管理。预案制定后，须经过严格的专家评审并报同级人民政府审定出台。各级预案在实施过程中要不断总结经验，对发现的问题由预案管理部门及时进行修订和更新。

（三）奖励与责任追究

1．奖励

对在紧急抢险救援工作中做出突出贡献的单位、个人，由县以上人民政府以大会表彰等形式给予精神或辅以适当的物质奖励。对在实施紧急抢险救援和救灾工作中致残、献出生命的人员，根据国家有关规定，给予评残或追认烈士。对在监测、预测工作中及时主动，避免或减少人员及财产损失的单位和个人进行奖励。

2．责任追究

对在监测预警、防范控制、灾情调查、紧急抢险工作中玩忽职守、失职、渎职的，根据党纪政纪条规，视其情节轻重，给予相应的党纪政纪处分；对在紧急抢险救援中，不服从救灾应急指挥部的调遣、不予配合的，追究其单位领导及相关人员的责任；对挪用、贪污救灾款物的，依法处理；对有意隐瞒灾情、缓报、谎报灾情，玩忽职守，贻误工作，造成严重危害和后果的，追究其部门主要负责人的责任，视其情节轻重对当事人给予警告、记过、记大过、降级、撤职、开除的行政处分，构成犯罪的由司法机关依法追究刑事责任。

（四）制定与解释

1．本预案在实施过程中依据工作实际需要，由省抗灾救灾领导小组办公室及时进行修改、补充。

2．本预案由省抗灾救灾领导小组办公室负责解释。联系电话 0971−6164620。

3．本预案自印发之日起实施。

（青海省人民政府网）

青海省人民政府突发公共事件总体应急预案

（2005 年 12 月 24 日）

1　总　则

1.1　编制目的

提高政府保障公共安全和处置突发公共事件的能力，最大限度地预防和减少突发公共事件及其造成的损害，保障公众的生命财产安全，维护国家安全和社会稳定，促进全省经济社会全面、协调、可持续发展。

1.2　编制依据

依据宪法、有关法律、行政法规和国务院《国家突发公共事件总体应急预案》，针对我省突发公共事件的特点和种类，制定本预案。

1.3　分类分级

本预案所称突发公共事件是指突然发生，造成或者可能造成重大人员伤亡、财产损失、生态环境破坏和严重社会危害，危及本省公共安全的紧急事件。根据突发公共事件的发生过程、性质和机理，突发公共事件主要分为以下四类：

（1）自然灾害。包括水旱灾害、地震灾害、气象灾害（冰雹、沙尘暴、雪灾等）、地质灾害（山体崩塌、滑坡、泥石流等）、生物灾害和森林草原火灾等。

（2）事故灾难。包括工矿商贸等企业的各类安全事故、交通运输事故、公共设施与设备事故、环境污染和生态破坏事件等。

（3）公共卫生事件。包括传染病疫情、群体性不明原因疾病，食物中毒、职业危害，动物疫情以及其他严重影响公众健康和生命安全的事件。

（4）社会安全事件。包括恐怖袭击事件、经济安全事件、涉外突发事件等。各类突发公共事件按其性质、严重程度、可控性和影响范围等因素，通常划分为四级：Ⅰ级（特别重大）、Ⅱ级（重大）、Ⅲ级（较大）和Ⅳ级（一般）。

1.4　适用范围

本预案适用于涉及省内跨州（市、地）级行政区划的，或超出事发地州（市、地）级人民政府处置能力的，需要由省政府负责处置的各类特别重大、重大突发公共事件的应对工作。本预案指导全省的突发公共事件应对工作。

1.5　工作原则

（1）以人为本，减少危害。履行政府及其部门的社会管理和公共服务职能，切实保障公众健康和生命财产安全，最大程度地减少突发公共事件及其造成的人员伤亡和危害。

（2）居安思危，预防为主。高度重视公共安全工作，增强忧患意识，防患于未然，坚持预防与应急相结合，常态与非常态相结合，做好各项应急准备工作。

（3）统一领导，分级负责。在省委、省政府的统一领导下，实行分类管理、分级负责，条块结合、属地管理为主的应急管理体制。

（4）依法规范，加强管理。按照有关法律和行政法规，加强应急管理，维护公众合法权益，推进应急工作规范化、制度化、法制化。

（5）快速反应，协同应对。加强以属地管理为主的应急处置队伍建设，建立联动协调制度，动员和发挥乡镇、社区、企事业单位、社会团体和志愿者队伍的作用，依靠社会力量，形成统一指挥、反应灵敏、功能齐全、协调有序、运转高效的应急管理机制。

（6）依靠科技，提高素质。加强对影响我省公共安全的事件和诱发因素的研究，引进先进的监测、预测、预警、预防和应急处置技术及设施；发挥专家队伍和专业人员的作用，提高应对突发公共事件的科技水平和指挥能力，避免发生次生、衍生事件；加强宣传和培训教育工作，提高公众自救、互救和应对各类突发公共事件的综合素质。

1.6　应急预案体系

全省突发公共事件应急预案体系包括：

（1）青海省人民政府突发公共事件总体应急预案。总体预案是省政府应对特别重大和重大突发公共事件的总体计划和程序规范，也是指导省政府各部门、全省各地区编制各类预案的依据。

（2）青海省突发公共事件专项应急预案。专项应急预案是省政府及其有关部门为应对某一种或某几种突发公共事件而制定的涉及数个部门职责的应急预案。

（3）青海省突发公共事件部门应急预案。部门应急预案是省政府有关部门根据省政府突发公共事件总体应急预案、专项应急预案和部门职责为应对突发公共事件制定的预案。

（4）青海省突发公共事件州（市、地）县（区）应急预案。具体包括：州（市、地）级、县（区）级人民政府突发公共事件应急预案、专项应急预案和部门应急预案以及乡镇等基层政权组织突发公共事件应急预案。上述预案在省政府的领导下，按照分类管理、分级负责的原则，由州（市、地）、县（区）、乡镇三级人民政府及有关部门分别制定。

（5）青海省企事业单位应急预案。主要由企事业单位根据需要，依照法律法规结合各单位特点制定的相关方面的应急预案。

（6）青海省大型活动应急预案。主要是针对大型会展和文化体育等重大活动中易发的突发公共事件而制定的应急预案。以上各类预案将根据实际情况变化不断补充、完善。

2　组织体系

2.1　领导机构

省政府是突发公共事件应急管理工作的行政领导机构。在省长的领导下，通过省政府常务会议研究、决定和部署特别重大、重大突发公共事件的应急管理工作。必要时，派出省政府工作组指导有关工作。省政府设立突发公共事件应急管理委员会，按照突发公共事件类别，下设自然灾害、事故灾难、公共卫生和社会安全四个突发公共事件应急管理指挥部。

2.2 办事机构

省政府办公厅是全省突发公共事件应急管理的办事机构，设省政府应急管理办公室（省政府总值班室），履行值守应急、信息汇总和综合协调职责，发挥运转枢纽作用。

2.3 工作机构

省政府各有关部门是各类突发公共事件归口管理的工作机构。依据有关法律、行政法规和各自的职责，负责相关类别突发公共事件的应急管理工作，并加强横向协作联动。

2.4 州（市、地）县（区）应急机构

州（市、地）县（区）级人民政府是本级行政区域突发公共事件应急管理工作的行政领导机构，负责本级行政区域各类突发公共事件的应对工作。

2.5 专家组

省、州（市、地）、县级人民政府应急管理的办事机构和工作机构，要建立各类人才库，根据应急实际需要聘请有关专家组成专家组，为应急管理提供决策建议，必要时参加应急处置工作。

3 运行机制

3.1 预测与预警

州（市、地）级人民政府和省政府有关部门要针对各种可能发生的突发公共事件，完善预测预警机制，开展风险分析，做到早发现、早报告、早处置。

3.1.1 预测预警系统州

（市、地）级人民政府和省政府有关部门，要综合分析可能引发特别重大、重大和较大突发公共事件的预测预警信息，并及时上报。

3.1.2 预警级别和发布

根据预测分析结果，对可能发生和可以预警的突发公共事件进行预警。确定预警级别，主要依据突发公共事件可能造成的危害程度、紧急程度和发展态势，一般划分为四级：Ⅰ级（特别严重）、Ⅱ级（严重）Ⅲ级（较重）和Ⅳ级（一般），依次用红色、橙色、黄色和蓝色表示。预警信息包括突发公共事件的类别、预警级别、起始时间、可能影响范围、警示事项、应采取的措施和发布机关等。预警信息的发布、调整和解除可通过广播、电视、报刊、通信、信息网络、警报器、宣传车或组织人员逐户通知等方式进行，对老幼病残孕等特殊人群以及学校等特殊场所和警报盲区要采取有针对性的公告方式。

3.2 应急处置

3.2.1 信息报告

省政府及其有关部门要及时掌握较大级别以上突发公共事件信息；县级以上人民政府及有

关部门要及时掌握一般级别以上突发公共事件信息。特别重大或重大突发公共事件发生后，事发地县级以上人民政府及其有关部门要立即报告，最迟不得超过 2 小时。较大级别的突发公共事件要在 12 小时内上报省人民政府。

3.2.2　先期处置

突发公共事件发生后，事发地县级以上人民政府、主管部门在报告特别重大、重大突发公共事件信息的同时，要根据职责和规定的权限启动相关应急预案，及时、有效地进行处置，控制事态。

3.2.3　基本应急

重大级别以上突发公共事件发生后，事发地县级以上人民政府、主管部门和专业应急队伍按照相关应急预案规定做好应急处置工作外，医疗卫生部门要按规定启动医疗救治工作方案，做好救治工作；公安、交通管理部门要做好秩序维护和安全防护工作，并协助做好人员疏散；事发地乡镇、村社、街道办事处、居委会、企事业单位和其他组织要积极协助抢险，为应急救援工作提供便利条件。其他协作部门要根据本级人民政府或应急指挥机构的安排，按本部门职能做好协助抢险和保障工作，提供应急抢险所需的各种技术服务、人员、物资、器械、设备、工具及生活必需品等，运输部门要保证各种物资安全及时到位。

3.2.4　应急响应

当突发公共事件趋向扩大、先期处置未能有效或事态难以控制时，重大级别以下突发公共事件由事发地州（市、地）级人民政府率先启动相关预案；需要省政府协调处置重大级别以上突发公共事件，由省政府相关应急指挥机构或省政府工作组统一指挥或指导有关地区、部门开展处置工作。现场应急指挥机构负责现场的应急处置工作。需要省政府相关部门共同参与处置的突发公共事件，由该类突发公共事件的业务主管部门牵头，其他部门予以协助。

3.2.5　应急结束

重大级别以上的突发公共事件应急处置工作结束，或者相关危险因素消除后，现场应急指挥机构予以撤销。

3.3　恢复重建

3.3.1　善后处置

要积极稳妥、深入细致地做好善后处置工作。突发公共事件对附近公众的居住和生活造成威胁时，应及时组织转移安置。转移安置由事发地县（区）级人民政府组织实施。有关部门要依照有关规定，积极做好抚恤、理赔、补助或补偿等工作。

3.3.2　调查和评估

要对重大以上级别突发公共事件的起因、性质、影响、责任、经验教训和恢复重建等问题进行调查评估。

3.3.3　恢复重建

特别重大和重大突发公共事件发生后的恢复重建工作，由事发地人民政府负责。省政府有关部门根据调查评估报告和受灾地区恢复重建计划，提出建议或意见，按有关规定上报国务院有关部门请求支援。

3.4　信息发布

突发公共事件的信息发布要及时、准确、客观、全面。事件发生的第一时间要向社会发布简要信息，随后发布初步核实情况、政府应对措施和公众防范措施等，并根据事件处置情况做好后续发布工作。

4　应急保障

省政府有关部门要按照职责分工和相关预案做好突发公共事件的应对工作。同时，根据本预案，切实做好应对突发公共事件的人力、物力、财力、交通运输、医疗卫生及通信保障等工作，保证应急救援工作的需要和灾区群众的基本生活，以及恢复重建工作的顺利进行。

4.1　队伍保障

要按照军警民相结合、自救和互救相结合的全省应急救援队伍体系建设基本原则，健全各领域、各行业的应急救援队伍。驻军和武警部队、公安、预备役民兵是全省应急救援的骨干和突击力量，按照有关规定参加应急救援工作。公安、消防、煤矿、非煤矿山、危险化学品等高危行业要建立专业化的应急救援队伍，并以此骨干队伍为主体，逐步整合现有各类专业救援力量，形成一队多用和一专多能的专业队伍。根据各种紧急事件的性质和特点，为便于紧急事件发生后迅速而有组织地开展自救互救，日常要以各行业大中型企事业单位技术骨干和青壮年职工、青壮年农牧民为主，招募多种行业急救队伍，对其开展培训和演练，充分发挥各类人才和社会救援力量的作用。

4.2　经费保障

要保证所需突发公共事件应急准备和救援工作资金。对受突发公共事件影响较大的行业、企事业单位和个人要及时研究提出相应的补偿或救助政策。要对突发公共事件财政应急保障资金的使用和效果进行监管和评估。鼓励社会团体、企事业单位、公众和其他组织依照《中华人民共和国公益事业捐赠法》等有关法律、法规的规定进行捐赠和援助。

4.3　物资保障

要建立健全省内重要应急物资监测网络、预警体系和应急物资生产、储备、调拨及紧急配送体系，完善应急工作程序，确保应急所需物资和生活用品的及时供应，并加强对物资储备的监督管理，及时予以补充和更新。各级政府要根据有关法律、法规和应急预案的规定，做好物资储备工作。

4.4　市场秩序保障

省政府有关部门要按照职责分工，负责维持工商企业和市场正常运营，严厉打击哄抬物价、囤积紧缺商品、欺行霸市等非法行为。

4.5　基本生活保障

要做好受灾群众的基本生活保障工作，保证灾区群众吃、穿、住、用、医等方面的需要。

4.6 医疗卫生保障

卫生部门负责组建医疗卫生应急专业技术队伍，根据需要及时赶赴现场开展医疗救治、疫病预防控制等卫生应急工作。省政府有关部门要根据灾害情况和事发地州（市、地）级人民政府的请求，及时为受灾地区提供药品、器械等卫生和医疗设备。必要时，组织动员红十字会等社会卫生力量参与医疗卫生救助工作。

4.7 交通运输保障

要保证紧急情况下应急交通工具的优先安排、优先调度、优先放行，确保运输安全畅通。要依法建立紧急情况社会交通工具的征用程序，确保抢险救灾物资和人员能够及时、安全送达。处置突发公共事件期间，公安、交通管理部门要以抢险第一的原则加强交通管制，开设应急救援“绿色通道”，保证应急救援工作的顺利开展。

4.8 治安保障

加强对重点地区、重点场所、重点人群、重要物资和设备的安全保护，依法严厉打击违法犯罪活动。必要时，依法采取有效管制措施，控制事态，维护社会秩序。

4.9 通信保障

建立健全应急通信和广播电视保障工作体系，完善公用通信网，建立有线和无线相结合、基础电信网络与机动通信系统相配套的应急通信系统，确保通信畅通。

4.10 设备保障

要做好救援和抢险设备的配备和保养，建立各种救援抢险设备的数据库，保证在应急处置中调得出、用得上、起作用。

4.11 公共设施保障

省政府有关部门要按照职责分工，分别负责煤、电、气、水的供给，以及废水、废气、固体废弃物等有害物质的监测和处理。

4.12 社会动员保障

要明确实施社会动员的具体条件、范围、程序、时间、提供救助的内容、方式和相关保障制度等，做好宣传动员和组织工作。法律救助要在当地司法行政机关的指导下进行。

4.13 人员防护保障

要指定或建立与人口密度、城镇规模相适应的应急避险场所，完善紧急疏散管理办法和程序，明确责任人，确保在紧急情况下公众安全，有序转移或疏散。要采取必要的防护措施，严格按照程序开展应急救援工作，确保人员安全。

5 监督管理

5.1 预案演练

各地区、各部门要结合实际，有计划、有重点地组织有关部门对相关预案进行演练。

5.2 宣传和培训

宣传、教育、文化、广电、新闻出版等有关部门要通过图书、报刊、音像制品和电子出版物、广播、电视、网络等，广泛宣传应急法律法规和预防、避险、自救、互救、减灾等常识，增强公众的忧患意识、社会责任意识和自救、互救能力，各有关方面有计划地对应急救援和管理人员进行培训，提高其专业技能。

5.3 责任与奖惩

突发公共事件应急处置工作实行行政领导负责制和责任追究制。对突发公共事件应急管理工作中做出突出贡献的先进集体和个人要给予表彰和奖励。对迟报、谎报、瞒报和漏报突发公共事件重要情况或应急管理工作中其他失职、渎职行为的单位和个人以及行政负责人，依法给予行政处分；对构成犯罪的，依法追究刑事责任。

6 附 则

根据实际情况的变化，及时修订本预案。本预案自发布之日起实施。

（青海省人民政府网）

青海省地震应急预案

（2013年8月11日）

1 总 则

1.1 编制目的

建立健全地震应急体制机制，依法科学统一、有力有序有效地实施地震应急，最大程度减少人员伤亡和经济损失，维护社会正常秩序。

1.2 编制依据

《中华人民共和国突发事件应对法》《中华人民共和国防震减灾法》《青海省突发事件应急预案管理办法》等法律法规和《国家地震应急预案》《青海省突发事件总体应急预案》《青海省重大自然灾害救灾应急预案》等。

1.3 适用范围

省内发生的地震灾害和其他地震事件的处置，对我省造成影响的邻省（区）地震灾害事件的处置。

1.4 工作原则

坚持统一领导、军地联动，分级负责、属地为主，资源共享、快速反应的工作原则。地震灾害发生后，州（市）、县（市、区、行委）人民政府和省有关部门立即自动按照职责分工和相关预案开展前期处置工作。

省政府是应对省内特别重大、重大地震灾害的主体。州（市）、县（市、区、行委）人民政府分别是应对本行政区域较大、一般地震灾害的主体。根据灾区州（市）、县（市、区、行委）地震应急的需求，省级地震应急给予必要的协调和支持。

2 组织体系

2.1 省抗震救灾指挥部

地震灾害发生后，经省政府领导同志批准，由平时领导和指挥调度防震减灾工作的省防震减灾工作领导小组转为省抗震救灾指挥部，负责统一领导、指挥、协调全省地震应急工作，支持灾区所在州（市）、县（市、区、行委）的抗震救灾工作。

2.1.1 指挥部组成

指挥长：省政府领导同志

副指挥长：省政府秘书长或分管副秘书长，省地震局局长，省军区、武警青海总队、省发展改革委、省民政厅、省住房城乡建设厅、省公安厅负责同志。

成员包括：省委宣传部、团省委、省经委、省教育厅、省科技厅、省民宗委、省司法厅、省财政厅、省国土资源厅、省环保厅、省交通厅、省水利厅、省农牧厅、省商务厅、省文化和新闻出版厅、省卫生计生委、省外事办、省广电局、省统计局、省质监局、省安监局、省旅游局、省人防办、省红十字会、省气象局、省出入境检验检疫局、西宁海关、省电力公司、民航青海机场公司、青藏铁路公司、省通信管理局、青海银监局、青海保监局、省测绘地理信息局、省食品药品监督管理局、省政府新闻办、省政府应急办、省公安消防总队的负责同志。根据工作需要，可增加或减少有关地方、部门和单位负责同志参加。省政府应急办和省地震局承担省抗震救灾指挥部日常工作。

2.1.2 指挥部主要职责

（1）领导全省抗震救灾工作；

（2）了解和掌握震情、灾情、社情、民情及其发展趋势；

（3）启动应急响应，宣布地震灾区进入应急期，确定响应级别；

（4）组织震情、灾情信息发布与抗震救灾宣传；

（5）派遣成立省抗震救灾现场指挥部，在省抗震救灾指挥部的领导下开展工作；

（6）派遣地震灾害紧急救援队，对受灾人员实施紧急救援；

（7）指挥协调现役、预备役、武警部队和民兵及公安、消防参加抢险救灾；

（8）派遣工程抢险抢修专业队伍，对各类重点工程和基础设施进行抢险抢修；

（9）派遣医疗卫生救援队，开展伤员救治及卫生防疫工作；

（10）派遣现场地震监测工作队，对灾区地震监测设施进行抢修，加强现场地震监测；

（11）组织和指挥受灾群众安置。决定调运救灾物资，保障各类生活物资供应；

（12）核实灾情，决定下拨抗震救灾资金；

（13）组织省抗震救灾指挥部成员单位和非灾区的州（市）、县（市、区、行委）政府对灾区实施紧急支援；

（14）决定实施重点目标保护和交通管制等强制措施；

（15）请求国务院抗震救灾指挥部派遣国家地震灾害紧急救援队，协调有关部委进行对口支援；

（16）建议省政府呼吁其他省（自治区、直辖市）支援，通过中国地震局、中国红十字总会呼吁国际救援组织援助；

（17）建议省政府向灾区发出慰问电，派出慰问团等；

（18）执行国务院抗震救灾指挥部及省委、省政府下达的其他任务。

2.1.3　省抗震救灾指挥部工作组省抗震救灾指挥部根据应急处置需要，可下设若干工作组，设立抗震救灾现场指挥部。省政府应急办负责震时省抗震救灾指挥部办公室工作，履行值守应急、信息汇总和综合协调职责，发挥运转枢纽作用。

各工作组组成及职责分工如下：

序号	工作组	牵头部门	参加部门	主要职责
1	抢险救灾组	省军区	武警青海总队、省公安厅、省交通厅、省安监局、省地震局、省公安消防总队、民航青海机场公司、青藏铁路公司等	制定实施抢险救灾力量配置方案，调配救援队伍和装备，搜救被困群众和受伤人员；组织救援人员和物资的空运、空投和铁（公）路运输工作；清理灾区现场
2	群众生活保障组	省民政厅	省发展改革委、省教育厅、省财政厅、省民宗委、省住建厅、省交通厅、省农牧厅、省商务厅、省旅游局、省气象局、省红十字会、省人防办、团省委等	制定实施受灾群众救助工作方案以及相应的资金物资保障措施，组织协调、转动帐篷和灾区生活必需品等抗震救灾物资，指导有关地区做好受灾群众的紧急转移和安置工作，保障灾区群众基本生活
3	医疗救治和卫生防疫组	省卫生计生委	省军区、武警青海总队、省发展改革委、省交通厅、省民政厅、省水利厅、省农牧厅、省质监局、省食品药品监管局、省红十字会等	组派医疗卫生救援队伍，协助有关部门调集医疗器械、药品等物资，对伤病员进行救治、心理疏导和转移后送；对灾区水源进行监测消毒，加强食品和饮用水卫生监督；做好重大传染病和突发公共卫生事件预防控制工作；恢复灾区医疗卫生服务能力和秩序

序号	工作组	牵头部门	参加部门	主要职责
4	基础设施保障和生产恢复组	省发改委	省民政厅、省财政厅、省通信管理局、省国土资源厅、省环保厅、省住建厅、省交通厅、省水利厅、省农牧厅、省商务厅、省经委、省广电局、省安监局、省测绘地理信息局、青海保监局、青海银监局、民航青海机场公司、省电力公司、青藏铁路公司等	及时制作、提供灾区影像地图；根据灾区需求，利用已有基础测绘成果制作专题地图，提供专题数据；组织指导抢修维护铁路、公路、桥梁、隧道等交通设施和供电、供水、燃油、燃气、防洪、通信、广播电视等设施；组织生产、调运抢险救援产品，调运生产物资和装备，保障灾区抢险应急物资供应；协调运力优先保证应急抢险救援人员和救灾物资的运输需要；对受灾的工矿商贸和农业损毁情况进行核实，指导制定科学恢复生产方案，组织安排落实有关扶持资金和物资
5	地震监测和次生灾害防范处置组	省地震局	省公安厅、省安监局、省水利厅、省住建厅、省科技厅、省交通厅、省国土资源厅、省环保厅、省统计局、省通信管理局、省测绘地理信息局、省气象局、省质监局、省公安消防总队、民航青海机场公司等	密切监视震情发展，做好余震防范；及时组织扑救火灾，处置危化品泄漏事故，做发灾区防火以及灾区安全生产隐患和环境风险排查、防范工作；加强震区灾害性天气监测，做好灾害性天气的预报和气象灾害的预警预报服务及防范工作；对重大地质、水利灾害隐患进行监测预警，一旦发生山体崩塌、滑坡、泥石流、堰塞湖、地面塌陷等险情，及时组织疏散群众；加强河湖水质监测和危险化学品等污染物防控，保障灾区水库安全和饮用水源安全。对易于发生次生灾害的危险源、重要目标物、重大关键基础设施，采取紧急处置措施并加强监控，特别要保障核设施等关键设施运行安全；加强灾区环境监测，清理处置危险化学品和危险废物，搜索并安全处置被掩埋的放射源
6	社会治安组	省公安厅	武警青海总队、省教育厅、省民宗委、省司法厅、青海银监局等	协助灾区加强治安管理和安全保卫工作，严密防范、严厉打击趁机进行盗窃、抢劫、哄抢救灾物资、以赈灾募捐名义诈骗敛财、传播各种谣言制造社会恐慌等违法犯罪活动，维护社会治安和道路交通秩序；加强对党政机关、要害部门、金融单位、储备仓库、监狱等重要场所的警戒；做好涉灾矛盾纠纷化解和法律服务工作，切实维护社会稳定
7	救灾捐赠与涉外、涉港澳台事务组	省民政厅	省外事办、省商务厅、省公安厅、西宁海关、省质监局、省卫生计生委、省出入境检验检疫局、省旅游局、省红十字会等	接受和安排国内外捐赠，处理其他涉外事务和港澳台事务

序号	工作组	牵头部门	参加部门	主要职责
8	地震灾害调查及灾情损失评估组	省民政厅和省地震局	省发展改革委、省财政厅、省国土资源厅、省住建厅、省经委、省教育厅、省水利厅、省交通厅、省农牧厅、省卫生计生委、省统计局、省通信管理局、省安监局、省气象局、省测绘地理信息局、青海保监局、民航青海机场公司、省电力公司、青藏铁路公司等	开展地震烈度、发震构造、灾区范围、建构筑物和基础设施破坏程度、工程结构震害特征、人员伤亡数量、地震宏观异常现象、地震社会影响和各种地震地质灾害等调查，对地震灾害损失进行评估，指导灾区做好保险理赔和给付
9	信息发布及宣传报道组	省委宣传部	省政府新闻办、省政府应急办、省军区、省外事办、省民政厅、省广电局、省文化和新闻出版厅、省旅游局、省通信管理局、省地震局等	组织灾情和抗震救灾信息发布，及时准确发布灾情；指导做好抗震救灾宣传报道，加强舆情收集分析，正确引导国内外舆论；适时组织安排境外新闻媒体进行采访报道

2.2 州（市）、县抗震救灾指挥部

州（市）、县（市、区、行委）政府根据本级地震应急预案成立抗震救灾指挥部，领导、指挥和协调当地的抗震救灾工作。组织力量实施先期应急救援，贯彻落实省抗震救灾指挥部指示，配合和协助省抗震救灾现场指挥部的应急救援行动。

3 响应机制

3.1 地震灾害分级

地震灾害分为特别重大、重大、较大、一般四级。

（1）特别重大地震灾害：是指造成 300 人以上死亡（含失踪），或者直接经济损失占青海省上年国内生产总值 1 %以上的地震灾害。青海省境内发生 7.0 级以上地震，初判为特别重大地震灾害。

（2）重大地震灾害：是指造成 50 人以上、300 人以下死亡（含失踪）或者造成严重经济损失的地震灾害。青海省境内发生 6.0 级以上、7.0 级以下地震，初判为重大地震灾害。

（3）较大地震灾害：是指造成 10 人以上、50 人以下死亡（含失踪）或者造成较重经济损失的地震灾害。青海省境内发生 5.0 级以上、6.0 级以下地震，初判为较大地震灾害。

（4）一般地震灾害：是指造成 1 0 人以下死亡（含失踪）或者造成一定经济损失的地震灾害。青海省境内发生 4.0 级以上、5.0 级以下地震，初判为一般地震灾害。

在人口稀疏且远离重大生命线工程地区发生的地震，在地震灾害等级初判时可适当降低灾害等级。地震灾害分级标准如下表：

<table>
<tr><th rowspan="2">地震灾害等级</th><th colspan="2">分组标准</th><th colspan="2">初判标准</th></tr>
<tr><th>人员死亡</th><th>直接经济损失</th><th>青海省境内</th><th>特殊情况</th></tr>
<tr><td>特别重大地震灾害</td><td>300 人以上</td><td>占上年生产总值 1% 以上</td><td>M ≥ 7.0 级</td><td rowspan="4">在人口稀疏且远离重大生命线工程地区发生的地震，在地震灾害等级初判时可适当降低灾害等级</td></tr>
<tr><td>重大地震灾害</td><td>50 人以上，300 人以下</td><td>严重经济损失</td><td>6.0 级≤ M < 7.0 级</td></tr>
<tr><td>较大地震灾害</td><td>10 人以上，50 人以下</td><td>较重经济损失</td><td>5.0 级≤ M < 6.0 级</td></tr>
<tr><td>一般地震灾害</td><td>10 人以下</td><td>一定经济损失</td><td>4.0 级≤ M < 5.0 级</td></tr>
</table>

3.2 分级响应

根据地震灾害分级情况，将地震灾害应急响应分为Ⅰ级、Ⅱ级、Ⅲ级和Ⅳ级。

应对特别重大地震灾害，启动Ⅰ级响应。由省抗震救灾指挥部在国务院抗震救灾指挥机构统一领导下，组织开展全省的抗震救灾工作。

应对重大地震灾害，启动Ⅱ级响应。由省抗震救灾指挥部领导、指挥和协调全省的抗震救灾工作。

应对较大地震灾害，启动Ⅲ级响应。在省抗震救灾指挥部的支持下，由灾区所在州（市）级抗震救灾指挥部领导灾区地震应急工作。地震局等省级有关部门和单位根据灾区需求，协助做好抗震救灾工作。

应对一般地震灾害，启动Ⅳ级响应。在省级和灾区所在州（市）级抗震救灾指挥部的支持下，由灾区所在县级抗震救灾指挥部领导灾区地震应急工作。地震局等省级有关部门和单位根据灾区需求，协助做好抗震救灾工作。

地震应急响应启动后，可视灾情及其发展情况对响应级别及时进行相应调整，避免响应不足或响应过度。

4 保障措施

4.1 先期保障

重大和特别重大地震灾害发生后，根据省地震局的震情通报，有关部门立即做好先期保障工作。

（1）民航青海机场公司、省军区、省测绘地理信息局等迅速组织协调出动飞行器开展灾情航空侦察，快速获取灾区航空影像资料。

（2）民航青海机场公司、省军区采取必要措施保障相关机场的有序运转，组织修复灾区机场或开辟临时机场。省交通厅、青藏铁路公司等立即抢修、抢通通往灾区道（铁）路，协调调配救灾运输车队运力。

（3）省通信管理局按照通信保障应急预案及时采取应对措施，抢修受损通信设施，协调应急通信资源，优先保障抗震救灾指挥通信联络和信息传递畅通。自有通信系统的部门尽快恢复本部门受损的通信设施，协助保障应急救援指挥通信畅通。

4.2　队伍保障

各级政府、省政府有关部门、军队、武警部队、公安消防部队等要加强地震灾害紧急救援、矿山和危险化学品救护、医疗卫生救援等专业抢险救灾队伍建设，组织开展协同演练，不断提高应急能力；城市供水、供电、供气等生命线工程设施产权单位、管理或者生产经营单位要加强抢险抢修队伍建设；乡（镇）人民政府、街道办事处组织动员社会各方面力量，建立基层地震抢险救灾队伍，加强日常管理和培训。各地区、各有关部门发挥共青团和红十字会作用，依托社会团体、企事业单位及社区建立地震应急救援志愿者队伍，形成广泛参与地震应急救援的社会动员机制；各级地震工作主管部门加强地震应急专家队伍建设，为应急指挥辅助决策、地震监测和趋势判断、地震灾害紧急救援、灾害损失评估、地震烈度考察、房屋安全鉴定等提供人才保障。各有关研究机构加强地震监测、地震预测、地震区划、应急处置技术、搜索与营救、建筑物抗震技术等方面的研究，提供技术支撑。

4.3　指挥平台保障

各级地震工作主管部门要综合利用自动监测、通信、计算机、遥感等技术，建立健全地震应急指挥技术系统，形成上下贯通、反应灵敏、功能完善、统一高效的地震应急指挥平台，实现震情灾情快速响应、应急指挥决策、灾害损失快速评估与动态跟踪和地震趋势判断的快速反馈，为各级政府在抗震救灾中合理调度、科学决策和准确指挥提供保障。

4.4　物资与资金保障

县级以上人民政府及其有关部门建立健全应急物资储备网络和生产、调拨及紧急配送体系，保障地震灾害应急工作所需生活救助物资、地震救援和工程抢险装备、医疗器械和药品等的生产供应。县级以上人民政府及其有关部门根据有关法律法规，做好应急物资储备工作，并通过与有关生产经营企业签订协议等方式，保障应急物资、生活必需品和应急处置装备的生产、供给。

县级以上人民政府要在本级财政预算和物资储备中安排防震减灾专项资金和物资，保障抗震救灾工作所需经费。

4.5　避难场所保障

县级以上人民政府及其有关部门利用广场、绿地、公园、学校、体育场馆等公共设施，因地制宜设立地震应急避难场所，统筹安排所必需的交通运输、通信、供水、供电、排污、环保、物资储备等设备设施。

学校、医院、影剧院、商场、酒店、体育场馆等人员密集场所设置地震应急疏散通道，配备必要的救生避险设施，保证通道、出口的畅通。有关单位定期检测、维护报警装置和应急救援设施，使其处于良好状态，确保正常使用。

4.6　基础设施保障

省通信管理局建立健全应急通信工作体系，建立有线和无线相结合、基础通信网络与机动通信系统相配套的应急通信保障系统，确保地震应急救援工作的通信畅通。在基础通信网络等基础设施遭到严重损毁且短时间难以修复的情况下，立即启动应急卫星、短波等无线通信系统和终端设备，确保至少有一种以上临时通信手段有效、畅通。

省广电局完善广播电视传输覆盖网，建立完善省级应急广播体系，确保群众能及时准确地获取政府发布的相关信息。

省发展改革委和省电力公司指导、协调、监督电力企业加强电力基础设施、电力调度系统建设，保障地震救援现场供电需求和灾区电力供应。

省公安厅、省交通厅、青藏铁路公司、民航青海机场公司等加强公路、铁路、航空紧急运输保障的统一指挥调度，建立应急救援“绿色通道”机制。

4.7　宣传、培训与演练

宣传、教育、文化、广播电视、新闻出版、科技、地震、红十字会等部门密切配合，开展防震减灾科学、法律知识普及和宣传教育，动员社会公众积极参与防震减灾活动，提高全社会防震避险和自救互救能力。学校把防震减灾知识教育纳入教学内容，加强防震减灾专业人才培养，教育、地震等主管部门加强指导和监督。

各级政府建立健全地震应急管理培训制度，结合本地区实际，组织应急管理人员、救援人员、志愿者等进行地震应急知识和技能培训。各级人民政府及其有关部门要制定演练计划并定期组织开展地震应急演练。机关、学校、医院、企事业单位和居委会、村委会、基层组织等，要结合实际开展地震应急演练。

5　监测报告

5.1　地震监测预报

省地震局负责监测、收集和管理全省各类地震观测数据，提出全省地震重点监视防御区和年度防震减灾工作意见。州（市）、县（市、区、行委）地震工作主管部门和机构加强震情跟踪监测、预测预报和群测群防工作，及时对地震预测意见和可能与地震有关的异常现象进行综合分析研判。省政府根据预报的震情决策发布临震预报，组织预报区加强应急防范措施。

5.2　震情速报

西宁市发生 3.0 级以上地震、省内其他城市发生 3.5 级以上地震、农村牧区发生 4.0 级以上地震后，省地震局快速完成地震发生时间、地点、震级、震源深度等速报参数的测定，及时报省委、省政府和中国地震局，同时通过短信平台通报省抗震救灾指挥部各成员单位相关负责人。

5.3　灾情报告

地震灾害发生后，灾区所在地县级以上人民政府及时将震情、灾情等信息报上级政府，必要时可越级上报。地震灾情调查及灾害损失评估组迅速组织开展现场灾情收集、分析研判工作，报省委、省政府，并及时续报有关情况。重大以上地震灾情，省政府及时报告国务院。

发现有港澳台人员或外国人伤亡、失踪或被困的，当地政府及有关部门要迅速核实并报告省外事办，并抄送省民政厅、地震局，接到报告的部门要依据规定及时报告省政府和国务院有关部门。

6 响应措施

各有关地方和部门根据灾情和抗灾救灾需要，采取以下措施。

6.1 搜救人员

立即组织应急队伍和广大群众开展自救互救，同时组织协调军队、武警部队、地震、消防、市政、建筑等各方面的专业救援力量，调配大型吊车、起重机、千斤顶、生命探测仪等救援装备，抢救被压埋人员。

6.2 开展医疗救治和卫生防疫

迅速协调组织应急医疗队伍赶赴现场，抢救受伤群众，必要时建立战地医院或医疗点，实施现场救治。加强救护车、医疗器械、药品和血浆的组织调度，特别是加大对重灾区及偏远地区医疗器械和药品的供应，确保受伤人员得到及时救治，最大程度减少伤员致死、致残。统筹周边地区的医疗资源，根据需要分流重伤员，实施异地救治。开展灾后心理援助。

加强灾区卫生防疫工作，及时对灾区饮用水水源进行监测消毒，加强食品安全和饮用水卫生监督监测；妥善处置遇难者遗体，做好死亡动物、医疗废弃物、生活垃圾、粪便等消毒和无害化处理；实行重大传染病和突发公共卫生事件每日报告制度，有针对性地开展预防接种与预防性服药。

6.3 安置受灾群众

开放应急避难场所，组织筹集和调运食品、饮用水、衣被、帐篷、移动厕所等各类救灾物资，解决受灾群众吃饭、饮水、穿衣、住宿等问题；在受灾村镇、街道设置生活用品发放点，确保生活用品的有序发放；根据需要组织生产、调运、安装活动板房和简易房；在受灾群众集中安置点配备必要的消防设备和器材，严防火灾发生。救灾物资优先保证学校、医院、福利院的需要；优先安置老、幼、病、残人员，确保其基本生活。鼓励采取投亲靠友等方式，广泛动员社会力量安置受灾群众。

做好遇难人员的善后工作，抚慰遇难者家属；积极创造条件，组织灾区学校复课。

6.4 抢修基础设施

抢通修复因灾损毁的机场、铁路、公路、桥（隧）等交通运输设施，协调运力，优先保证应急抢险救援人员、救灾物资和伤病人员的运输需要。抢修供电、供水、供气、通信、广播电视等基础设施，保障灾区群众基本生活需求和应急工作需要。

6.5　加强现场监测

省地震局组织布设或恢复地震现场测震台站、强震台站和前兆台站，实时跟踪地震序列活动，密切监视震情发展，对震区及全省震情形势进行研判。省气象局加强气象监测，密切关注灾区重大气象变化。灾区所在地抗震救灾指挥部安排专业力量加强空气、水源、土壤污染监测，减轻或消除污染危害。

6.6　防御次生灾害

加强次生灾害隐患风险排查和监测预警。防范因强余震和降雨形成的滑坡、泥石流、滚石等次生灾害，严防造成新的人员伤亡和交通堵塞；组织专家对水库、水电站、堤坝、堰塞湖等开展险情排查、评估，实施应急除险，必要时组织涉险地区人员疏散转移。

加强危险化学品生产储存设备、输油气管道、输配电线路、军工科研生产重点设施的受损情况排查，及时采取安全防范措施；做好核工业生产科研重点设施的事故防范处置工作。

6.7　维护社会治安

严厉打击盗窃、抢劫、哄抢救灾物资，借机传播谣言制造社会恐慌等违法犯罪行为；在受灾群众安置点、救灾物资存放点等重点地区，增设临时警务站，加强治安巡逻，增强灾区群众的安全感；加强对党政机关、要害部门、金融单位、储备仓库、监狱等重要场所的警戒，做好涉灾矛盾纠纷化解和法律服务工作，维护社会稳定。

6.8　开展社会动员

灾区所在地抗震救灾指挥机构明确专门的组织机构或人员，加强志愿服务管理。及时开通志愿服务联系电话，向社会公布志愿服务需求指南，统一接收志愿者组织报名，做好志愿者派遣和相关服务工作，引导志愿者安全有序参与。视情开展为灾区人民捐款捐物活动，加强救灾捐赠的组织发动和款物接收、统计、分配、使用、公示反馈等各环节工作。必要时，组织非灾区政府，通过提供人力、物力、财力、智力等方式，对灾区群众生活安置、伤员救治、卫生防疫、基础设施抢修和生产恢复等开展对口支援。

6.9　加强涉外事务管理

妥善安置在灾区工作和旅游的国（境）外人员，及时报告相关情况；协调安排国外救援队在灾区开展救援行动，做好相关保障。

6.10　信息发布

各级抗震救灾指挥机构按照分级响应原则，分别负责相应级别地震灾害的信息发布工作。信息发布要统一、及时、准确、客观，回应社会关切。

6.11　开展灾害调查与评估

省地震局组织开展地震烈度、发震构造、地震宏观异常现象、工程结构震害特征、地震社会影响和各种地震地质灾害调查。民政、地震、建设、交通、水利等有关部门要深入调查灾区范围、受灾人口、成灾人口、人员伤亡数量、建筑物和基础设施破坏程度、环境影响程度等，组织专家开展灾害损失评估。

7　省抗震救灾指挥部分级相应职责

Ⅳ级响应启动后，省抗震救灾指挥部根据工作需要或在灾区州、市人民政府请求或省人民政府有关部门建议，开展以下工作：

（1）组织调运生活物资、安置受灾群众；

（2）组织开展地震监测、趋势判定、灾害调查与损失评估等工作；

（3）视情向灾区派出地震灾害紧急救援队和医疗卫生救援队。

Ⅲ级响应启动后，省抗震救灾指挥部根据应对工作需要或灾区州、市政府请求，开展以下工作：

（1）视情派遣武警青海总队、省公安消防总队等省地震灾害紧急救援队、矿山和危化品救护队、医疗卫生救援队等专业抢险救援队伍赴灾区支援抢险救援工作。必要时，协调军队、武警部队派遣专业队伍参与应急救援；

（2）组织调运救灾帐篷、生活必需品等抗震救灾物资；

（3）指导、协助抢修通信、广播电视、电力、交通运输等基础设施；

（4）根据需要向灾区派出地震监测和次生灾害防范处置、群众生活保障、医疗救治和卫生防疫、基础设施保障和生产恢复、地震灾害调查及灾害损失评估等工作组；

（5）视情协调非灾区州、市政府对灾区进行紧急支援；

（6）提出需要国务院或国务院有关部委协调解决的其他事项。

Ⅰ级、Ⅱ级响应启动后，省抗震救灾指挥部各工作组按照职责分工开展工作。省政府领导赴灾区指导抗震救灾工作，必要时，成立地震灾区现场指挥机构。

（1）派遣各类专业抢险救援队伍，协调军队和武警部队派遣专业队伍赴灾区抢救救援；

（2）协调、组织调运救灾帐篷、生活必需品等救灾物资和装备；

（3）组织开展受灾群众转移、伤病员医疗救治和卫生防疫援助及心理疏导工作，尽快恢复灾区医疗卫生服务功能和秩序；

（4）协调、组织抢修通信、电力、交通运输等基础设施，保障灾区通信、电力以及救灾人员和物资运输的畅通；

（5）组织开展重大危险源、重要目标物、重大关键基础设施隐患排查与监测预警，防范次生衍生灾害。对于已经受到破坏的，迅速组织抢险救援；

（6）派出地震现场监测与分析预报工作队伍，布设或恢复地震现场测震、强震和前兆台站，密切监视震情发展，指导做好余震防范工作；

（7）协调加强重要目标警戒和治安管理，预防和打击各种违法犯罪活动，指导做好涉灾矛盾纠纷化解和法律服务工作；

（8）视情组织有关部门和单位、非灾区州、市政府以及企事业单位等社会力量对灾区进行紧急支援；

（9）视情采取限制前往或途经灾区旅游、跨省（自治区、直辖市）和干线交通运输管制等特别管制措施；

（10）组织统一发布灾情和抗震救灾信息，指导做好抗震救灾宣传报道工作，正确引导舆论；

（11）向国务院抗震救灾指挥机构报告灾情及抢险救灾工作情况，研究提出需国家支援的事项。在抢险救灾工作基本结束、紧急转移和安置人员工作基本完成、地震次生灾害的后果基本消除，以及交通运输、电力、通信和供水设施等基本抢修抢通，灾区生活秩序基本恢复后，由应急响应启动机关决定终止应急响应。

8 恢复重建

8.1 恢复重建规划

特别重大地震灾害发生后，省政府按照国务院决策部署，组织编制灾后恢复重建规划；重大、较大、一般地震灾害发生后，省政府组织有关部门和灾区政府在对地震烈度、灾区范围、人口伤亡、经济损失等地震灾害调查的基础上，依据灾情损失评估结果，共同编制地震灾后恢复重建规划。

8.2 恢复重建实施

灾区各级政府根据灾后恢复重建规划和当地经济社会发展水平，有计划、分步骤地组织实施灾区灾后恢复重建。

9 其他地震事件应急

9.1 有感地震应急

有感地震是指人们感觉到的、但未直接造成人员重伤和死亡以及显著财产损失的地震。

省内发生 3 级以上， 4 级以下有感地震事件后，省地震局向省委、省政府和中国地震局上报震情。

当大中型城市和大中型水库、矿山等重要设施场地及其附近地区发生有感地震并可能产生较大社会影响，省地震局收集震情与社情，提出震情趋势判断，适时报省政府，省政府督导相关地方人民政府做好保持社会稳定工作。省地震局视情况派出地震现场工作队，指导地震应急工作。

当小城市和乡镇地区发生有感地震并可能产生较大社会影响，所在州、市人民政府督导相关地方人民政府做好保持社会稳定工作，并将应急情况及时报省政府和省地震局。

9.2 地震传言事件应急

当大中型城市或人口稠密地区出现地震谣言并对社会正常生产生活秩序造成较严重影响时，省地震局根据情况派出专家分析谣言起因，做好宣传工作，协助当地人民政府工作；省政府要督导谣言发生地区人民政府采取措施平息地震谣言。

当小城市和乡镇地区出现地震谣言并对社会正常生产生活秩序造成严重影响时，所在州、市人民政府要督导谣言发生地区人民政府采取措施平息地震谣言，并将应急情况及时上报省政府并抄送省地震局。

9.3　特殊时期应急戒备

在重大政治社会活动等特殊时期，省地震局应当部署和加强震情值班、地震监测、震情会商、地震应急准备等应急准备工作。

9.4　应对邻省震灾与我省相邻的省（自治区）发生地震灾害影响我省，造成建筑物破坏和人员伤亡时，省地震局根据震情、灾情的危害和影响程度，建议省政府启动相应级别的应急响应。

10　附　则

10.1　奖励与责任

对在抗震救灾工作中做出突出贡献的先进集体和个人，按照国家有关规定给予表彰和奖励；对在抗震救灾工作中玩忽职守造成损失的，严重虚报、瞒报灾情的，依据国家有关法律法规追究当事人的责任，构成犯罪的，依法追究其刑事责任。

10.2　预案管理

省地震局会同有关部门制订本预案，报省政府批准后发布实施。省地震局会同有关部门组织预案宣传、培训和演练，并根据实际情况，适时组织修订完善。

各州（市）、县（市、区、行委）政府制定本行政区域地震应急预案，报上级政府地震工作主管部门和应急管理主管部门备案。各级政府有关部门结合本部门职能制定地震应急预案或包括抗震救灾内容的应急预案，报同级地震工作主管部门和应急管理主管部门备案。交通、铁路、水利、电力、通信、广播电视等基础设施的经营管理单位和学校、医院，以及可能发生次生灾害的水库、矿山、危险物品等生产经营单位制定地震应急预案或包括抗震救灾内容的应急预案，报所在地县级地震工作主管部门和应急管理主管部门备案。

省政府应急办、省地震局会同有关部门，按照《青海省地震应急工作检查管理办法》规定，对州（市）、县（市、区、行委）政府、省政府有关部门以及大企业的应急预案和应急准备情况进行监督检查。

10.3　以上、以下的含义

本预案所称“以上”包括本数，“以下”不包括本数。

10.4　预案解释

本预案由省地震局负责解释。

10.5　预案实施时间

本预案自印发之日起实施。

（青海省人民政府网）

文件辑要

中共中央　国务院　中央军委
关于表彰青海玉树抗震救灾
英雄集体和抗震救灾模范的决定

（2010 年 8 月 18 日）

今年 4 月 14 日，青海省玉树藏族自治州玉树县发生强烈地震，给灾区人民生命财产和经济社会发展造成重大损失。在党中央、国务院、中央军委的坚强领导下，全党全军全国各族人民众志成城，迅速开展了抗震救灾斗争，最大程度搜救了被困群众，最快速度转移救治了受伤人员、安置了受灾群众，最大限度降低了灾害损失，最短时间开展了灾后恢复重建，夺取了抗震救灾斗争重大胜利。在这场艰苦卓绝的抗震救灾斗争中，涌现出一大批临危不惧、勇往直前、舍生忘死、感人至深的先进集体和先进个人，谱写了中华儿女不屈不挠、气壮山河的英雄凯歌，弘扬了中华民族共同团结奋斗、共同繁荣发展的主旋律，展示了党和人民的伟大力量，彰显了社会主义制度的优越性。

为大力弘扬万众一心、众志成城，不畏艰险、百折不挠，以人为本、尊重科学的伟大抗震救灾精神，激励广大干部群众团结一心夺取抗震救灾斗争的全面胜利，激励全党全军全国各族人民奋力推进改革开放和社会主义现代化建设事业，党中央、国务院、中央军委决定，授予玉树州抗震救灾指挥部等 225 个集体“全国抗震救灾英雄集体”荣誉称号；授予王玉虎等 330 名个人“全国抗震救灾模范”荣誉称号，追授松尕等 4 人“全国抗震救灾模范”荣誉称号。希望被授予荣誉称号的先进集体和先进个人珍惜荣誉，积极进取，再立新功。

中央号召，全党全军全国各族人民要以受表彰的先进集体和先进个人为榜样，更加紧密地团结在以胡锦涛同志为总书记的党中央周围，高举中国特色社会主义伟大旗帜，以邓小平理论和“三个代表”重要思想为指导，深入贯彻落实科学发展观，坚定信心、齐心协力，奋发图强、扎实工作，努力建设人民安居乐业、人与自然和谐相处的幸福美好新家园，为实现全面建设小康社会奋斗目标和中华民族伟大复兴做出新的更大贡献！

全国抗震救灾英雄集体名单

（共 225 个）

青海省

玉树州抗震救灾指挥部

中共青海省玉树州委组织部

中共青海省玉树州委统战部

玉树藏族自治州发展和改革委员会

玉树藏族自治州公安局

玉树藏族自治州司法局

玉树藏族自治州文化体育广播电视局电视新闻部

玉树藏族自治州职业技术学校

玉树藏族自治州人民医院

中共玉树县委员会

玉树县公安局

中共玉树县隆宝镇委员会

中共玉树县结古镇委员会

玉树县结古镇东风村党支部

玉树县结古镇扎西大同村党支部

玉树县结古寺民主管理委员会

中共称多县委员会

中共囊谦县委员会

中共杂多县昂赛乡委员会

治多县民政局

曲麻莱县人民政府办公室

西宁市民政局

西宁市第一人民医院

湟源县水务局玉树抗震救灾抢险队

西宁东关清真大寺民主管理委员会

互助土族自治县交通局

化隆回族自治县卫生局

海南藏族自治州人民医院
海北藏族自治州公安交通警察支队
海西蒙古族藏族自治州卫生局
天峻县支援玉树抗震救灾指挥部
黄南藏族自治州疾病预防控制保健中心
玛多县赴玉树抗震救援队
中共青海省委机要局
中共青海省委组织部组织处
青海日报社西海都市报社
青海电视台新闻中心
青海省无线电管理办公室
青海省工程咨询中心
青海省民族宗教事务委员会办公室
青海省救灾物资储备中心
青海省监狱管理局中心医院
青海省财政厅预算处
青海省地质环境监测总站
青海省环境监测中心站
青海省住房和城乡建设厅城乡规划处
青海省交通厅
青海省水利抗震救灾指挥部
青海省商务厅机关党委第五党支部
青海省人民医院
青海省康复医院
共青团青海省委员会宣传部
青海省青年志愿者协会
青海省残疾人联合会办公室
青海省红十字会
青海大学附属医院
青海省投资集团有限公司抗震救援队
西宁特殊钢集团有限责任公司救援队
青海盐湖工业集团股份有限公司赴玉树抗震救援队
西部矿业集团有限公司西海煤电有限责任公司矿山救护中队
青海省水利水电（集团）有限责任公司
青海省汽车运输集团有限公司玉树汽车站

青海煤业集团有限责任公司矿山救援队
青海省公路桥梁工程集团有限公司玉树地震抢险救援队
青海正平集团
西部机场集团青海机场有限公司
西部机场集团青海机场有限公司玉树机场分公司
四川省应急志愿服务总队

北京市

北京市民政局救灾处
北京市红十字救援队

天津市

天津市赴青海玉树抗震救灾医疗队

河北省

唐山市赴玉树抗震救灾突击队

辽宁省

辽宁省赴玉树抗震救灾卫生防疫队

黑龙江省

大庆庆瑞物流有限公司共产党员抗震救灾突击队

江苏省

徐州工程机械集团有限公司
江苏黄埔再生资源利用有限公司

浙江省

浙江省红十字会支援玉树抗震救灾办公室

江西省

江西省红十字会

山东省

青岛市民政局救灾救济处

湖北省

湖北省赴青海省抗震救灾医疗队

广东省

广东医疗救灾专家组

重庆市

重庆市人民政府应急管理办公室应急处置处

四川省

甘孜藏族自治州医疗卫生应急救援队

云南省

云南省赴青海玉树抗震救灾医疗队

云南省地震局玉树地震应急工作组

云南省红十字会大众卫生应急救援队

西藏自治区

西藏自治区赴青海玉树医疗卫生救援队

陕西省

西部机场集团有限公司

甘肃省

甘肃省交通援青抢险救灾突击队

宁夏回族自治区

宁夏回族自治区公安厅“动中通”卫星通信车组

新疆维吾尔自治区

新疆维吾尔自治区疾病预防控制中心赴青海玉树卫生防疫工作队

克拉玛依市卫生应急防疫队

中央和国家机关

中共中央宣传部国家应急新闻中心办公室

人民日报社青海分社

新华通讯社青海分社

中央人民广播电台军事宣传中心

中央电视台新闻中心玉树抗震救灾报道团

民政部社会福利和慈善事业促进司

法制日报玉树地震灾区采访小组

财政部驻青海省财政监察专员办事处

中国城市规划设计研究院

交通运输部公路局

青藏铁路公司

水利部长江水利委员会玉树抗震救灾工作组

农业部兽医局

卫生部疾病预防控制局传染病预防控制处

中国疾病预防控制中心传染病预防控制所

审计署驻兰州特派员办事处

中国科学院对地观测与数字地球科学中心

中国地震局玉树地震现场应急工作队

中国银行业监督管理委员会玉树监管分局

中国民用航空西北地区空中交通管理局青海分局
中国扶贫基金会
中国青少年发展基金会
中国康复研究中心
中国红十字基金会
中国作家玉树抗震救灾采访团
中国农业银行股份有限公司青海省玉树分行“帐篷银行”

国务院国资委管理的中央企业

中国航空工业集团公司飞行试验研究院玉树抗震救灾航测小组
中国石油天然气集团公司中国石油天然气股份有限公司青海销售分公司
中国石油化工集团公司中国石油化工股份有限公司青海石油分公司
国家电网公司青海省电力公司
中国电力投资集团公司黄河上游水电开发有限责任公司
中国电信集团公司青海省分公司
中国联合网络通信集团有限公司玉树藏族自治州分公司
中国移动通信集团公司青海有限公司
中国东方航空集团公司中国东方航空股份有限公司西北分公司
中国铁路工程总公司中铁隧道集团有限公司青藏铁路西格二线关角隧道工程指挥部
中国铁道建筑总公司中铁二十一局集团有限公司第四工程有限公司
中国航空油料集团公司中国航空油料有限责任公司青海分公司

公安消防、特警、边防部队

青海省公安消防总队
青海省公安消防总队玉树藏族自治州支队
青海省公安消防总队西宁市支队赴玉树抗震救灾救援队
青海省公安消防总队海东地区支队搜救犬分队
青海省公安消防总队海西蒙古族藏族自治州支队赴玉树抗震救灾救援队
青海省公安消防总队果洛藏族自治州支队赴玉树抗震救灾救援队
青海省玉树藏族自治州公安局特警支队
青海省西宁市公安局特警支队
青海省海东地区公安局赴玉树抗震救灾特警队
青海省海南藏族自治州公安局特警支队
青海省海西蒙古族藏族自治州公安局特警支队
青海省果洛藏族自治州公安局特警支队
青海省公安边防总队
山东省公安消防总队赴玉树抗震救灾救援队

广东省公安消防总队赴玉树抗震救灾救援队
广东省公安边防总队赴玉树抗震救灾医疗救援队
重庆市公安消防总队特勤支队
四川省公安消防总队赴玉树抗震救灾救援队
四川省成都市公安局特警支队
四川省阿坝藏族羌族自治州公安局特警支队
四川省甘孜藏族自治州公安局特警支队
西藏自治区公安消防总队赴玉树抗震救灾救援队
甘肃省公安消防总队兰州市支队
甘肃省兰州市公安局特警支队
云南省公安边防总队赴玉树抗震救灾医疗救援队
公安部治安管理局赴玉树抗震救灾特警指挥部
公安部消防局赴玉树抗震救灾指挥部

中国人民解放军

解放军第 309 医院赴玉树抗震救灾医疗队
解放军电视宣传中心军事新闻部
第三军医大学高原病防治医疗专家组
第四军医大学国家应急医疗救援队
62213 部队
解放军第 22 医院
95118 部队
95788 部队 64 分队
93987 部队
96361 部队
96375 部队 71 分队
96351 部队 59 分队
96351 部队 71 分队
解放军第 536 医院外二科
第二炮兵火箭兵报社新闻电教室
第二炮兵总医院抗震救灾医疗队
66150 部队 60 分队
68211 部队
68206 部队 57 分队
68303 部队
68303 部队 30 分队

68303 部队 41 分队
68303 部队 58 分队
68303 部队 64 分队
68303 部队 70 分队
68303 部队 75 分队
68303 部队 83 分队
68313 部队 40 分队
68313 部队 61 分队
68313 部队 78 分队
68313 部队 83 分队
青海省玉树军分区
青海省军区玉树独立骑兵连
68710 部队
68710 部队 57 分队
68710 部队 72 分队
68046 部队 61 分队
68060 部队应急兵站
解放军第 4 医院
68062 部队 71 分队
兰州军区疾病预防控制中心抗震救灾应急防疫救援队
解放军第 323 医院抗震救灾医疗队
兰州军区兰州总医院国家应急救援医疗队
解放军第 153 野战方舱医院
四川省石渠县人民武装部
资阳陆军预备役工兵团
西藏军区总医院高山病专家医疗队

中国人民武装警察部队

武警青海省总队第 1 支队
武警青海省总队第 1 支队 1 大队
武警青海省总队第 1 支队 3 大队
武警青海省总队第 1 支队 3 大队工化中队
武警青海省总队第 4 支队 3 大队
武警青海省总队第 4 支队 4 大队特勤中队
武警青海省总队西宁市支队 1 大队 1 中队
武警青海省总队玉树藏族自治州支队

武警青海省总队玉树藏族自治州支队直属大队
武警青海省总队玉树藏族自治州支队玉树县中队
武警青海省总队政治部新闻工作站
武警甘肃省总队医院医疗队
武警 8653 部队
武警 8653 部队 3 大队
武警 8653 部队 1 大队 12 分队
武警 8653 部队 3 大队 33 分队
武警水电第 2 总队 5 支队 6 中队
武警交通第 1 总队 1 支队 1 大队 3 中队
武警总医院救援医疗队民兵预备役
青海省陆军预备役步兵旅医院
四川省成都市综合应急救援大队

全国抗震救灾模范名单

（共 334 名）

青海省

王玉虎（藏族）	中共青海省玉树州委副书记，玉树藏族自治州人民政府州长
李学文（藏族）	中共青海省玉树州纪律检查委员会综合室主任
南　阳（藏族）	玉树藏族自治州人民政府副秘书长、办公室主任
王成元	玉树藏族自治州公安局副局长
洛　阳（藏族）	玉树藏族自治州民政局党组书记、局长
李海燕（女，藏族）	玉树藏族自治州财政局农财科科长
尼　夏（藏族）	玉树藏族自治州国土资源局矿产资源管理科科员
尕玛朋措（藏族）	玉树藏族自治州建设局党组书记、局长
文江才（藏族）	玉树藏族自治州交通局党组书记、局长
东　嘎（藏族）	玉树藏族自治州农牧局党组书记、局长
宋仁德	玉树藏族自治州畜牧兽医工作站站长、高级畜牧师
葛旭磊	玉树藏族自治州中级人民法院法警支队副支队长
才仁公保（藏族）	中共玉树县委员会副书记，玉树县人民政府县长
李　昊	玉树县人民政府办公室副主任
才旦多杰（藏族）	玉树县公安局主任科员
周玉华（藏族）	玉树县第一完全小学教师
伊西代青（女，藏族）	玉树县妇幼卫生综合医院护士长

马福良（藏族）	中共玉树县下拉秀镇委员会书记
松　尕（藏族）	玉树县巴塘乡岔来村党支部书记
才　哇（藏族）	玉树县结古镇扎西大同村三社社长
罗永跃	玉树县结古镇华龙超市个体户
公　保（藏族）	玉树县结古镇当卡寺民主管理委员会主任
江　尕（藏族）	玉树县安冲乡达杰寺民主管理委员会主任
金巴东周（藏族）	称多县人民政府办公室副主任
仁青多丁（藏族）	囊谦县吉尼赛乡拉翁村党支部书记
加哇才仁（藏族）	杂多县杂青乡兽医站站长、中级兽医师
贾　瑛（女，藏族）	治多县人民医院主治医师
内美文次（藏族）	曲麻莱县人民检察院公诉科副科长
祁化仍（藏族）	西宁市供销合作社联合社党委副书记、纪委书记
胡　薇（女，满族）	西宁电视台记者
石泉霖	西宁市疾病预防控制中心副主任、副主任医师
祁永清（回族）	西宁市第二人民医院副院长、副主任医师
丁志军	西宁赛迪会展有限公司总经理
闫立平	西宁泰欣出租车行司机
马宝祥（回族）	湟中县大才回族乡前沟村村民
坚赞昂旦（藏族）	湟中县塔尔寺民主管理委员会副主任、藏医师
苏昂欠才让（藏族）	西海农民报社采编部主任、主任记者
王　伟	海东地区疾病预防控制中心副主任
阿克明（蒙古族）	中共乐都县委员会办公室主任
韩文成（撒拉族）	循化撒拉族自治县仙红辣椒开发有限公司董事长
韩　进（撒拉族）	青海欣路建设工程有限公司循化工程队队长
陈有文（藏族）	海南藏族自治州畜牧兽医工作站站长、高级兽医师
马志明（回族）	贵德县水务局局长
陈芝正（藏族）	祁连县疾病预防控制保健中心副主任
麻叶拉（蒙古族）	中共门源回族自治县青石嘴镇委员会书记
任宗高	中共海西蒙古族藏族自治州委员会副秘书长、办公室主任
钱东去（藏族）	海西蒙古族藏族自治州人民医院急诊科主任、副主任医师
潘立清（蒙古族）	中共德令哈市尕海镇委员会副书记，尕海镇人民政府镇长
肖永明	青海中浩天然气化工有限公司董事长兼总经理
才让多杰（藏族）	同仁县隆务镇居民
索南达吉（藏族）	黄南藏族自治州职业技术学校副校长、高级讲师
班玛闹吾（藏族）	共青团果洛藏族自治州委员会副书记

吴　敏（女）	果洛藏族自治州达日县人民医院医师
李艳萍（女）	中共青海省纪律检查委员会党风廉政建设室主任科员
罗德拉（藏族）	中共青海省委统战部二处处长
张生禄	青海省人民政府办公厅秘书三处主任科员
杨　扬（满族）	青海省发展和改革委员会固定资产投资处处长
董继忠	青海省经济委员会包装和食品工业办公室主任科员
圈启章（藏族）	青海省民族宗教事务委员会宗教一处处长
更　阳（藏族）	青海省民政厅党组书记、厅长
窦　强	青海省民政厅救灾处主任科员
竺向东	青海省财政厅办公室主任
窦　超	青海省第一测绘院工程师
吴国禄	青海省环境地质勘查局党委书记、局长
匡　湧	青海省住房和城乡建设厅厅长
胡　军	青海省建设工程质量监督总站站长、高级工程师
田明有	青海省收费公路管理处副处长、高级工程师
冀国栋	青海省公路局结古公路段段长
于从乐	青海省水利厅党组书记、厅长
吕　强	青海省水利水电勘测设计研究院设计室主任、副总工程师
孙应祥	青海省兽医局副局长
苏　宁（女）	青海省卫生厅党组书记、厅长，青海省食品药品监督管理局局长
杜玉雄（回族）	青海大学附属医院副院长、主任医师
吴世政	青海省第五人民医院院长、主任医师
郭　鹏	青海省疾病预防控制中心科长、副主任医师
李连生	青海红十字医院普外科副主任、副主任医师
李晓峰	青海省妇女联合会妇女发展部副主任科员
马永成（回族）	青海桥头铝电股份有限公司保卫部部长
张国裕	西宁特殊钢集团有限责任公司铁钢轧分厂副厂长、工程师
苑　钢	青海盐湖工业集团股份有限公司团委书记、工会副主席
尹　磊	西部矿业集团有限公司锡铁山分公司办公室主任
唐增科	青海省水利水电（集团）有限责任公司董事长、党委书记
张建国	青海省汽车运输集团有限公司董事长、党委书记、总经理
王存儒	青海煤业集团有限责任公司矿山救援队指导员
张永厚	青海省公路桥梁工程集团有限公司项目经理
李德业	青海正平集团农民工
唐海忠	中国电力投资集团公司黄河上游水电开发有限责任公司黄河电力检修工程有限公司检修工

杜金玉	国家电网公司青海省电力公司火电工程公司送电工程处线路班班长
张崇誉	中国联合网络通信集团有限公司玉树藏族自治州分公司副总经理
马千里（回族）	新华通讯社青海分社总编室常务副总编辑、高级记者
郑太红	青海电视台新闻中心采访部副主任
刘端强	青海日报社新闻摄影中心记者
王海咏（女）	青海人民广播电台主任编辑
程珠祖	西部机场集团青海机场有限公司总经理
李　欣	北京博万科技发展有限责任公司总经理
北京市	
蒋协远	北京积水潭医院副院长、主任医师
天津市	
冯忠兴	天津市救灾物资储备站主任
陈　兵	天津医科大学第二医院急症科主任、主任医师
河北省	
王文忠	枣强县大营镇艿药村党总支书记
辽宁省	
韩迪秋	辽宁省建设工程安全监督总站副站长、高级工程师
王树诚	辽宁省疾病预防控制中心副主任、主任技师
王健林	大连万达集团股份有限公司董事长
黑龙江省	
孙　旭	大庆庆瑞物流有限公司项目经理
刘迎霞（女）	哈尔滨翔鹰集团股份有限公司董事长
江苏省	
邱海波	东南大学附属中大医院副院长、主任医师
浙江省	
马永春	浙江省立同德医院主治医师
周选慈	温州爱尔达制衣有限公司仓库管理员
江西省	
熊积禄	新建县红十字会常务副会长
吴海波（女，仫佬族）	新余市红十字会科员
山东省	
郭建政	《齐鲁晚报》记者
卢志强	泛海控股集团有限公司董事长
河南省	
王向召	河南电视台都市频道记者

湖北省

叶哲伟	华中科技大学同济医学院附属协和医院骨科副主任医师
唐晓安	湖北日报社社会部记者

广东省

金大地	南方医科大学南方医院骨科中心主任、主任医师
杨　琨	广东电视台新闻中心记者

重庆市

杨　阳	江津区先锋镇绣庄村村民，中国农业发展银行青海省玉树分行农民工
邓志根	重庆市卫生局农村卫生管理处副主任科员
何　熠（满族）	《重庆晨报》摄影记者

四川省

朱祥胜	四川省机场集团有限公司成都双流国际机场股份有限公司医疗救护中心副主任、副主任医师
周国兴	什邡市安全生产应急救援大队队长、经济师
杨　勇	四川省卫生厅应急办公室副主任

云南省

刘玉明	云南省第一人民医院副院长、主任医师

西藏自治区

金战兵	昌都地区地震局局长
巴桑次仁（藏族）	昌都地区民政局副科长

陕西省

徐永刚	陕西省人民医院副院长、主任医师
何喜奎	西部机场集团有限公司董事长、党委书记

甘肃省

孙亚军	甘肃省卫生厅应急办公室主任
吴　超	中共甘肃省委机要局副主任科员
王永超	甘肃省国土资源厅地质环境处处长

宁夏回族自治区

高　俊	宁夏回族自治区人民医院骨科主任、主任医师
王卫东	宁夏广播电视总台新闻中心记者

新疆维吾尔自治区

刘　健（女）	乌鲁木齐市红十字急救中心总护士长、主管护师

中央和国家机关

黎兴文（女）	中共中央对外宣传办公室一局调研
丁　伟	人民日报社新闻协调部副主任、高级编辑

杨寿德（藏族）	新华通讯社青海分社记者
王　瑟	光明日报社驻新疆记者站站长
马玉宏（回族）	经济日报社驻青海记者站站长
刘　龙	中央电视台新闻中心记者
任　杰	中国国际广播电台新闻中心记者
张　进	中国日报社国际部副主任
黄书元	人民出版社党委书记、社长
郭晓光	国务院应急管理办公室副主任
王万平	国家发展和改革委员会经济运行调节局调研员
陈东升	教育部基础教育一司专项工作处副处长
章建良	青海省通信管理局党组书记、局长
吉太才让（藏族）	西北民族大学藏语言文化学院政治辅导员
邹　铭	民政部救灾司司长，国家减灾中心主任
张永双	中国地质科学院地质力学研究所地质灾害研究室副主任、研究员
张志敏	环境保护部环境应急与事故调查中心副主任
蔡团结	交通运输部道路运输司城乡客运处处长
刘　勇	交通运输部综合规划司公路规划处处长
刘明芳	青藏铁路公司辅业资产管理中心西宁装卸车间主任、助理工程师
宋树立（女）	卫生部办公厅新闻办公室主任
梁万年	卫生部卫生应急办公室主任
李　群	中国疾病预防控制中心疾病控制与应急处理办公室副主任、研究员
魏　平	中国人民银行玉树藏族自治州中心支行党委书记、行长
田有山	青海省玉树藏族自治州国家税务局办公室主任
刘　超	国家安全生产应急救援指挥中心指挥协调部协调处副处长
谢　武	四川煤矿安全监察局信息调度中心副主任
尹光辉	国家地震灾害紧急救援队重大事项联席会议办公室副主任
沙成宁	青海省地震局监测中心测震台网室主任、工程师
严兴起	青海省玉树藏族自治州气象台工程师
童光毅	国家电力监管委员会南方监管局安全处处长
多　杰（藏族）	中国民用航空青海安全监督管理局副局长
朱立国	中国中医科学院望京医院副院长、主任医师
吴天一（塔吉克族）	青海高原医学科学研究院院长、研究员
黄国满	中国测绘科学研究院研究员
陈军勇	青海省玉树藏族自治州邮政局党委书记、局长

国务院国资委管理的中央企业

白瑞杰	中国航天科技集团公司中国四维测绘技术总公司四维航空遥感有限公司总经理助理
高卫军	中国航天科工集团公司第一研究院北京航天科工世纪卫星科技有限公司项目主管、高级工程师
窦学松	中国兵器工业集团公司北京北方车辆集团有限公司兴燕公司售后服务员
宋江华	中国兵器装备集团公司武汉滨湖电子有限责任公司售后服务员
孙　龙	中国电子科技集团公司第三十八研究所工程师
杜丽学	中国石油天然气集团公司中国石油天然气股份有限公司青海销售分公司总经理、高级经济师
祁太元	国家电网公司青海省电力公司总工程师
王新元	中国华电集团公司青海华电大通发电有限公司副总经理、党委委员
钟　敏	中国航空集团公司中国国际航空股份有限公司西南分公司飞行部飞行五大队副大队长
孙雪松	中国东方航空集团公司中国东方航空股份有限公司西北分公司副总经理
马旌升	中国储备粮管理总公司兰州分公司中央储备粮西宁直属库党支部书记、主任
包瑞昌	中国冶金科工集团有限公司中冶天工集团有限公司项目部车队队长
布才仁（藏族）	中国电信集团公司青海省电信有限公司玉树州分公司副总经理、经济师
阿克明	中国联合网络通信集团有限公司玉树藏族自治州分公司网络部员工
王　勇	中国移动通信集团公司青海有限公司网络部技术支援主管、工程师

公安消防、特警、边防部队

康自福（藏族）	青海省公安消防总队玉树藏族自治州支队支队长
任开锋	青海省公安消防总队玉树藏族自治州支队玉树中队副中队长
韩蒙蒙	青海省公安消防总队玉树藏族自治州支队玉树中队上等兵
杜仕海	青海省公安消防总队西宁市支队城北二中队四级警士长
胡海涛	青海省公安消防总队西宁市支队城西中队中士
霍昌强	青海省公安消防总队海东地区支队搜救犬分队下士
许　翔	青海省公安消防总队海南藏族自治州支队共和中队上等兵
冯生荣	青海省公安消防总队海北藏族自治州支队门源中队上士
曹玉福	青海省公安消防总队海西蒙古族藏族自治州支队德令哈二中队上士

李学良（藏族）	青海省公安消防总队格尔木市支队支队长
罗　东	青海省公安消防总队果洛藏族自治州支队玛沁中队中队长
尼　玛（藏族）	青海省玉树藏族自治州公安局特警支队支队长
索文明（藏族）	青海省玉树藏族自治州公安局特警支队副支队长
张海奇	青海省西宁市公安局特警支队政委
东主才让（藏族）	青海省海南藏族自治州公安局特警支队支队长
杨智慧（藏族）	青海省海北藏族自治州公安局特警大队民警
黄建明（藏族）	青海省黄南藏族自治州公安局特警大队大队长
白少云	青海省果洛藏族自治州公安局特警支队民警
刘江民	青海省公安消防总队总队长
张玉升	山东省公安消防总队副参谋长
邓　樑	广东省公安消防总队司令部战训处处长
周　妥	广东省公安消防总队广州市支队珠江东中队中士
马　莉（女）	广东省公安边防总队医院副院长、副主任医师
张云高	广东省公安边防总队医院门诊部主任医师
高晓波	广东省公安边防总队中山边防检查站政委
张　奇	重庆市公安消防总队南岸区支队第一中队中士
李金勇	重庆市公安消防总队九龙坡区支队特勤中队下士
王　建	四川省公安消防总队成都市支队四级警士长
曹正宇	四川省公安消防总队成都市支队下士
王　波	四川省公安消防总队乐山市支队市中区中队中队长
李　明	四川省成都市公安局特警支队政委
兰　茜	四川省成都市公安局特警支队政工科副科长
王勇哲	四川省成都市公安局特警支队装备财务科科长
罗忠义	四川省成都市公安局特警支队三大队二中队副中队长
杜建华	四川省成都市公安局特警支队四大队大队长
张晓星	四川省成都市公安局特警支队五大队民警
刘松清（藏族）	四川省阿坝藏族羌族自治州公安局特警支队战训大队副大队长
黄剑峰（藏族）	四川省阿坝藏族羌族自治州公安局特警支队民警
向学马（藏族）	四川省甘孜藏族自治州公安局特警支队支队长
吴康林（藏族）	四川省甘孜藏族自治州公安局特警支队一大队民警
扎　西（藏族）	四川省甘孜藏族自治州公安局特警支队二大队民警
尹福利	四川省甘孜藏族自治州公安局特警支队二大队民警
李俊烈	西藏自治区公安消防总队司令部战训处参谋

胡　勇	西藏自治区公安消防总队昌都地区支队特勤中队中队长
班玛南加（藏族）	甘肃省公安消防总队兰州市支队东岗中队四级警士长
李海峰	甘肃省公安消防总队白银市支队特勤中队代理副中队长
何全意	甘肃省兰州市公安局副局长
柴长久	甘肃省兰州市公安局特警支队后勤处保障科副科长
杨文海	甘肃省兰州市公安局特警支队一大队教导员
刘　鹏	甘肃省兰州市公安局特警支队一大队民警
仲英杰	甘肃省兰州市公安局特警支队二大队大队长
张　华	云南省公安边防总队后勤部军械处助理员
付先平	云南省公安边防总队医院医务处主任、主治医师
黄江平	公安部治安管理局副巡视员
赖世雄	公安部消防局办公室参谋
中国人民解放军	
刘希华	解放军第 309 医院院长、主任医师
张　锋	解放军报社互联网络宣传部副主任、主任编辑
李晓康	第四军医大学第一附属医院医教部副主任、副主任医师
王　岩	解放军总医院外科临床部骨科主任、主任医师
赵彤言（女）	62035 部队研究员
金　霞（女）	解放军第 22 医院护理部主任、主管护师
李高元	解放军第 22 医院心肺内科副主任、主治医师
任明明	总后勤部司令部参谋
李林南	总装备部综合计划部参谋
丁　毅	95118 部队副部队长
李　龙	93856 部队 18 分队报务员
马凯明	93811 部队 86 分队办公室主任
潘　涛	空军司令部作战部副处长
李保弟	96361 部队部队长
高玉强	96361 部队参谋长
胡建民	96351 部队 59 分队政治教导员
才吉拉毛（女，藏族）	96351 部队政治部文化工作站列兵
李　涛	解放军第 536 医院院长、主治医师
任　玲（女）	解放军第 536 医院医防科护士长、护师
王然江	96657 部队 5 室副主任、工程师
王会峰	第二炮兵司令部作战部参谋

乔　林	第二炮兵总医院骨科主治医师
刘建军	解放军第 255 医院院长、主任医师
朱为民	北京军区联勤部卫生部助理员
李勇俊	69008 部队副部队长
艾正文	68211 部队 56 分队分队长
路开彬	68211 部队 63 分队班长
李景玉	68210 部队装备部处长
李德强	68303 部队副部队长
王宪东	68303 部队 47 分队班长
石自福	68303 部队 52 分队主治医师
王贵刚	68303 部队 58 分队分队长
吴文杰	68303 部队 69 分队上等兵
王永强	68303 部队 75 分队班长
梁永红	68303 部队后勤部科长
许尔瑞	68313 部队政治委员
王万华	68313 部队 13 分队班长
田红宝	68313 部队 59 分队分队长
沈方敏	68313 部队 83 分队政治指导员
华清杰（藏族）	68313 部队 84 分队上等兵
王明生	68310 部队政治部干事
吴　勇	青海省玉树军分区司令员
马胜强	青海省玉树军分区后勤部部长
闫新明	青海省玉树县人民武装部后勤科士官
杨传征	青海省军区政治部干事
王波涛	68710 部队部队长
张继福	68710 部队 58 分队分队长
王育龙	68710 部队 72 分队班长
朱发强	兰州军区司令部作战部参谋
王晓涛	兰州军区司令部军务部参谋
高思远	兰州军区政治部宣传部干事
王若军	68060 部队军需物资处助理员
张　凡	68062 部队勤务队士官
何　敏（女，满族）	解放军第 4 医院外科副主任、副主任医师
吴永胜	解放军第 1 医院医务处主任、副主任医师

魏敦宏	68090 部队卫生处处长
朱自清	兰州军区兰州总医院政治委员
宋英武	兰州军区联勤部司令部处长
李震宇	兰州军区装备部汽车修理所所长
张红娟（女）	解放军第 153 医院妇产科副主任医师
次翁扎西（藏族）	72865 部队副部队长
李仲荣	77128 部队后勤处处长
刘文利	四川省成都市龙泉驿区人民武装部参谋
崔广成	四川省色达县人民武装部部长
陈润泉	内江预备役防化团汽车连连长

中国人民武装警察部队

安大钧	武警青海省总队第 1 支队支队长
漆爱民	武警青海省总队第 1 支队 1 大队大队长
屈明刚	武警青海省总队第 4 支队支队长
辜　勇	武警青海省总队第 4 支队装甲车中队班长
卜　玮	武警青海省总队西宁市支队 4 大队 13 中队班长
贾振雄	武警青海省总队玉树藏族自治州支队政治委员
崔　站	武警青海省总队玉树藏族自治州支队直属大队 2 中队中队长
陈光强	武警青海省总队玉树藏族自治州支队直属大队 3 中队班长
安华轩	武警青海省总队医院门（急）诊主治医师
石华杰	武警青海省总队副参谋长兼玉树藏族自治州支队支队长
吕清平	武警青海省总队司令部参谋
赵杰书	武警青海省总队政治部干事
吴小二	武警青海省总队后勤部参谋
李进良	武警四川省总队甘孜藏族自治州支队石渠县中队政治指导员
张亚斌	武警甘肃省总队第 3 支队 2 大队 5 中队政治指导员
孔　新	武警 8653 部队部队长
李延明	武警 8653 部队 2 大队 23 分队分队长
石念锋	武警 8653 部队 1 大队 13 分队班长
李晓楠	武警 8650 部队政治部干事
易道勇	武警水电第 2 总队 8 支队 1 大队政治教导员
董　林	武警交通第 1 总队 1 支队教导队政治教导员
侯世科	武警总医院医务部主任、主任医师
杨建勇	武警部队司令部作战勤务指挥中心参谋
韩季池	武警部队心理工作办公室主任

赵　鑫	人民武警报社军事后勤编辑室编辑
周冲武	武警部队后勤部军需物资部处长
民兵预备役	
旦尼玛（藏族）	青海省称多县民兵应急连一排三班班长
邢仁平	青海省陆军预备役步兵旅通信营政治教导员
龙　斌（藏族）	四川省石渠县民兵应急分队民兵
泽里王（藏族）	四川省黑水县芦花镇民兵连连长

（《青海日报》，2010 年 8 月 20 日第 1 版）

国务院关于做好玉树地震灾后恢复重建工作的指导意见

国发〔2010〕14 号

各省、自治区、直辖市人民政府，国务院各部委、各直属机构：

玉树地震灾后恢复重建任务十分艰巨繁重，并面临高寒缺氧、施工期短、交通不便、生态脆弱和建筑资源严重不足等特殊困难。为科学、依法、统筹，有力、有序、有效地推进恢复重建各项工作，现提出以下意见：

一、总体要求

（一）指导思想

充分认识玉树地震灾后恢复重建的重要意义和特殊性，以科学发展观为指导，发挥社会主义制度的优越性；从玉树实际出发，借鉴汶川地震灾后恢复重建的成功经验，坚持以人为本，把保障民生放在优先位置，尊重民族文化习俗和宗教信仰，注重生态环境保护；以灾区各级政府为主导、广大干部群众为主体，中央大力支持，各方积极援助；精心规划、精心组织、精心实施，又好又快地完成灾后恢复重建任务。

（二）基本原则

1. 科学重建、规划先行。认真做好灾害评估、资源环境承载力评价等前期工作，在全面调研、科学论证、合理避让灾害隐患的基础上，确定适宜重建区域。综合考虑经济社会、自然地理、生态环境、民族宗教等各方面因素，依照国家有关法律法规，科学制定灾后恢复重建规划。坚持安全、适用、省地、节俭的原则，有计划、分步骤、因地制宜地开展恢复重建工作。

2. 统筹兼顾、突出重点。优先恢复重建城乡居民住房和学校、医院等公共服务设施，抓紧恢复基础设施功能和生产生活秩序。同步统筹规划实施受损宗教活动场所的恢复重建。灾后恢复重建工作要与促进民族地区经济社会发展相结合，与扶贫开发和改善生产生活条件相结合。

3. 保护生态、体现特色。灾后恢复重建要把保护生态环境放在重要位置，按照构筑青藏高原生态屏障的要求，与三江源自然保护区生态保护建设统筹推进。要特别注重保护民族宗教文化遗产，充分体现当地民族特色和地域风貌。

4. 自力更生、多方支持。灾区各级政府要加强组织领导，动员广大干部群众自力更生、艰苦奋斗，建设美好家园。国务院有关部门要大力支持，同时发挥社会各界援助的积极性，多方形成合力，共同推进灾后恢复重建。

（三）重建目标

力争用三年时间基本完成恢复重建主要任务，使灾区基本生产生活条件和经济社会发展全面恢复并超过灾前水平，生态环境切实得到保护和改善，又好又快地重建新校园、新家园，为建设生态美好、特色鲜明、经济发展、安全和谐的社会主义新玉树奠定坚实基础。

二、主要任务

（一）城乡居民住房

把恢复重建城乡居民住房摆在突出和优先的位置，先行开展农村住房恢复重建。要尽快完成房屋及建筑物受损程度鉴定，明确维修加固和重建任务。对可以修复的，要抓紧开展维修加固；对需要重建的，要尊重群众意愿，选择适宜的重建形式和建筑样式。要抓紧规划设计，合理确定抗震设防标准和技术规范。建设选址要避开重大灾害隐患地带。农牧区居民住房的恢复重建，要与新农村新牧区建设相结合，统筹规划牧民定居点，提供多样化设计样式，加强施工技术指导，改进建筑结构，提高建筑质量。城镇居民住房的恢复重建，要制定好城镇总体规划，优化空间布局，完善配套设施，推动适用新型建筑材料和建造技术的应用。

（二）公共服务设施

优先安排教育、卫生等公共服务设施的恢复重建，严格执行强制性建设标准规范，把学校、医院建成最安全、最牢固、群众最放心的建筑。合理调整学校布局，加强中小学寄宿制学校、中等职业学校和幼儿园建设，改善“双语”教学条件。恢复重建州县乡医疗卫生机构和计划生育机构，加强基本医疗和公共卫生服务体系建设。抓好公共文化科技、广播电影电视、体育设施恢复重建。恢复重建社会福利、社会救助、残疾人服务、劳动就业和社会保障等设施。统筹安排恢复重建宗教活动场所，加强民族、宗教文化遗产的抢救和保护。在基本完成公共服务设施建设后，按照节俭实用的要求，恢复重建各级行政机关办公设施。

（三）基础设施

重点恢复重建主要干线公路、农村公路、民航、邮政设施。恢复重建公众通信网，提高应急通信、运输通信保障能力。在全面恢复当地供电能力的基础上，尽快开展与电网主网互联工程的前期工作，推动地热、太阳能等可再生能源利用，提高能源综合保障能力。加快水利基础设施和安全饮水工程恢复重建。加快市政公用设施恢复重建，增强供水、排水能力，配套建设污水、垃圾处理设施。

（四）市场服务体系

加快恢复市场服务体系基本功能，保障灾区群众基本生活需要，提高市场供应能力。恢复重建集贸市场、商业网点和生产资料交易市场，以及粮油储运设施。加快重建金融机构基层网络，全面恢复金融服务功能。

（五）地方特色产业

在严格保护生态的前提下，抓紧恢复灾区各类生产设施，推进农牧、商贸旅游等地方特色产业恢复重建，努力拓宽就业渠道，提高群众收入水平。结合发展绿色有机、高原特色产品的需要，优化农业、畜牧业发展布局，恢复提升生产能力。抓好牧区小水利、草场围栏、畜禽圈舍以及动植物病虫害防控、农技服务等设施的恢复重建。加快修复旅游景区景点和旅游基础设施，提升旅游服务质量和水平。加大对农副产品加工、民族特色加工业的扶持力度。

（六）生态环境和防灾减灾

坚持自然恢复与人工治理相结合，逐步修复生态系统。围绕三江源自然保护区生态保护建设，重点加强天然林保护、退牧还草等重点生态工程实施力度，加快开展水源涵养区、自然保护区管护设施恢复重建。加快水源地和土壤污染治理，妥善做好废墟清理和各类废物无害化处理与再利用工作。恢复重建地质灾害、气象灾害和次生灾害监测系统，提高防灾减灾能力。

三、保障措施

（一）统一思想认识

玉树地震灾后恢复重建工作，事关灾区紧迫的民生问题和长远发展，事关三江源地区生态保护，事关民族团结和社会和谐稳定，具有重要和深远的意义。受自然条件差、经济欠发达等因素的制约，玉树灾后恢复重建面临许多特殊困难，对此要有充分认识。各地区、各部门要把思想统一到党中央、国务院的决策部署上来，以高度的政治责任感和紧迫感，全力做好灾后恢复重建工作。

（二）科学编制规划

在对地震灾害损失进行全面系统调查评估和资源环境承载力评价的基础上，充分听取灾区群众意见和建议，组织专家对重大问题进行深入论证，科学编制灾后恢复重建总体规划和各专项规划。要统一规划、整体设计、突出重点、分步推进，有力有序有效地开展灾后恢复重建各项工作。

（三）加强组织领导

青海省、四川省人民政府对玉树地震灾后恢复重建工作负总责，国务院有关部门按照职能分工加强指导和做好相关协调工作。青海省要建立强有力的领导机构和现场指挥调度系统，明确任务，落实责任，创新机制，统建与分建相结合，科学高效地组织实施。国务院成立玉树地震灾后恢复重建组，协调有关部门大力支持，密切配合，及时帮助解决灾后恢复重建中的有关问题。青海省、四川省要会同有关部门，对灾后恢复重建的各项保障工作统筹考虑，统一指挥，科学调度，有序推进，在确保质量和安全的前提下，加快恢复重建进度。

（四）加大政策支持

鉴于玉树地震受灾地区的特殊困难，灾后恢复重建所需资金以中央财政安排为主，同时采取更加优惠的税收、金融、土地、环保、就业、扶贫等政策措施，统筹使用社会各界捐赠资金，加大对恢复重建支持力度。青海省、四川省要克服困难，适当集中财力用于恢复重建。受灾地区各级政府要统筹兼顾，合理安排，精打细算，节俭办事，管好用好各类资金，全力投入灾后恢复重建工作。

（五）多方合力推进

东西部扶贫协作、支援藏区的对口省市和中央有关企业，要组织工程技术人员和具有高原施工经验的建筑施工力量支持恢复重建。青海省、四川省要在灾区开展以工代赈，并组织省内力量，大力支持灾区建设。鼓励相邻地区的设计、施工力量参与恢复重建。

（六）加强实施保障

青海省、四川省要根据灾后恢复重建对建材、运输、电力、用水等实施保障条件的需要，及早做好需求量的测算，摸清本省和周边地区生产供应情况，在有关部门配合下，制定相应保障方案，逐项加以落实。提前启动建材生产供应工作，支持加快物资运输集散场站建设，合理确定运输方式，开辟绿色通道，保障运输畅通。加快受损电力设施修复，保障恢复重建用电需要。加强建材市场和运输价格监督管理工作。

（七）强化监督检查

青海省、四川省要加强对恢复重建资金、物资各环节的监督检查，确保资金和物资安全，确保工程质量；坚持公开透明，及时公布恢复重建进展情况和资金物资使用情况，自觉接受社会监督。国务院有关部门要加强对恢复重建的监督检查，开展全过程跟踪审计。

（八）保护健康安全

严防灾区传染疫病发生，加强灾区群众和参建人员的健康保护和高原病防治工作。组织开展心理救援，做好灾区干部群众的心理疏导和精神抚慰。防范余震及各类次生灾害，确保灾区群众和参建人员安全。

（九）做好宣传工作

加强新闻宣传，弘扬伟大的抗震救灾精神，弘扬各民族共同团结奋斗、共同繁荣发展的主旋律，大力宣传恢复重建中涌现出来的先进集体和模范人物，鼓舞和激励各族干部群众同心协力、团结互助、顽强拼搏，克服一切艰难险阻，共同夺取灾后恢复重建全面胜利。

国务院

二〇一〇年五月二十四日

（《中华人民共和国国务院公报》，2010 年第 16 号）

国务院关于支持玉树地震灾后恢复重建政策措施的意见

国发〔2010〕16号

各省、自治区、直辖市人民政府，国务院各部委、各直属机构：

为支持和帮助玉树地震灾区恢复重建，统筹和引导社会各方面力量，又好又快重建新校园、新家园，建设社会主义新玉树，保证用三年时间基本完成恢复重建主要任务，使灾区基本生产生活条件和经济社会发展全面恢复并超过灾前水平，现就支持玉树地震灾后恢复重建有关政策措施提出以下意见：

一、基本原则

支持玉树地震灾后恢复重建，要充分考虑玉树地震灾区的特殊困难，既要与汶川地震灾后恢复重建政策措施和中央支持藏区发展、游牧民定居、生态移民等政策相衔接，更要从玉树地区灾后恢复重建实际情况出发，进一步加大政策优惠和支持力度。

（一）中央为主、多方支援

灾后恢复重建所需资金以中央财政资金为主，同时包括省级财政资金、社会捐赠资金以及居民和企业少量自筹资金。

（二）统筹考虑、突出重点

根据受灾程度，统筹做好不同受灾地区的恢复重建工作。将人口数量多、损失严重的极重灾区玉树县结古镇作为恢复重建工作的重点，同时兼顾玉树县隆宝镇、仲达乡、安冲乡、巴塘乡4个重灾乡镇。对一般灾区和灾害影响区乡镇，支持城乡居民倒损住房以及受损学校、医院等公共服务设施重建和修复。

（三）总量包干、分类控制

中央财政对灾后恢复重建资金实行“总量包干，分类控制”的管理办法，由地方政府根据规划项目和轻重缓急统筹做好中央财政资金、省级财政资金、捐赠资金和其他自筹资金的安排使用。

二、主要政策

（一）以中央财政为主安排灾后恢复重建资金

中央财政安排的资金包括：一般预算收入资金、车购税专项收入资金和中央国有资本经营预算收入资金。根据重建目标和任务，中央财政资金分2010年、2011年、2012年三年安排。其中，2010年安排90亿元，明、后两年继续做相应安排。中央财政安排的其他有关专项资金也要向受灾地区适当倾斜。

青海省要通过调整支出结构安排资金用于恢复重建。中央有关部门及红十字会、慈善总会等接收的捐赠资金，要直接拨付到青海省，连同青海省接收的捐赠资金，统一纳入灾后恢复重建规划，由青海省统筹安排用于恢复重建。此外，加上居民和企业少量自筹资金，共同组成以中央财政为主的灾后恢复重建资金。

按照灾后恢复重建的主要任务，灾后恢复重建资金的使用主要采取项目投资、居民个人补助、资本金注入、贴息等方式，用于以下几个方面：

1. 居民住房恢复重建

对玉树地震灾区城乡居民（含中央垂直管理部门职工）倒塌和严重损坏住房重建，按照政府保障基本住房需求原则安排资金；对一般受损住房维修加固，适当安排资金给予补助。具体补助标准和方式由受灾地区人民政府区分不同情况确定。

2. 城镇建设

恢复重建破坏严重需整体重建或新建的城镇道路、桥梁，城镇供水、供气、供热以及污水垃圾处理等市政公用设施及配套管网等。

3. 公共服务设施恢复重建

恢复重建教育、卫生、科技、地震、计划生育、广电、文化文物、体育、劳动就业与社会保障、社会福利、基层政权、公检法司等公共服务设施。其中恢复重建教育、卫生设施优先安排社会捐赠资金，重点用于新建。

对宗教活动场所，按灾后恢复重建规划和现有管理程序，分寺院、活佛和教职人员生活住所以及文物等进行恢复重建。

4. 基础设施恢复重建

恢复重建灾区范围内主要干线公路、农村公路以及受损民航设施、公众通信网和应急通信设施、邮政服务设施，以及水利、电力电网等设施。

5. 产业恢复重建

支持恢复重建玉树工商企业、金融网点，恢复农业、畜牧业生产能力，发展环保型产业和特色文化、旅游等产业，建设工业集中区基础设施。

6. 其他恢复重建

恢复重建农牧区（林区）生产生活设施，支持以工代赈、震后废物及建筑垃圾处理、三江源生态环境保护、灾毁土地整治、气象监测预警、地质灾害防治、综合减灾等社会公益性项目建设。

（二）税收政策

减轻企业税收负担：

对受灾地区损失严重的企业，免征灾后恢复重建期所在年度的企业所得税；对受灾地区企业取得的抗震救灾和灾后恢复重建款项和物资，以及与抗震救灾有关的减免税金及附加收入，免征企业所得税；在 5 年内免征受灾地区农村信用社企业所得税；对受灾地区企业、单位或支援受灾地区重建的企业、单位，进口国内不能满足供应并直接用于灾后重建的大宗物资、设备等，在 3 年内给予进口税收优惠。

减轻个人税收负担：

对受灾地区个人接受捐赠的款项、取得的各级政府发放的救灾款项，以及参与抗震救灾的一线人员，按照地方各级政府及其部门规定标准取得的与抗震救灾有关的补贴收入，免征个人所得税。

支持受灾地区基础设施、房屋建筑物等恢复重建：

1. 对政府为受灾居民组织建设的安居房建设用地，免征城镇土地使用税，转让时免征土地增值税。

2. 对地震中住房倒塌的农（牧）民重建住房占用耕地的，在规定标准内的部分免征耕地占用税。

3. 由政府组织建设的安居房，对所签订的建筑工程勘察设计合同、建筑安装工程承包合同、产权转移书据、房屋租赁合同，免征印花税。

4. 对在地震中损毁的应缴而未缴契税的居民住房，不再征收契税；对受灾居民购买安居房，免征契税。

5. 经省级人民政府批准，对经有关部门鉴定因地震灾害损毁的房产、土地，免征灾后恢复重建期所在年度的房产税和城镇土地使用税。

鼓励社会各界支持抗震救灾和灾后恢复重建：

1. 对单位和个体经营者将自产、委托加工或购买的货物，通过公益性社会团体、县级以上人民政府及其部门捐赠给受灾地区的，免征增值税、城市维护建设税及教育费附加。

2. 对企业、个人通过公益性社会团体、县级以上人民政府及其部门向受灾地区的捐赠，允许在当年企业所得税前和当年个人所得税前全额扣除。

3. 对财产所有人将财产（物品）直接捐赠或通过公益性社会团体、县级以上人民政府及其部门，捐赠给受灾地区或受灾居民所书立的产权转移书据，免征印花税。

4. 对专项用于抗震救灾和灾后恢复重建、能够提供由县级以上人民政府或其授权单位出具的抗震救灾证明的新购特种车辆，免征车辆购置税。符合免税条件但已经征税的特种车辆，退还已征税款。

促进就业：

1. 受灾地区的企业在新增加的就业岗位中，招用当地因地震灾害失去工作的人员，与其签订 1 年以上期限劳动合同并依法缴纳社会保险费的，经县级人力资源社会保障部门认定，按实际招用人数和实际工作时间予以定额依次扣减营业税、城市维护建设税、教育费附加和企业所得税。定额标准为每人每年 4000 元，可上下浮动 20%，由灾区省级人民政府根据本地实际情况具体确定。

2. 受灾地区因地震灾害失去工作后从事个体经营的人员，以及因地震灾害损失严重的个体工商户，按每户每年 8000 元的限额依次扣减其当年实际应缴纳的增值税、营业税、城市维护建设税、教育费附加和个人所得税。

上述税收政策执行期限与国务院确定的灾后恢复重建期一致，适用范围为国务院确定的受灾地区范围。

（三）金融政策

支持金融机构尽快全面恢复金融服务功能：

加快修复基层金融网点，保障支付清算、国库和邮政汇兑系统的安全运营，鼓励受灾地区金融机构适当减免客户账户查询、挂失和补办、转账等收费。

鼓励银行业金融机构加大对受灾地区信贷投放：

1. 加大对受灾地区金融机构的资金支持力度。根据受灾地区恢复重建的实际需求，增加对受灾地区的再贷款（再贴现）额度，并对支农再贷款执行优惠利率，在现行支农再贷款利率水平上再降低 1 个百分点。对受灾地区地方法人金融机构执行倾斜的准备金政策。允许受灾地区金融机构提前支取特种存款，增加信贷资金来源。

2. 对受灾地区实施倾斜和优惠的信贷政策。对灾前已经发放、灾后不能按期偿还的各项贷款延长还款期限，在 2011 年 6 月底前不催收催缴、不罚息，不作为不良记录，不影响其继续获得受灾地区其他信贷支持。

3. 加大对受灾地区重点基础设施、城乡居民住房、农牧业、中小企业和因灾失业人员的信贷支持力度。对因灾失业人员和吸纳受灾群众就业达到一定比例的劳动密集型中小企业，参照下岗失业人员小额担保贷款政策执行。

加强受灾地区信用环境建设：

1. 保护受灾地区客户合法权益。加快整理核实受灾地区金融机构客户基本信息；对暂时无主客户的债权，另账保存；依法确认和保护遇难者账户资金、金融资产所有权和继承权；加快保险理赔进度，提高理赔效率。

2. 对于符合现行核销、重组和减免规定的贷款，按照相关政策和程序及时核销、重组和减免。

实行外债减免政策：

对政府外债项目因地震造成的损失，给予债务减免，所需还款资金由中央财政承担。

（四）土地政策

1. 免收新增建设用地土地有偿使用费和土地出让收入。对受灾地区为安置受灾居民新建各类安置住房以及非地震受灾地区为安置受灾居民新建各类安置住房；对受灾地区的行政机关、学校等事业单位，各类企业、人民团体、社会团体等单位，因地震造成房屋倒塌、毁损需要在原地区重建或迁至异地重建的，免收新增建设用地土地有偿使用费和土地出让收入。

2. 划拨土地。凡利用政府投资、社会捐助以及自筹资金为受灾群众重建住房、基础设施、公益设施等，可采用划拨方式供地。对在原址重建的工业或其他经营性项目用地，无论投资性质，土地不再重新出让，可按原方式使用土地；对易地重建的工业企业和按规划需要整体搬迁的工业企业，县级人民政府在收回其原有土地使用权的基础上，可采取划拨方式供地；对易地重建或按规划需要整体搬迁的其他经营性项目用地，同一宗地只有一个用地意向者的，可采用协议出让方式供地。

3. 降低地价。在未对因灾降低的地价标准进行调整之前，对投资规模大、促进地区经济发展作用明显的新建工业或大型商业设施等项目用地，可根据实际情况降低地价标准，报省级国土资源管理部门备案。

4. 保证灾后恢复重建用地。对灾后恢复重建需要的新增建设用地计划指标，在国家下达的土地利用年度计划指标中优先安排，指标不足的，可预先安排使用。对规划异地重建的城镇和村庄，凡废弃村庄和城镇具备复垦条件的，可以使用城乡建设用地增减挂钩周转指标。对抢险救灾和灾后恢复重建用地，可根据需要先行使用或安排供地。涉及农用地转用和土地征收的，可以边建设边报批；涉及占用耕地的，可以边占边补。

（五）收费和基金减免政策

在地震灾区恢复重建过程中，一律免收属于中央收入的各类行政性收费和政府性基金。其中，对在地震灾区建设安居房、廉租住房及原址重建住房和加固住房，免收的全国性行政事业性收费包括防灾地下室易地建设费等项目；免收的全国性政府性基金包括城市基础设施配套费、散装水泥资金、新型墙体材料专项基金、城市教育附加费、地方教育附加、城镇公用事业附加等项目。

（六）教育特别资助政策

1. 对生源地为青海玉树地震重灾区的高等教育阶段全日制在校生和高中阶段学生，从2010年4月至2011年7月，发放国家助学金或生活费补助，并免除一个学年的学费。所需新增资金由中央财政负担。

2. 对恢复重建期内迁出省外和玉树州外就读的初中和高中阶段的重灾区学生，从2010年秋季学期起全部免除学费和住宿费，并发放生活费补助，所需资金以中央财政综合定额补助为主，迁入迁出地政府适当负担。

3. 对继续在灾区就读的义务教育阶段学生，执行现有的经费保障和补助政策。

（七）就业援助和社会保险政策

加大就业援助：

1. 将省级人民政府确定的因地震灾害出现的就业困难人员，按规定及时纳入就业援助的对象范围，优先保证受灾地区零就业家庭至少有一人就业。

2. 将本地就业困难人员正在参与的抗震救灾相关工作，按规定纳入现有和新开发的公益性岗位认定范围，时限为三个月。对从事公益性岗位工作的就业困难人员，按规定提供岗位补贴和社会保险补贴。

3. 对受灾地区企业在重建中吸收就业困难人员的，按规定给予相应的社会保险补贴。

4. 对从事灵活就业的就业困难人员，按规定享受社会保险补贴。

5. 对因灾中断营业后重新开业的个体工商户，按规定给予小额担保贷款扶持。

6. 省级人民政府在确保失业保险基金按时足额发放的前提下，对受灾地区企业采取适当降低失业保险费率等措施。

7. 按规定对受灾地区从事个体经营的有关人员三年内免收管理类、登记类和证照类等有关行政事业性收费。

8. 受灾地区企业恢复生产、公路和农田水利等基础设施以及对口支援项目建设，要优先吸纳当地受灾群众。要组织引导好受灾群众参加以工代赈和生产自救活动。

9. 鼓励东部沿海等地区支持和帮助受灾地区高校毕业生、农牧民、少数民族劳动者转移就业。对东部沿海等地区各类企业（单位）招用灾区劳动者，与之签订劳动合同并缴纳社会保险费的，按其为灾区劳动者实际缴纳的基本养老保险费、基本医疗保险费和失业保险费给予补贴，补贴期限最长不超过一年，所需资金从东部沿海等地区就业专项资金中安排。对转移就业的劳动者给予一次性交通补贴，所需资金从受灾地区就业专项资金中安排。上述两项政策审批的截止时间为 2011 年底。

10. 对受灾地区实行就业援助所需相关资金，按规定从就业专项资金中列支，中央财政通过专项转移支付给予适当支持。

保障工伤保险待遇支付：

1. 为解决受灾地区工伤保险基金收不抵支问题，对参加工伤保险的职工伤亡的，在核实伤亡人数、伤残等级及具体待遇标准的基础上，按规定支付相关待遇，所需资金通过地方尽快实行市级或省级统筹、动用历年结余、加大基金调剂力度解决。

2. 对未参加工伤保险伤亡职工的待遇支付，由职工所在企业（单位）负责解决，企业（单位）无力支付或已不存在，并符合救助条件的，可通过相关的社会捐助、社会救助制度予以帮助。

保障养老保险待遇支付：

1. 对受灾较重、暂停生产的企业，允许缓缴社会保险费；对因地震灾害无法恢复生产，经法院或有关部门宣告关闭破产企业欠缴的基本养老保险费，应按国家有关规定使用破产财产清偿，不足部分应按规定报批后予以核销。

2. 加大省级基本养老保险基金对地震灾区的调剂力度，确保地震灾区基本养老金按时足额发放。

3. 支持玉树自治州全面开展新型农村社会养老保险试点工作，从当地试点启动之日起，政府对符合领取条件的参保人全额支付基础养老金，中央财政按照每人每月 55 元给予补助。参保农牧民因地震灾害造成缴费困难的，由本人向经办机构提出申请，经审核同意后，个人缴费可以缓缴。

保障受灾困难人员基本生活：

对受灾地区符合《失业保险条例》规定的失业人员，按时足额发放失业保险金；符合享受城乡居民最低生活保障、农村“五保”供养、临时生活救助等条件的人员，按规定纳入相应保障范围，享受相关政策待遇。

（八）扶贫政策

1. 中央财政进一步加大扶贫开发支持力度，在安排财政扶贫专项资金和财政扶贫贷款贴息资金时向灾区倾斜，由地方根据实际情况对灾区农村贫困群众予以支持，帮助其尽快恢复发展生产。

2. 适当提高贫困村基础设施建设、贫困户住房建设的补助标准，解决贫困家庭灾后恢复重建面临的突出困难。

3. 加大以工代赈力度，鼓励灾区群众投身灾后恢复重建，参与建筑废墟清理、住房建设、农牧区小型基础设施修复等灾后恢复重建任务。

（九）援建及援助政策

1. 中央企业要积极承担社会责任，充分利用自身在人才、技术、管理等方面的优势，提供规划编制、勘察、设计、施工以及人力培训等方面支持。

2. 东部省市和中央国家机关对口支援青海藏区工作要优先在玉树灾区启动实施。

3. 原有东西扶贫协作支援省要重点做好支持玉树灾区工作。

4. 青海省要组织省内财力、物力、人力支援灾区建设。

以上援建及援助项目除对口支援省份确认为自愿、无偿援助的项目外，按照市场运作、保本微利原则实施，所需资金由青海省从灾后恢复重建包干资金中解决。

无论是中央企业还是援建省市，在组织实施援建及援助项目中，要尽量多吸纳灾区劳动者就业。受灾地区人民政府要做好就业指导和岗位培训等工作。

三、工作要求

（一）统一认识，加强领导

各地区、各部门要从全局和政治的高度充分认识玉树地震灾后恢复重建工作的重要性、艰巨性和长期性，切实把思想和行动统一到党中央、国务院各项决策部署上来，强化领导、精心谋划、周密部署，把大力支持灾后恢复重建工作作为当前一项重要任务，切实抓紧抓好。

（二）明确责任，密切配合

受灾地区省级人民政府对灾后恢复重建工作负总责，要立即全面部署灾后恢复重建工作，明确相关部门责任、分工和工作要求。国务院有关部门要各司其职、各负其责，加强指导和做好相关工作。

（三）细化政策，完善办法

国务院有关部门要尽快制定有关政策措施的具体实施办法，明确政策措施适用范围和执行期限，根据灾后恢复重建进展情况和实际需要，及时调整和完善各项政策措施。受灾地区省级人民政府要结合本地区实际制定贯彻实施具体操作办法，便于各项政策措施执行。同时，国务院有关部门要会同受灾地区省级人民政府做好灾后恢复重建与受灾群众过渡性安置统筹衔接工作，提早组织和保障好受灾群众过冬所需棉帐篷、火炉及燃料等物资。

（四）强化监督，确保效果

财政部、审计署等部门要按照职能分工，加强对灾后恢复重建资金使用和相关政策措施执行情况全过程监督，确保资金按照规定用途使用和各项政策措施执行到位，确保提高资金使用和政策措施执行效果，并指导受灾地区人民政府加强资金使用和政策措施执行监督检查。受灾地区人民政府要把加强资金使用和政策措施执行监督检查作为灾后恢复重建的一项重要工作，制定监督措施，明确监督责任，狠抓落实。

国务院

二〇一〇年五月二十七日

（中国政府网）

中共中央组织部关于命名表彰“抗震救灾先进基层党组织”和“抗震救灾优秀共产党员”的决定

中央组织部22日印发命名表彰决定，授予青海省玉树县结古镇党委等36个基层党组织“抗震救灾先进基层党组织”称号，授予青海省玉树县结古镇甘达村党支部书记叶青等29名共产党员“抗震救灾优秀共产党员”称号，追授四川省卫生厅应急办原副主任杨勇“抗震救灾优秀共产党员”称号。

决定指出，2010年4月14日，我国青海省玉树藏族自治州玉树县发生7.1级强烈地震，给当地人民群众生命财产造成巨大损失。地震发生后，在党中央坚强领导下，灾区各级党委快速反应、果断决策、有力指挥，充分发挥了领导核心作用；基层党组织紧急动员、迅速行动、有力组织，充分发挥了战斗堡垒作用；各级干部挺身而出、身先士卒、靠前指挥，充分发挥了模范带头作用；广大共产党员舍生忘死、无私无畏、勇往直前，充分发挥了先锋模范作用。全国各地、各条战线党组织和广大共产党员，发扬一方有难、八方支援的精神，以多种形式援助灾区，积极投身抗震救灾工作，帮助灾区群众渡过难关，成为灾区人民的坚强后盾。抗震救灾斗争已取得阶段性胜利，显示了党和人民的伟大力量，显示了社会主义制度的优越性，谱写了各族人民自强不息、团结奋斗的英雄凯歌。

决定指出，这次受到表彰的先进基层党组织和优秀共产党员，是抗震救灾众多英雄集体和个人中的优秀代表。他们的先进事迹，集中体现了我们党全心全意为人民服务的根本宗旨，集中体现了党是工人阶级的先锋队，同时是中国人民和中华民族的先锋队性质，集中体现了党的先进性。他们的先进思想和崇高精神，是万众一心、众志成城，不畏艰险、百折不挠，以人为本、尊重科学的伟大抗震救灾精神的集中体现，是爱国主义、集体主义、社会主义精神的集中体现，是我们党和军队光荣传统和作风的集中体现，是各民族人民团结奋斗、共克艰难英雄行动的集中体现。我们要大力宣传抗震救灾斗争中涌现出来的先进思想和模范事迹，使之转化为自力更生、艰苦奋斗、重建家园的坚定意志，转化为推动科学发展、促进社会和谐的强大力量，转化为做好本职工作，争创一流业绩的实际行动，为推进中国特色社会主义事业提供强大精神动力。

决定强调，全国各级党组织和广大共产党员，要以他们为榜样，学习他们围绕中心、服务大局，始终与党中央保持高度一致的政治坚定性和组织纪律性；学习他们牢记宗旨、服务人民，不惜牺牲个人一切的使命意识和热血忠魂；学习他们不怕疲劳、不畏牺牲，敢于胜利的责任意识和英雄气概；学习他们一方有难、八方支援，无私援助的大爱情怀和奉献精神，团结带领全国各族人民坚定信念、振奋精神、改革创新、锐意进取，为开创中国特色社会主义事业新局面做出新贡献！

中共中央组织部表彰“抗震救灾先进基层党组织”

2010 年 7 月 22 日，中共中央组织部通报表彰 36 个青海玉树抗震救灾先进基层党组织，分别授予“抗震救灾先进基层党组织”称号。

青海省玉树县结古镇党委
青海省囊谦县着晓乡党委
青海省玉树州建设局党支部
青海省玉树县第一民族中学党支部
青海省玉树县结古镇扎西大同村党支部
青海省海西州支援玉树地震灾区前线指挥部临时党委
青海省人民医院党委
青海省民政厅玉树抗震救灾前线指挥部临时党支部
青海省交通厅结古公路段党支部
青海电视台新闻中心党支部
青海省水利水电（集团）有限责任公司党委
中央电视台新闻中心玉树抗震救灾报道一线临时党支部
国家地震灾害紧急救援队党支部
中国疾病预防控制中心党委
青海省公安消防总队党委
玉树藏族自治州公安消防支队党委
公安边防部队赴玉树抗震救灾医疗救援队临时党委
青藏铁路公司党委
中国航空集团公司中国国际航空股份有限公司西南分公司党委
国家电网公司应急指挥中心（安监部）党支部
中国电信集团公司网络运行维护事业部党总支
中国民用航空青海安全监督管理局党委
中国农业银行股份有限公司青海省玉树分行党委
解放军第二十二医院野战医疗队党支部
95118 部队 51 分队党支部
93856 部队 68 分队党支部

96361 部队 45 分队党委
66150 部队 60 分队党委
68303 部队 75 分队党支部
68710 部队 72 分队党支部
解放军第一五三医院野战方舱医院临时党委
武警 8653 部队 23 分队党支部
武警交通第一总队一支队一大队三中队党支部
四川省安监局、四川煤监局应急救援信息中心党总支
甘肃省兰州市公安局特警支队党委
云南省赴青海玉树抗震救灾医疗队临时党总支

中共中央组织部表彰“抗震救灾优秀共产党员”

叶　青　青海省玉树县结古镇甘达村党支部书记
土丁朋措　青海省玉树县上拉秀乡加吉娘移民社区党支部书记
才　哇　青海省玉树县结古镇扎西大同村三社社长
多　旺　青海省囊谦县着晓乡班多村村民
马宝祥　青海省湟中县大才乡前沟村村民
索　南　曾任青海省河南蒙古族自治县赛尔龙乡尕庆村党支部书记，现为该村村民
周有全　青海省祁连县峨堡镇党委书记
韩　进　青海欣路建设工程有限公司循化工程队队长
王成元　青海省玉树州公安局副局长兼州交警支队支队长
沈万忠　青海省玉树县委常委、组织部部长
文江才　青海省玉树州交通局党组书记、局长
郭卓玛　青海省曲麻莱县卫生与人口计划生育局局长
索南兰周　青海省玉树州民政局退休干部，玉树州民政局原局长
圈启章　青海省民族宗教委员会宗教一处处长
杨　伟　青海省民政厅救灾物资储备中心党支部书记、副主任
何俊昌　新华通讯社新闻摄影编辑部社会新闻采访室主任、记者
刘江民　青海省公安消防总队党委书记、总队长
廖锋华　广东省公安消防总队直属特勤大队一中队三级警士长
赵纯虎　云南省公安边防总队后勤部副部长
刘希华　解放军第三〇九医院院长、党委副书记
樊永强　新华社解放军分社记者
高钰琪　解放军第三军医大学高原军事医学系主任、党委副书记

李保弟	96361 部队部队长、党委副书记
吴　勇	青海省玉树军分区司令员、党委副书记
旦　增	青海省玉树军分区副政治委员、党委常委
索玉梅	解放军第 4 医院医务处副主任护师
张雅军	四川省甘孜军分区政治委员、党委书记
石华杰	武警青海省总队副参谋长兼玉树藏族自治州支队支队长、支队党委副书记
侯世科	武警总医院医务部主任、党委书记
杨　勇	生前系四川省卫生厅应急办副主任

（《青海日报》，2010 年 7 月 23 日第 1 版）

中共青海省委关于表彰玉树抗震救灾先进党委（党组）、先进基层党组织、优秀共产党员、优秀党员领导干部的决定

4 月 14 日，我省玉树地区发生 7.1 级强烈地震，人民群众生命财产遭受严重损失。面对突如其来的地震灾害，全省各级党组织和广大共产党员、党员领导干部，坚决贯彻中央和省委的决策部署，坚持把人民利益放在第一位，临危不惧、冲锋在前，全力抢救生命，及时救治伤员，妥善安置群众，恢复正常秩序，在关键时刻充分发挥了党委领导核心作用、基层党组织战斗堡垒作用、领导干部表率带头作用和共产党员先锋模范作用，涌现出许多可歌可泣的感人事迹，集中展示了党的先进性和执政能力，展示了共产党人的时代风貌。

为表彰先进、弘扬正气，激励全省各级党组织和广大共产党员大力弘扬抗震救灾精神，在夺取灾后重建和全省经济社会科学发展的新胜利中进一步创先争优、建功立业，省委决定，在纪念建党 89 周年之际，对在玉树抗震救灾中表现突出的 20 个党委（党组）、56 个基层党组织、134 名共产党员、20 名党员领导干部予以表彰，分别授予“玉树抗震救灾先进党委（党组）”“玉树抗震救灾先进基层党组织”“玉树抗震救灾优秀共产党员”“玉树抗震救灾优秀党员领导干部”荣誉称号，并追授李德业同志为“玉树抗震救灾优秀共产党员”。

省委希望受表彰的先进集体和优秀个人戒骄戒躁、珍惜荣誉、再接再厉，成为各级党组织和广大党员干部的共同姿态。哪里最危险，哪里就有党员的奋不顾身，哪里最困难，哪里就有党员的全力以赴。在地震废墟上，一个党员就是一面旗帜、一根标杆，“跟我上”“让我来”的口号催人奋进，他们没有畏惧，没有彷徨，把大爱书写在那一面面催人奋进的党旗上。他们讲党性，重品行，做表率，带领广大军民团结拼搏，用英勇壮举诠释了我党全心全意为人民服务的根本宗旨。从他们的身上，我们感悟到了立党为公、执政为民的崇高境界，感受到了勇于进取、无私奉献的精神风貌，体认到了党的优良传统和鲜明时代特征。他们不仅是践行科学发展观、永葆先进本色的典范，也是我们身边看得见、学得着的榜样。

榜样的力量是无穷的。我们要学习他们坚持党和人民的利益高于一切，视群众如亲人的高尚情操；学习他们不畏艰险，迎难而上，奋不顾身的英雄气概；学习他们将人民群众的生命财产安全放在心上，舍小家顾大家的奉献精神；学习他们立足本职岗位，踏实工作，恪尽职守的优秀品格。全省各级党组织和广大党员、干部要把学习玉树抗震救灾中涌现出的先进党组织和

优秀共产党员作为开展创先争优活动的重要内容，把他们在抗震救灾斗争中培育和体现出来的好思想、好作风、好精神长期坚持下去、不断发扬光大，把学习他们的精神转化为推动青海跨越发展、绿色发展、和谐发展和统筹发展的强大力量，转化为推动各项工作的强大动力，贯穿到日常工作中，落实到具体行动上，在工作中、在岗位上唱主角、挑大梁，在急难险重任务面前打头阵、当先锋。

当前，我们灾后重建和经济发展的任务还十分艰巨，各级领导干部要进一步发挥表率作用，做灾后重建的主心骨；基层党组织要进一步发挥战斗堡垒作用，做灾后重建的战斗队；广大共产党员要进一步发挥先锋模范作用，做灾后重建的带头人。坚持一手抓灾后重建不放松，一手抓科学发展不动摇，继续发扬抗震救灾精神，发扬“五个特别”的青藏高原精神和“人一之，我十之”的实干精神，在建设富裕文明和谐新青海的征程中再立新功，用实实在在的行动，为党旗增添新的光彩。

更加自觉地坚定理想信念，提高自身素质，坚决贯彻落实中央和省委关于做好灾后重建工作、推动全省经济社会又好又快发展的各项方针政策和决策部署，积极投身于灾后重建和推动科学发展、服务人民群众、促进稳定和谐的各项工作中，以昂扬向上的精神风貌和脚踏实地的工作作风，为党和人民的事业做出新的更大贡献。

省委号召全省各级党组织和广大共产党员、党员领导干部要向受表彰的先进集体和优秀个人学习。学习他们用实际行动诠释入党誓言，对党忠诚、信念坚定的崇高境界；学习他们始终坚持把群众的利益放在第一位，牢记宗旨、心系群众的奉献意识；学习他们大灾面前压不垮，大难面前不低头，不畏艰险、勇往直前的顽强斗志；学习他们带领广大群众共渡难关，共建美好新家园，众志成城、团结奋斗的协作精神。

省委要求全省各级党组织和广大共产党员、党员领导干部要紧密地团结在以胡锦涛同志为总书记的党中央周围，高举中国特色社会主义伟大旗帜，以邓小平理论和“三个代表”重要思想为指导，深入贯彻落实科学发展观。要坚持从全党和全省工作的大局出发，进一步明确肩负的光荣使命和重大责任，继续团结带领广大群众万众一心，建设美好新家园，争做灾区重建的主心骨、战斗队、带头人。要大力弘扬先进典型的感人事迹和崇高精神，认真开展创先争优活动，明确主题、找准载体、创新形式、务求实效，不断增强党组织的凝聚力、战斗力和号召力，不断增强党员队伍的生机与活力。要团结和带领全省各族人民推动玉树灾后重建工作有力有序、有效进行，夺取灾后重建的伟大胜利，推动全省跨越发展、绿色发展、和谐发展和统筹发展，奋力闯出一条欠发达地区实践科学发展观的成功之路，在建设富裕文明和谐新青海的伟大实践中再立新功！

玉树抗震救灾先进党委（党组）、先进基层党组织、优秀共产党员、优秀党员领导干部名单

玉树抗震救灾先进党委（党组）名单

（共 20 个）

中共玉树州委员会
中共玉树县委员会
中共囊谦县委员会
中共曲麻莱县委员会
中共称多县人民政府党组
中共治多县人民政府党组
中共杂多县人民政府党组
中共玉树州教育局党组
中共青海省人民政府办公厅党组
中共青海省发展和改革委员会党组
中共青海省民族宗教事务委员会党组
中共青海省公安厅委员会
中共青海省民政厅党组
中共青海省财政厅党组
中共青海省国土资源厅委员会
中共青海省住房和城乡建设厅委员会
中共青海省交通厅委员会
中共青海省卫生厅党组
中共共青团青海省委员会党组
中共中国电信股份有限公司青海分公司党组

玉树抗震救灾先进基层党组织名单

（共 56 个）

玉树州公安局党委
玉树州人民医院党委
玉树县结古镇党委
玉树县隆宝镇党委

囊谦县着晓乡党委
杂多县昂赛乡党委
玉树州电力公司党委
青海电信玉树州分公司党委
治多县民政局党支部
玉树州建设局党支部
玉树县工商局党支部
玉树县第一民族中学党支部
玉树州红旗小学党支部
玉树县扎西大同村党支部
西宁市公安局特警支队党委
海东地区公安局交警支队党支部
海西州支援玉树地震灾区抗震救灾前线指挥部临时党委
海南州公安局党委
海北州赴玉树抗震救灾救援队临时党支部
果洛州公安局特警大队党支部
黄南州人民医院党委
省委机要局党支部
青海日报社出版部党支部
省公安厅交通警察总队党总支
省民政厅玉树抗震救灾前线指挥部临时党支部
省司法厅律师公证管理处党支部
省环境监测中心站党支部
省建设系统抗震救灾工程救援队前线指挥部临时党支部
省交通厅结古公路段党支部
省水利水电勘测设计研究院党委
省动物疫病预防控制中心党总支
省商务厅第五党支部
省人民医院党委
青海电视台新闻中心党支部
省监狱管理局中心医院党委
青海省康复医院党总支
省红十字会备灾救灾中心党支部
省气象台党支部
中国石油青海销售公司党委

中国移动青海公司抗震救灾一线临时党支部
中国联通青海省分公司玉树抗震救灾临时党支部
省电力公司党委
西部机场集团青海机场有限公司党委
青海省水利水电（集团）有限责任公司党委
黄河电力检修工程有限公司党委
省公安消防总队党委
省公安厅警卫局党委
西宁市公安消防支队抢险救援队临时党支部
玉树州公安消防支队玉树县中队党支部
玉树军分区独立骑兵连党支部
中国人民解放军 96361 部队 51 分队党委
中国人民解放军 62213 部队 24 分队党支部
中国人民解放军 68060 部队抗震救灾应急兵站党委
武警青海总队第四支队特勤中队党支部
武警青海总队玉树州支队警通勤务汽车中队党支部
武警 8653 部队二营六连党支部

玉树抗震救灾优秀共产党员名单

（共 134 名）

洛　阳（藏族）	玉树州民政局局长
文江才（藏族）	玉树州交通局局长
普布才仁（藏族）	玉树州人民政府应急办副主任
吉国海	玉树州人民检察院副检察长
索南才仁（藏族）	玉树州人民法院副院长
张琨明	玉树州卫生局副局长
尕玛才仁（藏族）	共青团玉树州委副书记
诺　桑（藏族）	玉树州委统战部副调研员
索南兰周（藏族）	退休干部（玉树州民政局原局长）
尼玛扎西（藏族）	玉树州政协干部
陈　松（藏族）	玉树州委政法委干部
索朗涌霈（藏族）	玉树州发展改革委干部
王成元	玉树州公安局副局长兼州交警支队支队长
宋仁德	玉树州畜牧兽医工作站站长

尕松尼玛（藏族）	玉树州电视台新闻部记者
才仁达哇（藏族）	玉树县委组织部副部长
昂公扎西（藏族）	玉树县委统战部副部长兼民宗局局长
周建林	玉树县人民检察院检察长
才　多（藏族）	玉树县扶贫开发办公室主任
成林求培（藏族）	玉树县上拉秀乡党委书记
叶　青（藏族）	玉树县结古镇甘达村党支部书记
格来达杰（藏族）	玉树县结古镇东风村党支部书记
土丁朋措（藏族）	玉树县上拉秀乡加吉娘移民社区党支部书记
才　哇（藏族）	玉树县结古镇扎西大同村三社社长
文德诺布（藏族）	称多县公安局刑警大队副大队长
扎西旺加（藏族）	囊谦县委办公室主任
多　旺（藏族）	囊谦县着晓乡班多村村民
俄要才仁（藏族）	囊谦县人民医院院长
尕子达杰（藏族）	杂多县昂赛乡乡长
日　沙（藏族）	杂多县扎青乡副乡长
白延海（藏族）	治多县卫生局副局长兼县人民医院院长
索南扎西（藏族）	曲麻莱县政府办公室主任
郭卓玛（女，藏族）	曲麻莱县卫生与人口计划生育局局长
党成忠	中国电信股份有限公司玉树分公司网络中心主任
冀国栋	玉树结古公路段段长
马宝祥（回族）	湟中县大才乡前沟村村民
闫立平	西宁市泰欣出租车公司出租车司机
祁永清（回族）	西宁市第二人民医院副院长
韩　进（撒拉族）	青海欣路建设工程有限公司循化工程队队长
韩玉科	乐都县供销联社主任兼乐都县兴农农产品产销协会会长
贾福祥	民和县总堡乡党委书记
匡　懋	格尔木藏格钾肥有限公司一厂办公室主任
田库有	都兰县夏日哈镇党委书记
李坤业	天峻县政府办公室副主任
陈有文（藏族）	海南州畜牧兽医站站长
马志明（回族）	贵德县水务局党总支书记、局长
东　雷（藏族）	同德县人民医院院长
宋海林	海北州交警支队政委
马志俊（回族）	海北州健康教育所所长、主任医师

周有全（藏族）	祁连县峨堡镇党委书记
班玛闹吾（藏族）	共青团果洛州委副书记
吴　敏（女）	达日县人民医院医师
张海平	黄南州公安交通警察支队副支队长
王占华（回族）	尖扎县康杨镇西麻拉村党支部书记
索　南（蒙古族）	河南县赛尔龙乡尕庆村村民
杨占泉	省人大办公厅后勤服务中心工人
张生禄	省政府办公厅秘书三处主任科员
李艳萍（女）	省纪律检查委员会党风廉政建设室主任科员
罗德拉（藏族）	省委统战部民族宗教处处长
宋积晟	省经委（国资委）中小企业发展局主任科员
庞　青（女）	省教育厅职业与成人教育处处长
刘　伟	省科技成果管理办公室副主任
圈启章（藏族）	省民族宗教委员会宗教一处处长
李贤荣	省公安厅科技信息处信息中心科员
杨　伟	省民政厅救灾储备中心党支部书记、副主任
刘红星	省国土资源厅地质环境处处长
胡永科（藏族）	青海日报社西海农民报主编
陈丽娜（女，撒拉族）	《青海教育》杂志社、《中国教育报》驻青海记者站记者
才秀加（藏族）	省公路局玉树公路总段养护管理科科长
田明有	省收费公路管理处副处长
张生福	省水利厅建设管理与科技处处长
蔡金山（土族）	省动物疫病预防控制中心副主任
拉　环（藏族）	省农牧厅畜牧业处副处长
吴世政	省第五人民医院院长
索　江（藏族）	省卫生监督所职工
梁春英（女）	省人口计生委计划生育科学技术指导中心功能检验科科长
王旭斌	省汽车更新办公室主任
关红太	青海省外事办公室主任科员
桑德旦周（藏族）	玉树州地税局党组书记、局长
陈建海	青海人民广播电台经济频率副总监
李建军	省统计局记者站负责人
申寿昌	省扶贫开发教育中心副主任
乔正善（土族）	省粮食局副局长
巴旭东（藏族）	共青团省委权益部主任科员

李晓峰	省妇联发展部副主任科员
康　桑（藏族）	玉树州国税局纪检组组长
周文利	青海大气探测技术保障中心助理工程师
沙成宁	省地震局监测中心测震台网室主任
杨　宏	青海检验检疫局卫生与动植物检验检疫处处长
张培海	省通信管理局网络管理处副调研员
李正乾	省邮政工会副主席
李启顺	中国电信青海公司综合维护事业部电信传输局局长
郑爱军	中国移动青海公司党组书记、总经理
战　平	联合网通青海省公司运行维护部职工
温端稿	省招商引资促进会党委书记
李卫东	青海省登山协会副秘书长高原户外救援队队长
巩　盛	青海省特种设备检验所检验师
祁太元	省电力公司总工程师
李卫国	青海机场公司玉树分公司党委副书记、副总经理
唐增科	省水利水电（集团）有限责任公司党委书记、董事长
刘明芳	青藏铁路公司辅业资产管理中心路兴公司西宁装卸车间主任
汪文生	中国水电四局有限公司第一分局副局长
王存儒	青海煤业集团矿山救护队指导员
张永厚	青海路桥建设机械有限公司项目经理
张东风	省公安厅警卫局局长
董存胜	省公安消防总队副总队长
王学比	省公安消防总队后勤部副部长
雷幸志	省公安消防总队政治部纪检保卫处处长
冉向民	省公安消防总队司令部战训处处长
康自福（藏族）	玉树州公安消防支队支队长
郑　林	消防总队防火监督部宣传处参谋
巴才洛（藏族）	格尔木市公安消防支队特勤中队中队长助理
谢　鹏	青海省军区玉树军分区政治部副营职干事
乔明雷	青海省军区陆军预备役步兵旅通信营营长
贾郎拉太（藏族）	中国人民解放军 68710 部队 57 分队政治教导员
王育龙	中国人民解放军 68710 部队 72 分队八班班长
贾贵身	中国人民解放军 96361 部队 43 分队分队长
王　威	中国人民解放军 96351 部队司令部警卫防化营营长
杨延焕（东乡族）	536 医院外二科主治医师

李福洋	536 医院门诊部副主任
谢治国	中国人民解放军 62270 部队 13 分队二分队长
杨国民	总后青藏兵站部第二十二医院政治处副主任
杜　波	中国人民解放军 68062 部队 71 分队分队长
李　军	中国人民解放军第四医院医务处副主任
郝修海	中国人民解放军 93987 部队副部队长
安大钧	武警青海总队第一支队支队长
赵　华	武警青海总队第一支队三大队大队长
屈明刚	武警青海总队第四支队支队长
胡　罡	武警西宁市支队政治部宣传干事
王拴旺	武警海南州支队卫生队医师
贺永瑞（裕固族）	武警玉树州支队直属大队副大队长
孔　新	武警 8653 部队部队长
张祥龙	武警水电二总队五支队司令部正连职参谋
于晓东	武警交通一总队一支队副参谋长

追授玉树抗震救灾优秀共产党员名单

李德业	青海正平公路桥梁工程集团有限公司工人

玉树抗震救灾优秀党员领导干部名单

昂　格（藏族）	玉树州人大常委会主任
王玉虎（藏族）	玉树州委副书记、州长
丁显成（藏族）	玉树州政协主席
文国栋	玉树州委副书记
王　勇	玉树州委常委、副州长
王秀琴（女，藏族）	玉树州人民政府副州长
童光毅	玉树州人民政府副州长
普布多杰（藏族）	玉树州委副秘书长、办公室主任
尕　桑（藏族）	曲麻莱县委副书记、县长
朱战民	玉树县委副书记
沈万忠	玉树县委常委、组织部部长
杨汝坤	省委副秘书长
葛文平	省委组织部副部长

夏学平	省委宣传部副部长
王予波	省教育厅党组书记、厅长
杨伯让	省交通厅党委书记、厅长
于丛乐	省水利厅党组书记、厅长
曹　宏	省农牧厅党委书记、厅长
孙　林	省民政厅党组成员、副厅长
肖玉海	省财政厅党组成员、副厅长

（原载《青海日报》2010年6月30日第1版）

中共青海省委、青海省人民政府、青海省军区关于表彰全省抗震救灾模范集体、全省抗震救灾模范和全省抗震救灾民族团结模范的决定

今年4月14日，青海省玉树藏族自治州玉树县发生了里氏7.1级强烈地震，这是我省有史以来破坏性最强、救灾难度最大的一次地震。地震使玉树灾区人民生命财产和经济社会发展蒙受了巨大损失。面对突如其来的强烈地震灾害，在党中央、国务院、中央军委和省委、省人民政府、省军区的坚强领导、有力组织和科学指导下，全省各族人民和全国人民一道众志成城、迎难而上、英勇奋战、顽强拼搏，展开了一场迄今为止人类在高原高寒地区规模最大、成效最为显著的救援行动，在最短的时间里取得了抗震救灾斗争阶段性重大胜利，创造了人类抗震救灾史上的奇迹，彰显了党的先进性和执政能力，展示了面对灾难的中国精神、中国力量，体现了社会主义制度的无比优越性。

在这场抗震救灾的艰难斗争中，涌现出一大批可歌可泣的先进集体和个人。他们以“玉树不倒、青海常青”的坚定信念，铸就了永不屈服、永不放弃、永不退缩、永不言败的丰碑。

为大力弘扬“大爱同心、坚韧不拔、挑战极限、感恩奋进”的玉树抗震救灾精神，激励全省各族人民团结奋进，加快建设灾后美好新家园，推进青海经济发展社会进步，省委、省政府和省军区决定，授予玉树州抗震救灾指挥部等122个集体“全省抗震救灾模范集体”荣誉称号；授予贾瑛等302人“全省抗震救灾模范”荣誉称号；追授松尕等5人“全省抗震救灾模范”荣誉称号；授予海北州卫生局等12个集体、韩文成等19人“全省抗震救灾民族团结模范”荣誉称号。希望被授予荣誉称号的集体和个人珍惜荣誉，再接再厉，再创佳绩。

全省各地区、各部门、各单位，各族干部群众要以受表彰的模范集体和模范个人为榜样，更加紧密地团结在以胡锦涛同志为总书记的党中央周围，以邓小平理论和“三个代表”重要思想为指导，深入贯彻落实科学发展观，全面贯彻党的十七大、十七届三中、四中全会和省委十一届八次全会精神，切实把玉树抗震救灾精神转化为艰苦奋斗、重建家园的坚强意志，转化为跨越发展、绿色发展、和谐发展、统筹发展的强大力量，转化为“人一之、我十之”的实干精神，为建设社会主义新玉树，奋力闯出欠发达地区实践科学发展观的成功之路，实现建设富裕文明和谐新青海的宏伟目标而不懈奋斗！

全省抗震救灾模范集体、全省抗震救灾模范和全省抗震救灾民族团结模范名单

全省抗震救灾模范集体名单

（122个）

玉树州抗震救灾指挥部
玉树州委组织部
玉树州委统战部
玉树州人民检察院
玉树州发展和改革委员会
玉树州司法局
玉树州文化体育广播电视局电视新闻部
玉树州人民医院
玉树州职业技术学校
中共玉树县委员会
中共称多县委员会
中共囊谦县委员会
中共玉树县隆宝镇委员会
中共玉树县结古镇委员会
玉树县结古镇东风村党支部
玉树县结古镇扎西大同村党支部
中共杂多县昂赛乡委员会
治多县民政局
曲麻莱县人民政府办公室
玉树州江霖有色金属有限公司
玉树州客运公司
西宁市第一人民医院
西宁市民政局
湟源县水务局玉树抗震救灾抢险队
互助县交通局
化隆县卫生局
海西州卫生局
天峻县支援玉树抗震救灾指挥部

海南州人民医院
海北州公安交通警察支队
黄南州疾病预防控制保健中心
玛多县抗震救灾救援队
西海都市报社
青海电视台新闻中心
青海人民广播电台新闻中心
民革青海省委员会
省委机要局
省国土资源厅
省无线电管理办公室
省委组织部组织处
省工程咨询中心
省民族宗教事务委员会办公室
省救灾物资储备中心
省监狱管理局中心医院
省财政厅预算处
省环境监测中心站
省地质环境监测总站
省住房城乡建设厅城乡规划处
省交通厅
省水利抗震救灾指挥部
省商务厅机关委员会第五支部
省人民医院
省康复医院
共青团青海省委宣传部
省残疾人联合会办公室
青海正平集团
省红十字会
青海大学附属医院
省投资集团有限公司抗震救援队
西宁特钢集团有限责任公司救援队
青海盐湖工业集团股份有限公司赴玉树抗震救援队
青海西海煤电有限责任公司矿山救护中队
省水利水电（集团）有限责任公司

省公路运输服务总站玉树汽车站
青海煤业集团矿山救援队
青海公路桥梁工程集团有限公司玉树地震抢险救援队
中国电信集团青海分公司
中国移动青海分公司网络部
西宁供电公司
青藏铁路公司西宁客运段
西部机场集团青海机场有限公司
四川省应急志愿服务总队
青海省青年志愿者协会
省公安消防总队抗震救灾前线指挥部
省公安消防总队玉树州支队
省公安厅警卫局后勤处车队
省公安边防总队抗震救灾指挥部
西宁市公安局特警支队
黄南州公安局交警支队
海南州公安局特警支队
海东地区公安局交警支队
省公安厅交通警察总队
玛多县公安局
海西州公安局交警支队
西宁市公安局交警支队
玉树州公安局
玉树县公安局
青海省玉树军分区
青海省治多县人民武装部
青海省称多县民兵应急连
青海陆军预备役步兵旅通信营
中国人民解放军 68710 部队
中国人民解放军 68710 部队 59 分队
中国人民解放军 68710 部队 64 分队
中国人民解放军 68710 部队 71 分队
中国人民解放军 96361 部队
中国人民解放军 96375 部队
中国人民解放军 96374 部队

中国人民解放军 96351 部队 51 分队
中国人民解放军第 536 医院
中国人民解放军第 22 医院
中国人民解放军 62213 部队
中国人民解放军 62214 部队
中国人民解放军 68062 部队
中国人民解放军第四医院
中国人民解放军 93987 部队
武警青海总队赴玉树抗震救灾前线指挥所
武警青海总队第一支队
武警青海总队第一支队二中队
武警青海总队第四支队二中队
武警青海总队第四支队二大队
武警青海总队西宁支队一大队
武警青海总队西宁支队十三中队
武警青海总队玉树州支队
武警青海总队玉树州支队玉树县中队
武警青海总队政治部新闻站
武警青海总队医院医疗队
武警第 187 师 561 团
武警第 187 师 561 团 1 营 1 连
武警第 187 师 561 团 3 营
武警水电第八支队三中队
武警交通第一总队第一支队

全省抗震救灾模范名单

王玉虎（藏）	玉树州委副书记、州长
东坝阿宝（藏）	玉树州委副书记
王 勇	玉树州常务副州长
邓尔平	玉树州委常委、秘书长
才仁丁沛（藏）	玉树州副州长
布达哇（藏）	玉树州人大常委会副主任
昂 嘎（藏）	玉树州政协副主席
东 嘎（藏）	玉树州农牧局局长

文江才（藏）	玉树州交通局局长
才仁公保（藏）	玉树县委副书记、县长
尕玛朋措（藏）	玉树州建设局局长
南　阳（藏）	玉树州政府副秘书长、办公室主任
洛　阳（藏）	玉树州民政局局长
卓华夏（藏）	玉树州委宣传部副部长
旦争才仁（藏）	玉树州教育局副局长
扎西措毛（女，藏）	玉树州档案局副局长
李学文（藏）	玉树州纪委综合室主任
林中立	玉树州政法委办公室副主任
鲍成林才仁（藏）	共青团玉树州委干部
李海燕（女，藏）	玉树州财政局农财科科长
葛旭磊	玉树州法院法警支队副支队长
尼　夏（藏）	玉树州国土资源局科员
宋仁德	玉树州畜牧兽医站站长
尕玛多杰（藏）	玉树州疾病预防控制中心主任
冯海峰（女，藏）	玉树州妇幼保健院院长
格　扎（藏）	玉树州红十字会副秘书长
林小莉（女）	玉树州红旗学校教师
仁　青（藏）	玉树县副县长
李　昊（土）	玉树县政府办公室副主任
马福良（回）	玉树县下拉秀镇党委书记
桑丁尼玛（藏）	玉树县老干部局主任科员
王文涛	玉树县委组织部组织员
田世国	玉树县结古镇干部
扎普措（藏）	玉树县结古镇当代社区党支部书记
周玉华（藏）	玉树县第一完全小学教师
松　尕（藏）	玉树县巴塘乡岔来村党支部书记
尕玛文次（藏）	玉树县结古镇扎西大同村委会主任
才　哇	玉树县结古镇扎西大同村三社社长
伊西代青（女，藏）	玉树县妇幼综合医院护士
金巴东周（藏）	称多县政府办公室副主任
仁青多丁（藏）	囊谦县吉尼赛乡拉翁村党支部书记
加哇才仁（藏）	杂多县扎青乡兽医站站长
贾　瑛（女，藏）	治多县人民医院主治医师

内美文次（藏）	曲麻莱县人民检察院公诉科副科长
罗永跃	结古镇华龙超市个体户
叶　青（藏）	玉树县结古镇甘达村党支部书记
马青海（回）	西宁人民广播电台记者
李国发	湟中县江源给排水有限责任公司队长
王森林	西宁市城乡建设委员会主任
侯迎生	华罗庚试验学校西宁分校校长
祁化仍（藏）	西宁市供销联社党委副书记
闫立平	西宁泰欣出租车行队长
胡　薇（女，满）	西宁电视台记者
石泉霖	西宁市疾病预防控制中心副主任
祁永清（回）	西宁市第二人民医院副院长
马宝祥（回）	湟中县大才乡前沟村村民
韩　进（撒拉）	青海欣路建设工程有限公司循化工程队队长
阿克明（蒙古）	乐都县委办公室主任
苏昂欠才让（藏）	西海农民报社采编部主任
王　伟	海东地区疾病预防控制中心副主任
杨林海（藏）	互助县加定镇镇长
马晓川	民和县水务局局长
张　鸣	青海金吉（集团）草原钢网制造有限公司董事长
任宗高	海西州委副秘书长、办公室主任
潘立清（蒙古）	德令哈市尕海镇党委副书记、镇长
钱东去（藏）	海西州人民医院急诊科主任
肖永明	青海中浩天然气化工有限公司董事长兼总经理
龚国庆（蒙古）	都兰县巴隆乡党委副书记、乡长
文　君（藏）	格尔木市唐古拉山镇人大主任
沈小文	青海庆华集团总经理助理
陈有文（藏）	海南州畜牧兽医工作站站长
马志明（藏）	贵德县水务局局长
苑丹坚措（藏）	海南州委组织部副县级组织员
东　雷（藏）	海南州同德县人民医院院长
关却才让（藏）	海南州民政局副科长
陈芝正（藏）	祁连县疾病预防控制保健中心副主任
马志俊（回）	海北州健康教育所所长
麻叶拉（蒙古）	门源县青石嘴镇党委书记

杨智慧（藏）	海北州公安局特警大队民警
张玉福	海北州安全生产监督管理局副局长
岁　多（藏）	黄南州民族语文工作委员会办公室副主任
才让多杰（藏）	同仁县隆务镇居民
索南达吉（藏）	黄南州职业中等技术学校副校长
马克勤（回）	尖扎县疾病预防控制保健中心副主任
才多加（藏）	黄南州民政局救灾救济科副科长
班玛闹吾（藏）	共青团果洛州委副书记
吴　敏（女）	达日县人民医院医师
沙　吉（女，藏）	甘德县柯曲镇卫生院主管护理师
冶　政（回）	久治县卫生和计划生育局副局长
张晓丽（女，藏）	班玛县人民医院护理部主任
金河清（回）	省广播电视局副局长、青海电视台台长
郑太红	青海电视台记者
刘端强	青海日报社新闻摄影中心记者
王海咏（女）	青海人民广播电台主任编辑
蒙景辉	工人日报社青海记者站站长
宋江涛	青海新闻网主任
杨汝坤	省委副秘书长
王　俊	省委办公厅信息处主任科员
吴庆生	省政府副秘书长
董　海	省政府办公厅行政处副处长
张生禄	省政府办公厅秘书三处主任科员
李艳萍（女）	省纪委党风廉政建设室主任科员
葛文平	省委组织部副部长
罗德拉（藏）	省委统战部二处处长
高存福	省委副秘书长、省委政策研究室主任
沈传立	省发展改革委员会副主任
杨　扬（满）	省发展和改革委员会固定资产投资处处长
董继忠	省经济委员会包装和食品工业办公室主任科员
他扎西（藏）	省教育厅副厅长
杜玉雄（回）	青海大学附属医院副院长
圈启章（藏）	省民族宗教事务委员会宗教一处处长
更　阳（藏）	省民政厅厅长
窦　强	省民政厅救灾处主任科员

肖玉海	省财政厅副厅长
竺向东	省财政厅办公室主任
吴国禄	省环境地质勘查局局长
窦　超	省测绘局第一测绘院工程师
匡　湧	省住房城乡建设厅厅长
胡　军	省建设工程质量监督总站站长
田明有	省交通厅收费公路管理处副处长
于丛乐	省水利厅厅长
吕　强	省水利水电勘测设计院设计中心主任
曹　宏	省农牧厅厅长
孙应祥	省兽医局副局长
苏　宁（女）	省卫生厅厅长、省食品药品监督管理局局长
吴世政	省第五人民医院院长
郭　鹏	省疾病预防控制中心科长
李晓峰	省妇联妇女发展部副主任科员
李建军	省统计局记者站副调研员
夏学平	省委宣传部副部长
李卫东	省登山协会副秘书长、高原户外救援队队长
杨占泉	省人大办公厅后勤服务中心高级工
何晓军	民建青海省委办公室副主任
马永成（回）	青海桥头铝电股份有限公司保卫部部长
张国裕	西宁特殊钢集团有限责任公司铁钢轧分厂副厂长
苑　钢	青海盐湖工业集团股份有限公司团委书记、工会副主席
尹　磊	西部矿业股份有限公司锡铁山分公司办公室主任
唐增科	省水利水电集团有限公司董事长
张建国	省汽车运输集团有限公司董事长、总经理
王存儒	青海煤业集团矿山救护队指导员
张永厚	青海路桥建设机械工程有限公司项目经理
唐海忠	黄河上游水电公司黄河电力检修工程有限公司检修工
鲍永龙	黄河上游水电公司黄河公司工程建设分公司辅企专责
白玛然丁（藏）	玉树电力公司副总经理
周世学	青海第三路桥建设有限公司项目经理
江永茸保（藏）	玉树农村信用合作联社理事长
张玉海	西宁供电公司副经理
杨志良	省电力公司生产部主任

李积雄	青海油田井下作业公司运输大队驾驶员
任锡林	青海油田井下作业公司职工
保广才	中国农业银行股份有限公司玉树分行党委委员、副行长
乔新山	民航西北地区管理局局长、党委副书记
程珠祖	西部机场集团青海机场有限公司总经理
李卫国	青海机场有限公司玉树机场分公司副总经理
魏岳凤（女）	青海机场有限公司运行保障部急救中心主任
李　力	青藏铁路公司党委常务副书记
李　栋	青藏铁路公司西宁站主任助理
孙言京	青藏铁路公安局西宁公安局副主任科员
刘建平（回）	中国石油青海销售公司党群工作处处长
恒庆贤	中国石油青海玉树销售分公司经理
刘运尧	中国联通青海省分公司总经理
张崇誉	中国联通玉树州分公司副总经理
余红霞（女，满）	中国水利水电四局有限公司医院主管护理师
杨金龙	中国水利水电四局有限公司副主任
秦学寿	中国电信集团青海分公司总经理
党成忠	中国电信玉树分公司网络管理部主任
颜忠宏	中国移动青海分公司网络部总经理
高振明	中国移动青海公司玉树分公司总经理
丁志军	青海赛迪会议会展有限公司总经理
李连生	青海红十字医院普外科副主任
李　欣	北京博万科技发展有限责任公司总经理
严晓玲（女）	青海卫生职业技术学院团委副书记
洛才仁（藏）	玉树州地方税务局工会副主席
李锦川	玉树县国家税务局局长
石天刚	玉树州气象局气象台副台长
沙成宁	省地震局监测中心测震台网室主任
冀国栋	省公路局结古公路段段长
杜金玉	青海火电工程公司送电线路班班长
李德业	青海正平公路桥梁工程集团有限公司班长
张建华	青海兴华医院
杨朝阳	青海省玉树县人民武装部后勤科科长
王景超	青海消防总队玉树州支队参谋长
袁立军	青海消防总队防火部宣传处处长

杨永刚	青海消防总队玉树州支队参谋
栗　兆	青海消防总队玉树州支队参谋
玛尼坚	青海消防总队西宁支队下士
刘玉斌	青海消防总队玉树州支队上等兵
邹根队	省公安厅警卫局后勤处车队队长
周　磊	省公安厅警卫局参谋
连　捷	省公安边防总队后勤部助理员
徐学成	省公安边防总队政治部干事
张海平	黄南州公安局交警支队副支队长
杨峰业（藏）	黄南州公安局交警支队车辆管理所所长
东主才让（藏）	海南州公安局特警支队支队长
徐　黎	海南州公安局特警支队大队长
马　骏（回）	化隆县公安局公路巡警大队副大队长
徐小明（藏）	果洛藏族自治州公安局特警大队大队长
热　旦（藏）	玛多县公安局看守所所长
熊　海	海西州公安局交警支队政委
王成元	玉树州公安局副局长
才巴德（藏）	玉树州公安局治安支队支队长
才仁扎西（藏）	玉树州公安局国保支队副支队长
普布才仁（藏）	玉树州公安局治安支队副支队长
桑丁才仁（藏）	玉树州公安局交警支队大队长
拉巴东周（藏）	玉树州公安局政治处科员
张　飞（藏）	玉树州公安局交警支队副主任
索南战斗（藏）	玉树州公安局特警支队科员
青　鹰（藏）	玉树县公安局局长
才旦多杰（藏）	玉树县公安局主任科员
普布才仁（藏）	玉树县公安局民警
才仁文次（藏）	玉树县公安局小苏莽派出所所长
更　然（藏）	玉树县公安局新建路派出所民警
多杰才江（藏）	玉树县公安局巡防大队大队长
周　伟	玉树县公安局扎西科派出所所长
郭定彧	西宁市公安局特警支队四大队教导员
张进斌	西宁市公安局交警支队主任科员
刘天海	省公安厅副厅长
朱运军	省公安厅办公室主任

王正强	中国人民解放军 68709 部队班长
王振宇	兰州军区青海军事法院院长
陈国瑞	青海省军区后勤部战勤处干事
吴　勇	青海省玉树军分区司令员
旦　增（藏）	青海省玉树军分区副政治委员
多　杰（藏）	青海省玉树军分区副参谋长
崔月立	中国人民解放军 93987 部队训练处副处长
王千水	青海省玉树军分区助理员
范文秀（土）	青海省玉树军分区独立骑兵连代理排长
扎西旺加（藏）	囊谦县民兵应急连副指导员
久美朋措（藏）	杂多县阿多乡人民武装部部长
达　哇（藏）	曲麻莱县政府办公室干部
王　超（回）	青海陆军预备役步兵旅营长
吉海波	青海陆军预备役步兵旅修理所所长
沈廷树	青海陆军预备役步兵旅工兵营地爆连预备役指导员
李仁峰	青海陆军预备役步兵旅政治部科长
刘晓明	中国人民解放军 68710 部队政治委员
班玉宝（回）	中国人民解放军 68710 部队副部队长
邵学军	中国人民解放军 68710 部队 10 分队分队长
田江华	中国人民解放军 68710 部队 64 分队分队长
冯益生	中国人民解放军 68710 部队 52 分队医师
王　兵	中国人民解放军 68710 部队 68 分队副班长
毛鹏德	中国人民解放军 96361 部队副部队长
牛福全	中国人民解放军 96361 部队政治教导员
李建龙	中国人民解放军 96351 部队政治部宣传处干事
吴　亮	中国人民解放军 96351 部队司令部军务处副处长
何汉林	中国人民解放军 96375 部队 72 分队分队长
秦传锋	中国人民解放军 96374 部队 4 分队政治教导员
周建平（回）	中国人民解放军第 536 医院主治医师
康玉萍（女）	中国人民解放军第 536 医院主管护师
孙　胜	中国人民解放军第 22 医院院长
闫军青（女）	中国人民解放军第 22 医院护师
李大元	中国人民解放军 62201 部队副部队长
陈才国	中国人民解放军 62213 部队部队长
孙晓鹏	中国人民解放军 62213 部队 20 分队分队长

江积让	中国人民解放军 62270 部队业务处参谋
王先锋	中国人民解放军 62201 部队政治部干事
罗贤兵	中国人民解放军 62201 部队业务处助理员
李　群	中国人民解放军 62201 部队司令部参谋
镡　磊	中国人民解放军 68060 部队政治部宣传科干事
田新宇	中国人民解放军 68060 部队基建营房处助理员
李友谊	中国人民解放军 68063 部队二队队长
陈柏林	中国人民解放军 68068 部队保管队班长
胡志光	中国人民解放军第十医院院务处处长
杨吉祥	中国人民解放军第二十五医院政治委员
司建华	中国人民解放军 93987 部队副政治委员
段鸿江	中国人民解放军 93987 部队后勤处处长
杨全刚	武警青海总队副总队长
李海敏	武警青海总队副参谋长
石风华	武警第一支队副支队长
潘　磊	武警第一支队二中队班长
郑　伟	武警第一支队五中队班长
侯泽华	武警第一支队八中队中队长
杨　东	武警第一支队九中队中队长
周大伟	武警第一支队特勤中队政治指导员
宋　斌	武警第一支队运输中队副班长
陈学龙	武警第一支队司令部参谋
刘彦斌	武警第四支队副支队长
王士华	武警第四支队一大队二中队班长
童占平	武警第四支队二大队四中队排长
齐瑞军	武警第四支队三大队八中队中队长
卢小峰	武警第四支队四大队工化中队司务长
刘遗领	武警第四支队运输中队班长
夏晓斌	武警第四支队司令部作训股参谋
袁志奇	武警第四支队政治处组织股股长
田跃雨	武警第四支队政治处宣传股报道员
陶恒茂	武警第四支队后勤处营房股股长
蔡永铭	武警西宁支队政治部主任
范　斌	武警西宁支队作训科参谋
王喜平	武警西宁支队战勤科参谋

宫振荣	武警玉树支队副支队长
陈太斌	武警玉树支队直属大队政治教导员
刘新勇	武警玉树支队一中队中队长
金英钧	武警玉树支队玉树县中队排长
陈　博	武警青海总队司令部机要处处长
高　鹏	武警青海总队政治部宣传处副处长
何　礼	武警青海总队政治部秘群处干事
党满平	武警青海总队后勤部军需处助理员
柏天龙	武警 187 师政治部宣传科干事
闫旺鹏	武警 187 师 561 团政治处主任
张晓强	武警第 187 师 561 团 1 营政治教导员
朱振虎	武警第 187 师 561 团 2 营营长
张春林	武警第 187 师 561 团 3 营政治指导员
张　斌	武警第 187 师 561 团政治处政治指导员
谈爱勇	武警第 187 师 561 团司令部股长
姜　海	武警第 187 师 561 团政治处股长
刘新刚	武警第 187 师 561 团后勤处股长
廖敬光	武警水电二总队副参谋长
于晓东	武警交通第一支队副参谋长

全省抗震救灾民族团结模范
（31 个）

一、民族团结模范集体（12 个）

平安县水务局
共和县中医院玉树抗震救灾医疗队
海北州卫生局
义煤集团青海义海能源有限责任公司
黄南州疾病预防控制保健中心
玛多县抗震救灾救援队
玉树州委政法委
青海兴青集团玉树抗震救灾救援队
西宁东关清真大寺民主管理委员会
玉树县结古寺民主管理委员会
称多县尼宗寺民主管理委员会

曲麻莱县巴干寺民主管理委员会

二、民族团结模范个人（19名）

马文忠（回）	青海玖鹰国际虫草公司董事长
韩文成（撒拉）	循化县仙红辣椒开发有限公司董事长
祁万有（蒙古）	海南州民政局副局长
尕玛才旦（藏）	海北州海晏县青海湖乡党委书记
孙玉库（藏）	海西州民政局副局长
斯琴巴特（蒙古）	海西州乌兰县疾病预防保健中心医士
索　南（蒙古）	黄南州河南县赛尔龙乡尕庆村支部书记
周　杰（藏）	达日县人大常委会主任
罗松仁青（藏）	玉树州委统战部部长
索南多杰（藏）	玉树州经贸委主任
索　江（藏）	省卫生厅卫生监督所科员
王伟明	江苏伟业建设集团董事长
周卫军	青海汇吉实业集团有限责任公司董事长
当德江措（藏）	青海民族大学法学院学生
马玉芳（女，藏）	玉树县公安局法制科科长
坚赞昂旦（藏）	塔尔寺民主管理委员会副主任
嘉仪·洛桑公却三排（土）	互助县扎隆寺活佛、县政协常委
公　保（藏）	玉树县当卡寺民主管理委员会主任
江　尕（藏）	玉树县达杰寺民主管理委员会主任

（《青海日报》，2010年8月15日第2版）

中共青海省委关于
开展向韩慧瑛、才仁松保同志学习的决定

韩慧瑛同志，女，藏族，青海玉树人，1962年11月生，1979年9月参加工作，1992年5月加入中国共产党。生前任玉树州卫生局党组成员、副局长，州人民医院党委书记、院长、主任医师，中共青海省第十一次代表大会代表，政协玉树州第十一届委员会委员、第十二届州政协常委，玉树县第十二届人大代表。在西宁住院期间获悉玉树发生地震后，毅然放弃治疗，奔赴抢险救灾一线，强忍病痛折磨，连续数月为救治转移伤员日夜操劳，因劳累过度导致病情加重，不幸于2010年8月逝世，年仅48岁。

才仁松保同志，男，藏族，青海玉树人，1963年12月生，1984年7月参加工作，1986年4月加入中国共产党。生前任玉树县卫生局副局长、玉树八一医院（原玉树县妇幼卫生综合医院）院长，曾获青海省卫生系统“人民的好医生”“优秀管理工作者”“全省卫生系统抗震救灾先进个人”等诸多荣誉称号。2011年5月被中华全国总工会授予“全国五一劳动奖章”荣誉称号。在玉树灾后恢复重建中，他为八一医院的重建废寝忘食、昼夜奔波，最终因劳累过度、多病复发、医治无效，于2012年10月25日逝世，年仅49岁。

韩慧瑛、才仁松保同志是优秀共产党员，是党员领导干部的榜样和楷模，是扎根基层、服务人民的优秀藏族干部的杰出代表。为了玉树抗震救灾和灾后重建，他们抱病坚守岗位，把希望和安全留给群众，把困难和危险留给自己，用满腔热血和宝贵生命谱写了一曲共产党人的时代赞歌。他们的感人事迹，生动诠释了伟大的民族精神、时代精神和玉树抗震救灾精神的内涵；他们的崇高精神，是新青海建设的宝贵财富，是我们开展理想信念教育、民族团结教育和群众路线教育的生动教材，为全省广大党员干部树立了一座时代的丰碑。

韩慧瑛、才仁松保同志是根植于人民群众之中、生活在我们身边的英雄模范，他们的事迹可亲、可敬、可学，是玉树精神家园重建的丰硕成果。开展向英雄模范人物学习活动，对于教育和引导全省广大党员干部特别是农村牧区藏族基层干部群众，自觉维护祖国统一、维护民族团结、维护社会稳定，牢固树立“三个离不开”的思想，推进建设新青海、创造新生活、全面奔小康具有重要的示范和引领作用。省委决定，在全省各级党组织、广大共产党员和干部群众中开展向韩慧瑛、才仁松保同志的学习活动，学习他们对党忠诚、热爱人民、全心全意为人民服务的崇高品质；学习他们爱岗敬业、勇于担当、努力做好本职工作的高尚情操；学习他们扎根基层、默默奉献、不怕牺牲的人生追求。

省委号召，全省广大党员干部要以韩慧瑛、才仁松保同志为榜样，牢记宗旨意识，立足本职岗位，争做顾全大局、恪尽职守的表率，争做坚韧顽强、勇往直前的表率，争做无私无畏、舍己为人的表率，把爱国之情、报国之志、强国之梦转化为做好各项工作的强大动力，不断促进各民族共同团结进步、共同繁荣发展。各地各部门各单位要把开展向韩慧瑛、才仁松保同志的学习活动，与深入学习宣传贯彻党的十八大精神结合起来，与创建民族团结进步先进区活动结合起来，与涉藏维稳思想教育引导工作结合起来，创造性地开展学习宣传活动，用先进感人事迹弘扬正气、振奋精神、凝聚力量，引导广大党员干部以更加奋发的精神状态，更加务实的工作态度，更加扎实的工作作风，为实现全省“两新”“三区”目标而不懈奋斗。

（《青海日报》，2013 年 5 月 11 日第 1 版）

人力资源社会保障部等四部门关于表彰玉树地震灾后恢复重建先进集体和先进个人的决定

（2014年1月6日）

玉树强烈地震发生后，在党中央、国务院和中央军委坚强领导下，各有关方面攻坚克难，全力以赴开展灾后恢复重建工作。灾区广大干部群众自力更生、顽强拼搏，对口援建单位顾全大局、勇挑重担，解放军和武警部队官兵牢记宗旨、无私奉献，社会各界心系灾区、倾情支援。三年灾后恢复重建，充分展示了党和人民的强大力量，弘扬了中华民族的伟大精神，彰显了社会主义制度的巨大优越性。在玉树地震灾后恢复重建中，涌现出一大批作出突出贡献的先进集体和先进个人。

为表彰先进，弘扬正气，进一步激励全国各族人民奋力推进我国改革开放和社会主义现代化建设事业，经党中央、国务院批准，人力资源社会保障部、国家发展改革委、国务院国资委、解放军总政治部决定，授予中国建筑第八工程局有限公司等100个集体“玉树地震灾后恢复重建先进集体”荣誉称号；授予才仁扎西等150名同志“玉树地震灾后恢复重建先进个人”荣誉称号，被授予“玉树地震灾后恢复重建先进个人”的同志享受省部级先进工作者和劳动模范待遇。希望被授予荣誉称号的先进集体和先进个人珍惜荣誉，积极进取，再立新功。

全国广大干部群众、解放军和武警部队指战员要以受表彰的先进集体和先进个人为榜样，学习他们艰苦奋斗、勇于奉献的崇高精神，更加紧密地团结在以习近平同志为总书记的党中央周围，高举中国特色社会主义伟大旗帜，以邓小平理论、“三个代表”重要思想、科学发展观为指导，认真贯彻落实党的十八大和十八届二中、三中全会精神，锐意进取，真抓实干，为全面建成小康社会、不断夺取中国特色社会主义新胜利、实现中华民族伟大复兴的中国梦而奋斗！

玉树地震灾后恢复重建先进集体名单

（100 个）

青海省

青海省环境地质勘查局

青海省教育厅发展规划处

青海省民族宗教事务委员会宗教业务一处

青海省公安厅交通警察总队

青海省财政厅经济建设处

青海省建设工程造价管理总站

青海省玉树公路总段

青海省文物管理局

青海省第三人民医院

青海省审计厅固定资产投资审计处

青海省总工会法律与保障部

青海省玉树灾后重建监督检查领导小组办公室

青海省工程咨询中心

西宁市援建杂多县地震灾后重建项目现场指挥部

海东地区玉树州灾后恢复重建援建办公室

化隆县驻称多县称文镇灾后重建办公室

海南州援建玉树灾区恢复重建现场指挥部

海西州支援玉树州治多县灾后恢复重建指挥部

海西州人民政府办公室

中共玉树州委员会办公室

玉树州人大常委会办公室

玉树州人民政府办公室

政协玉树州委员会办公室

中共玉树州委组织部

玉树州发展和改革委员会

玉树州公安局

玉树州公安消防支队

武警青海总队玉树支队

玉树州民政局

玉树州县矛盾纠纷大调解联合协调指挥中心

玉树地震灾后恢复重建资金管理办公室
玉树州环境保护局
玉树州住房和城乡建设局
玉树州文化体育局
玉树市发展和改革局
玉树市公安局防暴大队
玉树市灾后重建联合执法大队
玉树市城乡规划和住房建设局
玉树市灾后重建回迁安置领导小组办公室
玉树市结古街道办事处
玉树市琼龙街道办事处
玉树市西杭街道办事处
玉树市扎西科街道办事处
玉树市帮群寺民主管理委员会
中共称多县尕朵乡委员会
中共称多县拉布乡委员会
称多县人民武装部
称多县矛盾调解中心
称多县称文镇人民政府
中共治多县立新乡委员会
治多县住房和城乡建设局
杂多县灾后重建项目管理办公室
杂多县萨呼腾镇人民政府
中共囊谦县毛庄乡委员会
中共曲麻莱县巴干乡委员会
青海路桥建设股份有限公司
青海西部建业有限责任公司
青海聚盈建筑工程有限公司
青海盈吉建筑集团有限公司
青海省集协建筑工程有限公司
西宁房地产集团有限公司
海南州工程建设监理站
玉树农村商业银行股份有限公司
青海玉树电力公司

四川省

石渠县住房和城乡规划建设局

石渠县审计局

石渠县正科乡人民政府

成都建工集团玉树地震四川灾区石渠县灾后农房重建工程项目部

四川省第十三建筑有限公司

北京市

北京市政路桥集团玉树援建工程指挥部

北京城建集团有限责任公司青海玉树援建工程总承包部

北京建工集团有限责任公司总承包部

北京住总集团第一开发建设有限公司

辽宁省

辽宁省城乡建设规划设计院

辽宁省建筑设计研究院项目管理咨询公司

辽宁同泽工程造价咨询有限公司

国务院玉树地震灾后恢复重建协调小组成员单位

财政部驻青海省财政监察专员办事处二处

中国土地勘测规划院土地规划所

中国城市规划设计研究院玉树灾后重建现场工作组

长江勘测规划设计研究院规划设计处

青海送变电工程公司

中国文化遗产研究院文物保护工程与规划所

国务院国资委管理的中央企业

中国建筑第八工程局有限公司

上海中建八局装饰有限责任公司

中建安装工程有限公司上海公司

中国市政工程西北设计研究院有限公司建筑分院

中铁建工集团有限公司北京路桥分公司

中铁建工集团有限公司西南分公司

中铁二局第四工程有限公司

中铁二局集团勘测设计院有限公司

中铁二十一局第二工程有限公司

中铁二十一局第四工程有限公司玉树灾后重建工程项目部

中铁二十一局第六工程有限公司六公司

中铁第一勘察设计院集团有限公司城建院

中国电建集团玉树重建现场指挥部
中国电建集团玉树重建现场指挥部第一工区
中国电建集团玉树重建现场指挥部第二工区
中国电建集团中国水电顾问集团西北勘测设计研究院玉树项目设计小组

解放军和武警部队

解放军第 68062 部队 13 中队
武警青海省总队玉树藏族自治州支队直属大队

玉树地震灾后恢复重建先进个人名单

（共 150 名）

青海省

谢宏敏（女）	中共青海省委组织部干部监督处处长
王若冰	青海省发展和改革委员会固定资产投资处副处长
王亚楠	青海省经济委员会盐务管理局主任科员
范培友	青海省公安厅治安警察总队特警工作指导支队支队长
闫党生	青海省民政厅救灾救济处主任科员
李积庆	青海省财政厅经济建设处处长
贾建青	青海省环境监察总队主任科员
王有云	青海省住房和城乡建设厅城市建设处主任科员
王得元	青海省畜牧总站办公室主任
段霄江	青海省审计厅固定资产投资审计处处长
高　平	青海省统计局固定资产投资统计处处长
景鹏峰	青海省红十字会赈济救护部主任科员
杨风龙（回族）	青海省公路建设管理局项目办主任
张培海	青海省通信工程质量监督中心副主任
索昂代吉（女，藏族）	青海省无线电管理办公室玉树管理处监测站站长
姚　斌	青海日报社州地市记者管理部驻玉树记者站记者
李盛华（土族）	西宁市信访局局长
高峻龙	西宁市城乡规划设计研究院规划所所长
杨玺春	西宁市建设工程质量安全监督站助理工程师
俞　忠	海东市乐都区供销合作社联合社秘书
梁增辉	平安县三合镇人民政府副镇长
乔国林（土族）	民和县中川乡人民武装部部长
李成斌（藏族）	四川元顺建筑工程有限公司青海办事处经理

杨　鹏（藏族）	海南州建筑设计室助理工程师
洛藏尼玛（藏族）	兴海县地方志编纂委员会办公室主任
赵启龙	格尔木市住房和城乡建设局规划室主任
井发军	都兰县建设和交通局局长
郭　睿	都兰县审计局局长
杨雪莲（女）	中共玉树州纪律检查委员会监察室副主任
东治才仁（藏族）	中共玉树州委宣传部副部长兼三江源报社社长
永丁达哇（藏族）	中共玉树州委统战部统战科副科长
仁青才仁（藏族）	中共玉树州委政法委副书记
才华太（藏族）	中共玉树州委政法委维稳办副主任
昝学龙（藏族）	玉树州机构编制管理办公室主任
张兴文	玉树州机构编制管理办公室综合科科长
向晓黎	中共玉树州委党校行政科副科长
弋旺嘎（藏族）	玉树州人民政府副秘书长
尖措扎西（藏族）	玉树州人民政府教育督导室副主任
马尕桑杰（藏族）	玉树州人民政府办公室秘书科科员
李存青（藏族）	玉树州检察院政治部副主任
更嘎桑旦（藏族）	玉树州经济和商务委员会副调研员
马兴魁（回族）	玉树州民族宗教事务委员会宗教科科长
桑　丁（藏族）	玉树州交警支队玉树市直属大队大队长
尼玛战斗（藏族）	玉树州人力资源和社会保障局就业培训科科长
才　亚（女，藏族）	玉树州国土资源局办公室主任
李家峰	玉树州水利局规划建设科科长
李万业	玉树州农牧局农业科科长
罗松旦争（藏族）	玉树州审计局办公室科员
张玉梅（女）	玉树州统计局统计科主任科员
伊宝群（藏族）	玉树州工商行政管理局局长
才　旦（藏族）	玉树州林业局林业科科长
马广超	玉树市仲达乡中心寄宿制学校教师
格　扎（藏族）	玉树州红十字会常务副会长
晁增显	中共玉树市委员会副书记
普　样（女，藏族）	中共玉树市哈秀乡委员会副书记
文德扎西（藏族）	中共玉树市团结灾后重建建设工作委员会书记
阿　才（藏族）	玉树市结古镇日澳格村党支部书记
旦珍才加（藏族）	玉树市巴塘乡上巴塘村党支部书记

才仁扎西（藏族）	玉树市人民政府副市长
更求加（藏族）	玉树市发展和改革局住房领导小组办公室主任
尼玛才仁（藏族）	玉树市城乡区域民族特色打造领导小组办公室副主任
才　文（藏族）	玉树市城市管理局局长
江尕求培（藏族）	玉树市统计局职工
索昂颜培（藏族）	玉树市国土资源局副局长
扎　样（女，藏族）	玉树市上拉秀乡人民政府副乡长
格来昂布（藏族）	玉树市卫生局科员
尼　嘎（藏族）	玉树市工商行政管理局副局长
张卫民	中共称多县委政法委办公室主任
才仁昂布（藏族）	称多县人民政府副县长
才仁青梅（藏族）	治多县公安局副局长
才扎西（藏族）	称多县自来水站站长
江永尼玛（藏族）	称多县东程寺民主管理委员会主任
昂文丁达（藏族）	称多县称文镇下庄村村民
杨晓伟	治多县人民政府办公室主任
刘胜利	中共杂多县昂赛乡委员会副书记
拉巴永措（女，藏族）	杂多县萨呼腾镇兽医站站长
才旺仁增（藏族）	囊谦县住房和城乡建设局副局长
巴桑旦周（藏族）	中共曲麻莱县委员会办公室科员
达　求（藏族）	曲麻莱县佛教协会秘书长
扎西达吉（藏族）	共青团玉树州委玉树红飘带志愿服务队队长
魏文强	中国医学科学院肿瘤医院科研处副处长（援青干部）
王志宗	中国电信股份有限公司玉树分公司网运部电信工程建设主管
朱占武（回族）	中国移动通信集团青海有限公司玉树分公司网络部经理
王兴顺	青海省电力公司玉树电网灾后重建筹建处副主任
李增焉	青海省水利水电工程有限责任公司项目经理
阿启仁（蒙古族）	青海水利水电勘测设计研究院江海监理公司副经理
蔡芝锋	青海省疾病预防控制中心主管医师
张德军	青海春辉建筑工程有限公司项目经理
张礼寿	青海一建建筑工程有限责任公司项目经理
祁佩军（白族）	青海金安建设工程有限公司项目经理
蔡宝山	青海海北紫恒建设工程有限公司项目经理
银　嘎（藏族）	玉树宾馆有限责任公司总经理

四川省

伍　强（藏族）	中共石渠县委员会书记
彭　措（藏族）	中共石渠县委农村工作领导小组办公室主任
邓光均（藏族）	石渠县教育局局长
郑守明	石渠县财政局副局长
洪　伟	石渠县交通运输局局长
柯　生（藏族）	中共石渠县洛须镇委员会书记
昂　呷（藏族）	石渠县正科乡当巴村党支部书记

北京市

赵志刚	北京市财政局国库处副调研员
王晓刚	北京市朝阳区住建委施工安全监督站干部
刘利锋	北京市延庆县井庄镇政府办公室主任
李英健	北京市城市规划设计研究院北京市城规技术服务中心干部
张卫东	北京市公路桥梁建设集团一分公司副经理
马保义	北京城建建设工程有限公司党支部书记
原　波	建工集团有限公司总承包部副经理
王　军	北京住总集团一公司总经理

辽宁省

王海涛	辽宁省住房和城乡建设厅监察室副主任科员
杨振凯	辽宁省建筑设计研究院院长
任韶红	辽宁省建筑设计研究院党委书记
吕　雷	辽宁省建筑设计研究院项目管理咨询公司技术员
吴庆宏	辽宁省建筑设计研究院项目管理咨询公司技术员
赵　晋	辽宁省城乡建设规划设计院技术员

国务院玉树地震灾后恢复重建协调小组成员单位

由　建（女）	公安部扶贫办副主任
王　仲	中国城市规划设计研究院职工
杨国峰	交通运输部公路局养护保通处处长
赵旭东	审计署投资司二处处长

国务院国资委管理的中央企业

于金伟	中国建筑第八工程局有限公司工会主席
孙仕玉	中国建筑第八工程局有限公司西北公司项目总工程师
朱宝君	中国建筑第八工程局有限公司第二建设有限公司项目总工程师
薛　铁	中国建筑第八工程局有限公司青岛分公司项目总工程师
宋福华	中国建筑土木建设有限公司路桥分公司项目党支部书记

陈　彤	中建安装工程有限公司项目副经理
吴　波	中建安装工程有限公司机电安装项目经理
沈秋武	甘肃中建市政工程勘察设计研究院勘察负责人
姬虎琳	中铁建工集团有限公司经营管理部职员
张兴宁	中铁建工集团有限公司西北分公司项目经理
刘井坤	中铁工程设计院有限公司副总建筑师
卿三惠	中铁二局集团有限公司总工程师
黄　晖	中铁二局建筑有限公司玉树项目部项目经理
张　红	中铁二局集团勘测设计院有限责任公司副总经济师
胡明珠	中铁西北科学研究院有限公司项目经理
达文斌	中铁二十一局集团有限公司副总工程师
任宏科	中铁二十一局第四工程有限公司党委工作部部长
常军强	中铁二十一局集团有限公司成本管理部职员
卜宗举	中铁二十一局第四工程有限公司项目经理
芦志平	中铁二十一局第二工程有限公司项目副经理
乔登寿	中铁第一勘察设计院集团有限公司兰州铁道设计院副院长
张世升	中铁第一勘察设计院集团有限公司城建院建筑所所长
刘九江	中国水利水电第四工程局有限公司项目经理
王乃重	中国水利水电第四工程局有限公司四分局副经理
张智致	中国水利水电第四工程局有限公司一分局副经理
张振宇	中国水利水电第四工程局有限公司四分局技术主任
胡　阳	中国水利水电第四工程局有限公司三分局副经理
刘俊国	中国水利水电第四工程局有限公司基础分局项目技术总工
曹　奇	中国水利水电第四工程局有限公司五分局副经理
关洪滨	中国水利水电第四工程局有限公司七分局项目队长
解放军和武警部队	
李小鹏	青海省军区后勤部基建营房处助理员
王洪军	兰州军区机关营区综合整治办公室工程师
曹文昊	武警交通第一总队一支队后勤处副处长

（共产党员网）

审计署关于印发玉树地震灾后恢复重建审计工作方案的通知

审投发〔2010〕73号

青海省人民政府，国家发展改革委、监察部、民政部、财政部：

经国务院同意，现将审计署《玉树地震灾后恢复重建审计工作方案》印发给你们。

中华人民共和国审计署

二〇一〇年五月二十六日

玉树地震灾后恢复重建审计工作方案

为做好青海玉树地震灾后恢复重建审计，促进重建工作顺利完成，根据《中华人民共和国审计法》《国务院关于做好玉树地震灾后恢复重建工作的指导意见》和国家有关规定，制定本方案。

一、审计目标

按照党中央、国务院关于“力争用三年时间基本完成恢复重建主要任务，使灾区基本生活生产条件和经济社会发展全面恢复并超过灾前水平”的要求，切实加强对灾后恢复重建项目的跟踪审计，促使有关部门和单位积极组织项目建设，严格资金使用、工程管理和环境保护，保障灾后恢复重建不出重大问题，促进灾后恢复重建工作顺利完成。

二、审计对象和范围

（一）审计对象。以玉树灾后恢复重建项目为主要审计对象。同时对与灾后恢复重建规划实施、资金、项目管理相关的中央部门、中央企事业单位、地方各级政府及单位，以及项目建设、设计、施工、监理等相关企业及单位，进行审计或审计调查。

（二）审计范围。从玉树灾后恢复重建开始至结束的政策落实、资金使用、工程建设管理、环境保护等情况和效果。

三、重点审计内容

（一）灾后恢复重建政策措施落实情况。掌握国家扶持灾区恢复重建和长远发展的各项政策措施，审查国家支持灾区恢复重建的财政、税收、金融、土地、扶贫、对口支援、倒房重建补助、受灾困难群众救助、产业扶持等政策措施是否有效落实到位，并关注政策是否完善，评价政策措施的实施效果，分析相关政策不落实、有关措施执行不到位的原因。

（二）灾后恢复重建规划实施情况。掌握国家关于灾后恢复重建规划执行和调整的要求，各个专项规划的内容和项目进展、投资完成、实物工作量等。审查重建项目的安排是否合理，是否优先建设农牧民住房、城镇居民住房和学校、医院等公共服务设施，机场、公路、铁路、电力等基础设施以及寺庙是否抓紧修复和建设，能否按照计划工期完成，通信、水利、能源及供水、供热、排污、垃圾处理等基础设施是否及时建设，组织准备是否到位，建设进展是否顺利，注意发现影响灾后恢复重建任务完成的问题。

（三）灾后恢复重建资金的管理和使用情况。摸清灾后恢复重建资金的来源和金额，包括中央财政资金、社会捐赠、企业投资、银行贷款等，以及资金的分配、拨付、管理使用等。

1. 审查中央财政下达给青海省的专项资金，管理使用是否规范，有无挤占、挪用、截留、克扣、滞留以及贪污、私分等违法违规问题，有无将重建资金用于恢复重建规划范围之外项目。

2. 审查列入中央部门和中央企事业单位预算的专项资金，拨付是否及时，有无超范围、超规划、超标准安排使用资金，是否及时组织项目建设，有无进展缓慢、资金闲置等。

3. 审查社会捐赠、银行贷款等资金，是否及时足额入账，银行放贷是否及时，各项资金的分配和安排是否符合工程建设实际，有明确意愿的捐赠资金和物资是否优先安排用于捐赠者意愿项目，有无与其他资金重复安排、转作其他用途等，社会捐赠资金安排是否公开透明。

4. 审查北京、辽宁等有关省市的对口支援资金，是否按规定到位、管理和使用。

（四）灾后恢复重建工程的建设管理。重点审计玉树机场扩建、国道 214 改造、省道 308 改造等社会关注度较高的项目，城乡居民住房等民生工程，基础设施、公共设施和其他影响当地经济社会发展的重点项目。

1. 审查项目前期和组织管理，开工前的组织准备和施工组织是否到位，农牧民住房、城镇居民住房、学校、医院等是否按规定的抗震设防标准进行规划、设计和建设，能否按期完工并交付使用，是否根据灾后恢复重建的要求加强基本建设程序、招投标等管理。

2. 审查项目工程质量管理，勘察设计、建设管理、工程监理等是否满足工程建设需要，工程施工和设备材料采购是否规范，重点是冻土层地段的施工是否科学合理，有无层层转分包、偷工减料、设备材料以次充好等问题，有无因地质勘察不严格、降低施工标准发生严重质量安全事故等问题。

3. 审查工程投资控制和资金管理，投资控制制度是否严格，有无抬高设计、人工、机械、建筑材料等费用，有无贪大求洋搞形象工程，项目建设有无严重超概算超规模超标准问题，有无违规建设楼堂馆所、截留挤占挪用建设资金等问题，工程量审核、工程价款结算是否及时、准确。

（五）环境保护情况。摸清生态脆弱区、自然保护区、水源保护区的管理现状和环境保护要求，以及青海省审计厅历年对三江源自然保护区生态保护和建设的审计情况等。

1. 审查灾后恢复重建项目是否开展了环境影响评价，建设施工是否符合环境保护规定，大型散装水泥集散基地、砂石料基地、混凝土搅拌基地的建设是否符合环保要求，施工作业带、取弃土场、弃渣场等是否严格控制在规定区域内，有无建设高耗能高污染项目、损坏地貌植被、扩大占压土地面积，对生态的破坏是否制定相关恢复计划。

2. 审查天然林保护、退牧还草、水土保持措施等是否及时建设，是否做到同时设计、同时施工、同时投入使用，有无水土保持设施、自然保护区恢复重建缓慢等问题。

3. 审查动植物保护是否严格按规定执行，水源涵养、土壤污染治理等是否及时。

（六）土地管理情况。

1. 审查土地政策落实情况，以免收费用和划拨方式出让的土地是否符合国家政策规定，是否符合灾后恢复重建需要，有无地方政府违规越权审批、违规减免土地出让金，以及有关单位假借恢复重建名义扩大征地规模、搭车征地、非法占地等问题。注意关注危房鉴定拆除不准确、土地权属不清产生的问题。

2. 审查土地开发利用情况，是否超过国家规定的红线面积开发利用土地，是否坚持安全、适用、省地、节俭的原则。

3. 审查土地复垦和恢复情况，灾毁耕地、临时安置用地复垦是否及时，复垦资金来源是否落实，有无废弃的城乡用地未及时恢复利用等问题。除上述重点审计内容外，还可根据灾后恢复重建工作开展情况，对一些事关灾后恢复重建全局、涉及体制机制的共性问题开展审计调查。

四、组织分工与时间安排

（一）组织分工。由于玉树地处高寒高海拔地区，灾后恢复重建时间紧、任务重、难度大，对此，灾后恢复重建审计由审计署统一领导，青海省审计厅具体组织实施，从部分特派员办事处和对口支援省市审计机关抽调审计业务骨干参加现场审计指导。

1. 审计署负责玉树灾后恢复重建审计的协调、指导，以及调研、沟通和联系工作，并负责审计中央相关部门、单位。对中央投资的一些重大项目，由审计署统一组织审计。

2. 青海省审计厅按照省政府和审计署的统一安排，在审计署的指导下，组织审计力量，积极做好灾后恢复重建资金使用和建设管理等审计。

3. 相关特派员办事处和对口支援省市审计机关按照审计署的统一部署和要求，抽调审计业务骨干参加现场审计指导。

（二）时间安排。从 2010 年 5 月起至玉树灾后恢复重建结束，青海省审计厅要全程跟踪审计，并坚持边审计、边督改、边规范、边提高，充分发挥“免疫系统”功能。

五、审计结果公告和审计情况报告

（一）审计结果公告。每年 11 月底前，青海省审计厅要将年度综合审计结果报告报省政府和审计署，经省政府和审计署审核同意后，由青海省审计厅定期向社会公告灾后恢复重建审计情况。

（二）审计情况报告。青海省审计厅要根据灾后恢复重建的工作安排，每年制定审计工作方案并报省政府和审计署审核后执行。审计期间每月 25 日将上月的审计工作进展情况报审计署，审计发现的重要问题随时上报，并及时编报审计信息。

六、工作要求

（一）统一思想，认真负责。党中央、国务院高度重视玉树地震灾后恢复重建工作。灾后恢复重建工作社会影响巨大，既关系到党和政府形象，关系到社会稳定和经济发展，也关系到民生民意。开展玉树灾后恢复重建跟踪审计，既是审计机关的法定职责，也是审计机关的历史责任、社会责任。青海省审计厅及有关单位参审人员要本着对国家、对人民、对历史高度负责的态度，全力以赴做好这项审计工作。

（二）把握总体，突出重点。要在全面把握玉树灾后恢复重建总体要求的情况下，根据重建规划实施进度逐年确定审计重点。原则上，对中央投资的审计覆盖面要达到资金量的80%以上，对地方投资的审计覆盖面要达到资金量的80%以上。对重大问题要一查到底，揭露和反映影响灾区经济社会稳定、资金使用和建设管理的重大违法违规问题。

（三）加强沟通协调，做好工作指导。审计署和青海省审计厅要加强与发展改革、财政、民政、监察等部门的沟通协调，及时协调解决工作中的问题。审计中发现的重大违法违规问题，要及时移送纪检监察、司法机关依法查处。

（四）加强质量控制，防范审计风险。青海省审计厅要加强灾后恢复重建审计的组织和管理，严格执行审计署《审计项目质量控制办法（试行）》的规定，确保审计报告和审计信息反映的问题事实清楚、定性准确、数据可靠，保证审计质量，防范审计风险。

（五）严格审计纪律。各参审单位和人员要严格遵守民族、宗教政策和各项廉政、审计纪律。青海省审计机关审计所需经费全部由青海省财政保证，其他各参审单位经费由各地自行负担。

（《青海省人民政府公报》，2010年第15期）

青海省人民政府关于
支持玉树地震灾后恢复重建政策措施的意见

青政〔2010〕39号

西宁市、各自治州人民政府，海东行署，省政府各委、办、厅、局：

为支持玉树地震灾区恢复重建，充分发挥政策的支持和保障作用，保证用三年时间基本完成玉树地震灾区恢复重建主要任务，又好又快地重建新校园、新家园、新玉树，使灾区基本生产生活条件和经济社会发展全面恢复并超过灾前水平，切实为建设生态美好、特色鲜明、经济发展、社会和谐的社会主义新玉树奠定坚实的基础，根据《国务院关于支持玉树地震灾后恢复重建政策措施的意见》（国发〔2010〕16号）精神，结合我省实际，现提出如下意见：

一、基本原则

玉树地震灾后恢复重建要充分考虑灾区的特殊困难，既要与中央支持藏区发展、游牧民定居、生态移民、三江源生态保护等政策相衔接，更要从玉树地区灾后恢复重建的实际情况出发，做到恢复重建与提升基础设施和公共服务水平紧密结合，与提升群众生活质量紧密结合，与生态保护和建设紧密结合，与产业发展紧密结合，进一步加大政策优惠和支持力度。

（一）中央为主，多方筹措重建资金

灾后恢复重建资金以中央财政补助资金为主，同时包括省级财政预算安排资金、社会捐赠资金，以及居民和企业少量自筹资金。中央和省内接收的各类捐赠资金统一纳入灾后恢复重建资金，由省财政统一管理、统筹安排，用于灾区恢复重建。

（二）统筹安排，确保重点建设需要

根据受灾地区的受灾程度，统筹做好不同受灾地区的恢复重建工作。要将人口数量多、损失严重的极重灾区玉树县结古镇作为恢复重建工作的重点，同时兼顾其他重灾乡镇和一般灾区。对一般灾区和灾害影响区的乡镇，主要是支持城乡居民倒损住房以及受损学校、医院等公共服务设施重建和修复。

（三）总量控制，分类实施规划项目

对灾后恢复重建资金实行“总量控制，分类实施”的管理办法，由省财政根据省政府确定的规划项目，商省发展改革委等方面，分轻重缓急统筹做好中央财政补助资金、省级财政预算安排资金、捐赠资金和其他自筹资金的安排使用。

（四）厉行节约，提高资金使用效益

玉树灾区和省级相关部门要厉行节约，通过压缩一般性支出，整合专项资金，全力支持灾后恢复重建。要严格按照规划和灾区实际需要安排资金，加强资金安排使用情况的监管，提高资金使用效益。

二、主要政策

（一）财政政策

统筹安排各类重建资金。玉树灾后恢复重建资金包括：中央财政安排的恢复重建专项资金、省财政安排的资金、社会捐赠资金和其他自筹资金。省财政和灾区各级财政通过调整支出结构，增加预算资金投入，与国家灾后恢复重建专项资金、社会捐赠及其他各类财政性资金统筹安排，按照国家批准的总体规划分年实施。根据重建目标和任务，中央和省财政将分三年安排灾后恢复重建补助资金。2010 年安排 120 亿元，其中：中央财政安排 90 亿元，省财政统筹安排 30 亿元。明、后两年根据资金筹措情况再作安排。中央和省级财政在安排其他有关专项资金时，向灾区适当倾斜。

建立过渡期财力补助政策。恢复重建期间，在继续加大对玉树均衡性转移支付力度基础上，建立过渡期财力补助政策。即，从 2010 年起，省财政分三年对玉树州每年安排过渡期财力补助 3000 万元，由玉树州统筹安排，保障机关事业单位正常运转和履行基本公共服务职能等。

支持融资平台建设。加大对玉树灾区的投入倾斜力度，进一步支持公益性项目政府信用担保、中小企业融资担保、创业小额担保、支农信用担保等融资平台建设。

明确恢复重建资金使用范围。按照灾后恢复重建任务，通过项目投资、居民个人补助、资本金注入、贴息等方式将恢复重建资金主要用于以下几个方面：

1. 居民住房恢复重建。对玉树地震灾区城乡居民（含中央垂直管理部门职工）倒塌和严重损坏住房重建，按照政府保障基本住房需求的原则，将基本住房纳入灾后恢复重建总体建设规划，所需资金由省财政统筹安排；居民申请增加住房面积的，超面积部分由居民自筹资金解决；居民选择自购或自建住房的，依据相关规定给予补助；对一般受损住房需要维修加固的，给予适当补助。

具体政策措施由省住房城乡建设厅牵头，省民政厅、省国土资源厅、省财政厅等部门配合制定。

2. 基础设施建设。恢复重建破坏严重需整体重建或新建的城镇道路、桥梁，城镇供水、供气、供热以及污水垃圾处理等市政公用设施及配套管网等；恢复重建灾区范围内主要干线公路、农村公路以及受损民航设施、公众通信网和应急通信设施、邮政服务设施、水利、电力电网等设施。

3. 公共服务设施恢复重建。恢复重建教育、卫生、科技、地震、计划生育、广电、文化文物、体育、劳动就业与社会保障、社会福利、基层政权、公检法司等公共服务设施。其中，恢复重建教育、卫生设施优先安排社会捐赠资金，重点用于新建。

4. 宗教活动场所恢复重建。对宗教活动场所，按灾后恢复重建规划和现有管理程序，分寺院、活佛和教职人员生活住所以及文物等进行恢复重建。

5. 产业恢复重建。支持恢复重建玉树受灾工商企业、金融网点，发展设施农牧业、生态畜牧业，推动生产发展方式转变，发展环保型产业和特色文化、旅游等产业，建设低碳产业园区基础设施，支持异地办工业园区。财政通过投资补助、注入资本金、贴息等方式支持引导企业进行恢复重建。

6. 其他恢复重建。恢复重建农牧区（林区）生产生活设施，支持以工代赈、震后废物及建筑垃圾处理、三江源生态环境保护、灾毁土地整治、气象监测预警、地质灾害防治、综合减灾等社会公益性项目建设。

（二）税费政策

1. 对受灾地区的企业、个人负担的税收，以及与抗震救灾和灾后恢复重建、促进就业等相关税收，按照《国务院关于支持玉树地震灾后恢复重建政策措施的意见》（国发〔2010〕16 号）的相关规定予以减免，并从实际出发尽可能予以优惠。

2. 对灾区企事业单位和个人，在恢复重建期间，一律免征各类行政性收费和政府性基金。

具体政策措施由省财政厅牵头，省国税局、省地税局、省发展改革委等部门配合制定。

（三）金融政策

1. 加快修复基层金融网点，受灾地区金融机构应适当减免客户账户查询、挂失和补办、转账等收费。

2. 加强受灾地区信用环境建设，保护受灾地区客户合法权益，对于符合现行核销、重组和减免规定的贷款，按照相关政策和程序及时核销、重组和减免。

3. 建立奖补机制，鼓励银行业金融机构加大对受灾地区信贷投放和网点建设。从恢复重建资金中安排部分资金专项用于支持受灾地区城乡居民住房建设和恢复生产方面的贷款贴息或担保。

4. 政府外债项目因地震造成的损失给予债务减免，所需新增资金通过中央财政补助解决。

具体政策措施由省金融办公室牵头，人民银行西宁中心支行、省财政厅等部门配合制定。

（四）土地政策

1. 坚持土地公有制，保护公民财产权，维护土地使用者权益。对单位和个人在灾前使用的土地，凡没有权属纠纷，四邻确认并经公示无异议的，使用权原则上按原状予以确认。

2. 对受灾居民安置住房及机关企事业等单位，因地震造成房屋倒塌、毁损需要在原地区重建或迁至异地重建的，免收新增建设用地土地有偿使用费和土地出让收入。

3. 对利用政府投资、社会捐助以及自行集资等为受灾群众重建住房、基础设施、公益设施等用地可采用划拨方式供地。在原址重建的工业或其他经营性项目用地，无论投资性质，土地不再重新出让，可按原方式使用土地；易地重建的工业企业和按规划需要整体搬迁的工业企业，县级人民政府在收回其原有土地使用权的基础上，可采取划拨方式供地，并挂牌公示；对易地重建或按规划需要整体搬迁的其他经营性项目用地，同一宗地只有一个用地意向者的，可采用协议出让方式供地。

4. 在未对因灾降低的地价标准进行调整之前，对投资规模大，促进经济发展作用明显的新建工业或大型商业设施等项目用地，可根据实际情况降低地价标准出让。凡工业项目用地低于工业用地出让最低价标准、商业等项目用地低于原评估地价的，报省级人民政府备案。

5. 玉树州灾后重建需要的新增建设用地，玉树州国土资源管理部门在省级下达的土地利用年度计划中优先安排，指标不足的，本着节约集约用地的原则，可预支安排，省国土资源管理部门在国家下达计划指标中给予追加认定。符合规划异地重建的城镇和村庄，凡废弃村庄和城镇具有复垦条件的，可以使用城乡建设用地增减挂钩周转指标。

6. 对于纳入灾后重建规划、利用原建设用地的城镇村和配套基础设施用地，以及受灾企事业单位搬迁用地，由县级人民政府按国家用地定额标准先行安排供地。灾后重建基础设施及其他用地涉及新增用地的，依法征用；涉及农用地转用和土地征收的，可以按规定边建设边报批；涉及占用耕地的，可以边占边补。对于灾后重建的土地进行确权登记时，用地手续齐全的，给予确权登记并颁发土地证书；用地手续不完备的，先确权登记，暂缓发证。

具体政策措施由省国土资源厅牵头商有关方面制定。

（五）教育资助政策

1. 对生源地为玉树地震重灾区的高等教育阶段全日制在校生和高中阶段学生，从 2010 年 4 月至 2011 年 7 月，发放助学金或生活费补助，免除一个学年的学费，所需新增资金由中央财政和省财政统筹解决。

2. 对恢复重建期内迁出省内外其他地区就读的初中和高中阶段的重灾区学生，从 2010 年秋季学期起全部免除学费和住宿费，并发放生活费、交通费等补助；对迁出省内外其他地区就读学生的随队教师发放交通费补助。所需新增资金由中央和省财政安排解决，迁入迁出地政府适当负担。

3. 对继续在灾区就读的义务教育阶段学生，执行现有的经费保障和补助政策。

（六）就业和社会保险政策

加大就业援助：

1. 因地震灾害出现的就业困难人员，按规定及时纳入就业援助的对象范围。受灾地区就业困难人员参与灾后重建相关工作的人员纳入公益性岗位认定范围并适当延长期限。

2. 适当降低受灾地区企业失业保险费率。受灾地区企业在重建中吸收就业困难人员就业的给予岗位补贴和社保补贴。灵活就业的就业困难人员给予社保补贴。个体工商户灾后重新开业的可给予一次性开业补贴和一定期限的社保补贴。

3. 受灾地区企业恢复生产，公路和农田水利等基础设施以及对口支援项目建设，要优先吸纳当地受灾群众就业。灾区州、县两级政府要积极做好灾区劳动者就业指导和岗位培训等工作。培训期间给予生活补贴和培训补贴。

4. 鼓励省内其他地区支持和帮助受灾地区高校毕业生、农牧民、少数民族劳动者转移就业。省内其他地区各类企业和单位招用灾区劳动者的，可按其为灾区劳动者缴纳的社会保险费实际数额给予补贴，同时给予企业一次性奖励。转移就业的劳动者可适当给予交通补贴。一次性奖励和转移就业补贴所需资金从就业专项资金中列支。

社会保障待遇支付：

1. 凡参加工伤保险的伤亡职工，要按规定及时支付相关待遇，所需资金通过玉树州或省级统筹、申请国家支持解决。未参加工伤保险的伤亡职工，其待遇支付由职工所在企业或单位负责解决，企业或单位无力支付或已不存在的，可通过相关的社会捐助、社会救助制度予以帮助。

2. 确保灾区基本养老金按时足额发放。受灾较重、暂停生产的企业，经批准可缓缴基本养老保险费。因地震灾害无法恢复生产并依法宣告关闭破产企业欠缴的基本养老保险费，按照法定程序进行清偿或核销。在玉树州开展新型农村牧区社会养老保险试点，在灾后恢复重建期，参保农牧民个人缴费困难的可以缓缴，在按原规定给予个人缴费补贴的基础上，再适当增加缴费补贴，所需资金由省财政补助。

3. 因地震受伤人员在紧急救治阶段实行免费医疗。后续医疗费用，凡参加城镇职工（居民）基本医疗保险和新型农村合作医疗的，通过城镇职工（居民）基本医疗保险和新型农村合作医疗相关政策规定核报；未参加医疗保险和新农合的，其后续费用从城乡医疗救助资金中给予适当补助。灾区城镇居民基本医疗保险费和新农合个人缴费可免缴一年。

4. 参加失业保险的单位和个人在一定期限内免缴失业保险费。参加失业保险的企业因地震灾害停业、歇业期间，其暂时失去工作岗位的职工进行失业登记后享受失业保险金待遇。符合享受城乡居民最低生活保障、农村五保供养、临时生活救助等条件的人员，按规定纳入相应保障范围，享受相关政策待遇。

具体政策措施由省人力资源社会保障厅牵头，省财政厅、省民政厅等部门配合制定。

（七）灾区群众后续生活保障及伤残人员康复救助政策

1. 对恢复重建期间投亲靠友或异地自行安置的受灾群众，一次性发放临时补贴。

2. 对灾区困难群众、灾后滞留灾区且无亲属投靠的“两孤一残”人员的生活补助在原 3 个月发放期的基础上再适当延长；对生活困难的遇难（含人员失踪）家庭给予一定的生活补助。

3. 对地震中的伤残人员，在辅助器具方面给予必要安排和特殊照顾。

4. 因灾致残的中小学生在灾后恢复重建期全部实行免费教育，对考入高等院校的残疾大学生给予国家助学金或适当的生活补助；在政府开发的公益性岗位中优先安置因灾失业的残疾人就业；免征灾后恢复重建期受灾地区用人单位残疾人就业保障金。

具体政策措施由省民政厅牵头，省财政厅、省残联等部门配合制定。

（八）计划生育政策

1. 对已享受农牧民独生子女奖励政策的家庭，因地震造成子女死亡或伤残要求再生育的家庭，或重新组合家庭现有子女不符合少生快富条件的，以前享受的奖励金不再退还；对已享受放弃三孩家庭奖励，因地震造成一个子女死亡或伤残要求再生育的家庭不再退还奖励金；对已生育三个子女的计划生育家庭，因地震造成一个或两个子女死亡的，若不再生育，可按独生子女或放弃三孩政策申领少生快富奖励金。

2. 奖励扶助对象重新组合家庭，组合后的子女数超过国家奖励扶助政策的，可继续享受奖励扶助金；因地震造成独生子女、双女户死亡或伤残的家庭，享受特别扶助政策。

3. 玉树地区城镇居民按程序收养地震孤儿，已享受的有关奖励优待金不再退回；农牧民领取“独生子女父母光荣证”和放弃生育三孩已享受少生快富制度奖励的家庭，按程序收养地震孤儿，享受的奖励金不再退还；符合再生育条件的仍可申请再生育。

（九）扶持企业和产业发展政策

1. 支持灾区中小企业恢复重建，对地震中房屋、厂房等毁损严重的企业，从恢复重建专项中安排一定补助资金帮助企业恢复重建；中小企业担保机构对企业灾后重建期的恢复重建贷款免收担保费。

2. 放宽市场准入条件，对企业注册资本到位、跨地区经营、经营场所规模、经营许可证审批、企业年检等适当放宽限制条件。

3. 恢复特色优势产业生产能力，通过资本金注入、财政贴息等方式，支持玉树灾区发展环保型产业和特色文化、优势产业发展，重点恢复发展高原生态旅游业、农牧业、中藏药业、特色农牧产品加工业、商贸物流等特色产业。

4. 扶持少数民族特需商品和民族手工艺品的生产企业，以及劳动密集型、带动农民增收作用大的农业产业化龙头企业的发展，给予中小企业贷款贴息。

具体政策措施由省经委牵头，省旅游局、省农牧厅、省商务厅等部门配合制定。

（十）粮食政策

支持灾区毁损粮库重建和军粮应急供应配送中心及质检中心建设；加快粮油批发市场、供应网点及辅助设施的恢复重建；建立顺畅的粮源渠道，积极采购粮食，优化品种结构，充实调整和加强省、州级粮食储备和应急成品粮的储备，稳定灾区粮食市场供应；省级财政安排的粮食直补、农资综合直补等资金适当向受灾地区倾斜。

（十一）扶贫政策

进一步加大扶贫开发支持力度，在安排财政扶贫专项资金和财政扶贫贷款贴息资金时向灾区倾斜；受灾地区行政村和农牧民全部纳入扶贫开发政策扶持对象；适当提高贫困村基础设施建设、贫困户住房建设的补助标准；加大以工代赈力度，鼓励灾区群众投身灾后重建，参与建筑废墟清理、住房建设、农牧区小型基础设施修复等恢复重建任务，适当提高劳务报酬在以工代赈项目资金中的比例。

（十二）援建及援助政策

省级相关部门要加大工作力度，加快与对口支援省份和援建单位的沟通和联系，以尽快启动实施援建项目。在切实做好为援建单位相应的保障服务的同时，要充分利用援建单位的人才、技术、管理等方面的优势，在恢复重建规划编制、勘察、设计、施工以及人力培训等方面得到有力支持。省内有条件的地区和单位要集中人、财、物等方面的优势力量，大力支援玉树地震灾后恢复重建工作。

三、工作要求

（一）统一认识，加强领导

各地区、各部门和单位要从全局和政治的高度充分认识玉树地震灾后恢复重建的重要性、艰巨性和长期性，切实把思想和行动统一到省委、省政府各项决策部署上来，强化领导、精心谋划、周密部署，把大力支持灾后恢复重建工作作为当前一项重要任务，切实抓紧抓好。

（二）明确责任，密切配合

各地区、各部门和单位要按照省委、省政府的统一部署和要求，明确责任，密切配合，切实形成工作合力，充分发挥各自的职能作用，全力做好玉树灾后恢复重建各项工作。

（三）细化政策，完善办法

省级相关部门要按照《国务院关于支持玉树地震灾后恢复重建政策措施的意见》（国发〔2010〕16号）和国家有关部（委、局）下发的具体实施办法，结合本《意见》提出的政策措施，及时制定贯彻实施的具体操作办法，并根据灾后恢复重建进展情况和实际需要，及时调整和完善各项政策措施，确保各项政策措施顺利执行。

（四）强化监督，确保效果

各级监察、财政、审计等部门要按照各自的职能分工，加强沟通、主动跟进、关口前移、细化审核，切实加强对灾后恢复重建资金管理使用和相关政策措施执行情况的全过程监督，确保恢复重建资金按规定用途使用和各项政策措施落实到位，确保提高资金使用和政策措施执行效果。省级各相关部门和灾区两级政府要把加强资金使用和政策措施执行的监督监察作为灾后恢复重建的一项重要工作任务来抓，认真制定监督措施、明确监督责任、狠抓工作落实。

青海省人民政府

二〇一〇年六月二十二日

（《青海省人民政府公报》，2010年第12期）

青海省人民政府关于发挥群众主体作用充分运用市场机制　加快推进玉树地震灾后重建的指导意见

青政〔2010〕40号

西宁市、各自治州人民政府，海东行署，省政府各委、办、厅、局：

玉树地震灾后恢复重建是一项艰巨任务。必须建立健全政府主导、群众参与和市场运作的机制，形成灾后重建的强大合力，确保三年基本完成恢复重建的主要任务，顺利实现建设社会主义新玉树，使灾区基本生产生活条件和经济社会发展全面恢复并超过灾前水平的目标。现就发挥群众主体作用，充分运用市场机制，加快推进玉树地震灾后重建提出如下意见：

一、加强宣传教育动员，增强群众的主体意识。在恢复重建的关键阶段，要培植和树立受灾群众在灾后重建中的主体意识，发挥群众的主体作用。通过多种形式教育和引导群众深刻认识到，恢复重建、建设新家园，既要靠党和政府以及社会各界在财力、物力、人力方面的大力支持和援助，又要动员灾区群众积极参与，用自己的双手和智慧，全身心投入家园重建。激发和引导群众增强自强不息、自力更生、艰苦奋斗的主体意识和主动重建家园的责任意识，克服“等、靠、要”思想，最大限度调动灾区群众重建家园的积极性、主动性和创造性，努力形成万众一心、众志成城，重建家园的群众基础和社会氛围。

二、尊重和引导群众意愿，建设新的生产生活环境。能否真正取得群众的理解和支持，是做好灾后重建工作的关键。在制定重建规划和政策过程中，既要充分听取群众的意见建议，尊重群众意愿，凝聚灾区群众的信心和力量，激发建设新家园的智慧和热情；又要加强宣传引导，使群众接受新的生产生活理念。特别要发挥各级干部以点带面的作用，以示范带动，做好深入细致的群众工作，并通过建立示范区、示范点、样板房、多媒体演示牌等形象具体的展示方式，向群众清晰明了地宣传政府的重建思路和蓝图，使灾区群众进一步深化对重建规划科学性、合理性的理解，积极引领群众更新观念，改变一些落后生产、生活方式，逐步过上现代、文明的新生活。

三、搭建群众参与重建的制度平台，推进民主决策和民主管理。建立和完善灾后重建民主决策机制，是群众参与重建的重要保障。要着眼于健全决策制度、规则和程序，形成完善的深入了解民情、充分反映民意、广泛集中民智、切实珍惜民力的决策机制，通过广泛听取群众意见、深入调研、专家建议、人大会议讨论、委托设计或公开招标等程序与方式，做到重建事项的完全公开透明，实现灾后重建决策的科学化、民主化。城乡住房重建一般要由基层群众组织代表居民与施工队伍签订合同，充分保障群众的选择权、参与权和决策权，使灾后重建成为动员群众、提升自我发展能力的过程。

四、建立完善民主监督机制，实现灾后重建“阳光”操作。要在健全完善相关制度，动员群众广泛参与的基础上，切实加强民主监督工作。在充分发挥纪检监察、财政、审计等专门监督作用的同时，由人大代表、政协委员、群众代表、专家等组成监督委员会，共同参与重建资金使用、物资调配，施工质量的全程监督，建立健全多方参与的民主监督机制。建立重建信息公开制度，对重大决策、重大款物、重点项目等事项进行公开、公示，对事关群众利益的住房建设、补贴发放等事项进行民主监督，保证程序公开，手续完备，阳光操作，确保灾后恢复重建各项工作科学、规范、高效、廉洁推进。

五、畅通群众利益表达渠道，妥善解决热点难点问题。灾后恢复重建涉及面广，是一项复杂的系统工程，需要兼顾各方面的利益。对重建规划编制、项目布局、政策制定等重要事项都要广开渠道，通过建立意见征集和政策咨询中心、召开座谈会、走访基层等形式，鼓励群众建言献策，合理表达自己的诉求。特别要认真梳理吸收群众在住房、基础设施和公共服务设施、文化宗教设施建设，以及涉及灾区群众切身利益的民生建设项目的合理化建议，虚心倾听、统筹兼顾各界群众的意见和愿望，不断优化完善重建规划和政策措施，确保充分体现民智、反映民意。加强矛盾纠纷原因的排查，建立信访接待大厅，关心体察群众意愿，及时调查了解群众反映突出的敏感问题，妥善处理好群众关切的热点、难点问题，切实避免因政策措施实施不到位而引发重大矛盾纠纷，确保灾区社会稳定。

六、注重精神家园重建，帮助群众树立生产生活信心。做好受灾群众的心理创伤抚慰工作，重建精神家园，对于群众获得继续前行的动力和信心至关重要。要组织动员心理咨询专业人士、宗教人士做好对受灾群众的心理安抚工作，招募组织各类专业化志愿者队伍，协调非政府组织（NGO）提供医疗卫生支持和心理创伤咨询服务，积极缓解灾区群众的恐慌情绪、消除灾难的心理阴影。要大力宣传自力更生、生产自救的典型事例，弘扬伟大的抗震救灾精神，坚定灾区人民意志，帮助群众树立长远发展意识和全局观念，增强战胜灾难的自信与成就感，引导发动群众以自强不息、铭恩奋进的精神，积极主动地参与配合灾后重建，凝心聚力，共建新家园、新玉树。

七、充实壮大基层组织力量，充分发挥服务引领作用。加强组织领导，带领群众实现重建目标，是摆在灾区各级党委、政府面前的艰巨任务，也是对灾区基层组织执行能力的严峻考验。要根据灾后重建的工作需要，选派优秀干部赴地震灾区挂职任职，充实基层力量，加强协调组织，协助灾区基层组织做好灾后重建的相关工作。组织干部工作队深入片区、深入村社、包村包点，在废墟清理、规划设计、政策宣传、施工协调、质量监督等方面实行联点责任制。充分发挥村（牧）委会、社区等基层组织的组织引领作用，积极搭建联系群众、服务群众的有效载体和平台，切实增强基层组织服务群众、服务重建的能力，妥善安排好过渡期群众生活和生产恢复，确保灾后重建项目的顺利实施。

八、充分运用市场的办法，积极引导灾区群众参与重建。灾后重建，政府主导是保障，群众参与是基础，市场运作是手段。在发挥政府主导作用的同时，要注重运用市场的办法，调动社会力量参与重建。鼓励有条件的灾区群众以村为单位成立施工队伍，积极参与生产、生活环境恢复和各类住房建设。组织灾区群众通过以工代赈等方式参与废墟清理、建筑垃圾无害化处理和再利用、土地整理、地震灾害治理等与当地群众生活息息相关，技术性要求不高的重建任务，通过市场分配体系有效增加群众收入。组织灾区机关事业单位、企业、群众、僧侣等以义务工方式参与灾后重建。

九、统一规划布局，多方式建设城乡居民住房。住宅建设涉及灾区群众的切身利益，是群众最为关切的问题，要正确把握相关政策，精心组织好每一个环节。通过公开、公平竞争，选择优秀的设计队伍，为灾区群众提供多种特色鲜明、民族文化突出、结构合理、舒适方便的户型设计，供居民在规划推荐方案中选择。在重建规划指导下，鼓励城乡居民自主选择统规统建、统规联建、统规自建等方式解决住房问题，政府给予定额补助并减免相关税费。鼓励城乡居民进行统规自主联建。选择统规统建住宅的城镇居民在国家补助标准的基础上申请增加的住宅面积，按当地经济适用房价格购买。结合社会主义新农村新牧区建设，鼓励农村居民以村为单位对土地进行整理，集中联建农牧民新村。结合发展旅游业和现代畜牧业，统筹规划布局农牧民住房与产业用房。必须注意通过以工代赈、投资投劳和义务劳动等方式推进住房建设。农牧区在住房重建期间，要组织开展投工投劳，每户不得少于 60 个劳动日；城镇在三年重建期间，组织开展义务劳动，每户不得少于 60 个义务劳动日。

十、尽快恢复灾区经济活动，积极培育新的经济增长点。要根据灾区的资源禀赋和环境状况，做好区域经济和特色产业发展规划，利用市场经济的开放性和网络性，推动发展方式转变和结构升级。通过政策鼓励、市场化运作的方式，扶持中小企业及个体工商户尽快恢复生产经营，优先恢复重建保障灾区群众和重建队伍基本生活的商贸流通服务网点、农贸市场及生产生活资料配送中心等基础设施。鼓励农牧户自行进行温棚、畜棚等生产设施恢复以及土地复垦，组织专家和技术人员深入生产一线，对农牧户恢复生产进行政策、市场指导和技术支持。鼓励农牧民组建专业合作社推动生态畜牧业，努力培育设施农业、农畜产品加工业、民族手工业、旅游业等新的经济增长点，提升产业层次，增强灾区自我发展能力。高起点、高标准规划建设玉树绿色产业园区，研究探索在省内其它地区异地建设玉树特色产业园区。

十一、加大金融政策支持力度，创造良好的信贷环境。要探索重建融资新机制，积极搭建投融资平台，发挥财政投入的引导和放大效应。充分运用灾后重建金融扶持政策，协调金融机构对重建贷款实行优惠利率。建立奖补机制，鼓励金融机构加大对灾区的信贷投放和网点建设投入。积极发放面向灾区农牧民的小额信用贷款和联保贷款，重点扶持民族手工艺品、特色农牧产品等特色产业发展。对明确纳入城乡重建计划的居民住房，可先行确权，并发放土地使用权证和房产权证，以方便群众抵押贷款；允许农牧民以牲畜、林权等有效资产抵押办理贷款；动用一批省管及其它地区统管的住房公积金为灾区城镇居民办理建房贷款；从重建资金中安排一部分专项资金用于支持城乡居民住房建设贷款的贴息或担保。

十二、加强土地经营与开发，提高集约节约用地水平。要合理开发和有效利用土地资源，实现土地使用效益的最大化。要对农村牧区灾后重建节约的建设用地，在全州范围内与增加的城镇建设用地挂钩使用。政府主导成立土地储备机构，通过宅基地土地使用权转换等方式，将城镇规划区中的部分土地转为储备用地，获得的级差地租收益用做灾后重建资金。成立由政府主导的城市土地开发经营公司，按照城市规划的总体布局和要求，有重点地组织进行一级开发。对通过科学规划、集约利用节约出的土地和盘活的存量土地，由国有土地开发公司进行归集整理，采取市场化方式统一开发或招商建设。采取拍卖、挂牌出让等市场化手段配置工业、商业、旅游、娱乐、商品住房等项目用地，提高土地转让效益。

十三、多方筹集资金，推进公共服务设施建设和有效运营。通过市场运作，吸引社会资金参与，是弥补灾区恢复重建公共服务设施建设资金缺口，转变经营机制的重要手段。在统筹安排公共服务设施建设的同时，对有收益的公共服务设施，诸如天然气站、供热站、污水处理厂等，可通过自建、代建、BOT等方式充分吸引社会资金进行重建；鼓励社会资金通过承包经营、受让经营权、产权等方式参与公共服务设施的经营，政府给予税费优惠、资金补贴等支持。对灾后重建的学校、医院、福利院等公益项目，通过各类媒体及其它有效形式向社会公开发布，吸引国外和港澳台地区、各省区市、企业、社会团体、慈善机构、个人认领、捐建，对捐建者依据相关规定以项目命名、立碑、立铭等方式予以铭记。

十四、鼓励使用灾区劳动者，解决好灾区困难群众就业问题。做好灾区劳动力就业和培训工作，是帮助灾区群众增收的重要举措。要尽快在结古镇建立劳务市场和人才市场，让参与灾后重建的各类企业与当地劳动力、人才资源直接对接。灾区恢复生产、基础设施及对口支援项目建设，要优先安排使用受灾群众。积极开发公益就业岗位，并将参与重建相关工作的玉树本地就业困难人员，在规定时限内纳入现有和新开发的公益性岗位认定范围。对吸收就业困难人员的灾区企业，以及灵活就业的就业困难人员，按规定给予社会保险补贴。合理利用社会资源，做好劳务培训工作，优先安排灾区劳动力接受重建所需的建筑、运输以及温棚种植等技能培训，增强群众自主重建家园及劳动就业能力。动员其它地区职业培训机构积极参与灾区劳动力培训，政府给予培训补贴。加强劳务输出的组织引导和服务，鼓励灾区劳动力外出务工。对组织企业招用灾区就业困难人员并签订劳动合同的经纪人和中介机构，给予职业介绍补贴。

建设生态美好、特色鲜明、经济发展、安全和谐的社会主义新玉树，是灾区各族群众的热切期盼，是全省各族人民的殷切重托。全省各地区、各部门要充分认识发挥群众主体作用，运用市场机制，加快推进玉树灾后重建的重要性，加强组织领导，周密部署，明确责任，尽快制定具体实施办法，切实保证相关政策落到实处。

青海省人民政府

二〇一〇年六月二十二日

（《青海省人民政府公报》，2010年第12期）

青海省人民政府关于印发规范玉树地震灾后重建项目审核管理工作意见的通知

青政〔2010〕45号

西宁市、各自治州人民政府，海东行署，省政府各委、办、厅、局：

《关于规范玉树地震灾后恢复重建项目审核管理工作的意见》已经省政府第59次常务会议研究同意，现印发给你们，请认真贯彻执行。

青海省人民政府
二〇一〇年六月三十日

关于规范玉树地震灾后恢复重建项目审核管理工作的意见

为进一步优化玉树地震灾后恢复重建项目审核管理流程，简化审核手续和环节，提高行政效能，加快推进玉树灾后恢复重建工作，按照科学依法，特事特办、急事急办的原则，就规范玉树地震灾后恢复重建项目审核管理工作提出以下意见：

一、重建项目组织实施范围

玉树灾后恢复重建项目（以下简称重建项目）是指纳入玉树灾后恢复重建总体规划和各专项规划（以下简称重建规划），使用灾后重建资金需要原址或异地重建的项目，包括城乡居民住房建设、公共服务设施建设、基础设施建设、生态环境建设、特色产业和服务业发展、和谐家园建设等项目。

重建项目分为政府投资重建项目和企业投资重建项目，并实行分类管理。全部或部分使用（不含贴息资金）中央财政专项资金、地方财政专项资金和社会捐赠资金的重建项目，按政府投资重建项目管理，实行审批制。对口援建项目按政府投资重建项目管理，实行审批制。企业利用自有资金、银行贷款和贴息资金实施的重建项目，按企业投资重建项目管理，区别不同情况实行核准制或备案制。

重建规划是重建项目开展前期工作，进行项目审核、组织实施和监督管理的主要依据。各级项目审核部门必须严格按照规划范围执行灾后重建项目审核管理权限，不得超出灾后重建规划确定的范围。重建项目应按照有关规定履行好规划许可程序。重大重建项目设计方案应经玉树地震灾后重建城乡规划委员会审查。

二、重建项目审核程序和权限

玉树地震灾后恢复重建项目实行并联审核制度。在玉树地区分别建立省级、州级、县级重建项目行政审核大厅，按照省、州、县审核权限划分，负责重建项目相关审核工作。重建项目审核部门要按照“统一受理、提前介入、同步审查、信息共享、公开透明、限时办结”的原则，在受理项目申请事项后，须于5个工作日内完成相关审核工作。

（一）简化政府投资重建项目审批程序

1. 政府投资重建项目应履行好可行性研究报告、初步设计（设计方案）、施工图审查、招标投标以及项目决算、竣工验收和固定资产移交等基本建设程序。鉴于灾后重建工作时间紧、任务重、要求急的实际，政府投资重建项目原则上不再审批项目建议书，由各级发展改革部门根据项目要求，对政府投资重建项目可行性研究报告进行审批；各级建设行政主管部门及交通、水利、农牧、林业、文化等行业主管部门按照现行职责划分和同级审批的原则，对项目初步设计进行审查和审批。

2. 政府投资重建项目应加快相关前期工作进度。对工程地质勘察工作，由省级建设行政主管部门按照分片和分区域的原则，先行开展工程地质初步勘察工作，为项目选址、可行性研究和初步设计提供依据；详细规划批准后，按照具体项目要求再进行详细勘察工作。进一步简化项目环境影响评价程序，对区域生态环境可能造成影响的垃圾、污水处理等政府投资重建项目，应按照有关规定履行项目环境影响评价手续，并由各级环保部门按照同级审批的原则，从速办理；对区域生态环境影响较小、已纳入批准的《玉树地震灾后重建总体规划环境影响评价专篇》的其他政府投资重建项目，可不再单独办理项目环境影响评价手续。

3. 为缩短项目前期工作时间，由省发展改革委会同行业主管部门，按照重建规划，在确定具体建设项目规模后，安排下达重建项目建设任务通知单。项目单位或对口援建单位根据重建项目建设任务通知单，按程序委托设计，在提交项目设计文件时，一并提交项目可行性研究报告。由发展改革部门对项目可行性研究报告、建设行政主管部门或行业主管部门对初步设计同步进行审查和审批。可行性研究报告批准的项目投资代初步设计投资概算，不再单独审批项目初步设计投资概算。

4. 城乡建设、国土、安监、消防等项目审核部门要按照提前介入的原则，对重建项目选址意见、规划许可、土地预审（审批）及施工许可等相关审核手续，按照同级审批的原则，进一步优化流程，压缩时限，简化程序，从速办理。

5. 政府投资重建项目必须遵循公开、公平、公正和诚实信用的原则，履行好招投标程序。鉴于玉树地震灾后重建工作时间紧、任务重的实际情况，灾后重建项目原则上可主要采取邀请招投标的方式组织实施招投标活动。由省监察厅、省发展改革委、省住房城乡建设厅、省交通厅、省审计厅结合本意见规定，联合印发重建项目施工及监理招投标工作的指导意见。

（二）分级负责政府投资重建项目审批工作

纳入重建规划的政府投资重建项目，除国家和省有明确规定的以外，审批权限原则上下放至州、县级。其中：

1. 属于中央事权的项目，由国家有关部门审批。

2. 省直有关部门直管项目，由省级审批部门负责审批。

3. 基础设施项目中，干线公路、邮政设施建设由省级审批部门负责审批；能源基础设施建设由省级审批部门负责审批；其余交通、水利、市政、农牧区基础设施项目由州级审批部门负责审批。

4. 州、县党委、人大、政府、政协办公业务用房由省级审批部门负责审批；其余州、县属各单位和乡镇级党政机关办公业务用房由州级审批部门负责审批。

5. 宗教设施建设由省民宗委会同省文化新闻出版厅和省住房城乡建设厅负责审批。

6. 其余城乡居民住房建设、公共服务设施建设、生态环境建设、特色产业和服务业发展、和谐家园建设等项目，由州、县级审批部门负责审批。

7. 援建项目审批权限划分，按照以上规定执行。

8. 明确为“州、县级”审批的项目，由玉树州具体划分州和县的项目审核权限，报省有关部门备案。其中，明确为州级审批部门审批的，审批权限不得下放至县级。

（三）简化企业投资重建项目审核程序

1. 纳入重建规划、实行核准管理的企业投资重建项目，按照《企业投资项目核准暂行办法》（国家发展改革委第19号令）、《青海省企业投资项目核准实施暂行办法》（青政办〔2005〕71号）等的规定，对属于省级核准的项目，除能源基础设施建设项目外，其余项目核准权限原则上全部下放至州级，其中下放州级的核准权限不得下放至县级。

2. 纳入重建规划、实行备案管理的企业投资重建项目，按照《青海省企业投资项目备案管理暂行办法》（青政办〔2005〕70号）有关规定和属地化原则，由项目所在地备案管理部门办理登记备案手续。

3. 对区域生态环境可能造成影响的工业类等企业投资重建项目，应按照有关规定履行项目环境影响评价手续，并由各级环保部门按照同级审核的原则，从速办理；对区域生态环境影响较小、已纳入批准的《玉树地震灾后重建总体规划环境影响评价专篇》的其他企业投资重建项目，可不再单独办理项目环境影响评价手续。

4. 企业投资重建项目其他相关建设审核手续按照同级审核的原则，从速办理。

三、重建项目监督管理

（一）各级项目审核部门按规定权限审核项目时，必须严格按照灾后重建规划核定的范围、项目投资及建设规模进行审核，不得超出重建规划核定的建设规模和投资，确需调整的，必须严格遵循相关程序进行报批。

（二）下放审核权限的重建项目，由州级审核部门负责将州县两级审核后的项目统一上报省级主管部门备案，同时抄送省发展改革、财政、城乡建设、监察、国土、环保、审计、统计等部门。

（三）政府投资重建项目按照重建规划确定的项目，实行计划管理。由省发展改革委按照重建规划确定的范围、项目内容及投资规模，组织编制和下达玉树地震灾后恢复重建计划。灾后恢复重建计划是重建项目资金安排及项目建设实施的重要依据。省有关部门、单位和玉树州对省上安排下达的灾后恢复重建计划，应及时细化分解下达到具体项目上，明确资金来源和项目建设规模、建设内容等，并报省有关部门备案。

（四）政府投资重建项目由省级财政部门按照省发展改革委组织下达的灾后恢复重建计划，经审定后，安排拨付项目建设资金预算。由省财政厅会同相关部门结合本意见规定，研究制定具体资金使用管理办法。

（五）省监察厅、省审计厅、省发展改革委、省财政厅、省住房城乡建设厅、省国土厅、省环保厅等相关部门，要采取定期和不定期方式，加大对重建项目组织实施的监督检查力度，加强灾后重建项目计划执行、建设和重建资金拨付、使用的监督管理及全过程跟踪审计，严格执行相关规划标准，坚决杜绝违法违规和铺张浪费现象的发生，确保工程质量安全和资金使用安全，确保重建工程经得起历史的检验，经得起人民群众的检验，做到“阳光重建”“廉洁重建”。要定期公布灾后重建资金和物资来源、数量、发放和使用情况，主动接受社会监督。

（六）各级价格主管部门要加大对灾后重建所需重要物资的价格监管力度，严格控制主要建材价格，必要时可采取政府临时价格干预措施。

（七）各级统计部门要建立健全灾后恢复重建统计制度，组织落实好相关统计工作，确保全面、客观反映玉树灾后恢复重建工作进展情况。

本意见仅适用于玉树地震灾后恢复重建时期。

（《青海省人民政府公报》，2010 年第 13 期）

青海省人民政府关于贯彻国务院关于做好玉树地震灾后恢复重建工作的指导意见的安排意见

青政〔2010〕74号

西宁市、各自治州人民政府，海东行署，省政府各委、办、厅、局：

“4·14”玉树地震给玉树经济社会发展造成了重大损失。为加强玉树灾后恢复重建工作，根据《国务院关于做好玉树地震灾后恢复重建工作的指导意见》（国发〔2010〕14号）（以下简称《指导意见》）等有关政策精神，结合我省实际，特提出以下安排意见。

一、指导思想

充分认识玉树地震灾后恢复重建的重要意义和特殊性，以科学发展观为指导，发挥社会主义制度的优越性；切实从玉树实际出发，坚持以人为本，把保障民生放在优先位置，尊重民族文化习俗和宗教信仰，注重生态环境保护；以玉树州、县、乡政府为主导、广大干部群众为主体，中央大力支持，各方积极援助；精心规划、精心组织、精心实施，又好又快地完成灾后恢复重建任务。

二、基本原则

以人为本，民生优先。把保障和改善民生作为恢复重建的基本出发点，优先恢复重建受灾群众住房和学校、医院等公共服务设施，抓紧恢复并完善基础设施功能，改善城乡居民的基本生产生活条件。

保护生态，体现特色。充分考虑灾区生态环境的脆弱性和生态系统的重要性，按照构筑青藏高原生态安全屏障的要求，与三江源自然保护区生态保护建设统筹推进。要特别注重保护民族宗教文化遗产，充分体现当地民族特色和地域风貌。

统筹兼顾，协调发展。灾后恢复重建工作要与促进民族地区经济社会发展相结合，与扶贫开发和改善生产生活条件相结合，与加强民族团结和社会和谐稳定相结合，并为长远发展打下良好基础。

保证质量，厉行节约。城乡居民点和重建项目选址要避开重大灾害隐患点。严格执行抗震设防要求和建设规范，确保重建工程质量和安全。积极推广利用新技术、新能源、新材料。合理确定建设规模和标准，坚持安全、适用、省地、节俭，严格保护耕地和草地。

明确责任，协调推进。在党中央、国务院和省委的领导下由省人民政府对灾后重建工作负总责；玉树灾区各级政府在同级党委的领导下，作为重建工作的责任主体及重建规划的实施主体，承担重建工作的主要任务；省玉树地震灾后重建现场指挥部主要承担玉树灾后重建规划实施的统一指导、组织协调、督促检查和现场指挥职责；军队、武警、对口援建地区和中央企业按照分配任务负责组织实施工作；省政府有关部门按照职能分工，加强指导，做好相关工作。

三、重建目标

力争用三年时间基本完成恢复重建主要任务，使灾区基本生产生活条件和经济社会发展全面恢复并超过灾前水平，生态环境切实得到保护和改善，又好又快地重建新校园、新家园，为建设生态美好、特色鲜明、经济发展、安全和谐的社会主义新玉树奠定坚实基础。

居民拥有新家园。全面完成城乡居民住房恢复重建，使灾区群众早日住上安全、实用、省地、节俭的放心房。灾区教育、卫生等基本公共服务水平明显提高。

生态迈上新台阶。林草植被覆盖度和环境质量得到有效保护，防灾减灾能力明显增强，三江源地区生态建设和环境保护迈上一个大台阶。设施得到新改善。交通、水利、能源、通信等基础设施及市场服务体系功能全面恢复，服务和保障能力显著提高。

城乡呈现新面貌。重点城镇市政功能完备，公用设施配套，农牧区水电路等设施得到恢复提高，城乡风貌特色鲜明，群众生产生活条件明显改善。

社会和谐新局面。弘扬各民族共同团结奋斗、共同繁荣发展的主旋律，弘扬伟大的抗震救灾精神，在各民族团结协作、共建美好新家园中，进一步巩固和发展平等、团结、互助、和谐的社会主义新型民族关系。

四、重建方式

灾后恢复重建在统一的城乡规划、土地利用规划和国务院批准的《玉树灾后恢复重建总体规划》指导下进行，按照规划确定的目标、原则、空间布局和控制要求进行项目建设，因地制宜，创新机制，统建与分建相结合，统筹兼顾，突出重点，分步实施。

统规统建公共设施。对于公共服务设施、市政工程、社会管理用房以及各项基础设施，采取统规统建，由政府委托援建单位统一组织实施。

分类建设居民住房。针对城乡居民住房建设的不同特点，在统一规划的指导下，采取统建、分建相结合的方式，充分尊重群众意愿，加强技术指导和服务，选择适宜的重建形式和模式。对于缺乏建房能力的居民，政府要组织力量帮助建设。

五、主要任务

根据《玉树灾后恢复重建总体规划》确定的恢复重建范围和内容，玉树灾后恢复重建主要任务包括极重灾区、重灾区的各项恢复重建内容，以及一般灾区中受损居民住房和学校、医院等公用设施。其中：

（一）*城乡居民住房*。统一规划，采取统规统建、统规自建等建设方式。农牧区居民住房的恢复重建，要按照保基本住房需求的原则，按每户 80 平方米的标准满足农牧民基本生活需要的住房面积，并为今后农牧民自我改善住房条件留有余地。按照当地的抗震设防要求，科学确定建筑结构形式，确保建设质量，满足安全适用的要求。省住房和城乡建设部门要根据不同的经济条件和生活习俗，为农牧民提供多样化、有特色、不同规格的住房设计式样，供农牧民选择。城镇居民住房的恢复重建，要按照城镇总体规划的要求，优化空间布局，完善配套设施。

按照房屋受损程度鉴定结果，凡是能够维修加固、符合安全条件的住房，要抓紧开展维修加固工作。对倒塌和严重损坏的住房进行重建。同时要加大廉租住房的保障力度。居民小区和居住组团要相应配套建设服务设施。

（二）**公共服务设施**。教育，以义务教育为重点，高质量地恢复重建中小学校，合理调整学校布局，促进义务教育均衡发展。加强中小学寄宿制学校和幼儿园建设。提高农牧区中小学现代远程教育能力。加快发展农牧区学前双语教育。办好特殊教育和职业教育。根据国家教师编制规定，配置合格教师和职工，建设教师周转住房。卫生，全面恢复州、县、乡、村四级基本医疗、公共卫生服务体系，恢复重建州县两级医疗和疾病预防控制、妇幼保健、卫生监督、食品药品检验机构、计划生育服务机构，以及乡镇卫生院、村卫生室。加强传染病和地方病防治能力建设，提高医疗卫生应急处置能力。统筹民营医疗机构恢复重建。加强中医和藏医医疗服务体系建设，积极扶持藏医药发展。同时，加强重建期临时医疗卫生服务。文化体育，恢复重建州、县文化馆、图书馆、影剧院及乡镇综合文化站、村文化室、社区文化中心公共文化服务设施。恢复重建灾区广播电视功能及新华书店、藏文图书出版印刷等广电文化工程。同时，恢复重建民族传统体育场、高原训练和群众健身设施等体育设施。就业和社会保障，恢复重建州、县、乡镇（街道）、社区（行政村）劳动就业和社会保障服务设施及信息系统，提供涵盖就业、技能培训、人才、社会保障、争议调解仲裁服务等功能的“一站式”服务。同时，实施就业援助工程，解决灾区劳动人口的就业问题。社会管理，在做好民生工程恢复重建的前提下，严格按照国家相关建设标准和人员编制实施，整合资源，集中建设，共建共享，厉行节约，恢复重建各级党政机关、政法机构、监督监管机构的办公业务用房，以及党校教学、干部周转用房。恢复重建公检法司、消防、人防设施。同时，统筹农村、社区公共服务，为村级组织办公、党员教育、社会事业、警务等提供统一共用场所。

（三）**基础设施**。交通，加快干线公路恢复重建，构建“一纵一横两联”生命线公路通道，建设通县二级公路，提高西宁至玉树公路建设等级和保通能力。全面修复农村公路灾损路段，恢复建设便民桥梁，并修复重建客货运站场等设施。尽快修复玉树巴塘机场受损设施设备，提高机场吞吐能力和航空应急救援保障能力。实施青藏铁路相关站场货运设施配套完善工程，加强恢复重建物资运输保障。恢复重建邮政业务用房及相关设施，保障和提高邮政服务能力。水利，恢复重建玉树、称多、囊谦三县农牧区水利灌溉设施及配套设施，提高农牧业综合生产能力。建设结古镇及加强其他县镇防洪工程和重点河流河道整治。加强三江源自然保护区水土保持综合治理，提高水源涵养能力。恢复重建水文、水保设施，提高水文、水保监测能力。能源，恢复完善灾区供电网络，建设玉树地区六县电网互联工程，并尽快开展与电网主网互联工程的前期工作。修复重建受损小水电站及农牧区小水电设施，新建查隆通、查日扣等水电站，增加有效电力供给。推动太阳能等可再生能源利用，修复受损光伏电站设施设备，新建并网光伏电站，提高新能源供应水平。抓紧建设过渡期应急燃油机组。组织做好灾区煤炭、天然气、成品油等能源调配及相关设施配套工作，及时保障灾区恢复重建阶段生产生活用能需求。通信，按照资源共享、先进实用、安全可靠的要求，加快公众通信网的恢复重建，加快交通运输线路 214 国道、308 省道沿线通信基础设施的恢复重建。加强应急通信能力建设，推进网络化综合信息服务平台建设，提升通信服务水平和灾备应急能力。市政设施，建设结古镇道路及公共交通系统，加强供水、排水、通信管网、通信基站等设施建设，推广利用可再生能源和清洁能源供热。配套建设污水、垃圾处理设施，建设必要的民用液化石油气储配设施，实现市政公用设施全面覆盖。按照标准设置紧急避灾场所和避灾通道。加强其他城镇道路改造，加大水源设施及供排水系统建设力度，配套建设污水、垃圾处理及储配气站等设施。支持村镇垃圾处理和环卫设施建设。农牧区基础设施，恢复重建农牧区饮水安全工程，同时，恢复重建村庄和定居点通水、通电、通路、通信及必要的防护等配套设施，并实施乡村清洁工程。

（四）生态环境。生态修复，进一步加强三江源、隆宝自然保护区保护和建设力度，坚持自然恢复与人工治理相结合，继续推进退牧还草工程，逐步恢复林草植被，修复生态系统功能。环境整治，加强水源地保护，开展城乡饮用水水源地保护区环境整治，保障饮用水安全。加强城乡环境综合整治，加大固体废弃物安全处置力度，加强资源回收利用，加快玉树医疗废弃物处置中心建设，消除环境安全隐患。恢复重建环境监测设施，建立完善的环境监管体系。土地整治，加强对因灾受损土地和重建过程中的临时用地的整治，恢复畜牧业和种植业综合生产能力。灾害防治，加强地质灾害隐患排查及地质灾害调查，及时开展城镇及重要公路沿线泥石流、山体崩塌、滑坡治理。加强防灾减灾体系和综合减灾能力建设，提高灾害预防和紧急救援能力。加强基础测绘工作，恢复建设测绘基准基础设施，开展基础地理数据生产，建设地理信息公共服务平台，提高测绘应急保障能力。

（五）特色产业和服务业。农牧业，推进良种繁育体系、养殖基地和养殖小区建设，恢复重建畜用暖棚、贮草棚。推广优良新品种和新技术，加强青稞、马铃薯、温棚蔬菜、中藏药材生产基地建设。在适宜地区建设高标准日光节能温室，逐步提高蔬菜自给水平。修复农牧业生产设施，因地制宜发展高原优势特色农畜产品，积极发展生态农牧业，稳步提高农牧业综合生产能力。统筹安排农技、畜牧兽医、动物疾病预防控制、动物卫生监督和草原、农经、农机、农产品质检、农业有害生物预警等农牧业服务设施，以及农牧业信息网络平台建设。旅游业，围绕“一区四带”旅游布局，恢复重建重点旅游景区景点。改善重要旅游通道交通条件。建设旅游安全应急救援系统，修复旅游服务设施，提高旅游服务水平。充分利用历史文化、民俗风情、高原自然风光等旅游资源优势，加快旅游业的恢复与发展，将玉树建成中外有影响力的旅游目的地，使旅游业成为当地重要的支柱产业。市场服务体系，优先恢复重建保障灾区群众基本生活的商贸流通服务网点的基础上，建设区域商业中心、批发（农贸）市场、屠宰场及各类专业店、专卖店，完善市场功能。优化城乡服务设施网点布局，恢复重建餐饮、住宿和加油站等设施。加强现代物流配送设施和信息网络建设，提高商贸、物流服务水平。恢复重建省州县粮食储备库、质检中心和粮食加工厂，建设肉类、蔬菜等生活必需品储备仓库。恢复重建农业银行、农业发展银行、邮政储蓄银行分支机构及保险业分支机构，支持农村信用合作社、供销合作社联社恢复重建，方便群众生产生活，为灾区经济发展提供支持。特色加工业，积极发展肉、乳、青稞等产品加工，在保护生态和资源的前提下，发展冬虫夏草等药用生物资源加工生产，提高产品附加值。加快民族佩饰、服装、特色家具、家饰等民族特需品生产恢复，满足群众的生活需要。做好唐卡、佛像、石刻、剪纸、羊皮画、编织、藏绣、藏毯等宗教用品和特色旅游纪念品的生产加工，繁荣民族工业，带动群众增收致富。根据当地灾后恢复重建和经济发展，优先恢复建材生产企业。加强废旧建筑材料、建筑垃圾的综合利用，生产新型节能环保建筑材料。规划建设绿色产业聚集区，发展循环经济和绿色经济。

（六）和谐家园。人文关怀，设立社区服务站、社会工作站，实施心理康复工程，医治灾区群众心理创伤，促进身心康复。实施弱势人群特殊关怀工程，增强社会福利、社会救助和优抚安置服务能力。扶贫开发，扶持贫困村、贫困户建立综合性农贸市场和专业市场，多渠道增加受灾农牧民收入。有计划地实施易地搬迁，集中安置，配套基础设施建设，扶持产业发展。对青壮年劳动力进行“雨露计划”和实用技术培训，提高贫困群众自我发展能力。文化遗产保护，对国家级、省级、县级文物保护单位和重要文物点实施保护性清理、维修加固和修复重建。维修加固和重建受损的博物馆、文物库房、文管所。培养民族民间文化传人，加强卓舞、依舞、民歌、安冲藏刀锻制技艺等的传承。保留必要的玉树地震遗址，建设纪念设施。宗教设施，恢复重建 87 座损毁宗教活动场所、寺院配套设施及宗教教职人员生活用房、玉树州佛教学校。

六、政策和保障措施

恢复重建所需资金以中央财政安排为主，同时采取更加优惠的税收、金融、土地、援助、援建等政策措施。建立健全规划实施机制，明确目标任务，科学安排时序，加强各项保障，落实工作责任，坚持质量第一，强化监督检查，有力有序有效推进规划实施。

（一）政策

财政政策。根据《玉树地震灾后恢复重建总体规划》确定的目标和恢复重建任务，灾后恢复重建所需资金以中央财政资金为主，同时包括省级财政资金、社会捐赠资金以及居民和企业少量自筹资金。中央财政灾后恢复重建资金实行“总量包干，分类控制”的管理办法，由省政府统一根据规划项目和轻重缓急统筹做好中央财政资金、省级财政资金、捐赠资金和其他自筹资金的安排使用。

税收政策。依照国家有关规定，减轻受灾地区企业和金融机构的税收负担；对受灾地区个人接受和取得的捐赠款项、救灾款项，以及参与抗震救灾的一线人员取得的与抗震救灾有关的补贴收入，免征个人所得税；采取税收优惠政策，支持受灾地区基础设施、房屋建筑物等的恢复重建。鼓励社会各界支持抗震救灾和灾后恢复重建，对捐赠受灾地区的企业、单位和个人免征相关税费。减免相关税收，支持受灾地区扩大就业。

金融政策。鼓励银行业金融机构加大对受灾地区信贷投放。增加对受灾地区再贷款（再贴现）额度，对支农再贷款执行优惠利率，对受灾地区地方法人金融机构执行倾斜的准备金政策。对灾前已经发放、灾后不能按期偿还的各项贷款适当延长还款期限。加大对受灾地区基础设施、居民住房、农牧业、中小企业和因灾失业人员的信贷支持力度。

土地政策。对灾后恢复重建需要的新增建设用地，在省级下达的年度计划中优先安排，指标不足的，在国家下达的土地利用年度计划指标中追加。为受灾居民新建安置住房，以及行政机关、学校、团体和企事业单位重建，免收新增建设用地土地有偿使用费和土地出让收入。为受灾群众重建住房、基础设施、公益设施等，可采用划拨方式供应土地。对新建工业或大型商业设施等项目用地，可根据实际情况降低地价标准。

援助政策。开展教育援助，对生源地为玉树极重灾区、重灾区的高等教育阶段学生，从2010 年 4 月至 2011 年 7 月，发放国家助学金或生活补助，免除一个学年的学费。对恢复重建期内转移到灾区外进行安置的初中和高中阶段学生免除学费和住宿费，并给予生活补助、学习生活用品费用补助、提供交通费及购买医疗保险。当地就读学生继续执行义务教育经费保障政策和现行中职学生资助政策。开展就业援助，对因灾就业困难人员，纳入就业援助对象范围，优先保证受灾地区零就业家庭至少有一人就业。对灾区初高中毕业生、高校毕业生进行中长期职业技能培训并实现就业的，给予一定的扶持。

援建政策。在中央加大政策支持力度的基础上，组织北京市、辽宁省、中央有关企业承担极重灾区和重灾区的援建任务，军队和武警部队参加部分项目援建和承担部分运输任务。组织省内西宁市、海西州、海南州和海东地区对口支援一般灾区。在灾区开展以工代赈，并组织省内力量，大力支持灾区建设。鼓励省内设计、施工力量参与恢复重建。

（二）保障措施

建材保障。省经委负责重建项目所需钢材、水泥、木材等大宗建材的组织供应、集中采购、物资储备及配送调运工作。灾区各级政府负责建材储备、存放、砂石料场用地及散装水泥集散中心用地的落实工作。省质量技术监督局要切实加强对恢复重建建材质量的监督检查，确保各类重建建材安全、合格。省发展改革委要加强对建材市场价格的监督检查，防止哄抬物价，必要时对重建所需主要建筑材料启动价格干预机制。

运输保障。省交通厅要根据玉树地震灾后恢复重建运输保障方案，科学统筹组织物资运输。采取有效的工程措施，确保重要运输通道通行能力。省公安厅要加强道路管理，维护交通秩序和安全，实行物资运输全程监控，开辟绿色运输通道。统筹组织调度各方面运输力量支援灾后恢复重建物资运输。省交通厅要在重点交通运输通道沿线设立必要的交通服务站点，提供休息、维修、补给等服务，确保运输安全有序。施工保障。施工现场指挥调度，实行统筹安排，分片包干，协调推进，确保现场施工安全、有序、高效。加强电力保障，省电力公司加快受损电网设施修复，建设应急电源。省水利厅负责，省水电集团公司组织实施，尽快修复受损水电站，保障恢复重建施工用电需要。省水利厅要抓紧饮水工程抢修和应急水源建设，中石油、中石化等企业加大对灾区油料供应，满足施工用水用油需要。省卫生厅抓紧建设临时医疗卫生设施，做好施工人员健康保障工作。省商务厅、省粮食局分别做好后勤保障物资和粮油调控，组织粮油蔬菜等食品、生活用品供应。省住房城乡建设厅要建立完善安全质量监管体系和施工企业质量安全保证体系，落实安全质量责任制和各项规章制度。

（三）监督检查

省监察厅、省审计厅和省财政厅要加强对恢复重建资金和物资使用各环节的监督检查，确保资金和物资合规使用。加强对恢复重建资金、物资使用以及重点项目全过程的跟踪审计，定期公布审计结果。重建项目建设单位要对各类恢复重建项目及恢复重建资金和物资的筹集、分配、拨付、使用情况要设立台账、登记造册，建立健全档案。在建设工程竣工验收和恢复重建结束后，及时向建设主管部门或者其他有关部门移交档案。灾后恢复重建项目必须严格按照省上出台的有关灾后重建项目审批管理办法履行审核程序，恢复重建项目实行项目法人责任制，认真执行招投标制、合同管理制、工程监理制和竣工验收制。

（四）加强宣传学习

省有关部门、玉树州及各县要组织广大干部认真学习《指导意见》以及国家、省上出台的各项政策措施，提高认识，统一思想，切实增强做好灾后重建的使命感、责任感和紧迫感，全面贯彻落实好《指导意见》确定的目标任务和各项政策措施。要大力弘扬伟大的抗震救灾精神，弘扬各民族共同团结奋斗、共建美好新家园的主旋律，广泛宣传恢复重建中涌现出来的先进集体和模范人物，鼓舞和激励各族干部群众同心协力、顽强拼搏、共克时艰，有力有序有效地做好灾后重建各项工作，夺取玉树地震灾区恢复重建的全面胜利。

青海省人民政府

二〇一〇年八月十日

（《青海省人民政府公报》，2010 年第 15 期）

青海省人民政府关于贯彻《玉树地震灾后恢复重建总体规划》的安排意见

青政〔2010〕75号

西宁市、各自治州人民政府，海东行署，省政府各委、办、厅、局：

《玉树地震灾后恢复重建总体规划》（以下简称《规划》）已经国务院批准实施，玉树抗震救灾工作全面进入灾后重建新阶段。为认真贯彻落实好《规划》，现结合我省实际提出如下安排意见。

一、切实加强领导

玉树特殊的地理区位、特殊的生态环境、特殊的民族文化，决定了做好灾后恢复重建具有特殊重要的意义。做好玉树地震灾后恢复重建工作，直接关系到当前紧迫的民生问题，关系到国家生态安全，关系到民族团结和社会稳定。《规划》明确提出，要力争用三年时间基本完成恢复重建主要任务，使灾区基本生产生活条件和经济社会发展全面恢复并超过灾前水平，生态环境切实得到保护和改善，实现居民拥有新家园、生态迈上新台阶、设施得到新改善、城乡呈现新面貌、社会和谐新局面的“五新”重建目标。这是党中央、国务院立足玉树当前实际、着眼玉树长远发展作出的重大决策，是维护灾区各族群众根本利益、巩固发展社会主义新型民族关系的有力保障，也是灾区广大人民群众美好生活的希望所在，具有重大战略意义。

各有关地区、各部门要充分认识玉树地震灾后恢复重建的重要意义和特殊性，牢固树立全局意识，切实加强组织领导，全面做好恢复重建的各项工作。为加强玉树地震灾后重建规划的总体协调工作，根据省委、省政府《关于成立青海玉树地震灾后重建工作领导小组的通知》（青发〔2010〕7号），成立省实施《规划》领导小组，省政府主要领导任组长，相关省领导、部门主要负责人、玉树州、县主要负责人为成员，统筹协调《规划》实施工作，重点解决实施《规划》过程中的重大问题。领导小组办公室设在省发展改革委，负责《规划》实施的日常工作。玉树州及各县和省直有关部门也要成立相应工作机构，负责组织本地区、本部门贯彻实施《规划》的各项工作。

二、统一思想认识

《规划》是全面开展恢复重建的重要前提和基础，是科学指导恢复重建的重要纲领和依据，是顺利推进恢复重建的重要支撑和保障。省直有关部门、玉树州及各县要把思想和行动统一到《规划》的要求上来，充分认识规划在重建与发展中的重要地位和作用，紧紧围绕中央确定的“五新”重建目标以及省委、省政府提出的“把玉树州州府所在地建成布局合理、功能齐全、设施完善、特色突出、环境优美的高原生态型商贸文化旅游城市、三江源地区的中心城市、青海藏区城乡一体发展的先行地区”的目标要求，坚持把国家支持青海藏区跨越式发展、建设三江源国家生态保护综合实验区与灾后重建紧密结合起来，进一步坚定灾后恢复重建的信心和决心，切实增强使命感、责任感和紧迫感，立足当前，着眼长远，统筹安排，凝聚合力，紧紧抓住发展机遇，积极应对各种挑战，在解放思想中真抓实干，在转变观念中破解难题，确保灾后恢复重建科学依法统筹、有力有序有效地推进，推动玉树灾区在灾后重建中转变发展方式，增强自我发展能力，加快城镇化和新农村新牧区建设进程，努力实现跨越式发展和科学发展。

三、强化学习宣传

《规划》切合灾区灾后重建实际，符合玉树各族群众建设新家园的迫切愿望，充分体现了贯彻科学发展观和走群众路线的要求。《规划》的实施是进一步深刻认识玉树州情、县情，科学统筹、优化设计的过程，是进一步扩大宣传、统一思想、凝聚人心、振奋精神的过程。省有关部门、玉树州及各县要把学习贯彻《规划》作为一件大事来抓，制定深入宣传《规划》的工作方案，精心策划一批主题鲜明、形式多样的《规划》宣传活动。要加强宣传教育，引导广大干部群众深入理解《规划》的重大意义、指导思想、目标任务和政策措施，把思想和行动统一到贯彻落实《规划》的重大决策部署上来，提高推动《规划》实施的合力。要充分尊重人民群众的实践创造和发展意愿，切实增强灾区群众的主体意识，发挥灾区群众的积极性和主动性，引导广大群众发扬自力更生、艰苦奋斗的精神，积极主动地投工投劳和互帮互助，用自己的勤劳双手和辛勤劳动重建美好新家园。

四、落实责任主体

玉树州及各县政府是灾后恢复重建规划实施的责任主体和工作主体，要切实承担起主体责任，不等不靠，积极主动开展工作。要切实加强组织领导，确保每项工作有领导负责，有部门牵头。实行目标责任管理，一级抓一级、层层抓落实，把《规划》的目标任务分解细化，层层下达，把工作任务落实到人，工作责任落实到人。省、州、县、乡各级干部要认真学习、准确把握灾后重建规划和政策的精神实质，着力推动规划和政策落地，确保在空间布局上统筹协调，在时间安排上合理有序，在政策措施上衔接平衡，在资源和要素配置上有机整合。坚持统筹协调，科学组织力量，分清轻重缓急，推进项目建设。坚持因地制宜，合理确定重建方式，强化督促检查和质量监管。省直有关部门要按照职责分工，做好协调和服务工作，积极指导支持玉树州及各县政府做好灾后恢复重建规划的实施工作，主动加强与中央相关部委的汇报衔接，及时了解政策信息，争取中央更多的支持。

五、加强规划实施

（一）加强规划衔接。灾后恢复重建规划是一个完整的体系，包括总体规划、专项规划、行业规划以及实施规划和项目规划。总体规划是专项规划和实施规划的基本依据，实施规划是专项规划、行业规划的具体细化。在编制实施规划时，要结合实际情况，坚持统筹规划，严格按照总体规划确定的目标任务，与专项规划和行业规划相互配套、有机衔接，科学制定具体实施方案，合理确定实施步骤，细化完善工作措施，把恢复重建目标任务细化落实到一个个具体项目。省直有关部门要坚持把运用好玉树灾后重建政策与运用好国家支持藏区跨越发展政策紧密结合起来，与青海“十二五”规划紧密结合起来，使玉树地震灾后重建过程真正成为跨越发展、科学发展相统一的过程。要按照重大项目建设任务分解要求，加强协调配合，强化项目规划与实施，确保项目如期完工。灾区各级政府、省直有关部门、各参建单位根据《规划》抓好组织实施，未经批准不得擅自变更规划要求，不得随意改变规划任务，不得自行调整规划项目。

（二）制定实施方案。玉树州及各县要在省直相关部门指导下，切实建立健全《规划》实施机制，抓紧制定《规划》和灾后重建项目工作的实施方案，把恢复重建任务逐项、逐年分解落实，科学安排时序，落实工作责任，强化监督检查，确保恢复重建扎实向前推进。实施方案要强化针对性和可操作性，加强组织实施各类重建项目的保障措施，确保《规划》及重建项目的顺利实施。

（三）推进项目启动。项目是恢复重建的落脚点，是各级规划实施的基础。深刻把握玉树灾后重建的目标定位，重点抓好城乡居民住房、公共服务设施、基础设施、生态环境保护、特色产业和服务业、和谐家园六个方面恢复重建项目建设，严格按照灾后恢复重建的规划布局、选址要求和各类建设标准组织实施。对基础设施的恢复重建，重在调整布局、优化结构，提高基础设施对恢复重建特别是跨越式发展的支撑作用和安全保障能力；对公共服务设施的重建，重在覆盖城乡、健全体系、完善功能、提高水平，加快基本公共服务均等化；对城乡居民住房重建，重在优化空间布局、完善配套设施，体现安全、适用、经济、环保、节能和美观，特别在推进农牧区发展时，注意着力推动农牧民适当集聚，加快生产生活方式转变；对生态环境的恢复，坚持尊重自然、尊重科学，坚持保护与建设并举、环境整治和土地整理并举，促进生态系统良性循环；对产业的恢复重建，重在转变发展方式，优化布局和结构，提升规模和质量。要在先期启动项目的基础上，进一步分级、分类、分阶段推进项目建设，把项目具体布局落实到灾后重建的地域空间。制定科学合理的年度建设计划，防止盲目建设。首期启动的村庄、学校、医院等恢复重建民生项目，要尽快明确实施主体，搞好资金平衡，组建项目业主，规划审定后立即实施。

六、创新工作机制

灾后恢复重建要注重政府与市场的有机结合，充分发挥政府的作用，为市场主体充分发挥效能创造条件，包括创造良好的环境、制定落实科学重建的支持政策、提供优质高效的政务服务等。要充分发挥市场“无形之手”的作用，充分运用政策的引导作用，运用市场机制，创新投融资方式，优化资源配置，实现灾后恢复重建的政策意图。要尽快研究制定贯彻实施国务院和省上政策措施的具体操作办法，细化完善配套措施，研究制定一批既符合本地实际、又符合国家和我省相关精神的支持灾后恢复重建的政策意见，形成政策合力。综合运用财税、金融、土地、产业、就业等政策手段，建立政府主导、群众主体、社会参与、多元投资的重建机制。要创新力量整合机制，充分发挥各级政府、社会各界、对口支援和灾区群众的作用，形成整体合力。要创新项目建设机制，对于产业建设项目，要更多地通过市场手段来推动。

七、强化保障措施

省有关部门要及时对灾后重建的有关保障工作进行研究和测算，充分考虑各方面的因素，特别是玉树灾区的特殊性因素，认真研究制定对口援建方案、电力保障方案、建材保障方案、运输保障方案、施工保障方案以及现场指挥调度方案，并抓好组织实施。组织开展大宗建材政府采购，抓紧实施一批支撑灾后重建的保障工程建设，确保有力、有效、有序地推进灾后恢复重建工作。灾区各级政府要积极组织恢复重建物资，及时调运，保障供应。要对恢复重建物资的货源组织、运输保障给予支持，组织好水泥、钢材、砖瓦、工程机械等恢复重建物资的供应、运输，做好协调。加强对恢复重建物资质量的监督检查，保证物资质量。切实建立完善建材特供机制。认真落实价格干预措施，加大价格监测和监督检查力度，严厉打击价格违法行为，确保建材价格基本稳定。

八、强化监督管理

灾后恢复重建涉及项目多，资金总量大。玉树州及各县要统一领导、组织协调、督促检查灾后恢复重建规划的实施，确保恢复重建的各项任务落到实处。要加强资金、项目和重要物资的跟踪与管理，建立完善人大、政协和社会各方面广泛监督的机制。要严格实行项目法人责任制，认真执行招标投标制、合同管理制、工程监理制和竣工验收制，严把设计质量关、材料质量关、施工质量关，加强建设工程质量和安全质量监管，组织开展对重大建设项目的稽察，确保建设工程质量安全。要严格项目资金物资管理，建立健全专项资金使用管理、财务监督管理等相关制度和办法，精打细算，用好资金。加强对灾后恢复重建政策落实、资金管理使用和重大建设项目的跟踪审计，自觉接受社会监督，确保资金物资安全、规范使用。

青海省人民政府
二〇一〇年八月十日

（《青海省人民政府公报》，2010年第15期）

青海省人民政府关于印发玉树大地震救灾重建志编纂工作方案的通知

青政〔2010〕94号

西宁市、各自治州人民政府，海东行署，省政府各委、办、厅、局：

2010年4月14日我省玉树州玉树县发生里氏7.1级强烈地震，给当地人民生命财产和经济社会发展造成了巨大损失。地震发生后，在党中央、国务院、中央军委的坚强领导下，全国人民大力支援，全省上下英勇奋战，共同夺取了玉树抗震救灾的伟大胜利，灾后恢复重建正在有力有序有效地推进。在玉树抗震救灾和灾后重建过程中，涌现出了许多可歌可泣的英雄人物和事迹，彰显了全国全省人民万众一心、共克时艰的强大凝聚力和中华民族同呼吸、共命运、心连心的光荣传统，形成和展示了大爱同心、坚韧不拔、挑战极限、感恩奋进的玉树抗震救灾精神。

为了更好地弘扬伟大的抗震救灾精神，激发全省各族人民战胜一切艰难险阻的信心和勇气，推动我省经济社会跨越发展、绿色发展、和谐发展、统筹发展，省政府决定编印《玉树大地震救灾重建志》，以使玉树地震抗震救灾重建工作存史资政，教育后人，现将《〈玉树大地震救灾重建志〉编纂工作方案》印发给你们，请各有关地区、部门和单位充分认识这项工作的重要意义，高度重视，精心组织，将之纳入年度工作计划，按照编纂工作方案的安排，尽快组织领导机构和编写班子，保障经费，调配人员，提供相应的办公场所和条件，如期完成编纂任务。特别是各分卷牵头单位要主动组织各有关地区和部门开展工作，准确掌握编纂步骤和进度，尽快制定出各分卷的编目大纲和工作方案，报全志编委会审批后实施。各参编单位要积极配合，根据自身承担的任务，迅速投入工作，按照质量第一的原则，确保如期高质量地完成编纂任务。

青海省人民政府

二〇一〇年十月二十三日

《玉树大地震救灾重建志》编纂工作方案

为认真做好《玉树大地震救灾重建志》编纂工作，保证编纂质量和进度，全面、客观、系统地记述玉树大地震灾情灾害、抗震救灾和灾后重建工作，科学总结经验，充分展示党中央、国务院和青海省委、省政府的坚强领导与社会主义制度的优越性，充分展示中华民族强大的凝聚力和向心力，充分展示青海各族群众在大灾面前无所畏惧的英雄气概，根据省委、省政府的部署和编纂工作的需要，特制定本方案。

一、指导思想

以马克思列宁主义、毛泽东思想、邓小平理论和“三个代表”重要思想为指导，全面贯彻落实科学发展观，坚持辩证唯物主义和历史唯物主义的立场、观点和方法，依照《地方志工作条例》《国务院关于做好玉树地震灾后恢复重建工作的指导意见》《国务院关于支持玉树地震灾后恢复重建政策措施的意见》和《玉树地震灾后恢复重建总体规划》，全面真实客观地记述玉树大地震灾情灾害、抗震救灾和灾后恢复重建工作。

二、目的意义

2010年4月14日发生的玉树大地震，是新中国成立以来青海省破坏性最强，波及范围最广，救灾难度最大的一次自然灾害，景况惨烈，人民生命财产损失严重，地震发生的第一时间即引起了全国上下的高度重视。在党中央、国务院的正确领导和全国各族人民的无私援助下，在特殊地区、特殊环境、特殊条件下举全国之力进行了卓有成效的抗震救灾工作，这不仅是青海历史上亘古未有的大事，也是全国历史上继四川汶川地震后所仅见。在这场抗震救灾、恢复重建斗争中所表现出来的全党全国万众一心、众志成城，不畏艰险、百折不挠，以人为本、尊重科学的伟大抗震救灾精神，是中华民族极为宝贵的精神财富，值得永载史册。编纂《玉树大地震救灾重建志》，全面客观地记述地震灾情灾害、抗震救灾和灾后重建的全过程，对于系统总结抗震救灾经验，加强灾害应急管理能力建设，提高防灾减灾工作水平；对于全面展示社会主义制度的优越性、中华民族的优秀品质、人民军队的政治本色、中国共产党的坚强领导；对于进一步弘扬伟大抗震救灾精神，激发青海各族人民在党和政府领导下战胜一切艰难险阻的信心和决心，推动跨越发展、绿色发展、和谐发展、统筹发展，建设富裕文明和谐的新青海，都具有重大的现实意义和深远的历史意义。

三、编纂任务

《玉树大地震救灾重建志》共设《总述·大事记》《图志》《灾情灾害志》《抢险救灾志》《医疗防疫志》《社会赈灾志》《灾后重建志》《人物》《附录》9个分卷，全志约450万字。各卷篇幅视内容多寡而定，篇幅大的可分册出版。

四、总体设计

（一）记述的时间段限

全志原则上记述时限为2010年4月14日至灾后重建全面完成。各分卷视有关工作的完成情况而定：《总述·大事记》《图志》《灾后重建志》《人物》《附录》各卷记述时限为2010年4月14日至灾后重建全面完成；《灾情灾害志》《抢险救灾志》《医疗防疫志》《社会赈灾志》各卷记述时限为2010年4月14日至省抗震救灾领导小组、抗震救灾指挥部撤销。

（二）记述地域

青海省玉树州受灾地区；灾区以外相关地区（含国际社会）组织抗灾、救灾、赈灾等工作和活动。

（三）总体内容

卷一:《总述·大事记》。《总述》，从总体、全局高度，钩玄提要，对玉树大地震灾情灾害、抗震救灾和灾后重建进行总括式记述;《大事记》，采用编年体（适当结合记事本末体），按时间顺序分月、日记载玉树大地震抗震救灾工作的大事、要事。

卷二:《图志》。采用图照与简要文字叙述、文字介绍相结合的形式，直观再现玉树大地震前后灾区的面貌落差和抗震救灾、灾后重建的全过程。

卷三:《灾情灾害志》。主要记述玉树灾区地质地貌，震前的社会经济、人民生活、基础设施等状况，历史上地震情况、本次地震成因、地震发生时的情形、大地震造成的巨大破坏与损失、次生地质灾害、次生灾害调查与防范、监测预警、地震灾害调查与评估，科技工作者为防震减灾所做的努力和取得的科研成果等。配以随文图照。

卷四:《抢险救灾志》。主要记述党中央、国务院的深切关怀、有力支持、决策部署，青海省各级党委、政府领导应急组织、靠前指挥，人民解放军、相关部门抢险救援、积极筹集和运送救灾物资、抢修基础设施、安置受灾群众、文物抢救和保护、灾区现场清理、维护灾区社会稳定、组织自救互救及全国各地、社会各界和海内外各方救援情况等。配以随文图照。

卷五:《医疗防疫志》。主要记述军队和地方在灾区的医疗救护、疫病防控、伤员康复、对口支援和后方医院治疗，灾区医疗卫生机构恢复运作、心理危机干预，灾区食品药品安全等。配以随文图照。

卷六:《社会赈灾志》。主要记述省内各地区、各部门及全国各地、国际社会对灾区的赈灾、捐赠情况，反映一方有难、八方支援，举国上下患难与共，前方后方同心协力，海内海外和衷共济等守望相助、倾力支持，捐款捐物的发放和管理等。配以随文图照。

卷七:《灾后重建志》。主要记述玉树灾后重建的领导、组织和协调，恢复重建规划，各项政策的科学制定、实施、监督执行，灾区群众安置，恢复生产，重建家园，文化设施恢复和法律援助以及相关省区市、企业对口支援恢复重建工作等。配以随文图照。

卷八:《人物》。主要记述玉树大地震抗震救灾和灾后重建中涌现出来的英雄集体、先进人物和牺牲的英烈等。英雄集体配以在灾区的工作照片，先进人物和英烈配一张 1 寸半身照片。

卷九:《附录》。主要收录与青海玉树大地震抗震救灾及灾后重建有关的、有重大社会价值和存史价值的法规、文件，领导人重要批示、讲话、报道和艺文等原始文献以及青海历史上发生的地震情况。配以随文图照。

（四）总序、总凡例、前言、编纂说明、编后记

总序：统领全志，由全志编纂委员会主任署名，置各分卷卷首。

总凡例：为全志必须遵循的编纂宗旨、原则和体例要求，置各分卷总序之后。

前言：各分卷编委会撰写，由分卷编委会或编委会主任署名，置总凡例之后。

分卷编纂说明：重点说明总凡例中未涉及，但需要说明的特殊问题的处理原则，置前言之后。

编后记：重点记述编纂始末。各分卷的编后记置于本卷之末，全志的总编后记置于卷九《附

录》之末。

五、质量要求

全志质量总体要求是：观点正确，资料翔实，体例严谨，内容全面，特色鲜明，记述准确，表达通顺，行文规范，印制精良。

入志资料要真实准确、全面系统，具有权威性，注重选用第一手资料。人、事、物、时间、地点、事件经过等要素齐全，能够反映事物发生、发展、演变的过程。

体例科学、规范，述、记、志、传、图、表、录等体裁运用得当，以志为主。

篇目设置符合"事以类聚""类为一志"的基本要求，归属得当。除《总述·大事记》外，《图志》按专题分类，《附录》按文体分类，《人物》按人物传、人物简介、人物表分类，其余各卷一律按篇、章、节、目分级编次。各分卷的结构层次根据具体情况安排，要求布局合理、结构严谨、层次分明、排列有序，标题简明规范、题文相符，同一门类各级标题不重复。

全志记述准确，除"述"体中的适度议论外，记述事物、事件、人物坚持述而不论，寓褒贬于记述之中。引用的数据全面、客观、准确，尽可能使用权威部门提供的数据。

图、照片、表主题明确，真实可靠，要素齐全，制作规范。

行文按照全志编委会制定的《〈玉树大地震救灾重建志〉行文规范》执行。

六、组织领导

（一）领导体制

坚持省委领导、省政府主持的工作体制，全志编委会、分卷编委会组织实施全志或分卷编纂工作，各承编、参编单位分工协作，形成领导有力、机构健全、责任明确、保障到位、任务落实的工作格局。

（二）机构设置

1. 成立《玉树大地震救灾重建志》编纂委员会（简称"全志编委会"），领导《玉树大地震救灾重建志》的编纂工作，主要职责是统筹规划，组织协调，研究解决编纂和出版工作中的重大事项。全志编委会主任由省地方志编纂委员会主任担任，副主任由省地方志编纂委员会副主任和省政府分管地方志工作的副秘书长、省军区领导和省地方志编委会办公室领导担任，委员由玉树州政府分管地方志工作的领导和 9 个分卷的承编牵头单位及相关省直部门主要领导担任。

全志编委会成员因工作变动等需要调整的，由所在单位向全志编委会办公室提出，报全志编委会主任审批。

《玉树大地震救灾重建志》设全志总编、总纂各一名，副总编、副总纂若干名，具体负责全志的编纂工作，人选由全志编委会研究决定。

2. 成立《玉树大地震救灾重建志》编纂委员会办公室，为全志编委会的办事机构，承担全志编委会的日常工作。主要职能是：负责全志编纂、出版的规划起草，组织协调、督促指导、审核把关、调查研究、人员培训等工作。办公室设在省地方志办公室，主任、副主任分别由省政府分管地方志工作的副秘书长和省地方志办公室领导担任，成员由玉树州政府分管地方志工作的副秘书长和9个分卷的承编牵头单位及相关省直部门的领导组成。编委会办公室下设联络组、总纂组、资料组，工作人员从相关部门抽调，原则上在志书编纂期间脱离原单位工作。总纂人员视工作需要聘用。

3. 成立《玉树大地震救灾重建志》审查验收工作小组，负责各分卷体例、内容特别是各分卷提出的有关政策、法律法规、保密等重大问题的审查和各分卷终审修改后的验收工作。审查验收工作小组由省直领导和有关专家组成，设组长一名、副组长若干名。具体人选及审查验收办法，由全志编委会研究决定。

4. 成立《玉树大地震救灾重建志》各分卷编纂委员会，由各分卷承编牵头单位负责组建，承编牵头单位的主要领导担任分卷编纂委员会主任，其他参编单位主要领导分别担任副主任或委员。各分卷编纂委员会具体领导本分卷的编纂工作，负责调配人员、成立编纂班子、解决办公用房和经费，组织审定分卷篇目、布置资料征集工作，根据全志编委会的规划，安排本卷篇目拟订、资料征集、编辑资料长编、撰写志稿和志稿初审、复审，严把史实、政策、保密关。

各分卷设主编、分纂各一名，副主编、副分纂若干名，具体负责本分卷的编纂工作，人选由分卷编委会研究决定。各分卷编委会组成人员名单和主编、分纂，副主编、副分纂名单报全志编委会备案。因工作变动需要调整的，由所在单位向分卷编委会提出，报分卷编委会主任审批，并报全志编委会办公室备案。

各分卷承编牵头单位和参编单位要按照省委、省政府的工作部署和全志编委会的安排，认真组织实施，加强督查督办，切实做到领导到位、机构到位、人员到位、经费到位、办公条件到位，确保《玉树大地震救灾重建志》编纂工作高质量如期完成。

（三）经费保障

《玉树大地震救灾重建志》编纂委员会及其办公室所涉及的日常办公设备设施、调研、聘请专家、人员培训、编辑资料长编、志稿终审、审查验收、全志的编纂出版等方面的经费，由《玉树大地震救灾重建志》编委会按照实际需要核算，报省政府批准后，由省财政厅核定并按年度需要拨付，列为省地方志编委会办公室（《玉树大地震救灾重建志》编委会办公室）专项经费，专款专用。

各分卷编纂所涉及的各项经费由各承编牵头单位、各参编单位按原财政渠道解决。

（四）人员保障

《玉树大地震救灾重建志》各分卷承编牵头单位和各参编单位要选派对玉树大地震抗震救灾及灾后重建工作情况熟、政策水平高、协调能力强、文字功力好的人员组成分卷编纂室。分卷编纂室具体负责完成本分卷的资料征集、编辑资料长编、初稿撰写和总纂任务，然后报分卷编委会审定。专业性强的分卷要吸收有关专家、学者参加撰稿、审稿工作。全志编委会办公室要定期组织对编纂人员进行培训。培训内容包括掌握抗震救灾的全面情况，学习地方志基本知识和编纂方法，学习与编纂工作有关的各项规定。

全志编委会办公室要会同省政府督查室定期对各分卷编纂工作进展情况进行督促检查，并进行通报。

七、工作步骤和进度

全志编纂工作，大致经过成立编纂机构，培训编纂人员，拟订和审批分卷篇目，收集资料和编辑资料长编，志稿撰写和分卷总纂，志稿审查和验收，修订出版等工作阶段。

编纂工作流程及总体进度根据省政府有关恢复重建工作三年基本完成、五年全面完成的规划，安排如下：

（一）2010 年 11 月底前成立《玉树大地震救灾重建志》编纂委员会及其办公室，制定编纂工作方案，召开全志编纂委员会成立大会暨第一次全体会议，明确编纂任务，正式启动《玉树大地震救灾重建志》编纂工作。

（二）2011 年 3 月底之前，各分卷成立分卷编纂委员会及编纂室，选调编纂人员，确定主编、副主编，分纂、副分纂，落实承编牵头单位和参编单位的编纂任务。

（三）2011 年 4 月至 6 月适时分期开展分纂、副分纂、编纂人员培训工作。

（四）2011 年 7 月至 2012 年 12 月，完成《灾情灾害志》《抢险救灾志》《医疗防疫志》《社会赈灾志》4 卷的篇目审定、资料收集、编辑资料长编、初稿撰写和志稿总纂等工作，将初审后的志稿提交相关分卷编委会复审。2013 年 6 月，根据分卷编委会的修改意见，上述各分卷编纂室完成对复审稿的修改工作，形成送审稿，报送全志编委会终审。2013 年 12 月，根据全委会的审核意见，上述各分卷编纂室完成再次修改工作，报送全志编委会审查验收。2014 年 6 月完成审查验收工作，报省政府批准出版。

（五）2011 年 7 月至 2015 年 3 月，完成《总述·大事记》《图志》《灾后重建志》《人物》《附录》5 卷的篇目审定、资料收集、编辑资料长编、初稿撰写和志稿总纂等工作，将初审后的志稿提交相关分卷编委会复审。2015 年 9 月根据分卷编委会的修改意见，上述各分卷编纂室完成对复审稿的修改工作，形成送审稿，报送全志编委会终审。2015 年 12 月，根据全志编委会的审核意见，上述各分卷编纂室完成再次修改工作，报送全志编委会审查验收。2016 年 3 月完成审查验收工作，报省政府批准出版。

八、资料保障

各地、各部门要按照国务院《地方志工作条例》第十一条之规定和省地方志编纂委员会办公室《关于拟编纂〈玉树大地震救灾重建志〉做好前期资料收集工作的通知》要求，加强抗震救灾文件、资料的收集整理工作，要将收集、征集到的地震灾情、抗震救灾、灾后重建的法规文件、规划、领导讲话、工作总结、技术资料、会议纪要、报纸期刊、档案图书、史料丛书、录音录像、统计报表、照片资料等及时分类整理、建卡建档，为编辑资料长编和撰写初稿做好充分准备。

为给编纂《玉树大地震救灾重建志》打好坚实基础，并便于复审、终审时把关参考，使之成为经得起历史检验的传世之作，各分卷在撰写初稿之前，必须编辑资料长编。

各分卷编委会向全志编委会报送分卷送审稿纸质文本和电子文本的同时，报送分卷资料长编的纸质文本和电子文本。终审后完成修改，报送审查验收的志稿的同时必须按国务院《地方志工作条例》第十条的规定将收集整理的所有原始资料同时报送全志编委会办公室资料组妥善保存，不得损毁和散失，个人不得据为已有或出租、出让、转借。所有资料将由青海省方志馆永久保存，作为今后深入、系统研究青海玉树“4·14”大地震的重要依据。

九、《玉树大地震救灾重建志》卷目及分工表

《玉树大地震救灾重建志》卷目及分工表

序号	卷　名	承编牵头单位	主要参编单位	提供资料单位
1	《玉树大地震救灾重建志·总述·大事记》	全志编委会办公室	省玉树地震灾后重建工作领导小组办公室、玉树州政府、省政府应急办、省档案局、省军区、武警青海总队、青海电视台、青海日报社、《青海政报》编辑部	省玉树地震灾后重建工作领导小组办公室，各州、地、市，省直各部门，有关企事业单位
2	《玉树大地震救灾重建志·图志》	省政府新闻办公室	省委宣传部、玉树州政府、省广电局、青海日报社、省文化新闻出版厅、新华社青海分社、中央新闻单位驻青海各记者站	
3	《玉树大地震救灾重建志·灾情灾害志》	省地震局	玉树州政府、省交通厅、省水利厅、省住房城乡建设厅、省教育厅、省广电局、新华社青海分社、省民政厅、省人口计生委、省国土资源厅、省环境保护厅、省气象局	
4	《玉树大地震救灾重建志·抢险救灾志》	省军区	玉树州政府、武警青海总队、省公安厅、省交通厅、省水利厅、省卫生厅、省文化新闻出版厅、团省委、省红十字会、青海机场公司、青藏铁路公司	
5	《玉树大地震救灾重建志·医疗防疫志》	省卫生厅	玉树州政府、省食品药品监督管理局、省红十字会、省疾控中心、省军区、武警青海总队	
6	《玉树大地震救灾重建志·社会赈灾志》	省民政厅	省委宣传部、玉树州政府、省红十字会、团省委、西宁海关、青海机场公司、省外事办、青藏铁路公司、省财政厅、省审计厅	
7	《玉树大地震救灾重建志·灾后重建志》	省发展改革委	省玉树地震灾后重建工作领导小组办公室、玉树州政府、省经委、省住房城乡建设厅、省农牧厅、省交通厅、省教育厅、省文化新闻出版厅、省旅游局、青藏铁路公司、省财政厅、省商务厅、省卫生厅、省审计厅、省环境保护厅、省民宗委、省司法厅、青海机场公司	
8	《玉树大地震救灾重建志·人物》	省人力资源社会保障厅	省委宣传部、省军区、武警青海总队、玉树州政府、青海日报社、省广电局	
9	《玉树大地震救灾重建志·附录》	全志编委会办公室	省玉树地震灾后重建工作领导小组办公室、省委宣传部、玉树州政府、省政府应急办、省发展改革委、省档案局、《青海政报》编辑部、省文化新闻出版厅	

（《青海省人民政府公报》，2010 年第 21 期）

青海省抗震救灾指挥部《玉树地震救灾物资发放管理办法》

第一条 为进一步加强玉树地震救灾物资管理，规范救灾物资的发放等具体事宜，特制定本办法。

第二条 救灾物资主要指：发生特重大自然灾害后，由民政部门组织的各类救灾物资；国内外社会各界组织、单位、个人通过民政部门无偿向灾区捐赠的各类救灾物资；政府统一组织的经常性捐赠的各类物资。

第三条 以上救灾物资在各级政府领导下，由民政部门统一负责收受、管理，由玉树州抗震救灾指挥部统一调配、分发。

第四条 救灾及捐赠物资由民政部门接收后，由玉树州抗震救灾指挥部根据灾民需求，统一提出分配方案，进行分配，分配时必须遵循“先急后缓，突出重点”的原则，统筹安排，合理使用。

第五条 玉树州抗震救灾指挥部统一组织人员，由乡镇人民政府或设立临时救灾物资发放点，负责发放工作，并登记造册，签名盖章，张榜公布。各发放点要建立抗震救灾物资接收和下发日报表和累计报表。

第六条 对发放的救灾物资，应当区分种类、数量和发放地区，登记造册，分阶段对物资进行清理和统计，做到账物相符。

第七条 灾区乡镇政府或临时发放点必须严格执行收发制度，实行收发“实名制”，物资收发单以及存档记录应当由负责人签字。

第八条 救灾物资一律实行无偿发放，不得加任何条件，严禁变相收费、变卖、截留，不得平均发放，优亲厚友。救灾物资的发放坚决以五保户、农村特困户、城市低保户、优抚对象、倒房户中的生活特别困难户为重点。

第九条 玉树州抗震指挥部专门组织民政局、乡镇、村委会、社区居委会成立抗震救灾物资发放监督小组监督抗震救灾物资发放。督查组采用明察暗访、设立举报电话等多种方式开展督查工作，切实掌握真实情况，及时向省抗震救灾指挥部汇报。

第十条 对抗震救灾物资的接收、分配、发放情况及时汇总，定期向社会公示。

第十一条 各级农业、卫生、质检、药监等部门在当地政府的统一领导下，应当按照各自职责，对拟出库发放的抗震救灾捐赠物资进行质量检验检疫和卫生监督，尤其要确保食品、饮用水、药品等在保质期内使用。

第十二条　玉树州抗震指挥部统一组织武警、公安等部门加强巡逻，实行 24 小时值勤，负责救灾物资发放点物资、押运和发放过程中的安全。

第十三条　严禁工作人员滥用职权，玩忽职守，徇私舞弊，挪用、侵占或者贪污救灾物资；对违纪违法的，依纪依法处理，构成犯罪的，由司法机关依法追究刑事责任。

第十四条　因责任事故造成丢失或其他损失的，除追究当事人、领导人的个人行政责任外，要酌情予以赔偿。

第十五条　本办法由省民政厅负责解释，从发布之日起执行。

（《青海日报》，2010 年 4 月 17 日）

青海省人民政府办公厅关于印发进一步动员社会力量深入开展玉树地震灾区恢复重建社会认捐认建工作实施方案的通知

青政办〔2010〕127号

西宁市、各自治州人民政府，海东行署，省政府各委、办、厅、局：

《关于进一步动员社会力量　深入开展玉树地震灾区恢复重建社会认捐认建工作实施方案》已经省人民政府同意，现印发给你们，请结合实际，认真抓好落实。

青海省人民政府办公厅
二〇一〇年六月二十二日

关于进一步动员社会力量　深入开展玉树地震灾区恢复重建社会认捐认建工作实施方案

为进一步弘扬中华民族“一方有难，八方支援”的优良传统，广泛深入动员全社会各方面力量，通过社会认捐认建玉树灾后重建项目，吸引社会资金，更加有力、有序、有效地推进玉树地震灾后恢复重建，如期实现恢复重建目标，制定如下实施方案。

一、目标和原则

在前一阶段动员社会力量，大力支持、无私援助的基础上，进一步调动全社会各方面的力量，为玉树地震灾区的恢复重建工作再伸援助之手，再献一份爱心。在以政府主导的基础上，通过社会认捐认建灾后恢复重建项目，为建设富裕和谐新玉树贡献力量。社会认捐认建工作要严格按照“政策引导，广泛发动；依法组织，严格程序；坚持自愿，尊重意愿；整合资源，优化配置；加强监督，公开透明；鼓励奉献，冠名激励”的原则进行。

二、方法和步骤

（一）由省财政厅牵头，省民政厅、省红十字会、省慈善总会等有关部门和单位配合，对目前玉树抗震救灾捐赠资金中已有明确意向的资金分门别类进行登记、整理、造册，做到心中有数。（6月27日前完成）

（二）由省发展改革委牵头，省教育厅、省文化新闻出版厅、省卫生厅、省民政厅、省人口计生委、省人力资源社会保障厅、省广播电视局、省体育局、省残联等有关部门和单位配合，按照重建规划对玉树地震灾后恢复重建公共服务设施建设项目进行认真梳理，以优先恢复重建学校、医院等公共服务设施，建立覆盖城乡居民的公共服务体系为重点，提出拟向社会公开认捐认建的公共服务类、公益类项目目录。（6月27日前完成）

（三）由省发展改革委牵头，省财政厅、省民政厅、省红十字会、省慈善总会等有关部门和单位配合，将已经明确有定向和指向的建设项目单列出来，确保重建中真正尊重捐赠人的捐赠意愿。（6月27日前完成）

（四）由省发展改革委牵头，省财政厅、省民政厅、省红十字会等有关部门配合，在深入调研、广泛征求意见的基础上，制定《青海省玉树灾后恢复重建项目认捐认建办法》，进一步明确认捐认建的目标、原则、范围、形式及程序、权利与责任等。（6月27日前完成）

（五）由省委宣传部牵头，省民政厅、省红十字会、省慈善总会等有关部门和单位主办，省发展改革委、省财政厅等有关部门配合，以省政府名义在北京举行“玉树地震灾区灾后恢复重建认捐认建活动”，通过义演等形式，倡导爱心人士和企业、单位等社会组织继续捐资，引导已经捐款的再次捐赠或以组合方式认建项目，推动有新捐赠意愿的社会团体、个人认捐认建新的项目。按照《向社会公开捐赠捐建项目目录》，积极引导社会资金和项目对接。（7月中旬完成）

（六）由省委宣传部牵头，中央和省各相关媒体参与，深入开展玉树地震灾区认捐认建的宣传发动工作。特别是在北京举办认捐认建大型活动前，要通过典型报道、动态报道、专题报道和网络宣传，突出报道玉树地震灾区认捐认建有关政策，及时报道认捐认建工作进展情况，跟踪认捐认建全过程，大力宣传报道认捐认建典型，激发全社会认捐认建的积极性。（7月上旬至中旬完成）

（七）由省发展改革委牵头，有关部门配合，对认捐认建工作结束后仍没有认领的项目，提出具体意见报省政府研究，以便合理安排资金，推进建设工作。（7月下旬完成）

（八）由省监察厅、省财政厅、省审计厅牵头，完善相应的资金管理办法，对认捐资金实行财政专户存储、专账管理、专人负责，确保捐赠资金定向使用，规范管理。（7月下旬完成）

三、组织领导

认捐认建工作在省政府统一领导下进行。为确保此项工作顺利推进，扎实有效，省政府成立玉树灾后恢复重建认捐认建工作协调小组，由省委常委、副省长徐福顺任组长，省委常委、宣传部部长吉狄马加和副省长张光荣任副组长，省委宣传部、省发展改革委、省财政厅、省民政厅、省教育厅、省民宗委、省人力资源社会保障厅、省文化新闻出版厅、省广播电视局、省卫生厅、省人口计生委、省体育局、省残联、省红十字会、省慈善总会等部门和单位为成员单位，具体工作由省政府办公厅负责协调。各部门、各单位要高度重视，“一把手”要亲自抓。各相关部门要按照本方案要求，明确责任、细化分工。同时，要加强协调，密切配合，以形成合力，整体推动，确保此项工作收到预期效果。

（《青海省人民政府公报》，2010年第15期）

青海省人民政府办公厅转发省财政厅　省发展改革委关于青海省玉树地震灾后恢复重建资金管理办法的通知

青政办〔2010〕138号

西宁市、各自治州人民政府，海东行署，省政府各委、办、厅、局：

省财政厅省发展改革委关于《青海省玉树地震灾后恢复重建资金管理办法》已经省人民政府同意，现转发给你们，请认真贯彻执行。

青海省人民政府办公厅
二〇一〇年七月一日

青海省玉树地震灾后恢复重建资金管理办法

省财政厅　省发展改革委

第一章　总　则

第一条　为加强玉树地震灾后恢复重建资金的管理，提高资金使用效益，根据《国务院关于做好玉树地震灾后恢复重建工作的指导意见》（国发〔2010〕14号）、《国务院关于印发〈玉树地震灾后恢复重建总体规划〉的通知》（国发〔2010〕17号）、《青海省人民政府关于支持玉树地震灾后恢复重建政策措施的意见》（青政〔2010〕39号）、《青海省人民政府关于印发规范玉树地震灾后恢复重建项目审核管理工作意见的通知》（青政〔2010〕45号）等相关政策规定，特制定本办法。

第二条　本办法所称地震灾后恢复重建资金（以下简称重建资金），是指中央财政补助我省的地震灾后恢复重建资金、省级财政和灾区各级财政按规定安排的灾后恢复重建资金，以及社会捐赠资金、银行贷款、居民和企业自筹资金和其他资金等。

第三条　重建资金纳入预算管理，按资金渠道分别在一般预算、政府性基金预算和国有资本金预算中反映。

银行贷款和自筹资金纳入灾后恢复重建资金统计范围，但不纳入财政预算管理。

第四条　按照省政府确定的灾后恢复重建任务，重建资金主要通过项目投资、投资补助、资本金注入、贴息等方式用于灾后恢复重建。

第五条　重建资金管理的基本原则是统筹安排、确保重点、总量控制、分类实施、专账管理、厉行节约、强化监管、注重绩效。

第六条　重建资金的筹集、使用、拨付、调整、管理、监督均适用本办法。

第二章　重建资金的筹集

第七条　采取有效措施，多方筹集重建资金，为恢复重建提供资金保障。重建资金的来源包括：

（一）中央财政安排的恢复重建资金；

（二）省级财政安排的恢复重建资金；

（三）社会捐赠资金；

（四）银行贷款；

（五）利息收入；

（六）居民和企业自筹资金；

（七）其他资金。

第八条　根据国务院相关要求，中央有关部门及红十字会、慈善总会等接收的捐赠资金汇缴到省财政设立的“捐赠资金专户”，与我省接收的捐赠资金统一纳入到恢复重建规划，统筹安排使用。

第九条　各地区、各部门和单位要厉行节约，通过压缩一般性支出，调整支出结构，整合专项资金，全力支持灾后恢复重建。

第十条　充分发挥公共财政主导作用和杠杆作用，支持融资平台建设，创新筹融资方式，增强筹资能力，引导市场资金投入恢复重建。

第十一条　充分利用玉树现有县级支农信用担保体系作为灾后恢复重建融资平台，省财政通过注入资本金等方式给予一定的扶持，进一步扩大融资规模，增强融资能力。对于居民个人通过银行筹集的住房贷款和产业化项目贴息，按照《青海省财政厅关于印发〈青海省玉树地震灾后恢复重建贷款财政贴息管理办法〉的通知》（青财建〔2010〕847 号）规定办理。

第三章　重建资金的使用范围

第十二条　重建资金主要用于支持城乡居民住房、公共服务设施、基础设施、生态环境、特色产业和服务业以及和谐家园等的恢复重建。优先安排恢复重建城乡居民住房和学校、医院等公共服务设施，抓紧恢复基础设施功能和生产生活秩序。同时，统筹规划实施受损宗教活动场所的恢复重建。

第十三条　重建资金的安排顺序是：社会捐赠资金、中央财政资金、省级财政资金、居民和企业自筹资金、银行贷款、其他资金。

（一）社会捐赠资金的安排要充分体现捐赠人意愿，优先安排捐赠资金认领、认建规划内重建项目。对捐赠人指定救灾捐赠款物用途或者受援地区的，应当按捐赠人意愿使用。在捐赠款物过于集中同一项目的情况下，经捐赠人书面同意，由省财政厅商省发展改革委、省民政厅、省红十字会等相关部门同意后可调剂安排。

（二）中央财政资金要重点用于纳入国家总体规划的玉树县结古镇极重灾区的恢复重建和玉树县隆宝镇、仲达乡、安冲乡、巴塘乡 4 个重灾乡镇。同时，对一般灾区和灾害影响区乡镇，主要支持城乡居民倒损住房以及受损学校、医院等公共服务设施重建和修复。

（三）省级财政资金重点用于中央财政资金重建项目的配套和一般灾区重建项目的补助。

（四）省级有关部门的专项资金在安排项目时应向重灾区倾斜，支持灾区基础设施等的恢复重建。

（五）灾后恢复重建项目中涉及银行贷款和自筹资金的，按照基本建设相关规定，在申拨国家资金之前应落实到位。

第十四条　恢复重建项目在前期准备工作中发生的前期费、规划编制费、勘察设计费、土地征用费、清墟费等费用，纳入重建资金，按照财政部《基本建设财务管理规定》（财建〔2002〕394 号）的要求，经审定后按项目进行安排。

第十五条　重建资金分配必须以批准的重建规划为依据，符合财政性资金配置原则，突出重点，科学测算，合理安排，统筹平衡。

第四章　重建资金的拨付程序

第十六条　依据玉树州地震灾后恢复重建规划，玉树州（县）和省级各部门对列入重建规划范围内的建设项目，要按照基本建设程序编制建设项目可行性研究报告和初步设计，并报经相关部门审查同意。由省财政厅商省发展改革委，结合总体规划提出的恢复重建任务，提出年度灾后恢复重建资金预算，报财政部申请灾后重建资金。

对于恢复重建中投资额较大，分年实施的项目，要分年分次进行申报。

第十七条　对列入中央财政地震灾后恢复重建资金中车辆购置税专项收入资金，按现行管理办法申请和下达预算。

第十八条　省财政厅根据财政部审核下达的恢复重建分年度包干总数和项目分类控制数，对没有确定建设标准的项目，委托投资评审机构对项目初步设计概算及施工图预算进行评审，核定补助金额，报财政部审核备案，并将审核结果告知被评审单位。

根据财政部下达的恢复重建分年度包干总数、项目分类控制数和项目评审情况，由省发展改革委下达年度重建投资计划，省财政厅依据投资计划下达项目资金预算。重建资金按现行财政预算管理体制和重建责任主体分别拨付到项目实施地区财政部门和省级主管部门。

省级主管部门实施的项目在本部门实行报账；州级实施的项目在州财政部门统一实行报账；县级实施的项目由州财政部门将资金拨付到县财政部门，由县财政部门统一实行报账。

玉树州（县）人民政府和相关部门有关资金安排情况要及时报省财政厅备案。

第十九条　对援建单位援建的项目资金，由援建单位按照省发展改革委下达的年度投资计划和省财政厅资金预算文件，结合援建任务排好项目建设工期和项目资金需求计划，根据项目资金渠道，报玉树州（县）财政部门或省级主管部门审核后，按工程进度及时拨付建设资金。

援建单位在收到建设资金后，按照财务制度规定向财政部门报送年度财务报表和填列月度报表。

第二十条　对采取项目投资补助和注入资本金方式的资金，项目单位要按照青政〔2010〕45 号履行必要的审核程序，并提出项目资金申请，资金安排计划统一纳入玉树地震灾后恢复重建投资计划。对采取贷款贴息等方式的资金，按照青财建〔2010〕847 号执行。

第二十一条　灾后恢复重建项目财政性资金实行财政国库集中支付。省级部门根据省级重建项目实施进度提出分项目用款申请，省财政厅根据项目实施年度计划和项目实施进度进行审核并拨付资金。

第二十二条　玉树州（县）财政部门和省级主管部门根据建设单位（含援建单位）提供投资计划、资金预算文件、招投标文件、工程施工合同和政府采购制度执行情况、项目总体进展情况及资金申请拨付书等相关资料，严格按照国库管理制度的规定要求，将重建资金按工程进度拨付到项目建设责任主体和个人。

第五章　重建资金预算的调整

第二十三条　省人民政府是灾后恢复重建项目和灾后恢复重建地方包干资金调整的责任主体。对于规划内确定的建设项目，原则上不进行调整，如有下列情形之一的，可在规划允许范围内进行调整：

（一）规划项目投资调整相应调增或调减已下达的重建资金预算；

（二）规划项目调整，对取消或并入其他项目执行的项目相应取消已下达的重建资金预算；

（三）规划项目工作任务安排和预算执行进度，对确需分年度执行的项目根据当年需要相应调减重建资金预算；

（四）对资金来源渠道变化，已用其他重建资金安排的项目相应取消或调减重建资金预算；

（五）对已竣工验收且重建资金有结余的项目相应调减重建资金预算。

第二十四条　对于财政部下达的恢复重建项目分类资金跨类调整的，由省财政厅会同有关部门综合平衡后提出调整建议，报请省政府研究同意后按相关程序报财政部进行报批；对于同类内部之间的项目预算调整，由省级财政部门商有关部门综合平衡后，提出项目资金预算的调整建议，报经省政府同意后进行预算调整。

第六章　重建资金的管理

第二十五条　玉树州（县）财政部门和省级有关单位，要根据规划项目的范围，分轻重缓急统筹做好中央财政资金、省级财政和灾区各级财政资金、捐赠资金和其他资金的管理和使用。

第二十六条　凡使用灾后恢复重建资金的州（县）和单位必须按规定经财政部门和人民银行审核批准后，原则上在国有控股商业银行开设“重建资金专户”，严格按“专户存储，专账核算，专款专用、封闭运行”的有关规定执行。

第二十七条　严格按照《基本建设财务管理规定》和《国有单位会计制度》的要求做好账务设置和财务管理工作，按照批准的概预算和建设内容，真实核算工程投资成本，并按规定向财政部门报送财务报表和填列月度报表。建立健全内部财务管理制度，准确核对账务，做到账证、账账、账实、账表相符。工程竣工时应编制工程竣工财务决算，做到编报及时，数字准确，内容完整，并将竣工财务决算作为工程竣工验收的内容之一。

财政部门和省级有关部门应指导和督促玉树州及项目建设单位做好基本建设财务管理的基础工作。

第二十八条　使用重建资金的玉树州（县）人民政府、财政部门、项目主管部门和建设单位应重视和加强建设项目财务管理，建立信息反馈制度。指定专人负责项目有关信息收集、汇总工作，报送的有关信息资料主要包括反映资金到位、使用情况、工作进度报告、项目竣工财务决算及其他相关资料等。

第二十九条　上报的各种信息资料要求内容完整、数字真实准确、报送及时，严禁弄虚作假。

第三十条　建立重大事项报告制度。工程建设过程中出现下列情况的，建设单位应及时报告上级财政部门和主管部门：

（一）重大质量事故；

（二）较大金额索赔；

（三）来信来访举报反映和审计发现的重大违纪问题；

（四）建设资金严重不到位；

（五）工期延误时间较长；

（六）工程设计、施工发生重大变更；

（七）其他重大事项。

第三十一条　建立信息反馈和公示机制。玉树地区和省级各部门要按照政府信息公开的有关规定，将适合公开公示的重建资金分配使用情况，特别是社会捐赠资金的安排使用情况，以适当方式向社会公众公告，接受社会各界和新闻媒体的监督，做到公开透明。

第三十二条　对有捐赠意向的社会各界捐赠资金在安排重建项目时，应及时以书面形式向捐赠人反馈捐赠资金的安排、使用情况，并及时反馈相关工程进度。

第七章　重建资金的监督检查

第三十三条　建立重建资金使用管理责任制。负责重建资金使用管理的责任单位，其主要负责人是第一责任人，分管负责人是直接责任人。对使用管理不善或反馈信息不及时造成恶劣影响的，要依纪依法追究单位领导和有关人员的行政责任；对情节严重、涉嫌犯罪的，要移交司法机关处理。

第三十四条　财政部门要加强对重建资金拨付和使用以及招投标和政府采购制度的执行情况的监督检查，督促下级财政部门依照规定及时分配、拨付重建资金，及时掌握项目进展情况和资金拨付、使用情况，坚决杜绝侵占、截留、挪用重建资金等现象。

第三十五条　财政、纪检监察和审计等部门要加强沟通协调，及时通报情况，相互支持，密切配合，形成监管合力，构建横向到边、纵向到底的全方位、多层次监管体系。要创新监管手段。为简化管理程序和办理结算，避免现金流量过大，可适当采用金融一卡通等支付方式。要加大对违纪违法案件的查处力度。对挤占、截留、挪用、虚报冒领和贪污浪费等严重违法违规行为，以及滞拨滞留、违规分配、弄虚作假等行为，一经查出，将按照《财政违法行为处罚条例》《行政机关公务员处分条例》等有关规定严肃处理。对群众举报和媒体反映的问题和线索，将进行逐一核查，并将核查结果及时反馈群众和媒体。

第八章　附　则

第三十六条　本办法由省财政厅负责解释。

第三十七条　本办法自发布之日起执行。

（《青海省人民政府公报》，2010 年第 16 期）

青海省人民政府办公厅转发省发展改革委关于青海省玉树灾后恢复重建项目认捐认建办法的通知

青政办〔2010〕143号

西宁市、各自治州人民政府，海东行署，省政府各委、办、厅、局：

为推进玉树灾后恢复重建，如期实现恢复重建目标，根据《中华人民共和国公益事业捐赠法》等相关法律法规和《青海省人民政府办公厅关于印发进一步动员社会力量深入开展玉树地震灾区恢复重建社会认捐认建工作实施方案的通知》（青政办〔2010〕127号）精神，省发展改革委关于《青海省玉树灾后恢复重建项目认捐认建办法》已经省人民政府同意，现转发给你们，请遵照执行。

青海省人民政府办公厅

二〇一〇年七月五日

青海省玉树灾后恢复重建项目认捐认建办法

青海省发展改革委

第一条 为进一步弘扬中华民族“一方有难，八方支援”的优良传统，为广泛动员全社会各方面力量，吸引社会资金，促进玉树灾后恢复重建项目认捐认建工作的规范有序进行，推进玉树灾后恢复重建，如期实现恢复重建目标，根据《中华人民共和国公益事业捐赠法》等相关法律法规和《青海省人民政府办公厅关于印发进一步动员社会力量深入开展玉树地震灾区恢复重建社会认捐认建工作实施方案的通知》（青政办〔2010〕127号）精神，结合玉树灾区实际，制定本办法。

第二条 灾后恢复重建项目认捐认建是指社会团体、机关、企业事业单位或个人根据本办法规定自愿、无偿、合法认捐认建玉树灾后恢复重建项目建设的行为。

第三条 灾后恢复重建认捐认建工作应当按照有序组织、尊重意愿、公开透明、加强监督的原则进行。

第四条 青海省人民政府玉树灾后恢复重建认捐认建工作协调小组统一组织认捐认建工作，协调小组办公室负责具体工作。

第五条 认捐认建项目严格按照灾后重建总体规划、详细规划、各类建设标准及相关项目管理规定和基本建设程序组织实施，按照国家规定的勘察设计规范和抗震设防标准进行项目设计和施工。

第六条 玉树灾后恢复重建项目的认捐认建主要包括教育、科学、文化、卫生、体育、居民住房、环境保护以及社会福利、城乡基础设施等社会公共事业。

第七条 玉树灾后恢复重建项目原则上不分割认捐认建。单体建筑较多的项目，在充分尊重认捐认建单位或个人意愿的情况下，既可以由单位或个人单独认捐认建，也可以由单位或个人共同认捐认建。同一项目由多个单位或个人认捐认建的，由青海省发展改革委商相关方面协调确定。

第八条 本办法发布之前已经捐赠并有明确意向的，但由于资金量小不足以建设一个项目的，鼓励其再认捐或联合捐赠者认捐认建。

第九条 除居民住房外，认捐认建的公益建设项目产权属于国家所有，列入公共设施管理范畴。

第十条 认捐认建项目采取统规统建方式，按照国家有关规定，由灾区政府按照相关规定和办法统一组织施工。

第十一条 青海省人民政府玉树灾后恢复重建认捐认建工作协调小组向社会推荐灾后恢复重建认捐认建项目目录，由认捐认建单位或个人自行选择项目。确定的认捐认建项目，由认捐认建单位或个人与玉树州、县政府签订认捐认建协议书。

第十二条 认捐认建单位或个人对于认捐认建项目依据相关规定可以留名纪念。

一次认捐认建一个项目的单位或个人，可按认捐认建的意愿命名，在建筑物上铭文。

认捐认建单体建筑资金量达该建筑总造价 60% 以上的，按认捐认建单位或个人的意愿在建筑物上铭文。

对认捐认建在 50 万元以上的单位、1 万元以上的个人，均可在灾区建设碑记上留名纪念。

对认捐认建在 2500 万元以上的单位、50 万元以上的个人，可授予认捐认建单位法定代表人或个人“玉树州荣誉公民”称号。对在认捐认建工作中做出突出贡献的认捐认建单位或个人，可在认捐认建项目地点立碑纪念。

第十三条 认捐认建单位或个人应当依法履行认捐认建协议，对不能按时履约的，应当及时说明情况，签订补充协议并通过适当方式向社会公告说明。

第十四条 接受认捐认建的灾区政府或项目业主应严格按照认捐认建协议和恢复重建总体规划、详细规划、各类建设标准及相关项目管理规定和基本建设程序，精心组织项目实施，不得在认捐认建项目中列支与本项目无关的费用。

第十五条 认捐认建项目资金统一汇缴到青海省财政厅设立的认捐认建资金专户存储，或汇缴到按照有关法律法规的规定设立的专门账户，实行专户管理。认捐认建项目资金按相关规定严格管理，专账管理、专款专用，按项目进度拨付资金。认捐认建单位或个人有权监督资金的使用情况。

第十六条 认捐认建项目竣工后，对项目资金的使用情况依法进行审计。玉树州、县政府应当将项目资金使用和工程质量验收情况向认捐认建单位或个人通报，接受监督检查，并接受纪检监察、财政、审计等部门及社会的监督检查。

第十七条 本办法发布之前捐赠的有定向和指定项目的资金，在充分尊重捐赠者意愿的情况下，按照灾后重建规划及灾区需求，统筹安排用于灾后重建项目。

第十八条 本办法由青海省发展改革委负责解释。

第十九条 本办法自发布之日起施行。

（《青海省人民政府公报》，2010 年第 16 期）

青海省人民政府办公厅转发
省人力资源和社会保障厅等部门关于支持玉树地震
灾后恢复重建就业和社会保险政策实施意见的通知

青政办〔2010〕140 号

西宁市、各自治州人民政府，海东行署，省政府各委、办、厅、局：

省人力资源和社会保障厅、省财政厅、省民政厅《关于支持玉树地震灾后恢复重建就业和社会保险政策的实施意见》已经省人民政府同意，现转发给你们，请认真贯彻执行。

青海省人民政府办公厅

二○一○年七月四日

关于支持玉树地震灾后恢复重建就业和社会保险政策的实施意见

省人力资源和社会保障厅　省财政厅　省民政厅

根据《国务院关于支持玉树地震灾后恢复重建政策措施的意见》（国发〔2010〕16 号）和《青海省人民政府关于支持玉树地震灾后恢复重建政策措施的意见》（青政〔2010〕39 号）精神，为支持玉树地震灾区恢复重建，促进城乡劳动者尽快实现就业，切实保障灾区职工群众基本养老、基本医疗、失业和工伤等权益，维护灾区社会和谐稳定，现就支持玉树地震灾后恢复重建就业和社会保险政策提出如下实施意见：

一、加大就业培训援助力度

（一）扩大就业援助范围

玉树灾区城镇登记失业人员、未就业高校毕业生、因灾就业转失业人员、因灾失去生产资料的农牧业劳动者等全部纳入就业援助范围。凡纳入就业援助范围的，发给《玉树地震灾区人员就业优惠证》并享受相关就业援助政策。

（二）开发公益性岗位

地震灾后恢复重建期间，当地政府可根据需要开发卫生防疫、环境治理、交通协管、社区服务、治安管理等公益性岗位，给予不超过 3 年的岗位补贴和社会保险补贴。原安置公益性岗位和企业吸纳就业困难人员，按原标准享受岗位补贴和社会保险补贴期满的，在恢复重建期间继续按原标准享受岗位补贴和社会保险补贴。

（三）鼓励自主创业、个体经营和灵活就业

援助对象在灾后初次自主创业或在灾后从事个体经营重新开业的，按规定享受税收减免和3年内免收管理类、登记类和证照类等有关行政事业性收费优惠政策。同时，给予初次自主创业人员一次性开业补助费2000元。按照先缴后补的方式，给予自主创业人员及被吸纳共同创业人员不超过3年的社会保险补贴，补贴标准按灵活就业人员社会保险补助标准计算。

就业援助对象灵活就业并参加社会保险的，给予不超过3年的社会保险补贴（已享受灵活就业社会保险补贴期满的，可延续享受到重建期满）。补贴标准按缴纳基本养老、基本医疗和失业保险费的70%计算。

初次自主创业或重新开业的，按规定给予小额担保贷款扶持，符合微利项目的按有关规定给予贴息。

（四）鼓励企业吸纳就业

在恢复重建过程中，省内各类企业凡吸纳灾区劳动力就业，签订1年以上期限劳动合同并缴纳社会保险费的，按照劳动合同期限给予不超过3年的社会保险补贴和岗位补贴，社会保险补贴标准按单位缴纳的基本养老保险、基本医疗保险和失业保险费计算，实行先缴后补。岗位补贴按200元／月／人计算。同时，按1000元／人的标准给予企业一次性奖励。

（五）鼓励转移就业

鼓励和扶持灾区农牧民异地转移就业。提高职介补助标准，凡介绍灾区人员务工满6个月以上的，按省内200元／人、省外300元／人的标准给予职介补贴。对劳务经纪人带领玉树地震灾区就业援助对象外出务工签订1年以上劳动合同并缴纳社会保险费的，按100元／人标准给予劳务经纪人补助。就业援助对象到省内外就业的，按省外500元／人、省内150元／人（州内不补助）的标准发给一次性交通补助。

（六）促进高校毕业生就业

实施高校毕业生服务基层项目时要鼓励和引导灾区高校毕业生报名参加，在同等条件下优先录用玉树灾区高校毕业生。

省内国家机关考录公务员、事业单位和街道社区招聘工作人员时，在同等条件下优先录（聘）用灾区毕业生并免收报名费和体检费。

（七）鼓励开展各类培训

恢复重建期间，对组织玉树灾区就业援助对象参加订单、定向和劳动预备制培训的，给予相应培训补贴。组织玉树灾区初、高中毕业后回乡的“两后生”、复退军人、未就业大学生进行一年期以上的职业技能培训，凡参加培训并就业的按规定给予培训补贴。同时，在异地培训的，培训期间按300元／月／人标准给予生活费补贴。动员其他社会机构组织培训，对社会机构开展培训的，按相关规定及时予以补贴。

上述促进就业再就业各项所需资金从就业专项资金中列支，由省上统筹安排。

二、拓展社会保险政策扶持范围

（一）免缴失业、城镇居民医疗保险费

恢复重建期间，玉树灾区凡参加失业保险的单位和个人免缴失业保险费，免缴期为一年。

灾区凡2009年参加了基本医疗保险的城镇居民，2010年视为连续参保，并免缴2010年度城镇居民基本医疗保险个人缴费。个人缴费所需资金从城市医疗救助资金中解决。

（二）缓缴城镇职工基本养老、基本医疗、工伤保险费和新农保个人缴费

缓缴期限为1年用人单位因地震灾害停产、歇业期间，可缓缴基本养老、基本医疗和工伤保险费，缓缴期间不征收滞纳金、不计利息。企业职工基本养老保险参保人员在缓缴期间职工达到规定退休年龄的，补足个人养老保险账户后可办理退休及领取基本养老金手续。

参加新型农村牧区社会养老保险的农牧民，因地震灾害造成缴费困难的，可缓缴个人缴费；在按照《青海省人民政府关于开展新型农村牧区社会养老保险试点工作的实施意见》（青政〔2009〕63号）文件规定给予个人缴费补贴的基础上，再增加缴费补贴10元，所需资金由省财政负担。

（三）保障失业人员基本生活

参加失业保险的企业因地震灾害停产、歇业期间，对其暂时失去工作岗位的职工进行失业登记并发放失业保险金。

对正在领取失业保险金的失业人员，适当延长发放失业保险金的期限，延长期暂定为12个月。

（四）核销养老保险欠费

对因地震灾害无法恢复生产，经人民法院或有关部门宣告破产、关闭企业欠缴的基本养老保险费，在按国家有关规定使用破产财产清偿后，除企业缴费中应划入职工个人账户部分外，不足部分按有关规定报省政府批准后核销。

（五）落实地震灾害致残参保人员养老保险待遇

凡参加了职工基本养老保险的人员因地震灾害非因公致残，医疗期满经劳动能力鉴定委员会鉴定完全丧失劳动能力且缴费达到规定年限的，可办理退休手续。

（六）做好工伤认定和因工伤亡人员的工伤待遇发放

1.符合下列情形之一的，应认定为工伤：

参加抗震救灾的职工在抗震救灾中造成伤亡的；

职工在工作时间、工作场所内因履行工作职责，由于地震原因造成伤亡的；

职工因工外出期间由于工作原因受到地震伤害造成伤亡或下落不明的；

在工作时间参加用人单位组织的与工作有关的活动等因地震造成伤亡的。

2.确保灾区工伤职工待遇支付。职工参加工伤保险伤亡的，在核实伤亡人数、伤残等级及具体待遇标准的基础上按规定支付待遇，所需资金使用玉树州统筹基金储备金、动用省级调剂金予以解决。职工未参加工伤保险伤亡的，其待遇由所在单位负责解决；单位无力支付的或不存在的，通过相关的社会捐助、社会救助制度予以解决。

（七）落实受灾人员医疗保险待遇

因地震受伤人员在紧急救治阶段实行免费医疗。对于后续医疗费用，凡参加了城镇职工（居民）基本医疗保险和“新农合”的，按照城镇职工（居民）基本医疗保险和新农合相关政策规定核报；未参加医疗保险和“新农合”的，从城乡医疗救助资金中给予适当补助。

三、有关工作要求

（一）提高思想认识，加强工作协调

玉树州各级人民政府和省人力资源社会保障、财政、民政等有关部门要充分认识做好灾区就业和社会保障工作的重要性和紧迫性，认真做好政策宣传和解释，确保政策落实到位。要建立灾后重建促进就业工作协调机制，充分发挥当地就业工作联席会议制度作用，加强与相关部门联系协调，做好就业资金调配，及时交流情况、解决问题，共同做好灾区劳动者就业再就业工作。要加强灾区公共就业服务机构和服务能力建设，尽快恢复乡镇、社区劳动保障工作站，充实工作人员，保证各项工作有序开展。

（二）明确职责分工，加强工作落实

各级人力资源社会保障部门要进一步细化工作目标和工作措施，组织开展灾区就业登记调查，摸清就业援助对象和重建单位用工需求，制定相应的就业促进计划，合理调配和科学指导灾区劳动者就业。根据灾后恢复重建需求确定培训项目灵活开展各项就业培训，组织培训机构到震后重建现场承担培训任务、开展技能培训，增强培训的针对性和实效性。加大各项社会保险基金的调剂力度，切实落实各项“减、缓、免”政策措施，保证各项社会保险待遇的发放，确保社会稳定。

（三）严格政策界限，加强工作督查

灾后重建就业和社会保障资金是灾区群众的“生命线”，灾区各级人民政府要切实管好、用好这部分资金，严格把握政策界限，规范操作程序，确保各项资金按规定用途使用，坚决杜绝发放“人情款”“权力款”等不良风气，提高资金使用和政策执行效果。各级人力资源社会保障部门要及时掌握资金使用进度和工作进展，并根据灾后恢复重建进展和实际需要及时调整完善各项政策措施，全力促进灾区就业和社会保障工作。

（《青海省人民政府公报》，2010 年第 16 期）

青海省人民政府办公厅转发省民政厅等部门关于玉树地震灾区群众过渡性安置生活救助及伤残人员康复救助意见的通知

青政办〔2010〕147 号

西宁市、各自治州人民政府，海东行署，省政府各委、办、厅、局：

省民政厅、省财政厅、省残联《关于玉树地震灾区群众过渡性安置生活救助及伤残人员康复救助的意见》已经省人民政府同意，现转发给你们，请认真贯彻执行。

青海省人民政府办公厅

二〇一〇年七月十一日

关于玉树地震灾区群众过渡性安置生活救助及伤残人员康复救助的意见

省民政厅　省财政厅　省残联

根据《国务院关于支持玉树地震灾后恢复重建政策措施的意见》(国发〔2010〕16 号)和《青海省人民政府关于支持玉树地震灾后恢复重建政策措施的意见》(青政〔2010〕39 号)精神，为保障玉树地震灾区受灾群众过渡性安置期间的基本生活及因灾致残人员得到康复救助，实现过渡安置到入住新居前的有效衔接，结合灾区实际，现就玉树地震灾区群众过渡性安置生活救助及伤残人员康复救助提出如下意见：

一、明确基本生活救助政策

1. 适当延长灾区困难群众后续救助时间，在前 3 个月临时生活救助政策到期后，对玉树灾区困难群众继续给予后续生活救助。后续生活救助时间为 2010 年 7 月 15 日至 10 月 15 日，共计 3 个月。

2. 后续生活救助期间，向符合条件的受灾群众每人每天发放 10 元补助金、0.5 千克成品粮。对因灾造成的“三孤”(孤儿、孤老、孤残)人员，每人每月补助 600 元(受灾的原“三孤”人员补足到每人每月 600 元)。

发放补助所需资金由省财政统筹安排，救济粮按国家有关政策从现有中央储备或国家临时存储粮库中无偿划拨。

3. 在加快保障性住房建设进度的同时，9 月底之前，对未住入永久性住房的受灾群众及时发放棉帐篷（每户 1 顶，20 平方米）用于过冬期间临时居住。

4. 对“4·14”地震以来未配发火炉的受灾群众每户按 300 元的标准发放火炉购置补助资金。按照 7 个月取暖期，对受灾群众（不包括在工资部分中发放取暖补贴的机关干部职工和事业单位职工）每人每天发放 5 元取暖补助。

二、鼓励投亲靠友或异地自行安置

三年灾后恢复重建期间，对灾区城乡居民自愿投亲靠友安置的，按有关规定发放一次性补助，补助标准为每户 5000 元。对选择异地自行安置、要求放弃居住安居房和原有相应宅基地土地使用权的，可向政府提出书面申请，经政府相关部门审核确权登记，并与政府相关部门签订相关协议书后，按照关于玉树地震灾后城乡居民住房恢复重建及维修加固补助政策意见的有关规定每户发放一次性安置补助金。

三、实施因灾致残人员康复救助

1. 对因地震截肢或原佩戴假肢在地震中受损的残疾人，免费安装符合标准的国产普及型假肢。对因地震伤残或原来配发的辅助器具在地震中受损的残疾人免费配发轮椅、拐杖、坐厕椅、助行器等辅助器具。

2. 对受灾地区患白内障的视力残疾人免费实施复明手术，对低视力患者免费验配助视器。灾后恢复重建期对灾区 0 ～ 6 岁贫困残疾儿童实施抢救性康复救助，每人每年救助 1 万元。

3. 灾后恢复重建期每年为受灾地区残疾人综合服务设施配备价值 10 万元伤残人员功能恢复训练的康复器材，并对灾区伤残人员开展康复训练和辅助器具适配工作。对因地震导致心理、精神障碍的人员免费提供心理康复治疗、发放治疗药品。

四、扶持残疾人教育和就业创业

1. 因灾致残的中小学生在灾后恢复重建期全部实行免费教育。对考入高等院校的残疾大学生，从省贫困大学生救助基金中一次性给予每人 4000 元补助。

2. 将受灾地区残疾人优先纳入就业援助范围，在政府开发的公益性岗位中优先安置因灾失业的残疾人就业。

3. 免征恢复重建期受灾地区用人单位残疾人就业保障金。

4. 对受灾地区残疾人免费开展就业和实用技术培训，每年举办 3 期，连续举办 3 年。

五、切实做好审核和组织发放工作

1. 玉树地震灾区群众过渡性安置生活救助及伤残人员康复救助政策涉及灾区受灾群众的切身利益，事关社会稳定大局，灾区各级人民政府和有关部门一定要高度重视，加强组织领导，周密安排部署、精心组织实施。

2. 灾区各级政府和有关部门要进一步核实核准相关情况，认真审核，严格把关，切实体现救助政策对受灾困难群众的倾斜和照顾。

3. 玉树州人民政府要尽快制定落实过渡性安置生活救助及残疾人员康复救助政策的具体实施方案，细化相关办法，规范操作程序，确保各项救助政策落到实处，确保救助工作公平、公正、公开。

（《青海省人民政府公报》，2010 年第 17 期）

青海省人民政府办公厅转发省经委等部门关于玉树地震灾区产业恢复和发展扶持政策意见的通知

青政办〔2010〕160号

西宁市、各自治州人民政府，海东行署，省政府各委、办、厅、局：

省经委、省商务厅、省农牧厅、省旅游局《关于玉树地震灾区产业恢复和发展扶持政策意见》已经省人民政府同意，现转发给你们，请认真贯彻执行。

青海省人民政府办公厅

二〇一〇年七月十五日

关于玉树地震灾区产业恢复和发展扶持政策意见

省经委　省商务厅　省农牧厅　省旅游局

根据《国务院关于做好玉树地震灾后恢复重建工作的指导意见》（国发〔2010〕14号）和《青海省人民政府关于支持玉树地震灾后恢复重建政策措施的意见》（青政〔2010〕39号）精神，为支持玉树灾区恢复重建，扶持灾区企业和产业恢复发展，现提出如下意见：

一、基本思路

以生态环境保护为前提，依托当地资源优势，积极促进生态畜牧业和种植业、特色加工业、商贸和旅游等产业恢复和发展，进一步夯实发展基础，扩大就业，努力提高农牧民收入水平，促进玉树地区经济、社会和生态环境持续协调发展。

二、扶持产业发展的重点领域

（一）发展生态畜牧业和种植业。积极转变畜牧业发展方式，大力发展农牧民专业合作社，加大牦牛提纯复壮、藏羊品种选育和犏牛推广力度，加快推进良种繁育体系、养殖基地和养殖小区建设，恢复重建畜用暖棚、贮草棚。积极推广优良新品种和新技术，大力加强青稞生产基地建设。建立青稞、马铃薯良种繁育基地，大力发展特色农业，发展马铃薯、高原蔬菜、中藏药材生产，在适宜地区建设高标准日光节能温室，逐步提高蔬菜自给水平。

（二）扶持农畜产品加工业的发展。以满足本地和周边市场需求为目标，采取援建、招商引资等多种方式，注重公司、基地、农牧户相结合，积极发展肉、乳、青稞等农牧产品加工业，努力提高精深加工能力和水平。同时，在保护生态资源的前提下，加快发展冬虫夏草等药用生物资源加工生产，提高产品附加值。

（三）推动民族手工业发展。把推动民族手工业发展与发展旅游业有机结合起来，大力发展石刻、剪纸、羊皮画、编织、藏绣、藏毯、陶艺等特色旅游纪念品的生产加工。进一步加快民族佩饰、服装、特色家具、家饰等民族特需品和唐卡、佛像等宗教用品的生产恢复和扩能提升。

（四）支持建筑材料业的恢复和发展。根据当地灾后恢复重建规划需要，在科学规划的基础上，优先恢复和发展建材生产企业，鼓励和支持建设水泥粉磨站、混凝土搅拌站以及商品混凝土预制、新型墙体材料、节能门窗、民族装饰等建材企业。加强废旧建筑材料、建筑垃圾的综合利用，生产新型节能环保建筑材料。结合地质灾害整治，规范砂石料生产，避免破坏生态环境。

（五）加快区域商贸流通中心建设步伐。优先恢复重建保障灾区群众基本生活的商贸流通服务网点，加快建设农畜产品、消费品批发市场、农贸市场及生产、生活资料配送中心等流通基础设施。优化城乡服务设施网点布局，根据城乡建设规划，适度增加服务网点数量，支持民族贸易网点建设。恢复重建油库及加油站。加强现代物流配送设施和信息网络建设，提高商贸、物流服务水平。恢复重建粮食储备库和粮食加工厂，适当增加粮油供应网点（含军粮）、粮食批发市场，加快建设肉类、蔬菜等生活必需品储备仓库。

（六）恢复重建和提升重点旅游景区景点。围绕玉树地区“一区四带”旅游发展布局，推动生态旅游业跨越式发展。统筹各方资金，加大恢复旅游基础设施建设的支持力度，引导和鼓励企事业单位、投资商和农牧民群众积极参与旅游产业开发经营活动。结合灾后交通基础设施建设，改善重要旅游通道交通条件。建设旅游安全应急救援系统，修复旅游服务设施，提高旅游服务水平。

三、扶持政策措施

（一）对玉树灾区内符合国家产业政策、符合重建规划的产业发展建设项目，在积极争取国家各类扶持专项资金的同时，优先考虑和安排省级各类扶持产业（企业）发展的专项资金，通过贴息的方式进行支持，促其发展壮大。在恢复重建资金中安排一定的贴息、补助资金帮助地震中房屋、厂房和设备等损毁严重的企业恢复重建。

（二）省级产业结构调整和振兴扶持资金、中小企业发展专项资金等优先对符合条件的灾区农畜产品加工业、民族手工业和建材业等特色工业企业恢复重建项目进行贴息和补助，并加大对灾后重建特色工业项目前期费的支持力度。

（三）结合国家中小企业银河培训工程，积极组织开展生产现场管理、信息化、人力资源、创业等专业培训工作，加大企业人员培训力度。恢复重建期间，安排玉树灾区企业管理、技术等人员免费参加相关培训300人次以上；为玉树地区送教上门，培训旅游行政管理人员、旅游从业人员2000人次。同时，根据灾区旅游业发展需要，举办各类业务培训班。

（四）鼓励和支持我省中小企业服务、科研等中介服务机构在玉树灾区设立分支机构或开展相关服务，提供技术、管理、信息、培训等一揽子综合性服务。

（五）鼓励省内中小企业信用担保机构等融资性担保机构面向灾区企业，积极开展免费或低收费融资性担保服务，对灾区企业开展的融资性担保服务收费低于同期银行贷款利率 50% 的差额部分，从中小企业发展专项资金中给予适当补助。

（六）在玉树灾后恢复重建期间，对企业和个人，全部免收企业注册登记费、个体工商户注册登记费、特色加工业产品生产许可证费。

（七）积极支持少数民族特需商品和民族手工艺品生产企业进入全国少数民族特需商品定点企业名录，对进入名录的企业，人民银行给予流动资金贷款贴息。

（八）从省级农牧业产业化扶持资金安排一部分资金，重点支持农畜产品深加工企业恢复重建；对符合条件的玉树灾区州级农牧业产业化龙头企业，优先认定为省级农牧业产业化龙头企业，并给予资金支持。

（九）扶持商贸企业和市场发展，“双百市场工程”“万村千乡市场工程”等商贸服务和市场建设的财政性资金向灾区市场服务体系恢复重建重点项目和商贸物流等倾斜；在灾后市场服务体系建设中，对恢复重建批发市场、农贸市场、储备库、屠宰场等准公益性项目，由财政给予补贴。

（十）开展高原生态旅游目的地为重点的旅游宣传推广活动，紧扣“三江源”生态旅游主题，支持开发“思源之旅”“感恩之旅”“探险之旅”等旅游产品，做精、做优玉树旅游市场。对旅游企业组团进玉树旅游的给予适当奖励。

（十一）对灾区原有的旅游企业，采取项目投资由财政补贴、贷款贴息等支持方式，加快恢复重建进程，并给予玉树地区旅行社暂退全额质量保证金 5 年的支持。

（十二）安排省内其他地区的旅游星级宾馆饭店，开展对口支援活动，积极帮助分流玉树地区宾馆饭店服务人员，在安排好工作岗位和按规定支付劳动报酬的情况下，解决好食宿问题。

（《青海省人民政府公报》，2010 年第 17 期）

讲话摘录

在玉树地震灾后重建工作会议上的讲话

（2010年4月20日）

骆惠宁

经过近一周的顽强拼搏，我们已取得了玉树抗震救灾斗争的阶段性胜利。为进一步全面贯彻落实胡锦涛总书记、温家宝总理、回良玉副总理视察玉树地震灾区的重要讲话精神，迅速落实国务院抗震救灾总指挥部第七次全体会议关于抓紧研究制定灾后恢复重建方案的部署，省委、省政府决定召开第一次玉树灾后重建工作会议。

下面，我讲四点意见。

一、充分认识灾后重建的重大意义

做好灾后重建工作，直接关系到群众的根本利益，关系到青海藏区的跨越发展。胡总书记来玉树灾区视察的时候，亲手写下了“新校园，会有的！新家园，会有的！”。总书记讲的新家园，不仅指老百姓的新住所，也指的是整个新玉树。这两句话是灾后重建的重要指导方针。我们要深刻认识到，玉树地震灾区地处民族地区、贫困地区、重点生态保护地区，也是我们同境外分裂势力作斗争的一线地区。尽快在废墟上帮助灾区群众重建美好家园，使受灾群众的基本生产生活条件达到和超过灾前水平，使玉树地区的整体发展水平达到和超过灾前水平，对于巩固和发展各民族共同团结奋斗、共同繁荣发展的良好局面，对于增强中华民族的凝聚力和向心力，对于体现社会主义制度的无比优越性，具有特殊的意义。

各级各部门一定要从政治、全局和发展的高度，充分认识做好灾后重建工作的重要性，按照统一部署，迅速全力抓好各项重点工作的落实，给灾区人民以坚强的信心，让灾区人民看到美好的前景。

二、明确灾后重建的指导思想、奋斗目标和基本原则

灾后重建包括经济、社会、文化、生态和心灵的重建，是一项复杂而艰巨的任务，也是一项宏大的系统工程。玉树地震灾区地处高原寒冷地区，适宜施工时间短，运输建材物资难度大，重建工作要求高、时间紧、任务重、困难也多。从这一实际出发，做好灾后重建工作，必须全面贯彻落实科学发展观，坚持以人为本，优先重建受灾居民基本生活设施和学校、医院等公共服务设施；坚持尊重科学、尊重自然、尊重民族文化，充分考虑生态、地质、环境等条件，科学制定重建规划；坚持统筹兼顾，把当前恢复重建与长远发展相结合，与推进城镇化和新牧区建设及扶贫开发相结合，与推动区域发展和保护生态环境、改善民生、建设精神家园相结合；坚持安全、可靠、经济适用；坚持政府主导、分级负责，城乡一体、协调推进。初步安排：用三年时间完成重建的主要任务，使灾区基本生活条件和发展水平达到和超过灾前水平；再用两年时间，把玉树州州府所在地建成高原生态型商贸旅游城市、三江源地区的中心城市、青海藏区城乡一体发展的先行地区，实现建设更加美好的社会主义新玉树的宏伟目标。

推进灾后重建要把握以下重要原则：一是坚持以人为本，政策措施支持的范围要覆盖受灾全部地区，重点支持城乡居民住房、公共服务设施和基础设施等重建；二是坚持科学规划，着眼长远发展，体现时代特征和民族特色，做到适度超前、高标准规划、分阶段实施；三是坚持生态优先，各项重建工作都要以保护和改善生态环境为前提，充分考虑生态环境承载能力，统筹共用设施建设用地；四是坚持城乡一体统筹，把灾后重建与推进城乡一体化建设有机结合起来，既抓重建又抓发展，实现跨越发展与科学发展的高度统一。

三、全力抓好当前灾后重建的主要任务

总体赞成省发展改革委提出的灾后重建工作“五步走”的目标任务和时间安排。强调几点：

（一）尽快完成编制重建规划的基础工作。核实核准灾情是开展灾后重建的基础，是编制重建规划的前提。各相关部门必须按时完成灾害损失评估、受灾范围认定和重建选址工作，为制定重建规划，切实做好安置阶段工作以及全面做好重建工作提供科学依据和有力支撑。根据回副总理的指示精神，考虑到实际工作难度，为了确保灾害损失初步评估不留遗憾，为灾后重建提供支撑，我们可不迟于22日将初步评估报告报送国家有关部门，这件事请徐福顺牵头酌定。

（二）加快编制灾后重建规划。规划是龙头、是纲领。重建不是简单的重复，既要恢复原有的功能，更要注意与未来的发展相结合，这样才能建成美好新家园。当前要抓紧编制重建总体规划及城乡住房建设规划、公共服务设施建设规划等11项重点专项规划和项目规划，5月30日前全部完成。制定规划要统筹考虑所有受灾地区，统筹考虑玉树地区与支撑玉树地区重建的外部通道及相关设施的建设，统筹考虑重建及建后运行的需要。

（三）先行启动一批灾民基本生活设施和公共服务设施建设工程。今年，要基本建成一批标志性工程。在上报重建规划的同时，打时间差，先启动几件事。一是提前启动政府采购或委托采购，先行订购一批钢铁、水泥等大宗建材；二是提前启动玉树散装水泥集散中心的建设；三是提前启动西宁铁路北货运中心工程；四是提前启动海晏铁路货物应急集散中心工程。这里通报一下，解放军总参谋部对灾区重建非常重视，已经明确表示要帮助玉树地区建成一所孤儿学校、一所完全中学、一所医院。对此，有关部门在安排时要优先考虑重建地点和重建方案，组织力量，立即行动，支持军队迅速开工建设。

（四）积极研究与落实政策。我们要综合运用财政、税收、金融、产业、就业等各类政策，统筹运用中央和兄弟省区市帮扶投入，支撑灾后重建。同时使用好各类捐赠资金。如果钱还不够，省政府就贷款。务必使政策安排、资金投入与重建规划相互衔接，确保重建规划的实施。

四、加强对灾后重建工作的组织领导

（一）加强组织领导。整个灾后重建工作，将遵照国务院抗震救灾总指挥部的决策部署，在省委的领导下进行。省政府要承担起直接责任。省政府成立玉树灾后重建领导小组，我任组长，徐福顺任第一副组长；同时成立玉树灾后重建规划协调小组，对全省灾后重建领导小组负责。徐福顺兼任组长。灾后重建领导小组的主要任务是，统一组织协调灾后重建各项工作，指导制定灾后重建方案，明确灾后重建目标任务、时间要求及相关责任，确保灾区重建工作科学、有序、高效开展。

（二）增强大局意识。各级各部门、各方面力量都要增强大局意识和服务意识，非常时期、非常之事、要用非常之举来办。灾后重建所有工作都要围绕领导小组确定的目标和任务来进行，不讲条件，克服困难，坚决完成。

（三）争取国家支持。省有关部门、灾区各级政府要把争取灾后重建政策与实施中央支持青海藏区发展政策紧密结合起来，迅速提出灾后重建的相关政策建议，并抓紧向国家有关部委汇报，申报好重建规划与项目，最大限度地争取国家的政策、资金扶持以及重建施工力量的支持。与此同时，我们要运用好对口帮扶政策，争取国家推动各兄弟省区市对口支持玉树的灾后重建工作。

（四）做好群众工作。省各部门、灾区各级党委、政府要进一步了解受灾地区群众的思想动态，适时广泛宣传灾后重建扶助政策，积极引导灾区群众参与灾后重建，并努力发挥主体作用。

（五）弘扬优良作风。要打赢抗震救灾这场硬仗，完成灾后重建的艰巨任务，必须要以坚强的党性、优良的作风来保障。我们一定要继续弘扬“五个特别”的青藏高原精神，继续弘扬“人一之，我十之”的拼搏精神。整个灾后重建工作及重建规划在科学论证、并经过审批后，适当向社会公布。我们要做出庄严承诺，并在人民的监督下，坚决兑现。

我相信，全省各级党委、政府和广大党员干部一定能够经得起考验，一定不会辜负党中央、国务院的信任，一定不会辜负省委、省政府和全省各族人民的期望。

（《玉树地震灾后重建重要文件汇编》）

在悼念玉树“4·14”地震遇难同胞大会上的讲话

（2010年4月21日上午10时，玉树县结古镇）

强　卫

今天，我们怀着无比悲痛的心情在这里集会，向在玉树地震中遇难的同胞寄托我们无尽的哀思，表达我们无尽的思念！

我们永远不会忘却，2010年4月14日7时49分，一场强烈的地震灾害袭来，美丽的玉树草原顿时满目疮痍，众多的鲜活生命顷刻陨落凋零！这一刻，云山低垂，草木含泪；这一刻，江河呜咽，人天同悲。

地震无情，人间有爱。这种大爱，来自党中央、国务院的坚强领导、深切关怀，来自人民子弟兵的冲锋在前、无私奉献，来自全国人民的倾力相助、大力支援，来自全省上下的快速反应、迅速行动，来自广大共产党员的率先垂范、无畏担当，来自玉树各族群众的互帮互助、顽强自救。在地震发生后的七天时间里，正是由于有了这种大爱，我们才能以最高的效率抢救生命、救治伤员，我们才能以最快的速度抢修恢复基础设施，我们才能以最大的运力调集大批救灾物资，我们才能以最优的服务妥善安顿群众生活，我们才能以最强的措施恢复正常秩序，我们才能以最早的时间启动灾后恢复重建工作。也正是由于这种大爱，我们才能快速实现从应急救灾到有序救灾的转变，取得抗震救灾的阶段性重大成果。

危难之际，大爱汇聚青海。此时此刻，我们更加深切地感受到中华民族大家庭的温暖，更加深切地感受到中国共产党的伟大，更加深切地感受到社会主义制度的优越。这里，我代表青海各族人民，向所有关心、支持和帮助玉树灾区的人们，致以最崇高的敬意，表示最衷心的感谢。

同志们，同胞们！玉树不倒，青海常青。地震摧毁了我们的房屋和家园，但摧不垮我们的精神和意志；灾难夺去了我们的亲人和同胞，但夺不走我们的信心和勇气。让我们挺立起来，拍去身上的泥土，擦干眼角的泪水，在悲痛后凝聚不屈的力量，在废墟上迈开前进的步伐，在奋斗中迎接光明的前景，早日让一个更加美丽、更加富饶、更加和谐的社会主义新玉树，伫立在雄伟辽阔的青藏高原！

我们一定要夺取抗震救灾的伟大胜利。当前，抗震救灾仍处在关键阶段。我们必须坚决贯彻科学、依法、统一、有力、有序、有效抗震救灾的要求，以大无畏的英雄气概，以更加顽强的精神、更加迅速的行动、更加科学的方法，继续全力以赴挽救生命、救治伤员，继续全力以赴妥善安排好群众生活，继续全力以赴全面恢复基础设施，继续全力以赴重建社会正常秩序，坚决做好抗震救灾各项工作，再次谱写中华儿女不屈不挠、气壮山河、感天动地的英雄凯歌！

我们一定要实现灾后重建的宏伟蓝图。现在，灾后恢复重建准备工作已经启动。我们要坚持以人为本、尊重科学、保护生态、统筹兼顾的原则，加大力度，加快进度，攻坚克难，建设更加结实舒适的城乡居民住房，建设更加先进的公共服务体系，建设更加发达的基础设施，建设更加合理的产业结构，建设更加繁荣的优秀文化，建设更加和谐的生态环境，建设更加文明的社会秩序，让每一个玉树人都住进新家园，过上新生活，拥有新幸福。

我们一定要创造科学发展的美好明天。源源不断地来自全国的救援力量、救灾物资，再一次告诉我们，发展才是硬道理。我们要继续牢牢抓住发展这个第一要务不动摇，牢牢抓住经济建设这个中心不动摇，更加坚决地贯彻落实科学发展观，更加自觉地加快经济发展方式转变，更加积极地推动跨越发展、绿色发展、和谐发展和统筹发展，奋力闯出一条欠发达地区实践科学发展观的成功之路，奋力夺取建设富裕文明和谐新青海的新胜利，让青海与全国一起同步迈入全面小康社会，让青海各族人民与全国人民一起共享改革发展成果。

同志们、同胞们，灾害给我们带来了苦难，但苦难让我们变得坚强。有以胡锦涛同志为总书记的党中央的坚强领导，有全国人民的大力支援，有全省上下的不懈努力，我们一定能战胜一切艰难险阻，夺取抗震救灾斗争的全面胜利。我们坚信，玉树草原的格桑花一定会盛开得更加绚丽，玉树大地的“锅庄”一定会舞动得更加奔放，美丽玉树的明天一定会更加灿烂，大美青海的明天一定会更加美好！

（《青海日报》，2010 年 4 月 22 日第 6 版）

在省垣及西宁地区各族各界群众悼念玉树地震遇难同胞大会上的讲话

（2010 年 4 月 21 日）

骆惠宁

今天，省垣及西宁地区各族各界代表在这里集会，与全省人民一起，沉痛哀悼玉树地震中逝去的父老乡亲，深切怀念永远离开我们的骨肉同胞。

2010 年 4 月 14 日 7 时 49 分，一场里氏 7.1 级的强烈地震突然降临在青海玉树。顷刻间，美丽的山川变得满目疮痍，温馨的家园化为废墟，天真可爱的孩子失去了双亲，白发苍苍的老人失去了儿女，一个个鲜活的生命凋零陨落。三江流泪，昆仑呜咽，人天同悲，举国共伤！这场突如其来的特大地震发生后，党中央、国务院极其重视，胡锦涛总书记、温家宝总理、回良玉副总理等党和国家领导人不畏余震频繁、高寒缺氧，亲赴地震灾区，看望慰问受灾群众，指导抗震救灾工作。省委、省政府快速反应、迅速行动，第一时间成立抗震救灾领导小组和指挥部，第一时间组织力量赶赴灾区开展救助。我们坚守人民利益至上的信念，全力抢夺生命、救治伤员，安排受灾群众生活，恢复社会秩序，整个抗震救灾工作有力有序有效地推进。在灾难面前，玉树广大干部群众积极开展互帮互救，不少党员干部舍小家顾大家，表现出了感天动地、震撼人心的精神和勇气；全省上下万众一心、众志成城，形成了并肩携手、共克时艰的强大合力。

天灾无情、人间有爱，一方有难、八方支援。灾区牵动着全国人民的心。解放军、武警部队、救援队伍从四面八方汇集玉树；无尽的牵挂、无穷的鼓励、无限的关切从五湖四海传递灾区；兄弟省区市鼎力支援，社会各界无私捐助，海内外同胞和国际友人倾心奉献，见证了灾难面前大爱无疆的血脉情怀。我们永远铭记危难时，那一双双温暖的援助之手！我们会永远感恩困境中，那一份份真切的关爱！

同志们、同胞们！

灾难孕育希望，奋斗开创未来。我们悯人，但绝不悲天。悼念遇难同胞、寄托深切哀思，我们一定要化悲痛为力量，化哀伤为坚强。目前，抗震救灾工作虽然取得了阶段性成效，但仍处于关键时刻，特别是人员救治、医疗防疫、群众生活安置、基础设施抢修、灾后恢复重建的任务十分繁重。我们要坚决贯彻党中央、国务院的决策部署，大力发扬不畏艰辛、不怕疲劳、连续作战的精神和作风，全力以赴地克服一切艰难险阻，全面夺取抗震救灾斗争的最后胜利。

此刻，我们要告慰那些遇难同胞，玉树孤儿学校里，又传出了琅琅读书声；赛马场的帐篷里，又升起了袅袅炊烟；体育场的医疗救治点里，又一个伤员转危为安。特别是昨天，我们已经正式启动了灾后重建工作。我们庄严的承诺：我们一定要，也一定能够，重建一个更加美好的社会主义新玉树。

同志们、同胞们！

玉树不倒、青海常青。我们坚信，有以胡锦涛同志为总书记的党中央坚强领导，有全国人民的大力支持，有全省干部群众的不懈努力，有人民解放军、武警官兵、公安干警的英勇奋战，玉树的未来一定会更加生机勃勃，青海的明天一定会更加美好安康！

（《青海日报》，2010 年 4 月 22 日第 6 版）

玉树不倒 青海常青

——关于玉树抗震救灾的形势报告

（2010年9月14日，青海民族大学）

强 卫

九月是收获的时节，青海大地处处充满生机，充满活力，充满希望。今天，来到青海民族大学这所与新中国一起诞生的民族院校、高等学府，我非常高兴。今天距玉树“4·14”地震发生整整5个月了，首先，我们要向在玉树强烈地震中遇难的同胞表示深深的哀悼！向为抗震救灾献出生命的烈士表示深切的怀念！向参加抗震救灾斗争和支持抗震救灾的所有人们致以崇高的敬意！作为玉树抗震救灾斗争的亲历者，借这个机会，我愿与全省广大师生共同回首玉树抗震救灾的光辉历程，共同思考玉树抗震救灾的重大启示，共同展望社会主义新玉树的美好明天。

今天，我主要讲3个问题。

第一个问题，美丽玉树，坚强挺立的地方

2010年4月14日7时49分，是一个永远都要铭记的悲痛时刻，一场突如其来的强烈地震袭击了玉树地区。顷刻之间，山崩地裂、桥塌路断、房倒屋垮，昔日美丽的玉树草原顿时满目疮痍，众多鲜活的生命顷刻陨落凋零。这次地震，震级高、烈度大、震源浅、震中距人口密集城镇近、破坏力强。这次地震，主震震级达7.1级，最高烈度9度强，波及范围约3.59万平方千米，其中重灾区面积7030平方千米、极重灾区面积992平方千米，致使2698人遇难，270人失踪，246842人受灾，直接经济损失达228.5亿多元。受灾最严重的结古镇，平房基本全部倒塌，楼房倒塌过半，基础设施大面积损毁，生态环境受到严重破坏。这次地震，在中华民族刚刚开始愈合的汶川大地震的伤口上，再次撒了一把盐。

玉树地震发生之前的三年中，我先后6次到玉树调研。2009年的藏历新年，我还在玉树和干部群众一起过节。玉树的神山圣水，玉树人民的热情奔放，都给我留下了无比美好的印象。可是，当我第7次踏上玉树的土地时，昔日的美丽、祥和已经荡然无存，到处是废墟，到处是悲泣声。这意味着：解放60多年来，特别是改革开放30多年来，我们所倾力建设的玉树县结古镇，我们经济社会发展的成果，在地震的一霎间，几乎化作了乌有。这样的局面怎样面对，这般的结果谁能承受！灾难带给我们的是痛彻心扉、刻骨铭心的创伤！这种痛苦和悲伤难以名状。地震当天，当我乘坐的飞机降落在玉树巴塘机场时，来接我的同志几乎哭着告诉我：“强书记，玉树县全平了！”

美丽的玉树，在地震中受到了很大的伤害。这里，我想和大家再一次共同分享一下震前那个美丽的玉树。

——美丽玉树，是万山之宗、江河之源。玉树雄踞世界屋脊，处在青藏高原的腹地，平均海拔4000米以上，面积26.7万平方千米。玉树北枕昆仑山，南依唐古拉山，境内海拔5000米以上的山峰就达2000余座，是名副其实的万山之宗。黄河、长江、澜沧江从这里起源，绵延万里，奔腾不息，滋润神州大地，哺育中华文明。这里是世界上海拔最高、高原草原湿地面积最大、生物多样性最集中的地区之一，是三江源自然保护区的核心地区，其生态环境的状况直接关系到青海、全国的可持续发展，甚至关系到全球的生态安全。迷人的勒巴沟、神秘的卓乃湖、传奇的文成公主庙……到处充满诗情画意，呈现出原生态、多样性和不可替代的独特魅力。

——美丽玉树，还是唐蕃古道、康藏通衢。1300多年前，文成公主带着中原文明的火种，从长安出发，沿着著名的唐蕃古道，过日月山、鄂陵湖，经玉树抵达拉萨，谱写了唐蕃和亲、民族团结的不朽篇章。千百年来，藏族、汉族、蒙古族、回族等各民族在玉树这片神奇的土地上，同呼吸、共命运，休戚与共，互通有无，共同创造了灿烂的文化。玉树自古以来就是康藏通衢，是青海、四川、西藏三省（区）商业贸易、交通往来的重要枢纽。长期以来，在这块神奇的土地上，中原汉族文化、藏传佛教文化与伊斯兰教文化等相互包容，相互学习，共同为青海的文化繁荣与发展做出了积极的贡献。随着交通的发展、贸易的深化，玉树结古镇日益繁荣，全州近一半的人口定居于此，逐渐成为全州政治、经济和文化中心。

——美丽玉树，也是歌舞之乡、灵秀之地。这里山清水秀，人杰地灵，歌声悠扬，舞姿奔放。人们常说，玉树人“能说话就能唱歌，会走路就会跳舞”，这是玉树人民热爱生活、能歌善舞的生动写照。特别值得一提的是，这里的人民可爱可敬，作为中华民族母亲河——长江、黄河的源头地区，每年从这里流出的长江水量近200亿立方米，黄河流域49%的水量从青海流出。千百年来，母亲河水从这里源源不断流向下游，养育了中华民族，哺育了中华文明，至今仍然支撑着东部广大地区的经济社会发展。为保护好三江源头的生态，为保持黄河、长江、澜沧江这三江清流，玉树老百姓以母亲般的无私情怀付出了极大牺牲，做出了巨大奉献，但是他们无怨无悔。千百年来，玉树各族人民辛勤劳作，顽强拼搏，培育养成了刚毅坚强、正义智慧，利他宽容、崇尚慈悲，诚信正直、热情好客、豪迈奔放的特有品格。这些，成为青海人形成“五个特别”的青藏高原精神和“人一之、我十之”实干精神的重要基础。

玉树是如此美丽，震后的景象却又是如此惨烈，强烈的对比怎不令人心碎、怎不令人垂泪？但是，面对这场大灾，青海儿女并没有消沉在悲伤里，而是表现出大无畏的英雄气概。地震发生后，全省各族儿女屹立不倒，齐心协力，化悲痛为力量，化哀伤为坚强，不屈服、不放弃、不退缩、不言败，经过艰苦卓绝的不懈奋斗，成功开展了一次迄今为止人类在高原高寒地区规模最大、成效最显著的救援活动。经历了一场自然劫难，玉树坚强不屈、美丽依旧，这里壮美的山川、辽阔的草原、蔚蓝的天空、圣洁的雪山，还是那样的迷人。

地震无情，人间有爱。地震发生的第一时刻，党中央、国务院高度重视、亲切关怀，人民子弟兵英勇冲锋、无私奉献，全国人民倾力支援、大力支持，为我们战胜地震灾害提供了源源不断的保障和支持。在这里，我要特别指出，这次玉树地震里氏 7.1 级，较之 2008 年的汶川大地震，无论是地震震级、受灾程度、受灾范围，还是人员伤亡、财产损失都要小，但是党中央、国务院却在第一时间启动应急一级响应，动员全国力量抗震救灾。全国各地纷纷伸出援助之手，目前向玉树捐赠款物已达 104.47 亿元。其中，中央电视台专门为玉树举行的大型赈灾晚会，一次就募集捐款 21.75 亿元，成为我国救灾历史上一次性捐款最多的大型募捐。这些，充分体现了党和国家、全国各族人民对玉树各族人民的特殊关怀，对藏族同胞的特殊厚爱，对灾区抗震救灾和今后发展的特殊支持，体现了中华民族血浓于水的血脉亲情和感天动地的无疆大爱。同时，也饱含着全国人民对三江源地区各族群众长期以来的奉献牺牲的一种回报、一种反哺。正是党中央、国务院、全国人民的巨大关怀和全力支持，加之全省上下、灾区各族人民顽强拼搏、艰苦奋战，我们才能在最短的时间里夺取了抗震救灾的重大胜利，创造了抗震救灾史上的玉树速度、玉树奇迹。

这里，我想与大家一起重温一下抗震救灾那段艰苦卓绝、感天动地的光辉历程。玉树抗震救灾，有几个突出的特点：

一是最高效率指挥协调。这次救灾“反应速度之敏捷、组织协调之有力”，可以用几个“第一时间”来概括。地震发生后，第一时间，正在国外出访的胡锦涛总书记决定提前回国，紧急召开会议并于次日上午就赶到灾区视察指导；第一时间，温家宝总理立即召开国务院常务会议研究抗震救灾工作并两赴灾区指挥抗震救灾；第一时间，国务院成立玉树抗震救灾总指挥部并先后召开 18 次会议部署抢险救灾；第一时间，人民军队集结到灾区开展救援行动；第一时间，全国各地的救援力量和物资汇集到灾区；第一时间，青海省、玉树州都成立了抗震救灾指挥部。可以说，从中央到省州县、从军队到地方、从一线到后方，整个指挥系统政令畅通、高效运转，为抗震救灾提供了强有力的领导保证。

在这里，我先回顾一下 4 月 14 日当天早晨的经历。记得是早晨 8 点多的时候，我正在去胜利宾馆参加一个会议的路上，突然接到省委办公厅的报告，说 8 点之前，玉树发生了一次较强烈的地震，具体情况不详，我立即让秘书联系州里的领导。当时通信很不畅通，好不容易联系上一位副州长，他在电话中告诉我，“书记，结古镇全是烟尘，房子都塌了”，我的心骤然沉了下去，因为结古镇可是人口密集的地方啊。正在这时，骆惠宁省长打来电话，告诉我他已通知各部门马上召开会议，研究玉树地震问题，我立即驱车赶往省政府会议室。会议室里，已经赶到的同志们神情凝重，一份份信息材料不时地送到我们面前。我和省长听取有关部门汇报后，立即决定：启动抗震救灾一级响应预案，省委省政府成立抗震救灾领导小组，我任组长，省长任副组长；省政府成立抗震救灾指挥部，省长任总指挥，指挥部分设玉树前指和西宁指挥点，我和省长负责前指指挥，省有关领导在西宁协调救援队伍、救援物资和伤员的转运。紧接着，省委召开了省委常委会，批准了这个工作方案。会后，我代表省委向全省发出号召，要求驻青人民解放军和武警部队官兵、全省公安干警，全省各部门，全省广大领导干部和共产党员，全省各族人民，要立即行动起来，全力以赴抗震救灾，万众一心去夺取胜利！

当时，最紧迫的问题是，我和省长及省指挥部的同志如何尽快赶到玉树灾区。大家知道，玉树州府结古镇距西宁 800 多千米，沿途要翻越海拔 4000 多米的巴颜喀拉山脉，一般情况下乘车要跑十几个小时，何况地震之后道路状况如何，我们当时并不知道。去年 8 月 1 日刚建成通航的玉树机场震后怎么样，也就成为当时我们最关心、最提心的事情，但是，机场通信全断了，情况不明，我们立即通知州里想方设法派人去机场察看联系。当时等待消息的心情是十分焦虑的。临近中午时，我对省长说，午饭后如果机场方面还没有消息，我就乘车先上，你再等一等；如果机场有消息了，机场能用你就乘飞机上，如果不行再乘车上，不管我们两个谁先到玉树，谁就先指挥。午饭前，玉树机场来消息了，跑道完好无损，机场通信、电力虽然中断了，但启动了海事卫星电话和备用柴油发电机，飞机可以正常起降。于是，第一时间，也就是 4 月 14 日当天下午，惠宁省长和我、还有其他省上领导先后分乘飞机赶到了灾区，紧接着回良玉副总理乘坐的专机也从北京直接赶到玉树，展开了抗震救灾工作。

二是最大程度搜救生命。玉树高寒缺氧、条件艰苦，许多来自全国各地的救援人员刚到玉树就出现了强烈的高原反应，呕吐、头晕、面色苍白，甚至发烧。不要说人，就是从外地来的搜救犬，一多半也丧失了工作能力，从各地调配到灾区的机器设备，使用功率也大大降低。尽管如此，奔赴一线的救援队伍仍然奋不顾身地投入到搜救生命的工作中。在震后的头两个晚上，没有电，就用手电筒、车灯、发电机照明救人，没有大型抢救设备，就采用双手刨、双肩扛救人。我们始终坚持不放弃、不抛弃，始终坚持把救人作为首要任务，香港义工黄福荣、青海兴华医院后勤工作人员张建华、四川省卫生厅应急办副主任杨勇等还为此付出了宝贵的生命。72 小时黄金救援期，我们从废墟下救活 1433 人；黄金 72 小时过后，继续不遗余力地搜救生命，共又救出 22 人；随后又利用 3 天时间，集中开展“拉网式”搜救行动，确保不留一个死角，不遗漏一人。整个救援期间，我们紧急转移困难群众 22.5 万人，抢救压埋人员 2008 人。

三是最好效果救治伤员。人们都说，“蜀道难，难于上青天。”其实，在去玉树的道路面前，蜀道真的算不上难。玉树距西宁 800 多千米，高原缺氧，山高路远，道路崎岖。地震发生当天，医院房屋全部损坏，电也没有，伤员无法立即救治，尤其是对那些重伤员没有条件及时进行手术。当天后半夜，我来到玉树州人民医院，一进门就看到一具具包裹起来的遇难者遗体，看到几百名躺在露天院子的伤病员，那些重伤员非常痛苦，撕心裂肺的哭喊让人心焦如焚。怎么办？我们立即决定连夜把这些重伤员转移出去，但路途遥远，汽车运载量相对较低，再加上路途颠簸，这对伤员很不利。只有靠飞机运送为主、汽车运送为辅来转移救治伤员，我们马上在机场设立救治转运中心，采取飞机飞往玉树时运送救援队伍、回来时转运伤员的措施，西宁条件不够就往周边成都、西安、兰州、格尔木及部队医院送。回副总理当时给我们定了三个目标，一是 24 小时要把损毁的通信、道路抢通，二是 48 小时要把指挥部、医疗救治点、群众集中安置点的供电恢复，三是 72 小时要把重伤员抢运出去。地震第二天从早上到晚上 8 点，飞机就飞了 24 架次，运了几百名伤员。15 日当晚，温总理赶到玉树后在帐篷里开会听汇报，当我汇报到现在主要用飞机往外运伤员时，我印象很深刻，温总理当时问我，玉树机场的最大吞吐能力和起降量是多少？我说，去年 8 月 1 日机场通航以后至今每个星期只有 3 个航班，昨天一天就飞了 12 架次，今天已飞了 24 架次。作为一个新机场，我觉得这已经满负荷运转了。而到凌晨 2 点多，我看到汇总信息讲这一天飞机飞了 48 架次。我把负责信息的同志叫来，询问怎么回事。他说，空军部队派了三架运输机、三架直升机，在跑道两边架设起临时夜航灯。由于开通了夜航，晚上从我们开会一直到凌晨 2 点多钟，又多飞了 24 架次抢救伤员。当时我就十分感叹，切身感受到人民空军为了人民的利益，不顾自己的安危，在没有夜航设施的高原机场，这样连续奋战，也感受到解放军那种敢于应战、实战、打赢各种条件下战斗的精神。在这里，我还要说一下东方航空公司。4 月 14 日上午，在等待机场消息的时候，我给刘绍勇董事长打了电话，请他调飞机支援玉树，他说："书记，抗震救灾的需要就是第一需要，我们全力以赴！"由于有了民航和空军的大力支持，震后 56 小时内，我们就转移了重伤员 1881 人，1.1 万多名伤员得到了及时医疗救治。累计转移到外地的 3109 名重伤员中，直接死于地震的仅 4 人；实施的 1284 例手术中，截肢的仅 19 人，因灾死亡率、致残率、截肢率极低，创造了不仅是中国抗震救灾史上而且是世界抗震救灾史上的伟大奇迹。

四是最优服务安置群众。地震发生后，我们始终把群众的安危冷暖放在心上，群众住什么、吃什么、喝什么、怎么取暖，甚至有没有厕所上等，我们都要亲自过问、实地察看。我们紧急从全国各地组织调运大批帐篷、棉被、棉衣、食品、饮用水等救灾物资。白天，我们通过村社"两委"把这些救灾物资有序发放到受灾群众手中；夜里，我们的干部开着车拉上帐篷、食品沿街到各个群众安置点一一察看，发现一个仍然露宿的群众，就补发一顶帐篷，遇到没有吃饭的群众，就给送上方便面、矿泉水。在震后第 5 天，我们就基本实现了受灾群众有帐篷住、有饭吃、有干净水喝、有病能医治、御寒有棉衣的"五有"目标。救援中，总共有 18.82 万人领到生活困难补助，20.65 万人领取了救灾口粮，19.31 万人领取了转移安置补助。在加强生活救助的同时，我们积极开展群众心理抚慰工作和形式多样的群众性活动，鼓励他们走出灾难的阴影，摆脱伤痛的折磨，构筑精神家园。随着冬季的临近，目前我们正在加紧建设居民永久性住房，积极购运、配置和储备过冬棉帐篷和物资，确保所有受灾群众安全过冬。

五是最强措施恢复秩序。地震当晚 8 时全面恢复机场通信，次日凌晨 5 时开始恢复玉树县通信，震后 24 小时内基本修复了损毁道路，48 小时内基本解决了通电问题。这里，我们永远不能忘记那些可敬的英雄，一名普通的电网工人杜金玉，因高原肺水肿，倒在电力修复的岗位上；一位普通的路桥工人、共产党员李德业，因疲劳过度，倒在抢修道路的现场。烈士逝去，青史永存，正是有这样一批批可爱可敬的人们的无私奉献，震后 5 天内应急性的水、电、路和通信就得以全面恢复。很快，大部分机关单位搬进活动板房办公，日常办公秩序全面恢复。震后第 2 天，金融和邮政秩序就开始恢复。为了较快恢复灾区商业经营活动，我们在震后第 6 天从西宁组织大的商业企业到灾区设点营业。地震发生后，灾区交通秩序一度十分拥堵，社会上也出现一些零星的治安案件。为此，我们加强社会治安和交通管控工作，地震发生 7 天之内，灾区社会管理就已全面转入有序常态，社会秩序就进入了和谐状态。这里，我想特别说一下学校秩序的恢复。震后第 3 天下午玉树州孤儿学校率先复课，10 天内各校高中班陆续复课，37 天内灾区所有学校全部复课，灾区高考、中考顺利结束。在充分尊重学生和家长意愿的前提下，我们安排了3535名灾区学生在省内转移就学、5074名中学生分别转移到四川、山西、辽宁、天津、河北、宁夏、山东等省份异地就学。灾区学校秩序的恢复，广大教师发挥了极其重要的作用。地震袭来之时，广大教师沉着冷静，有序组织学生撤离到安全地带。他们顾不上自己的家人，一直守护着学生，没有一个抛弃学生自己临阵脱逃，尽显了人民教师的天职本色。红旗小学的一名女教师为救孩子还献出了自己的生命。这位教师叫旦卓玛，只有20多岁，风华正茂。地震发生时，她正走在去学校的路上，当身边的围墙倒塌下来的一瞬间，她一把推开与她同行的学生，自己却被埋在了瓦砾之中。在玉树县第一民族中学，值班副校长严力德临危不乱，在第一次4.7级地震发生时，就组织教师把正在睡梦中的学生全部叫醒，并集中到操场上，当7.1级地震发生时，他又带领教师把进入教室自习的学生全部救出，随后，又组织学生撤离到山上安全地带。地震中，这个学校880多名学生无一伤亡。地震后第6天，我逐一察看学校受灾情况，看到的场景令我十分感动。我们的教师，尽管家中都不同程度受了灾，有的还失去了亲人，但他们全部都在学校清理废墟、搬运建材，为早日复课紧张地忙碌。在玉树孤儿学校，强震发生时大多数同学正在吃早饭，在宿舍中休息的几名学生被埋在了倒塌的楼房里，老师和年龄大一点的学生不顾余震频繁，一起搬开砾石、挖出通道将被埋学生及时救出来，没有一个遇难。孤儿学校复课后的第一堂课，老师带领学生深情朗读艾青的诗《我爱这土地》，当“为什么我的眼中常含泪水？因为我对这土地爱的深沉……”的诗句传来，让人无限感慨和感动。

六是最快速度启动重建。我们超前谋划，未雨绸缪，掌握主动，地震发生后第2天，我们就派省有关部门到四川学习重建经验。第5天就部署清理废墟工作。第7天，省委、省政府就及时召开了第一次灾后重建工作会议。第8天，就启动了机场至结古镇公路铺油、大宗建材政府采购以及建设玉树散装水泥集散中心、建材物流配置中心等一批支撑灾后重建的项目。第10天，就提出灾害评估初步意见。第20天，作为重建试点的甘达村、禅古村就正式开工。第25天就组建了省灾后重建现场指挥部，探索建立了5项重建工作机制。第30天，以玛尼石堆修复为标志，灾区文化遗产抢救保护工程启动。第37天，结古镇灾后重建绿色产业基地开工建设。第57天，国务院正式批准《总体规划》，并于之前公布《关于做好玉树地震灾后恢复重建工作的指导意见》《关于支持玉树地震灾后恢复重建政策措施的意见》。第68天，国务院在西宁召开重建工作会议，玉树灾后重建工作全面启动。第78天，在结古镇举行灾后重建万人誓师大会。目前，北京、辽宁和四家中央企业对口援建单位全部到位，已有一万多名建设大军和1000多台（套）大型机械设备进驻灾区，第一批灾后重建项目工作进展顺利，第二批灾后重建项目工作全面展开。特别需要指出的是，作为重建试点的禅古村，房屋已经封顶，一排排错落有致的房屋整齐排列在禅古河边，那里的群众完全能够在冬季到来之前搬进新居。

同学们，灾难铸就民族风骨，困苦砥砺民族精神。一个有希望的民族必然是个善于在灾难后进行反思和总结的民族，只有这样的民族才是一个真正值得敬佩和值得骄傲的伟大民族。地震给我们造成了巨大的伤害，但我们不应迷失在昨日的悲伤之中，无论是这次地震的直接受害者、救灾现场的参与者抑或是用其他方式关心灾区的支持者，我们都应该把梦想和希望，把光明和微笑，带给即将来临的美好明天。

第二个问题，大爱无疆，凝聚不屈的力量

玉树地震过去已经5个月了。时至今日，我还常常不由自主地回想起在玉树的一个个场景：遍地的残垣断壁，指挥部里通明的灯火，废墟上救援的人们，还有默默垂泪的远山……无论是在和灾区群众们交谈时，还是踏着瓦砾察看灾情时，还是听到第一批重建项目开工的鞭炮声时，我一直都在思考，这场灾难带给我们什么？作为地球生命的一员，人类的生存和发展紧紧依赖着自然界，而大自然的规律我们还不能完全地掌握。救援中，我多次说过一句话："地震摧毁了我们的房屋和家园，但摧不垮我们的精神和意志；灾难夺去了我们的亲人和同胞，但夺不走我们的信心和勇气。"的确，泰山压顶，摧而不折！面对灾难，青海人没有被吓倒，这是青海的意志和气节；中华民族没有低头，这是我们民族的秉性和品格！灾难告诉我们，中国共产党坚强有力；社会主义制度无比优越；中华民族威武不屈；人民解放军无坚不摧！这一切，汇聚成浩浩荡荡的中国力量，挽狂澜于既倒，救人民于危难！

30多年改革开放的伟大成就，为中国在海内外赢得了应有的尊重。尤其是破浪前行的中国经济发展，吸引了全世界的目光。大家都在热议"中国模式""中国创造""中国制造"，这些都是经济的概念。在我看来，中国成功的背后，最重要、最关键、最核心的是"中国力量"！这一次抗震救灾，就让我们看到了中国力量的强大，感受到了中国力量所带给我们的自豪。地震发生时，正在广东讲学的玉树结古寺佛学院教授昂噶心急如焚，但当他在电视里看到部队官兵整装待发，消防队、医疗队纷纷开赴灾区时，他的心一下子踏实了许多，他说了一句话："我看到了国家的力量！"

那么，玉树抗震救灾展示出的中国力量到底是什么？

中国力量，就是党中央砥柱中流、引领航向的领导能力。危急关头，我们的党和政府高扬以人为本、生命至上的旗帜，立即向全国发出紧急动员令，迅即集结力量抗震救灾。整个国家领导之坚强、指挥之高效、协调之有力，保证了各项抗震救灾措施能够迅速到位。这些，再次充分彰显了中国共产党全心全意为人民服务的政治品格，彰显了社会主义制度集中力量办大事、办难事、办急事的制度优势。胡锦涛总书记提前结束国外访问，长途飞行27个小时于4月17日下午2:30返回国内后，一下飞机就直奔中南海，4:00紧急召开中央政治局常委会议听取汇报研究部署抗震救灾工作，会议开到晚上7点多。第二天一早，即4月18日，总书记就赶赴灾区视察。玉树发生地震时正值总书记参加联合国核安全峰会后，到巴西进行国事访问并在那里参加"金砖四国"首脑会议，按计划随后还要访问委内瑞拉和智利。得到玉树地震信息报告，他立即把巴西的访问日程压缩成一天，同时，与俄罗斯、巴西、印度三国首脑协商在当天晚上召开了"四国首脑会议"。开完"四国首脑会议"，当天深夜总书记在他下榻宾馆走廊的服务台，亲自打电话给委内瑞拉、智利首脑，请他们理解他提前回国的决定。胡总书记同多位外国领导人谈到提前结束访问回国时，深情地说："中国政府正紧急组织抗震救灾斗争。在这一困难时刻，我需要尽快赶回国内，同我国人民在一起，投入抗震救灾工作。"胡总书记的这席动情讲话，深深地打动了外国政要，深深地感动了全国人民，深深地刻在了玉树灾区各族干部群众的心上。温家宝总理在地震发生的第二天就赶到灾区，指导救灾、慰问干部群众。他亲自登上一座又一座废墟，细心察看救援进展情况，一遍又一遍嘱咐救援人员：“救人是第一位的，只要有一丝希望，我们就要尽百倍努力，坚持下去，决不放弃。”5月1日，温总理第2次来玉树灾区。大家可以看看总理的行程：当天早上总理6点在北京起床，飞行3个多小时赶到玉树后就紧锣密鼓地视察，中午没有休息，从晚上9点开始开了2个多小时的研究灾后重建工作的会议，半夜12点多了，总理还让我们陪着他步行到位于玉树州体育场的济南军区方舱医院看望慰问受伤群众。大家想想，一个68岁的人，连续18个小时没有休息，其中有13个小时在海拔4000米的高原连续工作，这是什么样的情怀和境界。吴邦国委员长也多次打电话，了解灾情，慰问群众和干部。贾庆林、李长春、习近平、李克强、贺国强等党和国家领导人也亲赴灾区指导工作。回良玉副总理在地震发生的当天就来到玉树，随之他前后共5次到玉树、2次到西宁。我特别要说的是，玉树海拔高，灾后的条件更恶劣、余震不断。中央领导们和救灾的干部群众一样，吃方便面，喝凉水，冒着零下七八度的严寒住在帐篷里。帐篷里四面漏风，冻得根本无法入睡。很多中央部委的部长们也没有吃饭的地方，找点方便面，拿瓶矿泉水，和我们省里的同志一起，蹲在指挥部的院子里边啃边交流情况。厕所就是在指挥部院子墙角挖了几个坑用编织布一围，洗漱条件也都没有。回良玉副总理第一次来的时候就住了两个晚上，临走的时候给我讲：“强卫啊，我这两天没洗脸、没刷牙、没脱衣服睡觉！”我们的中央领导就是这样和大家同甘共苦，坚持工作。在他们的有力协调和指挥下，全国的救灾人员、物资、设备迅速向灾区集结，各项救灾措施迅速落实到位，最大限度地保障人民群众的生命安危和生活秩序。这一切都充分体现了中国共产党执政为民、生命至上的理念和以人为本、尊重科学的品格，生动展现了党和政府危难时刻强大的领导力和驾驭力，极大地鼓舞和凝聚了全国各族人民战胜灾害的信心和力量！我曾经问一个到玉树灾区的年轻人：“这些日子有什么感想？”他说：“中国共产党是不可战胜的！”我问他为什么，他说：“别的国家遇到这种大的自然灾害，国家领导人坐直升飞机到那儿下来转一圈，跟选民们招招手，就走了。我们中国的领导人真是和灾区干部群众同甘苦，共患难，共克时艰。”确实是这样。我们老讲共克时艰，什么叫共克时艰？只有在这种时候大家才能体会得更加深刻，理解得更加透彻。有这样的党领导着我们，有这样的国家支持着我们，什么样的困难不能够克服，什么样的艰险不能够跨越。所以说，中国共产党的坚强领导，中国政府的有力组织，就是伟大的中国力量的核心。

中国力量，就是人民军队冲锋在前、无往不胜的战斗意志。危难之际，我们的人民军队义无反顾、勇往直前。这次抗震救灾，充分体现了我们人民军队是抢险救灾的主力军，是安定民心的主心骨，也是灾区维护稳定、安置群众、做好灾区各项工作的抢险队、工作队、宣传队。地震后几分钟，武警玉树支队全体官兵，已经集合起来，他们喊着部队编号，分成几队，向倒塌的房屋奔去。后来，支队长石华杰接受采访时说，当时之所以要喊着部队编号前进，就是要让被压埋的群众听到人民军队救援的声音！让被困群众看到希望、增强信心。震后不到10分钟，玉树军分区机关和所属骑兵连的全部官兵，也迅速集合起来，行动起来。玉树军分区和玉树武警支队官兵，他们是灾区群众眼里最先看到的救命神。记得4月14日上午，在省政府召开紧急会议的时候，先由省地震局长汇报灾情信息，我把他的汇报打断，先问省军区和省武警总队领导，部队做好出发的准备了没有，省军区和武警总队领导报告，已接到上级指示，正在集结队伍，马上可以出发。震后几小时内，兰州军区某独立步兵团、青海省军区独立团、解放军第四医院纷纷紧急出动，赶赴灾区。震后几小时内，武警总部连续下达 3 个紧急通知和 2 个部队开赴灾区的命令。武警青海总队 3200 名官兵从西宁和格尔木两路并进，向灾区摩托化开进……地震当天下午，14 分钟内，空军三架伊尔 –76 运输机从成都相继起飞，奔赴灾区，在 4000 多米海拔、没有完善夜航条件的情况下，空军不顾危险，不间断飞行，和时间赛跑，与死神抗争。徒步急行军，摩托化开进，空中投送……一支支番号不同的队伍，克服重重险阻，向玉树挺进。各部队到达灾区后，立即按照军地联合指挥部的命令，安排到结古镇各个片区、周边各乡镇展开大搜救行动。通过这次部队在抗震救灾斗争中的行动，我们更加深刻地理解了人民军队的伟大。在世界各国遇到大的自然灾害时，调动军队投入抢险救灾，是无一例外的国际惯例，但是我们的军队在抢险救灾中所承担的任务、发挥的作用绝不仅仅是搜救生命、转运伤员、运送物资。我们的军队、我们的战士对群众怀有深厚的感情，他们做的事情是其他国家军队不会做的，也不肯做的。搜救被困人员任务完成后，部队又重新划片包干，一户一户帮助群众从废墟下抢救财产。由于玉树是民族地区，很多群众不会讲普通话，部队化整为零，以班为单位，由当地干部陪同，先征得受灾户主同意，然后开始帮助抢挖财产，挖出一件登记一件，全部挖完后移交给受灾户主，户主和地方干部签字验收。几万户群众财产抢挖，没有发生一起纠纷，没有发生一起投诉，包括寺院倒塌经堂的文物，也都是部队官兵们帮助抢挖的。禅古寺这次受灾损失严重，二炮部队不仅派出兵力帮助抢救受伤僧侣，还帮助他们把倒塌经堂中的经书佛像抢救出来，然后又帮助禅古寺搭起了帐篷寺院，僧侣十分感动，该寺活佛给胡锦涛总书记写信表达感谢之情。信中说："是二炮官兵给了僧众第二次生命，并抢救出大量珍贵文物。此大恩、大爱，全寺僧众将永远铭记。"信中还说："我们为能有这样爱民护民的军队感到自豪和荣耀。"所有财物都抢救完后，部队又承担起清理废墟的任务。我们的战士帮着老百姓一砖一瓦地清理，把老百姓倒塌房屋里可用的木材和砖瓦，像建材市场里那样堆放得整整齐齐，最后才用铲车把废墟清走，把废墟的地面拍得平平整整。

为了让灾区群众伤病能得到及时救助，在前期派出了 25 支医疗救援队伍的基础上，中央军委又从北京军区、济南军区派出了两座方舱医院到玉树为群众提供医疗服务。两座医院到达后，分别和玉树州、玉树县医院结成对子，一名军医带一名地方医生，一名军队护士带一名地方护士，为群众治疗看病时，由地方医生护士当翻译。同时，军队医生护士又手把手地教地方医生护士提高医疗技术，他们说："等我们离开的时候，要为玉树留下两座永远不走的、满足群众需要的当地医院。"这两座方舱医院官兵在玉树奋战了近 5 个月，累计接生新生儿 150 多名，接诊病人 5.3 万多名，手术 2700 余台次，抢救危重伤病员近千例，两座"方舱医院"被当地各族干部群众誉为"生命之舟"，方舱医院的全体官兵以不辱使命、无私奉献的实际行动书写了对祖国对人民的无限忠诚。

为了让灾区孩子早日复课，部队还帮助许多学校搭帐篷、建板房，捐课桌椅和教具教材。为了让准备参加高考的考生吃得好、情绪好，一些部队还派出炊事班为考生做饭，派出辅导员为学生做心理辅导，等等。

为了使灾区基层组织更好地开展工作、为群众服务，许多部队还和地方村社党支部开展“联建共创”活动。我走了很多村社，都看到连队党支部帮助村社党支部搭起办公板房、帐篷、建立工作制度，开展群众宣传工作。

我看到这些，真的十分感慨：哪一个国家的军队能够这样用心，这样全心全意为群众着想？！只有中国的军队这样做，因为中国的军队叫人民军队。有一位藏族群众在中央电视台玉树赈灾电视晚会上动情地说：“我们在灾区，看到解放军，就像看到了我们的心脏！”一位军委的首长说，这句话，在全军引起了震撼，是对人民军队的最好褒奖！我完全理解他的那种感受，因为我们的人民军队是以坚强意志挑战生理极限，以血肉之躯托起生命希望。他们就是人民生命的守护神，是我们强大的中国力量的光荣代表。地震救援中，最多的时候共有16000多名人民解放军指战员和武警部队官兵、3700多名公安和消防边防官兵、2700多名民兵预备役人员、1400多名专业救援队员在救援现场。可以说，无论是高级将领还是普通士兵，人人都奋勇争先，哪里有受灾群众就向哪里集结，哪里灾情危急就向哪里冲锋，哪里有生死考验就向哪里前进。危急时刻，人民子弟兵用赤胆忠诚、钢铁意志和血肉之躯，谱写了感天动地的英雄赞歌，他们不愧为国之柱石，不愧为新时期最可爱的人。

中国力量，就是中华民族万众一心、众志成城的无私奉献。全国31个省份无一例外，省委、省政府都是第一时间就给我们发来慰问电、捐款捐物。周边省区派出各种救援力量，帮助我们抢险救灾。地震第一天中午，距玉树70多千米的四川石渠县马上行动，由县领导带队，组织救援队赶往玉树灾区。当时我们在西宁正为机场是否能通航着急，却接到四川方面电话，说石渠县救援队已经到达四川与青海玉树交界处，询问能否进入灾区。我们马上回电，欢迎他们支持，虽然我也知道，石渠县自身也遭了灾，但他们一方面组织自救，一方面马上组织力量支援玉树。当天夜里两点多钟，我到玉树赛马场——当时最大的居民安置点了解情况时，那个地方已经有几万群众了，正遇上石渠县的县长带着他们的医疗队、公安消防队在那里为群众治伤、维持秩序。我问他们吃饭没有，要不要送点吃的？他们的一位同志跟我说：“我们到这儿一看，受灾群众什么都没有，就把自己带的吃的喝的全给了他们，我们从中午到后半夜，什么都没吃。”整个四川，不仅是石渠，还有后来的成都民兵预备役、特警、消防等，都来了。每次在我感谢他们的时候，他们都讲：四川地震的时候，全国和青海给了我们很大的支持，所以我们这次是来报恩的。“一方有难、八方支援”，这是我们中华民族的传统美德，在危难面前，你帮助过我，我更要回报你。当时很多群众看到全国的救援车辆、运送物资的车辆上都挂着横幅写着来自哪个省、哪个地方，看着中央电视台的赈灾晚会上大家这么热情踊跃地捐款，许多藏族群众说：“哎呀，全国人民对我们这么好啊！”在抢险救灾现场，回族抢救藏族，藏族抢救汉族，各民族之间相互救援救助，不分你我。玉树县唯一的清真寺在这次地震中也受了灾，但当地穆斯林群众听说藏传佛教结古寺受灾更重时，阿訇就带着穆斯林群众抬了几只羊送到结古寺表示慰问，结古寺僧侣听说清真寺还未领到帐篷就回赠给清真寺两顶帐篷。结古镇藏族居民钢羊太的回族邻居不幸在地震中遇难，留下了仅有1岁4个月的女儿。钢羊太一边把这个回族小女孩养在身边，一边帮助她到民和寻找亲人。山东日照有个叫赵海龙的农民兄弟，他开着自己的农用车，买了2万元的救灾物资，3000多千米日夜兼程，赶到了灾区。吴殿华，民营河北衡水冀州职工医院院长、享受国务院特殊津贴的专家，不顾75岁的高龄来到了玉树灾区。这样的事例，这样的人物，可以说是数也数不清。这次玉树抗震救灾还有一个非常感人的亮点，就是宗教界的积极作用。大家知道，玉树是藏传佛教的圣地，这里寺院多，僧侣占人口比例大。在地震袭来的时候，许多寺庙也都遭到严重毁坏，一些僧侣也不幸遇难，但是各寺院在组织自救的同时，都自发组织僧侣去援救被困群众。那几天，我几乎在每座瓦砾废墟堆上的救援人群中，都能看到几种颜色的服装，一种是当地党员干部穿的普通服装，一种是解放军武警的绿军装，一种是公安消防专业救援队的橙色服装，一种就是僧侣穿的红袈裟，这几种颜色交织在一起，说明各方面力量综合在一起，废墟上面是党旗飘扬，展示了中国共产党领导下，灾难来临之时，不分民族、不分信仰、不分男女，中华儿女同抗天灾，有力出力，有钱出钱，共克时艰！地震中，人们说的最多的一句话就是，今天我们都是玉树人。再大的困难，除以13亿，也会变得微不足道；再小的力量，乘以13亿，就会变成坚不可摧的钢铁长城！可以说，从城市到乡村、从部队到厂矿、从机关到基层、从街道到学校，各条战线都在为抗震救灾做贡献，中华大地上处处涌动着全民族同心同德、团结战斗的激情。在玉树抗震救灾的每时每刻，我们更加感受到中华民族大家庭最温暖！

中国力量，就是我们党员干部身先士卒、无私无畏的模范作用。危难时刻，我们的党员干部和人民在一起，挺身而出，到灾情最重的地方去，到困难最大的地方去，成为受灾群众的主心骨。地震刚一发生，我们就迅速将极重灾区结古镇划分为19个片区，组建工作队，干部带队，深入村社，分片负责，指挥开展救灾工作。4月15日中午，我和省委组织部部长一起来到加吉娘村。地震发生后，全村房屋基本全部倒塌，支部书记土丁朋措从废墟里爬出来后，顾不上遇难的父亲、弟弟和压断腿的妻子等亲人，立即组织党员、村干部挨家挨户清点人数，然后组织党员突击队搜救被埋群众。我到这个村时，党员干部都在废墟上紧张工作，我将一面党旗交给党支部书记。我对他们说："我们党从成立那天起，就和人民在一起。越是危险的时候，越是困难的时候，我们党越要和人民在一起。今天，我把党旗送给大家，就是要让我们党的旗帜在党员的手中高高飘扬，在人民群众的心中高高飘扬。广大党员要做带领各族群众投入抗震救灾的主心骨，让群众向党靠拢，形成一个强大的力量。全省广大党员一定要发挥先锋模范作用、团结带领全省各族人民把这场抗震救灾斗争进行到底，夺取最后的胜利。"记者采访加吉娘村村民时，他们说："土丁朋措书记善良，心里只装着群众！"

在玉树灾区，有帐篷的地方就有党旗、国旗高高飘扬，凡是救灾抢险的现场，都能看到"党员突击队""党员抢险队"的旗帜，数千名党员干部的胸前都戴着"共产党员"的红色胸牌，群众有困难随时能够找到党和政府，找到党员和干部。特别是，我们许多党员干部从废墟中爬出来，拍去身上的泥土，强忍失去亲人、失去家园的悲痛，舍小家、顾大家，拼着性命工作，用心血、汗水和生命书写对党和人民的无限忠诚。56岁的玉树县老干部局副局长桑丁，从废墟中爬出来时膝盖伤势严重，他拄着一根粗树枝连续几天和同事一起给群众分发了250多顶帐篷。然而，他却没有为自己和亲属领一顶。结古镇大同村支部书记智扎才仁顾不上三位亲人的遇难，强忍悲痛，天天带队发放救灾物资。结古镇甘达村支部书记叶青，顾不上妻子的遇难，顾不上自己断了三根肋骨的疼痛，坚决不肯去住院治疗，天天坚持在村里为老百姓服务。就连已白发苍苍退休多年的老干部，也都坚持在发放物资和各类补助资金的第一线。有一位老干部，我至今难忘。那是我在结古镇西杭村物资发放站，见到三名退休老干部在那里忙活，这是地震发生后县委立即通知退休老干部重返工作岗位，发挥他们熟悉情况、经验丰富、工作能力强、群众威信高的优势，帮助基层组织做群众工作。我问其中一位老同志自己家里怎么样？他告诉我，他今年 71 岁了，地震使他唯一的 3 岁外孙子遇难，全家十分悲痛，当时又接到县委通知，让他来西杭村帮助工作，他的女儿对他说："爸，咱玉树人遭到这么大灾，一个 3 岁的娃算什么，你去吧。" 这句话深深铭刻在我的心上，时时震撼着我的心灵，但很可惜的是我没有记住这个老同志的名字，他可能也没有受到后来的表彰，但我知道，像他这样的党员干部在玉树灾区有许许多多，在玉树灾区，党员干部都坚守在岗位上，为群众发放帐篷、食品和水，安慰受灾群众，但都顾不上自己。有一次我到一个村里找村党支部书记，问他你们党支部的办公帐篷在哪里？他说："我们先把帐篷都发给群众了，党员和村干部都没有，群众的帐篷就是我们办公的场所。" 地震后第 5 天，我们就基本解决了群众吃住问题，但第 6 天我去结古镇机关检查工作时才知道，镇机关的干部家属都还没有配发帐篷、被褥，当晚我到州委、州政府大院察看，看到机关干部都还裹着被子睡在地上。同学们，那时夜里还是零下七八度呀！当时，我在指挥部会议上讲，我很内疚，干部的安置没有解决好，但当地干部反过来安慰我说："书记，没关系，群众安置好了，我们心里也踏实了！" 4 月 17 日，我到玉树县扎西大同村，在一个物资发放点见到了三社社长才哇，听说他的家里三口人遇难，可他一直和村里的干部党员忙着发放物资、安置群众，几天都没有回家去看一眼。我特别感动，我握着他的手说："我特别感谢你！在你的身上，体现了我们共产党员的优秀品质！" 他把头伸过来和我碰头，我知道这是康巴人之间最高的敬意。他没有把我当领导，而是当成了亲人，当成了兄弟。我们的头碰在一起，心连在一起。我在北京主管政法工作，几十年没有流过泪，自以为很坚强，可是那一刻我控制不住自己的眼泪了。这就是我们的党员、这就是我们的干部！在灾区，正是千千万万这样的党员干部托举起了玉树奇迹，彰显出了中国力量！面对突如其来的地震灾害，各级干部挺身而出、身先士卒，组织带领群众救助被困人员、安置受灾群众、恢复重建家园；广大共产党员危难之际牢记使命，关键时刻站得出来，生死关头豁得出去，一个支部就是一个堡垒，一名党员就是一面旗帜，一个干部就是一个标杆。面对灾难，广大干部群众坚强不屈、守望相助，在残垣断壁之间、在碎石瓦砾之中，奋勇自救、互救，用压不垮、震不倒、摧不折的精神，汇聚成"玉树不倒，青海常青"的强大力量。

同学们，在玉树难忘的那些日日夜夜里，我一直在想，灾难，究竟是什么？我想，灾难是学问，使我们从中学到了许多应对灾难的办法；灾难是战场，考验着一个民族与每一个公民的品格与情操；灾难更是一块磨刀石，砥砺着一个民族与每一个公民的意志与毅力。

玉树这次强烈地震，再次让世人领教了大自然的威力与危害，看到了山崩地裂、房倒屋塌、残垣断壁。同时，这次地震也再次让世人领略了一个民族的坚强与不屈，感受到了大气磅礴、大智大勇、大爱无疆！在青藏高原之上、生命禁区之中、困境绝地之下，党领导人民进行了一场惊天地、泣鬼神的战斗，创造了世界灾难救援史上的玉树奇迹，展示了勇往直前的中国力量！这场抗震救灾斗争，是一次爱国主义传统的大弘扬，是一次政治制度优势的大展现，是一次民族团结进步的大赞歌，是一次防灾减灾能力的大提升。

在玉树这场艰苦卓绝的抗震救灾斗争中，我们也进一步积累了应对突发事件、抗击自然灾害的宝贵经验，再一次收获了很多宝贵的启示：

启示之一，中国共产党具有突出的先进性，是中国特色社会主义事业的坚强领导核心。近些年来，从应对“非典”疫情、低温雨雪冰冻灾害到抗击汶川特大地震、玉树强烈地震以及后来的甘肃舟曲特大山洪泥石流灾害抢险救灾，从举办北京奥运会、上海世博会到应对国际金融危机冲击、保持经济平稳较快发展，我们党团结带领人民成功经受住了多项重大考验，再次彰显了党的执政能力和先进性。正因为这样，中国共产党得到了全国各族人民的衷心拥护，在全国各族人民中享有崇高的威望和强大的号召力，不愧为13亿中国人民的主心骨。

启示之二，社会主义制度具有巨大的优越性，能够有效动员和组织人民不断创造伟大业绩。实践证明，社会主义制度推动中国经济社会发生了历史巨变，也为应对严重自然灾害提供了重要保证。没有30多年改革开放形成的强大综合国力，就没有这次抗震救灾中雄厚的物质支撑和强大的技术保障；没有30多年全面推进的体制改革和制度创新，就没有今天高效的国家管理能力和协调联动的应急救援体系，夺取抗震救灾斗争重大胜利也是难以想象的。

启示之三，民族大团结具有特殊的凝聚力，是维护祖国统一、促进社会和谐的重要保障。玉树抗震救灾斗争的重大胜利，也是民族大团结的胜利，再一次印证了一条颠扑不破的真理：汉族离不开少数民族，少数民族离不开汉族，各少数民族之间也相互离不开；再一次彰显了中华民族同呼吸、共命运、心连心的优良传统，中华儿女血浓于水、爱重于山、情深于海的骨肉感情。

特别难能可贵的是，在生与死的考验下，在大难国殇面前，每一个中国人的身上都闪耀着熠熠生辉的精神品质。这其中，有“不放弃、不抛弃”“相扶相助，长幼无弃”的同心精神；这其中，有“愈挫愈勇、勇往直前”的不屈意志；这其中，有“为天地立心，为生民立命”的担当意识；这其中，更有“滴水之恩，涌泉相报”的感恩情怀！我们把这一切，概括成十六个字的玉树抗震救灾精神，这就是：大爱同心、坚韧不拔、挑战极限、感恩奋进！灾难面前，中华儿女以血浓于水、爱重于山、情深于海的骨肉亲情，共同汇聚成温暖人间的无疆大爱，向世人展示了中华民族万众一心、众志成城、共克时艰的强大凝聚力和战斗力。这就是大爱同心！灾难面前，我们以泰山压顶不弯腰的气概，直面灾难和艰险，展现出生生不息、勇往直前、无畏担当的不竭力量。这就是坚韧不拔！灾难面前，我们在雪域高原的特殊地区、特殊环境、特殊条件下，奋勇挑战体力极限、精神极限和生存极限，创造了人类抗震救灾史上的众多奇迹。这就是挑战极限！灾难面前，我们对来自党中央、国务院、人民军队和全国人民的巨大支持无限感恩，并且把知恩之心、感恩之情转化为埋头苦干、重建家园的实际行动。这就是感恩奋进！

一种精神的产生从来不是孤立和突兀的，它一定依附于一个民族的历史文化传承。

玉树抗震救灾精神，缘于青海的高天厚土、沃野朔风，缘起于世世代代的青海人与自然抗争、顺时势前进的伟大实践！

玉树抗震救灾精神，缘于抗击四川汶川特大地震中形成的万众一心、众志成城，不畏艰险、百折不挠，以人为本、尊重科学的伟大抗震救灾精神。

玉树抗震救灾精神，还缘于浩浩五千年中华文明，缘于中国文化中鲜明的人文符号和高贵品格！

孟子语："人溺已溺，人饥已饥。"这是中华民族的人道精神。人道的灵魂，就在于关怀人类的命运与悲悯生灵的美德。王阳明说："大人者，与天地万物为一体者也，其视天下犹一家，中国犹一人焉。"这是中国文化大仁、大爱、大勇的核心精神，更体现了中国文化的普世文明精神。

让我们重温这些词汇：友爱、悯人、忠诚、坚忍、弘毅……这些中国文化内生出的高贵品格，在今天被赋予新的内涵，成为我们时代精神的内核！

——青海人长期以来，因为经济社会发展的相对滞后甚至在某种程度上产生些许自卑，所以我们提倡自信开放创新的青海意识，增强加快青海发展的强大动力；

——青海自然条件恶劣，发展基础薄弱，有许许多多的先天不足限制着优势的发挥，为我们的开拓奋进添加了巨大的阻力，所以我们倡导"人一之，我十之"的实干精神和"五个特别"的青藏高原精神，增强干事创业的执行力和内驱力；

——在玉树抗震救灾这场艰苦卓绝的斗争中，全省上下众志成城、顽强拼搏、尊重科学、敢于胜利，形成和展示了大爱同心、坚韧不拔、挑战极限、感恩奋进的玉树抗震救灾精神，以"玉树不倒、青海常青"的坚定信念，铸就了永不屈服、永不放弃、永不退缩、永不言败的史诗般丰碑。

所有这些伟大的精神，都是属于我们每个青海人的宝贵精神财富，是我们今后战胜任何困难的强大内在动力，是我们不断夺取新胜利重要的精神支柱，是激励我们奋发进取、勇往直前的不竭动力之源。玉树抗震救灾精神，正是长期以来青海各族人民不屈不挠与自然灾害斗争实践的集中反映，是青海各族人民团结和睦、守望相助美好品格的充分彰显，是青海各族人民追求发展进步强烈愿望的生动写照。它生动诠释了"自信开放创新"的青海意识，深刻演绎了"五个特别"的青藏高原精神，全面展现了"人一之，我十之"的实干精神，并与之一起构成了建设新青海的强大精神动力。我们要大力弘扬这种伟大的精神，使之在建设社会主义新玉树和建设富裕文明和谐新青海的伟大实践中发挥更加重要的作用。

第三个问题，共同展望，更加美好的新玉树

"新校园，会有的！新家园，会有的！"这是胡锦涛总书记4月18日视察玉树灾区时在玉树州孤儿学校黑板上的题词。4月29日，胡锦涛总书记参观上海世博园时，特意来到青海馆参观，他嘱咐："在灾后恢复重建过程中，不仅要让灾区人民生产生活上一个大台阶，而且要让三江源地区生态环境建设上一个大台阶，切实保护好中华民族母亲河的源头。"这些，传递出党中央的坚强决心，传递出人民群众的普遍愿望，描绘了社会主义新玉树的美好前景。

今天，抗震救灾已经取得阶段性重大胜利，灾后恢复重建已经全面启动。在灾区，玉树速度、玉树奇迹仍在延续，一场让每一个玉树人都住进新家园、过上新生活、拥有新幸福的重建战役正在进行。

面对繁重的重建任务，省委省政府郑重向党中央、国务院、全国人民和灾区人民承诺：我们要不留遗憾、不留败笔、不留骂名，我们要坚持科学重建、依法重建、高效重建、和谐重建，我们要发扬缺氧不缺精神、海拔高追求更高的顽强作风，我们要“苦干三年、跨越二十年”。我们的目的只有一个，早日让一个更加美丽、更加富饶、更加和谐的社会主义新玉树伫立在雄伟辽阔的青藏高原。

现在，玉树灾后恢复重建的宏伟蓝图已经绘就。第一步，要用 3 年时间，完成灾后重建的主要任务，使灾区基本生活条件、基础设施保障和公共服务水平达到或超过灾前水平。第二步，在此基础上，实现上两个大台阶的总目标，努力建设生态美好、特色鲜明、经济发展、安全和谐的社会主义新玉树。到那个时候，现在满目疮痍的结古镇，将成为布局合理、功能齐全、设施完善、特色突出、环境优美的高原生态型商贸旅游城市、三江源地区的中心城市、青海藏区城乡一体化发展的先行地区。

这里，我结合解读国务院批准的《玉树地震灾后恢复重建总体规划》(以下简称《总体规划》，和大家一起展望社会主义新玉树的美好前景。

第一，居民拥有新家园。玉树灾后重建，坚持以人为本，民生优先。《总体规划》强调，要把保障和改善民生作为恢复重建的基本出发点，优先恢复重建受灾群众住房和学校、医院等公共服务设施。今年，我们安排的城乡居民住房建设投资计划 55.5 亿元，占本年度重建投资计划的 1/3 以上。年内，将基本完成 4 个重灾乡镇和 14 个一般灾区居民房屋的维修加固，开工建设 80% 的农村住房。昨天，骆惠宁省长又到玉树召开了一个动员大会，要求各级党委政府和施工单位密切配合，再掀一个“大干五十天”的建设高潮，力争今年年底前完成大部分农牧民住房重建，开工建设大部分城镇居民住房，全面完成可修复住房维修加固，使灾区群众早日住上放心房。同时，我们还尽可能多地开工建设学校、医院等，使灾区教育、卫生等公共服务水平明显提高。灾区群众的住房将是安全、实用、省地、节俭的放心房；学校、医院将被建成最安全、最牢固、群众最放心的建筑。7 月 10 日，玉树地震灾后恢复重建第一批项目开工，农村住房、学校、医院、广电中心、僧舍、液化气站 6 类 31 个首批项目全面开工。8 月，第二批项目陆续开工建设。现在，重建试点的禅古村牧民的房屋已经全面封顶了，不久，那里的牧民就会住进宽敞明亮的新房。

第二，生态迈上新台阶。玉树灾后重建，坚持保护生态，体现特色。《总体规划》强调，要充分考虑灾区生态环境的脆弱性和生态系统的重要性，按照构筑青藏高原生态安全屏障的要求，与三江源自然保护区生态保护建设统筹推进。为此，新玉树将以生态格局、清洁能源、绿色交通、循环市政、节能建筑为基础，成为低碳宜居、环境友好、传载康巴文化的新家园。例如，重建的建材，大部分都从西宁、格尔木等地运入，并且在新建建筑中大力推广采用节能环保的新型建材。燃料方面，中石油公司正在结古镇建设 1 座液化天然气供气站，玉树大部分地区将告别烧煤和牛粪的历史。能源方面，在修复、建设一批水电站的同时，还将新建1座1万千瓦光伏并网电站，推广户用光伏电源4万户。市政方面，将建设城镇排水、污水处理、生活垃圾处理等设施。总之，生态保护的要求将贯穿于整个重建全过程。我们就是要通过严格要求和不懈努力，使三江源地区林草植被覆盖度和环境质量显著提高，主要城镇污水垃圾处理和防洪减灾能力明显增强，高原生态系统实现良性循环，建设一个生态美好的新玉树。

第三，设施得到新改善。玉树灾后重建不是简单的恢复，而是全面的提升。7月31日，玉树电网灾后重建暨结古110千伏变电站开工，以此为枢纽，玉树、称多、囊谦3县110千伏联网工程建设拉开序幕，下一步将实现6县联网。到时候，玉树没有大电网、只有地方小水电的历史将告终结。在抗震救灾中架起生命通道的巴塘机场，如今已经具备全天候保障飞行能力，每周起降航班28个班次。近期，国道214全线提高至一级；远期（“十二五”），将启动建设西宁至玉树高速公路。铁路建设也将列入远景规划中。其他如通信、水利、市政设施和农牧区基础设施等，都将得到全面提升。

第四，产业结构更加合理。玉树灾后重建将以生态保护为前提，依托资源优势，适应市场需求，促进特色产业、服务业恢复和发展。因此，《总体规划》对玉树今后的生态畜牧业、种植业、生产设施、技术服务设施、旅游设施、旅游产品、商贸流通、金融服务、农牧产品加工、民族手工业等方面进行了明确的规划。这些措施落实以后，玉树地区的经济将上一个大台阶。5月4日，结古镇禅古、甘达两村新社区建设正式启动。新村重建，居民房屋水电入户，设计有浴室、阳光房和储藏室，并广泛推广太阳能。更重要的是，这两个村都将发展新村产业一并谋划。6月21日，两村在全州率先成立生态畜牧业专业合作社，把一家一户联合起来，走合作化的道路，在保护草原生态的前提下，建立草畜平衡机制，转变生产经营方式，促进牧业增效、牧民增收。产业发展是灾区快速恢复和可持续发展的基础。以旅游业为例，玉树今后的旅游业，将重点打造“一区四带”高原旅游业布局，“一区”，即，结古镇旅游区；“四带”，即，唐蕃古道旅游带、高原湿地草原旅游带、康巴民俗风情旅游带、宗教文化旅游带。这些旅游产品的开发建设，将进一步提升玉树的知名度。

第五，城乡呈现新面貌。玉树灾后重建将极大提升重点城镇市政功能，改善群众生产生活条件。按照功能分区，重建将规划区国土空间划分为生态保护区、适度重建区和综合发展区。目前，玉树县撤县建市正在积极推进。玉树撤县建市后，作为玉树州行政、经济和文化中心的结古镇，将发展成为融合康巴文化、三江源生态资源的多元特色旅游区、世界高原旅游的目的地，青藏川三省通衢的枢纽，带动青南、联系藏东、辐射川西的商贸物流中心，青海藏区城乡一体发展的先行地区。以城市景观建设为例，新玉树将充分利用现有水域，通过构建“城市繁华水景、高原生态水景、地域文化水景”，提升城市的整体形象与品质，为区域经济社会发展注入活力。新城建成后，扎西科河、巴塘河像两条金色飘带，展现玉树水域亮丽的滨河景观。可以预见，届时，“新玉树”中心城市的集聚效应、辐射作用、带动作用将大大增强。

第六，社会和谐新局面。玉树灾后重建注重保护和传承民族优秀文化，构筑各民族和谐发展美好家园。玉树州87座寺院的恢复重建是各类项目审批中唯一不减资金的项目。国家安排资金超过 1 亿元，从贫困村产业扶持、异地扶贫搬迁、劳动力转移培训、整村推进、贫困村互助资金试点等方面推进扶贫开发。还将建设 10 个社会福利院（含儿童福利院、精神病院）、26 所敬老院、5 个残疾人康复中心。所有文物单位均按一级标准重建，建设地震遗址纪念设施 1 处，文物保护、文化遗产、非物质文化遗产 50 余项。在重建物质家园的同时，还特别重视重建精神家园，引导灾区群众树立自立、自强的信心，乐观向上、积极进取的观念，知恩感恩，依靠自己勤劳的双手创造幸福生活。此外，我们还要求各级领导干部要始终坚持一心为民、苦干实干、清正廉洁的作风，向党和人民交上一份满意的答卷。

这里，我想特别跟大家说明一点，玉树灾后重建投入之大，是前所未有的。玉树灾后重建是迄今为止我们在高原开展的最大规模的灾后重建，是在制约条件最为突出的地方开展的灾后重建，是在生态保护最为重要的地方开展的灾后重建，是在民族宗教工作最为繁重的地区开展的灾后重建，也是难度极大的重建。让我们来看一组数字——3.59 万平方千米的受灾面积，24 万多受灾人口，3 年恢复重建投资总规模达 316 亿元。按面积，每平方千米投入 88 万多元；按人口，人均 12.8 万多元。这些资金，主要以中央财政资金为主。今年，省里就下达首批投资计划为 160 亿元。我再举一个例子——最近，省上出台了两个政策性文件，《玉树结古镇灾后重建土地权益处置规定》和《城乡居住房屋及维修加固的补助政策》。粗略估算，这两项政策使群众户均直接间接受益 18 万元，而汶川、陕西、甘肃陇南灾后重建户均补助最高是 2.5 万元，维修加固户均 3000 元左右。完全可以说，玉树重建，中央财政投入力度之大、标准之高、照顾之全面，是前所未有的。玉树的许多干部在深入学习了这些政策之后，感慨地说，“党和政府对玉树的关心到了极致，照顾到了极致。”

同时，还要跟大家特别介绍的是，这次玉树灾后恢复重建，主要采取援建的方式进行。什么是援建？就是援助建设，由有关的省份和中央企业承担主要建设任务。为什么这么做？玉树地区特殊的自然条件，施工期短，工程质量要求高，由发达省市和中央企业承担建设任务可以保证工期、保证质量。党中央和国务院决定，由北京市、辽宁省、中国建筑总公司、中国铁路股份有限公司、中国铁道建筑总公司、中国水利水电建设集团六家单位承担援建玉树的任务。长期以来，辽宁省一直承担对青海省进行东西协作对口帮扶的任务，对青海发展做了大量工作。这次地震发生后，辽宁省在积极支援抗震救灾的同时，又主动承担援建巴塘乡的任务。北京市也是高度重视，刘淇同志亲自主持召开会议，要求北京市要“打一场玉树援建攻坚战，确保按时、高质量完成援建任务”。四家参与援建的中央企业，更是久经考验、实力雄厚、豪情满怀。他们当中，有建设北京奥运会场馆的主力，有建设上海世博会的王牌，有参与汶川灾后重建的铁军，有在千里青藏铁路无私奉献的开路者，也有在三峡大坝筑起世纪丰碑的水电人。现在，六家援建单位的万名建设大军，正在玉树一个个施工现场紧张有序的工作。不久之后，一座座高楼将在玉树拔地而起。这种无偿援建的方式，我可以负责任地说，在西方任何一个国家都是不可能的！只有在中国共产党的领导下、只有在社会主义中国、只有在中华民族大家庭里，才有可能。

同学们，你们是祖国的希望，民族的未来。今天，与大家一起交流我参与玉树抗震救灾斗争的感受和体会，也是希望我讲的这些能够引起大家的思考，激励大家的行动。我真心地希望大家，积极投身时代的洪流和伟大的实践，承担属于你们这一代的责任和使命。我真心地祝愿大家，在今后的人生道路上，继承弘扬伟大的玉树抗震救灾精神，勇敢地面对困难，无畏地担当人生，做无愧于良知、无愧于时代、无愧于祖国的有为青年。

（《青海日报》，2010 年 9 月 16 日第 1 版）

专题报道

青海玉树全国抗震救灾总结表彰大会隆重举行

8 月 19 日上午，中共中央、国务院和中央军委在青海西宁市隆重举行全国抗震救灾总结表彰大会。中共中央政治局委员、国务院副总理回良玉，中共中央政治局委员、书记处书记、中宣部部长刘云山，全国人大常委会副委员长李建国，全国政协副主席钱运录出席大会，国务委员、国务院秘书长马凯主持大会。

青海会议中心庄重热烈。上午 10 时整，大会开始，全体起立，高唱国歌。刘云山宣读了《中共中央、国务院、中央军委关于表彰青海玉树全国抗震救灾英雄集体和抗震救灾模范的决定》。

随后，回良玉等领导同志向受表彰的抗震救灾英雄集体和抗震救灾模范代表颁奖。走上主席台接受表彰的代表中，既有人民解放军指战员、武警部队官兵、民兵预备役人员和公安民警，也有基层干部群众、医疗卫生工作者、新闻工作者、科技工作者、民族宗教界人士、工程建设者和志愿者等。全场观众一次次用热烈的掌声，向这些抗震救灾英雄们致敬。

回良玉在会上发表了讲话。他指出，2010 年 4 月 14 日 7 时 49 分，青海玉树发生了当地有历史记录以来最强烈的地震，给人民生命财产和经济社会发展造成了巨大损失。在党中央、国务院和中央军委坚强领导下，全党全军全国各族人民众志成城、团结奋战，开展了艰苦卓绝的抗震救灾工作，夺取了抗震救灾斗争的重大胜利。今天，我们隆重召开全国抗震救灾总结表彰大会，就是要全面总结青海玉树抗震救灾工作，表彰抗震救灾英雄集体和抗震救灾模范，弘扬伟大抗震救灾精神，激励全党全军全国各族人民以先进模范人物为榜样，奋力把我国改革开放和社会主义现代化建设伟大事业推向前进。

回良玉提议，全体起立，向在地震灾害中不幸罹难的同胞们，向为夺取抗震救灾斗争重大胜利而英勇献身的烈士们默哀，表达深切的思念和沉痛的哀悼。

回良玉指出，这次玉树抗震救灾难度之大、条件之艰苦、环境之恶劣，在灾难救援史上是罕见的。我们迅速组织开展了一场在高原高寒地带进行的规模最大、成效最显著的救援活动。我们最大程度搜救了被困群众，最快速度救治了伤病人员，最大可能安置了受灾群众，最大限度降低了灾害损失，及时客观公布了抗震救灾有关信息，迅速扎实展开了恢复重建。目前，玉树恢复重建各项工作正在科学有序地推进，灾区人民正在党和国家大力支持下顽强奋斗，重建家园，迎接美好的明天。

回良玉强调，伟大的中国人民和中华民族以无所畏惧的英雄气概、团结一致的强大力量、可歌可泣的伟大壮举，书写了抗震救灾史上新的壮丽篇章。危急关头，党中央、国务院、中央军委坚强领导、科学指挥，始终与灾区人民心心相连；灾区各级党委政府和广大干部群众紧急动员、迅速行动，成为抗震救灾的中流砥柱；人民军队坚决响应党和人民的召唤，冲锋在前、勇挑重担，充分发挥了主力军和突击队作用；全国人民紧密团结、患难与共，形成了抗击地震灾害的强大合力。这再一次说明，中国共产党具有突出的先进性，是中国特色社会主义事业的坚强领导核心。社会主义制度具有巨大的优越性，能够有效动员和组织人民不断创造伟大业绩。伟大抗震救灾精神具有强大的影响力，是推进改革开放和现代化建设的宝贵精神财富。民族大团结具有特殊的凝聚力，是维护祖国统一、促进社会和谐的重要保障。

回良玉指出，实践一再证明，没有哪一次巨大的历史灾难，不是以历史进步为补偿的。玉树抗震救灾斗争，使中华民族更加团结、更加坚定，让我们紧密团结在以胡锦涛同志为总书记的党中央周围，高举中国特色社会主义伟大旗帜，以邓小平理论和“三个代表”重要思想为指导，深入贯彻落实科学发展观，大力弘扬伟大抗震救灾精神，坚定信心，迎难而上，锐意进取，扎实工作，奋力夺取抗震救灾和恢复重建的全面胜利，加快推进改革开放和社会主义现代化建设，共同谱写中华民族美好未来的崭新篇章。

表彰大会上，全国抗震救灾英雄集体代表、中共玉树藏族自治州玉树县结古镇委员会书记尼玛扎西，全国抗震救灾英雄集体代表、青海省公安消防总队总队长刘江民，全国抗震救灾英雄集体代表、青海省玉树军分区司令员吴勇，全国抗震救灾模范代表、青海省玉树藏族自治州治多县人民医院医生贾瑛，全国抗震救灾模范代表、四川省什邡市安全生产应急救援大队队长周国兴先后发言。他们感人至深的发言激起全场热烈的掌声。

青海和北京、天津、河北等 21 个省、自治区、直辖市负责同志，中央和国家机关有关部门负责同志，解放军有关单位和武警部队负责同志，中华全国总工会、共青团中央等人民团体负责同志，中央管理的部分企业负责同志，全国抗震救灾英雄集体代表和抗震救灾模范，以及各方面代表等，约 1000 人参加了大会。

大会召开前，回良玉、刘云山、李建国、马凯、钱运录等亲切会见了青海玉树全国抗震救灾英雄集体代表和抗震救灾模范。

（来源：新华网，2010 年 8 月 19 日）

玉树地震灾后恢复重建总结表彰大会在西宁召开

玉树地震灾后恢复重建总结表彰大会10日在青海会议中心隆重召开。中共中央政治局委员、国务院副总理汪洋出席大会并讲话。他指出，玉树地震灾后恢复重建全面启动三年来，在实际不到两年的有效施工期内，全面完成了恢复重建的主要任务，曾经满目疮痍的灾区浴火重生，一个崭新的玉树傲然屹立在雪域高原，创造了世界灾后重建史上的又一次奇迹，谱写了人类与自然灾害抗争的又一曲英雄凯歌，铸就了伟大中华民族精神的又一座巍峨丰碑。隆重召开总结表彰大会，就是要全面总结灾后重建工作，表彰作出突出贡献的先进集体和先进个人，弘扬伟大的抗震救灾精神，激励全党全军全国各族人民开拓创新，攻坚克难，为全面建成小康社会、不断夺取中国特色社会主义新胜利、实现中华民族伟大复兴的中国梦而努力奋斗。

玉树地震灾后恢复重建总结表彰大会由人力资源社会保障部、国家发展和改革委员会、国务院国资委、解放军总政治部共同主办。人力资源社会保障部副部长杨士秋在会上宣读了《关于表彰玉树地震灾后恢复重建先进集体和先进个人的决定》。为表彰先进、弘扬正气，进一步激励全国各族人民奋力推进我国改革开放和社会主义现代化建设事业，经党中央、国务院批准，四部委决定，授予中建八局等100个集体“玉树地震灾后恢复重建先进集体”荣誉称号；授予才仁扎西等150名同志“玉树地震灾后恢复重建先进个人”荣誉称号。出席总结表彰大会的领导向先进集体、先进个人代表颁发了奖章、奖牌。

会议由国家发展改革委副主任杜鹰主持。省委书记、省人大常委会主任骆惠宁作了发言，省委副书记、省长郝鹏出席大会。

汪洋在讲话中向奋战在玉树恢复重建第一线的广大干部群众，人民解放军指战员、武警部队官兵、民兵预备役人员和公安民警，向受到表彰的先进集体、先进个人，致以崇高的敬意；向大力支持玉树恢复重建的全国各条战线的广大干部群众、各界人士和港澳同胞、台湾同胞、海外侨胞，表示衷心的感谢；向关心、支持玉树灾区建设的国际友人和有关组织，致以诚挚的谢意。

汪洋指出，玉树地震灾区恢复重建，是一场艰苦卓绝的斗争，面临的困难之多、挑战之大世所罕见。针对玉树的特殊困难条件和恢复重建的艰巨任务，党中央、国务院周密部署、科学决策，为灾后恢复重建注入了强大动力；青海、四川两省认真贯彻中央的决策部署，全力推进灾后恢复重建工作；灾区广大人民群众尤其是玉树人民不等不靠，自立自强，用自己的双手，奋力建设美好新家园；各援建地区和单位与灾区人民携手并肩、同甘共苦，为恢复重建立下了汗马功劳；人民解放军指战员、武警部队官兵、民兵预备役人员和公安民警坚决听从党的召唤，为恢复重建作出了重要贡献；社会各界也以多种方式提供无私支援。玉树灾区恢复重建的巨大成就，再一次彰显了中华民族同呼吸、共命运、心连心的优良传统和民族大团结的强大威力。通过三年的努力奋斗，玉树灾区基本生产生活条件和经济社会发展水平得到全面恢复并超过灾前水平，呈现出勃勃生机与活力。可以说，恢复重建的三年，是灾区生活条件大变样的三年，是灾区经济社会大跨越的三年，是灾区基础设施大提升的三年，也是灾区自强不息精神大弘扬的三年。灾后恢复重建中贯穿的科学理念、展现的制度优势、创造的鲜活经验，值得我们深入总结和发扬光大。特别需要指出的是，我们不仅重建了一个物质家园，也重建了一个精神家园。傲然耸立地震废墟之上的，不仅仅是一幢幢建筑，还有无比的信心、非凡的勇气和磅礴的力量。

汪洋强调，全面提升灾区发展水平、改善人民群众生活，任重而道远，需要我们再接再厉、继续奋斗。要努力巩固灾后恢复重建成果，推进体制机制创新，切实把建成的项目运营好、维护好、管理好，使恢复重建的成果长期有效地服务灾区人民。要大力加强生态保护和建设，紧紧抓住三江源国家生态保护综合实验区建设、三江源生态保护和建设二期工程启动的战略机遇，全面改善玉树的生态环境条件。要着力推进科学发展，加快转变发展方式，因地制宜发展特色优势产业，多渠道扩大就业，促进城乡居民增加收入，加快发展教育、文化、卫生等社会事业，切实保障和改善民生。我们要坚持不懈努力，把玉树建设成为人民安居乐业、城乡共同繁荣、人与自然和谐相处的美好新家园。

汪洋强调，玉树抗震救灾斗争的胜利和灾后恢复重建取得的成就，再次证明了中国道路、中国制度的优越，再次展示了中国力量、中国精神的强大，再次昭示出，在中国共产党领导下伟大的中国人民能够创造任何人间奇迹。让我们在以习近平同志为总书记的党中央领导下，高举中国特色社会主义伟大旗帜，大力弘扬伟大的抗震救灾精神，团结奋进，顽强拼搏，创造无愧于历史和时代的伟业，谱写中华民族美好未来的崭新篇章。

骆惠宁在发言中说，玉树“4·14”强烈地震发生后，在党中央、国务院、中央军委的坚强领导和特殊关怀下，在国务院重建协调小组有力指导下，我们认真履行国家关于青海省负总责的要求，依照国务院《总体规划》，坚持科学依法高效和谐重建，以“苦战三年，跨越二十年”的坚定信念，奋力建设社会主义新玉树。此时此刻，我们可以自豪地向中央和全国人民报告，截至 2013 年 10 月，玉树灾后恢复重建主要任务全面完成，一个崭新的社会主义新玉树已傲然屹立在雪域高原上。

骆惠宁说，特殊的地理区位、生态环境和民族文化，决定了玉树重建堪称迄今为止人类历史上海拔最高、难度最大、条件最苦的一次大规模重建。从 2010 年 6 月开始，在实际不到两年的有效施工期内，玉树重建人战天斗地，顽强拼搏，共同书写了灾后重建的壮丽篇章。在重建岁月里，我们注重科学规划的引领，注重发挥政策支撑作用，注重创新工作机制，注重加强项目管理，注重推动廉洁重建，注重创造良好社会环境。经过三年艰辛努力，重建总体规划确定的 1248 个项目全部建成，灾区的人居条件焕然一新，公共服务设施大为改观，基础设施全面提升，生态修复与环境保护成效显著，特色优势产业顺势兴起，和谐家园同步推进，一批支撑玉树长远发展的重大工程相继建成，城乡面貌发生了脱胎换骨的历史性变化。在建设物质家园的同时，也收获了丰硕的精神家园成果。重建战场上涌现了许多可歌可泣的先进典型，灾区人民焕发出感恩奋进、自立自强、健康向上的良好风貌，草原上唱响了社会主义好、共产党好、伟大祖国好、人民军队好的主旋律。玉树重建创造的奇迹，再次见证了社会主义制度的巨大优越性，彰显了中华民族的强大凝聚力，展示了伟大的中国力量。

骆惠宁说，我们将紧紧抓住建设三江源国家生态保护综合试验区的战略机遇，不断建设人民安居乐业、城乡共同繁荣、人与自然和谐相处的美好家园，使玉树大地永葆生机与活力。

北京市政府副秘书长刘永富、中国铁建二十一局副总工程师达文斌、玉树市副市长尕玛才仁分别代表援建单位、先进集体和先进个人发言。

财政部、人力资源社会保障部、环境保护部、住房城乡建设部、审计署、国务院国资委、国务院扶贫办等中央有关部门负责人，北京市、辽宁省、四川省相关负责人，解放军、武警部队相关负责人，省委、省人大、省政府、省政协相关领导同志等出席大会。援建省市和央企的前方指挥部负责人，玉树地震灾后恢复重建先进集体和先进个人代表、各界群众代表等 600 余人参加了大会。

（《青海日报》，2014 年 01 月 11 日）

评　论

《人民日报》社论

大力弘扬伟大抗震救灾精神

一个在灾难中傲然挺立的国家，必然是一个拥有伟大精神的国度；一个懂得弘扬伟大精神的民族，必定会巍然屹立于世界民族之林。

四川汶川、青海玉树，见证了中华民族遭遇的重大地震灾难，也铸就了中华民族的伟大抗震救灾精神。面对极为罕见的玉树强震，全党全军全国各族人民众志成城、团结奋战，开展了极为艰苦的抗震救灾斗争，夺取了重大胜利，创造了在高原高寒地带灾难救援史上的奇迹。8月19日，中央在西宁召开大会，全面总结玉树抗震救灾工作，表彰抗震救灾英雄集体和抗震救灾模范，这是对伟大抗震救灾精神的一次大力弘扬，必将极大激励广大干部群众夺取抗震救灾和恢复重建的全面胜利。

大力弘扬伟大抗震救灾精神，就是要把万众一心、众志成城的民族精神转化为团结奋进的强大力量。面对强震袭向玉树，举国上下同玉树人民“在一起”，前方后方坚信“玉树不倒、青海长青”，四面八方“一方有难、八方支援”，56个民族血脉相通，凝结成患难与共、坚不可摧的命运共同体，彰显了我们党具有的强大号召力和向心力，彰显了社会主义制度的巨大优越性，展示出同舟共济、团结一心的国家力量和民族气蕴。在改革开放和社会主义现代化建设的伟大实践中，大力弘扬伟大抗震救灾精神，和衷共济、团结奋斗，我们的事业就会不断兴旺发达，我们的国家就会更加繁荣富强。

大力弘扬伟大抗震救灾精神，就是要把不畏艰险、百折不挠的民族品格转化为开拓进取的坚定意志。玉树强震突如其来，灾区各级党委政府紧急动员，各级干部身先士卒，广大共产党员发挥先锋模范作用，基层党组织发挥战斗堡垒作用，各族群众奋力自救和互救。我们的人民军队冲锋在前，以坚强毅力挑战体力极限、精神极限、生存极限，冲破千难万险为灾区群众送去生命的希望，共同展现了泰山压顶不弯腰的英雄气概。在前进的道路上，大力弘扬伟大抗震救灾精神，自强不息、不断进取，我们就必定能够不断战胜一切艰难险阻，创造出无愧于时代的辉煌业绩。

大力弘扬伟大抗震救灾精神，就是要把以人为本、尊重科学的时代理念转化为关爱生命、崇尚理性的实际行动。在抗震救灾的全过程中，“人的生命高于一切、重于一切、大于一切”成为共同信念，最大程度搜救了被困群众，最快速度救治了受伤人员，最大力度安置了受灾群众。党中央科学指挥，广大军民和各专业救援队伍坚持科学救援，充分发挥了科技在抗震救灾中的重要作用。在治国理政的实践中，大力弘扬伟大抗震救灾精神，坚持一切为了人民，一切依靠人民，全心全意为人民服务，我们必将进一步实现人的全面发展，让人民生活得更加幸福、更有尊严。

前不久，甘肃舟曲发生特大山洪泥石流灾害。在党中央、国务院的坚强领导下，军民团结一心，顽强拼搏，与自然灾害进行了艰苦卓绝的斗争。我们深信，玉树抗震救灾斗争的重大胜利，必将激励各族干部群众经受各种考验,战胜人世遭遇的各种灾害。大力弘扬伟大的抗震救灾精神，我们一定能够夺取全面建设小康社会新胜利，不断开创中华民族发展壮大的历史伟业。

（《青海日报》，2010 年 8 月 20 日）

《青海日报》社论

擦干眼泪　战胜灾难　迎接就要来临的明天

国旗半悬，汽笛悲鸣，昆仑垂首，三江呜咽。哀悼日，我们以国家的名义哭泣，为玉树地震中2000余名罹难同胞志哀送行；哀悼日，我们以大爱的名义聚集，点燃希望，凝聚力量，为抚慰活着的人们，为找回失去的家园。

这是汶川地震以来，第二次为严重自然灾害造成重大伤亡举行全国性哀悼活动。这一天，大江南北，长城内外，用同一个仪式寄托我们的无尽哀思。这一天，泰山低头，昆仑无语，神州共悲，13亿中国人用同一个仪式表达对普通公民生命的极大尊重。

这一天，历史重新定格在2010年4月14日7时49分的青海玉树，那个突如其来的灾难，让秀美的玉树废墟成堆，温馨的家园瓦砾遍地。一个个鲜活的生命瞬间陨落，一个个和美的家庭支离破碎……一时间，草木为之含悲，风云因而变色。

这一天，让我们不禁回首：地震发生后，党中央、国务院高度重视，胡锦涛总书记、温家宝总理、回良玉副总理亲赴灾区。省委、省政府快速反应、迅速行动，第一时间组织力量、开展救助。与时间赛跑，与死神抗争，全力抢救生命、救治伤员，安排受灾群众生活，恢复社会秩序，整个抗震救灾工作始终有力有序有效地推进。灾难面前，全省上下万众一心、众志成城，形成了并肩携手、共克时艰的强大合力。灾难面前，灾区广大党员干部群众率先垂范，冲锋在前，积极开展互帮互救，舍小家为大家，表现出感天动地、震撼人心的精神和勇气。一桩桩生还的奇迹，一幕幕人性的光辉，让我们体验了生命的不屈。地震可以摧毁我们的家园，但摧不垮我们坚强的意志。

这一天，让我们再次体会到“一方有难，八方支援”的深刻内涵。人民解放军、武警部队、公安干警、消防官兵、白衣天使、专业救援队伍汇集玉树，兄弟省区市鼎力支持，社会各界无私援助，表现出灾难面前爱大于天、血浓于水的高尚情怀。我们将永远铭记那一双双温暖的援助之手！我们将永远感恩那一份份真切的关爱！地震可以夺去同胞的生命，却夺不走中华儿女的手足深情。灾难只会让我们更加团结，抗震救灾斗争再一次证明，五十六个民族从来就是一个密不可分的命运共同体。

当无尽的哀思化作飞舞的雪花和恣肆的泪水，不屈的意志必将唤回希望的明天和崭新的追求。悼念罹难同胞，寄托深切哀思，我们一定要化悲痛为力量，化哀伤为坚强。擦干眼泪，继续前行，才是对逝者最久远的缅怀、最深沉的慰藉。目前，抗震救灾工作虽然取得了阶段性成效，但仍处于关键时刻，特别是人员救治、医疗防疫、群众生活安置、基础设施抢修、灾后恢复重建的任务十分繁重。我们要坚决贯彻党中央、国务院和省委、省政府的决策部署，大力发扬“五个特别”的青藏高原精神和“人一之，我十之”的实干精神，不畏艰辛、不怕疲劳、连续作战、全力以赴，克服一切艰难险阻，全面夺取抗震救灾斗争的最后胜利。

降下的国旗，会再次升起；低垂的头颅，会再次昂起。我们欣慰地看到，目前，灾区基础设施基本恢复、伤员全部接受救治，学校开始复课，银行正式营业，邮局恢复投递，小摊重新开张……这些都说明，灾区正在复苏，生活正在继续。我们要告慰罹难同胞，灾后重建已经启动，我们一定要，也一定能够重建一个更加美好的社会主义新玉树！

擦干眼泪，战胜灾难，迎接就要来临的明天。新生与玉树同行，希望与青海同在！我们坚信，有以胡锦涛同志为总书记的党中央的坚强领导，有全国人民的大力支持，有全省上下的不懈努力，有灾区干部群众的顽强拼搏，玉树一定会拥有生机勃勃的未来，青海一定会拥有美好安康的明天。

（《青海日报》，2010 年 4 月 22 日第 3 版）

学模范　见行动　立潮头　创实绩

这是英模的本色，这是榜样的力量；这是心灵的震撼，这是精神的洗礼。

昨天，全省抗震救灾表彰大会在西宁召开。一批在玉树抗震救灾中涌现出来的模范集体、模范个人和民族团结模范个人受到隆重表彰。他们的先进事迹和崇高品格，充分展示了我省各族干部群众抗击天灾的坚强意志，集中体现了伟大的玉树抗震救灾精神。他们的故事，他们的名字，令人感动，催人奋进。我们谨向来自全省各条战线的抗震救灾模范集体、模范个人、民族团结模范个人致以崇高的敬意！

青海不倒，玉树常青。历史将永远记住 2010 年 4 月 14 日。这一天，发生在江河源头、青南腹地玉树的这场强烈地震，使数千同胞遇难、数十万人受灾。当灾难袭来，在党中央、国务院、中央军委和省委、省政府的坚强领导下，在全国人民的大力支援下，全省上下团结一心，灾区干群奋起自救，坚决贯彻科学依法统一、有力有序有效方针，以最高效率抢救生命，以最优服务妥善安置群众，以最快速度抢修恢复基础设施，以最强举措恢复社会秩序，以最及时的部署推动灾后重建，广大军民以坚定信念、顽强意志、崇高精神，战胜磨难、经受考验，泰山压顶不弯腰，千难万险不放弃，奋勇挑战体力极限、精神极限、生存极限，展示了齐心协力抗击天灾的磅礴力量，在满目疮痍的土地上，以坚如磐石的团结和一往无前的拼搏，夺取了玉树抗震救灾的伟大胜利，共同谱写了人类抗灾史上感天动地的英雄凯歌。

坚强是战胜磨难的利器，勇气是创造奇迹的支撑。回首地动山摇的那一刻，一幕幕生离死别的场景令人肝肠寸断，一个个舍己救人的英雄令人无限敬仰，一声声自强不息的呐喊令人心潮澎湃，一份份慷慨无私的捐助令人热泪盈眶。巨大自然灾害面前，神州大地闪耀着互助友爱、扶危济困的人性光辉，处处涌动着人间大爱的滚滚热流，中国特色社会主义制度的优势又一次充分体现，党和政府与灾区人民同呼吸共命运的坚强决心、社会主义国家强大的组织动员能力、非灾区人民无私支援灾区的团结互助风尚、灾区人民不屈不挠的自强不息精神，让国人感动，让世界惊叹！

沧海横流，方显英雄本色；艰难困苦，凸显模范品质。在抢险救灾一线，一个个模范集体就是灾区一座座堡垒；一个个模范个人就是灾区一面面高扬的旗帜。虽然都是普通干部群众，都在平凡岗位工作，但在危难时刻、紧急关头，他们身先士卒、勇挑重担、舍生忘死、冲锋在前，经历了生与死的考验、血与火的洗礼，展现出超乎寻常、超乎想象的非凡勇气和值得大书特书的优秀品格。大灾面前，抗震救灾模范们临危不惧、自强不息，舍己救人、无私奉献，恪尽职守、团结互助，用理想凝聚力量、用信念铸就坚强、用真情凝结关爱，他们是大爱同心、坚韧不拔、挑战极限、感恩奋进的伟大玉树抗震救灾精神的杰出代表。

民族精神是一个国家综合国力的重要组成部分，其内涵总是在历史进步中不断得到丰富、在灾难考验中不断得到升华。伟大的玉树抗震救灾精神是长期以来青海各族人民不屈不挠与自然灾害斗争实践的集中反映，是青海各族人民团结和睦、守望相助美好品格的充分彰显，是青海各族人民追求发展进步强烈愿望的生动写照。它生动诠释了“自信开放创新”的青海意识，深刻演绎了“五个特别”的青藏高原精神，全面展现了“人一之，我十之”的实干精神，并与之一起构成了具有时代特色的新青海精神。面对未来的多重挑战和崇高使命，我们要传承这一伟大精神，使之转化为艰苦奋斗、重建家园的坚定意志，转化为团结协作、建设新青海的必胜信念。

有多少模范，就有多少感动；有多少感动，就有多少力量。我们要以这次表彰的模范为榜样，努力工作、不懈奋斗。当前，青海正处在经济加速发展、产业加快转型的关键阶段，正面临着抢抓西部大开发机遇、全面建设社会主义新玉树、加快推进青海藏区跨越式发展的新任务，正探索实践“四个发展”的科学模式、加快青海经济发展方式转变的重大课题。面对新形势、新任务、新课题，我们要深入贯彻落实科学发展观，大力弘扬新青海精神，紧紧围绕科学发展、改善民生、保护生态三大历史任务，着力推动“四个发展”，努力探索具有青海特点的科学发展模式，奋力闯出欠发达地区实践科学发展观的成功之路，不断夺取建设富裕文明和谐新青海的新胜利。

（《青海日报》，2010 年 8 月 15 日第 2 版）

为党旗增添新的光彩

在玉树抗震救灾斗争中，全省各级党组织和广大共产党员勇挑重担，冲锋在前，充分发挥了中流砥柱作用，涌现出了许许多多感人事迹。他们用实际行动书写着对人民的热爱、对祖国的忠诚，展示了新时期共产党员的光辉形象，诠释着共产党员的先进性。在建党 89 周年之际，我们向为玉树抗震救灾做出突出贡献的先进党委（党组）、先进基层党组织、优秀共产党员、优秀党员领导干部致以最崇高的敬意！

沧海横流，方显英雄本色。在玉树地震灾区这个特殊考场上，全省各级组织和广大共产党员交上了一份优秀的答卷。面对突如其来的地震灾害，各级党委快速反应、果断决策、有力指挥，充分发挥了领导核心作用；全省各级党员领导干部挺身而出、身先士卒、靠前指挥，充分发了领导干部的模范带头作用；广大基层党组织坚强有力、迅速行动、一心为民，充分发挥了基层党组织的战斗堡垒作用；广大共产党员舍生忘死、无畏担当、勇往直前，充分发挥了共产党员的先锋模范作用。到灾情最严重的地方去，到受灾群众最集中的地方去，到抗灾困难最大的地方去，成为各级党组织和广大党员的共同选择；想群众之所想、急群众之所急、办群众之所需、解群众之所难，成为各级党组和党员干部的共同姿态。哪里最危险，哪里就有党员的奋不顾身，哪里最困难，哪里就有党员的全力以赴。在地震废墟上，一个党员就是一面旗帜、一根标杆，“跟我上”“让我来”的口号催人奋进，他们没有畏惧，没有彷徨，把大爱书写在那一面面催人奋进的党旗上。他们讲党性，重品行，做表率，带领广大军民团结拼搏，用英勇壮举诠释了我党全心全意为人民服务的根本宗旨。从他们的身上，我们感悟到了立党为公、执政为民的崇高境界，感受到了勇于进取、无私、奉献的精神风貌，体会到了党的优良传统和鲜明时代特征。他们不仅是践行科学发展观、永葆先进本色的典范，也是我们身边看得见、学得着的榜样。榜样的力量是无穷的。我们要学习他们坚持党和人民的利益高于一切，视群众如亲人的高尚情操；学习他们不畏艰险，迎难而上，奋不顾身的英雄气概；学习他们将人民群众的生命财产安全放在心上，舍小家顾大家的奉献精神；学习他们立足本职岗位，踏实工作，恪尽职守的优秀品格。全省各级党组织和广大党员、干部要把学习玉树抗震救灾中涌现出的先进党组织和优秀共产党员作为开展创先争优活动的重要内容，把他们在抗震救灾斗争中培育和体现出来的好思想、好作风、好精神长期坚持下去，不断发扬光大，把学习他们的精神转化为推动青海跨越发展、绿色发展、和谐发展和统筹发展的强大力量，转化为推动各项工作的强大动力，贯穿到日常工作中，落实到具体行动上，在工作中、在岗位上唱主角、挑大梁，在急难险重任务面前打头阵、当先锋。

当前，我们灾后重建和经济发展的任务还十分艰巨，各级领导干部要进一步发挥表率作用，做灾后重建的主心骨；基层党组织要进一步发挥战斗堡作用，做灾后重建的战斗队；广大共产党员要进一步发挥先锋模范作用，做灾后重建的带头人。坚持一手抓灾后重建不放松一手抓科学发展不动摇，继续发扬抗震救灾精神，发扬“五个特别”的青藏高原精神和“人一之，我十之”的实干精神，在建设富裕文明和谐新青海的征程中再立新功，用实实在在的行动，为党旗增添新的光彩。

（《青海日报》，2010 年 6 月 30 日第 1 版）

创造重建奇迹　展示伟大力量

昨日，玉树地震灾后恢复重建总结表彰大会在西宁胜利召开。在此，我们向三年来所有关心、支援和参与玉树灾后重建的国家部委、兄弟省区市、中央企业、全国各族人民和人民子弟兵、港澳同胞、台湾同胞以及海外华人华侨、国际友人，表示衷心的感谢和崇高的敬意！

玉树地震灾后恢复重建全面启动三年以来，在党中央、国务院和中央军委的特殊关怀和坚强领导下，我们以“苦干三年、跨越二十年”的坚定信念，举全省之力，充分发挥援建单位的主力军作用，在实际不到两年的有效施工期内，重建总体规划确定的 1248 个重建项目全部建成，全面完成了恢复重建的主要任务，实现了居民拥有新家园、生态迈上新台阶、设施得到新改善、城乡呈现新面貌、社会和谐新局面的重建目标，灾区城乡面貌发生了脱胎换骨的巨大变化，一个崭新的社会主义新玉树已傲然屹立在雪域高原上，创造了世界灾后重建史上的又一个奇迹，谱写了人类与自然灾害抗争的又一曲英雄凯歌，铸就了伟大中华民族精神的又一座巍峨丰碑。

玉树重建堪称迄今为止人类历史上海拔最高、难度最大、条件最苦的一次重建。我们注重以科学规划引领重建，牢牢把握目标定位，坚持谋定而后动，纲举而目张；我们注重发挥政策支撑作用，研究制定了 17 项配套政策，妥善协调利益关系，确保重建又好又快地全面展开；我们注重创新领导体制和工作机制，形成了省州县乡四级联动、条块结合、高效运转的一体化组织领导体制，建立了对口援建、一线工作、要素保障等工作机制；我们注重加强项目管理，科学安排投资计划，加强项目审批，保障工程质量和施工安全；我们注重推动廉洁重建，制定重建廉政规定和工作纪律，严格捐赠资金使用，建立“横向到边、纵向到底、全面覆盖”督查督导机制，有力提升工作效率；我们注重营造良好的社会环境，强化群众主体意识与责任意识，最大限度地调动和发挥灾区群众的积极性，创新社会管理方式，及时化解各类矛盾，消除隐患。我们积极做好宣传工作，释放和弘扬正能量，极大地激发了各族群众重建家园的内在动力。

玉树灾后恢复重建的三年，是灾区生活条件大变样的三年，是灾区经济社会大跨越的三年，是灾区基础设施大提升的三年，也是灾区自强不息精神大弘扬的三年。这些成绩的取得，让我们深切感受到，党中央、国务院的亲切关怀是灾后恢复重建取得胜利的根本保证，当日的《青海日报》和《西海都市报》上，多版面、大篇幅地刊载了玉树灾后重建三年来所取得的巨大成就。

在青海民族大学的老年活动室里，退休的老人们眯着眼睛，仔细端详着图文并茂、气势恢弘的版面，谈及发生在三年前的那场大地震，他们无不为今日新玉树而由衷地感慨。

无论是在报亭前，还是在单位的办公室里，抑或是军营或警营中，读者的共同感受是：三年多来，全国数以万计的援建者来到灾区，数以千计的志愿者赶赴灾区；许许多多的心理学者、医务人员和教师，深入受灾群众安置点，与灾区群众同舟共济。玉树灾后恢复重建，所有参与援建的人们与自然抗争，与困难较量，与时间赛跑，全力推进科学重建，优质重建，高速重建，爱心重建，绿色重建，和谐重建，谱写出一曲曲英雄华章，伟大的灾后重建必然造就英雄，从灾难中站起来的玉树人民都是英雄。

当日下午，国内各大网站上有关玉树地震灾后恢复重建总结表彰大会消息的点击量也不断在攀升，广大网友们在庆贺灾后恢复重建任务胜利完成之时，对玉树藏族同胞的关爱和对世界屋脊充满人文与自然关怀的正能量也空前地集聚起来！

全国各地的网友发出这样的感慨：

——“玉树依然临风，江源依旧美丽！”

——“经历了大灾大难，咱们的玉树没有倒，咱们中国人的精神没有垮！”

——“赞重建，赞英雄，赞站起来的新玉树！”

三江源纪念碑前的广场上，玉树藏族自治州的近千名干部群众聚集在一起，这里是玉树地震灾后恢复重建总结表彰大会的分会场。

“是党中央、国务院的坚强领导和社会主义的优越制度，给了我们涅槃重生的希望；是全国人民的如潮大爱和伟大的抗震救灾精神，给了我们砥砺前行的力量；是省委省政府运筹帷幄，科学指挥，圆了灾区人民的梦想。”站在三江源头猎猎的风中，玉树市林业干部冶生华大声道出了灾区人民的共同心声。

“我们赢了，玉树赢了，青海赢了，中国赢了！”玉树市扎西大同村三社社长才哇激动地说道。

（原载《青海日报》，2014 年 1 月 11 日第 1 版）

《人民日报》评论员文章

同人民在一起

人民日报评论员

这一切都似曾相识，这一切将永志难忘。

地震废墟上，伤员病床边，村党支部的帐篷前，临时板房教室中，总书记的手与灾区群众握在一起，心与灾区群众贴在一起。

“在这一困难时刻，我需要尽快赶回国内，同我国人民在一起，投入抗震救灾工作。”玉树强震发生后，胡锦涛总书记提前结束访问回国，亲赴灾区指导抗震救灾工作。

“同人民在一起！”真情的呼唤，表达生死相依的深厚情感，展现上下同心的钢铁意志，让灾区群众真切感受到社会主义大家庭的温暖，凝聚起十三亿人民万众一心、众志成城、不畏艰险、战胜灾难的坚强决心和巨大力量。

“同人民在一起！”吴邦国、温家宝、贾庆林、李长春、习近平、李克强、贺国强等中央领导情牵玉树震区、心系灾区人民，第一时间部署这场营救生命、保障民生艰巨斗争的各项措施，或亲临一线指挥救灾，或以其他各种形式动员各方面力量投入抗震救灾战斗。

“同人民在一起！”人民解放军和武警部队、民兵预备役人员、公安民警和消防官兵第一时间驰援玉树，迅速投入紧张救灾。这支在历次抢险救灾中屡建奇勋的钢铁之师，成为灾区群众跟时间赛跑、与死神抗争的中流砥柱。

“同人民在一起！”中央直属机关、中央国家机关、各兄弟省份政府、地震救援专业队伍、广大医务人员等紧急行动，展开了一场可歌可泣的抗震救灾斗争，为减少地震灾害损失、保障受灾群众生活、维护社会稳定发挥了重要作用。

“同人民在一起！”灾区各级党委、政府和广大党员干部坚守岗位、恪尽职守，靠前指挥、奋起自救，党员干部奋战在最困难的地方，鲜红的党旗飘扬在灾情最严重的地方。灾难面前，他们是广大群众的主心骨。

“同人民在一起！”新闻工作者火速赶往灾区一线，发回大量详实报道。社会各界纷纷向灾区伸出援助之手，向灾区人民奉献一片爱心。广大网友留言，为灾区同胞打气：“玉树挺住！十三亿中国人是你们的坚强后盾！”“玉树不倒，青海常青！”

“新校园，会有的！新家园，会有的！”再大的困难都会过去，一个更好更美的新玉树将在废墟上崛起。因为，危难中，党和人民在一起！军队和老百姓在一起！十三亿人民在一起！全国各民族的兄弟姐妹在一起！这是血浓于水、心手相连的情感，这是同舟共济、多难兴邦的力量。正是在一次次血与火的考验中，历经磨难的中华民族更加坚强不屈、更加团结一心。

危难中，“同人民在一起！”让我们一起面对，一起担当，一起夺取抗震救灾斗争的胜利！

（《青海日报》，2010 年 4 月 20 日第 3 版）

新华社评论员文章

再接再厉　打好抗震救灾这场硬仗

新华社评论员

21 日，全国各族人民举行哀悼活动，表达对青海玉树地震中遇难同胞的哀思，也用特殊方式表达了再接再厉打好抗震救灾这场硬仗的决心。

玉树发生强烈地震后，党中央、国务院紧急部署抗震救灾，有关部门和地方立即启动应急响应机制，各路队伍迅速集结，以最短的时间、最快的速度、最有力的措施抓紧救援，尽最大可能搜索营救被困群众和受伤人员，最大限度减少人员伤亡。这充分体现了党和政府以人为本、尊重生命的施政理念和对灾区人民的深厚感情。

在党中央、国务院和中央军委的坚强领导下，广大救援人员全力以赴，灾区干部群众奋起自救，全国人民大力支援，持续一周的抢险救援工作克服了高原缺氧和天气变化等重重困难，取得了重要进展。一周来，2 万多名救援人员累计搜救营救被困群众 1.7 万多人。3 万多顶帐篷、5.5 万件棉大衣、18 万床棉被、800 吨食品等救援物资迅速运抵玉树，及时分发给受灾群众。同时，加强地震监测预报，落实防范余震措施，安排好受灾群众生活，维护好灾区社会秩序，积极为灾区恢复生产、学生复课创造条件……一项项工作有条不紊，确保了搜救工作不留死角，确保了灾区群众有饭吃、有衣穿、有干净水喝、有临时住处、有病能得到及时治疗。目前，人员搜救已覆盖全部受灾村庄，伤病群众已得到及时救治，危重伤员已全部转运外地治疗，受灾群众已得到临时安置，灾后重建准备工作正在抓紧进行，灾区民族团结，社会稳定。

在以胡锦涛同志为总书记的党中央直接指挥下，这场抗震救灾斗争进行得有序、有力、有效。地震、减灾、民政、卫生、交通、铁道、民航等相关各部门、人民解放军、武警部队、公安民警、消防官兵以及当地干部群众等各种救援力量形成了统一领导、统一指挥，大力协同、密切合作的工作机制，保证了抢险救援工作的顺利推进。震后 24 小时，通信和主要道路交通基本恢复；不到 48 小时，重点地区基本通电；不到 72 小时，上千名重伤病员被转运到条件较好的医院救治……紧急而有条不紊的抗震救灾工作进展情况，显示了党和政府应对重大突发灾害事件的能力。

玉树地震救援，再次砥砺了中国人民伟大抗震救灾精神。坚持科学、依法、统一的原则，使抗震救灾各项工作有序、有力、有效。实践证明，发扬伟大抗震救灾精神，凝聚起全民族的精神力量，团结一心，众志成城，我们就一定能打好抗震救灾这场硬仗。

抗震救灾既是一场攻坚战，也是一场持久战。当前，抗震救灾处于抢险救援与生产生活秩序恢复并举的关键阶段，打好这场硬仗，就要发扬不怕疲劳、连续作战的精神，在已经取得成绩的基础上再接再厉，做好后续各项工作。要继续开展人员搜救、救治、卫生防疫、群众生活安置、基础设施抢通保障、灾后恢复重建、维护民族团结和社会稳定等各项工作，最大程度地减轻灾害损失，切实加强救灾捐赠资金物资的管理使用，抓紧开展灾害损失评估，全面启动灾后恢复重建规划各项工作。

灾后恢复重建是一个长期过程，需要更多的智慧和更强的毅力。玉树地震灾区地处民族地区，也是贫困地区、生态重点保护区、高原高寒地区，适宜施工的时间短，运输建材物资难度大，恢复重建要求高、时间紧、任务重、困难多，必须在科学评估、搞好规划的基础上，研究制订重建方案和实施办法。有关各方要坚决按照中央部署，认真贯彻落实科学发展观，加强协调配合，充分利用资源，像抢险救援一样有序、有力、有效地推进恢复重建工作。

“新校园，会有的！新家园，会有的！”我们坚信，有以胡锦涛同志为总书记的党中央坚强领导，有全国人民大力支援，有灾区各族人民团结拼搏，一个环境优美的新玉树一定会早日建成。

（《新华每日电讯》，2010 年 4 月 22 日）

灾难中涌动前进的力量

新华社评论员

又是一次地动山摇、墙倒屋塌的强烈地震，又是一次举国集结、心手相连的悲壮抗争。从汶川到玉树，勤劳勇敢的中国人民，直面无情灾难的考验；生死救援，家园重建，顽强不屈的中华民族，在应对严峻挑战中获得新的历史进步。

灾难面前，我们忧心如焚，与死神竞速。我们感受痛楚，我们也在悲痛中交出坚强的答卷：第一时间的应急救援机制启动，迅速周密的抗震救灾部署，更加及时高效的生命救治，更加细致周到的受灾群众安置……我们更加有力地应对灾难。

从汶川到玉树，“生命至上”的理念在十三亿人民心目中弘扬。“生命高于一切”“一线希望，百倍努力”。从地震发生后的那一刻起，不惜一切代价抢救生命，成为全国上下的共同信念和不约而同的一致行动。无论是灾区群众第一时间的奋力自救，还是各方力量的迅速汇集；无论是四川茂县上空伞兵的奋力一跃，还是玉树地震后当地驻军的果敢行动，人们的目标指向一点：绝不放过一丝生的希望！一个个废墟下的全力挖掘，逐村逐户的拉网式搜救，把生的希望送给那些一息尚存的被埋同胞；重伤群众的转移救治，医疗防疫的高效开展，让那些遭受地震残害的生命得到悉心呵护，让灾区群众免于次生灾难的二次伤害。继纪念四川汶川大地震遇难同胞全国哀悼日之后，中国又一次用最庄严的方式举哀，国旗低垂，却高扬起对生命的尊重和护佑。

同人民在一起，生死紧相依，中华大地上又一次宣示“血脉相连”的真情。“我需要尽快赶回国内，同我国人民在一起，投入抗震救灾工作……”胡锦涛总书记的深情告白，表达了中国共产党始终和人民群众唇齿相依，鱼水情深。党的根基在人民，血脉在人民，力量在人民。“玉树你不孤单，今天我们都是玉树人”，灾难来临，华夏儿女一起担当；艰难险峻，各民族同胞共同抵御。党和政府与人民心相连，全中国同胞手相牵。这是真情，更是力量！灾害面前，它将凝聚成克服一切艰难险阻的不屈精神和不竭动力。

创伤和悲痛终将过去。截至目前，玉树地震灾区人员搜救已覆盖全部受灾村庄，伤病群众全部得到及时救治，危重伤员全部转运外地治疗，受灾群众全部被临时安置，灾区生产生活秩序逐步恢复，灾后重建工作正抓紧进行。我们为已经取得的重大进展深感振奋和宽慰，更对一个更加美丽的新玉树在废墟上崛起充满期待。

灾难挡不住对美好生活的向往，艰险阻止不了前进的脚步。有党中央、国务院的坚强领导，有改革开放 30 多年积累的强大物质基础，有科学救灾、恢复重建的宝贵经验，有血脉相连、众志成城的民族精神，我们一定能在古老的玉树书写战胜灾难、重建家园的新传奇！

（新华社，2010 年 4 月 25 日）

灾难凝聚力量　重建美好家园

新华社评论员

根据党中央、国务院的部署，当前青海玉树抗震救灾工作已经进入新的阶段。中央要求新阶段的前期，要把进一步安置好受灾群众、全面恢复正常秩序、开展灾后重建摆在突出位置，为灾区办实事、解难题，科学谋划、扎实推进恢复重建各项工作。

玉树强烈地震发生十余天来，抗震救灾工作取得的重大阶段性成果证明，有党中央、国务院的坚强领导，有全国人民大力支援，无论是高寒缺氧还是恶劣天气，都无法阻挡中国人民抗震救灾的步伐。

700 多天前，“汶川不哭”的吼声响彻天安门广场，如今汶川等地重建 3 年任务有望两年完成，曾经满目疮痍的灾区已是一片生机。现在，中国人民又把“玉树不倒”的心声化作坚强力量，将在青海高原腹地谱写抗震救灾的传奇。

按照中央的部署，当前抗震救灾要重点抓好六项工作：一是着力安排好受灾群众生活，二是着力恢复灾区正常秩序，三是加强卫生防疫工作，四是加强救灾资金物资的有序发放和监督管理，五是确保灾区社会稳定，六是确保灾后重建前期工作顺利推进。这六项工作承前启后，环环相扣，对于当前和今后灾区恢复重建至关重要。有关各方要坚决按照中央部署，继续发扬全国一盘棋的大团结、大协作精神，既各司其职，又紧密配合，有序、有力、有效地推进重建工作，以卓有成效的努力抚慰灾区人民。

玉树地震发生后，全国上下各部门、各行业迅速行动，为抢险救援出人出力、出钱出物，表现出了同舟共济的协作精神。灾区重建非一日之功，玉树重建又受高寒等地理因素影响，施工时间有限，更需要相关各方务实高效、尽职尽力。十余天来抗震救灾工作取得的重大阶段性成果告诉我们，只有继续保持昂扬斗志和良好作风，才能不辜负党和人民的重托。

集中力量办大事，是我国社会主义制度的巨大优势。汶川等地灾后重建中，中央创造性地部署了中东部省市对口援建工作。事实证明，这项举措符合我国实际，顺应党心民意，使重建工作实现了又好又快的目标。近两年中，中东部经济较发达的 18 个援建省市和地处西部的重庆市带着数百亿元资金和上千个项目，帮助汶川特大地震极重灾区和重灾区建起了众多基础设施，而且将发展理念、创新精神带到灾区。汶川地震灾区恢复重建的成功实践和有益经验，使我们对建设一个环境更优美、人民生活更美好的新玉树充满信心。我们相信，未来的玉树重建，一定能做到“硬件”与“软件”相结合，“输血”与“造血”相结合，当前和长远相结合，成为东、中、西部地区优势互补、加快转变经济发展方式的重建，促进玉树又好又快地发展轨道。

连日来，陕西、江苏、安徽、福建等省份的干部群众积极响应中央号召，广泛开展为灾区困难群众送温暖、献爱心活动，纷纷向灾区群众捐献钱款和衣被。我们有理由相信，待中央作出支援玉树具体部署之后，有关地方一定会更加积极地行动起来，为玉树重建再立新功。

美丽的玉树是一块生态宝地，长江、黄河、澜沧江这三大江河均发源于此。长期以来，玉树人民为保护三江水质量、保护全国生态环境作出了重要贡献。在我国加快建设环境友好型社会的背景下，这使我们对玉树重建平添一份责任和期待。

中央已经对玉树灾后重建任务时间表和支持支援政策做了初步研究，明确要求全面分析、充分认清玉树地震灾区的特点；依靠各方力量、发挥专家作用，为恢复重建规划的编制和实施提供基础和依据；坚持科学、统一、环保，安全、适用、省地的原则制定重建规划，体现民族特色，把公共服务设施摆在重建的优先位置，等等。这些安排充分体现了科学发展观的要求，具有重要指导意义。我们相信，在党中央坚强领导下，在全国人民大力支援下，重建的玉树一定会更加美好！

（《新华每日电讯》，2010 年 4 月 26 日第 1 版）

书写在雪域高原的重建奇迹

新华社评论员

人类历史的每一项伟大壮举，背后都有着不同寻常的挑战与艰辛。仅三年多就基本完成的玉树地震灾后重建，以超乎想象的创造写下雪域高原的人间奇迹。

走进平均海拔4000多米的玉树新城，一座座藏式民居整齐排列，一条条道路通达宽敞，浴火重生的结古镇以崭新姿态重新屹立在雪域高原。无论是学校孩子们的欢声笑语，还是扎曲河畔休憩交谈的平静面庞，都传递出勃勃生机与希望，折射出中华民族面对大灾大难不屈不挠、屡创奇迹的坚韧品质。

不曾忘记，三年多前那场突如其来的7.1级强烈地震，瞬间撕碎了玉树的山峦大地，夺走了2700多人的生命，结古镇几乎夷为平地。党中央、国务院第一时间作出部署，灾区党员群众奋起自救，社会各界紧急援助，整个中国众志成城，凝聚成抗震救灾的强大力量，谱写了一曲感天动地的生命凯歌。当余震的烟尘逐渐散去，如何在满目疮痍的土地上早日建起新家园，让灾区群众过上更好的新生活，如何重新构筑三江源的生态安全屏障，党中央在牵挂，玉树人民在期盼。

作为迄今为止人类在高原高寒地区开展的最大规模的灾后重建，玉树地震灾后重建面临自然条件严酷、生态环境脆弱、工程人员匮乏、语言文化障碍等诸多挑战。凭借党和政府的坚强领导和有力支持，依靠坚定的信念支撑，援建人员忍受高寒缺氧，勇于挑战身体、环境的极限，不但如期完成近36000千平方千米受灾面积重建，更是以超前的建设标准，将玉树提升到一个全新发展阶段，创造了我国乃至世界灾后重建史上的奇迹。

灾难制造了毁灭，战胜灾难便成就了超越。“片区式”的社会管理创新，一家一户“按需下单”的特殊设计，充分尊重民意的人性化模式，精神重建与物质重建并重的方式等，大大改善了当地群众的生活条件，促进了民族地区的团结和睦。在一次次灾害考验中，救灾速度明显加快，重建效率显著提高，救助模式趋于成熟。这得益于近年来抗灾救灾经验的积累，得益于国家综合性投入的加大和体系机制的完善，集中体现了党中央以人为本的执政理念和中国特色社会主义制度的优越性。

纵观玉树地震灾后重建，“科学”一词贯穿始终。从震后第57天国务院就批准印发的重建总体规划，到重建过程广泛应用环保材料、技术，尽最大努力降低对环境的影响，从三江源头生态修复到全面升级藏区的经济模式和产业类型，各族干部群众用强有力的行动，探索出了一条可持续发展的绿色道路。这是对自然灾害的深刻反思，是对未来与自然和谐共处的积极探索。

灾难已经过去，抗震精神长存。“汶川不哭”“玉树不倒”“舟曲加油”“芦山雄起”……从国家领导人到普通公民，举国上下坚韧不拔，同舟共济，从灾难的伤痛中崛起，在破碎的土地上奋发，重建城市、重筑家园，续写生活篇章、放飞新的梦想。希望，从来不因苦难而磨灭，梦想，更因奋斗而愈发真实。历经沧桑的中华民族，就这样铸就了不屈的精神，凝聚了无尽的力量，就这样愈挫愈勇、不断前行。

“只有奋斗，才能治愈过去的创伤；只有奋斗，才是我们民族的希望和光明所在。”弘扬不屈精神，发挥制度优势，凝聚奋进力量，让我们携起手来，继续努力，把祖国家园建得更加美好。

（新华社，2013 年 11 月 2 日）

《青海日报》评论员文章

紧急行动抗震救灾

本报评论员

4月14日，玉树发生7.1级强烈地震，造成大量房屋倒塌，重大人员伤亡。

灾情就是紧急行动的号召，灾情就是抗震救灾的命令。

党和政府与灾区人民心连心。地震发生后，党中央、国务院高度关心灾区人民，胡锦涛总书记、温家宝总理分别作出重要指示，要求全力做好抗震救灾工作，千方百计救援受灾群众，同时要加强地震监测预报，落实防范余震措施，切实安排好受灾群众生活，维护灾区社会稳定；温家宝总理心系玉树灾区，致电省委书记强卫慰问灾区群众并对抗震救灾工作作出重要指示；回良玉副总理于当日赶赴地震灾区。省委、省政府快速反应，强卫书记、骆惠宁省长等领导迅速抵达灾区指挥抗震救灾。民政部，临近的兄弟省区及我省地震、民政、卫生、武警、公安消防……立即组织力量、物资驰援灾区，受灾地区也迅速组织开展自救。其他救援力量将陆续赶到灾区。

抗震救灾，救人最要紧。此时此刻，废墟下，痛苦挣扎的群众，企盼着温暖的手将自己从死神手里夺回；废墟上，伤痛、饥寒交迫的群众，企盼着得到医药、衣服、棉被和食物……此时此刻，没有什么比全力抢救群众生命更重要，没有什么比最快出现在受伤群众身边更紧迫。时间就是生命。救援力量早一分钟到达，群众就能多一份安慰，施援早一分钟展开，就能多挽救一个生命。灾难面前，人民生命高于一切。关爱生命、抢救生命，哪怕废墟下只有一个人，哪怕还有一线希望，我们就应不惜一切代价，尽最大努力抢救到底。

人民解放军、武警部队战士、公安干警，是敢打硬仗、群众信赖的“主力军”，就让我们在灾区这一特殊的战场展开一场气壮山河的生死大营救，去托起生命的希望；全省各级党政部门是灾区群众的主心骨，就让我们以强烈的大局意识、责任意识、使命意识，各司其职，各负其责，紧急行动，密切配合，形成抗震救灾的强大力量；全省广大领导干部、共产党员是人民群众的贴心人，就让我们充分展现共产党人的英雄本色，舍小家顾大家，坚守岗位，冲锋在前，把希望让给别人，把危险留给自己，彰显共产党人的优秀品格；“一方有难、八方支援”是中华民族的传统美德，灾难无情，人间有爱，就让全省各族群众不分男女老幼，不分天南地北，向灾区人民伸出援助之手，将你关切的爱心投向抗震救灾的第一线。

突如其来的灾害，是特殊的战场，也是特殊的考场。让我们科学组织抗震救灾工作，有效协调、整合各种抗震救灾资源和力量，提高救灾效率，加速救灾进展，从救治受困受伤群众、解决衣食住行、医治心理创伤等各个方面入手，急群众之所急，解群众之所困，最大限度地克服困难，争分夺秒，源源不断地把党和政府的关怀送到受灾群众中去，把援助物资运往灾区一线，确保灾区道路、交通、通信畅通，确保群众有饭吃、有衣穿、有干净的水喝、有临时住处，赢得这场特殊的战斗。让灾区群众感受到党永远和他们在一起，全省人民、全国人民永远和他们同呼吸、肩并肩。

地震可以改变山河、摧残生命、损失财富，但它压不垮青海人民的顽强意志，摧不毁抗震救灾的坚强决心，让我们万众一心，众志成城，紧急行动，全力以赴，夺取抗震救灾斗争的胜利。

（《青海日报》，2010 年 4 月 15 日第 2 版）

灾情就是动员令　灾情就是冲锋号

本报评论员

玉树地震发生后，党和政府高度重视，立即做出抗震救灾部署，各方力量迅速集聚，抗震救灾成为当前压倒一切的中心工作。一排排救援队伍、一车车救灾物资、一笔笔救灾资金……在“第一时间”送往灾区。是的，这两天，我们正以无数个“第一时间”对“灾情就是动员令！灾情就是冲锋号！”这一命题做出最为迅捷、最为有效的反应。

灾情就是动员令！灾情就是冲锋号！“玉树”这个名字一夜之间成为我们所有人瞩目的焦点。那些永远静默于废墟下的生命，让我们低首志哀；那些仍在等待救援的同胞，让我们忧心如焚。我们看到：从中央到地方，各部门各单位，各行各业迅速行动，全力以赴地投入到这场抗震救灾斗争中来。这充分说明，我们的祖国温暖如家，我们各民族亲如一家，此时此刻，万众一心，贵如赤金。

灾情就是动员令！灾情就是冲锋号！当前第一位的任务是全力救人。我们清楚：早一秒钟就可能多救活一个人，只要有一线希望，我们就要尽百倍努力。以最快的速度、最短的时间、最有力的措施、最有效的方法施救，我们才能最大限度减少人员伤亡。这是灾难之下的国家意志、民众诉求和灾区热望。

灾情就是动员令！灾情就是冲锋号！应对灾害，需要各路人马明确职责、协调作战、形成合力，迅速展开应急处置和救援工作。奋力营救、救治、安置受伤人员，奋力抢修受损基础设施，奋力实施医疗救护和卫生防疫工作，奋力保障食品、饮用水、燃料等基本生活必需品供应，奋力采取措施防止次生、衍生灾害的发生，迅速普及抗震救灾知识，将他救与自救结合起来，将灾区损失降到最低。

灾情就是动员令！灾情就是冲锋号！抗震救灾是一场“生死时速”的较量。除了有强大政府力量主导之外，各种社会力量的自发参与也非常重要。灾区同胞的生死下落，触动着每个人心灵中最柔软最敏感的部分。我们看到，举国上下涌动的“一方有难，八方支援”的暖流，正温暖着受灾群众的心，无数同胞或发倡议书、或做志愿者、或捐款捐物，为灾区奉献着自己的一片爱心。我们应该以自己的实际行动告诉灾区人民，你们并不孤单，我们一定能够共克时艰。

（《青海日报》，2010 年 4 月 16 日第 2 版）

决不放弃一个生命

本报评论员

温家宝总理 4 月 15 日在玉树地震灾区考察灾情、慰问各族干部群众、指导抗震救灾时指出，当前，抗震救灾第一位的工作是救人。只要有一丝希望，就要尽百分努力，坚持下去，决不放弃。

地震发生后，国务院抗震救灾总指挥部总指挥回良玉副总理指示要加大搜救力度，全力抢救生命。省委书记强卫、省长骆惠宁也多次叮嘱救援人员，抢救生命，全力以赴，要不惜一切代价救人，废墟下哪怕还有一个人，也要抢救到底。来自全国各地的救援队伍克服各种困难，夜以继日、废寝忘食地工作着、挖掘着、搜救着……所有这一切，都是在与死亡抢时间，都是为了抢救生命；所有这一切，都充分表明，在党和政府心中，在全体救援人员心中，人民高于一切，生命高于一切。

决不放弃一个生命。这是对生命的高度尊重，是崇高的价值追求，充分体现了党和政府以人为本、以民为重的民生情怀。

决不放弃一个生命。这是坚定的信念，眼下最为紧要的仍然是竭尽全力搜救被困群众，只要还有一个生命一息尚存，我们都要不惜一切代价，付出百倍努力去营救。

决不放弃一个生命。这是对生命的礼赞，是对生命奇迹的期待。汶川抗震救灾的实践告诉我们，只要我们不抛弃、不放弃，就会有一个个濒临凋谢的生命在我们的不懈努力下获得重生。

决不放弃一个生命。要求我们必须争分夺秒，刻不容缓。目前还有许多父老乡亲被困在废墟之下，时间就是生命。当此之时，没有什么比最快出现在被困群众身边更紧迫，没有什么比全力抢救群众生命更重要。

决不放弃一个生命。要求我们克服一切困难、排除一切险阻，必须以最短的时间，以最快的速度，以最科学有力的措施抓紧救援，不放过一座房屋，不放过任何角落，认真排查，仔细搜索，尽最大可能营救被困群众，尽最大限度减少人员伤亡，让生命奇迹在废墟中诞生。

“天地之大德曰生。”没有生命就没有这光辉的一切，在灾难面前，一切都应为生命让道。地陷天不塌，大灾有大爱。“无论你在哪里，我都要找到你，手拉着手，生死不离。”

（《青海日报》，2010年4月17日第3版）

党和政府与灾区人民心连心　全国人民与我们肩并肩

本报评论员

玉树地震，撼动青南一隅，牵动整个神州。

地震当日，胡锦涛总书记、温家宝总理于第一时间分别做出重要指示。回良玉副总理立即做出工作部署，并亲赴灾区。翌日，胡锦涛总书记决定推迟对委内瑞拉和智利访问，提前回国。温家宝总理飞抵灾区，考察灾情，慰问各族干部群众，指导抗震救灾工作。17日下午，中共中央政治局常务委员会召开会议，全面部署当前玉树抗震救灾工作。

地震发生后，省委、省政府立即启动应急预案，成立了抗震救灾指挥部，指导协调抗震救灾工作。省委书记强卫、省长骆惠宁迅即赶赴现场指挥。连日来，解放军、武警部队、救援队伍等迅速奔赴灾区，全省广大干部和各族群众立即行动起来，全力以赴支援灾区抗震救灾，共克时艰。

灾情牵动着全国人民的心。几天来，中央部委紧急下拨救灾资金、物资，做出各项部署，多省区火速行动起来，各地专业救助队伍火速集结，救援行动以分秒计算，援助人员成倍增加。不管路途有多远，不管路途有多艰，挺进玉树的救援之旅没有停步，驰援玉树的各方力量迅速开进。在祖国的每一个角落，人们关注震区传来的每一点信息，关切震区人民的生命安危。在神州的每一处土地，人们尽己所能筹集善款，奉献爱心。众多的焦急盼望，传递出生命至上的信念；急切的八方驰援，彰显出中华民族相濡以沫的骨肉情感；爱心的滚滚洪流，见证着中华大家庭的血脉情深。

面对突如其来的灾难，万众一心、举国救援的一幕幕，汇集成令人动容的感人画面，凝聚成撼动人心的精神力量，让玉树感受着党和政府始终与灾区人民心连心的温暖，感受着与全国人民肩并肩的爱意。灾难固然让我们伤痛，但也让我们空前团结。灾难中，每一位受灾群众都不孤单，因为我们是血脉相连的大家庭，我们在一起，心心相连，手手相扣，并肩而立，这是世界上真正无坚不摧的力量。我们坚信，有党中央国务院、省委省政府的坚强领导，有全国人民的大力支援，有全省上下的共同努力，有灾区群众的顽强斗争，我们一定能最大限度地抢救生命、减少伤亡、减少损失，渡过难关。不仅如此，在将来，我们还一定能建设一个新玉树。

玉树不倒、青海常青，13亿兄弟姐妹将在这一刻再一次紧紧相依。日月将见证一个压不倒、击不垮的民族万众一心、战胜灾害的勇气和信念。

（原载《青海日报》，2010年4月18日第2版）

用行动诠释“一方有难，八方支援”的深刻内涵

本报评论员

几天来，玉树地震灾区牵动着每一个中国人的心，救人、治伤、捐助……全国各地迅速行动起来，解放军和武警部队官兵充分发挥了抗震救灾的主力军和突击队作用，用人力、物力、财力或其他实际行动向玉树地震灾区伸出援手。“一方有难，八方支援”，在这里得到了最好的诠释。

看看我们的“八方”，“支援”的情意是怎样的深厚：

从地震发生的第一刻起，中央财政就紧急下拨救灾资金2亿元，用于抢险救灾、受灾群众转移安置和生活救助、伤员救治、卫生防疫等方面；国家发展改革委第一时间向玉树灾区下达救灾资金5000万元；全国总工会安排200万元资金抗震救灾……北京、四川、上海等兄弟省市纷纷在第一时间伸出援助之手，一笔笔捐款汇向玉树，一车车物资驶向玉树……从中央到地方，其关切之情感人至深。

看看我们的“八方”，“支援”的步点是那样急迫：

救人第一，各路救援队伍火速奔赴灾区抢险救人；救出的伤员要立即送医院抢救和医治，成都、兰州、西安、西宁等地的医院用最快的时间、最好的设备接收了地震灾区的伤员，并火速进行救治；相关部门调集了适合高原飞行的飞机调运物资和人员，铁路、公路等一切交通部门为救灾大开绿灯；大批的救灾物资，包括帐篷、棉被、药品、食品等源源不断地运往灾区……什么是以人为本，什么是对灾区人民的关爱，在这一刻表现得淋漓尽致。

看看我们的“八方”，“支援”的胸怀是那样博大：

玉树灾区，海拔4000多米，救灾人员中相当一部分来自省外低海拔地区，初到玉树，没有时间调整，立即投入抢险救灾，许多人感到强烈的高原反应，但是，没有人退缩，没有人停下手中的工作，一切以救人救灾为中心，抢救伤员，安排受灾群众的生活……温暖的细节支撑着希望，人们看到的是大灾有大爱！是的，这种“支援”已经是和灾区人民福祸同担、血脉相连、生死相依的“支援”。

“一方有难，八方支援”，让我们体味到的是强烈的主人翁意识，灾区的事，就是自己的事。大灾面前，没有旁观者，有的是自觉承担和竭尽全力；没有相互推诿，有的是勇挑重担和无私奉献。“一方有难，八方支援”，我们正在以自己的实际行动，诠释着它的深刻内涵，在将来，

我们还能以更多的行动，丰富它的内涵。

从这种“支援”中，我们看到社会主义制度的优越性，看到中国共产党任何时候都是中国人民的主心骨。有了这个主心骨，没有什么困难阻挡我们前进的脚步，有了全国人民的支援，我们一定能夺取抗震救灾的最后胜利。

（《青海日报》，2010 年 4 月 19 日第 2 版）

共产党员要在抗震救灾中发挥先锋模范作用

本报评论员

在中国革命和建设的历史上，每到最危险、最紧迫的时候，我们的共产党员都是站在第一线的，每到最关键的时刻，共产党员都是冲在最前面的，每到党、国家、人民最需要的时候，广大党员都是挺身而出的。这次玉树抗震救灾也不例外。

我们看到，在玉树灾区，哪里有灾情，哪里就有高高飘扬的“党员突击队”“党员先锋队”的旗帜，哪里有困难，哪里就有共产党员身先士卒的身影。面对这场突如其来的重大自然灾害，抢险救灾、挽救生命，广大党员义不容辞，责无旁贷。广大党员干部要把抗震救灾作为当前的首要政治任务，以强烈的责任心和使命感，以对国家和人民生命财产高度负责的态度，不畏艰险，勇于拼搏，自觉投身到抗震救灾的第一线。

危难时刻就是党员干部挺身而出、英勇战斗、发挥先锋模范作用的关键时刻。“平常时候站得出来、关键时刻冲得出来、危难时刻豁得出来”，是共产党员顽强战斗力的集中体现。党员干部作为抗震救灾的组织者、实施者和带头人，要把抗震救灾作为当前创先争优最紧迫的任务、最重要的实践，心系群众，不辱使命，在危难关头发扬不怕疲劳、勇于作战的精神，帮助灾区人民克服困难、渡过难关，努力成为稳定人心的“主心骨”、排危除险的“先锋队”、帮助群众的“贴心人”。

每一名党员干部都要进一步增强责任意识，主动为党分忧，为民解难，成为抗震救灾的先锋，成为攻坚克难的骨干。在灾区开展工作的党员干部要自觉服从命令，听从指挥，担负好工作职责，在抗震救灾中英勇战斗，冲锋在前，真正做到“讲党性、重品行、做表率”，用自己的实际行动践行“全心全意为人民服务”的根本宗旨，树立“先锋模范”的光辉形象。

救灾正在继续，力量已经凝聚，只要广大党员干部积极行动起来，迎难而上，全力以赴，勇往直前，为灾区倾心倾力，为群众尽心尽责，团结带领广大群众勇敢面对灾情，奋战抗震救灾主战场，我们一定能够夺取这场战斗的全面胜利。

（《青海日报》，2010 年 4 月 20 日第 2 版）

玉树不倒　青海常青

本报评论员

“城镇乡村房屋可以摧毁，但摧毁不了我们抗震救灾的坚强决心，摧毁不了我们救助灾区人民的坚强决心，摧毁不了我们在废墟上重建美好玉树的坚强决心。”这是省委书记强卫在地震灾区坚定的话语。是啊，灾难面前不低头，死神面前不屈服，我们已经用行动向世界宣示：玉树不倒！振奋精神，自强不息，重建一个更美好的家园，我们还将用行动告诉世界：青海常青！

玉树不倒，青海常青。是因为，在我们背后不仅有一个强大的祖国，更有关爱民生、体恤民情，与我们心连心同呼吸共命运的党和政府。地震的废墟上，我们看到了党和国家领导人查看灾情、看望慰问受灾群众和救援人员、指导抗震救灾的繁忙身影；我们看到了省委省政府领导坚毅的目光和铿锵的动员；我们看到了党员干部冲锋在前、奋力救助同胞的壮举……这一切，传递给我们的是力量、是勇气、是坚强、是信心。

玉树不倒，青海常青。是因为，13亿中国人民与我们守望相助，众志成城。面对灾难，解放军、武警官兵和各地的救援人员和物资疾驰而来，向灾区集结；全国各地和社会各界以及海内外同胞有钱出钱、有力出力，向灾区人民送温暖、献爱心；各族人民群众心系灾区，情牵受灾群众，以各种方式为灾区人民祈福……所有的中华儿女凝聚成一个密不可分的命运共同体，我们并不孤单，这是我们战胜一切困难，夺取抗震救灾全面胜利的坚强后盾。

玉树不倒，青海常青。是因为，550多万青海各族人民薪火相传的伟大精神和钢铁般的意志。高寒缺氧锻造了青海人民吃苦耐劳的优秀品质，条件艰苦铸就了青海人民坚韧不拔的顽强毅力，发展滞后激发了青海人民拼搏进取的坚定信念，“特别能吃苦、特别能忍耐、特别能战斗、特别能团结、特别能奉献”的青藏高原精神和“人一之、我十之”的实干精神，必将激励我们和衷共济、排除万难、共克时艰。

玉树不倒，青海常青。是因为，550多万青海各族人民有着强烈的责任感和使命感。青海是“中华水塔”、三江之源、生态之极，长久以来，青海各族人民为了保护生态环境，为了中华大地的可持续发展，做出了巨大牺牲和无私奉献。为了肩负的重任，青海人民、玉树人民过去现在和将来都不会有丝毫懈怠，更不会被灾难击倒，房子塌了，可以再盖，公路断了，可以再修……在挫折中奋斗，在逆境中崛起，在悲痛中凝聚，在废墟上重建，不仅是为了让玉树更秀美，更是为了呵护好这方净土，履行我们庄严的承诺。

有一种悲痛叫力量，有一种倒下叫站起。挺起不屈的脊梁，昂起倔强的头颅，把我们的血肉筑成我们新的长城，把我们的坚定意志和民族团结凝聚成抗击天灾、重建家园的坚强力量，去迎接明天光辉的太阳。

玉树不倒！青海常青！

（《青海日报》，2010 年 4 月 21 日第 4 版）

党员干部要在抗震救灾中经受考验

本报评论员

危急关头考验的是党员干部坚定的理想信念和牢固的宗旨意识，困苦危难检验的是党员干部践行“立党为公、执政为民”的政治本色。在玉树 7.1 级强烈地震面前，广大党员干部一定要经受住考验，以自己的实际行动为党为人民交上一份满意的答卷。

灾区就是主战场，灾难就是试金石。在前一阶段的抗震救灾工作中，当地的许许多多党员干部刚刚从瓦砾中爬出来，就组织群众开展自救，在失去亲人的情况下，忍受巨大悲痛，擦去血泪，继续投入战斗，在灾难面前真正成为了群众的顶梁柱和主心骨；奔赴灾区的许许多多党员干部，不顾高原缺氧和余震威胁，投身到抢险救灾第一线，在艰苦的环境中与地震灾害作斗争，没有工具他们就用手挖，没有担架他们就用肩扛，展现了冲锋在前、忘我工作、奋勇拼搏的奉献精神和优秀品质。

党员干部是党的事业的骨干。这场地震灾害，就是对党员干部最现实最直接的考验。现在是关键时刻、危难关头，所有党员干部都要豁得出来、冲得上去。当地的党员干部，要克服一切困难，发扬连续战斗的优良作风，以熟悉地理环境、懂得当地语言的优势，为抗震救灾取得最后胜利作出更大的贡献；支援灾区的党员干部要和当地干部群众紧密团结在一起，到人民群众最需要的地方去，积极靠前指挥，主动承担责任，努力投入工作，认真解决问题，推动抗震救灾不断取得新进展。

广大党员干部要把灾区各族群众的利益放在高于一切的位置，以对党和人民无限忠诚的态度，挺身而出，身先士卒，认真落实抗震各项措施，切实做好救灾各项工作，千方百计安排好受灾群众的生活，把党和政府的关怀送到每一户受灾群众家中。要继续发扬“五个特别”的青藏高原精神和“人一之，我十之”的实干精神，在取得抗震救灾这场“遭遇战”阶段性胜利的基础上，再接再厉，奋力拼搏，努力在灾后重建这场“持久战”中取得新的更大的胜利。

（《青海日报》，2010 年 4 月 23 日第 2 版）

把受灾群众安置工作做细做实

本报评论员

玉树抗震救灾工作已经取得了重要进展和阶段性成果。当前最重要、最紧迫的任务就是要妥善安置好受灾群众的生活，为灾后重建打下基础。这项工作，较之震后初期抢险救人持续时间更长，工作更繁重，任务更加艰巨，要求更加细致。各级党委政府和各条战线的抗震救灾人员要以一切为了人民群众为出发点，以更加务实的态度，更加细致的工作，把安置工作做细做实。

全力保护人民生命健康安全。人在希望在，医务工作者要尽一切可能救治受伤人员，确保所有伤员都能得到及时抢救和精心治疗。要加大对重灾区、边远地区医药器械、药品供应的力度，尽全力减少伤员致死、致残。妥善做好遇难者善后处理和遇难者家属的抚慰工作，特别要安排好灾区孤儿、孤老、孤残的生活。重点落实防疫措施，普及防疫知识，把防疫工作全面覆盖到灾区的每一个角落，坚决防止传染病的发生，做到大灾之后无大疫。

全力救助受灾困难群众。随着大量救灾物资运抵灾区，灾区各级党委、政府要加强对救灾物资的管理，保证救灾物资合理调动和及时发放，确保受灾群众有饭吃、有干净水喝、有临时住处。各级民政部门要责任落实到人，特别注意做好交通不便、相对封闭的山区和边远地区的救灾工作，把受灾群众生活安排工作部署到村、落实到户，不漏一人。要进一步完善县乡村的救助体系，逐村逐户摸排，把群众受灾的底数搞清，尽可能抢救群众财产，尽量减少损失。

全力恢复社会公共职能。这次地震，使玉树地区的学校、医院、银行、道路、通信、水电等公共资源受到极大破坏。目前，基本打通了物流、信息流、能源流的渠道，使道路、通信、水电等设施得到基本恢复。眼下急需解决的，就是要千方百计调集活动板房等物资，让学校尽快全面正常开课，让医院尽快全面开诊，让银行、商店等与群众生产、生活息息相关的社会公共职能部门，尽快恢复正常工作秩序。只有这样，才会为群众生活安置提供有力的保障，群众生活安置也才能安得下、安得稳、安得好。

需要特别指出的是，我们在安置受灾群众生活时，既要满足普遍性要求，也要关照好当地少数民族群众的特殊要求，尊重他们的宗教信仰、生活习惯和民情风俗，把安置工作做实、做细。这就需要救灾物资的管理和分配，要在摸清底细的基础上，做到既掌握一般情况，又了解特殊需求，把工作真正做深做到位，让各族受灾群众感受到党和政府的温暖。

落实关乎大局，细节决定胜利。安置好受灾群众生活关系到灾区群众的切身利益和灾区的长远发展，我们要坚持以人为本，急群众之所急，解群众之所难，全力以赴，抓好落实，使救灾工作更加有力，更加有序，更加有效，努力夺取抗震救灾的全面胜利。

（《青海日报》，2010 年 4 月 24 日第 2 版）

广大党员要做群众主心骨

本报评论员

连日来，在玉树地震灾区，哪里危险最多，哪里灾情最重，哪里困难最大，哪里群众最需要，哪里就有共产党员的身影，哪里就有党的先进性在闪光，哪里就有党旗在高高飘扬。无数舍生忘死、救死扶伤的生动事迹，表现出广大党员发挥先锋模范作用的崇高品质；无数慷慨悲壮、可歌可泣的感人场面，彰显着广大党员践行誓言的自觉追求。

“是谁为我们撑起有力的臂膀，是党！是谁为我们搭建起温暖的帐篷，是党！”这是许多获救者发自肺腑的赞美与讴歌。这充分说明，广大党员在攻坚克难的关键时刻豁得出来、冲得上去。他们或是解放军指战员，或是武警部队官兵，或是公安干警，或是机关和基层干部，或是救援队队员，或是民兵预备役人员，或是医护人员，或是普通志愿者……他们虽然没有特殊标记，但胸中始终涌动的是党性，始终坚守的是责任。

不舍昼夜、全力以赴的抢险救灾已经整整进行了多个昼夜，许多救援人员和灾区群众在生理上和心理上都已接近极限，越是在这样的时刻，越需要党员的坚强、坚定和坚持，带领大家奋勇向前。许多受灾群众都说：“只要有共产党和政府，我们就没什么可担心的。”这份信任给予我们莫大鞭策，广大党员一定要以更加忘我的工作态度来回应人民群众的热切期盼。

人民之所以爱戴、信赖和拥护我们党，不仅在于党的理论路线方针政策的正确，而且在于广大党员、干部的先锋模范作用。抗震救灾的每一项任务都十分艰巨、时间非常紧迫，只有党员干部发挥先锋模范作用，才能确保这些事关灾区群众切身利益的举措落到实处。广大党员要切实深入一线，任劳任怨，勇于担当，给受灾群众带去党的温暖，带去实实在在的帮助，带去生存发展的希望，带去建设一个新玉树的信心和勇气。

危难时刻就是共产党员挺身而出、英勇战斗的时刻。在抗震救灾这一特殊的战场上，一个党员就是一面旗帜。灾区的每个党员都要站在抗震救灾最前列，坚决听从党的指挥和人民的召唤，做到党指向哪里，就打到哪里，真正在抗震救灾中成为稳定人心的“主心骨”、攻坚克难的“先锋队”、帮助群众的“贴心人”，用自己的模范行动为党旗增光添彩。

共产党员这个光荣称号，既表明一种身份、一种荣誉，更意味着一份沉甸甸的责任。“让群众看到我们党的形象，听到党的声音，看到党员的行动，也让群众找到自己的主心骨，让群众向党靠拢，形成一个强大的力量”，这是省委书记强卫的殷切期望。民有难，党之忧；党之忧，谁来解？广大党员一定会以自己的实际行动做出响亮回答。

（《青海日报》，2010 年 4 月 25 日第 2 版）

基层党组织要成为灾区最坚强的战斗堡垒

本报评论员

地震，震不垮灾区各级党组织带领群众抗击灾难的坚强意志，压不弯灾区广大党员干部的不屈脊梁。群众最需要的时候，我们的党组织和广大党员就能在第一时间赶到，最危险的地方，就是基层党组织发挥作用的主战场。奋不顾身的救援突击，迅捷快速的医疗救治，有序稳妥的群众安置，见证了党组织的坚强和力量。

事实再次证明，在这场抗震救灾斗争中，每一个基层党组织都是一个坚强的战斗堡垒。无论面对什么样的灾难，无论面对多么大的困难，各级党组织都能挺身而出，迎难而上，在抗震救灾斗争中成为各族群众应对挑战、攻坚克难的坚强靠山，为灾区群众在困境中增添了信心，在绝望中带来了曙光。

在抗震救灾的攻坚战中，全省广大基层党组织经受住了考验，向党和人民交上了一份满意答卷。但面对满目疮痍、支离破碎的家园，我们还有大量的工作要做，许多艰巨的任务还需要完成。广大基层党组织要再接再厉，勇往直前，团结带领党员干部和各族群众继续做好抗震救灾的各项工作，切实打好灾后重建的持久战。

要在维护灾区社会稳定和促进民族团结上成为坚强的战斗堡垒。切实做好维护社会稳定和促进民族团结工作，是当前灾区基层党组织的重大政治任务，也是对基层党组织执政能力和党员干部政治素质的重大考验。要深入基层、深入群众，倾听群众呼声，反映民情民意，排查矛盾纠纷，解决实际困难，切实维护好灾区社会稳定。要在继续开展抗震救灾，加快恢复重建工作中，进一步巩固和发展各民族平等、团结、互助、和谐的社会主义民族关系。

要在社区日常管理协调和各项服务上成为坚强的战斗堡垒。灾害面前，基层党组织最紧迫的任务就是安抚好群众的情绪，保障好群众的生活。广大基层党组织特别是刚刚成立的帐房社区党组织，要积极向群众宣传党和政府有关抗震救灾、恢复重建等方针政策，承担好灾后社区的日常管理、群众生活安排、救灾物资发放、环境整治、卫生防疫等工作，落实好恢复重建项目、维护社会秩序等多种服务协调任务，让群众切实感受到党的深切关怀。

要在灾后重建和推动经济社会发展上成为坚强的战斗堡垒。灾后重建和促进社会各项事业发展是基层党组织今后一项长期而艰巨的任务。广大基层党组织要按照党中央、国务院和省委、省政府有关抗震救灾和恢复重建的统一部署，落实灾后重建和促进社会各项事业发展的政策措施，认真履职，主动进位，及早研究解决灾后重建工作中存在的实际问题，推动恢复重建工作任务落实，促进灾区各项社会事业不断健康发展。

（《青海日报》，2010 年 4 月 27 日第 2 版）

加大力度科学谋划　扎实推进灾后重建工作

本报评论员

当前，抗震救灾工作进入新的阶段，我们要把进一步安置好受灾群众、恢复正常秩序、灾后重建摆在突出位置。我们一定要在已经取得阶段性成果的基础上，继续发扬不怕疲劳和连续作战的作风，再接再厉，苦干实干，加大力度，科学谋划，扎实推进灾后重建工作。

灾后恢复重建，直接关系到群众的根本利益。地震灾区地处民族地区、贫困地区、重点生态保护地区，尽快在废墟上帮助灾区群众重建美好家园，对于巩固和发展各民族共同团结奋斗、共同繁荣发展的良好局面，对于增强中华民族的凝聚力和向心力，对于体现社会主义制度的优越性，具有特殊的意义。对此，我们一定要从政治、全局和发展的高度，充分认识做好重建工作的重要性，切实增强紧迫感、责任感和使命感，迅速抓好各项重点工作的落实。

扎实推进灾后重建工作，需要更强的毅力。地震灾区地处高寒，适宜施工的时间短，运输建材物资难度大，恢复重建要求高、时间紧、任务重、困难多。我们要充分认识到这项工作的艰巨性和复杂性，把困难估计得大一些，把办法想得多一些，把要求定得再高一些，把干劲鼓得更足一些，抱着真正对人民负责、对子孙后代负责的态度，真正扑下身子，横下一条心，让灾区人民看到美好的前景。

扎实推进灾后重建工作，必须尊重科学、尊重自然、尊重规律。灾后恢复重建是百年大计，必须从长计议、按规律办事，经得起实践和历史的检验。我们要按照科学发展观的要求，在科学评估、搞好规划的基础上，研究制订重建方案和实施办法。要坚持科学决策，充分听取各方意见。有关各方要坚决按照统一部署，加强协调配合，充分利用资源，把灾后恢复重建与长远发展相结合，与推进城镇化和新牧区建设及扶贫开发相结合，与推动区域发展和保护生态环境、改善民生、建设精神家园相结合。

扎实推进灾后重建工作，要把民生放在首位。灾后恢复重建是一项涵盖经济、社会、文化、生态和心灵重建的系统工程，必须要坚持以人为本，优先恢复重建受灾居民基本生活基础设施和学校、医院等公共服务设施，使受灾群众住有所居、学有所教、病有所医、老有所养。恢复重建中要充分尊重民族文化、尊重民愿、体现民意、集中民智，让群众多得实惠，最大限度地调动灾区群众重建家园的积极性，帮助群众恢复和提高生产生活水平。

扎实推进灾后重建工作，灾区党员干部群众是主体。要大力弘扬万众一心、众志成城、不畏艰险、百折不挠、以人为本、尊重科学的精神，继续弘扬“五个特别”的青藏高原精神和“人一之，我十之”的实干精神。进一步强化主体意识，不等不靠；进一步强化主动意识，主动做好各项工作，不消极等待；进一步强化主导意识，把重建任务考虑全面，合理规划，引导和协调做好援建工作。

胡锦涛总书记在刚刚复课的板房教室中用力写下的“新校园，会有的！新家园，会有的！”这十二个大字，表达了党和政府的坚强决心，是对各路救援队伍的有力号召，是对灾区各级政府的明确要求，更是对灾区群众的巨大鼓舞。我们一定要遵照这一目标要求，全力以赴，攻坚克难，为建设社会主义新玉树不懈奋斗。

（《青海日报》，2010 年 4 月 28 日第 2 版）

民族团结无坚不摧

本报评论员

玉树地震，我省各族群众患难与共，守望相助，展开了一场各民族齐心合力抗震救灾的雄伟壮举，充分展示了血脉相通、同气连枝的民族团结的伟大力量。在见证了千百年民族团结的青海高原上，我们又用实际行动矗立起了一座不朽的民族团结丰碑。

灾难面前，不分军民、不分民族，所有人关注的焦点都集中在一起，所有人的心都紧紧地连在一起。来自全省各族人民的深情，汇成一股强大的力量，向玉树聚集。我们不能忘记，“主麻日”上，穆斯林群众踊跃为玉树灾区捐钱捐物的感人情景；循化撒拉族自治县、互助土族自治县群众紧急筹募救灾款物的动人场面；河南蒙古族自治县“老兵志愿者”在地震废墟前忙碌的身影。我们更不能忘记，灾难降临时，玉树灾区不同民族的父老乡亲互帮互助、舍生忘死抢救生命的壮举，以及至今奔波在灾区各个角落的各民族同胞……危难时刻，各族兄弟姐妹不离不弃，生死相依，哪里有困难，哪里就会有割不断的民族骨肉深情，哪里就会有各民族同胞的全力以赴。直面灾难，我们更为切身地感受到，在青海这样一个由多个民族共同组成的大家庭里，所有人的心都紧紧相连，倾情相依，大家都是亲如一家的兄弟姐妹。玉树抗震救灾，再一次证明，各民族间牢不可破的团结、和睦与尊重。

千百年来，世世代代繁衍生息在“三江源”的各族人民共同生活在一起，携手并肩，贡献着自己的智慧和力量。青海解放以来，在中国共产党的正确领导下，废除了一切旧制度，实现了各民族在政治上一律平等，建立了平等、团结、互助、和谐的社会主义民族关系。在党的民族政策的光辉照耀下，少数民族经济、文化、教育等各项事业空前繁荣昌盛，民族团结进步事业不断向前发展；“三个离不开”的思想已深深植根在各族群众心中，共同团结奋斗，共同繁荣发展，维护社会稳定，民族团结进步已成为各族群众的价值追求，互帮互助、患难与共的优良传统在这片土地上日益发扬光大。正因为如此，在灾难来临的关键时刻，各族人民才能众志成城、共御灾难，才能迸发出强大的民族凝聚力和向心力。玉树抗震救灾，再一次表明，民族团结，无坚不摧！

地震灾难是不幸的，但这不幸正检验了民族团结的力量。玉树抗震救灾中所展现出的各族人民心手相连、齐心协力的血肉情义，必将使全省各族人民的向心力得到进一步加强，对民族大家庭的认同感得到进一步提升。玉树抗震救灾，必将使全省各族人民从肺腑里唱响共产党好、社会主义好、改革开放好、伟大祖国好、各族人民好的时代主旋律。玉树抗震救灾中举起的民族团结大旗，将永远在广袤的青海大地上高高飘扬！

（《青海日报》，2010 年 4 月 29 日第 2 版）

向所有抗震救灾者致敬

本报评论员

玉树地震，给灾区人民生命财产造成重大损失，但我们没有被灾难所压倒。面对天灾，我们高挺不屈的脊梁，高昂向上的头颅，在悲伤中凝聚坚韧前行的力量，在战斗中尽显党性人性的光辉。连日来，我们被无数英雄事迹感动，为无数动人故事击掌。我们谨向日夜奋战在玉树抗震救灾一线的广大干部群众，解放军指战员、武警官兵、公安干警，医护工作者、新闻工作者、科技工作者、工程建设者、志愿者以及所有参加抗震救灾的人们，致以崇高的敬意！

我们向子弟兵致敬！面对急难险重，集结最快的从来都是人民解放军、武警部队、公安干警。作为坚实可靠的救灾力量，他们训练有素，总是冲在最前面，始终听党指挥、服务人民、英勇善战，总是不畏艰险、甘于奉献、勇于牺牲，总是不怕疲劳、顽强拼搏、连续作战，成为人民生命财产安全的最大保障，成为人民永远可以信赖的坚强后盾。

我们向白衣天使和专业救援队伍致敬！每当生死攸关，主动请缨的总是白衣天使，义不容辞的总是专业力量。对他们来说，救死扶伤，字字千钧；抢救挽救，十万火急。回天有术、拯救有方，在与死神抗争的激烈战场，医护人员和专业人员充分运用他们的经验和技术优势，使我们大大减少营救失误，大大提高挽救效率，使我们对于奇迹和转机有了更多的期待。

我们向灾区各级干部和广大共产党员致敬！在民有难、国有忧的时候，灾区的党员干部首先想到的是肩上的责任；在大灾袭来、亲人遭难的时候，他们首先想到的是群众的安危。他们做到了把党和人民放在心中最高的位置、用鲜血和生命抒写共产党人的大爱忠诚。“没有党组织，就没有我们的生命”“党员干部是好样的”，这些朴实的话语，表达了灾区各族群众对各级干部和广大共产党员由衷的褒奖。

我们还要向海内外所有向灾区伸出援手的同胞、向广大灾区群众、志愿者以及坚守岗位、默默奉献的劳动者致敬！他们在朴实无华中用真情、心血和劳动为灾区贡献了自己的力量。

唯紧要关头见真性情。多少日安危与共，多少日并肩作战，多少日超常付出，无疆之爱昭示了大真大善大美，倾力之援展现了坚定坚强坚韧。无论是奇迹创造者还是默默奉献者，无论是冲锋在前者还是后方奉献者，无疑都是新时期最可爱的人。正是他们用行动再一次告诉我们：祖国大家庭最温暖，人民子弟兵最可爱，赤子之心最可贵，匹夫之责最可敬。只要我们大力传承、弘扬这种甘于吃苦、无私奉献，不怕牺牲、顽强拼搏的宝贵精神，并将这种精神实实在在转化为艰苦奋斗、重建家园的坚定意志，转化为推动科学发展、促进社会和谐的强大动力，转化为勤勤恳恳、忠于职守的实际行动，我们就一定能建设好新玉树和新青海。

（《青海日报》，2010 年 4 月 30 日第 2 版）

做好本职工作就是对抗震救灾的有力支持

本报评论员

在党中央、国务院的坚强领导下，在全国人民的大力支援下，在全省上下的共同努力下，玉树抗震救灾工作取得了重大的阶段性成果。当前，各部门各单位要按照省玉树抗震救灾指挥部科学、依法、统一、有力、有序、有效的总要求，从全力救灾的应急工作状态，迅速转入稳定有序的工作状态，立足本职尽全力，扎扎实实为抗震救灾做贡献。

抗震救灾和灾后重建工作是一项复杂而艰巨的系统工程，需要方方面面的共同努力，需要统筹兼顾各方面的工作。目前，抗震救灾已全面进入过渡安置、恢复秩序、灾后重建的新阶段，这些工作能否顺利开展，不仅取决于灾区的抗震救灾工作本身能否顺利进行，更取决于整个经济社会大环境能否为抗震救灾工作提供有效保障。因此，我们必须坚持一手抓有序救灾、恢复建设，一手抓科学发展、维护社会稳定。每个人都应当清醒地认识到，只有首先做好本职工作，为保持经济社会正常运转尽到应尽的义务，才能为抗震救灾创造良好的社会秩序和经济环境。

做好本职工作就是对抗震救灾工作的有力支持。支持灾区的方式有很多，奔赴一线，是为抗震救灾作贡献；做好本职工作，也是为抗震救灾作贡献。对绝大多数不能到灾区的人来说，现在最主要的是把情绪稳定下来，把精力集中起来，把对灾区人民的爱心倾注在做好本职工作上，把满腔热情化为做好本职工作的强大动力。领导干部要尽心尽力做好自己的事、管好自己的人，党员干部要坚守岗位、尽职尽责，企业员工要全力以赴、抓好生产，老师要安心教书，医生要精心治疗……只要每一个人都把本职工作做好，每个单位都把自己的事情办好，就能凝聚起各方面的智慧和力量，形成战胜一切困难的强大合力。

加倍努力做好本职工作，不仅是抗震救灾工作的需要，更是建设富裕文明和谐新青海的需要。玉树地震对灾区经济发展造成了严重影响，对全省整体经济运行也增加了一些新的不确定因素，因此，我们每一个人更要充分发扬“人一之，我十之”的实干精神，在本职岗位上多做事、多干活、多出成效，努力为抗震救灾和经济社会发展贡献自己的力量。

（《青海日报》，2010 年 5 月 1 日第 5 版）

抚慰因地震而受伤的心灵

本报评论员

现在，距“4·14”玉树地震已半月有余。抗震救灾实现了从应急救灾向有序救灾的全面转变，取得了重大的阶段性成果，重建社会主义新玉树的帷幕已经拉开。

然而，突发的灾难除顷刻间造成大量人员伤亡和财产损失外，还给人们的心理产生巨大伤害。心理上的伤害自然会产生压抑、悲伤、身体不适等应激反应，有些反应还会持续很长一段时间，影响身心健康，影响正常的生产、生活。

从这个意义上讲，开展有效的灾后心理援助关系重大。不仅要告诉受灾群众要坚强，还要关注他们的情绪，帮助他们建立安全感和稳定感。

灾区少年儿童应是心理援助的重点。相比其他人群，他们心理承受力较差，幼小脆弱的心灵难以承受失去家园、失去亲人的剧痛。耳闻目睹的各种惨状会时时浮现在他们的脑海中，恐惧、彷徨和不安会长时间地困扰他们。应通过多沟通引导、多说话交流等方式，用真情、爱心，用细致入微的工作去抚慰他们受伤的心灵。

地震发生后，广大干部、群众迅速投入到抗震救灾中，因为忙碌，心理伤害不及显现。专家认为，他们中的一些人可能在灾后 3 个月和 6 个月以后发生延迟的心理创伤症状和严重的抑郁。因此，灾区的成人和参与救援的人员也需要得到及时的心理知识和心理疏导。

心理援助是一项长期而艰巨的工作。需要构建这样一个心理援助的网络：在受灾严重的县、乡（镇）建立心理援助站，配备合格的专业工作人员做专业培训，在学校、社区设立初级心理咨询点，配备专业人员接受群众咨询。及时广泛开展心理援助知识培训，大力发展当地心理援助力量，广泛宣讲科普心理知识，开展心理援助主题活动等，科学传播心理危机干预和灾后自我心理调适知识。

一方有难，八方支援。抗震救灾需要强大的社会支持，灾后心理援助也需要强大的社会支持。既需要政府提供的心理救助队、心理医疗队等人力物力的支持，也需要单位、工会、妇联、社区的关心疏导，需要家庭、亲友的温暖安慰。

就让我们手牵手，开展心理援助，抚慰因地震而受伤的心灵。

（《青海日报》，2010 年 5 月 3 日第 3 版）

坚决克服一切困难　做好灾后重建工作

本报评论员

近日，温家宝总理再次来到玉树灾区，强调要科学依法统筹做好抗震救灾和恢复重建工作，建设一个生态美好、特色鲜明、经济发展、安全和谐的社会主义新玉树，再一次为灾区各族干部群众带来了党中央、国务院的深切关怀和巨大鼓舞，也为进一步做好抗震工作救灾工作提出了新要求，指明了新方向。我们要以总理的要求为动力，继续发扬“五个特别”的青藏高原精神和“人一之、我十之”的实干精神，以更加有力的举措、更加科学的方法、更加扎实的工作，坚决克服一切困难，坚决做好灾后重建各项工作，以实际行动向党中央、国务院和灾区各族人民交上一份满意的答卷。

做好灾后重建工作，直接关系到灾区群众的根本利益，关系到青海藏区的跨越发展。灾后恢复重建要着眼于玉树的战略地位和长远发展，切实做到与加强三江源保护相结合，与促进民族地区经济社会发展相结合，与扶贫开发和改善生产生活条件相结合，与体现民族特色和地域风貌相结合。我们要通过坚持不懈的努力，使灾区基本生产生活条件和经济社会发展得以全面恢复并超过灾前水平。

玉树地震灾区地处民族地区、贫困地区、生态重点保护区、高原高寒地区，适宜施工时间短，运输建材物资难度大，恢复重建要求高、时间紧、任务重、困难多，为在3年内完成恢复重建主要任务，一定要充分调动各方积极性，大力协同，高效运作。有关部门和有关方面一定要各司其职、各负其责，协调配合、形成合力，一切从灾区实际出发，一切从群众利益出发，克服一切艰难险阻，科学谋划、扎实推进，为灾区人民解难题、办实事。

要充分认识抗震救灾工作进入新阶段的特点。灾后重建这一阶段，工作头绪更多，任务更重，需要解决的矛盾和问题也更多。做好这一阶段的工作，要全面把握中央要求，以更加顽强的精神，更加科学的组织，更加精心的工作，制定明确的时间进度表，加大力度科学推进灾后重建工作，让灾区人民满意，让党中央、国务院放心。

（《青海日报》，2010年5月4日第2版）

让科学精神贯穿抗震救灾始终

本报评论员

玉树地震发生后，在党中央、国务院的坚强领导下，在省委、省政府正确领导和有效组织下，各种救援力量按照科学依法统一、有力有序有效的原则，夜以继日、顽强奋战。航空遥感飞机、测图系统、生命探测仪、制氧设备等各种科学设备大显威力，在抗震救灾中发挥了重大作用。玉树以超人的毅力挺了过来，以惊人的速度获得重生。现在，玉树灾区交通、通讯基本恢复，受伤群众得到医治，群众基本生活得到保障，恢复重建工作有序进行。

应该说，在此次地震中，科学给了我们力量，给了我们信心，给了我们速度，也给了不少受灾群众第二次生命。我们看到，科普知识的宣传，对稳定人心，稳定社会秩序起到了积极的作用。比如，广泛宣传和普及有关地震等自然灾害的科学知识，让公众尤其灾区的群众正确认识自然灾害的成因、危害和预防，引导广大群众学习科学、相信科学、依靠科学，相信党和政府一贯的科学决策、部署，相信党和政府抗震救灾、恢复重建的信心、决心和力量。

认识自然，改造自然，离不开科学知识和科学精神，抗震救灾，重建家园，更离不开科学知识和科学精神。地震发生后，汉藏文对照的《高原病防护须知》《抗震救灾自助手册》《灾后传染病防控须知》等宣传手册及时发放到了受灾群众手中;《青海日报》《青海藏文报》等媒体也及时开辟了专栏，刊登地震的成因、危害，发生后的自救互救、卫生防疫、心理健康等知识，群众的科普知识得以丰富，科学意识得以加强，科学精神指导下的卫生防疫、生态保护、草原鼠害防治等工作取得了阶段性重大成果。

正因为有了正确的、积极的科普知识的“引导”，灾区许多群众说，地震就像草原上刮风、下雨、闪电一样，是一种自然现象，地震虽然给我们带来了灾害，但今天，我们有党和政府的关怀，有省委、省政府的坚强领导，有全国人民的支持，有“万众一心，众志成城”的精神，有亲如兄弟般的各族同胞的共同奋斗，面对地震，积极抗震救灾，就能战胜灾难，重建一个美丽、和谐的新家园。

当前，重建美好社会主义新玉树的大幕已经拉开。玉树地处民族地区、贫困地区、生态重点保护区、高原高寒地区，恢复重建要求高、时间紧、任务重、困难多，因此，科学精神尤显重要。让我们将科学精神、科学制度、科学方法贯穿抗震救灾的始终，加大力度推进灾后重建工作，夺取抗震救灾斗争的全面胜利。

（《青海日报》，2010 年 5 月 6 日第 2 版）

当好主人翁　亲手建设美好新家园

本报评论员

近日，在谈到研究制定支持玉树灾后重建的政策措施时，温家宝总理强调指出，要充分发挥中央和地方两个积极性，青海省对玉树灾后恢复重建负总责，国务院有关部门按照职责分工加强指导和做好相关工作。考虑玉树和青海的特殊困难，恢复重建所需资金主要由中央财政资金安排，同时采取更加优惠的税收、金融、土地、对口支援、倒屋重建补助等政策措施。这是党中央、国务院对我省特别是玉树灾区各族干部群众的深切关怀和巨大鼓舞。

玉树重建，离不开国家的大力支持，离不开全国人民的无私援助，更离不开青海各族人民特别是玉树干部群众的自力更生和艰苦奋斗。近日，省委书记强卫特别指出，要注意组织发动群众参与重建过程，让群众以主人翁的姿态亲手建设美好新家园，增强追求幸福生活的信心。这些指导思想和原则，对于做好玉树抗震救灾新阶段工作，特别是对于做好玉树恢复重建工作具有重要意义。我们一定要把国家支持和自力更生紧密结合起来，处理好内因和外因的辩证关系。要坚决克服等靠要的思想，克服要求国家大包大揽的思想，进一步自力更生，用自己双手建设自己的家园。

自强不息、自力更生，是一种攻坚克难、迎难而上的坚忍精神。有了这种精神，就能找到开启智慧、破解难题的钥匙。灾后恢复重建，灾区干部群众是主体，一定要强化主体意识，主动做好各项工作；一定要发扬首创精神，从本地实际出发，主动跟进工作，以科学、务实的姿态，打好重建主动仗，要化不利因素为有利因素，要积极创造条件，协调援建各项事宜。

大灾有如大考，不仅考验我们自立自强的信念，更考验我们自己动手的能力。从地震发生的那一刻起，灾区广大干部群众没有被灾难吓倒，在第一时间竭尽全力，奋勇自救、互帮互助。抗震救灾转入重建阶段，我们依然要有这种奋发向上、奋勇拼搏的精神和勇气。人民群众中蕴藏着十分宝贵的伟大力量，只要把群众的积极性、创造性激发、调动起来，许多困难都是可以克服的。

困难是阻挡弱者的大山，也是冶炼强者的熔炉。目前，灾区百废待兴、百业待举，每一分钟，对于灾后恢复生产、重建家园都十分宝贵。我们要从全局和政治高度充分认识这一阶段，特别是恢复重建工作的艰巨性和紧迫性，把自力更生、艰苦奋斗这一传统发扬光大，把自信自强、不等不靠精神转化为灾区人民顽强拼搏的自觉行动，用自己勤劳的双手，在废墟上重建美丽家园、创造美好生活。

（《青海日报》，2010 年 5 月 10 日第 2 版）

挺起不屈的脊梁　描绘美好的明天

本报评论员

昨天，无情的地震突袭了美丽的玉树，同胞罹难，家园被毁；今天，四面八方的爱重新点燃希望的火焰。玉树，已擦干泪水，挺起胸膛，描绘明天更加美好的画卷。

大灾大难面前，中华民族精神又一次放大，国家的力量又一次展现。在党中央、国务院、中央军委的坚强领导下，在省委、省政府的正确领导和有效组织下，各级干部群众、人民解放军指战员、武警部队官兵、公安民警以及来自不同方面的专业救援队伍，不畏艰险，克服重重困难，在极其艰苦的条件下，在较短的时间内，完成了紧急救援任务，谱写了一首首可歌可泣、感人肺腑的壮歌。

众志成城，共渡难关。正是因为有了这千千万万抗震救灾的不屈脊梁，玉树，顶住了千钧的重压。

抗震救灾需要“挺起不屈的脊梁”，恢复重建，更需要“挺起不屈的脊梁”。

今天，我们欣慰地看到，一个个安置点上，袅袅炊烟升起，受灾群众开始生火做饭；宽敞、明亮的活动板房学校里，琅琅读书声响起，笑容又在孩子们的脸上绽放；5 月 1 日，玉树机场抗震救灾应急工程顺利开工，3 个月后竣工……雪域重镇玉树，地震灾区的人们，用刚强和乐观面对困苦，在全国人民的支援下全力投身于重建家园的再造工程。

挺起不屈的脊梁，载满了中华文明史册。一次次灾难的砥砺，就是一次次伟大民族精神的生长和凝聚。中华民族的脊梁，历经磨难、饱尝艰辛而不屈，千锤百炼、饱尝风雨更坚强。在三树抗震救灾斗争中，民族精神再一次得到迸发、洗礼和升华，民族脊梁再一次显得那样的挺拔、坚强。

抗震救灾进入新的阶段，恢复重建任重道远。当前，按照回良玉副总理指示精神，六项抗震救灾工作有序有效地展开：着力安排好受灾群众生活，落实好各项补贴政策；着力恢复灾区正常秩序；加强卫生防疫工作，高度重视鼠疫和狂犬病防控，保障大灾之后无大疫；加强救灾资金物资的有序发放和监督管理；确保灾区社会稳定，加强社会治安管理；玉树恢复重建的前期工作顺利推进。

玉树不倒，青海长青。有党的坚强领导，有中华民族精神的强力支撑，灾后重建的脚步一定会迈得更加坚实，美好的明天就在前方。让我们和灾区同胞一起，心连着心，手挽着手，肩并着肩，昂起不屈的头颅，挺起不屈的脊梁，去建设一个更加美丽、更加富裕、更加和谐的社会主义新玉树。

（《青海日报》，2010 年 5 月 12 日第 2 版）

英雄精神长存

本报评论员

气壮山河、艰苦卓绝的玉树抗震救灾斗争，总有太多的人、太多的事感动着世界，激励着我们。在巨大的灾难面前，他们临危不惧、舍己救人、恪尽职守、无私奉献，以坚定的信念、顽强的意志、崇高的精神，实践并升华着伟大的民族精神。他们是真英雄，是时代的楷模，是全社会学习的榜样。

我们将永远铭记：在保通公路的第一线过度劳累倒下的青海省正平路桥集团有限公司职工、共产党员李德业，为抢修电力设施牺牲的青海省火电工程公司送变电公司职工杜金玉，以身殉职的青海兴华医院职工张建华，在地震时为抢救孤儿院被压师生不幸罹难的香港“爱心义工”黄福荣……他们在危难时刻、紧急关头，经历了生与死的考验、血与火的洗礼，展现出非同寻常的勇气，谱写了惊天地、泣鬼神的英雄史诗。这些英雄我们已无法挽留，但英雄们的英勇事迹和崇高精神永世长存，共和国的旗帜上写着他们的名字，青海大地上写着他们的名字，英雄的名字将永远铭刻在青海各族人民的心中。

时代造就英雄，时代需要英雄。在这场伟大的抗震救灾斗争中，还有无数人用英雄的行动感召着我们。人民子弟兵不畏艰险、冲锋在前，医疗救护人员连续奋战、救死扶伤，各级领导干部身先士卒、率先垂范，广大基层组织、共产党员临危不惧、忘我工作，各民族兄弟姐妹团结互助、同舟共济，广大志愿者奋不顾身、无私奉献……他们中大多数是平凡的人，平时和我们一样学习、工作、生活，和我们一样拥有喜怒哀乐的情绪，体味柴米油盐的烦恼，但是当祖国和人民最需要他们的时候，能够挺身而出，用实际行动诠释着英雄的内涵，他们都是新时期最可爱、最可敬的人。

英雄事迹情牵大地，榜样力量激励人心。我们要学习他们热爱人民、服务人民的优秀品质，学习他们顾全大局、爱岗敬业的奉献精神，学习他们乐于助人、大公无私的高尚情操，学习他们冲锋在前、敢打硬仗的坚强意志，学习他们英勇奋斗、不怕牺牲的英雄气概。让英雄的精神代代传承、发扬光大，让英雄的精神激励我们在抗震救灾的斗争中，在建设富裕文明和谐新青海的征程中，奋勇前行。

目前，抗震救灾仍在继续，灾后重建是一场新的战斗，任务紧迫而繁重，夺取抗震救灾的最后胜利，需要我们付出更加艰辛的努力。我们要认真学习抗震救灾英雄模范事迹，并把这种精神转化为推动各项工作的强大动力，贯穿到日常的工作学习中，落实到具体行动上，更加团结坚强，更加奋发有为地建设美好家园、创造幸福生活。

（《青海日报》，2010 年 5 月 14 日第 2 版）

坚持两手抓　夺取双胜利

本报评论员

一手抓抗震救灾，一手抓科学发展，是省委省政府从抗震救灾实际出发，着眼改革发展稳定大局，及时作出的决策部署，这对于夺取抗震救灾的全面胜利、保持经济社会又好又快发展具有十分重要的意义。

今年以来，我省经济形势继续向好的方向发展，但突如其来的玉树地震不仅对灾区经济造成严重影响，也给整体经济运行增加了一些新的不确定因素。经济形势依然十分严峻，不容乐观。面对困难，我们怎么办？惟一的选择就是要以科学发展观总揽全局，紧紧围绕推动“四个发展”，坚持一手抓灾后重建不放松，一手抓科学发展不动摇，“两手”都要抓，两手都要抓紧。只有这样，才能确保实现今年经济发展目标。

我们历经的数次特大自然灾害都是从“两手抓、两不误”中走过来的。实践经验告诉我们：坚持“两手抓、两不误”，不仅是必须的，可能的，而且是相辅相成、互相促进、大有作为的。只有坚持“两手抓”，才能把灾害造成的损失减少到最低限度，才能恢复发展被灾难破坏的生产力，才能带领灾区群众从恐惧、忧郁、悲伤中奋起，振作精神，勠力同心，恢复重建美好家园；只有坚持“两手抓”，才能保持经济平稳较快发展，保持社会和谐稳定，给抗震救灾和灾后重建提供强有力的物资保证和财力支持，创造有利的社会环境；只有坚持“两手抓”，才能用科学发展的成果提振灾后重建的信心，用灾后重建的成效推动经济社会更好更快发展。

我们在极其艰苦的条件下和较短的时间内取得了抗震救灾的重大阶段性成果，这已经证明了我们抵御天灾的坚强意志和顽强毅力，我们更有信心、有决心、有能力在灾后重建中创造新的辉煌。当前，玉树抗震救灾已全面转入过渡安置、恢复秩序、灾后重建的新阶段，各项工作正在紧张有序推进之中。各地各部门要严格按照省灾后重建工作会议提出的目标任务，各司其职，统筹推进，确保玉树灾后重建工作顺利开展。玉树不会被灾难击倒，有党中央、国务院的深切关怀，有全国人民的大力支持，有我们的自力更生，艰苦奋斗，一个更加美好、更加富饶、更加和谐的社会主义新玉树必将矗立在美丽的三江源头。

我们要全力以赴推动科学发展。抗震救灾中源源不断地来自全国的救援力量、救灾物资，再一次告诉我们，发展才是硬道理，国家的综合实力是我们战胜一切艰难险阻的强大物质保障。我们要继续牢牢抓住发展这个第一要务不动摇，牢牢抓住经济建设这个中心不动摇，更加坚决地贯彻落实科学发展观，更加自觉地加快经济发展方式转变，更加积极地推动跨越发展、绿色发展、和谐发展和统筹发展，奋力闯出一条欠发达地区实践科学发展观的成功之路，奋力夺取建设富裕文明和谐新青海的新胜利，让青海与全国一起同步迈入全面小康社会，让青海各族人民与全国人民一起共享改革发展成果。

地震虽然对我们的事业发展造成重大挫折，但我们同样收获了许多，使我们在逆境中奋起，在挑战中前行。我们要着眼于建设新校园、新家园和社会主义新玉树的奋斗目标，咬定“四个发展”不放松，继续发扬抗震救灾精神，发扬“五个特别”的青藏高原精神和“人一之，我十之”的实干精神，坚定信心，迎难而上，坚持“两手抓”，努力夺取抗震救灾和经济社会发展的双胜利。

（《青海日报》，2010 年 5 月 26 日第 1 版）

抓住机遇　不留遗憾

江源平

在玉树抗震救灾取得阶段性重大成果、灾区恢复重建全面启动的关键时刻，省委、省政府召开省州县乡四级干部灾后重建工作研讨会。会上，省委书记强卫指出，我们一定要牢牢抓住灾后重建带来的重大机遇，不留遗憾；一定要通过重建实现灾区经济社会发展的重大提升，不留败笔；一定要经受住灾后重建的重大考验，不留骂名，努力以优异的成绩向党和人民交上一份满意的答卷！

这三个“不留”，是实践的总结，内涵丰富，寓意深长，细细品味，令人心潮澎湃，感慨万千。

4 月 14 日，是一个灰色的日子，也是一个举国悲伤的日子，强烈地震毁坏了美丽的家园，巨大的灾难，考验着玉树干部群众的信心。面对地震灾难，挑战前所未有，机遇也前所未有。我们不能停留在悲情中，靠痛苦的回忆度日。我们要做的是擦干泪眼，瞅准前进的方向，辩证地对待“危”与“机”。只要我们本着科学的态度，就能从灾难中看到希望，进而捕捉到重建家园和促动经济社会发展的重大机遇。

抓住机遇，不留遗憾，就是要充分借助党中央、国务院和全国人民的支持，充分利用我们用鲜血和生命换来的世人注意力，紧紧抓住这个重大历史机遇不放松，快马加鞭，只争朝夕，实现“苦干三年，跨越二十年”的目标，努力在灾后重建中，让一个新玉树矗立在三江源头。只有这样，我们才能对得起罹难的同胞，对得起子孙后代。

抓住机遇，不留遗憾，就是要在灾后重建中进一步提升党的凝聚力。玉树抗震救灾，各级党组织和广大共产党员表现出强大的领导力、动员力、组织力、执行力，充分发挥了凝聚人心、鼓舞斗志、组织力量的领导核心作用和先锋模范作用，在百姓的心中，党在，就有信心在，就有力量在，就有希望在。我们要以此为契机，因势利导，持续提升党在民族地区的影响力、凝聚力和战斗力。

抓住机遇，不留遗憾，就是要在灾后重建中进一步提升自我发展能力。国务院提出要通过灾后恢复重建使灾区基本生活条件和经济社会发展全面恢复并超过灾前水平，实现“五新”重建目标。这必将给提升玉树自我发展能力、推动全省经济社会发展带来新的机遇。我们要把恢复重建作为提升玉树自我发展能力的火车头，作为加快全省发展的助推器，变压力为动力，变不利为有利，努力在重建中加快发展。

抓住机遇，不留遗憾，就是要在灾后重建中进一步提升生态建设水平。这次地震使得全中国乃至全世界对玉树生态上的重要战略地位有了新的认识，特别是胡锦涛总书记提出的要使三江源生态建设水平上一个大的台阶的要求，为我们指明了灾后恢复重建的重要努力方向。我们要以此为动力，在重建过程中坚定不移地实施生态立省战略，使全省特别是三江源地区生态建设水平实现一个大的提升，使绿色成为社会主义新玉树的一张闪亮名片。

抓住机遇，不留遗憾，就是要在灾后重建中进一步提升民生水平。让灾区群众安居乐业，是恢复重建的首要任务。通过重建全面恢复更高水平的基础设施和民生设施，这为我们在新的起点上提升民生水平提供了重大机遇。要以优先解决民生问题为根本出发点和落脚点，把解决与灾区群众生活、生产密切相关的基本问题放在首位，使重建过程成为增加群众收入的过程，成为改善群众生产生活条件的过程，成为大幅度提升民生水平的过程，让人民满意。

机遇增添信心，机遇带来希望。机遇当前，关键在争分夺秒、出手要快。在机遇面前，快人一步将赢得主动，慢人一拍则步步被动。我们必须抓住危中之机，打好“重建牌”“发展牌”“合作牌”，打破常规，忘我工作，抢占先机，奋进有为，努力以优异的业绩回报党中央、国务院和全国人民的厚爱。

（《青海日报》，2010 年 7 月 5 日第 1 版）

实现提升　不留败笔

江源平

在党中央、国务院的关怀支持下，在省委、省政府的坚强领导、有力指挥下，在兄弟省市和央企对口支援下，一场灾后重建硬仗打响了。

如何看待玉树重建，这不仅是一个认识问题，而是关系到以什么样的理念，什么样的思路建设新玉树。由此，我们可以这样说，玉树灾后重建，不是简单复制灾前生产生活设施、基本公共服务和基础设施，而是以科学发展观为指导，着眼于加快发展、科学发展、又好又快发展，以科学规划为前提，以优先解决民生问题为基点，充分考虑人与自然和谐，促进产业结构调整，合理安排经济布局，保护历史文化遗产。正如省委书记强卫指出，要通过重建实现灾区经济社会发展的重大提升，不留败笔。

我们该如何破解提升这一课题呢？简言之，就是要提升党的凝聚力，提升自我发展能力，提升生态建设水平，提升民生水平，实现灾区人民生产生活上一个大台阶，三江源地区生态环境建设上一个大台阶的目标，努力把结古镇打造成为高原生态型商贸旅游城市、三江源地区的中心城市、青海藏区城乡一体发展的先行地区，进而带动玉树地区经济社会整体发展水平得到明显提高。

实现提升，不留败笔，从政治上看，是对我们的执政能力、应对灾害能力考验；从经济上看，事关能不能实现灾区经济社会发展重大提升；从感情上看，事关对党、对全国人民、对灾区人民群众的态度。

灾后重建，不能留下败笔。因为，玉树处于有“中华水塔”之称的三江源地区，玉树生态能否得到保护，事关当地、全国的生态安全。如果留下影响生态的败笔，势必给脆弱的高原生态系统带来不可估量的危害，甚至贻害全国、贻害子孙。

灾后重建，不能留下败笔。因为，玉树各族群众已经为三江源生态付出了很多，地震又使人民群众的生命和财产遭受了重大损失，他们期盼着早日重建美好家园。如果留下不利于保障民生、不利于弘扬民族文化的败笔，群众就会有意见、有看法。

灾后重建，不能留下败笔。因为，重建的每一笔资金都凝聚着党和政府对灾区群众的关怀，凝聚着各界人士的爱心。如果留下豆腐渣工程等败笔，就有愧于党和政府，有愧于各界人士的爱心。

因此，我们必须坚持科学重建、依法重建、高效重建、廉洁重建、和谐重建，坚决防止破坏生态的问题工程，偷工减料的“豆腐渣”工程，劳民伤财的形象工程。

不留败笔，应当把好规划政策关。规划是整个重建工作的前提，规划关系到玉树未来的发展定位、发展方向、发展布局，决定着恢复重建的成效。应按照国务院公布的总体规划，在进一步完善各专项规划和单体项目规划内容上下功夫，在吃透规划精神上下功夫，在带头严格执行规划上下功夫，在宣传解释工作上下功夫，力争做到家喻户晓、人人皆知，取得群众的理解和配合。

不留败笔，应当把好工程质量关。工程质量事关重建的成败，是重建的生命。应进一步强化质量意识，坚持科学的态度和务实的精神，强化灾后恢复重建工程全程监管，确保工程建设质量。在保证质量和安全第一的基础上，抢时间、抢进度，又好又快地完成灾后恢复重建各项任务，确保每一个项目都成为精品工程和民心工程，为各族群众提供安全实用的新家园、新校园。

不留败笔，应当把好组织协调关。恢复重建工作千头万绪，加强组织协调对于形成工作合力，加快建设进度至关重要。全省各有关部门和玉树灾区应按照职能分工，落实责任，统筹协调好各施工力量的关系，扎扎实实推进各项工作。

让我们牢记“不留败笔”，把科学发展观融入灾后重建的每一个环节，每一个方面，让每一分钱都用在群众受益的关键处，花在恢复重建的刀刃上，使灾后重建的过程成为人民得实惠的过程；让我们牢记“不留败笔”，一切从实际出发，自觉按照客观规律办事，多做打基础、利长远、增后劲的事情，以“人一之，我十之”的实干精神推动灾后重建，告慰逝去的生命，回报社会的支持，满足人民的期待。

（《青海日报》，2010 年 7 月 6 日第 1 版）

经受考验 不留骂名

江源平

省委书记强卫近日指出，灾后重建是一个特殊的战场，考验着每个干部；灾后重建是一所特殊的学校，锻炼着每个干部。这两句话既形象深刻，又语重心长，为我们正确认识干部在建设社会主义新玉树中的重要作用提供了一个新的视角。

玉树重建，举世关注。干部如何成为“重建主攻手”、怎样当个“重建好学生”？必须引起全省特别是灾区各级干部的认真对待和深入思考。毛泽东同志指出：“政治路线确定之后，干部就是决定的因素。”玉树恢复重建，能否如期、高质量完成，在很大程度上取决于参与重建干部的意识作风强弱、精神状态好坏、能力水平高低；取决于干部能否经受住灾后重建这一重大考验、不留历史骂名；取决于干部能否以出色业绩向党和人民交出满意答卷、赢得群众掌声。

无数事实告诉我们，一种精神的获得，一方面来自责任，另一方面来自热爱。党和政府对玉树人民的承诺就是我们的责任所在，广大党员干部义不容辞，责无旁贷。自玉树地震始，各级干部公而忘私、奋勇争先，把发自肺腑、不打折扣、毫无保留的热忱挚爱倾注在玉树这块美丽的土地上，感天动地，有目共睹。这是一座“精神核电站”，将为重建工作提供用之不竭的强大动力。

让群众生活得更好，是广大干部的使命责任所在，我们要时刻把“民意在哪儿？人民的呼声在哪儿？群众的根本利益在哪儿？”牢记心间，转化为一心为民的扎实行动；让群众参与得更多，是广大干部的工作方法所在，我们要时刻把“问政于民、问需于民、问计于民”牢记心间，宣讲政策规划、化解矛盾纠纷，尊重群众首创精神、激发群众重建热情，继续书写人类抗震救灾新篇章。

玉树重建，有效施工时间十分有限，稍有松懈，就可能拖延，需要我们只争朝夕、苦干实干。广大干部要有“踏石有印、抓铁留痕”的狠劲，要有不达目的、誓不罢休的韧劲，把心思和功夫用在抓落实上。要按照科学发展观的要求，尊重科学，尊重规律，懂得轻重缓急，善于举重若轻，防止和克服抓而不紧、落而不实现象。要深入一线、靠前指挥、现场办公、就地解决，提高效率和进度，干群同心，创造出经得起历史检验的出色业绩。

震后玉树，百废待兴，资金量大，涉及财物、项目多，群众对领导干部的廉政问题特别关注，要求也更高，“工程上马、干部下马”这一悲剧绝不能出现在玉树。各级干部要守得住根本，抵得住诱惑，始终保持清醒头脑，筑牢思想道德防线；务必“慎权”“慎欲”，务必警钟长鸣、防微杜渐，树立正确的权力观，紧绷廉洁自律之弦。要把人民赋予的权力用于为人民服务、为老百姓多办实事好事之上；要坚决执行有关制度，自觉接受各方监督，决不能在饱含全国人民无限爱心的款物上打主意、动念头，先“近”后“远”、肥“近”薄“远”，甚至中饱私囊，或搞豆腐渣工程。各级干部要始终做到一身正气、两袖清风，始终以党的事业为重，以灾区群众的期盼为重，以灾区的长远发展为重。

“政声人去后，民意闲谈中。”这副广为人知的对联，表述了一个还原“政声”真实面目的社会途径。各级干部一定要树立玉树恢复重建，就是为百姓造福的理念，牢记“金杯银杯不如群众口碑”这种箴言。抗击地震，艰苦卓绝，回首两个多月来，广大干部不曾被看得见的千难万险所击倒，同样在重建玉树的伟大实践中，各级干部也一定不会被各种无形考验所击垮。

经受考验不留骂名。这是一句谁都听得懂的诫勉之言，可要真正付诸行动，并非易事，不仅要在思想上高度警觉，更要在行动上严加约束。玉树恢复重建意义重大，我们所做之事要经得住科学发展观的检验，也要对历史负责，用老百姓的话说，多在青史上留下美名，不要在百姓的唾弃中苟活。

（《青海日报》，2010 年 7 月 14 日第 1 版）

大力弘扬玉树抗震救灾精神

本报评论员

刚刚结束的省委十一届八次全体会议是一次团结鼓劲、振奋人心的大会。这次大会的一个重要成果，就是总结提炼出了玉树抗震救灾精神，这是玉树抗震救灾给全省各族人民留下的宝贵精神财富。

在这场艰苦卓绝的抗震救灾斗争中，全省上下众志成城、顽强拼搏、尊重科学、敢于胜利，形成和展示了大爱同心、坚韧不拔、挑战极限、感恩奋进的玉树震救灾精神。

玉树抗震救灾精神，是长期以来青海各族人民不屈不挠与自然灾害斗争实践的集中反映，是青海各族人民团结和睦、守望相助美好品格的充分彰显，是青海各族人民追求发展进步强烈愿望的生动写照。它生动诠释了“自信开放创新”的青海意识，深刻演绎了“五个特别”的青藏高原精神，全面展现了“人一之，我十之”的实干精神，并与之一起构成了建设新青海的强大精神动力。

伟大的壮举，造就伟大的精神。在波澜壮阔、气吞山河的玉树抗震救灾斗争中，党和国家领导人坚定地与人民在一起，坚强领导、科学指挥；人民子弟兵无私奉献、英勇冲锋；全国人民鼎力相助、倾力支援；全省上下团结和睦、守望相助，共同汇聚成温暖人间的无疆大爱。全省各级党委政府、广大党员干部和灾区干部群众临危不惧、奋起自救、共克时艰，以压不垮、震不倒、摧不折的顽强力，用坚定意志和血肉之躯筑起保护生命、保卫家园的钢铁长城。在这场人类迄今为止难度最大、环境最恶劣、条件最艰苦的抗震救援中，我们以昂扬的革命意志、必胜的战斗激情，奋勇挑战体力极限、精神极限和生存极限，用鲜血、汗水和生命创造了人类抗震救灾史上的玉树速度、玉树奇迹。我们对来自党中央、国务院、人民军队和全国人民的巨大支持无限感恩，用我们的奉献来报答全社会对我们的关爱，把知恩之心、感恩之情转化为自强不息奋发进取的发展动力，转化为自力更生、艰苦奋斗的优良作风，转化为埋头苦干、重建家园的实际行动。玉树抗震救灾精神，凝聚的是面对困难、挑战和责任而无畏担当的勇气、品格和能力，我们要大力弘扬这一伟大精神，使之在建设社会主义新玉树和建设富裕文明和谐新青海的伟大实践中发挥更加重要的作用。

大力弘扬玉树抗震救灾精神，就是要把这种精神贯穿于玉树灾后重建和全省经济社会发展的全过程，就是要以更加良好的工作作风和精神状态投身到建设社会主义新玉树和建设富裕文明和新青海的伟大实践中去。当前，青海正处在经济加速发展、产业加快转型的关键阶段，正面临建设社会主义新玉树、实现藏区跨越式发展和长治久安的繁重任务，正面对破解推进“四个发展”、闯出欠发达地区实践科学发展观成功之路的重大课题，前进的道路上还有不少困难和挑战。全省上下特别是各级领导班子、全体党员和广大干部，尤其要带头发扬玉树抗震救灾精神，以更加顽强的作风、更加坚定的信念、更加科学的方法和更加扎实的工作，埋头苦干，狠抓落实，切实担当起党和国家、时代与人民赋予的重任。

（《青海日报》，2010 年 7 月 21 日第 1 版）

学习英模　大力弘扬抗震救灾精神

本报评论员

这是一次礼赞英模的大会，这是一次催人奋进的大会。

泪水与掌声交织，激情与感动交融。26 日，青海玉树抗震救灾先进事迹报告会在北京人民大会堂举行。来自玉树抗震救灾第一线的英雄模范，以自己的亲身经历，用朴实的语言向人们讲述了一个个荡气回肠的故事，再现了一幅幅震撼心灵的场景，感人肺腑，动人心弦，广大干部群众又接受了一次深刻的思想教育，经历了一场庄严的精神洗礼。

玉树发生强烈地震后，在以胡锦涛同志为总书记的党中央坚强领导下，全党全军全国各族人民众志成城、顽强奋战，展开了一场气壮山河的抗震救灾斗争，创造了世界灾难救援史上的奇迹。这场举世瞩目的抗震救灾斗争，是社会主义制度优势的生动展现，是社会主义核心价值体系的有力弘扬，是各民族共同团结进步的鲜明写照，唱响了共产党好、社会主义好、改革开放好、伟大祖国好、人民军队好、各族人民大团结好的时代主旋律。

玉树抗震救灾斗争的伟大胜利再次证明：中国共产党始终是中国人民的主心骨，是战胜一切艰难险阻的领导核心；中国特色社会主义具有无比的优越性，是战胜一切艰难险阻的制度保证；改革开放极大地增强了我国的综合国力，是战胜一切艰难险阻的坚强支撑；全国各族人民的大团结迸发出强大的凝聚力、向心力，是战胜一切艰难险阻的牢固纽带。

英雄是社会的中坚，是民族的脊梁。作为此次玉树抗震救灾斗争的亲历者和先进集体、先进个人的代表，在每一位先进事迹报告团成员的身上，充分彰显了灾区各族干部群众团结互助、勇于拼搏的优秀品质和不畏艰险、敢于斗争的顽强精神。正是因为有无数抗震救灾模范和榜样，我们才能在最短的时间内取得抗震救灾的阶段性巨大胜利，才会凝结出“大爱同心、坚韧不拔、挑战极限、感恩奋进”的玉树抗震救灾精神。

灾难考验民族意志，艰难砥砺国民品格。伟大的抗震救灾精神是党和人民极为宝贵的精神财富，是我们战胜困难、奋勇前进的强大精神力量。当前，玉树正处于全力完成今年灾后重建任务的关键时刻，灾区的广大干部群众和援建人员正在为重建美好家园而拼搏奋斗，把抗震救灾英雄模范的先进事迹宣传好、学习好，把伟大抗震救灾精神传承好、弘扬好，必将激励灾区干部群众和援建人员信心百倍地重建美好家园、创造幸福生活，必将激励全省干部群众切实转变发展方式、奋力推进“四个发展”，必将激励我们按照党的十七届五中全会的要求和部署，结合青海实际，扎扎实实做好当前各项工作，为“十二五”开好局奠定一个好的基础。

实践再一次告诉我们，发展是党执政兴国的第一要务，只有发展才能为我们应对各种困难和风险打下坚实物质基础。英雄辈出的民族充满希望，英雄辈出的时代令人自豪。大力弘扬玉树抗震救灾精神，就要进一步发扬一方有难、八方支援的优良传统，更加积极自觉地做好对口支援工作，把伟大的抗震救灾精神转化为推动各项工作的强大动力。做好后三个月工作，对于全面实现今年经济社会发展目标和完成“十一五”规划意义重大。全省广大干部群众要以抗震救灾英模为榜样，认清自身职责，从我做起、从本职做起，把对祖国的深爱、对灾区人民的关切，对抗震救灾英模的敬意，贯穿到日常工作学习中，努力取得优异成绩，为夺取抗震救灾和经济社会发展的双胜利，为实现建设社会主义新玉树的宏伟目标和全面建设惠及全省人民的小康社会贡献自己的力量。

（《青海日报》，2010 年 10 月 28 日第 3 版）

弘扬英模精神　建设大美青海

本报评论员

一路感动，一路荡气回肠。青海玉树抗震救灾先进事迹报告会，在北京进行首场报告后，分为两个团分赴昆明、成都、沈阳、石家庄、天津等地进行巡回报告。报告团一路走来，千千万万干部群众接受了一次深刻的思想教育，经历了一场庄严的精神洗礼。

11 月 3 日，报告团二分团回到家乡，在古城西宁举行了报告会。这是礼赞英模的大会，这是催人奋进的大会。省会议中心报告厅里，听众爆满，泪水涌流，掌声不断，感动常在，激情澎湃。泪水和掌声交织的时刻，我们体味：山河可以改变、道路可以阻断、房屋可以摧毁，但摧毁不了抗震救灾的坚强决心，摧毁不了临危不惧、奋起自救的顽强勇气，摧毁不了永不放弃、重建家园的坚定信念。感动与激情碰撞的时刻，我们坚信：有党中央国务院、省委省政府的坚强领导，有全国人民的大力支援，有全省上下的不懈努力，就一定能战胜一切艰难险阻，夺取灾后重建的全面胜利，把青海建设得更加繁荣富强。

英雄事迹情牵大地，榜样力量催人奋进。无数抗震救灾英模用智慧、力量甚至生命，凝结出了“大爱同心、坚韧不拔、挑战极限、感恩奋进”的玉树抗震救灾精神。宣传英模事迹，弘扬英模精神，必将激励灾区干部群众和援建人员信心百倍地重建美好家园、创造幸福生活，必将激励青海广大干部群众发扬“五个特别”的青藏高原精神、“人一之，我十之”的实干精神，把对祖国的深爱、对灾区人民的关切，贯穿到日常工作学习中，创造不凡的工作业绩。

弘扬英模精神，建设大美青海，全省广大干部群众就应升华知恩图报、自强不息的传统美德，将人民军队和全国人民给予我们无私支援和有力帮助化作取之不尽的精神动力，转化为自强自立、奋发进取的强烈愿望，转化为自力更生、艰苦奋斗的优良作风，转化为埋头苦干、重建家园的实际行动。就要把思想和行动统一到党的十七届五中全会精神上来，统一到省委的决策部署上来，进一步牢固树立“自信、开放、创新”的青海意识，坚持不懈地推动青海跨越发展、绿色发展、和谐发展和统筹发展，把推动“四个发展”作为深入贯彻落实科学发展观的战略举措，作为加快转变经济发展方式的主攻方向，摆在战略和全局的位置来抓，真正做到在“四个发展”中加快转变发展方式，在转变发展方式中实现“四个发展”。

弘扬英模精神，建设大美青海，全省广大干部群众就应争做“三个干事”的表率。建设团结干事的班子，领导班子成员精诚团结，通力合作，把全部心思放在干事创业上，把所有精力凝聚到加快发展上，心往一处想，劲往一处使，不断推进全省经济社会又好又快发展。培养激情干事的队伍，广大干部始终坚持对事业的执著追求，时刻保持干事创业的激情，一直充满奋勇争先的锐气，持之以恒地抓好工作落实，在困难面前不退缩，在挫折面前不放弃，在压力面前不屈服，创造出无愧于人民的业绩。弘扬踏实干事的作风，苦干实干，力戒空谈，坚决破除作风飘浮、患得患失，工作懈怠、自由涣散，不思进取、满足一般化，敷衍了事、做表面文章的思想，牢固树立表率意识、奉献意识、责任意识，踏踏实实做好每一项工作，认认真真完成好每一项任务，力争把工作做好、做细、做实、做出成效。

玉树不倒，青海常青。弘扬英模精神，建设大美青海，是时代的呼唤，发展的要求。让我们克服一切艰难险阻，排除一切干扰影响，乘风破浪，奋勇前行，奋力夺取玉树灾后重建、全省“十一五”规划建设的最后胜利，不断开创青海改革开放和现代化建设的新局面。

（《青海日报》，2010年11月4日第1版）

发扬抗震救灾精神　全面完成今年重建任务

本报评论员

近日，玉树抗震救灾先进事迹报告团在国内部分省市巡回报告，反响热烈。报告团成员所作的先进事迹报告，充分彰显了各族干部群众在抗震救灾斗争中团结互助、勇于拼搏的优秀品质和不畏艰险、敢于斗争的顽强意志，彰显了“大爱同心、坚韧不拔、挑战极限、感恩奋进”的玉树抗震救灾精神。正是有了这种精神的感召、鼓舞，在党中央、国务院坚强领导和全国人民的支持下，我们在最短的时间里，取得了抗震救灾的阶段性重大胜利，扎实有效地开展了灾后恢复重建。

现在已是11月初，今年玉树恢复重建可以利用的建设时间所剩不多了。“两个大部分、一个全面完成”的重建目标任务，是党中央、国务院和省委、省政府的要求，是灾区各族群众的共同期盼，是一项德政工程、爱民工程、亲民工程。灾区各级干部群众与各援建单位充分发扬玉树抗震救灾精神，全力以赴，昼夜奋战，与时间赛跑，与高寒抗争，抢工期、抢速度、保质量、保标准，为完成这一目标任务做出了巨大贡献，充分展示了我省各级党委政府的执行力、推动力、公信力、执政能力和执政水平，展示了参与援建的地方、企业的援建水平、施工能力、政治责任、地区形象、企业实力，涌现出许许多多可歌可泣的感人事迹。在剩下不多的施工期内，我们要继续发扬玉树抗震救灾精神，克服困难，奋勇拼搏，按照工程量，抓紧有限工期，严把工程质量，严格资金管理，抓紧项目审批，确保生产安全。按照指挥部下达的任务，在全面完成今年的重建工作的同时，抓好工作安排，抓紧工作进度，以严谨的工作态度，科学的工作方法，为明年大开工奠定好基础。我们还要坚持以人为本的理念，时刻把群众的冷暖放在心上，切实做好应对极端天气的准备工作，精心安排好群众过冬。

我们要把玉树灾后恢复重建作为开展创先争优活动的生动课堂，学习英模事迹，争做重建先锋，牢固树立“自信、开放、创新”的青海意识，大力弘扬“五个特别”的青藏高原精神和“人一之，我十之”的实干精神，团结干事、激情干事、踏实干事，用我们全身心的付出、不懈的努力、突出的贡献，全面完成今年重建工作，以出色的业绩向党中央、向灾区人民交上一份满意的答卷。

（《青海日报》，2010 年 11 月 5 日第 1 版）

缅怀逝者重温大爱　感恩奋进凝聚力量

本报评论员

昨天，是玉树地震周年纪念日。这一天，低沉的汽笛哀鸣，吉祥的信鸽飞翔，我们悼念逝者，抚慰生者。这一天，真情的泪水潸然，有力的拳头紧握。这一天，我们重温人间大爱、凝聚攻坚力量。

一年前，美丽的玉树草原被强震撕裂，我们失去了血脉相连的同胞，玉树人民失去了世代居住的家园，还有不少抗震救灾的英烈献出了自己的生命。往后的 365 个日日夜夜，千万建设者聚集在党旗、国旗下，满怀信心、理想，用大爱、用汗水，展开了惊心动魄的抗震救灾，展开了波澜壮阔的灾后重建。在不到半年时间里，新玉树的重建蓝图精彩绘就，新玉树的重建项目扎实推进，灾后重建取得了重大阶段性成果，创造了玉树速度、玉树模式、玉树奇迹，形成了“大爱同心、坚韧不拔、挑战极限、感恩奋进”的玉树抗震救灾精神。

一年后的今天，重温高扬在雪域的中国力量、人性光辉，我们可以郑重地说，玉树不倒，青海常青，一个崭新的春天已经来临。

缅怀逝者、重温大爱，更是为了感恩奋进，凝聚起重建的攻坚力量。

今年是玉树重建的关键之年。打好今年这场事关当前民生和长远发展，事关中华水塔和生态保护，事关民族团结和社会稳定的硬仗，对最终赢得玉树灾后重建的全面胜利具有决定性意义。这就需要我们再接再厉、鼓足干劲，积极投身到重建工作中去，与时间赛跑、与自然抗争、与毅力较量，抢时间、抢工期、抢速度、抢进度、保质量，以超常规的办法、超常规的效率、超常规的速度，不负重托、不辱使命，圆满完成今年的重建任务。

今年重建，头绪繁多，项目繁杂。各参建部门和单位应当继续坚持科学依法统一，有力有序有效的重建原则，以高度的责任心和使命感，继续秉持和丰富在灾后重建创造和积累的基本经验，规范设计，强化管理，严格督查，厉行节约，不折不扣地贯彻执行重建规划，不折不扣地保证质量和效率，确保恢复重建不留遗憾、不留败笔、不留骂名。

今年重建，难度更大，担子更重，责任更大。各基层组织应当在服务群众、凝聚人心、促进和谐、保障重建中当好主力军，成为强有力的宣传队、工作队和战斗队。各级干部要打头阵、当先锋，以强烈的使命感、责任感、事业心，在艰苦环境中追赶跨越，在艰苦工作中坚守责任，在艰辛付出中埋头苦干，用实际行动影响和带动广大群众积极参与重建工作，创造出经得起实践、群众、历史检验的业绩。灾后重建，群众是主人。广大群众应当自立自强、不等不靠、艰苦奋斗，积极配合和大力支持重建工作，把感恩情怀转化成重建家园的实际行动。

凤凰涅槃，灾后重生。让我们大力弘扬新青海精神，感恩奋进，扎实工作，凝聚力量，攻坚克难，决战今年，使玉树各族人民的生产生活水平上一个大台阶，使三江源的生态环境保护和建设水平上一个大台阶，让玉树的明天更加幸福美好。

（《青海日报》，2011 年 4 月 15 日第 2 版）

决胜重建　务求必胜

本报评论员

省委十一届十一次全体会议强调，今年是玉树三年灾后恢复重建的决战之年。因此，我们要以更大的决心、更强的力度、更有力的举措，坚持硬件与软件一起抓，基本完成恢复重建主要任务，以社会主义新玉树的新面貌向党的十八大献礼！

经过两年努力，玉树灾后重建取得重大阶段性成果，社会主义新玉树的基本框架初步显现。这一成果的取得，既为实现三年重建目标奠定了坚实基础，也为我们继续做好灾区重建工作确立了强大信心。当前，玉树重建工作还面临许多困难，完成今年重建任务的压力依然很大，这一形势要求我们继续保持不怕吃苦、奋勇争先、敢于胜利的精气神，不满足、不放松、不懈怠、自我加压、迎难而上；继续抢时间、保进度、保质量，集各方之智，举各方之力，把重建规划不折不扣落到实处。

决战重建，一定要加强科学重建的工作指导。要充分认识今年重建工作的艰巨性和复杂性，不断深化对特殊自然环境和社会背景下重建特点和规律的认识，统筹安排，科学组织；要保持旺盛斗志，敢于较真、敢于碰硬、敢于创新，用坚定的决心和实际行动，延续玉树速度，再创玉树奇迹；要主动作为、提前谋划，特别是要打好冬春百日会战，扫清决战障碍，确保四月按期复工、开工。

决战重建，一定要抓责任落实。要努力做到三个到位：一是项目工作要到位，加快项目进度、突破重点难题、强化项目监督；二是保障工作要到位，强化施工保障、强化物质保障、强化后勤保障、强化组织保障；三要群众要工作到位，切实尊重群众意愿、关心群众疾苦、维护群众利益，努力营造和谐重建环境。

决战重建，一定要强化宣传教育活动。玉树灾后重建不是简单的复制，而是全面的提升；不是单一的物质重建，而是美好物质家园与美好精神家园的协同重建。因此，要把精神家园重建摆在更加突出的位置，深入开展群众思想教育、感恩教育、法制教育活动，大力弘扬社会主义核心价值体系，大力弘扬自信开放创新的青海意识和“大爱同心、坚韧不拔、挑战极限、感恩奋进”的玉树抗震救灾精神，不断增强灾区群众重建家园的责任感和自豪感，向世人充分展现灾区人民昂扬向上、感恩奋进的良好精神面貌。

从“玉树不倒”到“玉树临风”，我们终将证明，我们不曾辜负党中央、国务院、全国人民的期望和灾区人民的期盼。只要参建单位讲科学、重质量，党员干部打头阵、当先锋，灾区群众大团结、大协作，发扬主人翁精神，把感恩情怀转化成重建家园的实际行动；只要我们坚定必胜信念，切实增强责任感和紧迫感，更加积极主动扎实地开展工作，我们就一定确保恢复重建项目不留遗憾、不留败笔、不留骂名，确保今年灾后重建目标圆满完成。

（《青海日报》，2012 年 1 月 10 日第 1 版）

感恩奋进　决战决胜

本报评论员

玉树地震已经过去两年。两年来，我们牢记重托、不辱使命，感恩奋进、砥砺前行，用实际行动宣示了重建美好家园的坚定信念和必胜信心；一个新的社会主义新玉树大踏步向世人走来。

2010 年 4 月 14 日，玉树发生强烈地震后，在党中央、国务院和省委省政府的坚强领导下，在全国人民、援建各方的大力支持下，灾区人民以“玉树不倒，青海常青”的坚定信念，在制约条件最为突出、生态保护最为重要、民族宗教工作任务最为繁重的地方开启了一场迄今为止人类在高原高寒地区开展的最大规模的灾后重建，彰显了中国精神、中国力量，创造了灾后重建的“玉树速度”“玉树奇迹”。

我们常怀知恩之心、感恩之情。玉树灾后重建是一项史无前例的宏大工程。地震发生时尽管全国经济社会发展面临着巨大压力和困难，但是党和政府对玉树地震仍倾尽全力，省委、省政府是克服重重困难，多次压缩其他支出，不论是在前期的抗震抢险救灾斗争中，还是在灾后重建工作中，从人才、技术、资金和政策上都给予了强力支持和照顾。在财政支持上，国家财政安排灾后重建资金 316.5 亿元（不包括省财政投入），人均达 14 万多元；在房屋和土地补助政策上，玉树的房屋补助标准为每户 80 平方米，城乡居民户均可享受一万元的基础设施配套费和 3.5 万元的公共服务设施配套费，玉树征用土地的补助标准为 2.7 万元 / 亩～ 9.7 万元 / 亩，是青海省的最高标准；在教育上，对生源地为玉树地震重灾区的高等教育阶段全日制在校生和高中阶段学生发放助学金或生活费补助……所有这一切，可以明确看到，党和政府对玉树灾区、对少数民族的特殊支持、特殊关爱。我们要铭记恩情，奋发有为，把感恩之情转化为埋头苦干、重建家园的实际行动，用建设新青海、新玉树的成果感谢伟大的党、亲爱的祖国和兄弟般的各族人民。

我们要努力攻坚克难，打好硬仗。今年是玉树灾后重建的攻坚之年、决战之年，要基本完成三年灾后重建的主要任务，是一场决定性的硬仗。在特殊环境、特殊考验面前，我们一定要继续大力弘扬新青海精神，继续保持科学重建、依法重建、高效重建、和谐重建的工作态度，继续发扬缺氧不缺精神、海拔高追求更高的顽强作风，切实担当起党和国家、时代和人民赋予的重任。广大党员干部特别是领导干部要讲政治、顾大局、做表率，变压力为动力，负重自强，迎难而上，在艰苦环境中追赶跨越，在艰苦工作中坚守责任，在艰辛付出中苦干实干，把全部心思用在干事创业上，把全部精力投入到抓落实上，用实际行动影响和带动广大群众积极参与重建工作，创造出一个个经得起实践、群众、历史检验的业绩。各级各部门一定要进一步增强责任感、紧迫感和使命感，努力提高执行力，不折不扣去贯彻执行好灾后重建中的各项规划、措施、方案，要有一股子狠劲，有一股子韧劲，敢于碰硬，敢啃硬骨头，看准了的事扭住不放，一抓到底，不见成效决不罢休。参建各单位要讲科学、重质量、抓效率，规范设计，强化管理，严格督查，厉行节约，确保恢复重建项目不留遗憾、不留败笔、不留骂名。灾区群众要讲奉献、弃私利、促和谐，要发扬主人翁精神，充分发挥自身积极性、主动性和创造性，不等不靠，自力更生，大团结、大协作，以感恩之心积极配合党和政府全面贯彻执行好玉树灾后重建的决策和部署，共同营造和谐稳定的重建环境。

我们肩负的责任和压力前所未有，我们面对的关注和期盼前所未有。恩重如山，大任在肩，我们惟有感恩奋进，全力以赴夺取灾后重建最后的胜利。怆然回首，我们穿越灾难、崛起危难，书写坚强与奋起；展望明天，一个更加美丽、更加繁荣、更加和谐的社会主义新玉树一定会在雄伟辽阔的青藏高原浴火重生！

（《青海日报》，2012 年 4 月 14 日第 1 版）

坚决打赢重建决战这场硬仗

本报评论员

昨天，在玉树强烈地震两周年之际，省委、省政府隆重举行玉树灾后恢复重建誓师动员大会，这标志着今年的重建工作已全面启动。我们要立刻行动起来，全力以赴、顽强拼搏，以更大的决心、更强的力度，迅速兴起重建热潮，扎实做好各项工作，坚决打赢重建决战这场硬仗，确保年底前基本完成灾后恢复重建主要任务，确保已建成项目管好用好。

在党中央、国务院的亲切关怀和省委、省政府的正确领导下，广大重建工作者用战天斗地的豪情和攻坚克难的能力，谱写了体现社会主义优越性、彰显中国精神、中国力量的雄伟篇章，创造了令人瞩目的“玉树速度”“玉树奇迹”。玉树灾后恢复重建取得了重大阶段性成效，一个新的社会主义新玉树正逐渐清晰地展现在世人眼前，社会主义新玉树的基本框架初步显现。

今年是全面实现玉树灾后恢复重建任务的攻坚之年、决战之年，要基本完成三年灾后重建的主要任务，是一场决定性的硬仗。我们要继续弘扬“大爱同心、坚韧不拔、挑战极限、感恩奋进”的玉树抗震救灾精神，继续发扬缺氧不缺精神、海拔高追求更高的顽强作风，以科学重建、依法重建、高效重建、和谐重建的工作态度，切实增强责任感和使命感，再造“玉树速度”，再创“玉树奇迹”，用实际行动担当起党和国家、时代和人民赋予的重任。

各地各部门特别是灾后重建各部门各单位一定要站在全局的高度，抓责任落实，敢于较真、敢于碰硬、敢于创新，讲大局、讲奉献、讲实干、讲纪律，继续坚持一线工作法、工程管理法、当面对接法，做到项目工作到位、保障工作到位、群众工作到位，推动重建系统、有序、高效进行。要始终把工程质量作为贯穿重建各项工作的一条红线，始终把工程质量管理摆在首要位置，绝不能有丝毫的放松和懈怠，既要保进度，又要保质量，切实做到不留败笔、不留遗憾、不留骂名，使工程经得起历史、人民和实践的检验。

玉树灾后恢复重建得到了党和政府的特殊支持、特殊关爱，我们要铭记恩情，奋发有为，把感恩之情转化为埋头苦干、重建家园的实际行动，充分发挥基层党组织战斗堡垒作用，加大典型宣传和舆论引导，强化监督检查和责任追究，创新社会管理方式，发扬主人翁精神，充分发挥自身积极性、主动性和创造性，不等不靠，自力更生，大团结、大协作，共同营造和谐重建的社会环境。

决战的冲锋号已经吹响，攻坚的进军令已经下达，让我们在省委、省政府的坚强领导下，咬定目标、迎难而上，不负重托、不辱使命，把对党和人民的忠诚体现到玉树重建每一项工作中，坚决实现预期目标，以打赢重建决战的实际行动，以社会主义新玉树的崭新面貌迎接党的十八大胜利召开。

（《青海日报》，2012 年 4 月 15 日第 1 版）

决胜收官之年　交出完美答卷

本报评论员

玉树地震已经过去整整三年。三年来，我们牢记重托、不辱使命，在废墟中挺立、在不屈中前行、在感恩中奋进，基本完成了玉树恢复重建规划的主要任务，一个崭新的社会主义新玉树已经屹立在雪域高原上。

三年前的4月14日玉树发生强烈地震后，我们以重建美好家园的必胜信念和钢铁般的意志，在制约条件最为突出、生态保护最为重要、民族宗教工作任务最为繁重的地方开启了一场迄今为止人类在高原高寒地区开展的最大规模的灾后重建，彰显了应对挑战的中国精神、中国力量，创造了灾后重建的"玉树速度""玉树奇迹"。三年后的今天，我们用建设新玉树的巨大成就兑现庄严的承诺，回报各方的关爱，告慰逝去的亲人。

回首三年来的奋斗历程，我们深刻体会到，玉树灾后重建之所以能取得如此成果，靠的是党中央、国务院的正确领导、亲切关怀，靠的是社会主义制度，靠的是全国人民的无私援助、大力支持，靠的是省委、省政府的坚强领导和全省各族人民的团结拼搏、共同奋斗，靠的是无数重建工作者的忘我工作、辛勤奉献。我们从心底由衷地唱响共产党好、社会主义好、改革开放好、人民军队好、各族人民好的时代主旋律。

今年是玉树重建的决胜收官之年，人民在期待、举国在瞩目、世界在关注。从现在算起，留给我们的时间已不足半年，时间紧迫，任务艰巨，在特殊环境、特殊考验面前，我们要继续大力弘扬新青海精神和玉树抗震救灾精神，继续保持科学重建、依法重建、高效重建、和谐重建的工作态度，坚定信心、咬紧目标，多管齐下、多措并举，圆满走完玉树重建的"最后一里路"。我们一定要保质保量全面完成住房建设、基础设施建设、公共服务设施建设、特色产业恢复发展、生态修复、和谐家园建设任务，如期建成社会主义新玉树；我们一定要管好用好已建成项目，运转好公益项目，发展好产业项目，建设好管理队伍，努力发挥最大的功能和效用；我们一定要增强灾区可持续发展能力，让灾区群众既住上好房子更过上好日子，发展产业、扩大就业和扶贫帮困，提高自我发展能力；我们一定要按照"五位一体"的总体布局，坚持城乡统筹，全面提高新玉树管理水平；我们一定要提升居民素质，做文明人，办文明事，当好新玉树的"主人翁"。

决胜收官，志在必得。我们要砥砺前行、埋头苦干，抓机制创新、抓工程质量、抓工程进度、抓生态建设、抓城镇管理、抓产业建设、抓作风建设，全力以赴夺取灾后重建最后的胜利，建设一个更加美丽、更加繁荣、更加和谐的社会主义新玉树，向党和人民交上优秀的答卷。

（《青海日报》，2013年4月15日第1版）

新玉树，“中国力量”锻造的人间奇迹

江源平

一

时间能浓缩吗？

2010—2013年，原本是一个正常的时间刻度，一段平凡的岁月流转，但在青海的发展进程中却因为玉树而变得不同寻常。

2010年4月14日7时49分，一场7.1级强震猝然袭击了青海省玉树州，顷刻之间，玉树县结古镇经济社会发展的成果几乎化作了乌有。

地震过后，人们都在追问：把数千平方公里的破碎山河重整为安居乐业的家园，需要多久？为遭受重创的经济重新注入活力，让震区社会发展水平跨越二十年，需要多久？抚平千万颗心灵的创痛，从毁灭走向新生、从悲壮走向豪迈，又需要多久？

2013年岁末，我们找到了答案。

从2010年到2013年，时间的指针划过了3年，然而，走完这3年，玉树却只用了不到两年，时间被浓缩。

二

到底是什么力量，能浓缩时间、创造奇迹？

2013年的仲夏，当玉树各族民众和重建建设者在格萨尔广场随着中央电视台“心连心”艺术团的著名音乐人郭峰一起高歌《胜利》的时候，当72岁的江永慈诚跟随离退休老干部参观团在当代山观景台俯瞰结古镇全景的时候，当两岸三地旅行商及媒体考察团成员在玉树的旷野山川看到随处飘扬的各路建设大军旗帜的时候……他们一定感受到了一种强大的力量。

这究竟是一种什么样的力量？能在全年大规模施工期只有4个月的时间里完成别的地方一年的施工量，创造了灾后重建的“玉树速度”“玉树奇迹”；能把一场惨烈的天灾变成新跨越的起点，从瞬间“归零”到经济重振、社会重整、文化重生；能在制约条件最为突出、生态保护最为重要、民族宗教工作任务最为繁重的地方完成了一场迄今为止人类在高原高寒地区开展的最大规模的灾后重建。

这，就是“中国力量”！

只有“中国力量”才能超越平凡，跨越时空，将被灾难倒拨的发展时钟逆转。

三

培根说过：“超越自然的奇迹，总是在对厄运的征服中出现。”玉树，这个被自然力量试图“删除”的高原小城，却被“中国力量”一次次“刷新”，震撼着世界。

让我们回望来路，在闪回中浏览“中国力量”的奇迹：

震后不到一天，邮电和通信基本恢复；震后不到两天，初步解决重点地区的通电问题；震后不到三天，1000多名重伤病员全部转运到外地医院救治；震后第4天，玉树孤儿学校复课；震后第7天，省委省政府召开玉树灾后重建工作会议；震后第20天，禅古、甘达村新社区建设奠基，玉树灾后重建正式拉开序幕……

震后两个月，国务院批准印发《玉树地震灾后重建总体规划》，新玉树、新家园的蓝图正式绘就；震后不到三个月，玉树灾后重建第一个重点项目巴塘机场夜航工程竣工投入使用；震后重建以来，4天盖起一层楼、9天建好一套住房……一个个奇迹在延续。世界再次被“中国力量”所震撼、所折服。

四

时间为我们呈现结果，却往往省略了过程，只有深入这个过程，才能真正走近“中国力量”的内核。

玉树三年，一个政党坚强有力的领导展现于此。我们看到，上至总书记，下至普通党员，在灾情发生后，他们冲在了第一线；我们看到，哪里有困难哪里就有共产党员的冲锋陷阵，哪里有危险哪里就有共产党员的舍生忘死，哪里任务最重哪里就有党旗在飘扬……无论是抢险救援的危急关头，还是灾后重建的关键时刻，中南海与玉树零距离，共产党人与人民群众零距离，中国共产党以人为本、执政为民的理念得到生动的诠释，中国共产党强大的领导能力、动员能力、组织能力得到充分的展示。

玉树三年，一种制度团结协作的优势印证于此。我们看到，第一时间，全国各地的救援力量和物资善款汇集到灾区，以最快的速度、最有力的措施、最有效的方法施援；我们看到，中央在震后两个月即作出对口援建的部署，来自全国各地的援建人员、物资源源不断地向玉树集聚……玉树抗震救灾和灾后重建取得的巨大成就，彰显了社会主义中国集中力量办大事、办难事、办急事的制度优势。

玉树三年，一个民族守望相助的深情凝聚于此。我们看到，危急关头，地不分东西南北，人不论省份民族，情不问亲疏远近，每一个中华儿女，都把目光投向玉树；当灾后重建喊出“苦干三年，跨越二十年”“不留遗憾、不留败笔、不留骂名”的口号，当对口援建单位立下“打造百年工程”的誓言，人们从中看到的是中华民族大家庭集体的力量。这种全国各族人民心手相连、甘苦与共的大团结、大协作，正是中华民族不断克服各种困难、走向光明未来的强大力量。

五

社会主义新玉树，早已不只是三江源头崇山峻岭间一个小小的县城，它是一种象征，一种印证“中国力量”的象征；它是一把钥匙，一把解读“中国力量”的钥匙。

如果说，一个政党，在国家富强、民族振兴、人民幸福的历史重任摆在面前时，在国家和人民面临危难时，能够挺身而出、冲锋在前，能够团结和带领全国各族人民攻坚克难，走向胜利，那么，这个政党就是最先进的政党。

如果说，一种制度，在成千上万的人无家可归甚至被埋在瓦砾下命悬一线的时候，能够以最广的动员范围、最大的投入力量最快地救人、最快地安置受灾群众、最快最好地帮助受灾群众重建家园，那么，这种制度就是最优越的制度。

如果说，一个民族，当一方有难时，全体人民能够感同身受、休戚与共，能够同舟共济、生死不离，能够“一方有难、八方支援”，能够“万众一心、众志成城”，能够迸发出巨大的凝聚力、承受力、向心力，那么，这个民族就是最优秀、最伟大的民族。

我们有理由自豪地说：中国制度所产生的中国效率，最能为人民遮挡灾难的风雨；中国共产党领导人民战胜的一个又一个困难，夺取的一个又一个胜利，最能给人们带来中国特色社会主义的道路自信、理论自信、制度自信。

“中国力量”是中国共产党的力量、社会主义的力量、改革开放的力量、伟大祖国的力量、各族人民的力量。社会主义新玉树创造的人间奇迹背后，见证了“中国力量”的无穷威力。这一切，天地可鉴！

六

伟大的时代造就伟大的精神，伟大的精神产生伟大的力量。“大爱同心、坚韧不拔、挑战极限、感恩奋进”的玉树抗震救灾精神，为“中国力量”增添了新的精神动力，而玉树抗震救灾精神正是由无数人的心血和汗水凝结成的，他们中每一个个体的努力，便成了“中国力量”的“源头活水”。

我们将永远铭记，三年来，日夜操劳在灾区各个角落数以千计的志愿者以及许许多多支教教师、心理学者、慈善家、媒体人……

我们将永远铭记，北京、辽宁和中国建筑、中国中铁、中国铁建、中国电建四大央企数以万计的援建者，舍家别子、挺进高原，以缺氧不缺精神、海拔高斗志更高的激情，用爱心和勇气、责任和担当、汗水和鲜血，在生命极地战天斗地，用血肉之躯托起玉树重生。

我们将永远铭记，为玉树抗震救灾和灾后重建不幸倒下的玉树州人民医院院长韩慧瑛、玉树八一医院院长才仁松保、青海省正平路桥集团有限公司共产党员李德业、青海省火电工程公司送变电公司职工杜金玉……永远铭记，为支援玉树地震灾区牺牲的四川省卫生厅应急办副主任杨勇、为抢救孤儿院被压师生不幸罹难的香港“爱心义工”黄福荣、甘肃兰州“最美新娘”李成环……

太多太多的人需要我们永远铭记，请原谅在这里不能一一列举。

点滴汇聚，终成大海。正是因为有了他们的奉献，“中国力量”在世界屋脊愈加气势恢弘；正是因为有了他们的牺牲，“中国力量”在三江之源激荡着感天动地的英雄气概。

雪山作证：青海人民永志不忘，感恩在心。

七

“美玉之树”浴火重生，惊艳世界。社会主义新玉树，“中国力量”锻造的人间奇迹！

“中国力量”创造的新玉树奇迹，使我们深切感受到：党中央、国务院的亲切关怀是灾后重建取得胜利的根本保证；全国人民及子弟兵的无私援助是灾后重建取得胜利的强大后盾；做好群众工作是灾后重建取得胜利的力量源泉；各级干部靠前指挥是灾后重建取得胜利的重要条件；抓当前谋长远是实现灾区可持续发展的重要方略；坚持两手抓是建设新玉树的有力举措。

“中国力量”创造的新玉树奇迹，必将使全省各族人民从肺腑里唱响共产党好、社会主义好、改革开放好、伟大祖国好、各族人民好的时代主旋律；必将激励全省各族人民在建设“三区”的进程中，在奔向全面建成小康的道路上，砥砺前行，奋发有为。

无论地动山摇、雨雪风暴、毒株肆虐，无论金融海啸、经济危机、外来挑衅，无论天灾与人祸，强大的“中国力量”踏平坎坷、荡涤尘埃，气贯长虹，势不可挡。

“中国力量”，中国制造，扬威天下！

“中国力量”，化腐朽为神奇，挽狂澜于既倒，救人民于危难！

“中国力量”，穿越每一个“历史性的时刻”，从胜利走向胜利，它也必定伴随着追寻“中国梦”的步点铿锵前行。

（《青海日报》，2014 年 1 月 9 日第 1 版）

文艺作品

通　讯

“地震宝宝”见证灾后温情

《青海日报》记者李欣

4 月 15 日，对玉树县结古镇 30 岁的藏族妇女窝忠来说，是一个终身难忘的日子。这一天，她痛失了两位亲人，也是在这一天，她孕育的一个新的生命诞生了。

4 月 14 日清晨的结古镇像往常一样宁静，7 时许，窝忠慢慢从睡梦中醒来，轻轻抚摸着隆起的肚子，她想再过几天，孩子就要出生了。正当她沉浸在喜悦的憧憬之中时，一场突如其来的灾难发生了——床开始像水中的船一样晃动起来了，房顶的砖头随即砸到她的后背……“地震了！”逃生的本能使她暂时忘却了伤痛，立刻拉着两个孩子冲出门外。当她气喘吁吁跑到院子里，家里的小二层楼已经塌陷了。

地震过后，窝忠从慌乱中慢慢平静下来，眼前的一切让她悲痛万分：房子倒了，家没了，至爱的母亲、弟弟也永远地离开了。巨大的悲伤使她开始出现分娩的阵痛，惊惶失措的丈夫多章跌跌撞撞地把她扶到附近的卫生院，可是卫生院经过地震的劫难，也已经不具备接待病人的能力。失去亲人和即将生产的双重痛苦使窝忠陷入绝望之中。

正当窝忠一家人一筹莫展时，希望来了。4 月 15 日，省抗震救灾指挥部安排她坐飞机转运到西宁住院。15 日晚 11 点，她被安全送到省妇女儿童医院。刚躺到产床 8 分钟，就顺利分娩出一个重量达 3 公斤的健康男婴，成为第一个在西宁诞生的灾区孩子。医院的医生护士兴奋不已，纷纷掏钱为孩子购买奶粉、尿布和衣服等用品，还亲昵地称他为“地震宝宝”，而窝忠住院的所有费用医院全免。

突如其来的地震，震碎了窝忠一家原本幸福宁静的生活，似乎没有什么能抚平她内心的伤痛。但“地震宝宝”安全顺利的诞生，又让她重燃希望。“真是没想到，只有在党和政府的关怀下，我的孩子才能顺利生下来。他是我们一家未来的希望。”4月16日上午，才从手术台上下来十多个小时的窝忠身体还很虚弱，但是儿子诞生的喜悦已经使她脸上浮现出了笑容，看着健康可爱的小宝宝静静地躺在妻子的臂弯里，丈夫多章的脸上也写满了笑意。

（《青海日报》，2010年4月17日第6版）

在抗震救灾的关键时刻

——记胡锦涛总书记在青海玉树地震灾区指导抗震救灾工作

新华社记者　孙承斌　邹声文

突如其来的强烈地震，使青海省玉树藏族自治州玉树县遭受重大人员伤亡和财产损失。在党中央、国务院、中央军委坚强领导下，一场气壮山河的抗震救灾斗争在青藏高原腹地打响。

在抗震救灾的关键时刻，中共中央总书记、国家主席、中央军委主席胡锦涛18日来到玉树地震灾区，视察灾情，看望慰问受灾群众和救援人员，实地了解救灾工作面临的突出困难，指导解决影响救灾工作进展的瓶颈问题。

玉树强烈地震发生后，正在国外访问的胡锦涛总书记对灾区群众万分牵挂，第一时间就做好抢险救灾工作作出重要指示，并当即决定提前结束访问回国。17日14时20分许，经过近25个小时长途飞行后，胡锦涛总书记从大洋彼岸回到北京。当天16时，总书记不顾旅途劳累，立即主持召开中央政治局常务委员会会议，听取抗震救灾工作汇报，研究部署下一步抗震救灾工作。18日一大早，总书记又乘飞机赶赴抗震救灾第一线。一上飞机，总书记就把随行的有关方面负责同志召集到一起，打开地图，详细询问玉树抗震救灾最新情况，讨论研究具体办法对策。

经过3个多小时飞行，胡锦涛乘坐的飞机降落在海拔3900多米的玉树巴塘机场。总书记下飞机后，马上赶往受灾最重的玉树县结古镇视察。

结古镇扎西大同村在地震中遭受重创，全村600多人已有120人遇难、72人失踪、120人受伤，80%的房屋倒塌。踩着碎砖砾石，胡锦涛登上废墟高处，查看房屋倒塌情况，向正在现场救援的兰州军区第一救援队、青海省军区独立团官兵表示慰问。他指出，要尽最大努力抢救被困人员，只要还有一线希望，就要下百倍努力。

废墟中间的一块空地上，扎起了一顶顶救灾帐篷。总书记弯腰走进几户受灾群众居住的帐篷，同主人一道坐到地上摆着的简陋床垫上，关切地询问他们家里有没有人受伤、救灾物资领到没有、吃饭喝水有没有保障……一位藏族村民告诉总书记，现在吃的穿的基本不用愁，最着急的是住房和孩子上学问题。胡锦涛对他说："你讲的这两条，我可以向你保证：党和政府一定会帮助灾区群众建好家园，一定会尽快让孩子们复课。"

在救灾帐篷前，面对围拢过来的受灾群众，胡锦涛大声说："乡亲们，你们受苦了！玉树地震发生后，中央的同志忧心忡忡。听到你们有的失去了亲人，有的失去了家园，我们和你们一样难过。今天，我特地来这里，向大家表示亲切的慰问！"总书记真挚的话语，让在场群众感动不已，许多人情不自禁地哭出了声。

胡锦涛接着说："地震无情，人间有爱。党中央和灾区群众心连心，我们已经从全国抽调了大批救援人员来到玉树，抢救被困人员，及时救治伤员。我们还要安排好乡亲们的生活，让大家有饭吃、有水喝、有住所、有御寒衣被，尽快解决学生的复课问题，并帮助你们把新房建起来。"

乡亲们热烈鼓起掌来，"感谢党中央""感谢总书记"的呼声此起彼伏……

扎西大同村党支部一直是当地的先进基层党组织，地震后他们搬进了帐篷，在地震废墟上形成了一个带领群众抗震救灾、互帮互助的坚强战斗堡垒。胡锦涛走进帐篷，同党支部的同志坐在一起谈起村里的灾情和群众安置情况。得知这个党支部的党员干部在失去亲人的情况下，强忍悲痛，积极组织群众开展自救，全力安排好群众基本生活，总书记动情地说，你们关键时刻挺身而出，带领群众奋力抗灾，我感谢你们。他叮嘱党支部的同志继续做好组织群众、带领群众、服务群众的工作，当好群众的主心骨和贴心人。

离开扎西大同村，胡锦涛又驱车前往玉树州体育场。这里设有地震伤员集中医疗救助点，已累计接收伤病员 3800 多人，转走 600 多人，目前仍有 40 多名伤病员在这里接受救治。

在医疗救助点的一顶帐篷里，胡锦涛走到正在接受治疗的伤员床前，俯下身子一一询问他们的伤势和救治情况，鼓励他们增强信心，积极配合医生治疗，争取早日康复。藏族女中学生卓玛在地震中伤了右臂，见到胡爷爷禁不住哭了起来。胡锦涛搂过小卓玛，让她的头靠在右肩上，低声问她："有什么伤心事？跟爷爷说说。"听说卓玛很担心自己的伤势，胡锦涛和蔼地安慰她："你放心，政府会给你进行精心治疗，将来胳膊骨头长好了，一切会正常的，不会留后遗症。我知道你是个好孩子，也是个勇敢的孩子，要坚强，要有信心。"小卓玛一边听一边用力点着头，泪水流得更加抑制不住了。

随后，胡锦涛又走进医药站，了解药品器械保障情况，向广大医务人员表示诚挚慰问和崇高敬意，勉励他们大力发扬救死扶伤的人道主义精神，继续精心医治和护理好受伤群众，切实加强灾后卫生防疫工作，为夺取抗震救灾斗争胜利作出更大贡献。

下午两点多，总书记在帐篷里就着一碗烩菜，匆匆吃了些米饭，又风尘仆仆乘车在灾区视察。

玉树州孤儿学校在地震中校舍受损严重，社会爱心组织紧急援建了活动板房，孩子们 17

日已正式复课。

九年级学生正在板房教室上语文课，胡锦涛走进教室，同学生们交谈起来，询问他们的学习和生活情况。总书记对大家说，听说你们在地震中不仅奋力自救，还救助他人，表现得都很勇敢。我还要衷心感谢精心照顾你们的老师和叔叔、阿姨们。地震毁掉了同学们的校舍，今天你们只能在临时校舍上课，但党和政府一定会为你们建设更好的校园。希望同学们努力学习，长大以后成为对国家、对人民有用的人才。

说到这里，胡锦涛拿起粉笔，在黑板上一笔一画用力写下："新校园，会有的！新家园，会有的！"写好后，他又领着孩子一道大声念了起来。板房教室里洋溢着对未来的憧憬和希望……

胡锦涛离开时，孩子们纷纷走出教室，依依不舍地同胡爷爷告别。听说学校刚接收了两名地震孤儿，胡锦涛把他们搂到怀里说，老师们会照顾好你们的，不要害怕，要和同学们一起好好学习、好好生活。总书记又叮嘱学校负责人，下一步学校要把接收地震孤儿作为一项重要工作，给他们更多关爱，把他们培养好。

人民解放军和武警部队、公安民警是抗震救灾的主力军。在受灾严重的玉树县结古镇扎西科村，部队官兵和公安民警正在清理废墟。胡锦涛走到大家中间，用洪亮的声音说："同志们，大家辛苦了！我代表党中央、国务院、中央军委，向同志们表示崇高的敬意和诚挚的慰问！"

胡锦涛说，青海玉树发生严重地震灾害后，你们坚决贯彻党中央、国务院、中央军委的指示，迅速奔赴灾区一线，全力投入抗震救灾斗争，当尖兵、打头阵，使灾区人民群众增强了信心、希望和力量。党、政府和各族人民感谢你们。

胡锦涛要求大家发扬不畏艰险、不怕疲劳、连续作战的作风，出色完成各项抗震救灾任务。要模范执行党的民族政策，严守群众纪律。要根据高原特点，坚持科学救灾。同时要搞好自身保障和安全。

"我相信，只要我们发扬伟大抗震救灾精神，团结一心，众志成城，就一定能够夺取抗震救灾斗争的胜利！"

总书记坚定铿锵的话语，让在场部队官兵和公安民警深受鼓舞、倍感振奋，豪迈的口号声响彻云霄……

在灾区视察期间，胡锦涛还接见了 17 支负责转运伤员的医疗救护队代表。

视察结束时，胡锦涛在玉树抗震救灾指挥部的帐篷会议室召开会议，听取当前抗震救灾工作汇报，并发表重要讲话。他指出，当前，抗震救灾工作正处在关键时刻，我们必须以更加顽强的精神、更加迅速的行动、更加科学的方法，克服一切艰难险阻，坚决做好抗震救灾各项工作。胡锦涛着重提出 6 点要求：一是全力搜救被困群众，二是努力救治受伤人员，三是妥善安排群众生活，四是迅速修复基础设施，五是加强宣传舆论工作，六是确保社会和谐稳定。胡锦涛强调，有效开展抗震救灾工作，关键是要建立强有力的指挥系统，实行统一领导、统一指挥，加强协调，科学调度，有序推进抗震救灾工作。受灾地区各级党政领导班子和领导干部要牢记全心全意为人民服务的根本宗旨，坚守岗位、恪尽职守，深入一线、靠前指挥，到灾情最严重的地方去，到最困难的地方去，带领广大群众全力以赴抗震救灾。

胡锦涛最后表示，有党中央、国务院、中央军委的正确领导，有全国各族人民的大力支持，有青海省委和省政府的坚强领导，有地震灾区各族干部群众的团结奋斗，我们一定能够夺取抗震救灾斗争的胜利，也一定能够把社会主义新玉树建设得更加美好。

中共中央政治局委员、国务院副总理、国务院抗震救灾总指挥部总指挥回良玉，中共中央书记处书记、中央政策研究室主任王沪宁和中央军委委员、总参谋长陈炳德陪同视察。

（《人民日报》，2010 年 4 月 19 日第 1 版）

玉树大救援

《青海日报》记者　刘立群　古　岳

4 月 14 日早 7 时 49 分，位于青藏高原腹地的我省玉树藏族自治州玉树县发生 7.1 级强烈地震。当很多人从一阵天崩地陷的剧烈震动中惊醒过来时，突然发现，曾经美丽的结古已经夷为平地。

他们的家园已经不复存在。昔日的玉树不见了。

几乎所有的民房都已倒塌。满目都是一片一片的废墟，很多尚不曾倒塌的建筑物也摇摇欲坠。伴随一次次余震，崩塌、陷落还在继续。

整个是一个悲惨的世界。

据国家地震台网测定，震中位于上拉秀日玛村，是一个纯牧业村，距离州府所在地结古镇 30 公里。国家地震局有关专家还透露，此次地震的玉树与汶川同属一个地震块体。

此次地震，预估 4 度以上受灾面积 2.6 万平方千米，8 度以上重灾区面积达 4000 多平方千米，极震区 900 平方千米。几天连续监测证明，这次地震为前震—主震—余震型地震。截至 17 日 23 时，共发生余震 1121 次，其中 3 级以上 12 次，最大余震为 6.3 级，今后仍有发生 6 级以上余震的可能。

灾难又降临。恐惧还在延续。

但是，当灾区人民还没有从地震灾难中镇定下来的时候，一场由党中央、国务院，青海省委、省政府紧急组织、全国人民迅速行动参与的大救援已经全面展开了……

从首都北京到青海玉树——紧急行动：救人，救人，不惜一切代价救人。

18 日 11 时，在玉树抗震救灾的关键时刻，胡锦涛总书记不顾旅途劳顿和高原缺氧，亲临灾区考察灾情，慰问灾区各族干部群众，现场指导抗震救灾工作，为灾区各族干部群众带来了最深切的关怀和鼓舞，显示出党中央对玉树灾情的高度重视。

从玉树地震发生的那一刻起，党中央、国务院与灾区的联系就从不曾间断。

地震刚刚发生，党中央、国务院就给予了高度重视。正在国外访问的中共中央总书记、国家主席、中央军委主席胡锦涛，中共中央政治局常委、国务院总理温家宝，分别立即作出重要指示，要求全力做好抗震救灾工作，千方百计救援群众，同时，要加强地震监测预报，落实防范余震措施，切实安排好受灾群众生活，维护灾区社会稳定。

根据胡锦涛总书记，温家宝总理的重要指示精神，国务院立即成立了抗震救灾总指挥部，中共中央政治局委员、国务院副总理回良玉任总指挥，中共青海省委书记强卫和有关部门负责同志任副总指挥，下设抢险救灾、群众生活、卫生防疫、基础设施保障和生产恢复、地震监测、社会治安、宣传、综合等 8 个工作组，并对工作立即作出部署。

温家宝总理还专门致电省委书记强卫询问受灾情况，并通过强卫书记转达他对灾区群众的关心和慰问。总理强调，青海有什么需要，尽快报国务院，国务院有专门机构负责协调。

4 月 14 日中午，回良玉就赶赴灾区，代表党中央、国务院慰问受灾群众，实地察看灾情，现场指导抗震救灾工作。

14 日下午，国家减灾委、民政部将救灾应急响应提升至一级。

15 日下午，温家宝总理又亲赴灾区，考察灾情，慰问灾区各族干部群众，指导抗震救灾工作。他指出，当前，抗震救灾第一位的工作是救人。只要有一丝希望，就要尽百分努力，坚持下去，决不放弃。

短短的几天时间里，总书记来了，总理也来了。

总书记和总理与这里的人民在一起。全国 13 亿同胞与这里的人民在一起。

17 日下午，中共中央总书记胡锦涛主持召开政治局会议，全面部署当前青海玉树抗震救灾工作。会议指出，几天来，受灾地区各级党委、政府及广大干部群众、中央和国家机关有关部门、人民解放军和武警部队、民兵预备役人员、公安民警和消防官兵、地震救援专业队伍等紧急行动起来，万众一心，大力协同，不畏艰险，顽强拼搏，展开了一场营救生命、保障民生的艰巨斗争。全国各地和社会各界也向灾区伸出援助之手。目前，抢险救援、医疗卫生、群众生活安置、基础设施抢修、资金物资保障、信息发布等工作都在紧张有序推进。

青海省委、省政府也在震后第一时间迅速行动起来。省委、省政府立即启动了应急预案，省委、省政府成立了以强卫为组长、骆惠宁为副组长的抗震救灾领导小组，成立了以省长骆惠宁为总指挥的青海省抗震救灾指挥部，指导协调抗震救灾工作。

14 日上午，省委书记强卫主持召开常委会，部署抗震救灾工作。会议要求，灾区各级党委、政府及省直有关部门紧急行动起来，把抗震救灾作为当前的首要任务来抓。不怕困难，全力抢救伤员，切实保障灾区人民群众生命安全，尽最大努力把地震灾害造成的损失减少到最低程度。

14 日中午，省委书记强卫就玉树抗震救灾工作提出要求，全省上下迅速行动起来，全力投入抗震救灾斗争。

14 日下午 3 点 20 分，省长骆惠宁在震后第一时间先期飞抵玉树灾区，深入灾区一线，现场指挥抗震救灾。

随后，省委书记、省人大常委会主任强卫乘专机赶到灾区，前往受灾严重的地区现场指挥抗震救灾工作。

强烈地震突然降临，玉树结古遭遇灭顶之灾。

很多骨肉同胞遇难，很多父老乡亲妻离子散，家破人亡。

党中央、国务院，青海省委、省政府最关心的就是那些埋到废墟里生死未卜的同胞，全国各族人民最揪心的也是救人的事。

“黄金72小时救援”——连日来，在玉树灾区，这句话不仅挂在所有人的嘴上，也像一根钉子牢牢地定在所有人的心上。

灾区处在青藏高原腹地，平均海拔4200米，高寒缺氧。所以，这句话在人们的心里，便有了无法想象的分量。时间概念在世界最高的高原上有着特殊的意义。生命的脆弱使时间显得尤其宝贵。

黄金72小时，在这里得用心一秒一秒地切割。

不惜一切代价救人！不惜一切代价抢救生命！

不放弃！不抛弃！困难再大，也不放弃一丝一毫的希望！

因为距离遥远，一开始，外面的救援力量一时还无法抵达灾区。灾区各级党委、政府在第一时间全力组织力量抢救。设备有限，力量单薄，但是，不能有丝毫的耽搁。哪怕用手挖，用嘴啃，也要在一片一片的废墟里挖出一线希望来。

在一片废墟上，一个自发组织的撒拉族救援队正在搜救，整整一天，他们从瓦砾堆中救出了100多个生命。他们说，作为一个人，遇到这么大的灾难，谁都不会无动于衷。

14日早晨，州委、州政府迅速启动应急预案，动员全州党员干部克服余震危险，走村入户，查看统计灾情，组织自救。很多干部亲人遇难、房屋被毁，但是，他们顾不上悲痛，舍小家顾大家，全身心投入到抗震救灾的战斗中。包括僧侣在内的灾区各族群众互帮互救，齐心协力抗震救灾，共同谱写了一曲社会主义大家庭团结一心、共克时艰的壮丽赞歌。

时间好像在迅速飞逝，每过一秒，就像是过了一个世纪。

第一个呼救信号从高原深处传遍祖国大地。第一个生命从废墟里挖出来。第一个伤员被抢救。第一顶安置帐篷里有了人的声音。

第一支救援队抵达灾区。第一架救援飞机抵达灾区。第一支运送物资的车队赶往灾区……全方位的救援力量迅速向玉树集结，全方位的搜救和营救迅速展开。

第一天，救出3216人，救活3015人。

第二天，救出1203人，救活877人。

在各方救援力量的不懈努力下，截至18日上午10时，共搜救、营救被困群众18863人，其中从废墟中救出7856人，救活6761人。72小时紧急救人成果重大。

伤员的救治力量也在不断壮大，受伤人员及时得到治疗，仅灾区现场实施的手术量就达到1796例。还有大批重症伤员用汽车和飞机转运到西宁、兰州、成都、西安等地的地方和部队医院。

到16日下午，地震发生56个小时后，已经成功转运了1179名重症伤员。回良玉副总理

72 小时之内将重症伤员转移出去的目标提前实现。

现在，抢险救援队伍继续全力搜救被困群众，有生命迹象的突击营救仍在紧张进行……

西杭村村支部书记才哇失去了 3 位亲人，但却顾不上悲伤，日夜奋战在救人一线，组织村上的幸存者组成了一个搜救队，白天黑夜地在废墟和瓦砾堆中搜寻同胞，搜寻熟悉和陌生的生命。几天来，他们先后救出了 48 个生命，48 个玉树人因为才哇基层党支部书记的坚持和不放弃而重新获得了延续生命的机会。他们还将和才哇这样的玉树人生活在一起，并建设一个新的玉树。

就在记者赶写这篇文字的时候，有人往我们的手机上发来一条信息说，在时隔 120 多个小时之后，又有两个人成功获救。他们的名字是吾金措毛和才仁巴吉，他们是一对父女。

正在这时，又有人给我们打电话，今天下午 6 点多，又有一名叫日图的藏族妇女在被掩埋了 130 个小时后成功获救……

永不放弃！像点燃酥油灯，点燃希望！

从四面八方到玉树灾区——众志成城：救援，救援，把爱心和温暖尽快送到灾区。

灾情牵动了全国各族人民的心！

一场规模空前的大救援已经开始。

从大江南北，从长城内外，从全国各地，各种救援队伍和力量已经和正在向玉树集结。从地震发生的那一刻起，玉树就成了全国乃至世界的一个焦点。全国各地几乎所有的机场都有运送救灾物资的专机飞往玉树，全国各地几乎所有的火车站都有运送救灾物资的专列发往玉树。

14 日当晚，郑州火车站，仅用了 3 小时，就调集了 30 个专列运送救灾物资，平时要调集如此规模的运力一般需要十天半月的时间。

当天下午，一支由解放军、武警、医护人员组成的 5000 余人的救护队陆续奔赴灾区，抗震救灾。

同时，青海省组织的救灾力量抓紧时间向灾区群众运送食品、饮用水、防寒衣被，确保灾区群众有饭吃，有干净水喝，有临时住所。受损设施的抢修也在抓紧时间进行，水电、交通、通信等设施开始一点点恢复，通往机场的道路迅速修复，机场恢复运转。

机场通信于 14 日 20 时恢复，玉树各县通讯 15 日凌晨 5 时开始基本恢复。紧急调集 100 余台发电设备，震后不到 48 小时，灾区指挥部、安置点、医疗点等重点部位基本恢复供电。及时抢修水源和供水管线，震后 48 小时恢复了部分地段供水。还有 13 支专业水利队伍正在加紧打井找水，修复管网。4 月 20 日前，结古重点临时安置点和结古以外 8 个乡镇的供水问题可得到解决。

青海地震局在第一时间派出 8 人组成的第一批现场工作队赶赴灾区。省重大灾害紧急救援队也派出第一批 62 人的队伍赶往灾区开展工作。中国地震局 18 人组成的地震现场工作队同时飞赴灾区救援。

武警青海总队紧急出动的 3700 多名官兵从西宁和格尔木分两路向灾区挺进，当晚 21 时抵达灾区开始救援。青海省公安消防总队紧急抽调的 68 名官兵、9 台车也迅速奔赴灾区救援。

截至目前，在玉树灾区参加救援的人民解放军和武警部队官兵达 11359 人，还有 2800 名公安消防和特警部队。同时，来自全国各地的地震和矿山专业救援人员达 1500 余人，医护救援人员达 1880 余人，还有一些企业、慈善人士、志愿者也从四面八方赶来参加抗震救灾。

14 日上午，民政部紧急下拨了第一批抗震救灾物资，棉帐篷 5000 顶，军大衣 50000 件，棉被褥 5000 套，安置受灾群众。

当日 13 时 13 分，空军紧急调配的第一架飞机起飞。13 时 21 分，第二架飞机搭载 111 名国家救援队员和部分救援装备，飞往灾区。13 时 27 分，100 名地矿勘测队员带着相关设备搭载第三架飞机飞往玉树。在接下来的几天中，空军共出动军用飞机 89 架次驰援灾区。

国航、东航、南航等航空公司也纷纷调配飞机执行救援队员和救灾物资的运输任务。中国国际救援队组织的 30 人医疗队随后也赶往玉树灾区。

14 日之后的这些天里，从四面八方通往玉树的路上运送救灾物资、机械设备和救援人员的车流从不曾间断。

四川、西藏、陕西、甘肃、新疆、宁夏等邻近省区组织的救援队先期开赴灾区救援。来自其他省区的救援队带着全国各族同胞的深情厚谊随之而来。

这次地震造成了重大损失。

人员伤亡惨重——

截至 4 月 18 日上午 10 时，遇难人员 1706 人，失踪人员 256 人，受伤人员 12128 人，其中重症伤员 1424 人。

财产损失重大——

受灾最严重的结古镇，土木土坯房屋全部倒塌，砖混结构房屋 80% 遭到严重破坏，框架结构房屋 20% 遭到严重破坏，损坏民房 21 万间、33 万平方米。结古镇以外的 8 个乡镇，损毁房屋 4000 间、8 万平方米。

基础设施破坏严重——

214 国道歇武至结古段多处滑坡深陷，结古至机场公路 3 处中断，10 座桥梁发生移位，西杭水电站基本报废，禅古水电站大坝受损，玉树县供水、供电、通信设施全部瘫痪。

正是有了党中央、国务院的巨大关怀，灾区各族干部群众才倍感温暖，倍增信心，倍添力量，抗震救灾的艰难斗争才顺利推进。也正是有了全国各族兄弟姐妹的无私援助，灾区各族同胞才能勇敢地面对灾难，重新鼓起勇气和信心，投身到抗震救灾、重建美好家园的壮烈行动中。

地震发生后，全国 31 个省份和港澳台地区都在第一时间伸出了援助之手，及时组织资金、物资、人力、设备支援灾区。

截至目前，全省共接受捐赠资金 3.75 亿元，救灾物资折价 6500 万元。已到帐篷 25000 顶，棉被 52000 套，棉衣 16000 件，方便面和饮用水 360 吨，应急灯 200 个，火炉子 3000 个，燃煤 280 吨，野战干粮 10 万份和 50 吨青稞已经发放到群众手里。

现在，所有受灾群众基本上都有饭吃、有干净的水喝、有帐篷住。

玉树是一个民族地区，区域内的社会经济尚不发达，这样一场突如其来的灾难，对玉树来说，无疑是毁灭性的。如果没有党和政府的关怀和帮助，如果没有来自四面八方骨肉同胞的爱心支援，玉树面对的困难无法想象。

所幸的是，在祖国温暖的怀抱里，玉树受灾的群众还有亿万骨肉同胞。在这个伟大而温暖的社会主义大家庭里，遭受巨大创伤的玉树感到温暖。

连日来，我们一次次走过那些废墟和瓦砾堆，我们不忍踩踏，担心踩着还抱着不灭希望的生命。

在一片废墟上，一个藏族老阿妈手里牵着一个一岁多的孩子指着一片废墟对我们说，那里……那里还埋着我们家的3个人。我们看见，有4个僧侣正在那里为亡者诵经超度。

19日下午，街上已经出现了卖菜的摊点。很多临时安置受灾群众的帐篷里已经飘起了袅袅炊烟。即使废墟上一些堆满瓦砾的残破院落里也已经支起锅卡，开始烧茶做饭。在一个个安置点和救治点上，一面面党旗已经在高高飘扬。

几乎夷为平地、失去很多宝贵生命的玉树，在一片瓦砾和废墟中渐渐复苏，渐渐有了一些生机和活力。那就是生的希望。

玉树玉碎，愿所有的生命都站成树，根连根，手牵手。

（《青海日报》，2010年4月20日第5版）

同人民在一起

——以胡锦涛为总书记的党中央领导开展青海玉树抗震救灾纪实

新华社记者

飞机在高速飞行。机舱内，中共中央总书记、国家主席、中央军委主席胡锦涛专注的目光，聚焦在地图上一个让人揪心的地方——

青海省，玉树藏族自治州，玉树县。北纬33.2度，东经96.6度……

这是2010年4月18日的早晨。心系玉树地震灾区的胡锦涛总书记，前一天下午经过近25个小时的跨洋飞行回到北京、主持召开了中央政治局常务委员会会议后，第二天又乘飞机赶赴玉树地震灾区。一上飞机，总书记就把随行的有关方面负责人召集到一起，打开地图，详细询问玉树抗震救灾最新情况，讨论研究具体办法对策……

第一时间作出决策，第一时间赶赴现场，第一时间送上慰问和关怀……在玉树抗震救灾的日日夜夜，以胡锦涛同志为总书记的党中央始终与灾区人民同呼吸、共命运、心连心。当气壮山河的抗震救灾斗争在青藏高原腹地打响，总书记说出了如下这样动情的话语——

“在这一困难时刻，我需要尽快赶回国内，同我国人民在一起，投入抗震救灾工作……”

同人民在一起——

灾难突袭，忧心如焚。以胡锦涛同志为总书记的党中央果断作出决策部署，紧急调集救援力量……

大洋彼岸，一个揪心的难眠之夜——

美国华盛顿，当地时间4月13日19时49分。中国青海省玉树藏族自治州玉树县发生7.1级强烈地震。

胡锦涛主席刚刚出席完核安全峰会，获知这一讯息后，立即召开紧急会议，同代表团陪同人员一起，急迫地分析国内发来的一份份灾情简报。

灾情如火。胡锦涛立即向国内发出指示，要求各部门全力做好抗震救灾工作，千方百计救援受灾群众，同时要加强地震监测预报，落实防范余震措施，切实安排好受灾群众生活，维护灾区社会稳定。

受灾群众安危，牵动总书记的心。他指示连夜紧急调用飞机，运送各地救援队伍奔赴灾区，并调集部队昼夜兼程开赴灾区投入抗震救灾斗争。

在党中央坚强领导下，抗震救灾的战斗迅速打响……

根据中央指示精神，国务院迅速成立抗震救灾总指挥部，中共中央政治局委员、国务院副总理回良玉任总指挥，下设抢险救灾、群众生活、卫生防疫、基础设施保障和生产恢复、地震监测、社会治安、宣传、综合等8个工作组，紧张有序地开展工作。

这天夜里，地震灾情进一步传来，胡锦涛心急如焚，果断作出提前回国的决策——

当地时间14日深夜11时许，胡主席同智利总统皮涅拉通电话；15日零时前后，又同正在国外访问的委内瑞拉总统查韦斯通电话……他分别向两国领导人通报了中国青海玉树地震灾情，表示目前中国正在紧急组织抗震救灾斗争，在这一困难时刻，我需要尽快赶回国内，同我国人民在一起，投入抗震救灾工作。为此，不得不调整这次出访日程。

中国外交部有关人员立即同巴西外交部协商，提前并压缩访问巴西的有关活动，提前举行“金砖四国”领导人会晤。

有关国家领导人表示完全理解胡锦涛主席的决定，并代表本国政府和人民对中国青海玉树发生严重地震灾害造成的人员伤亡表示沉痛哀悼，向中国人民表示深切同情和衷心慰问。

中国领导人心系人民的情怀，深深感动着人们……

4月15日，在巴西利亚进行完10多场密集的双边和多边活动后，胡锦涛总书记立即于当晚11时30分踏上万里归程。

北京时间4月17日14时20分许，胡锦涛总书记从大洋彼岸回到北京。当天16时，总书记不顾旅途劳累，立即主持召开中央政治局常务委员会会议，研究部署青海玉树抗震救灾工作。

“我们必须以更加顽强的精神、更加迅速的行动、更加科学的方法，克服一切艰难险阻，坚决做好抗震救灾各项工作……”关键时刻召开的这次重要会议，对抗震救灾工作提出明确要求。

“要全力搜救被困群众”“要努力救治受伤人员”“要妥善安排群众生活”“要切实解决好灾区学生复课问题”“要加强对次生灾害的预防”……会议对下一步抗震救灾工作作出具体部署。

心系地震灾区，情牵群众安危。吴邦国、温家宝、贾庆林、李长春、习近平、李克强、贺国强等中央领导获知地震消息后，也纷纷于第一时间作出重要指示。

正在吉林调研的中共中央政治局常委、全国人大常委会委员长吴邦国匆匆结束行程，返京当天下午，主持召开全国人大常委会委员长会议，对在青海玉树地震中遇难的各族同胞表示沉痛哀悼，向遭受严重地震灾害的灾区人民群众表示诚挚慰问，向奋战在抗震救灾第一线的人民解放军指战员、武警官兵、公安干警和广大干部群众致以崇高的敬意……

中共中央政治局常委、国务院总理温家宝第一时间对全力做好抗震救灾工作作出重要指示，并推迟原定于 4 月 22 日至 25 日对文莱、印尼、缅甸的正式访问。他飞赴灾区，实地考察灾情，慰问各族干部群众，指导抗震救灾工作……

正在湖北调研的中共中央政治局常委、全国政协主席贾庆林十分牵挂地震灾情和灾区人民，强调灾区各级党委和政府要迅速动员各方面力量投入抗震救灾，把抢救人的生命作为第一位的任务，努力把损失降到最低程度。各方面都要发扬一方有难、八方支援的精神，积极投身抗震救灾工作，千方百计救援人民群众……

正在土耳其访问的中共中央政治局常委李长春提前结束对土耳其的访问，推迟对沙特阿拉伯、罗马尼亚、爱尔兰、黑山的访问，并打电话回国，要求宣传思想战线坚决贯彻落实胡锦涛总书记关于抗震救灾工作的重要指示精神，全力以赴投入抗震救灾宣传报道工作……

中共中央政治局常委、中央书记处书记、国家副主席习近平在有关会议上，对党的建设战线做好青海玉树抗震救灾工作作出部署，强调在抗震救灾中要充分发挥各级党委的领导核心作用、各级领导干部的模范带头作用、基层党组织的战斗堡垒作用和共产党员的先锋模范作用，为抗震救灾提供坚强的思想、政治和组织保证……

正在辽宁考察工作的中共中央政治局常委、国务院副总理李克强，在沈阳实地察看支援青海玉树抗震救灾物资抢运工作，强调要全力做好抗震救灾保障工作，加大援助力度，确保受灾群众基本生活，确保抗震救灾有序进行……

正在四川考察工作的中共中央政治局常委、中央纪委书记贺国强，立即会同四川省委和省政府研究制定支援抗震救灾方案，并于 4 月 16 日到成都华西医院看望正在接受治疗的玉树地震伤员……

地震发生后的几个小时内，受胡锦涛总书记、温家宝总理委托，回良玉于 14 日中午即率国务院有关部门和人民解放军、武警部队负责同志紧急赶赴灾区，指导抗震救灾。

在灾难降临的危急关头，在抗震救灾的关键节点，人们听到了党中央的明确号令——

“各级党政领导班子和领导干部要坚守岗位、恪尽职守，深入一线、靠前指挥，到灾情最严重的地方去，到最困难的地方去，带领广大群众全力以赴抗震救灾。”

“第一位的工作是救人。只要有一丝希望，就要尽百分努力，坚持下去，决不放弃。”

“决不让一个群众挨饿、受冻，没有干净水喝。”

“只要我们发扬伟大抗震救灾精神，团结一心，众志成城，就一定能够夺取抗震救灾斗争的胜利！”

……

情相通、意相连。党中央深切的关怀，全国人民无私的援助，让灾区广大干部群众从废墟中一步步站起——

4月14日，玉树机场开足马力，以最大负荷承载来自全国各地的人员、物资；来自周边省份的救援队迅即到达，立刻投入抗震救援；

4月15日，通往玉树灾区主要公路基本畅通，交通运输部门全力保障物资运送；

4月16日，青海落实国家有关政策，对受灾群众进行补助；为确保救灾资金及时划拨，央行国库部门开辟国库资金汇划绿色通道；

4月17日，玉树州结古镇体育场内第一批活动板房搭建完毕，用于医疗场所；玉树孤儿学校的60多名学生和十几名老师齐唱国歌，率先复课；

4月18日，第一所抗震希望学校在结古镇落成；5000份《高原病防护须知》知识挂图送抵灾区；

4月19日，3万台收音机和500台电视机、500台电视卫星信号接收器抵达玉树震区，帮助灾区群众收听收看电台电视节目；

4月20日，为表达全国各族人民对青海玉树地震遇难同胞的深切哀悼，国务院决定，2010年4月21日举行全国哀悼活动，全国和驻外使领馆下半旗志哀，停止公共娱乐活动；

……

上下同心者胜。在党中央坚强领导下，全国各族人民正以无所畏惧的英雄气概，直面严重灾害的重大考验，谱写着又一首感天动地的英雄壮歌。

同人民在一起——

只要还有一线希望，就要下百倍努力。中央领导亲赴灾区知道抗震救灾，1.7万多名救援人员紧急驰援，与时间赛跑，与死神抗争

救人！救人！第一位的是救人！

经过3个多小时的飞行，胡锦涛总书记一下飞机，立即赶往受灾最重的玉树县结古镇视察。

在遭受重创的扎西大同村，总书记踩着碎砖砾石，登上废墟高处，查看房屋倒塌情况。面对正在现场救援的人民解放军指战员，总书记指示，尽最大努力抢救被困人员，只要还有一线

希望，就要下百倍努力。

这是一个个催人泪下的镜头——

在简陋的救灾帐篷前，总书记对围拢过来的受灾群众大声说："乡亲们，你们受苦了！玉树地震发生后，中央的同志忧心重重。听到你们有的失去了亲人，有的失去了家园，我们和你们一样难过。今天，我特地来这里，向大家表示亲切的慰问！"

在玉树州体育场医疗救助点的帐篷医院里，总书记走到在地震中伤了右臂的藏族女中学生卓玛床前，把哭泣的小卓玛搂在怀里，和蔼地安慰她："你放心，政府会给你进行精心治疗，将来胳膊骨头长好了，一切会正常的，不会留后遗症。我知道你是个好孩子，也是个勇敢的孩子，要坚强，要有信心。"

在受灾严重的扎西科村，总书记走到正在清理废墟的救援人员中间，鼓励大家发扬不畏艰险、不怕疲劳、连续作战的作风，出色完成各项抗震救灾任务。"我相信，只要我们发扬伟大抗震救灾精神，团结一心，众志成城，就一定能够夺取抗震救灾斗争的胜利！"

……

吴邦国、温家宝、贾庆林、李长春、习近平、李克强、贺国强等中央领导，也牵挂着玉树地震灾区的救援进展，以不同方式对抢险救援作出指示。

15 日下午，温家宝飞抵青海玉树地震灾区，考察灾情，慰问各族干部群众，指导抗震救灾工作。

"乡亲们的灾难就是大家的灾难，乡亲们的痛苦就是大家的痛苦，乡亲们失去的亲人也是大家的亲人。我们共同对他们表示哀悼。当前，第一位的工作是救人，我们已经派出了大批救援队伍，还在陆续增派，只要有一丝希望，就要尽百分努力，决不放弃。"温家宝登上结古镇民族商贸城倒塌的废墟，对围拢的群众饱含深情地说。

抢险的号令发出，救援的号角吹响。不管山有多高，无论路有多远，一批批抢险救援队伍向着同一个目标进发！

地震发生后仅 10 分钟，玉树军分区指战员，率先开始生命救援。

8 时许，青海省消防总队玉树支队的官兵们开始了救援。

9 时 50 分，65 名救援人员和地震专家从西藏自治区昌都地区出发赶往玉树。

13 时，青海省军区独立团 1002 人向灾区昼夜机动，解放军第四医院医疗队 31 人、6 台车随队出发。

13 时许，空军 3 架伊尔 -76 运输机紧急起飞，执行空运救援人员和物资任务。

13 时 50 分，四川省甘孜州医疗队首批 49 名先遣队员带着药品和急救车，抵达玉树地震灾区赛马场的集中安置点开展救援。

15 时，甘肃省人民医院、甘肃省急救中心等 39 名医护人员、10 台急救车携带药品器械和生活物资，翻山越岭向玉树进发。

至 18 时，公安部已从广东、四川、甘肃、云南、宁夏、西藏等地，紧急调集 1630 名消防特勤、特警、边防医疗人员，携带生命探测仪等搜救工具赶赴灾区救援。

21 时许，国家地震灾害救援队 60 名救援人员到达玉树州结古镇开展救援……

“我看到了国家的力量。”远在广东惠州讲学的佛学院教授昂噶，接到了来自玉树的电话后心急如焚，可是当在电视新闻里看见部队和消防队纷纷开赴灾区后，心一下子就放松下来了。

16 日，公安部发布“生命大搜救”总攻令，号召全体参战民警立即发起生命大搜救，全力救人。救援人员不放过任何一个有生命迹象的地点，抓紧一分一秒，以寻找生还者作为最大目标。

16 日 13 时 48 分，埋压 50 多个小时后，13 岁的藏族小姑娘次乃拥青被从废墟中抱了出来！等候在一旁的妈妈喜极而泣……

高海拔、高寒气候，是对救援人员身体的最大挑战。许多救援人员刚到玉树就出现了强烈的高原反应，呕吐、头晕，甚至发烧，但他们奋不顾身地投入高强度的救援工作，很多人嘴唇没有了血色，眼中满是血丝，面色苍白，已经接近体力的极限。

即便是最微弱的生命迹象，也要尽最大努力；即便是超过了 72 小时黄金救援期，也决不放弃。

4 月 17 日下午召开的中共中央政治局常务委员会会议强调，现在抗震救灾工作正处在关键时刻，我们必须克服一切艰难险阻，全力搜救被困群众，加大力量投入，扩大搜索范围，逐村逐户排查，全力搜救被埋人员，确保搜救工作不留死角，尽最大努力抢救生命。

“只要有一线希望，我们就要竭尽全力。就算累瘫，也要把人救出来！”四川消防战士余浩源的嘴唇已现出青紫色，可是他仍然带着搜救犬，在废墟中顽强地搜寻着生的希望。

坚持，创造生命的奇迹！

17 日下午 1 时 30 分，50 多岁的陕西人陈彩霞在坍塌的民族旅社被埋 77 个小时后重见阳光，送至医院。

在新寨村，救援人员又成功救出 3 名受伤被困群众……

截至目前，救援人员已累计搜救营救被困群众 1.7 万人，其中从废墟中救出 6870 人，救活 6110 人。

受伤群众能不能得到及时救治，是党中央牵挂在心的一件大事。

在玉树灾区视察时，总书记看望了在帐篷医院里忙碌的医护人员，勉励大家大力发扬救死扶伤的人道主义精神，继续精心医治和护理好受伤群众，切实加强灾后卫生防疫工作。

17 日的中共中央政治局常务委员会会议要求，努力救治受伤人员，加大救治力度，加强危重伤员转移救治力度，确保受伤人员得到及时有效救治，尽最大努力抢救伤员生命、医治群众病痛。

温家宝 16 日主持召开国务院抗震救灾总指挥部会议时要求，及时抢救受伤人员，伤势严重的要迅速转移到周边条件好的地方救治。

地震摧毁了玉树的医疗机构，上万名群众受伤，亟待治疗。截至 19 日 16 时，全国有 40 支医疗卫生队、2032 名医疗救护人员奋战在救灾第一线。

14 日 16 时许，当青海省人民医院抗震救灾医疗队队长叶谢智华带领 38 名医务人员第一时间抵达结古镇州体育场时，映入他们眼帘的是：成千上万名受伤群众或躺或坐，密密麻麻地填满了整个广场。这位青海省人民医院外科主任组织队员们，不到20分钟就在体育场中心搭建起两个帐篷手术室，开始了紧张的抢救工作。

相同的经历，真诚的感情。来自汶川地震极重灾区的四川省什邡市医疗队的31名医护人员，一路疾驰30多小时，终于在16日上午抵达结古镇。他们昼夜接诊、巡诊病人近400名，医护人员几天几夜不合眼却仍在奔波。

地震危重伤员必须转运外地救治。卫生部在地震当天就制定了伤员转运方案，协调民航总局、铁道部、交通运输部，通知西宁、成都、兰州、西安等地预留床位，迅速启动危重伤员的转运救治。各地都拿出了最好的医院、最好的医生和最好的床位来安排从玉树转运过来的地震伤员。

15日下午，首架运送震区伤员的飞机抵达西宁机场，机上38名伤员随即被送往医院进行救治；15日17时许，运载着36名灾区伤员的飞机降落在成都双流国际机场；16日凌晨1时20分，100余名地震伤员抵达西安咸阳国际机场，来自西安、咸阳的80余辆救护车和260余名医务人员不到两个小时完成了转运……

生命的接力，就这样进行；伟大的爱心，就这样传递……

同人民在一起——

确保受灾群众有饭吃、有衣穿、有干净水喝、有临时住所、有病能得到及时治疗！震区受灾群众的冷暖安危，党中央时刻为之牵挂

“新校园，会有的！新家园，会有的！”

18日下午，胡锦涛总书记来到青海玉树藏族自治州孤儿学校，看望正在板房教室里上课的孩子们。总书记拿起粉笔在黑板上写下12个大字，并领着孩子们大声朗读。

突如其来的地震灾难，摧毁了这所美丽的藏式建筑学校。在祖国各地支援下，70多名孩子在地震4天后重新走进了课堂，玉树州孤儿学校成为地震灾区第一所复课的学校。

“为什么我的眼里常含泪水？因为我对这土地爱得深沉……”18日清晨，青海玉树藏族自治州孤儿学校新建的活动板房内，同学们正大声朗读着艾青的诗作《我爱这土地》。

稚嫩的声音清脆有力，久久回响……

地震之后，近10万受灾群众无家可归。他们的冷暖安危，党中央时刻为之牵挂。

地震发生后，党中央、国务院就紧急作出部署，要求全力做好抢险救援、物资调拨、医疗救助、生活安置等抗震救灾工作。

4月17日下午，胡锦涛总书记主持召开中央政治局常务委员会会议，全面部署当前青海玉树抗震救灾工作，会议提出：

——妥善安排群众生活，千方百计做好受灾群众救助和安置工作，加强救灾物资组织调运力度；

——确保灾区群众有饭吃、有衣穿、有干净水喝、有临时住处、有病能得到及时治疗；

——切实解决好灾区学生复课问题，扎实做好灾区卫生防疫工作；

——迅速修复基础设施，尽快实现和有效保障灾区通路、通电、通水、通信息……

一场争分夺秒的救援接力在全国范围展开了，救援力量和救灾物资通过航空、铁路、公路迅速向玉树集结……

青海当地部门组织力量抓紧向灾区运送食品、饮用水、防寒衣被，抢修受损设施，努力恢复水电、交通、通信等设施，迅速恢复机场设施，确保通往机场道路畅通；

中央有关部门和军队等纷纷启动应急机制，向灾区伸出援助之手。地震3小时后，中国地震局地震现场工作队就携带救援设备和救援物资飞向玉树震区；空军紧急调配3架飞机投入抗震救灾；民航局调配适应高原飞行的飞机执行救援人员和物资运输任务；

民政部第一时间即从多个中央救灾物资储备库调运救灾物资，同时组织江苏、浙江、福建、山东、广东5省紧急空运150吨即食食品。铁道部要求对救灾物资要做到随到、随装、随运，有多少运多少，以最快速度运抵灾区，一切为了救灾需要；

交通运输部立即调集抢通机械和技术人员，组织200多人的抗灾突击队，第一时间奔赴震区中断的道路，全力开展受损公路的抢通保通工作，14日14时，通往灾区的公路已陆续恢复通车；

中央财政拨付5亿元青海抗震救灾资金；人民解放军和武警部队卫生系统紧急抽调18支医疗队1209名医务人员赶赴灾区；人民解放军总后勤部快速筹措、紧急调运85个品种、价值6048.6万元的药品、装备发往灾区；公安部调集各类救援车辆、装备物资总价值逾2亿元；

……

北京、武汉、广州……一架架满载食品和饮用水的飞机腾空而起，向玉树飞去；

沈阳、郑州、西安……一列列装满帐篷、棉衣被等救灾物资的救灾列车，向灾区疾驶……

必须确保空中救援通道不中断！地震发生后，中国民航局抗震救灾指挥部迅即在西宁成立；空军部门连夜进驻到这里，使原本没有夜航条件的玉树机场，具备了应对各种救灾空运的条件。

自4月14日玉树地震发生到19日11时，从14家航空公司调集的几十架飞机投入抗震救灾行动，建立了一条稳固的“空中生命线”，青海境内玉树、西宁、格尔木3座机场已累计起降飞机400余架次，运送各类人员13100人次，运送救灾物资997吨。

空中、铁路、公路，搭建起生命的救援通道，救灾物资源源不断运往灾区——

在遭受重创的结古镇，虽然中心广场上的建筑损毁严重，街道上堆积着碎石瓦砾，但是“受灾群众食品领取处”的大红横幅格外醒目。

排在队伍中间的39岁藏族中年妇女多吉说：“地震不久政府就建点，分发食物。有饭吃心里就不慌了。”

由救灾部队紧急调运的炊事车在街头一字排开，一份份热腾腾的饭菜送到了受灾群众手中。

玉树体育场、扎西科、格萨尔广场……安扎在这里的受灾群众安置点，成为受灾群众的“温暖的家”。

玉树昼夜温差大，夜间温度甚至在零度以下。让受灾群众有保暖衣物，有御寒住所，成为燃眉之急。

15 日凌晨 2 时，武警青海总队的官兵抵达灾区。顾不上歇口气，他们开始连夜搭建帐篷。一夜之间，六七十顶帐篷在这里搭起，几百位受灾群众有了临时的家。

截至 20 日 16 时，已运抵灾区棉帐篷 34468 顶、棉被褥 77402 套、棉衣 55407 件、食品和饮用水 1106 吨、折叠床 3158 个等大量生活物资。

目前，受灾群众已基本住进帐篷，做到了有饭吃、有衣穿、有干净水喝、有病能得到及时医治。

从西宁到玉树只有一条 214 国道——从西宁出发，需穿过日月山，翻越海拔 4824 米的巴颜喀拉山山口，全程 820 公里。这条公路现在成了一条运送救援物资的“生命线”——大型工程车、医疗救助车、救援物资车汇成滚滚车流，源源不断向着玉树进军！

由于车辆众多，而且余震不断造成部分路段塌方，加上 19 日部分地区开始降雪，给抗震救灾道路抢险保通带来了新的困难。

作为救灾生命线，公路交通不能断！交通运输部下达了死命令：集全系统之力，千方百计保畅通、保运输、保安全！要随毁随抢，随毁随通。

连日来，青海交通运输部门已累计投入抢险救灾保通人员 12300 余人次，各类机械车辆 2115 台套，清理塌方、落石 126900 余立方米。到 20 日 18 时，通往玉树灾区干线公路基本畅通。

通信抢修人员来了……

电力抢修人员来了……

石油供应人员来了……

电信部门第一时间派出 9 个抢险队，共 415 人，利用应急通信车和电源车等前往地震灾区抢险。15 日 7 时，青海玉树州 6 个县通信就已经全部抢通。

中国电信 15 日凌晨 2 时开通青海地震灾区重要交通枢纽玉树机场的移动通信，到下午 4 时灾区县城中国电信电话通信均已恢复。玉树州各县联通通信网络恢复运行。

17 日 20 时 20 分，结古镇广场旁边的一盏街灯在夜幕中点亮。一些灾区群众围拢灯下，低声地祈祷。

灯光给人希望，灯光给人力量。

在地震中，结古镇发电和供电系统遭受重创，陷入瘫痪状态。经过 600 多电力人连续 3 天的奋战，自 17 日起玉树灾区恢复正常供电，近八成救灾安置点都得到电力供应，已有上千顶帐篷中有了电灯。

19 日下午，结古镇震后第一眼井在位于赛马场附近的扎曲河边开钻，这眼应急供水水井深度将达 45 米，日出水量可达到 1000 立方米以上，施工完成后可以解决 5000 人的吃水问题，施工人员昼夜奋战，预计 4 到 5 天内完工……

“一方有难，八方支援。”灾区群众的需要成为祖国各地共同的行动目标。

地震发生后，在网上关注灾区救灾情况河南户外救援联盟成员陈芳，一直忙着组织救援物资捐赠，一箱箱矿泉水，一箱箱方便面堆满了她家的客厅。

曾有北川地震救援经验的她颇为细心：“灾区有不少婴儿，希望有更多的人为他们捐赠奶粉，干净的衣服和婴儿的药品。”

从企业到个人，从老人到孩子，从社会团体到各个部门，社会各界纷纷捐款捐物，为抗震救灾贡献自己的力量。

香港、澳门、台湾同胞心系灾区乡亲——香港各界十分关心灾情，自发捐款捐物，赈济灾区群众。20日下午，包括霍英东基金会在内的约10个团体和个人通过中央政府驻港联络办向灾区捐款，总额近2000万港元。

海外侨胞心系灾区乡亲——美东华人社团联合总会、美国福建公所以及美国福建同乡会等侨团15日分别举办现场捐款活动，并呼吁下属机构及广大侨胞再献爱心。

全国人民心系灾区乡亲——1元、5元、10元、100元……在各地红十字会的捐款箱前，人们排起了长队。

20日晚，“情系玉树大爱无疆”抗震救灾大型募捐活动在中央电视台举行。现场共募集到各类款项21.75亿元人民币。中华儿女的炽热情怀、博大爱心和中华民族的强大凝聚力再次得到展现。

太阳仍会升起，生活照样继续，顽强的灾区人民在废墟之上，坚守着对美好生活的期望——

20日上午，在玉树县结古镇街头，一些银行、商场、邮政等服务行业都已借助简单的场所开始营业，很多当地群众在购买商品、办理业务。“只要有党和政府，我们什么也不怕，失去的东西还会回来的。”玉树清真寺的教长、72岁的撒拉族老人韩进成对以后的生活充满信心。

玉树不倒，青海长青。在抗震救灾的同时，党中央、国务院已经开始谋划玉树灾后重建工作。

4月17日，在中央政治局常务委员会会议上，胡锦涛总书记强调，要在做好当前抗震救灾工作的同时，及早谋划恢复生产、灾后重建工作，在做好灾害评估、搞好规划的基础上适时组织力量帮助受灾群众重建家园。

4月18日，在玉树看望慰问受灾群众时，总书记掷地有声地表示，我们一定能够夺取抗震救灾斗争的胜利，也一定能够把社会主义新玉树建设得更加美好！

（《人民日报》，2010年4月21日第1版）

永远和人民心心相系

——记顽强挺立在青海玉树抗震救灾最前列的中国共产党人

新华社记者　李亚杰　　《人民日报》记者　李章军

如果有谁，比慈祥的母亲还值得我骄傲和自豪，

那就是你，历经风雨却愈益成熟的中国共产党。

——题　记

青海玉树，名山之宗、三江之源、康巴之乡。这里的雪山巍峨峻峭、雪莲纯洁无瑕、雪水晶莹透明。

2010年4月14日7时49分。美丽的玉树在大地无情的痉挛中猝然倒下，瞬间满目疮痍、转眼支离破碎，数以万计的高原儿女承受着撕心裂肺的苦痛。

这一刻，高原黑色之殇。银峰低垂在渴盼，江河挥泪在祈求，草原无语在怅望……

空中，穿破云雨冰雪。中国共产党人以第一速度赶来了，朝着目标——挺进！挺进！挺进！

陆上，踏着颤抖大地。中国共产党人在第一时间赶到了，凝聚力量——救人！救人！救人！

玉树在哭泣，每一个中国共产党人都在与时间争命。青海在震栗，每一个中国共产党人都在同死神角力。他们中间有干部，有人民子弟兵，有公安民警，有救援队员，有医生，有教师，有工人，有农民，有学生……他们中间有的在地震中痛失亲人，来不及抚平悲伤，通宵达旦抢送伤员；有的忍受着自身伤痛，坚守在工作岗位上；有的跋山涉水赶至玉树，忍受着高原反应的折磨，全力投入抗震救灾……中国共产党人选择了把一切都献给人民，以坚定的信念、无畏的气概、钢铁的纪律，成为抗震救灾的先锋队、灾区人民的主心骨、受灾群众的贴心人。

站在阔远高原，走进神秘雪域。中国共产党人无论在哪里，就为哪里带来阳光和春风——

就像点燃的酥油灯，照亮高原所有的希望；就像灿烂的格桑花，绽放人间所有的祝福……

这，就是人民哺育的共产党人！

“在这一困难时刻，我需要尽快赶回国内，同我国人民在一起，投入抗震救灾工作。”

和人民同甘苦　与人民共患难

玉树地震突袭而至，大地悲歌再起。

一个个鲜活的生命被废墟掩埋，一双双清澈的眼睛被泪水遮蔽，一片片城镇乡村被夷为平地。

灾情就是命令！中国共产党人的双脚就是春的萌动。

时间就是生命！中国共产党人的双手就是生的希望。

人民高于一切！中国共产党人的双肩就是爱的力量。

灾害临头，中国共产党人和人民心心相系。

“在这一困难时刻，我需要尽快赶回国内，同我国人民在一起，投入抗震救灾工作。”正在国外访问的胡锦涛主席果断决策压缩出访行程提前回国。

4 月 17 日 14 时 20 分许，经过近 25 个小时长途飞行后，胡锦涛总书记回到北京。16 时，立即主持召开中央政治局常务委员会会议，全面部署抗震救灾工作。

4 月 18 日，抗震救灾关键时刻。胡锦涛总书记飞抵玉树地震灾区。在扎西大同村、在玉树州体育场、在扎西科村……总书记的手与灾区群众牢牢握在一起，总书记的心与灾区群众紧紧贴在一起。

“我相信，只要我们发扬伟大抗震救灾精神，团结一心，众志成城，就一定能够夺取抗震救灾斗争的胜利！”胡锦涛总书记坚定铿锵的话音，在高原上空久久回荡。

吴邦国、温家宝、贾庆林、李长春、习近平、李克强、贺国强等中央领导情牵玉树震区、心系灾区人民。

灾害临头，中国共产党人和人民手手相挽。

中共中央组织部 4 月 14 日、15 日连续发出通知，要求灾区各级组织部门在党委领导下，迅速动员和组织广大基层党组织和党员干部立即投入到抗震救灾工作中去；要求灾区各级党委、基层党组织和广大党员坚决贯彻党中央、国务院的决策部署，全力做好现场救援、受灾群众安置、社会维稳等各项工作，在抗震救灾中充分发挥领导核心、战斗堡垒和先锋模范作用。同时，连续两次给青海省下拨党费共 500 万元，送去了党中央对地震灾区的殷切关怀。

青海省委、省政府在第一时间作出地震应急一级响应，组织动员全省各级党组织和党员干部投入抗震救灾工作，以最快的速度全力抢救被困群众，救治受伤人员，充分发挥领导核心、战斗堡垒和先锋模范作用。

青海省委组织部快速响应、迅速行动，健全和新成立受灾群众安置点党组织，在抗震救灾一线发展党员，抽调 60 名党员领导干部赶赴灾区，把党的旗帜打出来。

1 小时、1 分钟、1 秒钟……

服从党的领导和人民的利益，中国共产党人紧急行动，冲锋在抗震最前列，筑起震不垮的坚强堡垒。

1 秒钟、1 分钟、1 小时……

听从党的指挥和人民的召唤，中国共产党人紧急救援，战斗在救灾最前沿，筑起压不塌的战斗堡垒。

在房倒屋塌的村庄里，一个个挺身而出的共产党人、一个个迎难而上的共产党人集聚起来——他们抖去满身尘土、擦去伤口血迹，来不及料理亲人的后事，动员组织群众搏斗灾难，在灾情最严重的地方挽救危亡中的生命，在灾害最危险的地方寻找煎熬中的幸存者。

在断瓦残垣的废墟前，一个个舍生忘死的共产党人、一个个百折不挠的共产党人冲锋在前——

他们从四面八方而来，与当地党员干部和群众一道，以寻找生还者为最大目标，一次次细致的搜索、一遍遍拉网式勘查，全然不顾剧烈的高原反应，浑然不觉寒冷与饥饿。

在灾情最严重的地方，一个个愈挫愈奋的共产党人，一个个愈战愈勇的共产党人勇不退缩——

他们克服余震威胁，主动承担起最艰苦的工作，深入村组、农户，安抚群众、搜集灾情、排查隐患，组织群众开展自救，把党的温暖送到每户受灾群众。

在受灾群众的帐篷中，一个个有血有肉的共产党人、一个个有情有义的共产党人热血沸腾——

他们视受灾群众为亲人，为灾区群众送来水米充饥、拿来衣被御寒、捧来爱心送暖，确保有饭吃、有衣穿、有水喝、有帐篷住、有病能及时医治。

“党员突击队”“党员救援队”“党员应急小分队”“党员交通抢险队”“党员医疗救援队”……

怀着对人民深沉壮阔的无私大爱，中国共产党人迅速组建一支支抗震救灾小分队，与灾区群众一起在地震灾区顽强奋战。

在治多县，30 余名党员干部组成“党员突击队”，派出 3 辆救护车，拉运帐篷、方便面、矿泉水及医疗物品，第一时间赶赴玉树。

在称多县，地震发生数小时后，就选派以党员为主体，由医护人员、民兵应急分队、武警官兵、青年志愿者组成的 150 余人的抢险队，奔赴玉树救援。

在囊谦县、在曲麻莱县、在杂多县，迅速组建多支“党员突击队”，全力投入抢险救灾、医疗救治工作。

在化为废墟的村庄里，在夷为平地的家园上——

一面面鲜红的党旗迎风飘展，鼓舞和指引着中国共产党人带领各族群众在困境中跋涉、逆境中抗争。

人们看到，使命在肩的中国共产党人正用自己的生命，捍卫这面鲜红旗帜的神圣。

人们看到，奔走在先的中国共产党人正用自己的鲜血，渲染这面鲜红旗帜的壮丽。

人们看到，冲锋在前的中国共产党人正用自己的赤诚，谱写这面鲜红旗帜的风采。

这，就是人民哺育的共产党人！

“不要哭，不要怕，我们要不惜一切尽快找到每一个亲人。”

和人民同命运　与人民共呼吸

尽管这是海拔 4000 米的高度；

尽管这是海拔 4000 米的集结；

尽管这是海拔 4000 米的考验——

中国共产党人的倾情呼唤，却能创造一个个生命奇迹。

中国共产党人的炽热情怀，却能凝聚一份份无疆大爱。

中国共产党人的昂扬斗志，却能抚慰一个个受伤心灵。

玉树县结古镇党委书记尼玛扎西的脚一直都在肿痛。在地震中遭受创伤的这名共产党员，一直忙着抗震救灾，没有时间去医疗救治，伤口已经化脓……

天崩地裂后，尼玛扎西和妻子冲出房屋，不幸被掉下的玻璃击中，血流一地。心里一直念着灾情的尼玛扎西，简单处理伤口后，赶紧打电话召集全镇 100 多名干部开会，布置抗震救灾工作。“镇里的干部都赶来了。他们中间有很多人负伤了，有一名干部的肋骨都断了。”尼玛扎西心疼地说。地震当天，在镇党委紧急部署下，结古镇每个村社都成立了临时抗震救灾领导小组，组织藏族同胞开展自救。

从地震发生后到 4 月 16 日下午，其间 50 多个小时，尼玛扎西仅仅休息了不到 4 个小时。难得吃上一口热饭的他，身体几乎到了极限……

现在的尼玛扎西，一只脚穿着旅游鞋，一只化脓的脚拖着一只凉鞋，一瘸一拐地为灾区群众来回奔波。

地震灾难降临，玉树县委组织部副部长才仁达哇被埋在倒塌的房屋里，头部和腰部都受了伤，妻子也未能幸免。

当才仁达哇被别人抢救出来后，他首先想到的是被埋在废墟下的邻居。没有挖掘工具，就和大家一起用手挖，多位邻居得以生还。随后，顾不上头部流血的才仁达哇，火速赶往办公楼，组织人员投入抢险救灾。

直到 4 月 17 日，才仁达哇再也支持不住了。住进医院后的他才发现，受伤的妻子已经不能下床，自己却无法照料……

地震发生后第一时间，年近 50 岁的玉树县委办公室主任罗德芳急忙赶到办公楼前，主动承担起全县地震灾情联络工作，24 小时值守在帐篷里，眼中布满了血丝。罗德芳说：“我是共产党员，在这个困难时刻，就要冲在最前面，用自己的行动去安慰群众、帮助群众。”

玉树县委常委、组织部部长沈万忠没顾得回过一次家。妻子侯玉梅每次打电话：“煮了方便面，能不能回来吃点？”沈万忠都说“不用了”，便匆匆挂断电话，继续奋战在抗震救灾一线。

4 月 14 日，顾不得见到上学的女儿一面，顾不上与正在西宁看病的丈夫通电话，曲麻莱县卫生计生局局长郭卓玛带着医疗救护队，于当天就赶到玉树。在方圆7平方千米的上拉秀乡，她们共救治了1000多人。白天，郭卓玛既是医生又是搬运工；晚上，郭卓玛在救护车上简单休息；渴了，就喝点矿泉水；饿了，就拿起方便面嚼两口……

连日没有洗脸刷牙的郭卓玛，满脸疲惫，但救护生命的天职让她继续坚守……

“地震了！大家快救人、快救人……”

48岁的玉树县结古镇加吉娘社区党支部书记土丁朋措一边大声喊，一边冲向洛丘家。他知道，洛丘腿脚不灵便，家里还有一个不满周岁的孙女。得知孩子被埋在废墟后，土丁朋措和洛丘拼命地用手刨，终于救出了孩子。随后，土丁朋措大声安抚惊魂未定的乡亲们：“不要哭，不要怕，我们要不惜一切尽快找到每一个亲人。”

加吉娘社区是第一批三江源生态移民试点社区，是地震重灾区。提起土丁朋措，乡亲们都由衷地说，没有土丁朋措书记这样的好干部，还会有更多的人被地震夺去生命。“土丁朋措书记有一颗善良、公平的心，他对待社区的人比对自己的亲人还亲，大家有什么理由不支持他呢？”22岁的藏族小伙子丹增巴丁激动地说。

可是，谁又能知道土丁朋措这位康巴汉子内心的痛楚。就在这次地震中，他的父亲和弟弟不幸遇难，4位亲人也身受重伤。

今天，土丁朋措亲手把党旗插在了加吉娘社区废墟对面的土丘上，这里有了社区临时党支部……

大地猛烈颤抖后，玉树藏族自治州职业技术学校教师李艳向学校飞奔而去。

惨烈的景象，让李艳不敢相信自己的眼睛。学校宿舍楼摇摇欲坠，楼板夹缝中传来了孩子微弱地呼救。李艳泪如泉涌：“救人呀！”话音未落，便奋不顾身地冲向楼房。用手扒，用肩扛，用椽子撬……李艳和学生一起终于把4名女生从死亡的边缘拉了回来。

4月16日，玉树地震后抢险救援“72小时黄金时间”的最后一天——

国家地震灾害紧急救援队员在一次次余震威胁中不断爬上废墟，敲击着水泥板，尽最大努力抢救遇险灾区群众。3个小时后，2名幸存者被成功救出。

第二炮兵536医院搜救队在玉树县结古镇中心广场的废墟中，成功抢救出一名被埋了57个小时的藏族老人。

武警8650部队某部30名官兵历经3个小时的紧急抢救，救出已经被掩埋约68个小时的藏族妇女。

兰州军区医疗救护队、山东消防特警队、广东边防总队、云南边防总队、青海民兵搜救队……

一支支抢险队伍奋不顾身、协同作战。到16日下午，各路搜救队伍已先后从废墟中抢救出1005名被压埋群众，4910名伤员得到及时救治……

灾难，震不垮中国共产党人拯救生命的精神和信心。

危难，打不倒中国共产党人排难除险的意志和力量。

他们凭勇气去中流砥柱、力挽狂澜；

他们凭激情去融化寒冻、带来安宁；

他们凭坚强去驱逐不幸、赶走灾难。

这，就是人民哺育的共产党人！

“地震夺去了你的三位亲人，而你顾不上自己家庭，整日整夜为村民奔波、忙碌……”

和人民同冷暖　与人民共休戚

4 月 17 日，玉树县结古镇扎西大同村救灾物资发放点。扎西大同村三社社长才哇正在向群众分发帐篷和食物。

惨烈的地震夺去了才哇的 3 位亲人。但是，他没有顾得上安顿家人，日夜坚守在工作岗位上，帮助村民开展自救。当了解到这个情况，正在指导抗震救灾的青海省委书记强卫走上前去，紧紧握住才哇的手，眼泪夺眶而出：“地震夺去了你的三位亲人，而你顾不上自己家庭，整日整夜为村民奔波、忙碌，在你的身上，充分体现了一名共产党员的优秀品质，我感谢你。”

说完，他们的额头紧紧地碰在了一起。这是康巴汉子之间最尊贵的礼节。这是一个共产党人对另一个共产党人的感谢。

“这里的好多干部，家里也出了事。但他们心里装着灾情。抗灾的时候，大家都像一家人一样。”结古寺住持更尕松坡·仁波钦发自内心地说。

为了人民，中国共产党人泪浸双眼，这是悲痛的泪。

为了人民，中国共产党人泪湿衣衫，这是动情的泪。

为了人民，中国共产党人泪洒大地，这是牵挂的泪。

一个 12 平方米的帐篷，就成了玉树藏族自治州应急办公室。地震发生后，应急办副主任普布才仁昼夜坚守在抗震一线，来不及看遇难的母亲最后一眼，顾不上照料生还的亲人。

当看到一些失去亲人的受灾群众来到州政府大院寻求帮助时，顾不上失去母亲的万分悲痛，普布才仁先为受灾群众进行心理辅导……

现在，普布才仁的工作包括接听电话、接待来访群众，登记遇难和失踪人员名单。不过，他至今也不忍心在遇难者的名单上登记自己母亲的名字……

旺扎，杂多县苏鲁乡苏扰村党支部书记。

4 月 15 日，旺扎的妻子和儿子的遗体被挖了出来。他来不及处理亲人的后事，都托付给了弟弟料理。一直没有回家的旺扎忙着受灾群众统计、分发救灾物资。他说：“作为一个党支部书记，我有义务安顿好受灾群众。”

距离玉树县结古镇 19 千米外的藏族村寨——甘达村，也是地震重灾区。

地震发生当天，60 岁的村党支部书记叶青痛失妻子，自己也被砸断 3 根肋骨。身心遭受重创的他带领乡亲们，在第一时间开展自救，当天就救出 100 多人。面对乡亲们的再三感谢，叶青却说：“发生这么大的灾情，是党和政府帮助了我们……”

胜利路派出所是玉树县辖区面积最大的派出所。在这里，索南达杰的党龄最长。

在始料不及的地震中，索南达杰的妹妹和弟媳全部遇难。听到这一噩耗，索南达杰擦去一脸的泪水，转身跑向派出所。

得知协警员普布扎西的母亲在地震中遇难了，索南达杰心如刀绞，他想走上前去安慰几句。可就在这时，胜利路的许多居民向派出所求助求援……

此时，索南达杰对围拢在身边的战友们说："出发！"便和大家一起奔向救灾现场。

至今，索南达杰没有回过家。他说相信党和政府一定会处理好亲人的后事……

地动山摇过后，玉树县民政局干部洛松巴丁从废墟中挖出自己的大哥，兄弟俩继续在废墟中救人，将县政府办公室副主任李浩一家三口救出。

直到这时，洛松巴丁突然想起毫无音讯的二哥，赶忙去找。可是二哥已经遇难了。民政工作任务繁重，洛松巴丁连处理二哥遗体的时间都没有。

怀着对亲人的愧疚和思念，洛松巴丁忙着接收、分发救灾物资。他说："这里还有更多的受灾群众在等着我。"

4 月 17 日 10 时，藏族医生尼玛才仁走下手术台，拖着疲惫的身体，急忙赶往火葬现场，送别遇难的 7 位亲人。看到亲人遗容的瞬间，尼玛才仁不禁捂着脸失声恸哭。

尼玛才仁是玉树藏族自治州人民医院的外科医生。4 月 14 日早晨，"地震了！"被震倒在地的他立即爬起来跑向医院。赶到时，医院内已经挤满了正在痛苦呻吟的伤员。来不及喘口气，尼玛才仁就为伤员紧急包扎治疗。

这时，尼玛才仁的家人打来电话哭着说：一家人全被埋在废墟里了！惊呆了的尼玛才仁看到受伤的群众越来越多，毅然选择了留在医院。

尼玛才仁的房屋在地震中全部垮塌。两个姐姐、三个侄女、一个侄子和姨娘全部遇难。

"我是一名共产党员，救死扶伤是我义不容辞的职责。"尼玛才仁说。

56 岁的玉树县老干部局副局长桑丁，拄着一根粗树枝分发帐篷等救灾物资。

几天来，他和同事们一起分发了 250 多顶帐篷。然而，他自己却没有领取一顶。他轻声说，"别人更需要"。

地震时，桑丁和周围的邻居有 19 人被埋。从废墟中爬出来的桑丁，膝盖被砸，伤势严重，只做了简单包扎后，便战斗在抗震救灾战场上……

疼爱父母、疼爱妻子、疼爱儿女……

失去亲人瞬间，却从来没有停滞中国共产党人舍己为人的力量，因为他们有着一颗深沉而高尚的心。

更爱祖国、更爱人民、更爱事业……

悲切血泪涌出，却丝毫不能夺走中国共产党人心系苍生的信念，因为他们有着一颗博爱而伟大的心。

这，就是人民哺育的共产党人！

“剩下的日子，就是为党、为乡亲们做事。我的命是党给的，我可以为党死。”

和人民同脉搏　与人民共舟济

走进玉树地震灾区，满眼临时搭建的蓝色救灾帐篷。只有才仁多加的白色游牧帐篷引人注目。

今年 61 岁的才仁多加，是玉树县结古镇加吉娘社区二社社长。

在发放救灾物资时，才仁多加没有领救灾帐篷。那是因为才仁多加让灾区群众先领，而物资局就一直住在这顶从废墟中捡来的白色帐篷。他说：“我是一名共产党员。”

走入这顶特殊帐篷，才仁多加躺在床上。病中的他还牵挂着社区里的特困户，吩咐家人给他们送去奶茶。他说：“我觉得我死不了，我做了一辈子的党员梦去年才实现，我要为党做的事还远远没有做完呢，要死也要为共产党死。”

才仁多加与共和国同龄。从小便失去父母的他，在儿童福利院沐浴着党的关怀长大成人。

“进福利院的头一年，正好赶上自然灾害，大伙都没东西吃。院长不知道从哪里弄来一个地瓜，煮了满满一大锅‘地瓜粥’，把有地瓜渣的全分给我们这些无父无母的藏族娃娃，自己就喝清水。”才仁多加说。

就是这碗“地瓜粥”的恩情，让才仁多加坚定了永远跟党走的信念。

就在一年前，才仁多加终于实现了梦想——加入中国共产党。面对党旗宣誓的时候，才仁多加右拳紧握，老泪纵横。

“剩下的日子，就是为党、为乡亲们做事。我的命是党给的，我可以为党死。”才仁多加说。

在地震灾区，有许多像才仁多加这样的共产党人。他们很普通，普通得在迎面而过时都记不得他们劳累的面容。

在地震灾区，有许多像才仁多加这样的共产党人。他们很伟大，伟大得在遥望背影时便能洞悟他们崇高的境界。

吕国庆是玉树藏族自治州政府办公室副主任。地震中，他的家被夷为平地，60 多岁的老母亲腰部重度骨折。然而，地震发生不到 1 小时，吕国庆把老母亲托付给妻子，匆忙赶回单位。当天中午，妻子打来电话哭着告诉吕国庆，他的其他 5 个亲人都在地震中遇难了。

听到这一消息，吕国庆心如刀绞。“家人的后事，你替我料理吧。”吕国庆强忍悲痛，对爱人说完这句话，就立即投入紧张的救人救援中。4 月 16 日晚，已两天两夜没合眼的他，在伤员救治点工作时，看到了正在接受治疗的老母亲。原本以为老人家会怪罪他，没想到老人却说：“孩子，灾难当头，你放心去忙，不用记挂我。”吕国庆含着泪水，告别了母亲。

接连几天，吕国庆一直忙碌在灾区。他说：“我虽然不能到现场救人，但只要能动，就一定要坚守工作岗位。”

“是个小男孩，母子平安！”

4月15日16时28分，青海陆军预备役步兵旅医院在灾区临时搭建的帐篷内，传来一声声新生婴儿的啼哭。一直守在帐篷外的孩子的爸爸看到小生命时激动地说："谢谢，我太高兴了，我们全家永远会记住你们的。"孩子的妈妈也在产床上露出了笑容，向周围的人们竖起了大拇指。

此时，医生们来不及拭去额上的汗水，继续去接治新的伤员……

西宁市公安消防支队队长李海峰是消防战线上的老兵。地震发生后，他临危受命，率西宁消防支队抗震救援队79名官兵火速赶赴灾区投入救援行动。

在玉树县城倒塌的结古寺宾馆余震不断，房顶缝隙不时窜出炙热的火苗。李海峰迅速勘查现场，发现两名群众被埋在坍塌房屋的狭小空间里，救人工作迅速展开。

突然，废墟下埋压的一只液化气瓶发生爆炸，李海峰和部分救援队员瞬间被掀翻在地。"同志们，上！"顾不及伤情，李海峰又和队员们冲上了废墟，经过2个多小时的奋战，被埋的两名藏族群众终于获救。

4月15日13时，在解放军第四医院抗震医疗队设立的野战医院里，被废墟掩埋了29个小时、已经陷入昏迷的藏族小姑娘才让拉毛醒了过来。双眼蒙着纱布的她一把抓住输液的护士长宋海燕的手。哭喊着："妈妈，妈妈！"宋海燕猛地怔了一下，赶紧红着眼圈连声答应："孩子，别哭，妈妈在呢！"小姑娘平静了下来。

当宋海燕抱着脱离危险的才让拉毛交给她的母亲时，重新见到女儿的母亲一把抱住孩子，哭着说："共产党真是'活菩萨'！"

格尔木市与玉树山水相连。唐古拉山镇叶格牧委会主任助理白拉得知有伤员安置在格尔木市救治，急需陪护人员时，她主动请缨。白拉说："虽然我们不能去玉树救灾第一线，但作为党培养多年的大学生'村官'，能为灾区人民尽自己的绵薄之力，我觉得很光荣。"

从那一刻起，白拉就时刻守候在病人身旁。

急群众之所急，中国共产党人甘愿宵衣旰食，为需要关爱的人们送去力量。

办群众之所需，中国共产党人甘愿呕心沥血，为需要关爱的人们送去温暖。

解群众之所难，中国共产党人甘愿殚精竭虑，为需要关怀的人们抚慰创伤。

这，就是人民哺育的共产党人！

"我是一名共产党员，多交纳一些党费，就能多为灾区渡过难关出一份力，这也是党员应尽的义务……"

和人民同相依　与人民共担当

灾情似火急，患难真情扬。来了，都来了——

从一笔笔多缴纳党费到一张张汇款单；

从一辆辆驰向灾区的汽车到一个个赈灾义演的舞台；

从一顶顶救灾帐篷到一件件御寒衣物；

从一箱箱方便面到一瓶瓶矿泉水……

直面灾难，中国共产党人用真挚的情爱擎起未来。直击灾害，中国共产党人用坚强的臂膀托起希望。

青海尖扎县康杨镇西么拉村党支部书记王占华，在身患重病不能到捐款现场捐款的情况下，于4月16日早晨专门委托别人将自己自愿多交纳的5000元党费，送到了远在几十公里以外的尖扎县委组织部，以自己的实际行动支持灾区，表达了一名共产党员的高尚情操。

王占华原是康杨镇西么拉村的一名普通回族村民，他靠党的富民政策成了当地小有名气的实干家。2002年，被村民一致推选为村党支部书记。

他说："我是一名共产党员，多交纳一些党费，就能多为灾区渡过难关出一份力，这也是党员应尽的义务。"

新疆福海县牧民党员阿不都热合曼·阿热依别抚养着包括哥哥嫂子过世后留下的孩子，虽然家境并不富裕。但是这位有着14年党龄的党员专程骑马，从冬牧场赶到县委捐款550元。他说："去年我们遇到雪灾，全国都帮助我们渡过难关，我不能忘了党的恩情。哈萨克族有句谚语：'房子四面墙都能牢固，才能遮风挡雨，房子才能温暖如春'，希望我们56个民族就像四面墙一样永远牢固。"

内蒙古五原县低保户白二仁，将500元捐款交到工作人员手中说："我的父亲是一名老党员，生前就要求我们多为党和国家作贡献，汶川特大地震时，我就替父亲交过一笔'特殊党费'，现在我要替父亲再交一笔党费，希望能帮助灾区的人们……"

君住江河源，我住江河边；同饮三江水，共有血脉情。

每一片衣襟都掖着春风的中国共产党人，把一缕缕温暖的阳光、一瓣瓣火热的心香播撒在雪域高原。

江苏扬州市江都喜洋洋公司青海分公司经理田野，第一时间组织了一支20人的救援队，并采购了价值近20万元的铁锹、矿泉水、药品、军大衣、500床棉被等救援物资，由西宁出发驰援灾区。泰州市党员志愿者高丽从2007年起，就与玉树县一家孤儿院结对，资助20多名孤儿上学。当她得知这家孤儿院在地震中已成废墟，心急如焚，当即联系党员朋友募集到2万多元的善款，于4月14日下午紧急赶赴西宁，将捐款转交当地红十字会，并主动加入到救援者行列。

4月18日，玉树县结古镇胜利路。一支32名农民志愿者组成的救援队伍正在紧张忙碌。这支特殊的队伍由抗冰义士宋志永率领，赶了两天三夜的路，从河北唐山来到灾区。

在这支爱心救援队伍中，除了有"感动中国"的13位抗冰勇士外，其余大多数人是从附近8个村里报名的志愿者中挑选出来的，其中6人是共产党员。

4月18日早上，星夜兼程的他们终于赶到结古镇，迅速投入到救援的行动。

君住江河源，我住江河边；同饮三江水，共有血脉情。

每一滴汗水都孕育真情的中国共产党人，把一缕缕温暖的阳光、一瓣瓣火热的心香播撒在雪域高原。

马宝祥，青海湟中县大才回族乡前沟村的一名共产党员。

4 月 14 日上午，由格尔木返乡途中的马宝祥得知玉树地震，立即与省红十字会取得联系，并提出由他自己负担抗震救灾队伍的全部费用、无偿提供自己的挖掘机、装载机等工程机械。省红十字会立即批准了他的请求，为马宝祥的抗震救灾小分队签署了赴灾区抗震救灾的公函、授予“红十字”会旗。15 日上午，马宝祥小分队 8 名人员到达玉树，接受救援任务后马上展开救援。

河北枣强县芍药村党总支书记王文忠率领的“芍药村党员抗震救灾突击队”一行 18 人，经过 47 小时艰苦跋涉，于 4 月 16 日抵达玉树县结古镇。风尘仆仆的队员们顾不上路途辛苦，立即投入抗震救灾。当藏族妇女措毛从王文忠手中接过棉被和食品时，激动得泪流满面。

西宁到玉树的距离 800 多千米。其间，王文忠和队员们忍受着高原反应，既听不到一声怨言，更没有一人退缩……

这，就是人民哺育的共产党人！

今天，清溪流过的玛尼石堆可以见证——

越是在危难时刻，中国共产党人就越显示出中华民族中流砥柱的力量，受到各族群众衷心的信任和爱戴。

今天，临风飘曳的五色经幡可以见证——

在危急时刻，中国共产党人就越能挺起不屈的脊梁，用实际行动抒写伟大的忠诚。

今天，碧草成茵的巴塘草原可以见证——

越是在危困时刻，中国共产党人就越能体现出特别能吃苦、特别能战斗、特别能奉献的英雄本色。

在地震中，在洪水中，在冰雪中，在干旱中……试问哪里的阴霾，没有中国共产党人托起的晴空？哪里的痛苦，没有中国共产党人悉心的呵护？

无论昨天是怎样的艰难，无论今天是怎样的危难，无论明天是怎样的困难，拥有人世间最美好最朴素情感的中国共产党人，用自己的鲜血和生命已经并将继续谱写一曲曲为人民服务之歌、为人民奉献之歌、为人民奋斗之歌。

这，就是人民哺育的共产党人！

中国共产党人永远和人民心心相系！

中国人民永远步伐坚定紧跟共产党！

胜利一定属于英雄的中国人民！胜利一定属于伟大的中国共产党人！

（《人民日报》，2010 年 4 月 23 日第 1 版）

挥师玉树为人民

——党中央、中央军委指挥三军将士抗震救灾纪实

新华社记者 《人民日报》记者 《解放军报》记者

道路塌陷，阻挡不住他们向震中疾进的脚步；余震频发，阻止不了他们从废墟中营救生命的行动；高寒缺氧，他们克服困难突击再突击，咬紧牙关坚持再坚持……

红星就是力量，绿色就是希望。面对4月14日发生在青海玉树的7.1级的强烈地震，人民解放军和武警部队坚决响应党中央、中央军委和胡主席号令，闻风而动，紧急出征，展开一场与死神赛跑的生命营救壮举，把对党的无限赤诚、对人民的无限热爱，挥洒在三江源头、青藏高原。

4月18日，在抗震救灾的关键时刻，中共中央总书记、国家主席、中央军委主席胡锦涛来到灾区，来到救灾部队官兵中间。他动情地说：青海玉树发生严重地震灾害后，你们坚决执行党中央、国务院、中央军委的指示，迅速奔赴灾区一线，全力投入抗震救灾斗争，当尖兵，打头阵，使灾区人民群众增强了信心、希望和力量。党、政府和各族人民感谢你们……“我相信，只要我们大力发扬伟大抗震救灾精神，团结一心，众志成城，就一定能够夺取抗震救灾斗争的胜利。”

坚定的话语，殷切的期望，化作救灾部队全体将士的无穷动力。

挥师高原为人民，不辱使命献忠诚。在党中央、中央军委和胡主席的果断决策、科学指挥下，人民解放军和武警部队官兵不畏艰险、连续奋战，在危难面前又一次书写了人民军队忠于党、人民军队爱人民的壮丽篇章。

时刻牵挂人民——千军万马闻令而动，向着灾区昼夜兼程

从大地震发生的那一刻起，那些被掩埋在废墟下的生命，那些在震后亟待救援的群众，无时无刻不牵动着党中央、国务院、中央军委，无时无刻不牵动着总书记的心。

灾情刚刚发生，正在国外访问的胡锦涛第一时间作出指示，要求部队急灾区群众之所急，组织力量，奔赴一线，全力以赴支援地方抗震救灾斗争，并果断决策压缩出访行程，提前回国指挥救援行动。

“在这一困难时刻，我需要尽快赶回国内，同我国人民在一起，投入抗震救灾工作。”总书

记万里之外的真情告白，通过电波传到了玉树灾区，传遍了整个中国。

危难之际，党和人民在一起！

生死关头，人民军队和人民在一起！

十万火急！胡主席的指示，迅速传回国内。

刻不容缓！中央军委的命令，火速下达部队。

在北京的中央领导，立即对部队参加抗震救灾作出部署，要求部队坚决贯彻落实胡主席的重要指示，要以救人为第一任务，迅速展开救援工作。

玉树。驻灾区部队迅即行动。地震发生不到10分钟，玉树军分区、武警玉树州支队率先开始生命救援。

驰援灾区，刻不容缓。军队和武警部队应急机制全面启动，抗震救灾指挥协调组迅速成立。

就在驻灾区部队投入抗震救灾的同时，青海省驻军和武警部队也火速赶往地震灾区：青海省军区独立步兵团1002人开始了16个小时的高原强行军，驻西宁解放军第四医院医疗队随队出发；武警青海总队3200名官兵从西宁和格尔木两路并进，向灾区摩托化开进。

几乎同一时刻，空军3架执行救援任务的伊尔－76运输机紧急起飞；

几乎同一时刻，执行震区空中遥感勘测任务的海军某飞行团遥感飞机飞向灾区；

几乎同一时刻，第二炮兵某基地官兵携带重型装备与医疗救护车辆迅即出发。

15时，110名身穿橘红救援服的专业救援队员登上专机——由北京军区某工兵团和武警总医院医护人员为主组成的国家地震灾害紧急救援队携带9条搜救犬、2台大型救援特种车和部分医疗救援设备从北京南苑机场起飞。

4月15日，中央军委召开紧急会议，按照胡主席的指示要求，专题研究部署部队抗震救灾工作，要求全军和武警部队忠实践行全心全意为人民服务的根本宗旨，积极主动、全力以赴投入抗震救灾。

驰援灾区，全力以赴；抢救生命，刻不容缓。总参谋部、总政治部联合下发紧急通知，要求抗震救灾任务部队以坚强的领导、坚定的决心、坚决的行动，全力支援地方打赢抗震救灾这场硬仗，自觉接受党和人民的考验；总后勤部紧急调集帐篷、药品、食品等大量救灾物资，组织医疗队、防疫专家组和最先进的野战方舱医院开赴灾区；总装备部迅速为救灾部队补充专业救援装备器材和工具，从各地抽调装备保障专家奔赴灾区……陈炳德、李继耐、廖锡龙、常万全等总部领导亲自进行具体部署。

军队处置突发事件领导小组办公室，24小时紧张忙碌，急促的电话声此起彼伏。在前方工作组赶赴玉树的同时，迅速与国务院应急办、中国地震局、民政部、卫生部、国家民航总局、交通运输部、国家安监总局等部门建立起不间断的联系，及时协调有关救灾事宜。

灾情紧，军令急。在党中央、中央军委和胡主席的指挥下，一支支劲旅和军队专业救援、医疗队伍从甘肃、四川、陕西，从北京、山东、江苏出发，千军万马向着同一个方向紧急开进。

在陆地，崇山峻岭无法阻挡三军部队驰援灾区的步伐。震后40分钟，兰州军区就向所属部队发出了驰援灾区的预先号令，驻河西走廊某摩步旅星夜翻越4座4500米以上的雪山达坂，行程 1500 多千米赶赴灾区；有着汶川抗震经验的四川省军区 1200 余名官兵和民兵预备役人员翻越川西高原和海拔 3000 多米的二郎山，驰援玉树；从 1700 千米外的新疆起飞的某陆航旅 3 架直升机，成了飞翔在灾区上空的“吉祥鸟”……

在空中，人民空军迅速搭建起的空中走廊，成为拯救生命的绿色通道。

2009 年 8 月才刚刚通航的玉树巴塘机场，只有两个停机坪。空军紧急派遣指挥小组，调运夜航灯光系统，使只能在白天开放的这一高原机场具备了 24 小时起降大型运输机的能力。

从北京，从西安，从成都，从西宁，从格尔木……一条条紧急开设的航线，编织成一张连接玉树的救生网络，把一批批亟待救治的重伤员及一批批灾区急需的物资运出运进。20 架次，30 架次，40 架次……巴塘机场的起降纪录一次次被刷新。

大型挖掘机到了，生命探测仪到了，X 光机到了……一场人类迄今在海拔近 4000 米的高原地区展开的最大规模地震救援行动，迅即展开。经历了两年前的汶川抗震救灾，人民军队的快速反应、应急机动，执行抢险救灾等非战争军事行动能力明显增强。

当人民需要的时候，与人民心连心、同呼吸、共命运的人民子弟兵，第一时间出现在震后的废墟上，出现在受灾群众最需要的地方。

“我没有想到，他们行动得这么快。”14 日 9 时，得悉地震发生的消息，在广东讲学的玉树结古寺佛学院昂噶教授心急如焚。但很快，他就在电视里看到部队官兵整装待发的新闻。

教授的心一下子放松下来。他说：“我看到了国家的力量。”

地震次日，美联社报道，虽然救援条件恶劣，但中国军队对灾害的反应一向是训练有素的。

到 4 月 22 日，解放军和武警部队共出动救援兵力 12798 人。

4 月的玉树，草场刚刚开始返青。而一支支身披迷彩的救灾部队，给高原的春天带来了希望和生机。

最早被救出的藏族妇女江巴流着泪说：“家中受灾，亲人遇难，我们悲伤。可这些穿军装的人让我们感到了劫后的信心和温暖。”

一切为了人民——救灾部队不惜一切，营救生命

救人！救人！面对废墟下生命的呼唤，救灾官兵不惜一切，全力营救。

到 17 日，军队和武警部队从断壁残垣间救出的被压埋群众已达 1200 人。

营救生命的行动正全力以赴进行。

这天下午，刚刚回到国内的胡锦涛总书记主持召开中共中央政治局常务委员会会议，全面部署青海玉树抗震救灾工作。会议精神中，有一条要求格外引人注目：人民解放军和武警部队要充分发挥突击队作用，为夺取抗震救灾胜利贡献力量！

第二天上午 8 时，在飞往灾区的专机上，胡锦涛把随行的有关方面负责人召集到一起，详细询问玉树抗震救灾最新情况，讨论研究具体办法对策。他指示，当前部队的首要任务仍是全力以赴救人，决不轻言放弃！

汶川地震到玉树地震，每一次灾难来临，党中央最牵挂的，总是人民群众的安危；每一次危急关头，子弟兵率先担负的重任，也是拯救生命。

救人！救人！几乎在地震刚刚发生的那一刻起，一场与死神争夺生命的接力赛就开始了。

“应到，101 人。实到，101 人。请指示！”地动山摇之后，玉树军分区机关和所属骑兵连全部人马，在漫天烟尘中站在了分区司令员吴勇的面前，站在了抢救生命的第一现场。

同样的场景，在同一时刻，也发生在武警玉树州支队塌陷的营院里。

来不及去一趟令他们牵肠挂肚的家，来不及向外地的亲人报一声平安……这些身披国防绿和橄榄绿的子弟兵们，在尚在颤抖的大地上迅速组成一个个营救小组，第一时间出现在废墟之间。

“部队来了！我们有救了！”大震初过，子弟兵震天的口号声，给惊惶失措的受灾群众带去了生命的希望。

匆忙出发的玉树军分区和武警支队的官兵们，凭着军人的使命和责任意识，把双手伸向一处处被埋压在废墟中的群众……1 个，2 个……10 个，20 个……仅是军分区官兵就救出被埋群众 123 人。

倾斜的房屋不断在身边倒下。玉树军分区副政委旦增和战士们冒着余震的危险，从玉树民族师范学校垮塌的楼房里，接连挖出 7 名被困学生，双手被磨得鲜血淋漓……直到当天晚上，旦增才得知，家中房屋全部倒塌，8 位亲人在地震中遇难。第二天，他的一双同为军人的儿女也从西宁赶到了救灾现场。

救人！救人！从领导干部到普通一兵，为了人民群众的安危，每一位官兵都将个人的安危置之度外。

“这里太危险，让我来！”武警玉树州支队 20 岁的战士谢宇一把拉开急着救孩子的藏族妇女，在瓦砾纷纷坠落的时候钻进了废墟。就在他成功地抱着那名只有两三岁大小的孩子爬出来时，余震袭来，一块带着铁钉的木板突然落下，直砸向孩子的脸部……谢宇本能地护住了孩子，却让木板重重地砸在自己的后脑勺上……

地震摧毁的玉树州首府结古镇，海拔超过 3900 米。在这里，含氧量相当于内地的 60%；夜间，气温骤降到零摄氏度以下。

高海拔，低含氧量，极度恶劣的气候，在这样的环境中，每争取一秒，对废墟下的生命，都意味着多一分生的希望。

“我们的时间不多，要快！要快！”作为参加过汶川救援、海地救援的专业地震救援人员，担任国家地震灾害紧急救援队副队长的北京军区某工兵团总工程师刘向阳，一进入玉树，就一眼看出这里众多的砖石结构房屋将会使营救行动面临巨大困难。

刘向阳和他率领的专业救援队赶到灾区，已是晚上。但应急灯下，人们还是从他们那特殊的橘红色救援服上，看到了新的希望：北京派人来了！

钻机轰鸣。一条条通道被迅速打通，一个个生命经过官兵的双手获得新生……凌晨 7 时，在结古镇郊的西北牛宾馆，又一个空前的困难挡在了救援队的面前——

三层的宾馆扭压成了一层半，一面震歪的墙壁，靠着几根钢筋与同样倾斜的楼顶勉强相连。困在里面的 4 名群众，已经惊慌得喊不出声来。

“快上！”刘向阳命令。他迅速拿出方案：从楼顶开始，一层一层开钻，一块一块撬开楼板。

经过一夜的紧张救援，队员中不少人已产生了高原反应，脸色憋得紫红、呼吸明显困难——但头痛、恶心、乏力，并没有迟滞队员们营救的速度。

救生的通道即将凿开的时候，废墟晃动起来……余震来了！

10 分钟后，又是一阵余震袭来。救援仍没有停下。

凛凛晨风中，紧盯着那面歪墙的刘向阳满头是汗——如果余震再强一点，他和他的队员们就有可能被垮下来的废墟埋进去。

5 个小时后，4 名被困者成功脱险。救人！救人！第一位的是救人！只要有一丝生命的希望，就争取一分生命的奇迹。

“不敢给你打电话，怕打扰你的工作，很想你，不知道你吃了多少苦……”这是武警玉树州支队参谋长范玉龙的妻子，给坚持在营救一线的丈夫发来的短信。

范玉龙没有时间回信——在 72 小时的黄金救援期内，他只睡了五六个小时。

在一处救援现场，一名女孩的左腿被死死卡在了石板下。范玉龙带着几名战士连续挖了 5 个小时才把她救了出来。在一座倒塌的三层楼废墟上，范玉龙找了根钢管，用力在墙上捣洞，又救出两名群众……

在玉树抗震一线，有 600 多名像范玉龙一样的团级以上干部，他们用自己的身先士卒，凝聚起军心，鼓舞着士气。

在有着“生命禁区”之称的青藏高原，即便是徒步行走，也相当于在内地负重 20 千克的体力消耗。救灾官兵即使累倒在废墟边上，也不放弃任何生命的呼唤。

“我多躺一分钟，就耽误救人一分钟。”解放军战士侯永强，倒下后被战友们抬到帐篷里输液。这位年仅 20 岁的士兵高烧 38.5 摄氏度，醒来后第一反应就是拔掉刚输了一半的吊针，重新加入营救的行列中。

在赴海地地震救援中髋关节软骨严重撕裂的武警总医院医务部主任侯世科，14 日上午刚刚出院，下午就随国家地震灾害紧急救援队投入了紧张的玉树救援中。

胃部绞痛，全身发冷，身体尚未恢复的侯世科忍着强烈的高原反应，身背 20 多千克重的急救背囊，带领救援队先后救治了 320 多名伤员……

救人！救人！一个又一个生命被官兵们从废墟中救出，一个又一个生命被运送到部队医院紧急救治——

震后第 49 小时，藏族妇女卡吉获救；

震后第 53 小时，女青年扎西央泽获救；

震后第 57 小时，80 多岁的老人吉嘎获救……

100 小时过去，150 小时过去，人民子弟兵的高原营救行动仍在继续……截至 22 日，抗震救灾官兵累计营救被埋压群众 1564 人，转移受灾群众 5230 人。

不抛弃！不放弃！救灾官兵对受灾群众的挚爱，赢得了广泛赞誉。一位网友这样写道——

缺氧的荒原 / 你发起新一轮冲击 / 你用你的突击把希望托起 / 危难关头 / 总有你不变的坚持……

真情关爱人民——把信心和力量传递到灾区每个角落

4 月 18 日中午，胡锦涛来到受灾最重的结古镇扎西大同村查看灾情，向正在现场救援的兰州军区第一救援队、青海省军区独立团官兵表示慰问。他指出，要尽最大努力抢救被困人员，只要还有一线希望，就要下百倍努力。

在部队为受灾群众扎起的一顶顶帐篷前，胡锦涛面对围拢过来的乡亲大声说："我们还要安排好乡亲们的生活，让大家有饭吃、有水喝、有住所、有御寒衣被，尽快解决学生的复课问题，并帮助你们把新房建起来！"

这是党给受灾群众的承诺，这是党对救灾官兵的号令。

在飞向玉树的飞机上，胡锦涛要求部队，要承担起西宁至玉树救灾物资的装载和运输，确保救灾物资源源送到灾区。

在玉树抗震救灾指挥部的帐篷会议室里，胡锦涛向军地救灾人员提出全力搜救被困群众，努力救治受伤人员，妥善安排群众生活，迅速修复基础设施、加强宣传舆论工作、确保社会和谐稳定等六点要求。他特别指示部队，要加大搜救力度，消灭救灾盲角。

随行的中央领导要求部队坚决贯彻落实胡主席的重要指示，全力以赴完成好党和人民赋予的各项任务。

中央领导要求加强思想政治工作的有力指导，发扬伟大抗震救灾精神，采取多种方法手段，不间断地搞好思想动员和现场鼓动。

总政治部印发的《军队参加青海玉树抗震救灾战斗口号》迅即下发到救灾部队。

重任，一项项落在了敢挑重担的子弟兵肩上。救灾部队迎难而上，以最快的速度，把党中央、中央军委的关怀送到所有的受灾地区。

兰州军区出动 3000 多名部队官兵和医疗队员，组成 112 支进村入户小分队，挺进结古镇之外的 16 个受灾乡村。官兵们立下军令状，"网格化分片负责、拉网式排查搜救"，不漏一户、不漏一人；

从千里之外赶来的济南军区野战方舱医院组织 10 支医疗小分队，携带药品和医疗设备进村入户，诊治病人、送医送药，由点到面推进乡村搜救；

四川省军区挑选 200 余名曾在汶川地震中受灾的民兵担任"疏导员"，挨家挨户帮助群众清理被埋财产，用自身的经历鼓励玉树受灾群众树立信心，重建新家园。

哈秀乡、安冲乡、上拉秀乡……地图上，一个个散落在雪山巨大褶皱间的地名，成为突击队员们挺进的目的地。官兵们冒着余震塌方，迎着乱石飞滚，翻过一座座结满了冰溜子的达坂，越过一个个海拔 4500 米以上的雪山垭口，向着偏远村寨挺进、挺进……

“再远，我们也要今天赶到。”某摩步旅救援小分队的运兵车在高原路上，一个上午只艰难地行进了 80 千米，而前方陡峭的山路已无法通车。官兵们跳下车，捂着剧烈起伏的胸口在山梁上攀爬，终于在日落前走进了偏远的甘宁村。

“有多大困难也要把病人送下去！”在距结古镇 80 公里外的甘达村，武警青海某部官兵用门板、用双手搭成担架，把受伤的藏族同胞一个个抬送下山。在颠簸的汽车上，医疗队员们手举吊瓶伸出窗外，汽车开一路，吊瓶高举一路……

随着抗震救灾一步步向纵深推进，救灾部队响应胡主席的号召，以更加顽强的精神、更加迅速的行动、更加科学的方法，克服一切艰难险阻，搜救群众，救治伤员，搭建帐篷，恢复民生……

18 支军队医疗队的 1209 名医务人员日夜奋战在救灾现场。截至 22 日，已累计诊治伤员 31886 人。

伤势较轻的群众在各部队临时搭建的“帐篷医院”接受治疗，1594 名重症伤员则被抬上空军专机，紧急运往西宁，运往兰州，运往成都，运往西安的一所所军地医院……在更远的北京，二炮总医院为所有前线军地医院开通 3G 远程医疗影像会诊系统，伤员的病情被随时清晰地传输到分布在全国上百家医院的会诊中心。

26 岁的仁钦卓玛，就是在部队医护人员一路接力护送下，从结古镇被运到巴塘机场，直至运到位于西宁的解放军第四医院，终于平安产下了小宝宝。离灾区最近的第四医院，在震后成了“生命的驿站”。他们派出的前方流动医院，在短短三天内救治了 920 名伤员；在后方，他们接收、转运危重伤员 117 名。

还有在地震废墟中被埋 11 个小时的巴桑旺毛，还有被掩埋近 44 小时的才仁求吉，还有从玉树转送至成都的青美拉姆……她们都在部队医护人员接力的救治下保住了腹内的小生命。

“感谢所有帮助过我们的人！”藏族青年嘎登一手紧紧拉住医护人员，一手抱着震后诞生的女儿戎珍——“戎是军人，珍是珍重，祝我们的祖国珍重！”

受灾群众的安危，党中央牵挂在心；受灾群众的呼唤，子弟兵有求必应。

车轮滚滚，青藏兵站部汽车某团的 310 台汽车昼夜奔驰在西宁至玉树间 800 多千米的高原路上；飞机轰鸣，空军运输航空兵某团 8 架伊尔 −76 运输机 24 小时不间断飞行……救灾部队从天空，从陆地，把 5000 多吨物资源源运到玉树灾区。

群众急需的药品食品运来了，灾区急用的帐篷衣服运来了，学生们的学习用具也运来了……

地震后，武警玉树州支队很快设立了“便民就餐点”，支起 7 口直径一米多的大锅，为受灾群众煮出热腾腾的米粥；兰州军区 63 台野战炊事车在结古镇、扎西镇 5 个居民点铺开，战士们 24 小时不间断工作，在风雪中为 5000 多名群众捧上了热饭。

绿色的帐篷，蓝色的帐篷，五颜六色的帐篷，在震后的玉树一排排展开。灾区成千上万顶帐篷中的绝大多数，都是部队官兵抡起大锤，在冻土中敲进一排排钢钉，搬来石块搭起的。炊烟袅袅，受灾群众在废墟上又有了暂时的新“家”。

把群众的冷暖放在心上，把群众的希望扛在肩上。在缺氧的高原，救灾部队官兵们用满腔的赤诚和爱心，点燃起灾区各族群众迈向新生活的希望。

机声隆隆，武警交通部队的大型机械从废墟上清理出16条道路。

脚步匆匆，一支支防疫专家队、净水专家队、心理服务专家队从全军各医院飞抵灾区，帮助群众恢复生活和心理。56岁的西藏军区总医院院长李素芝还专门带领全军第一支专业高山病专家队从拉萨赶来，为重建家园的人们提供专门的服务。

有着700多年历史的禅古寺受损严重。二炮某部官兵从倒塌的寺庙中细细清理出大量经书、佛像等珍贵文物……

震后第七日，部队援建的首个帐篷学校——爱民帐篷学校正式开课。从废墟中挖出的黑板上用汉藏两种文字写着8个大字："抗震救灾　众志成城"。

20多个年龄参差不齐的孩子神情专注地开始了震后第一课。

时近中午，一场冰雹从天而降。黄豆般大小的冰粒在帐篷上噼啪作响，与孩子们琅琅的读书声重叠交汇在一起——

"春天来了，春天来了，我们几个孩子，脱掉棉袄，冲出家门，奔向田野，去寻找春天……"

高原的春天来了。与这春天一起到来的，是党对灾区群众的殷殷关怀，是党和她领导下的人民军队为震后玉树播撒下的春天般的希望。

（《人民日报》，2010年4月24日第1版）

绽放，民族团结的格桑花

——献给合力抗击玉树地震灾害的各族同胞

新华社记者　张宗堂　魏　武　吴晶晶　邹　伟

雪域高原上的青海玉树，经历一场强烈地震带来的苦难洗礼；

历经磨难愈挫愈奋的中华儿女，展开一场各民族合力抗震救灾的伟大壮举；

见证千百年民族团结的青藏高原，再一次记录下亿万中华儿女共御苦难的坚强足迹——

格桑花，高原上最美丽的花，风愈狂、身愈挺，雪越打，花越艳，在遭受创伤后必将绽放得更加美丽……

青海玉树地震发生后，各族人民团结互助，亲如一家，谱写了一曲曲民族团结、合力抗灾的动人之歌——

地震无情，人间有爱

还有什么比失去自己的兄弟姐妹更让人伤痛？还有什么比挽救自己同胞的生命更令人心急如焚？

——救人！

青海玉树强烈地震发生后，汉族、藏族、回族、维吾尔族、羌族……救援队、解放军、武警官兵、医生、志愿者、僧侣……所有人关注的焦点都集中在一起，所有人的心都紧紧地连在一起——

地震后8分钟，武警青海玉树支队直属大队战士谢宇，就和其他战友一道迅速投入到抢险救灾中去。

一处废墟下，一位藏族同胞的孩子被埋压。废墟旁边，被压孩子母亲的哭声，撕心裂肺，牵动人心。

手挖，铁棍砸，谢宇和战友们挖出一条通道。屋顶瓦砾不时砸在谢宇身上，他和战友们顾不上自己的安危。当他抱着孩子要冲出来时，余震袭来，一块带钉的木板掉下。

千钧一发！谢宇本能地勾头含胸，用自己的身体护住孩子，带钉的木板狠狠地砸向他的后脑勺。

孩子安然无恙。

“要知道，他们都是我的兄弟姐妹，都是我们的亲人啊！”回忆地震后冲进随时可能倒塌的房屋救人的情景，武警玉树支队教导队教导员周克明流下眼泪。

长期在玉树的驻守，使武警官兵们视这一方水土为自己的家乡，视这里的各族人民为自己的家人。周克明所在的武警支队曾两次被国务院授予民族团结先进集体。这位在玉树当兵12年的少校警官说，那天在废墟中，看着受灾群众扭曲的脸庞，无助的眼神，自己心如刀割。内心涌动的神圣使命感和责任感，让大家顾不上害怕，顾不上休息。

从清晨到天黑，再从天黑到清晨。官兵们第一时间到达现场，第一时间展开救援，顾不上吃一口饭、喝一口水、打一个盹，每个人心中只有一个信念——抓紧救人！救自己的亲人！

几乎在同一时间，解放军、武警官兵和各地的救援力量向灾区集结；各种救援物资以最快的速度向灾区运送；各族群众以各种方式为灾区人民祈福；全国各地和海内外同胞有钱出钱、有力出力，向灾区人民送温暖、献爱心……

汉族同胞来了。河南郑州17位具有户外救援经验的青年人14日晚8时就踏上了奔赴灾区的路途。作为河南户外救援联盟的成员，他们有一半以上曾在汶川地震期间驰援北川灾区前线。

回族同胞来了。来自青海省湟中县大才乡的马宝祥组织了一支农民工救援队赶赴灾区，还自筹资金购买了2箱药品、100箱方便面、4顶帐篷分发给受灾各族同胞。

羌族同胞来了。汶川地震重灾区茂县的6位羌族村民每人凑了3000元钱，租了一辆大货车，带着村民捐赠的帐篷、彩条布、棉衣棉被和食物向玉树灾区驶来。救援队队长何国兵说：“茂县是汶川地震的重灾区，我们深切体会到灾难的苦痛。玉树地震了，我们不能袖手旁观。”

维吾尔族同胞来了。新疆医科大学第一附属医院骨科大夫阿德力·阿布都热西提和同事们，

17日也赶到了灾区，顾不上休息，就立即来到青海省交通医院，对伤员进行会诊、治疗。

各民族的志愿者来了。青海黄南藏族自治州河南蒙古族自治县的“老兵志愿者”由4名回族、2名汉族和1名藏族同胞共7人组成。到达灾区后，他们抬运伤员，运送物资，帮助受灾群众……在地震废墟前，在受灾群众安置点，在医疗救治中心，处处留下他们的身影。

地震灾情牵动全国人民的心——在祖国各地，各族中华儿女有钱出钱，有力出力，以不同的方式表达对受灾同胞的深深关切。

地震灾情牵动着香港、澳门、台湾同胞的心——香港各界自发捐款捐物，至20日下午捐赠总额近2000万港元；澳门各界积极捐款，通过各种方式援助灾区；台湾红十字医疗队也紧急赶赴灾区。

地震灾情牵动着海外侨胞的心——海外华人、华侨、侨团通过举办现场捐款等多种方式，呼吁大家奉献爱心……

“在灾害面前不分军民、不分藏汉、不分僧俗，大家一条心、一个目标——坚决战胜自然灾害。”身处抗震救灾一线，解放军与武警部队玉树抗震救灾现场指挥员、兰州军区政治委员李长才深有感触地说。

来自全国人民的关爱，来自各族人民的深情，汇成一股强大的民族力量，在青海玉树聚集……

源源不断的人流汇向玉树，只为玉树的兄弟姐妹，他们都来自何方，无法一一知晓；他们都是哪个民族，无法一一统计，但所有人的心都紧紧相连，倾情相依。

“直面灾难，我们更为切身地感受到，在56个民族的中华民族大家庭里，大家都是亲兄弟、亲姐妹。”出生于青海、在内地学习工作了40年的中央民族大学藏学研究院院长班班多吉说，祖国各地心向玉树、情系灾区的每一个行动、每一句祝福、每一份奉献，都是中华民族凝聚力、向心力的最好注解。患难见真情，哪里有困难，哪里就会有割不断的民族骨肉深情，哪里就会有中华民族儿女的全力以赴。玉树抗震救灾，再一次证明了中国各民族间牢不可破的守望和尊重。

“地震灾难是不幸的，但这不幸正检验了中华民族团结的力量。”班班多吉说，可以自豪地说，只有在中国，只有在中国共产党领导下，只有在社会主义制度下，只有在中华民族的大家庭里，才会有这样迅速的反应，才会有如此强大的凝聚力，才会给我们带来一幕幕这样的感动。

千百年来，青藏高原这片美丽的土地上，各民族共同发展，共同繁荣，各民族水乳交融，不分你我——

血脉相连，生死相依

“谁说那里是亘古荒原，我们要送去生命的绿色；为了各族群众的长寿，我们甘愿把生命压缩……”

这是一支在雪域高原上久久流传的歌，唱歌的是一群特殊的人——解放军第四医院高原医疗队。这是一支与青海有着深厚情缘的队伍，几十年来，一代代医务工作者走遍了这里的雪山草地、沙漠戈壁，把健康和生命带给各族群众，获得“高原爱民模范医疗队”等荣誉称号。

4 月 14 日，突如其来的灾难袭来，高原医疗队迅速反应，由 31 人组成的医疗分队经过一夜急行军，于 15 日 6 时抵达玉树结古镇，仅用了不到 20 分钟就迅速在玉树州体育场搭建起一所有 60 个床位的“野战流动医院”，迅速开始救治伤员。

数十小时的不间断工作，加上高寒缺氧，医护人员大多嘴唇乌紫、眼睛布满血丝，许多人险些虚脱晕倒在手术台上。

15 日下午，医疗队收治了一对在废墟中掩埋了 29 个小时的母女。由于长时间饥饿缺氧，8 岁的小姑娘才让拉毛已陷入轻度昏迷。护士长宋海燕为才让拉毛扎针输液时，双眼蒙着纱布的小姑娘一把抓住宋海燕的手，带着哭腔喊出了“妈妈，妈妈”。宋海燕怔了一下，红着眼连连应答。

“没有这些‘门巴’（藏语‘医生’）亲人，我们这些人可能早没了！”病床上 70 多岁的才吉老人，不断向那些和善的医生和护士竖起大拇指。地震中，这位老人的腰部严重受伤。

在青海各族群众心中，高原医疗队早已是他们最亲的亲人。在最困难的时刻，总是亲人们舍生忘死，伸出援手。

还记得 1990 年 4 月，青海海南藏族自治州塘河地区发生 6.9 级强烈地震。地震发生后仅仅 4 个小时，这支高原医疗队就到达现场，在汽车上搭了个手术台，15 个昼夜治疗伤员 1500 余人，被称为“人民群众的保护神”。

同呼吸，共命运，心连心。危难时刻，各族人民兄弟姐妹生死相依，共同面对。千百年来，在玉树这片美丽的高原土地上，汉族、藏族、蒙古族、回族、撒拉族等各族群众共同生活在一起，早已水乳交融，不分你我。

历史上的青海，多个民族、多种文化在这里融合生长。各民族在长期的历史发展过程中，休戚与共，互通有无，共同培育开发了青海大地，共同创造了璀璨夺目的青海文化。

1300 多年前，文成公主沿唐蕃古道进藏，途经玉树，受到了这里的藏族首领和群众隆重欢迎。文成公主教给当地群众耕作、纺织技术，并命人在当地的悬崖峭壁上凿刻了佛像、佛塔和经文。为了纪念她，后人在此建起了文成公主庙。

此次强烈的地震中，这座古老的庙宇幸免于难。寺院中依然香火旺盛，佛堂内依然点满了酥油灯。它在见证历史沧桑的同时，也见证着血脉相连的民族情谊。

中华人民共和国成立以后，世世代代生息繁衍在“三江源”这片土地上的汉族、藏族和其他各民族，在缔造、捍卫和建设伟大祖国的事业中，携手并肩，贡献着自己的智慧和力量。

玉树地区高寒缺氧，自然条件恶劣，自我发展能力严重不足。中华人民共和国成立初期，这片高原上几乎一无所有。1951 年，玉树率先成立了全国第一个藏民族区域自治地方。近 60 年来，长期生活在这里的各民族群众和来自全国各地的群众一起，克服了难以想象的困难，筑路、建厂，开垦农田、兴建城市，筚路蓝缕、艰苦创业，这片土地发生了翻天覆地的变化。

改革开放以来，国家对相对落后的高原腹地藏区加大扶持力度，统筹规划、增加投入，玉树的发展更是不断加快，唐蕃古道上的古城玉树焕发出强大的生命力。

巍巍雪山、茫茫草地记载着各族人民团结奋斗的足迹；高原广袤的土地上流传着各族人民团结奋斗的动人故事……

在紧张的救灾现场，人们常会看到这样的标语："维护民族团结人人有责""藏汉一家亲"……

在网友自发捐赠的救援物资包裹上这样写道："因为有爱，我们紧紧相连""56个民族之心，相聚高原；56个民族之力，凝聚高原"……

不离不弃，生死相依。抗震救灾中展现出的民族团结，正是千百年来中华民族大团结历史的延续。

著名作家马丽华曾在青藏高原工作多年，现任中国藏学出版社总编辑。她说，不同民族对玉树灾区所表达的发自内心的关切，是潜移默化的结果。在灾难来临的关键时刻，这样的潜移默化集中显现出来，迸发出强大的民族凝聚力。

她说，"各民族合力抗震救灾，是中华民族优秀传统数千年结晶的集中迸发和中华民族精神的集中检验。我国的民族政策建立在深厚的历史文化传统之上，造就了危急关头展现出的强大民族向心力"。

像巍巍昆仑一样巍峨，像茫茫草原一样宽广，民族团结的伟大力量在雪域高原上矗立起又一座丰碑。

千百年来铸就的民族感情，历经磨难，浴火重生，民族团结的格桑花在青藏高原更加鲜艳地绽放——

同气连枝，守望相助

连日来，各族"妈妈"接力育婴的故事，在甘肃、在青海等地广为传颂——

4月14日，地震袭来时，家住玉树桑查科的藏族妈妈加央巴措，怀抱出生仅4天的孩子就往外跑，但没几步，就摔倒在地。加央巴措本能地弓起身子，双手撑地，把女儿护在身下。瞬间，加央巴措失去知觉……

4月15日，加央巴措获救，更为幸运的是，她身下的孩子安然无恙。母女俩随即被用飞机转送到甘肃中医学院附属医院。

诊断结果表明：加央巴措盆骨骨折，小宝宝因惊吓过度，长时间没有进食，体温降至摄氏35.6度，出现低血糖，情况危急。母女俩随即被分送至妇科和新生儿重症监护病房救治……

5个小时后，小宝宝生命体征逐渐恢复。同一监护病房的一名回族妈妈，为小宝宝送来了全新的奶瓶和奶粉。在妇产科病房，汉族妈妈韦瑜英得知这个消息，主动找到护士给这个宝宝喂奶。

4月18日，在各族"妈妈"的爱心接力下，这个藏族小宝宝面色红润，安然度过了危险期……

灾难是试金石，检验着各民族建立起的深厚感情；灾难是面镜子，折射出各民族凝聚起的强大力量。

"在现实面前，理论往往是灰色的。只有经历了现实的检验，理论才会迸发出更加夺目的光彩。”班班多杰说，汉族离不开少数民族、少数民族离不开汉族、各少数民族之间也相互离不开，是各族人民和睦相处、和衷共济、和谐发展的重要保证。保障和尊重各民族共同发展的民族区域自治，是各民族共同繁荣、共同发展的重要保障。

一帧电视画面上，前去灾区慰问的青海省委书记强卫与失去3位亲人仍坚持抗震救灾的扎西大同村三社社长才哇，互行碰头礼。这一幕，给电视机前的人们留下非常深刻的印象。藏族礼节中，只有亲如兄弟的人们之间，才用这种尊贵的礼节表达内心的感情。

曾在青藏高原工作过的中央党校教授胡岩说：“显然，在才哇心里，这位省委书记不是官员，而是危难之际值得信赖的弟兄。”

作为一位藏族同胞，班班多杰的感受尤为深切：“玉树绝大多数居民是藏族人。各族人民是以无私的爱帮助玉树人，其实就是在帮广大的藏族同胞。”

“中华民族大家庭里，兄弟民族亲如手足的帮助，我们没有翻越不了的高山，没有战胜不了的困难。这一切，得益于我国长期以来坚持的拥有强大生命力的民族政策。”胡岩说，正是因为有了党中央、国务院的坚强领导和全国各族人民的全力支持，才能最大限度地降低玉树震灾造成的损失，也才能在第一时间展开恢复重建。

胡岩长期研究民族问题，玉树地震发生后，他始终关注着发生在那里的一点一滴。受灾群众有帐篷住了、有热饭吃了、孩子们复课了、商业开始恢复了、板房搭建起来了、当地群众投入到寻求新生活中去……

近日，党和政府郑重宣布，全面启动玉树灾后恢复重建规划各项工作。发挥各方面优势，合力推动重建工作。

“这是国家力量的体现，也是一个民族自信的表现，同时也是民族凝聚力的最好注解。”胡岩说。

“如果没有社会主义制度，没有中国共产党的领导，没有和谐亲密的民族关系，我们不敢想象现在的玉树会是什么样子。”班班多杰由衷慨叹。

“中国怎么样，中国共产党怎么样，社会主义制度怎么样，中国各民族关系怎么样……事实面前，一切不言自明。我们相信，只有在今天的中国，才能实现这样伟大的壮举。”班班多杰说。

“在这场与自然灾害的斗争中，中华民族的向心力得到进一步加强，对祖国的认同感得到了进一步提升，对中国共产党和社会主义制度的信赖度也进一步增加。”班班多杰说，玉树抗震救灾所展现的伟大的民族团结精神，将是中华民族又一笔宝贵的精神财富。

班班多杰确信，在中华民族大家庭里，在全国各族人民的关怀和支援下，玉树人一定能够建成更为美丽的家园，迎来更加美好的明天。

……

古老的文成公主庙，古老的唐蕃古道，古老的玉树，这片历尽历史沧桑的土地，再次见证了中华民族各族儿女的生死守望。

明天，一个美丽的新玉树必将在青藏高原挺立，民族团结的格桑花，必将更加美丽地尽情绽放。

（《新华每日电讯》，2010年4月25日第1版）

一切为了人民

——省委、省政府领导指挥抗震救灾工作的十个日日夜夜

《青海日报》记者　卢　彦　张月环

4 月 14 日，那个黑色的清晨，草原深处，大地在震颤中呻吟！

玉树草原，璀璨圣洁如宝石般的三江之源，刹那间改变了模样。巨大的悲怆扼住了中国！

8 时许，震后 10 多分钟，告急的电波从玉树到西宁到北京！从这一刻起，青海省委、省政府轻快高效的工作节奏被骤然打断，迅疾转向，一切为救灾让路！

面对巨大的灾难，党中央、国务院迅速作出决策部署，应急响应全面启动。总书记来了，总理来了，贾庆林、回良玉等中央领导来了。吴邦国、李长春、习近平、李克强、贺国强等中央领导在第一时间里向灾区人民送来急切的问候，表达了极大的关怀。大爱关怀，抚慰着满目疮痍的灾区。

全国关注着青海，全球关注着中国青海！省委、省政府面对着前所未有的困难局面。数万平方公里的土地受到灾害重击！十余万群众等待安置！上千名幸存者在废墟下等待救援！而距离西宁 800 多公里的玉树灾区属高海拔地带，缺氧寒冷；三江之源的生态地位决定了环境承载力的低下；平均 4000 米以上的海拔使得交通线、通信线、水、电供应等能力在大灾面前都显得脆弱。

一句话，在这样的环境下救灾，所有的处置稍不及时，稍有失当，就可能会放大灾害的后果！

沧海横流，狂澜既倒！从发出第一条电话指示开始，省委书记强卫、省长骆惠宁的思路就迅速契合！成立省委、省政府抗震救灾领导小组，省委书记强卫任组长，省长骆惠宁任第一副组长；成立青海省玉树抗震救灾指挥部，省长骆惠宁任总指挥。人员、装备、物资集结！军队、武警、地方联动！

这是一场没有硝烟的战争。一道道指令从指挥部迅速发出，一条条讯息向指挥部高速回馈！科学、依法、统一，有序、有力、有效，救灾工作在这样的理念下迅速展开，每一个人都不由自主地被调动起来，抛掉最初的茫然和惊恐，挺进灾区！

从 4 月 14 日到 4 月 24 日，十个日日夜夜，指挥部的灯光从未熄灭。科学指挥，靠前指挥，前瞻性指挥，创造了一个又一个救灾的奇迹：

短短十天，人员搜救与医疗救助、灾区防疫同步共轨，救出的幸存者无一死亡！伤病人员得到了及时有效救治，灾区未发生任何疫情！

短短十天，灾区生产生活秩序井然；十余万受灾群众得到生活安置，生活必需品供应全覆盖；效率之高令人惊叹！

短短十天，基础设施得到了抢修和恢复，灾情初步评估报告出台，灾后重建开始积极推进，抗震救灾进入了一个新的阶段！

胡锦涛总书记高度评价了省委、省政府组织领导的抗震救灾工作：“救援行动是及时的，救援工作是得力的、高效的，为减少地震灾害损失、保障受灾群众生活、维护社会稳定发挥了重要作用”“大家做了大量工作，付出了艰苦的努力，取得了重要成果”。

十个日夜不堪回首，十个日夜又可歌可泣、壮怀激烈！在全世界目光的聚焦下，在全国人民的关注中，在全省群众的期望里，省委省政府交出了令人赞叹的救灾答卷。

4月14日—4月23日
救人！救人！救人！

“我们绝不放弃，我们绝不抛弃！”

从地震发生的那一刻起，省委、省政府及所属部门全面进入应急救援，全力救人成为第一位的任务。

接到灾情报告的第一时间，省委、省政府召开紧急会议，青海省玉树抗震救灾指挥部成立，省政府宣布启动一级应急响应。随后召开省委常委会议，省委书记强卫代表省委省政府向全省人民发出动员令，全面部署紧急救援！

中午1点，省委、省政府已经派出解放军、武警、医疗人员等相关人员组成的5000余人的救护队奔赴灾区。与此同时，省委书记强卫、省长骆惠宁迅速飞赴玉树，直接指挥救援。

灾害发生之后，玉树当地的干部群众立即组织起来，开展互救自救；当地驻军、武警部队迅速出动，抢救生命。

4月14日深夜，指挥部里灯火通明，强卫、骆惠宁等领导在白天现场察看的基础上，快节奏地分析情况，作出决策。指令迅速发出：将受灾地区分作19个片区，明确各片区负责人，明确分工，连夜开展抗震救灾，任务和责任到人；科学合理配置抢救力量，迅速救人。4月15日凌晨，连夜开展生命探测，重要施救地点清单拟定，先已经赶到的专业救援队伍和当地抽调的42台大型机械分片区突击救人。

4月15日，逐村逐户的灾情调查、人员施救等工作同步展开。

精确配置、重点突击战略成效显著，15日救出1000多名被压埋群众；卫生队伍迅速实施医疗救助，确保被救人员得到及时治疗。当日，卫生部门救治病人2610人。同日，指挥部发出命令，清点重伤人员，通过空陆两路迅速向西宁及省外医院转送重伤员。

为了准确掌握情况，鼓舞士气，强卫、骆惠宁踏着满地瓦砾，继续前往施救现场、学校、受灾群众安置点，看望受灾的群众和参与救援的武警、特警和消防部队官兵，甚至亲自指挥救人。

4月16日，指挥部要求，按照救人第一的原则，落实攻坚措施：抢险救援单位要充分发挥专业力量和大型机械的共同作用，继续突击施救被建筑物掩埋有生命迹象的人员。在转移重伤员取得重大进展的基础上，对继续出现的重伤员要运用野战医院及时进行救治或进行转治。

截至4月16日晚6时，从玉树地震灾区共转运到省内和外省医疗机构救治伤员1374人。

抗震救灾第四天，指挥部进一步安排部署：危重病人转移后，医疗卫生工作的主要任务是在救助伤员的同时，处理群众经常性疾病就诊和做好卫生防疫工作；开始对震区中重点地段垃圾突击进行清运，以保障救灾道路畅通。

4月17日，各抢险救援队从废墟中抢救出幸存者20人，转运伤员414人。

4月18日，拯救生命的“黄金72小时”已过，指挥部决定进一步科学组织救援力量，加大力量投入，扩大搜索范围，逐村逐户排查，确保不留下死角，确保不放弃一个人。强调救灾工作当务之急就是把胡锦涛总书记对下一步工作的要求细化、实化、具体化，落实、落实、再落实。

4月18日，奇迹出现，救援队从废墟中抢救出幸存者1人；转运重伤员316人。

地震第六天，奇迹再现，从地震废墟中又抢救出幸存者2人。截至当日，累计医疗服务总人次达到33548人次，累计转运病人2059人。

4月19日下午6点15分，人们见证了又一个生命的奇迹：在玉树灾区，一个叫日图的藏族妇女，在废墟里埋了近130个小时后成功获救。

4月20日，在灾区大规模搜救活动告一段落后，指挥部明确，搜救工作不能停，还要进行3天的全面搜救。搜救工作最重要的是突出重点，科学搜救，确保不留死角。

十天的紧急救援，彰显着生命至上、以人为本的科学理念。在指挥部的高效组织和协调指挥下，全国有34支、12603名抢险救援力量全力以赴、全覆盖展开生命大搜救。“黄金72小时”以后，坚持抢救生命“不放弃、不抛弃”，到地震发生第7天，又从废墟下救出幸存者22人。截至4月23日18时，从地震废墟中救出幸存者1455人，挖出遇难者遗体1029具。在开展搜救的同时，全力展开医疗救治，先后抵达灾区的医疗卫生队达83支3464人，累计接诊受伤病人9145人。针对灾区自然条件恶劣、医疗条件差的情况，及时将2674名病人转运到西宁、兰州、成都、西安等地的地方和部队医院诊治，创造了伤员“致残少、截肢少、零死亡”的奇迹。与此同时，进一步加强了灾区卫生防疫和水质监测工作。目前，灾区未发生传染病疫情和食物中毒等突发卫生事件。

4月14日—4月17日—4月22日—4月24日
救灾安置一切为了群众

“确保灾区群众有饭吃、有干净水喝、有临时住所、有御寒棉被。”

大规模搜救的同时，指挥部也在同步部署灾区群众生活安置工作。在指挥部的统一部署和协调下，各种支援力量以最快速度向灾区集结。

从地震发生的第一时间，武警、公安、财政、卫生、交通等单位、部门就开始了大规模的救灾安置工作。指挥部西宁指挥点也迅速集结、高效运转，协调各方力量，发运各类物资，有力保障着救灾工作。

14日中午1点，第一批救灾物资已起运。棉帐篷5000顶、军大衣50000件、棉被褥50000套，确保了受灾群众的基本生活。同一天，灾区通信和损毁道路基本恢复。

指挥部第一次会议确定重点任务：立即开展灾区群众安置工作，确保灾区群众有饭吃、有干净水喝，有临时住所、有御寒棉被。

在这个指令之下，省、州、县的救援、抢险等力量高度整合，上下联动，左右衔接，形成了合力。

指挥部安排，4月15日，将已运抵灾区的10万份野战干粮、6.5吨方便面，发放给受灾群众；结古镇赛马场受灾群众安置点开始搭建帐篷等。保证4月16日灾区群众每人一瓶水。

指挥部积极协调，确保空中航线畅通。截至15日15时，青海机场公司共保障抗震救灾航班86架次；中转救灾医疗物资31.6吨，运送救灾物资19.257吨；中转行李11.594吨，运送行李9.302吨；运送抗震救灾救援人员1059人次。当天，重点部门、重点部位、重点地区供电得到基本保证。

从地震第三天开始，指挥部确定，将抗震救灾工作从紧急状态向有序状态转变，实现依法、科学、有序抗震救灾。指挥部要求，抓好救灾物资的发放，切实保障群众生活；加强卫生防疫，保证道路畅通；调整兵力部署，切实维护社会稳定。尽快恢复灾区正常生活工作秩序。

抗震救灾第四天，玉树州六县及机场的通信全部恢复。玉树机场、结古镇重要负荷及五个受灾群众安置点实现通电。截至当日17时，已到达灾区的帐篷22000顶，棉被褥42300套，棉大衣11000件。

4月17日，为加强对抗震救灾物资和资金使用情况的有效监督，指挥部增设审计组，对救灾物资和资金使用实行全程跟踪监督、跟踪检查。

随着抗震救灾工作的深入，为加强和统一组织救灾物资向灾区运送，指挥部决定在西宁设立军地地面物资导运中心。

高效的协调组织产生了巨大的集聚效应，全省上下联动，救灾进展神速。地震发生第五天，群众基本住进了帐篷，食品基本满足供应。截至18日14时，已累计运到帐篷23000顶、火炉3000个、发电机45台、方便面和饮用水850吨；又有两个受灾群众安置点及隆宝镇恢复供电，214国道山体坍塌和机场路滑坡得到处理。

针对一些存在的问题和不足，指挥部同步进行重点关注和解决，要求各项工作要往细节上加强，进一步提高工作的计划性、协调性、细致性、主动性和实效性。

到4月19日，应急供水工程已完成4个乡镇恢复通水，灾区通信运行基本正常，玉树灾区市政公用和基础设施恢复前期工作积极进行中。

截至4月20日，有19支巡回医疗队深入19个片区开展巡回诊疗和卫生知识宣传；卫生防疫工作积极有效；健康教育广泛开展，累计18900余人次接受健康教育咨询。已累计运送灾区救灾帐篷34468顶，棉被褥77402套，棉衣55407件，方便面、饮用水1106吨，折叠床

3158 个。

到 20 日，已有 6 个乡镇实现通水，214 国道机场路和周边公路安全畅通。

4 月 21 日，指挥部指示，要发放粮食、清油、火炉、床铺，让群众能自己做饭，有热饭吃、有热水喝，不再睡地铺。要根据集中与分散相结合的原则，把安置点安排好建设好。以村社、片区为单位，搞清楚安置点的数量、每个安置点的户数和人数，在地图上标识出来。

4 月 22 日，抗震救灾工作全面转入有序状态，从这天起，各抢险救援队伍和各有关部门集中力量有序开展清理废墟和垃圾清除工作。

截至 4 月 25 日，通往灾区的四条干线公路保持畅通；重灾区结古镇 10 条输电线路经过抢修，具备带电条件，其中 8 条线路已投入运行；机关、医院、部分学校等恢复供电；大部分灾民安置片区应急集中供水抢通，8 个乡镇应急供水工程已实现通水。通信恢复正常。过渡期安置点及其水、电、路等基础设施正在抓紧建设。

4 月 16 日—4 月 20 日—4 月 24 日
让新玉树早一天重新站立

4 月 18 日，胡锦涛总书记来到玉树州孤儿学校，看望正在板房教室里上课的孩子们。胡锦涛拿起粉笔在黑板上写下：“新校园，会有的！新家园，会有的！”并领着孩子们大声朗读。

4 月 16 日上午，温家宝总理在玉树看望受灾群众时说：“我们一定会尽最大努力，建设一个新玉树！”

针对玉树地震灾区灾后重建工作，总书记和总理亲切地指明了方向。

踏着遍地的瓦砾，强卫书记和骆惠宁省长也已经在考虑新玉树的建设。恢复正常的生产生活，加快灾后重建的脚步，这是对灾区人民最大的安慰。

震后 80 个小时，玉树州孤儿学校率先复课。17 日下午 3 时 40 分，省委书记强卫，省长骆惠宁专程来到玉树孤儿学校，亲切看望学生，和学生们一起参加了升旗仪式，向学生们复课表示祝贺。

4 月 16 日召开的指挥部第三次会议上，强调尽快恢复灾区正常生活工作秩序。

4 月 18 日晚，指挥部第五次会议上，省委书记强卫指出，要加快灾后重建各项准备工作的步伐。

4 月 20 日上午，省长骆惠宁专程从玉树抗震救灾一线赶回西宁，主持召开省委、省政府玉树地震灾区灾后重建第一次工作会议，专题研究部署玉树地震灾区灾后重建的基本原则、奋斗目标和近期重点工作。

4 月 21 日上午，在玉树结古镇镇政府西侧的废墟前，各族群众沉痛哀悼玉树大地震逝去的生命，深切怀念罹难的同胞。省委书记、省人大常委会主任、省抗震救灾领导小组组长强卫在悼念活动上讲话。

同一时刻，青海各界人士在西宁新宁广场深切哀悼青海玉树地震遇难同胞。省委副书记、省长、省玉树抗震救灾指挥部总指挥骆惠宁致悼词。

4月22日，学校复课进展顺利，已有4所学校开课，州县机关工作从应急转向有序运转。经过省、州、县有关部门的积极努力，西宁等地的一些商业企业已到玉树设点经营，结古镇已有近50户商家开门营业。

4月23日晚，在中共中央政治局委员、国务院副总理、国务院抗震救灾总指挥部总指挥回良玉主持召开的国务院抗震救灾总指挥部、青海省玉树抗震救灾指挥部联席会议上，省委书记强卫汇报了抗震救灾的进展情况，省长骆惠宁就灾后重建的若干问题及建议作了汇报。

根据回良玉指示精神，4月23日，指挥部发出指令，从现在起，必须把安置受灾群众、恢复正常秩序和灾后重建摆在更加突出的位置。

4月24日晚，指挥部召开会议，强卫书记主持会议，传达了中共中央政治局委员、国务院副总理、国务院抗震救灾总指挥部总指挥回良玉23日视察灾区时的重要讲话精神，强调了下一步的工作重点。骆惠宁省长对当前灾后重建工作作了具体安排部署。

目前，在国务院抗震救灾总指挥部灾后重建组的指导下，青海玉树地震灾区灾后恢复重建的各项基础工作正在以只争朝夕的精神状态高效、有序地展开。

十天过去了，灾区道路基本抢通，通信得到恢复，供电基本恢复，玉树县8个乡镇、结古镇11个片区实现了供水。抗震救灾开始进入了一个新阶段。由大规模的搜救向清理废墟转变；由临时性救助向过渡性安置转变；从部分学生复课向全面复课转变；从伤员救治到康复治疗转变；从基础设施的紧急抢修抢通向恢复重建提升转变；从救灾赈济向恢复市场流通转变；最关键的、最重要的是从没有房屋、没有校舍、家园破碎向建设新家园、新校园，向建设社会主义新玉树转变。

……　……

十个日夜的大营救、大援助，一切历历在目。

国务院抗震救灾总指挥部连续召开十次会议，针对抗震救灾工作的新进展、新情况，不断作出决策部署，有力地指导了抗震救灾工作；国家各有关部门、兄弟省市和全国社会各界纷纷向灾区伸出援助之手，给予了无私的支持和帮助！

在大救援中，人民解放军、武警部队和公安干警冲锋在前，勇挑重担，发挥了主力军和突击队作用。震后几小时内，兰州军区某独立步兵团、青海省军区独立团、解放军第四医院纷纷紧急出动，赶赴灾区。震后几小时内，武警总部连续下达3个紧急通知和2个部队开赴灾区的命令。武警青海总队3200名官兵从西宁和格尔木两路并进，向灾区摩托化开进……地震当天下午，14分钟内，空军三架伊尔−76运输机相继起飞，奔赴灾区，和时间赛跑，与死神抗争。人民空军又一次展开非战争军事行动史上大规模的空运行动。徒步急行军，摩托化开进，空中投送……一支支番号不同的队伍，克服重重险阻，向玉树挺进。截至18日22时，解放军和武警部队共出动兵力12639人到达救援一线。灾区各级党组织和广大党员干部始终战斗在抢险一线，成为灾区群众的主心骨。基层党支部发挥了战斗堡垒作用。灾区各族人民群众纷纷行动起来，开展自救、互救，灾区的宗教界人士，与广大党员干部、部队战士并肩携手，共同奋战在救灾第一线。

省抗震救灾西宁指挥点积极协调全省各地区、各部门通力合作，全力做好抢险救援队伍生活保障和救灾款物的接收、调运和发放工作。他们在震后第一时间里立即制定高原病防治工作的具体方案并迅速启动落实；组织玉树县周边地区懂藏、汉双语的干部，分赴兰州、西安、成都、西宁等地接收伤员救治的医院，做好伤员思想疏导及沟通服务工作；增派运输车辆和人员，集中解决救灾物资运输困难问题；研究制定灾区学生复课的实施方案；制定灾区金融工作指导意见，督导金融机构做好各项金融服务工作，确保灾区金融秩序的稳定，确保受灾群众人心稳定；加强灾区保通电工作；加紧灾区打井采用地下水工作……省会西宁成为抗震救灾的坚强后盾。

……　……

废墟上升起了袅袅炊烟，活动板房里传出琅琅书声。

青海常青，玉树常绿。

一定要夺取抗震救灾的伟大胜利，这是青海各级党委政府对中央的承诺，更是对灾区人民、全省人民和全国人民的庄严承诺。不懈怠、不自满，面对更加繁重的灾后重建工作，青海有信心在党中央、国务院的坚强领导下，全力以赴夺取最后胜利。

灾难和不幸终将过去，希望在前！

（《青海日报》，2010 年 4 月 30 日第 1 版）

凝聚：民族团结的力量在废墟上升华

《青海日报》记者　马　钧

在玉树灾区的角角落落，民族团结抗震救灾的故事，就像三江源头上的涓涓溪流，流淌不断。这些感人的瞬间，被凝固成一个个图片和画面，传递到更远的地方时，这种团结的力量，凝聚的人心，不仅感染着正在经受灾难的玉树人民，而且也在感染着五湖四海、天南地北的人们。

民族团结在这次抗震救灾中得到了升华，建立在深厚历史文化传统上的民族政策，全民族长期以来和睦相处培育的血肉关系，在抗震救灾中显示出蓬勃生机和强大活力。

钟表是标明、指示时间的，它一刻不停地运动着。

然而在 2010 年 4 月 14 日，在青海玉树，有一架挂钟在大地骤然而至的剧烈摇撼中，停止了它一如既往的运转。钟表上的指针，停留在 7 时 49 分。这是这架挂钟留给世界的最后一次对于时间的指示。它仿佛在那个时刻具有了某种奇异的灵性，把揪心的痛楚，烙刻在表盘上。

在一天开始的这个早晨，大自然仿佛恶作剧般地颠倒了结古镇昔日的祥和和安宁。它像噩梦一样降临到这片祥和圣洁的土地上。仅仅是眨眼之间，规整的房屋扭曲、倒塌；无数的生命和财产，顷刻间掩埋在残砖断墙之下。

惶恐、惊惧、悲伤像草原上迅疾的雷暴和风雪，笼罩了玉树县城。

很快，这场灾难的信息，飞速传布开去。

面对这突如其来的灾难，在巴西访问的国家主席胡锦涛缩短外访行程提前回国，在京主持召开政治局常委会议部署救灾工作，随后飞赴灾区，与干部群众一同抗震救灾；国务院总理温家宝也推迟外访，赶赴灾区慰问受灾群众，指导救灾。

面对这突如其来的灾难，青海省委、省政府迅速成立省委省政府抗震救灾领导小组，省委书记强卫任组长，省长骆惠宁任第一副组长；迅速成立了青海省玉树抗震救灾指挥部，省长骆惠宁任总指挥。全省上下的力量，迅速集结，并汇聚到玉树。

面对这突如其来的灾难，在第一时间，来自四川、陕西、西藏、甘肃、新疆等周边地区以及广东、北京等地的公安消防救援队、医疗队迅速集结，驰援玉树；解放军和武警部队立即启动应急机制，数千官兵第一时间奔赴灾区；民政部门下达紧急命令，救灾物资源源不断运往灾区。

面对这突如其来的灾难，玉树人民没有被吓倒，他们在党中央、国务院的亲切关怀下，在省委、省政府的快速反应和坚强领导下，在全国、全省人民的全力支持下，和四面八方飞驰而来的各族兄弟，心连心，手拉手，肩并肩，共同谱写了一曲气壮山河的各民族团结奋进，合力抗震救灾的壮歌。

历史和现实，早已把各民族紧紧地凝聚在一起

玉树地震发生后，不仅牵动着960万平方千米上每一个中国人的心，也让世界上许许多多的国家投以关注和关切的目光。最让外国人惊诧迷惑的是，中国—玉树，何以在最短的时间里集结起一种一方有难八方支援的合力。一向挑剔的美国《世界日报》发表文章感叹说：“一场空前的灾难，反而让中国有机会展现出汉藏一家，相濡以沫的同胞情谊，令人难忘。”

从这种充满惊诧的赞叹里，我们可以断定，他们还不怎么了解中国人，不了解中华民族是一个怎样的民族。

每一个中国人知道，每一个玉树人都清楚，迅速汇成的团结互助的钢铁洪流，并不是忽然冒出的一种精神奇观，更不是像诗人头脑里偶然涌上心头的一两句灵感。这种精神现象有着深厚的历史渊源和特殊的文化基因。

成千上万的各族群众在同一时间不约而同地发出步调一致的一个行为：直奔灾区，抢救埋在废墟下的无数生命，抢救维系受灾群众的生活财物。

五十六个星座五十六枝花
五十六族兄弟姐妹是一家
五十六种语言汇成一句话
爱我中华爱我中华爱我中华
……

这是一首流传很广的歌曲，几乎每个人听到这首熟悉的旋律，都会不由自主地随着哼唱几句。它更是一台喜庆热烈的晚会上经常保留的一首歌曲。为什么这首歌曲会有这样不同寻常的魅力，以至于它会把天南地北的人，把操着不同语言的人，把不同的民族和信守着不同宗教信仰的人，以一种奇妙的方式联系起来，这就是我们这个中华民族几千年来生生不息，不断奋进的奥秘。

青海是一个多民族聚居的地方，少数民族占总人口的46.3%。其中绝大多数群众信仰宗教。在久远的历史时空里，在不断的迁徙中，在贸易的往来中，不同的民族早就相互生活在一起，有的学会了本民族以外的其他民族的语言，有的相互之间联姻，将融合而成的血脉代代延续。尽管不同的民族之间，由于历史文化、自然条件、发展水平、风俗习惯、宗教信仰等方面的影响而存在着这样那样的差别，但这从来没有妨碍各民族群众之间互相尊重、互相学习、互相合作，互相帮助。

在青海，从海东到海西，从海南到海北，人们随便到一个地方，很容易看到一种情形：不同的民族居住在一起，彼此之间，村庄和房舍比邻相望，村民与村民之间和睦相处，以至于日常生活中相互之间的迎来送往、相互寒暄、互通有无，成了家常便饭的事情。许许多多的民族兄弟，为了交流的方便，不仅学会了本民族以外的、其他民族的语言，还精细地谙熟其他民族婚丧嫁娶时的诸多习俗和各种生活讲究，精确地触摸到这个和那个民族兄弟的脾性和爱好，那种亲密、亲近和熟络，不似亲人胜似亲人。细心而有一定文化素养的人们，还会从各民族民居的建筑风格上，从舞蹈、歌谣、绘画、雕塑等艺术样式上，发现各民族之间那种颇有渊源的相互借鉴，相互吸收，相互的融合。那种绝妙的融合，胜过画家在宣纸上出神入化的水与墨的交融与渗染。正是这些深入到民族血液和呼吸里的精神和心灵的和谐融合，才使得各民族的文化，既异彩纷呈，又暗相会通，就像深广的大河汇聚了无数的支流时才会呈现河流的奇伟景观一样。

历史早就在这片高天厚土上铭刻下如此清晰深刻的事实：千百年来，青海社会发展的主流始终是各民族携手共进、相互包容、相互帮扶、共同奋斗，在抗击自然灾害、反对剥削压迫、争取幸福生活的共同命运中，结成了互通融合、患难与共的紧密关系，为促进中华民族大家庭的融合、统一和团结做出了积极贡献。中华人民共和国成立60年来，生活在青海这块土地上的各个民族用自己的勤劳和智慧，共同发展了平等、团结、互助、和谐的社会主义新型民族关系，创造了各民族共同团结奋斗、共同繁荣发展的美好生活。

历史和现实告诉我们，在社会主义中国的大家庭中，汉族离不开少数民族，少数民族离不开汉族，各少数民族之间也相互离不开。历史和现实，早已把各民族牢牢地凝聚在一起。

各民族群众之间不离不弃、生死相依的深切情感，在这次抗震救灾中得到了升华

在这片离天最近的地方，居住着藏族、汉族、回族、蒙古族、撒拉族、土族等15个民族。改革开放之后，又有许多人来到玉树，在这里经商，当老师，把现代世界里许许多多新鲜的事物带到这片神奇的土地，为这片古老的土地注入着新的活力。他们和当地的人长期共同生活，

相互依存，水乳交融，早就谁也离不开谁了。

地震发生后，各族干部群众不分民族、不分当地人还是外地人，救援的人员也不分军民、不分僧俗，迅速展开自救和互救。大家互相救助，相互搀扶，共同面对灾难。

在抢救的第一线，各民族同胞兄弟姐妹并肩作战，用双手刨，用木棒挖，用铁棒撬，全力营救废墟下每一个生命。只要听到呼救声，在有被困群众的地方，总会有从四面八方赶来救援的人员。在当时的情况下，整个救援行动都是在极为严酷的条件下进行的。由于位于青藏高原的玉树平均海拔在四千米以上，空气稀薄，晚间气温经常降至摄氏零度以下。逾万救援人员由于马不停蹄地昼夜奋战，许多人没有时间去睡上一个囫囵觉，顾不上喝一口水。手指磨出了血泡，大量的灰尘吸进腹腔……许多人由于休息补养不足，相继出现了头痛、重感冒甚至肺水肿等高原反应。但他们顾不上这一切，顾不上不断的余震带来的随时都可能发生的险情。各族兄弟在那一刻，心里只有一个念头：多救一个人，只要还有一线希望，就决不放弃！

人们不会忘记，在那个特殊的时刻，灾区的各民族受灾干部群众，顾不上处理自己家中和亲戚朋友家中失去房屋、失去亲人的伤痛，立马投身到奋力自救、忘我互救的自觉行动中，这股力量已经成为第一时间里抗击地震灾难的主体力量。在外部救援力量尚未到达之前，玉树当地各族干部群众、解放军、武警官兵、公安干警、消防队员、寺院僧侣从废墟中营救出近千个生命。在全国各地专业救援队伍紧急驰援、陆续赶到后，玉树各族干部群众与全国各地的救援队伍一起同心协力、共同奋战，汇成了一支更为强大、更加坚韧的团结奋进、共赴抗震战场的钢铁洪流。

一幕幕感人肺腑的场面纷至沓来——

来自河南郑州的 17 位具有户外救援经验的青年人 14 日晚 8 时就踏上了奔赴灾区的路途。

回族同胞来了。来自青海省湟中县大才回族乡的马宝祥组织了一支农民工救援队赶赴灾区，在很短的时间里，越来越多的志愿者赶到了玉树灾区，其中还有不少年轻的学生，玉树州红十字会把一批来自兰州、西安、浙江、湖南和青海互助等地 70 多名学生和青年派到马宝祥小分队来工作，这支救援队迅速扩大，最后联合成了一支由汉、回、蒙古、撒拉等各族群众构成的 160 人的“农民工救援队”。

羌族同胞来了。汶川地震重灾区茂县的 6 位羌族村民每人凑了 3000 元钱，租了一辆大货车，带着村民捐赠的帐篷、彩条布、棉衣棉被和食物向玉树灾区驶来。

维吾尔族同胞来了。新疆医科大学第一附属医院骨科大夫阿德力·阿布都热西提和同事们，17 日也赶到了灾区，顾不上休息，就立即来到青海省交通医院，对伤员进行会诊、治疗。

来自中国国际救援队和西钦寺的僧侣们和当地的藏族群众，为了拯救一名被埋的十三岁藏族小姑娘次乃拥青，大家一起喊起号子，合力打开救援空间，最终成功救出藏族小姑娘。参与救援的僧侣扎西多吉激动地握住救援队员的手说：“感谢你们！”

来自囊谦县吉尼赛乡的牧民索旺说，他每天都在目睹身边的党员和干部不顾自己安危去抢救老百姓，他的心灵被震撼了。

来自辽宁的志愿者董树生说，身边那些党员干部身上表现出的先人后已、无私奉献的精神，令他终身难忘。回到家乡后，他要把这精神告诉更多的人。

来自玉树县法院书记员扎西江才，地震发生时，躲在床底逃过一劫。被救出来后，他做的第一件事是立即穿上衣服跑到邻居倒塌的房屋，开始用双手挖。不久，他救出一个来自四川的汉族邻居。至今，扎西江才的双手仍伤痕累累，这是挖土救人时留下的。这双手救出了至少8名幸存者，有藏族，也有汉族。“我家帐篷里住了很多人，汉族藏族都有！”他自豪地说。

来自西宁供电公司抗震抢险队突击队队长徐道宁在那些日子里对队员们说的最多的一句话就是：“再苦没有受灾群众苦，再累没有灾区群众心里累！”朴实无华的言语分明透射出一腔大爱，一种责任，一份奉献。

玉树格萨尔广场旁的路边，四川石渠县阿日扎佛学院的藏族僧人支起大锅烧开水，免费给群众供茶泡面，他们支起一个黑板，上边写着“请喝茶”，一行是藏文，一行是汉字。

“那个清晨，我们没有亲人，没有牛羊，流着眼泪看着倒塌的房屋时，来了金珠玛米；藏汉一家亲，同是中国人，有比奶茶还香浓的民族情，玉树肯定不会倒，青海一定会常青……”一位藏族阿妈这样感慨。

……

在玉树灾区的角角落落，这般民族团结抗震救灾的故事，就像三江源头上的涓涓溪流，流淌不断。这些感人的瞬间，被凝固成一个个图片和画面，传递到更远的地方时，这种团结的力量，凝聚的人心，不仅感染着正在经受灾难的玉树人民，而且也在感染着五湖四海、天南地北的人们。其中有一帧画面，在第一时间通过电视呈现在电视画面上：前去灾区慰问的青海省委书记强卫与失去3位亲人仍坚持抗震救灾的扎西大同村三社社长才哇，互行碰头礼。这个瞬间，尤其让青海人感动，因为这一个貌似简单的动作，在藏族人的礼节中，却具有极为珍重的蕴涵——只有亲如兄弟的人们之间，才会用这种尊贵的礼节，表达心灵深处最诚挚、最深沉的感情。这已经不再是一个普通的画面了，它已经在那个瞬间，跃升为一种雕塑般凝重而神圣的象征，一种团结和信赖的巨大的暖流，一种在灾难面前既瞬间爆发又顺理成章的举动。这一刻，不，是在整个抗震救灾的宏大的全部过程里，各民族群众之间不离不弃，生死相依，一刻也没有停歇。

在抗震救灾中，我们看到，不同宗教、不同信仰的人们，相互安慰、相互支持、团结一致共御灾难，表现出了深深的人文关怀。佛教宣示众生平等、慈悲为怀，基督教追求自由、平等、博爱，伊斯兰教崇尚积极行善、友爱和睦，这些有利于社会和谐的积极因素，在这次灾难面前，被极大地弘扬开去，放大开去。在地震中，结古地区的穆斯林群众遭受到重大的损失，有64人不幸遇难。穆斯林群众尽管大多不是本地人，人数也不多，但是在抗震救灾中，他们发扬团结友爱扶危济困的传统美德，在结古清真寺民管会的带领下，主动前往结古寺院进行慰问，将一些物资和仅有的两顶帐篷送给了结古寺。同时，他们积极组织穆斯林同胞，从废墟里解救被困的藏族群众100多人，转移各族群众80余人。

强卫书记在回顾前一阶段的抗震救灾工作时，总结了这次抗震救灾工作的五个突出的特点，其中一个突出的特点，就是民族团结、宗教和睦、众志成城、共克时艰。地震发生后，玉树州各民族群众不分彼此，互相帮助，奋勇自救。宗教界人士特别是藏传佛教广大僧侣积极参与抢救被困群众，协助党委政府妥善处理遇难者遗体等工作，表现出较强的国家意识和公民意识。

全国、全省民族宗教部门广泛动员各族群众和广大宗教界人士，积极投身抗震救灾工作。这些，再一次证明党的民族宗教政策的正确，向世人展示了中华民族强大的凝聚力和向心力。

在玉树“4·14”强烈地震发生的第15天，玉树地震灾区的抢险救灾、应急救援基本结束，抗震救灾工作进入全力医治伤员、安置受灾群众，恢复正常秩序、加快恢复重建的新阶段。新的阶段，吹响了新的号角。人们已经在清理废墟的繁忙中，在各个新居点建设的工地上，依然看得见各族兄弟携手奋战的身影，依然在每一个行动和细节上，延续着平等、团结、互助、和谐的社会主义新型民族关系。

哈萨克族有句谚语说：水珠投进海子，生命就会无限；各民族团结起来，就能勇往直前。这句谚语所揭示的一个颠扑不破的真理，被在这场突如其来的灾难面前各族群众的一言一行，再次被生动地证明和诠释。所有直接和间接参与和关注灾区的人们，都不约而同地在胸中涌动出这样一个沉甸甸的感受：民族团结在这次抗震救灾中得到了升华，建立在深厚历史文化传统上的民族政策，全民族长期以来和睦相处培育的血肉关系，在抗震救灾中显示出蓬勃生机和强大活力。

人们相信，在灾后恢复重建的新的征程中，这种力量还将再次凝聚，再次释放出让人感奋的能量和激情。

（《青海日报》，2010年5月10日第5版）

一切为了抗震救灾，一切为了灾区人民

——省直机关各级党组织抗震救灾纪实

龚伟轩

4月14日7时49分，我省玉树藏族自治州玉树县发生里氏7.1级强烈地震，人民群众生命财产遭到重大损失。

从那一刻起，省直机关各级党组织按照省委、省政府紧急部署，迅速行动起来，全力投入抗震救灾斗争。

——走前头，做表率。面对重大灾情考验，在抗震救灾任务面前，省直机关各级党组织和广大党员干部表现出很强的大局意识、政治意识和责任意识，一切服从抗震救灾，一切服务抗震救灾，思想高度统一，工作雷厉风行。

——走前头，做表率。在抗震救灾工作的方方面面、各个环节，充分发挥基层党组织的战斗堡垒作用、党员的先锋模范作用和党员领导干部的带头表率作用，彰显了旗帜的力量，展现

了党员的风采。

——走前头，做表率。人人情系地震灾区，一切为了灾区群众。从抗震抢险一线的艰辛奋战到各自工作岗位上的默默奉献，从送温暖、献爱心捐款到党员自愿多交纳党费，反映一个共同的心声——省直机关党员干部职工与玉树地震灾区各族群众心手相连！

快速反应第一时间紧急行动

4 月 14 日上午，省委、省政府抗震救灾紧急会议召开后，省直机关各单位按照省委、省政府统一部署，紧急启动应急预案，周密安排部署抗震救灾工作，积极进行抢险救灾紧急动员。

省委办公厅第一时间召开厅领导和有关处室负责人会议，省委常委、秘书长沈何对办公厅开展抗震救灾作出具体部署。4 月 16 日下发《关于全力做好抗震救灾期间各项工作的通知》，要求充分发挥机关党组织的战斗堡垒作用和党员的先锋模范作用，全力做好抗震救灾工作。省人大常委会机关 4 月 15 日上午召开常委会党组（扩大）会议安排部署抗震救灾工作，要求党员干部时刻关注灾区情况，用实际行动支援抗震救灾；建立值班制度，做好后勤保障工作；组织省人大机关抗震救灾志愿服务队，随时赶赴灾区开展救灾工作。省政府办公厅下发紧急通知，要求党员干部在大灾面前保持清醒头脑，服从命令，听从指挥，坚守岗位，履行职责，坚持 24 小时值班制度，确保各类信息畅通，充分发挥组织指挥、综合协调、主动服务的职能作用。省委组织部 4 月 14 日研究制定组织部门抗震救灾九项措施，当晚购置党旗 160 面、国旗 50 面，并赶制了 330 面印有“党员突击队”“党员救援队”“党员抢险小分队”等标志的红旗。15 日早晨，省委常委、省委组织部部长齐玉带领工作组，带着 540 面党旗、国旗、红旗和部分救灾款赶赴灾区。省委宣传部 4 月 14 日召开新闻协调会，省委常委、省委宣传部部长吉狄马加强调抗震救灾工作是我省当前各项工作的重中之重，新闻宣传要以抗震救灾为中心，本着对人民高度负责的态度，加强舆论引导，关注灾区舆情，在第一时间对地震灾情、抗震救灾等有关情况做好宣传报道。省委政法委迅速作出安排部署展开灾区救援工作，第一时间通知灾区政法机关组织公安民警、武警部队就地开展抢险救援，要求全面做好油库、银行等重点部位守卫工作，稳控社会治安秩序。省直机关工委 4 月 14 日下午召开会议研究部署省直机关党组织抗震救灾工作，下发紧急通知，号召各单位党组织按照走前头、做表率的要求，迅速行动起来，充分发挥机关党组织的战斗堡垒作用和党员的先锋模范作用，全力抗震救灾，组织动员党员干部职工踊跃捐款，为灾区群众奉献爱心。

奋力抢险鲜红的党旗在灾区废墟上飘扬

抢救生命，刻不容缓！不抛弃，不放弃，只要有百分之一的希望就要尽百分之百的努力！

灾难发生后，省直机关各单位按照省委、省政府要求，紧急组织抢险队、救援队、工作组迅速奔赴灾区抢险救灾，展开生命大营救，全力开展抢险救灾。

在地震灾区，参加抢险救灾的省直机关单位普遍成立临时党支部，关键时刻把党员干部职工团结起来、把人心凝聚起来，给灾区群众带去希望和安慰。冒着余震危险，克服缺氧、缺水等困难，党员干部职工奋力抢险，流血流汗，有的甚至献出宝贵的生命，成为群众的主心骨、贴心人。从省委书记强卫，省委副书记、省长骆惠宁，到各部门、各单位的党员领导干部，他们带领干部群众在地震一线奋力抗震救灾，树立了良好形象，为干部群众所称颂。

省委办公厅 4 月 14 日派出第一批工作人员随省委领导乘专机飞往灾区开展工作，先后抽调 40 多名干部前往抗震前线参与抗震救灾工作。省政府办公厅 4 月 14 日紧急组织相关处室工作人员 19 人和 11 台车辆，由省政府秘书长、办公厅党组书记高华带队，第一时间赶赴灾区，协助省政府领导实施救援。截至 4 月 30 日，办公厅共派出 53 人（次）赶赴一线指挥部工作，保证了大灾面前指挥系统的高效运转。省公安厅紧急行动，全力投入抢险施救，14 日上午 9 时迅速调集青海公安消防总队及西宁、海南、果洛公安特警共 434 名警力赶赴救灾第一线，开展救援和维护当地社会治安工作。同时，调动青海武警部队 3040 名警力开赴灾区进行救援。截至 16 日 16 时，公安特警、消防、边防和武警部队从废墟中解救被困群众 2283 人、搜寻出遇难者遗体 635 具，救助伤员 4191 人，转移安置受灾群众 4502 人，救助受灾群众 17000 人次。省民政厅党组书记、厅长更阳 4 月 14 日带领抗震救灾现场工作组赶赴灾区，及时成立“省民政厅抗震救灾前线指挥部临时党支部”，分成综合信息组、灾情损失评估组、物资调运统计组、遇难遗体处理组四个小组，全力投入抗震救灾工作，让鲜红的党旗在废墟上飘扬。省交通厅党委书记、厅长杨伯让带领干部职工 15 日凌晨 3 点到达灾区，在最短的时间内打通国道 214 线、省道 308 线、结古至巴塘机场三条进入灾区的“生命线”，为抗震救灾全面展开提供了坚实的道路通行保障。省卫生厅在地震发生半小时内启动突发公共事件一级应急响应，当日迅速组建派出由 325 人组成的省级抗震救灾医疗队奔赴灾区开展医疗救治工作，全力以赴抢救伤员。累计派往灾区医疗队 27 支 846 人；接诊 56973 人次，收治伤员 9145 人，转运伤员 3219 人（重症伤员 1434 人）。省人民医院在灾区一线接诊 9528 人次、手术 152 例，转运伤员后方接诊 582 人次，收治住院 296 人次，各类手术 389 例，危重抢救 152 人次。省监狱管理局中心医院（省红十字医院）按照省司法厅党委和省监狱管理局党委安排，紧急抽调医护人员组成抗震救灾医疗队，14 日上午至 15 日晚共派出 122 名医护人员奔赴灾区开展救援工作。截至 5 月 6 日，共收治灾区伤员 223 人，其中重症病人 80 人，危重病人 44 人，完成手术 51 例，已有 118 人出院。省国土资源厅 4 月 15 日组织首批 30 多人的地质灾害应急排查队火速赶到震区，分成三个调查组，冒着落石、滑坡、崩塌等危险开展地质灾害应急排查，严防次生灾害发生。省水利厅紧急抽调精兵强将，组成 12 支水利应急供水抢险队和 1 支防汛机动抢险队火速前往灾区展开救援，解除了禅古水电站险情，应急集中供水抢通完毕，灾区群众喝上了放心水；水利工程设施地震损坏情况全部摸清，供水、供电设施相继修复。省农牧厅党委书记、厅长曹宏率领应急救援工作组星夜兼程驰援灾区，深入村镇牧户全力实施营救，了解掌握农牧业生产、农牧系统办公和生活设施损毁情况，同时，召开动物防疫誓师动员大会，迅速开展死亡牲畜无害化处理。省教育厅及时成立省州县教育系统抗震救灾指挥部和前线临时党支部，由省委教育工委书记、省教育厅党组书记、厅长王予波担任总指挥和党支部书记，紧急抢险救灾，调查学校受灾情况，做好复课工作，达到了教育部、省委和省政府提出的4月23日高三学生复课、4月30日全部学校开始复课的要求。省商务厅按照省抗震救灾指挥部要求，完成了各项政府采购和物资调运任务，4月14日至23日，共组织灾区急需的方便面、矿泉水、火腿肠、榨菜、饼干、熟制牛羊肉1415吨和火炉6873个、保暖杯15000个、电热水壶500个、小太阳50个，确保了灾区群众和救援人员的生活需要。省通信管理局4月14日9时45分召开紧急会议，成立了抗震救灾通信保障领导小组，组织带领电信运营企业通信抢险队伍紧急赶赴灾区，组织协调各通信部门尽全力保障通信畅通。中国电信青海公司紧急协调集团公司调动12支抢修队伍，出动抢险人员102人，向灾区征调4500部天翼移动电话并预充话费，运送海事卫星电话106部、应急保障车34辆、便携油机101台和大量救灾物资。中国移动青海公司由党员技术骨干组成的三支通信抢险突击队首先开通省抗震救灾指挥部的专用通信和巴塘机场的移动通信，连夜铺设结古镇与巴塘机场之间阻断的9公里光缆，全面恢复地面基站通信，空中通信生命通道得到保障。中国联通青海公司组织人员第一时间赶赴灾区抢修通信线路，为抗震救灾提供通信保障，先后有245人次、45车次参加抢险，物资设备投入达186万余元。中国石油青海销售公司先期紧急向灾区组织运送汽柴油2041吨，组建流动式“油库”，开辟加油绿色通道、建立24小时保障制度，保证灾区油品供应。

全力支援形成强大的抗震救灾合力

省直机关各单位党组织把抗震救灾作为当前头等重要的政治任务，采取有效措施，全力组织抗震救灾，支援灾区。

省政协机关组织熟悉藏汉双语的党员干部组成志愿者服务队，先后50人次到省妇女儿童医院开展志愿服务，做好翻译沟通、孤儿护理、协助救护伤员等工作。省纪委（省监察厅）及时组建工作组奔赴灾区，向玉树州纪委和玉树县纪委送去20万元慰问金，帮助州纪委监察局抢救办公设施，在废墟上搭建帐篷，尽快正常运转办公。深入了解掌握抗震救灾物资发放中存在的问题，制定下发《关于严明纪律加强监督保证抗震救灾工作顺利进行的通知》。青海日报社在党组书记、社长、总编辑刘力群带领下，32名记者分批赶往玉树灾区，全面深入进行抗震救灾宣传报道。省发展改革委紧急协调相关部门落实救援物资采购、调拨、发运工作，确保玉树抗震救灾物资供应，并组织精干力量草拟《玉树地震灾后重建规划工作实施方案》，高质量完成《玉树地震灾后恢复重建总体规划》，全力做好玉树灾后重建的规划和筹备工作。省粮食局统筹安排粮食紧急救助供应，先期送去菜籽油200吨、大米240多吨以及西宁市国有放心粮油店连夜制作的馒头、大饼等熟食。省经委（省国资委）积极协调各方全力以赴做好抗震救灾保障工作，4月15日至21日，协同有关单位和制药企业紧急向灾区运送了心脑欣、红景天等抗缺氧药品和抗生素类药品以及担架、手术衣、石膏绷带、氧气袋等。省民宗委主任普日哇带领工作组第一时间赶赴灾区，指导部署民族宗教领域抗震救灾工作，做好灾区伤病员救治服务保障，加大民族团结宣传教育力度，维护民族团结和睦和社会和谐稳定。省司法厅、省监狱管理局举办灾后心理危机干预培训班，邀请国家卫生部心理危机干预专家作辅导讲座，抽调15名民警作为灾后心理危机干预工作志愿者参与西宁市各医院收治伤员的灾后心理干预工作。省人力资源社会保障厅研究制定《关于支持玉树地震灾后重建就业和社会保险政策实施意见》，编制《玉树灾区人力资源社会保障基础设施建设规划》，拟定《玉树灾后重建职业技能培训和就业援助工作方案》，服务帮助灾后重建。省审计厅迅速成立救灾款物审计工作领导小组，抽调党员业务骨干组成现场审计工作指导组赶赴灾区，全力做好指导当地审计机关开展自救和属地管理的救灾款物跟踪审计工作。省气象局派出气象服务小组第一时间恢复业务并开展抗震救灾气象保障服务工作，除给抗震救灾指挥部和政府部门报送决策资料外，还派人在灾区居民安置点张贴藏汉双语天气预报，气象信息成为名副其实的抗震救灾“信使”。

情系灾区踊跃捐款捐物奉献爱心

玉树强烈地震发生以来，省直机关各单位提供紧急援助、捐款奉献爱心、慰问干部群众，给灾区群众送去党和政府的关爱，以实际行动支援抗震救灾和灾后重建。

各单位党组织广泛组织开展了情系灾区捐款献爱心活动，广大干部职工和离退休老干部纷纷捐款，表现出很高的政治热情，体现了对灾区各族群众的深厚情谊。截至4月22日，省直机关仅个人捐款就达923.1459万元。省委、省人大、省政府、省政协、省纪委（省监察厅）、省法院、省检察院领导，省委各部委、省直各机关单位、中央驻青各单位领导干部积极倡议并带头捐款。

按照省委组织部《关于倡议广大党员自愿多交纳党费用于支援抗震救灾工作的通知》要求，各单位党组织开展了倡议党员自愿多交党费支援抗震救灾和灾后重建活动，广大党员在积极捐款的同时踊跃多交纳党费。截至5月4日，省直机关党员共多交纳党费579.4721万元，其中，有76个单位的1457名党员自愿多交纳党费在1000元以上。

省直机关各单位纷纷行动，向灾区群众伸出援助之手，支援灾区抗震救灾。省高级人民法院4月14日先期拨款20万元采购了帐篷、御寒衣物、饮用水、食物、药品、发电照明设备等灾区急需物资运往灾区。省检察院14日购置帐篷、毛毯、大衣、方便面、矿泉水、药品等第一批救灾物资紧急运往灾区；15日上午再采购运送约40万元的救灾物资。省委组织部从省管党费中向玉树灾区拨款50万元，专项用于抗震救灾。省委统战部拨付20万元救灾款，发放慰问金10万元，送去价值90万元的赈灾物资，会同省工商联、省光彩事业促进会组织民营企业捐助物资和现金1000多万元。同时，协调青海民族大学抽调179名懂汉语和康巴语的大学生志愿者，到省内外17家医院为救治伤员服务。省直机关工委从留存党费中先期下拨30万元，支援灾区抗震救灾。按照省委办公厅、省政府办公厅《关于进一步做好关心激励玉树灾区干部工作的通知》要求，近期又组织开展了向玉树灾区干部捐赠第一批生活用品活动，省直机关85个单位捐赠了价值100多万元的生活用品，将于近日送往灾区。省总工会紧急组织价值近

20万元的救灾急需物资运往灾区，发放到受灾群众手中。省总医疗队连夜到达灾区救治伤员，接诊救治伤员110人，向机场运送重伤员10人。团省委给团玉树州委先行下拨2万元工作经费，紧急筹措拨付抗震救灾款100万元。省妇联组织灾区急需的食品、矿泉水、妇女儿童卫生用品、牛奶等送往灾区，并带去10万元救灾款和74650元干部职工捐款。省公安厅、省公安消防总队4月14日下午将筹集的棉衣、棉被褥、棉鞋帽、帐篷、睡袋等首批御寒物资和部分医疗器材及药品紧急运往灾区；15日下午送去价值100余万元的救灾物资，16日又送去第三批救灾物资。省司法厅派出抗震救灾工作组，向灾区送去价值近50万元的救灾物资。省红十字会第一时间组织200多支红十字志愿者救灾物资运送队将价值8829余万元的救灾物资运送到灾区，累计为灾区募集救灾款物达10.2亿多元（包括中国红十字会拨付的重建资金）。中国联通青海公司会同省红十字会、省民政厅举办抗震救灾义演活动，分公司机关和西宁分公司员工、社会各界人士捐款23万余元，并组织员工捐衣物519件。

（《青海日报》，2010年5月13日第5版）

雪域高原上凝聚起不屈的力量

——玉树地震一周年灾后重建纪实

新华社“新华视点”记者

一年前的4月14日，7.1级的大地震突如其来，雪域高原上的明珠——青海玉树满目疮痍，伤痕累累。

一年之后的今天，希望正在这里升腾——崭新的住房和校园正拔地而起，损失最为惨重的结古镇已变成一个繁忙的工地，一座崭新的城池已现雏形，摧不垮的灾区人民正满怀勇气和信心步入新的生活……

雪域见证，高原铭记。一年来，在党中央、国务院的亲切关怀和坚强领导下，各族人民凝聚起奋进的力量，万众一心、重建家园，谱写出一曲气壮山河的时代凯歌。

科学决策，及早谋划——在党中央、国务院的坚强领导下，灾区各项恢复重建工作有序进行，创造出独一无二的高原震区灾后重建模式

“新校园，会有的！新家园，会有的！”在玉树州孤儿学校板房教室内黑板上，12岁的代

吉文毛一个字一个字地写下来，小脸上满是庄严。

去年4月18日，胡锦涛总书记在玉树州孤儿学校的黑板上写下的12个大字，已铭刻在所有玉树孩子的心中。“我会永远记得这句话，也盼望着能早点住进新校园。”这位藏族小姑娘的眼里充满着坚毅和憧憬。

玉树州孤儿学校板房校区旁边就是哗哗流淌的扎曲河，河两岸的清墟拆危工作已近尾声，新一轮的大规模重建即将开始！

地震后百废待兴，灾后重建任务迫在眉睫。面对高寒缺氧、施工期短和建筑材料运距长等诸多困难和矛盾，需要有科学指导、合理规划，各部门的统筹协调、密切配合。

在地震发生后的第一时间里，党中央、国务院高瞻远瞩、果断决策，及早谋划重建新家园的大计，有序推进灾后恢复重建各项工作——

“要在做好当前抗震救灾工作的同时，及早谋划恢复生产、灾后重建工作，在做好灾害评估、搞好规划的基础上适时组织力量帮助受灾群众重建家园。”震后第三天，中共中央政治局常务委员会就召开会议，就灾区重建作出了部署。

“党和政府一定会帮助灾区群众建好家园。”2010年4月18日，在抗震救灾的关键时刻，胡锦涛总书记赶往受灾最重的玉树县结古镇指导抗震救灾工作，用铿锵有力的话语发出了重建家园的号召。

一项项符合科学发展的重建规划接连出炉——

4月21日，国务院抗震救灾总指挥部第八次全体会议听取了灾后恢复重建组工作方案汇报，全面启动灾后恢复重建规划各项工作；

5月24日，国务院出台关于做好玉树地震灾后恢复重建工作的指导意见，提出要力争用三年时间基本完成恢复重建主要任务；

6月9日，国务院批准并印发玉树地震灾后恢复重建总体规划；

……

一系列与重建配套的经济政策纷纷出台——

4月21日，中国人民银行、银监会、证监会和保监会下发《关于全力做好玉树地震灾区金融服务工作的紧急通知》，减轻灾区金融机构的财务负担；

5月27日，国务院出台关于支持玉树地震灾后恢复重建政策措施的意见，明确指出以中央财政为主安排灾后恢复重建资金，2010年安排90亿元，之后两年继续做相应安排；

8月5日，由财政部、海关总署和国家税务总局联合出台支持玉树地震灾后恢复重建的有关税收政策，为受灾企业、个人、基础设施等恢复重建提供税收优惠；

……

一条条着力于家园重建的应急措施不断实施——

6月20日，国务院抗震救灾总指挥部召开玉树地震灾后恢复重建工作会议，研究部署恢复重建对口援建、全面实施灾后恢复重建工作；

9月1日，国家发展改革委会同工信部、铁道部等部门商定供应玉树地震灾后恢复重建材的定价原则；

10 月起，青海省启动玉树灾后重建省外紧急物资运输工作，对相关省份开往灾区的重建物资运输车辆一律免收车辆通行费；

……

相比应急救援，灾后重建头绪更多、任务更重，持续时间更长，而受玉树高寒缺氧、交通不便等恶劣条件限制，一年施工期只有 6 个月左右。

但正是在这样艰难的条件下，独一无二的高原震区重建模式得以创造，一个个挑战人类极限的“玉树速度”和“玉树奇迹”在雪域高原上连续实现——

震后第 5 天，应急性的水、电、路和通信全面恢复；

震后 10 天内，各校高中班陆续复课；

震后 50 天，财政部下拨出第一批玉树地震灾后恢复重建专项资金 30 亿元；

震后 2 个月，恢复重建工作全面启动；

震后 5 个月，地震中坍塌的玉树第一民族中学提前封顶；

……

2010 年底，进入灾后重建工程冬歇期时，玉树重建工作已是累累硕果：

——开工建设了 298 个项目，完成投资 50.1 亿元。

——城乡居民住房建设目标任务顺利推进，玉树州 6 县 19 个乡镇共开工建设农牧民住房 11655 户，禅古、甘达示范村及安冲、仲达、巴塘等乡镇部分农牧民喜迁新居。

——学校、医院等公共服务设施重建进度喜人，玉树县第一民族中学、第三完全小学、州红旗小学等 13 所学校、玉树州公共卫生服务中心、藏医院等一批项目主体工程封顶，2011 年下半年即可投入使用。

……

工程冬歇，重建规划不歇。青海省在做好受灾群众过冬安置和生活救助的同时，各项规划设计工作在冬歇期继续展开，着力做好 2011 年重建的准备工作。截至目前，委托规划设计项目已达 463 项，占总设计任务的 99%，已完成规划设计方案项目 438 项。

对口支援、科学重建——克服高寒缺氧、道路险阻等恶劣条件，援建者积极投身灾后重建，再造一个科学发展、繁荣和谐的新玉树

人勤春来早。

紧邻结古镇的大日山峰上白雪尚存，但灿烂的阳光、水流潺潺的巴曲河，无不传递着高原上春天即将到来的讯息。

今天的玉树，新一轮的重建工作正在紧锣密鼓地进行，结古镇的胜利路上已是车水马龙，一派繁忙景象。路两侧，一面面五星红旗迎风招展，一个全新的玉树正在崛起！

这是一项集四面八方援建者于雪域高原上的系统援建工程——

一方有难，八方支援。每当灾难袭来，伟大的中华民族总是众志成城，同舟共济，汇聚起攻坚克难的强大力量！

这一年来，从千里驰援雪域高原，到举国参与灾后恢复重建，再到严冬灾区送温暖……一曲感人肺腑的灾后重建的民族团结壮歌在三江源头奏响。

按照中央部署，北京市、辽宁省和4家央企——中国建筑工程公司、中国铁路工程总公司、中国铁道建筑总公司和中国水利水电建设集团公司负责玉树对口援建工作。

一声令下，各路援建大军疾驰玉树。

北京市承担了极重灾区玉树县结古镇的市政道路、市政基础设施建设，结古镇新寨村的整体重建，重灾区隆宝镇、哈秀乡的整体恢复重建任务，涉及城乡住房、公共服务设施、市政基础设施及和谐家园4大类，共为83个大项，139个子项。3000多名北京援建者在雪域高原上滚爬摸打，经过5个月的艰苦奋战，克服了高寒缺氧等诸多困难，到去年冬歇期前就超额实现了援建玉树开局之年的任务。

辽宁，是全国唯一一个对口援建的省份。面对党中央、国务院交付的重托，辽宁迅速成立玉树对口援建工作领导小组。2010年5月22日，辽宁对口援建工作小组和前线指挥部的人员，就奔赴玉树考察灾情，选定了技术精良、实力雄厚的9家施工企业承担援建任务。到冬歇期时，辽宁省已援建完工756套农牧民住房，开工210套城镇住房，164套房屋的维修加固全部完成，超额完成当年援建任务。

去年的8月13日夜，一场瓢泼大雨突袭玉树，结古镇扎西科部分农牧民帐篷被淹。在此援建的中国水电集团职工立即抢险，连夜水战。到次日，险情排除了，不少抢险者却因高原反应累倒了！扎西科的藏族老阿妈们手捧热腾腾的奶茶，到工地看望这些亲人。

……

不是亲人，胜似亲人！3万多援建者勠力同心，创造着高原重建的传奇，用实际行动阐释着民族之情，人间大爱，夺取了恢复重建的一个又一个胜利！

这是一场人类历史上海拔最高、内容最复杂、难度最大的灾后恢复重建——

玉树平均海拔4000米以上，高寒缺氧、道路险阻。不少海外人士都慨叹：这样大规模灾后重建的难度前所未有！

不过，千难万险阻挡不了援建者的脚步，动摇不了各族人民携手重建的决心！

在去年施工的关键阶段，3000多名中国铁建员工齐聚玉树，展开了一场艰苦卓绝的大会战。他们每天除了繁忙紧张的施工生产外，还要忍受因高寒缺氧而带来的血压升高、头痛头晕、乏力气喘等一系列身体不适。

去年11月，中国中铁在援建农牧民住房任务中，短短十几天时间里，有100多人因严重的高原反应，被送到医院治疗。

……

缺氧不缺精神，海拔高追求更高；艰苦不怕吃苦，风雪强斗志更强。

经过青海人民和援建者的顽强拼搏，在5个月左右的施工期里，开工建设了298个项目。

其中城乡住房 149 项、基础设施 32 项，实现了“两个大部、一个全面”的年度重建目标，即：完成了大部分农牧民住房重建，开工建设大部分城镇居民住房，全面完成可修复住房维修加固。部分受灾群众喜迁新居，一些支撑长远发展的项目相继开工或建成，为三年重建赢得了主动。

这是一个在科学规划下将科技环保生态与科学发展理念融为一体的可持续发展工程——

在玉树重建启动之初，党中央、国务院就明确要结合玉树自然、地理、民族等特点，坚持以人为本、尊重自然、统筹规划、科学重建、政策支持、合力推进，建设生态美好、特色鲜明、经济发展、安全和谐的社会主义新玉树。

玉树的灾后重建，始终坚持与促进经济可持续发展相结合的原则。据青海省省长、省玉树地震恢复重建领导小组组长骆惠宁介绍，通过三年灾后重建和进一步努力，将把玉树州州府所在地建成布局合理、功能齐全、设施完善、特色突出、环境优美的高原生态型商贸文化旅游城市、三江源地区的中心城市、青海藏区城乡一体发展的先行地区，实现建设社会主义新玉树的宏伟目标。

重建工作全面展开后，青海省开展了“千人设计大会战”，多次组织环境、建筑、能源、民俗等方面的专家对玉树进行考察和调研，广泛征求群众意见，在此基础上形成了《玉树地震灾后恢复重建总体规划》《玉树灾后重建农牧民居住方案》《玉树灾后重建城镇居民居住方案》等一系列政策、制度和措施，用于指导玉树灾后重建工作。

作为重建工作重点的玉树结古镇，在市政规划上充分采用了科学的理念，设计了功能齐全、设备先进的城市净水厂、污水处理厂和垃圾填埋场，电力、通讯、给排水、燃气管线将进入地下。“政府的重建思路非常明确，就是要将结古镇建成一座全新的绿色城市。”玉树县城建局局长江永尼玛说。

由于玉树地处青藏高原腹地，三江源头，生态地位极为突出。新玉树重建伊始，保护生态、绿色科学就成为重要指导思想。

在玉树治多县歇武镇当巴村，有一座中国联通和中国电信共建共享的通信基站。“一座这样的通信基站，要占用 200 平方米的草场，两大通信企业共享设施，不仅大大减少了通信设施占用的土地和电磁辐射，而且能够为双方降低 40% 的硬件投资。”中国联通玉树分公司总经理张崇誉说。

三江源区各地则根据不同实际，一手抓灾后重建，一手抓生态保护，取得了“双赢”结果，确立了三江源生态保护史上的新标尺。2010 年，三江源生态保护和建设工程完成投资 12 亿元，大大高出前几年的年均投资。

以人为本、民生优先——恢复重建工作将民生工程排在优先位置，绝不能让任何一名受灾群众挨饿、受冻

巴塘河边，山坡上一片簇新的红顶藏式建筑错落有致，这是禅古村地震后重建的新居。去年底，玉树首批重建新房建成，禅古、甘达示范村及安冲、仲达、巴塘等乡镇部分农牧民最先

迁入新居。

“去年冬天，别村的亲戚们来串门很羡慕。我就说，不用羡慕，你们村漂亮、结实的新房子，政府很快就会陆续建好。”禅古村四社社长吉安才仁笑着说。

以人为本、民生优先，是玉树灾后重建的主旨所在。

玉树地震发生后，党和政府始终坚持人民利益高于一切，把及时妥善安置受灾群众作为一件刻不容缓的大事、急事和要事来抓：

——震后第5天，玉树灾区就基本实现了“五有”，即受灾群众有饭吃、有干净水喝、有帐篷住、有病能医治、御寒有棉衣；

——全面落实国家对灾区群众的各项生活救助政策，累计发放各类补助资金8.32亿元，人均达到3730元；

——在国家有关部门的支持下，8605名学生转到省内外异地就读；

……　……

大爱同心，绝不能让任何一名受灾群众挨饿、受冻。一系列民生举措，让玉树人在这个刚刚过去的冬天里感觉到了浓浓暖意。

在去年入冬前，民政部门及时发放四项补助4.65亿元、粮食1.38万吨、食用油250吨，过冬棉帐篷41518顶，使群众的生产生活得到妥善安排，过冬有了保障。

玉树州州长王玉虎说：“过冬人均发放了2000多元，米面油4袋以上，吃的、住的、穿的都不发愁。”

入冬时，玉树灾区有8万多群众尚未搬入新居，政府部门及早部署，悉心安排，充分保障群众灾区过冬取暖需求，为每户受灾群众配发了一顶20平方米棉帐篷和火炉。与此同时，在国家已发放取暖补助的基础上，青海省对居住帐篷的群众，每人每天又增加取暖补贴2元，临时发放3个月。

按照国家规定，受灾群众补助金政策从震后3个月延长到了6个月。去年入冬，考虑到受灾群众生活仍有困难，青海省财政出钱，再延长补助政策3个月。

60岁的扎西永措是结古镇扎西大同村的村民。地震中，她左手骨折，母亲遇难。伤愈的扎西永措和未出嫁的小女儿，在村南的集中安置小区的帐篷里度过了农历兔年。她的棉帐篷中配有烤箱，床上有棉被、棉褥，还有电热毯。帐篷前，摆放着堆好的木块和煤块。“家没了但还能过上一个暖和的春节，这个年过得人心里暖暖的。”

为了安置好群众的生产生活，玉树开展了受灾群众和党政机关集中搬迁安置工作，投资2000万元集中用于安置点的水、电、路等基础设施配套建设。在各安置点合理安排了学校、医院等公共设施和商业、金融、通信、邮政等服务网点。

积极推动发展绿色产业，开工建设标准化温室大棚；恢复商贸流通，实现卫生防疫全覆盖……一系列直接关系群众利益的工作迅速得到落实，灾区生产生活秩序全面恢复，社会管理步入常态化。

在所有的恢复重建项目中，城乡居民住房、教育、卫生等公共服务项目被确定为优先位置。

学校、医院、老百姓住房等与群众息息相关的民生工程也成为整个灾后重建中开工最早、进展最快、建成最多的项目。

在结古镇第三完全小学的旧址上，中国水电集团援建的新校舍正在建设中，主体工程已封顶，预计今年 9 月就可完工。“到那时，孩子们将告别‘板房教室’，搬进高标准、现代化的新校舍，孩子们的新校园梦想就实现了！”尼玛校长高兴地说。

这些民生项目的大规模建设和建成，维护了群众的根本利益，赢得了民心，为灾后重建顺利进行营造了安定有序的社会环境。

按照青海省玉树地震灾后重建工作领导小组的部署，2011 年将继续坚持把住房、学校、医院等民生项目放在优先位置，同时加快道路、给排水、广电、通信等城乡基础设施和医疗卫生、文化活动等基本公共服务设施建设，年内建成大部分项目。

自强不息，顽强拼搏——面对繁重的重建任务，广大党员干部群众奋发图强，凝聚力量，以实际行动踊跃投身到重建家园的伟大进程中

灾难磨砺精神，苦痛铸就坚韧。

在结古镇胜利路的电信营业点，中国电信玉树分公司公众客户部经理才青梅正忙着为客户办理手机业务。“地震后，很多固话被毁，援建者源源不断，移动手机业务量大幅上升，我们必须加班加点地干！”

才青梅，藏语意思是“一辈子永生的仙女”。看着这位性格爽朗、精明干练的藏族姑娘，很难想象她在玉树地震中竟然一下失去了母亲、外婆等 9 位亲人。

地震后，才青梅强忍着悲痛，昼夜奋战在抗震救灾和灾后恢复重建第一线，赢得了前来办理电信业务的受灾群众的广泛赞誉。

“只有忙，才能忘了过去的痛；也只有忙，才能让玉树早日焕发新颜，玉树人才会有笑脸！”说到这里，才青梅颇为自豪地告诉记者，今年中国电信青海公司将投资 5.2 亿元，在玉树灾区重点实施公众通信网、农村通信与信息化、应急通信、过渡恢复期通信保障工程。“玉树的通信能力由此将跃上一个新台阶！”

像才青梅一样，在结古山下，巴塘河畔，嘉纳嘛呢石堆旁，无数个玉树人正积极投身重建家园的行列中。对新玉树的向往，对未来的信心，已充盈在每个玉树人的心中。

不等不靠，顽强拼搏——这就是玉树人奋起的写照！

从我做起，重建家园——这就是玉树人坚定的信念！

困难当前，党员干部是群众的主心骨和贴心人。一言一行，寄托着群众的厚望，代表着党和政府的形象。

灾区的党员干部舍小家、顾大家，在恢复生产、灾后重建中发挥带头先锋作用，用心血、汗水和生命书写着对党和人民的无限忠诚。

凡是抢险救灾和恢复重建的现场，都能看到“党员突击队”“党员抢险队”的旗帜，数千

名党员干部的胸前都戴着“共产党员”的红色胸牌，群众有困难随时能找到党和政府，找到党员和干部。

地震发生时，正在青海省人民医院接受治疗的玉树州人民医院党委书记、院长韩慧瑛，毅然放弃治疗，返回重灾区结古镇，投身抗震救灾之中。

2010年7月3日，因中断治疗和劳累过度，持续奋战在救灾一线的韩慧瑛病倒在岗位上，她被转往青海省人民医院治疗。几天后，她因病危被转往北京治疗。8月23日，韩慧瑛因病医治无效在北京去世。

将个人生死置之度外，始终冲在战斗的最前沿，这是当代共产党人的生动写照，显示了共产党人对人民群众的至深情怀！

面对前所未有的挑战和考验，青海省及玉树全州各级党组织、广大共产党员以大局为重，以坚定、坚强、坚韧的意志无畏担当，积极动员和组织群众抗灾自救，迅速形成了奋力自救的工作格局。

“党员领导干部在抗震救灾和灾后重建的伟大事业中发挥了顶梁柱的作用，是这场特殊战斗中的中坚力量和依靠基石。”玉树州委书记旦科说。

严冬过去，春天将至，希望在高原上生长，一支支重建大军集结玉树，玉树新一轮重建高峰即将到来——

2011年，是玉树灾后重建的关键之年，灾区重建力度将进一步加大，计划将完成200亿元左右的重建投资。玉树灾后重建计划将全面完成农牧民住房重建，城镇住房完成总任务的90%，实现80%的入住率，已开工的13所学校和两家医院将全部建成，开工建设大部分公共服务设施和基础设施项目，实现重建任务大头落地。

这意味着，到今年底，玉树受灾群众将基本入住新居，无惧高原严冬，孩子们的新校园梦想也将全面实现。

在即将到来的这个万物复苏的重建春天里，玉树这片热土必将续写新的奇迹。一个更加美丽、更加富饶、更加和谐的社会主义新玉树将挺立在雄伟辽阔的青藏高原！

（《中国应急管理》，2011年第4期）

（执笔记者：马千里　张旭东　王　宇）

（参与采写：余晓洁　张进林　马　勇　肖春飞　秦交锋　何　伟）

大爱汇聚三江源　劫后玉树更挺拔

——玉树灾后重建工作综述

新华社记者　党　周　吴光于

当10月末的雪花飘落在黎明的结古镇，阵阵机械的轰鸣声将宁静的玉树从晨梦中唤醒。

地震19个月后，当巴塘草原再次泛起金黄，我们欣喜地发现，玉树已难觅劫后的凄楚，却在大爱与力量汇聚的三江源头，变得更加挺拔。

站在结古山上举目四望，“四横十六纵”的路网已见雏形，一座座崭新的校舍拔地而起，一排排精致的民居错落有致，医院、商业区……一座座美丽的建筑在纷飞的雪花中，显得如梦似幻。

关　怀

“新校园，会有的！新家园，会有的！”自从去年4月18日，胡锦涛总书记在玉树州孤儿学校的黑板上写下这12个大字，这句话已成为每个玉树人的口头禅。

党中央、国务院果断决策，一项项符合科学发展的重建规划接连出炉，一系列与重建配套的经济政策纷纷出台，一条条着力于家园重建的应急措施不断实施。

按照国务院统一部署，2010年6月20日玉树灾后重建全面启动。

面对一年中只有6个月施工期、高寒缺氧和建筑材料运距长等诸多困难和矛盾，青海省各级政府部门及上万名援建人员与玉树各族群众群策群力、统筹谋划，以非凡的毅力、智慧和心血全力推进玉树灾后重建工作。

截至今年9月底，玉树灾后重建已累计开工887个项目，占重建规划总数的65%，其中，今年开工646项；已累计完成投资183亿元，占规划总投资的57.8%，其中今年完成132.9亿元。一批工程封顶或建成，有的已经投入使用。预计到年底，可累计完成投资超过200亿元，初步形成社会主义新玉树的基本框架，为实现三年重建目标奠定坚实基础。

硕　果

玉树县第二完全小学的操场上，五年级小姑娘卓玛班措静坐在塑胶跑道上目不转睛地望着新落成的教学楼。“教室那么大，楼房那么新，将来在那里我一定要更加努力学习。”她说。

如今的玉树，有着新颖外观设计和顶尖科技手段结合的学校是最抢眼的建筑群。

截至目前，全州47所重建学校已全部开工。其中哈秀、隆宝和红旗小学已交付使用，玉树州民族中学等17所学校已基本竣工。明年3月，转移到省内外就读的9000名学生将全部回迁，并在新校舍中迎接新学期。

10月22日，藏族群众载歌载舞，庆祝称多县藏医院顺利竣工。

目前，玉树44所重建医院已开工32个。其余的医院和22个卫生项目正在加快建设。

来到海拔4300米的玉树县下拉秀镇，一排排整齐的新房映入眼帘。今年9月，随着中国中铁二局在此援建的466套农牧民住房竣工，67岁的江才老人一家迫不及待地搬进新房。“祖祖辈辈都住在土坯房里，这是我做梦都没有见过的好房子！”江才说。

一座座坚固、美观、富有民族特色的民居陆续完工，为新玉树的建设增添了浓郁的康巴风情。

截至9月底，今年玉树灾后重建城乡住房已开工33859户，开工率达90%；目前已完工28719户，预计年内可再完工2739户，完工率将达到84%。

目前，结古镇十大标志性工程正有条不紊地推进。格萨尔广场、州行政中心等5个工程已开工建设。湿地公园、两河景观带、博物馆、地震遗址纪念馆等项目正在进一步落实中。

商铺、商住房的各项基础数据和群众意愿锁定已全部结束，基础工作全面完成。172户商住房已全面开工。7个大型商业市场、5个中心商业区也已陆续开工。

在结古镇南郊的禅古寺地震遗址上，施工队伍正加班加点地加固该寺院的大经堂和千佛殿。而在7公里外的禅古寺新址处，190多间僧舍即将竣工，大经堂主体初见雏形。

目前，全州87座受损寺院已开工建设86座。

具有千年历史的东仓《大藏经》珍藏馆维修加固工程已经通过验收并交付使用。

包括格萨尔及三十大将灵塔和达那寺、文成公主庙、新寨嘉那嘛呢石堆在内的玉树州所有国家级文物保护单位的维修和加固工程已全面开工。

奋　斗

2010年7月10日，青海省委、省政府在结古镇召开万人誓师大会，吹响了全面建设“新校园、新家园、新玉树”的号角。

大爱同心，汇聚高原，北京市、辽宁省和中国建筑、中国中铁、中国铁建、中国水电四家央企，克服重重困难，在玉树展开了大规模重建活动。

如果说灾后的玉树是一个没有硝烟的战场，在“大干30天”“大干50天”“十月大会战”“百日会战”等战役中，各援建单位的建设者们则如同英勇的战士，展示了非凡的勇气与力量。

23岁的中铁二局建筑公司见习生谢涛，去年刚参加工作就主动请战玉树。在平均海拔超过4200米、极度缺氧的下拉秀，他肩负着45套农牧民房屋建设的管理工作。

他和农民工同吃同住。没有水喝，就凿河取冰；没有通信信号，就爬上3千米外的山顶拨打手机；施工点食品匮乏，餐餐几乎都是土豆……艰苦的磨砺让这个80后青年迅速成长。“高原的经历将是我一生的财富，只有吃苦耐劳才能不负中铁二局‘开路先锋’的称号。”他说。

在玉树，正是有了无数个谢涛，一个个“玉树奇迹”得以在三江源头被创造，难以置信的“玉树速度”才能在雪域高原被书写。

从去年7月援建项目开工到今年9月28日，受高原气候影响施工时间还不足1年，北京市对口支援青海玉树指挥部承建的总共114项援建项目，全部开工建设，并完成了90%的实物工作量。

在下拉秀镇，承担着1000套农牧民住房任务的中国中铁从接到任务到全面开工，仅用了3天。虽然施工期不到半年，但目前该批住房已基本完工。

在地处偏远的安冲乡，中国建筑援建的农牧民住房在20天内便实现主体结构封顶，12.5公里的通村公路路基也在30天完成……

自　强

扎西科赛马场西侧，一个颇为寂静的角落里，来自江苏的吕青海和妻子坚持经营着他们的帐篷缝纫店。

地震后，为了选择好的地段，吕青海带着家人搬了5次家。一个多月前，他通过西杭外来务工人员救助站来到这里。“搬进新房之前是不会再搬家了，西杭建委会的同志常来帮衬我的生意，日子总会越过越好的。”他说。

每天傍晚，为了方便过往的车辆行驶，西杭建委会主任巴东总会带着忙碌了一天的工作人员修整门口的一条约4公里长的土路。“我们不能光等着别人来修，自己做些力所能及的事也是应该的。”他说。

在许许多多老百姓恢复正常生活的背后，凝聚的是众多基层干部的心血。

从震后的帐篷社区到10个片区管委会成立，再到今年成立11个片区建委会，在征地拆迁、群众意愿锁定等繁琐和困难的工作中，基层干部用汗水融化了一个个群众心中的坚冰。

如今，挨家挨户入户走访是西杭建委会群众安置组组长西都每天必干的工作。随着冬季的来临，群众的取暖、用电、防火、粮食储备是他最操心的事情。

“党员领导干部在抗震救灾和灾后重建的伟大事业中发挥了顶梁柱的作用，是这场特殊战斗中的中坚力量和依靠基石。”玉树州委书记旦科说。

玉树州公安局副局长兼州交警支队支队长王成元，地震后不顾胃癌的病痛，连续奋战了30个日夜。

在无数个王成元的感染和带动下，群众中凝成了一股不等不靠、感恩奋进的自强精神。

在玉树最南端的囊谦县，毛庄乡的男女老少掀起了声势浩大的住房建设“千人大会战”。

在治多县加吉博洛镇，干部组织数百名群众，投工投劳参与灾后重建，户均增收3200元……

在这里，坚韧续写着玉树子民们的生生不息。即使经历磨难，他们依然如同巴颜喀拉山垭口上的经幡，越是有狂风暴雨，就越不会低下高昂的头。

（新华社2011年11月1日电）

凤凰涅槃的决战

——青海玉树地震灾区重建纪事

《人民日报》记者　张志锋

金秋时节，青海玉树地震灾区重建也迎来收获季。10 月 9 日，青海省玉树地震灾后重建现场指挥部通报：截至 9 月底，1173 项灾后重建项目（不含住房）已开工 1144 项，开工率 97.5%。城乡居民住房重建优先，今年年底所有居民住房基本可以达到入住条件。

"希望群众今年入冬前都能入住新房！"玉树地震后至今，青海省委书记强卫多次到灾区看望群众，考察重建，最牵挂群众的住房等民生项目。不久前，青海省省长骆惠宁专程赴玉树调研灾后重建，他在工地上说，要全面完成结古镇住房重建，坚决打赢今年的决胜之战。

从空中俯瞰，重灾区结古镇像一只展翅的凤凰。地震发生后，在中央的坚强领导下，在全国各族人民倾力相助下，各路援建者克服重重困难，在平均海拔 4000 米的雪域高原，展开了人类灾难史上罕见的大重建。两年多浴火重生，玉树振翅欲飞。

民生优先，让灾区群众先住进新房

玉树地震灾区属于高寒地区、国家重点扶贫开发地区。这里高寒缺氧，每年自然施工期只有 6 个月左右，重建的制约条件很多。但是，群众要回家，孩子要上学，灾区人们等不起。援建，刻不容缓。

2010 年 6 月 9 日，国务院颁布玉树地震灾后恢复重建总体规划，要求力争用 3 年时间完成恢复重建的主要任务。北京和辽宁，中国建筑工程公司等四家央企，部队以及青海省内的援建者陆续进驻玉树，一时间，在 10 多平方千米的结古镇上汇集了多支建筑业"国家队"。

玉树重建，民生为先，住房以及学校、医院等群众急需的公用设施均筹划在前。这些建筑业"国家队"参与建设过"鸟巢"等大型工程，克服过世界级难题。在玉树重建中，他们又遇到许多前所未有的挑战。

玉树当地建材供应匮乏。本地没有建材，周边没大城市支撑，多数建材靠长途外运。今年 5 月 4 日，玉树县第三民族中学工地，卡车师傅高绪辉招呼工人搬运水泥，他说："从西宁到玉树 820 公里，两个司机换班开，要跑 24 个小时才能到，遇到雪天就不好说了。"

玉树山高路窄，施工空间有限。中国建筑援建安冲乡的几个村地处深山，进村要翻越海拔

4600米的红土山垭口，1米多宽的小桥只能容下一辆小推车通过，建成一套80平方米的农牧民安居房，运材料需要小推车来回100多趟。

玉树高寒缺氧，每年自然施工期仅半年左右，这是援建者最头疼的事情。工地上的水龙头时常被冻住，兰州军区的援建者就发电抽水，确保施工。他们请来青藏铁路施工人员现场支招，攻克多个技术难题。援建者每天轮流上阵12个小时，他们负责的玉树州八一孤儿学校等3个项目均提前竣工，经有关专家勘验，工程质量全优。

援建者在玉树经历了生存的考验。这里平均海拔4000多米，站着不动相当于在内地背着40多斤重的东西。一些年轻人高原反应强烈，头疼、胸闷、失眠时时困扰。这里气压低，米饭很难熟透，水很难烧开，温水泡面就是美餐。

面对复杂、艰难的重建环境，援建者始终报以乐观。辛苦的汗水，重重甩去；思亲的泪水，偷偷抹掉。面对外界一些人对重建进度的疑惑，这些新玉树人没有怨言，只是埋头实干。

结古镇一天一个样子：2011年7月初，北京援建的巴塘路等4条路通车；8月中旬，结古镇主干道胜利路等5条道路通车，这里创下的不仅是“北京速度”，更有“北京质量”。北京援建的隆宝镇中心寄宿小学等工程，通过北京市建筑“长城杯”验收。

一项项民生工程建设如火如荼，据青海省玉树地震灾后重建现场指挥部通报：截至今年9月底，玉树州16710户农牧民住房全部完工，入住率75.4%；22439户城镇居民住房全部开工，完工率82.3%，入住率43.96%。44所重建学校已有42所投入使用，到外地就读的学生已返校，剩余两所学校预计10月底完工。63个医疗卫生项目已开工62项。民生工程陆续投用，然而直到今年春，玉树州、县直机关办公区重建仍未动一锹土。根据规划，当地干部将在板房、帐篷里至少度过4个寒冬。玉树州委一位负责人说：“我们在哪里办公无所谓，让农牧民早日搬进新房，让孩子们早日走进新校园，是我们的首要职责，也是最大心愿。”

尊重科学，孕育绿色环保新玉树

玉树地处三江源国家级生态保护区，生态环境非常脆弱。因此，玉树灾区重建融入科学发展理念，统筹考虑建设和生态保护，坚持尊重自然、生态重建、绿色重建。

玉树少树，当地人说，由于自然条件差，在玉树，树比玉更珍贵。在重建扎西科路时，为保住10多棵70多年树龄的杨树，援建方北京市政路桥公司不惜多次修改施工方案。

为保证结古镇2013年拥有一片新绿，从2011年3月起，北京的援建者分赴青海各地选择了丁香、青杨等适合当地的苗木。找树苗不易，运树苗简直是一场战役。苗木在48小时内不栽下有可能死亡，这些采苗点离结古镇大多超过1500公里，沿途翻山越岭，一旦遇到雨雪降温天气，苗木可能被冻伤冻死。为提高苗木的成活率，援建者在西宁到结古沿线设立多个“气象信息收集点”，密切关注沿途天气，确保苗木安全运抵结古。经历一个严冬，一些新栽的苗木冻死了。为提高树苗成活率，他们在土壤中添加药物，给苗木裹上保温纺布。还向当地群众请教，能用的办法都用上了。

地震前，玉树能源结构单一，人们生活和工作中使用牛粪和煤炭占 75% 以上。重建让玉树第一次有了天然气站，许多单位和居民将告别烟熏火燎。过去玉树地区电网电压等级低，供电可靠性较差，重建过程中，玉树电网与青海主电网实行联网改造，玉树的用电短板将得到解决。如今在玉树重建项目工地，随处可见沼气池、太阳能、光伏等新型能源设施。玉树正在逐步告别传统的能源，迎来划时代的变革。

重建让玉树能源结构得到优化，结古镇第一次有了污水处理厂、生活垃圾填埋场等。结古镇污水处理厂去年底竣工，设备已经调试安装完毕，年处理污水 1.5 万吨，可满足结古镇污水处理需要。该污水处理厂利用微生物降解技术，处理过程实现无公害的要求。北京援建方介绍：微生物降解技术不是什么尖端科技，但在海拔 3700 米的结古镇，要培养适宜污水降解的微生物则是创举。

保护生态，科学发展，玉树在重建的号角中获得新生。目前，重建规划的 93 个生态环境项目已开工 84 个，7 个环境整治项目全部开工，51 个地质灾害治理开工 49 个。一次重建，将帮助玉树实现跨越 20 年的科学发展。

心手相连，共筑团结和谐新丰碑

地震无情，全国有爱，各族人民手牵手、心连心，共渡难关。援建者留下的不仅是结实美观的建筑，更是民族团结和谐的丰碑。

来自四面八方的援建者，都把自己当成新玉树人。2010 年 5 月 8 日，中国规划设计研究院向群众公示重建设计方案，藏族阿妈拉珍指着展板高声说着什么，由于交流困难，阿妈情绪越来越激动。费了好大劲，设计者才弄清楚老人的意思，原来她对自家所在片区的设计不太满意，如何向她解释？大家手足无措。这时设计组负责人邓东急中生智，他张开双臂，走上前先热情地拥抱拉珍，然后比划着交流。一个简单的动作，让老阿妈的情绪平复很多，她留下住址。此后一周，邓东和同事们多次登门回访，完善方案，直到设计得到拉珍和邻居们的认可。老阿妈对那天的情形记忆犹新：“真没想到这个专家会像我的孩子那样亲切。”

邓东和同事们清楚：玉树重建的设计不仅需要精湛的技术，更需要了解当地的风土人情、宗教信仰等，让群众广泛参与。“到玉树重建，我们不是专家，是玉树人的兄弟。”

援建，结下手足深情。“听说一个援建者受伤了，医院的血不够，我们就过来了。”2011 年 9 月 24 日晚，在玉树州人民医院的板房内，近百名藏族群众自觉排起长队，争着献血。原来一位北京援建者当天下午遭遇车祸，做手术需要输血，可玉树血库告急！一人受伤牵动众人的心，各方纷纷行动起来。手术成功了，守候在医院不停祈祷的一位藏族老阿妈忍不住哭了：“这孩子是好人，会一生平安。”

百姓的笑脸是对建设者的最高奖赏。在结古镇扎西大同居民定居点，中国中铁 5 个月完成 610 套居民住房，藏族群众为援建者献上洁白的哈达。结古镇拉巴卓玛的新家是一座二层楼，地面铺着地板砖，新买的藏式家具油光发亮。每当客人来访，拉巴卓玛都伸出大拇指：房子修得很好，老百姓很满意，感谢共产党。

重建家园，灾区群众与援建者同心协力。在隆宝镇新建的1600多套住房中，有3套具有特殊意义，这是北京援建者与当地牧民合作完成的。受各方援建的深情感染，隆宝镇的群众也积极响应，尽管连铁锹都不会握，40名藏族牧民报名组成施工队，跟着北京的师傅学建房。君勤村41岁的洛松经过两年磨练，基本掌握电工等6项手艺，当上牧民施工队队长。在他带领下，队员们各自掌握一些基本技能。于是，就有了那3套凝聚八方力量的新居。

感恩，因援建更加醇厚。夏天去玉树，在距离隆宝镇40千米的红土山裸地上，“感恩祖国、感谢北京”8个绿底白边的大字格外醒目。原来，为了表达对各方援建的感恩，当地政府和群众用草皮在山上“栽”下心声。

三年援建，一生情谊。在玉树常听到这首歌：玉树，我美丽的家园，一场山崩地裂之后，你在哪里？玉树，请你不要悲伤，我的心和你在一起……援建总有结束的一天，“大爱同心、坚韧不拔、挑战极限、感恩奋进”的玉树抗震救灾精神将永远在玉树、在青海落地生根，并将融入“自信、开放、创新”的新青海意识，激励青海人民建设新青海、创造新生活。

（《人民日报》2012年10月13日，《青海日报》2012年10月18日第1版）

聚合起建设新玉树的强大力量

——省委、省政府坚强领导组织实施灾后重建工作纪实

《青海日报》记者　罗　藏

“现在，我们可以欣慰地向祖国和全国人民报告：一个崭新的玉树已傲然屹立在雪域高原上！”2013年11月3日，在玉树扎西科草原举行的玉树各族群众庆祝灾后重建工程竣工大会上，省委书记、省玉树灾后重建工作领导小组组长骆惠宁激情澎湃地宣布。

2010年6月—2013年10月，玉树灾后重建的起讫年月。其实，除去三江源高寒草原上三个漫长的冬季，实际有效工期不到两年。

在不到两年的有效工期内，在党中央、国务院的坚强领导、对口援建省市和央企及部队的大力支援下，青海人上下一心、奋力拼搏，完成了迄今为止人类在高海拔地区开展的最大规模的重建。

在不到两年的有效工期内，按照党中央、国务院提出的“居民拥有新家园、生态迈上新台阶、设施得到新改善、城乡呈现新面貌、社会和谐新局面”的重建目标，省委、省政府以“苦干三年，

跨越二十年”的坚定信念，坚持科学依法高效和谐重建，全面完成了灾后恢复重建主要任务。

在全世界目光的聚焦下，在全国人民的关注中，在全省群众的期望里，省委、省政府交出了令人赞叹的灾后重建答卷。

三年来，省委、省政府运筹帷幄，强力推进规划落地，演绎了“一张蓝图到一座城市”的重生

党中央、国务院高度重视玉树灾后重建。震后一个月，迅即出台了《关于做好玉树地震灾后恢复重建工作的指导意见》《关于支持玉树地震灾后恢复重建政策措施的意见》。

震后不到两个月，制定颁布了《玉树地震灾后恢复重建总体规划》，确定了“用三年时间基本完成恢复重建主要任务，灾区基本生产生活条件和经济社会发展全面恢复并超过灾前水平”。并提出“要把玉树州府所在地结古镇建成布局合理、功能齐全、设施完善、特色突出、环境优美的高原生态型商贸旅游城市、三江源地区的中心城市、青海藏区城乡一体发展的先行地区”。

针对玉树特殊困难条件，党中央、国务院确立了“由国家出资、由援建方建设、由地方提供服务保障”的特殊援建方式，做出了北京市、辽宁省和中建、中铁工、中铁建、中电建 4 家央企以及部队对口援建玉树的重大决策。

2010 年 6 月 20 日，国务院抗震救灾总指挥部在西宁召开青海玉树地震灾后恢复重建工作会议。会议宣布成立国务院玉树地震灾后恢复重建协调小组，负责协调重大问题，指导重建规划落实。对玉树灾后恢复重建和对口援建工作做出了及时、科学、全面、有力的部署。

根据党中央、国务院确定的重建目标和重建规划，2010 年 4 月 20 日，地震发生后第七天，省长骆惠宁主持召开玉树灾后重建工作领导小组第一次会议。会议决定成立省玉树地震灾后重建工作领导小组和灾后重建规划协调小组。骆惠宁亲自担任了省玉树灾后重建工作领导小组组长。

从那一天起，省委、省政府一手抓玉树抗震救灾工作，一手抓推进灾后重建工作，在遍地的瓦砾中，在抢救生命的重负下，新玉树的雏形已经描摹出最初的一笔。

省玉树灾后重建工作领导小组担负起了重建指挥中枢的职责。一道道指令从这个中枢迅速发出，一条条讯息向这个中枢高速回馈!

必须谋定而后动、纲举而目张。根据党中央、国务院确定的重建目标和重建规划，省委、省政府确立了“以人为本、民生优先，保护生态、体现特色，统筹兼顾、协调发展，保证质量、厉行节约，自力更生、多方支持”的重建原则，重建工作领导小组更始终坚持着这样的理念：注重以科学规划引领重建，注重发挥政策支撑作用，注重创新领导体制和工作机制，注重加强项目管理，注重推动廉洁重建，注重营造良好社会环境。在强有力的推动下，重建规划迅速落地，重建工作迅速展开。

让我们随意地摘取重建工作领导小组的工作记录：

2010年5月16日，骆惠宁主持召开省玉树地震灾后重建工作领导小组第三次会议，听取并审议灾后重建对口援建、建材保障、运输保障、施工保障、现场指挥调度五个工作方案。

2010年5月24日，骆惠宁主持召开省玉树地震灾后重建工作领导小组第四次会议。审议通过了《玉树地震灾后恢复重建总体规划》和《玉树县结古镇（市）总体规划》。

2010年6月15日，骆惠宁主持召开省玉树地震灾后重建工作领导小组第五次会议。审议出台玉树地震灾后恢复重建“政策措施”“投资计划”“资金安排”“项目管理”“宗教活动场所建设项目管理”等意见。通过《关于发挥群众主体作用，充分运用市场机制，加快推进重建的指导意见》以及《关于成立灾后重建城乡规划委员会的请示》。

2010年6月17日，骆惠宁主持召开省玉树地震灾后重建工作领导小组第六次会议。审批了《玉树县结古镇（市）总体规划（灾后重建）》以及玉树重建“农村牧区建设”“基础设施建设”“公共服务设施建设”“生产力布局和产业调整”“防灾减灾和生态修复”“市场服务体系”“土地利用”“文化遗产恢复抢救”8个专项规划。

2010年7月6日，骆惠宁主持召开省玉树地震灾后重建工作领导小组第八次会议。批准《玉树地震灾后恢复重建城乡住房建设专项规划》。

在重建领导小组的科学决策和强力推动下，迅速确定省内西宁、海东、海西、海南4个地区和11家企业援建玉树其他灾区；

建立一线工作机制，由州、县、乡干部与社区干部共同组成片区管委会，全面实行“一线工作法”；

成立了州县项目管理办公室和省州县三级联合审批中心，对重建项目实施全过程、全环节的严格管理和监控，建立由专业质量监督、工程监理、党政干部、群众代表和业主“五支队伍”构成的工程质量监管体系，严防重建过程发生重大质量安全事故；

2010年下半年，让灾区群众温暖过冬成了重建工作领导小组的头等大事，十月会战，群众过冬安置有条不紊；

2011年5月，在重建工作领导小组的部署和指挥下，城乡居民住房建设和学校建设全面展开，随即在下半年又掀起了城乡居民住房“百日攻坚”战役，住房建设由此快速进展；

2012年，灾后重建如火如荼，结古镇居民住房攻坚战随即打响，重建工作领导小组又及时召开多个会议，强化工程质量、成本控制、安全施工和资金管理，工作千头万绪，但重点始终掌控在重建领导小组手中；

2012年下半年，在重建工作领导小组的强力指挥下，市政设施配套建设和居民区配套设施建设骤然提速，为以人为本、民生优先的重建原则做了最科学的诠释；

2013年，收官之年，重建工作全方位推进，重建工作领导小组科学决策，指挥若定：生态恢复、住房建设进度、工程质量管控、各类设施配套、医院、学校等民生项目提速……至9月底，主要重建项目基本完工！创造了质量与速度并重、当前与长远并重、建设与生态保护恢复并重的玉树重建奇迹！

高瞻远瞩，科学决策；缜密安排，统筹兼顾；身先士卒，强力推动，由此诞生了一张蓝图生长为一座城市的人间奇迹！

三年来，省委、省政府攻坚克难，在高原极地创造了令世人震撼的奇迹

若干年后，当人们回望那艰苦卓绝的三年，一定会感叹，在地处偏远、制约条件最多的青藏高原腹地，省委、省政府带领全省上下，不断攻坚克难，组织实施的那一场气壮山河的灾后重建。

玉树灾后重建条件之苦、困难之多、情况之复杂，世所罕见。

玉树重建是在高海拔地区开展的大规模灾后重建。境内平均海拔4100米以上，寒冷时间长达七八个月，援建施工人员劳动效率降低，各类机械设备实际功率只有平原地区的60%左右。

玉树重建是在制约因素最为突出地区开展的大规模重建。全年有效施工期只有6个月，而且结古镇地处狭小的山谷之中，镇区两侧泥石流、山体滑坡等地质灾害隐患突出，设计施工难度大，居民过渡安置任务重，重建所需技术工人、专业人员以及熟练劳动力需要大量调进。

玉树重建是在国家级自然保护区内实施的大规模重建。玉树境内有三江源国家级自然保护区、隆宝湖国家级自然保护区和可可西里国家级自然保护区，是全国乃至亚洲生态系统最脆弱、最原始的地区。最大限度保护好生态环境，成为重建无法回避和无可推卸的重大责任。

玉树重建是在保障能力最为脆弱地区实施的大规模重建。玉树水、电、路体系不完备，没有大电网覆盖，全州13座小水电站供电负荷仅3.09万千瓦，重建所需建材、粮食、蔬菜等大部分都需从820千米以外的西宁长途拉运。

玉树重建是在建设用地极其有限和土地权益最为复杂地区实施的大规模原址重建。结古约12平方千米的镇区常住和流动人口达10余万人，城市扩展空间极其有限。而且又是连接青、藏、川3省份的商贸物资集散地，地价水平高，客观存在的价格差异使征地拆迁成为重建面临的最艰巨、最复杂的工作任务。居民宅基地占地比例高，土地调整难度大。结古镇土地权益关系复杂，震前土地管理工作相对滞后、土地公有观念淡薄，由此更加大了征地拆迁、规划落地、意愿锁定和重建项目推进的难度。

玉树重建是在民族宗教工作任务最为繁重复杂地区开展的大规模重建。全州38.51万人中藏族人口37.64万人，是全国少数民族人口比例最高的自治州之一。玉树又属于全民信教区，境内寺多、僧众、分布广、影响深，和谐重建任务繁重。

面对重建的艰巨性、复杂性、特殊性和重要性，三年多来，省委副书记、省玉树地震灾后重建工作领导小组组长骆惠宁一次又一次深入重建现场。他数十次来到灾区现场指挥：实地调研，把握重点工作；深入群众，纾解民心民情；科学决策，推动重建进程；高瞻远瞩，掌控工作大局……他的足印踏遍了玉树每一片火热的工地，每一户温馨的藏式新居；他的心中，牵挂着工程进度、建筑质量、生态保护、资金运作……更牵挂着居民住宅能否入住、严冬取暖有无准备、孤寡老人和失去亲人的孩子们是否妥善安置、乡亲们的大棚种菜长势如何……他27次主持召开省玉树地震灾后重建工作领导小组会议，与领导小组其他成员们一道，科学研判形势，

认真谋划对策，用辛勤和智慧，不断破解重重难题，不断推进重建进程。

面对重建的艰巨性、复杂性、特殊性和重要性，省委、省政府首先将住房建设作为重中之重，作为检验重建成效的首要标准。

2010 年 5 月 4 日，震后第 20 天，玉树禅古、甘达两村新社区建设便进行了奠基。当年秋，两村群众喜迁新居。

2011 年 5 月 16 日，骆惠宁在结古镇调研居民住房建设情况时强调，要进一步深入宣传政策、抓紧征地拆迁、加强施工设计、统一住房构造和用材标准、及早锁定群众意愿、抓好“大小市政”对接、加快项目审批、及时拨付资金、优化工作流程、合理调配施工力量、强化工程质量监管，确保结古地区居民住房建设又快又好地顺利推进。

2012 年 9 月 25 日，骆惠宁主持召开省玉树地震灾后重建工作领导小组第 24 次会议。他强调，要进一步增强责任感和紧迫感，继续把加快住房建设放在首位，协调推进水电路等居民区配套设施建设，确保 10 月底前完成住房重建任务，并广泛开展“新玉树新市民”教育活动，适时组织搬新家、拆帐篷、清环境，不断提升新玉树管理水平。

如今，灾区群众的居住条件实现了历史性跨越，城乡居民住房成为最能体现民族特色、时代特征和地域风貌的亮点工程，灾区群众过上了安居乐业的生活。

面对重建的艰巨性、复杂性、特殊性和重要性，省玉树灾后重建现场指挥部连续三个冬季在西宁集中办公，变漫长的冬闲季节为“大会战”季节。省现场指挥部各工作组、玉树州县和各援建单位按照“工程管理法”“当面对接法”“一线工作法”的要求，落实和解决征地拆迁、规划设计、审查审批、新开工项目的时序安排、进度计划以及施工力量、大型设备和建材、电力、物资保障等影响重建的各类前期问题，为完成来年目标任务提供基本保障。

从灾后重建“启动之年”的当年完成“两个大部、一个全部”（即：大部分需重建的农牧民住房基本建成，大部分需重建的城镇居民住房开工建设，所有需维修加固的城乡住房全面完成修复），到“关键之年”实现重建任务“大头落地”，再到“决战之年”的“三年重建工作主要任务基本完成”，直到“收官之年”的“玉树灾后恢复重建的主要任务全面完成”……

在不断攻坚克难，破解难题中，省委、省政府指挥若定，在高原极地创造了让世人为之震撼的一连串难以置信的速度和奇迹。

三年来，省委、省政府统筹推进，取得了物质家园和精神家园建设双丰收

伴随着三江源的晨曦，一片片崭新的藏式民居上空炊烟袅袅；孩子们背着书包，欢欢喜喜地走进坚固漂亮、教学设施一流的新校园；汽车在结古镇四横十五纵干道上有序行驶；通天河畔的温室大棚中，村民们已开始辛勤劳作……

到 2013 年 10 月底，重建总体规划确定的 1248 个重建项目已全部建成，全社会投资达到 420 多亿元，灾区城乡面貌发生了脱胎换骨的巨大变化：

39149 户城乡居民已经入住新居，水电路设施配套，服务功能完善……灾区住房条件得到

根本改善；

94所中小学和幼儿园建成投用，63项医疗卫生重建项目投入运行，65个文化体育影视项目全部建成……基本公共服务设施硬件水平跃居藏区前列；

“四横十五纵”城市主次干道全部建成，给排水、燃气、垃圾填埋、污水处理等市政设施建成运营。电力保障能力比震前提高近2倍……基础设施保障能力显著增强；

48项特色产业和服务业项目全面竣工，7个独立商业区和两河景观带商业区投入运营，一批节能暖棚、畜用暖棚和规模养殖小区相继建成，9个旅游商贸产业重建项目全面完成……特色产业优化升级；

93项灾后重建生态环境建设项目全面完成，灾区18条泥石流沟和4段不稳定斜坡治理工程提前一年完工，城市绿化面积增加到432公顷……生态环境治理取得实效；

4个国家级文物保护项目和56个省级文物保护修缮项目全部通过验收，93座受损宗教活动场所、僧舍和寺院公共用房全部得到重建或维修，生态移民和农牧民技能培训3万人次，2.9万人实现脱贫……和谐家园建设成就突出；

“玉树灾后重建不是简单的复制，而是全面的提升，是物质家园与精神家园的协同建设。”在历时三年的灾后重建中，省委、省政府始终遵循着这一原则，准确把握灾区群众的精神需求，凝聚全社会共同的价值取向，弘扬中华民族传统美德，以精神家园的重建来促进物质家园的重建，促进灾后玉树经济与社会和谐发展；

在艰苦卓绝的灾后重建历程中，涌现出一大批临危不惧、勇往直前、舍生忘死、感人至深的先进集体和先进个人，他们中的18位同志已经永久地长眠于三江源头的大地上，他们的精神也永远是我们心中闪亮的旗帜；

灾难磨砺精神，苦痛铸就坚韧——三年来，伟大的中国梦，“大爱同心、坚忍不拔、挑战极限、感恩奋进”玉树抗震救灾精神，可歌可泣的英雄事迹，激励着雪域高原的干部群众英勇奋斗，教育引导着灾区群众自强自立、乐观向上、知恩感恩……

回眸来时路，是一面面鲜红的党旗坚定了我们的信念，引领我们奋勇向前；是先进典型的崇高净化了我们的心灵，洗涤了我们的灵魂；是中华各族儿女“同舟共济，共克时艰”的凝聚力给我们以温暖；是自强不息感恩奋进的信念给我们以重建家园的不竭动力。

今天，这种强大的精神动力集中迸发出重整山河、重塑心灵的强大力量。恢复重建激发的社会责任与使命，共同理想唤起的精神体认与凝聚，灾区巨变催生的民族自豪与自信，升华为我们这个时代弥足珍贵的精神财富，必定会在建设社会主义新玉树和奋力建设“三区”，全面建成小康的伟大实践中发挥更加重要的作用。

（《青海日报》，2014年1月10日第1版）

诗　歌

玉树，我为你祈祷我为你祝福

曲青山

玉树，美丽的玉树。
你是我魂牵梦绕的胜境，是我爱恋向往的乐园。
你的雪山湖泊、草原牛羊、“锅庄”和格桑花
是那样的神圣迷人；
你的经幡岩画、格萨尔、石经墙和玛尼堆
是那样的神奇遥远。
然而就在一个早晨，就在一个瞬间，
这一切都被无情地撕烂，
这一切都离我渐去渐远。

玉树，难忘的玉树。
你的容颜让我揪心挂肚，寝食难安。
大地的颤抖，使安宁不再安宁；
古镇的喧嚣，使寂静不再寂静；
草原的沸腾，使陌生不再陌生。
就在这个早晨，就在这个瞬间，
你的名字突然传遍世界。
这一天你被定格在历史的时刻，
这一天你为世人永远瞩目留恋。
玉树，感人的玉树。
一方有难，八方支援，人间大爱在这里上演。
橄榄绿、橘红色、黑色和白色迅速向这里集结，
灾难面前，你永不孤单。
听，被救女孩“打扰你们了”的一声道谢，感动全国；

看，失去亲人的村支书与省委领导的碰头礼，使无数观众泪水涟涟。
让泪水洇染泪水，让感动相互传染；
让夏日的草原开满鲜花，让同胞们远离苦难。
玉树挺住、玉树不哭，
我们要为你奉献一个爱的海洋，
我们永远为每一个生命展开救援。
感人的故事在这里汇集和流传。

啊，玉树，
我梦中的玉树，
我吉祥的土地。
劫难和梦魇后，你还会薄纱缭绕，楚楚动人吗？
你还会经幡猎猎，雪山耸云，神奇壮美吗？
我还能听到你悠扬动听的歌声吗？
我还能看到你优美洒脱的舞姿吗？
我还能听到你风化成典的故事和格萨尔的传唱吗？
我还能看到你碧绿的草原、湛蓝的天空、清澈的河水、肥壮的牛羊和漫山遍野的格桑花吗？
你忧伤着我的忧伤，
你寄托着我的希望，
我敬畏你，让我衷心地感谢你！

啊，玉树，
神奇不屈的玉树。
我坚信不久的将来，
一定会再听到你美妙的歌声，
一定会再陶醉于你往昔的风光。
因为你是我亲爱的同胞，
因为有人间大爱传递的海洋，
因为我们不屈不挠，精神不倒和那无与伦比的坚强……

（《青海日报》，2010 年 4 月 19 日第 2 版）

玉树，如果让我选择

吉狄马加

玉树
你就是传说里
格萨尔爱妃珠姆的故乡吗？
你就是记载中
父亲早已消失的家园吗？
玉树，让我聆听你
聆听你的风吹过
这黎明时布满伤痕的土地

玉树
让我把头埋进你的胸怀
让我用长久的沉默
回答一个民族的苦难
玉树，我不会把苍白的
诗句留给你
但我却会把最深沉的爱
写在生命轮回的彼岸

玉树，我不知道世上
还有没有比你更奔放的舞蹈
还有没有比你更沧桑的白塔
还有没有比你更辽阔的天空
还有没有比你更自由的心灵

玉树，没有别的原因
只因为在你的废墟深处
掩埋着一代代祖先的遗址
如果让我，选择你的重生之地

我还会毫不犹豫地选择
就在你曾经死去的地方
在那里获得新生的
必将是我们永恒的生命之乡！

（《青海日报》，2010 年 4 月 30 日第 9 版）

献给就要来临的明天

吉狄马加

我们不会放弃你
不会放弃生命的缘
这里的天空依然的蓝
这里的白云还在飘
不会放弃你
幸运的花是格桑花
最美的人是卓玛
有妈妈温暖的胸膛

把悲伤留给昨天
让我牵着你的手
把梦和希望
把光明和微笑
都献给就要来临的明天

我们不会离开你
生命里总会有奇迹
三江的水流来自天堂
巴塘的风吹进梦乡
不会离开你
吉祥的马是白骏马
康巴汉子叫洛桑

有世上最亲的草原

把悲伤留给昨天
让我牵着你的手
把梦和希望
把光明和微笑
都献给就要来临的明天

曾有过的幸福
失散了的羊群
就要回到我们的身旁
把悲伤留给昨天
让我牵着你的手
把梦和希望
把光明和微笑
都献给就要来临的明天

（《青海党的生活》，2013 年第 5 期）

奋攀昆仑寒涯（上）

——通天河的叙说

格桑多杰

超越时空——
托举生命的希望
超越巴颜喀拉之天门
海拔 4284 米
刚刚闪耀的晨星
一道道光亮
仍闪在山巅

照明了大山的壮丽

高山犹如万丁壮士
银甲铁盔
铠甲粼粼
阵容挺挺
博大的胸怀
勇姿雄浑
炽热的爱心
昂首巍巍壮志
万众一心
横竖千里
展示着众志成城的中国
日夜难眠
有爱的怀抱
贴护着日月升落的家园
来自日月身边的天河
在三江源的密云深处
在三江源万世清澈之源

誓守三江源清明的爱
眷恋双亲的襟怀
敬尊心底慈祥的音容
惊觉三江源婴儿的气息
关注他们怀抱中的咿哑学语

传递高海拔的心律
黎明在东方分娩时
依然就是新一晨的博大灿烂
无私的她把温暖喷洒于星球的高巅
巴颜喀拉山顶起云端的感恩
借流星的火速
乘驰宇宙之蹄速
正迎满穹放辉的时分
高海拔的垂直被惊愕

横卧的山架被震慑
一场噩梦一场灾祸突如其来
一场深重的大难降临宁静中的玉树
天崩地裂犹如猛兽撕扯的惨景
一场疯狂着的噩梦

4 月 14 日 7 时 49 分
满目疮痍
玉树结古镇群众陷入灾难
揪痛了巴颜喀拉山的心脉
惊刺了三江源碧清的泉眼
震碎了清明如镜的期望
此刻听见的是宇宙的抽泣
此刻四海在深层疾痛呻吟
此刻苍鹰的苦泪熔碎了冷岩
此刻高翔的白云泻漏血雨
草原绿色的心田被撕破
顷刻间结古镇化为废墟
辽阔的山野喷出惨痛的哭嚎
悲哀夺走了舒心的阳光
悲伤夺走了今天的灿烂
明天的光辉
满目无法接受的残酷现实
被地震的灾魔吞噬了
属于人只有一次的生命春光
毁灭了伟大人生的信念灯火
扼杀了智慧人生的渊源深境
毁灭了一个个敢于启迪世界的智眼
毁灭了一个个提升时代向前的心灵
一个个比钻石更美百倍的精神世界

美丽的玉树——
玉树曾长青于世界的眼眸
长青于三江源清澈的涟涟
奔驰于夏日的草原波浪

歌舞于蓝天彩虹的大地
玉树你的传名
富于美而坚韧的生命力
原初是一个古老族群的始称
你与三江源同生共存
历经沧桑的岁月

玉树唐蕃古道上的绿色通道
是长安—拉萨的第三座桥梁
渗滴过文成公主远途的热泪
松赞干布万分激情的喜悦
玉树是世界著名诗史《格萨尔》
传承的处女地
是众多演唱艺人画师
抄写诗史世家的诞生之地
是 30 年前第一次问世演示诗史
《出征》一幕的最高舞台

玉树是三江源生命不屈的圣土
祖代先民伴着三江源浩瀚东流的故土
守护万年源流不涸的雪域
玉树
是恳挚响应三江源生态移民的藏乡
是第一个付出历史性负重转折的遗址
从根本改变多世纪生存方式的牧人之村
诚恳承担着眼于大局的
草地家园

玉树
是中华民族五千年文明水系江河的沃土
是追求生命希望沿水系繁衍的史册原版
你我举燃一盏明灯——
颤抖的手臂高举
默哀伟大生命遇难的高地
追念崇高无尚的人生

痛哀逝去的时辰
我不敢再睁眼
那无数遇难者的面孔重现
惊闻坍塌中晃动幽咽的哭声
那一个个倒下挣扎的残影
那一个个伸出手臂呼叫救命的老人
那一个个孕妇孩子和孤儿……
玉树笼罩于房屋倒塌的灰尘里
此刻心撕肝裂
此刻一阵剧疼穿透全身
沉陷于万分悲痛的旋流
再也无法解脱
眩晕天地也在眩晕

钢铁的臂膀——
钢铁的臂膀抗震救灾
钢铁的军令在抗击天祸
以命救命以躯救躯
付出牺牲自我的勇气
拯救尚未闭眼的青春
奉献自己宝贵生命的准备
全力救助就要熄灭的人生
人民的子弟兵像长城一样
出现在灾区玉树

亲人金珠玛米——
你牢记人民军队崇高的使命
你高高举着“五星”鲜红的军旗
你铭刻肺腑关爱人民疾苦之圣职
你时刻护卫人民的安宁和生命财产
你信守着爱国爱民的光荣信念
对各族人民无限忠诚为立足的根本
不怕大灾大难英勇向前
高昂的斗志始终如一
克服高海拔不适应症的折磨

克服高原性紫外线的强烈辐射
克服前线一时饮食不便的困难

谁在构筑——
谁在构筑
一道道橄榄色的雄伟长城
巍然屹立抚慰乾坤
无愧是人民自己的坚强后盾
翻开日日夜夜奋战的日历
多少个夜夜日日更替的朝夕
战斗在重灾区的最前沿
金珠玛米是人间的神军
金珠玛米是人民的救星
把极度疲劳置之度外
呼吸污染的尘埃无暇顾及
一双双
一件件
军鞋军装磨破
刻记时间就是生命
时间就是对遇难生命的声声召唤
时间就是生命重生的分秒希望
是多么崇高的行动
是多么珍惜的时刻

英雄的人民子弟兵——
炼铸了新的钢铁
炼铸了比钢铁还坚的身骨
构筑了汶川—玉树
抗震救灾的雄伟昆仑
发扬了愚公移山不畏困难的精神

将军你太辛苦了——
天地间有你们钢铁的双肩
使我们找到重生的希望
使我们获得重建家园信心的源泉

将军你太辛苦了
带领钢铁般的军队
一支支队伍
从四面八方奔赴雪域
从碧空的航线从都城和军营
神速地跨越了 4800 多米的高峰
神速地超越了时空
同子弟兵一起并肩抗震救灾
为抢险遇难者汗流浃背
以最科学有力的措施紧急救援
紧守遇难者的足迹不留死角

有一支支特别能战斗的
武警消防队伍
有一支支守护灾区的
公安干警和特警
有一支支人民解放军野战救治医疗队
还有许许多多各地的医疗人员
工人农民和志愿者
他们探寻生命救治伤病
他们抢修公路接通水电
不松弛一分不退出一步
与人民在一起同甘苦
与灾民在一起患难同舟
成为拯救遇难者的典范
托起生命希望的榜样
急灾民之所急
想抗震救灾之所想
神速神速再神速
以兵家的果断气魄
紧挽一个又一个新的黎明
共托起无数生还者的希望
万众一心感动玉树
以最科学有力的措施紧急救援
4 月 21 日汽笛长鸣

是泣诉更是号角
强大的凝聚力——
中华万众一心的品格
救援灾民感动国人的气概
神速的行动救人感动了世界
玉树又见了新一天的太阳
受难的父老乡亲又迎来金色的黎明
一脉同胞的玉树抹去泪珠
是的
国人期待
是的
世界瞩目

中央领导紧紧地系手
玉树生命的希望
国务院情系玉树
重生的今天和明天
中央军委情牵玉树
让她坚强地挺立起来
静听玉树的脉搏
五湖四海大爱无疆
有爱就有希望
东有泰山巍巍
西有昆仑茫茫
五岳鼎立乾坤天长地久
今天的神州大地昌盛富强
玉树不再孤独惊愕
玉树不再哭泣伤痛
关爱如江海博大无限
十三亿爱心放射着星颗的光芒
融化着震灾的寒冰冷雪
心灵的伤疤就会治愈康复
春意的萌芽润绿巴颜喀拉山的万仞
圣洁的雪莲不会失去春天的微笑
把雪莲的根须与种子

播满昆仑的广袤山野
新开辟花蕾的群山河川
让一簇簇昆仑之草繁茂茵茵
讲述绿色生命的顽强
借三江源碧波的泓流
感恩英明伟大的党
雪莲芳菲 4829 米的国道山口
让藏羚羊饮鉴三江源的清澈
感谢神州大地八方的关爱
珍惜太阳的晨光感谢一脉同胞
让洁白的雪山闪烁银光
珍惜这圣洁纯净的光亮
感恩伟大的社会主义祖国

（《青海日报》，2010 年 5 月 21 日第 10 版）

玉树常青（歌词）

屈　塬

玉树临风
吹得我们心痛
来自雪山的消息
让人伤情
战栗的高原
惊恐的眼睛
五彩的经幡
洒落在风中
你的伤
我会痛
用滚烫的泪水
融化了冰
一场一场的劫难

心儿贴的更近
为你祈祷
玉树常青

玉树临风
吹得热血奔涌
多少温暖的情节
让人动容
不屈的脊梁
苍茫的昆仑
涅槃的雄鹰
翱翔在云空

你的歌
我在听
在那遥远的地方
有我的梦
一次一次的牵手
爱在一起交融
为你祝福
玉树常青

你的伤
我会痛
用滚烫的泪水
融化了冰
一场一场的劫难
心儿贴的更近

为你祈祷
玉树常青
为你祝福
玉树常青

（《青海日报》，2010 年 5 月 21 日第 9 版）

救援之马奔驰在祖国的路上

——写给灾难中的玉树

马海轶

一

玉树路途遥远的传说
昨天你临风站立
性情开朗的雪域
以雄鹰展翅的方式
传说在这个暴戾的清晨破碎
我看见格桑和梅朵一双姐妹
在裂缝中捡起碎片
天空的碎片云朵的碎片

玉树我的姐妹
今夜我为你点燃篝火
温暖这字里行间的冰凉
让云朵重新回到永远的天空

二

玉树山重水复的等待
昨天你出门远行
在风暴与彩虹之间
以骏马飞奔的方式

等待在这个狰狞的四月破碎
我看见杰桑与桑杰一对兄弟

在倾倒的骨骼中寻找
马鞍的碎片马蹄的碎片

玉树我的兄弟
今夜你并不孤单
看见吗吉祥神鹰聚集在巴塘的上空
听见吗救援之马奔驰在祖国的路上

三

玉树冰清玉洁的梦境
昨天你舞袖舒展歌喉清亮
深蓝色的草地起伏不定
以流水和月光的方式

梦境在春天即将降临时破碎
炉火熄灭一对夫妇
在通向往日的路口看见
道路的碎片课本的碎片
玉树我的父母

我用双手打捞打捞尚未沉底的生命
我用血肉缝合缝合创伤缝合时间
我用心灵收容收容悲伤收容苦难

四

玉树一句心上的嘱托
将你扶上马背送到山口
露珠和炊烟的背景里
以养育和回报的方式

玉树在诗歌中破碎
我和我的心情对望
苍白的纸上散落

词语的碎片悲伤的碎片
玉树逝去的亲人
今夜让我将破碎的记忆聚拢
在万顷碧波的草地上
在万流聚汇的江河源

玉树逝去的亲人
今夜让我重新将你安置
在手中摇曳的烛光下
在心中熊熊的炉火旁

玉树活着的亲人
今夜让我重新将你安置
在漫天的大雪之外
在饱满的青稞旁边

玉树活着的亲人
今夜让我重新将你安置
在万朵春日眷恋的飞翔中
在万家灯火陪伴的温馨中

（《青海日报》，2010 年 4 月 25 日第 8 版）

五月叙事：写给父亲的玉树

古　岳

没有桑烟飘摇的祭台上落满了瓦砾
我在苦苦地找寻一条小巷，一扇窗户
一扇窗户打开着，阳光能照在地上
我匍匐在地，我想听到马蹄的声音
而马的嘶鸣却深埋在废墟里
一支支队伍向荒原集结

一双双大手在废墟里刨挖着最后的希望
一个人站在废墟里而废墟之下却埋着我的爱人
一只脚踩到我的心上
为你而写的情歌就变成了
撕心裂肺地哭喊

一条小狗至死守在废墟上不肯离去
因为废墟里有它的母亲
一条母狗一直守在废墟上，至死不渝
因为废墟里有它的孩子
生命与生命的相守，就是生死相许

玉树，你可曾记得，你本来的名字叫帕玉墟
是父亲的家园和遗址
我不知道，是家园变成了废墟还是废墟原本就是家园
嵯峨山岗之上，用石头砌成的城堡
如菊。如莲。盛开蛮荒
记忆在每一根荒草的根须里慢慢爬行
而后沿着石阶上的阴影漫过了残垣断壁
宫阙坍塌。圣殿陷落。家园不再
父亲最后的背影就在那山岗上飘荡成了一面经幡
守望岁月。守望女儿灿烂的脸庞

曾经的遗址再次成为遗址
即使所有的废墟上都开满格桑花
也难以承载人世间所有的苦难

远处有经幡飘摇草原从久远的过去里一路浩荡
山冈上，很久以前的那抹金色晚霞
一直在天空里涂抹一段怀念
往事如烟。黑色的牛毛帐篷每天都有炊烟升起
岁月一千年一千年地过去
那么多的炊烟却总能飘散
飘散之后，它们去了哪里

你曾把衣袖搭在巴颜喀拉的头顶上
让它变作了万道霞光
你曾把额头烙在格拉丹东的冰峰上
让它化作了无量功德，不息涓涓，亘古流淌
你曾把双手的指纹印在所有的崖壁上
让左手印变成了白度母，右手印变成了绿度母
你曾把心灵摊放在通天河的冰面上
让它凝成万卷经文
让长江和她的儿女们千万年诵读诵读吉祥
最后，你才跺了跺双脚，抖去你靴子上的泥土
不曾想，大地却在你的脚下成了万面金鼓
鼓点上喷涌而出的就是康巴的弦子和卓舞
是的，你就是我的父亲啊
我雪山般威严慈祥的父亲

那天午后，我走过废墟
我看见了亡者亡者是我的父亲和母亲

山坡上。扎西大通的山坡上
一尊佛像从基座上滚落
滚落之后，端坐于瓦砾之侧
俯瞰世界。而世界已经崩裂
那时，骑在马背上的格萨尔伫立广场
看着一台巨型吊车起吊一座倒塌的房屋
他想起了帐篷，帐篷里的酥油灯依然温暖
而一个不满十岁的小男孩刚从废墟里挖出一束塑料花
正背着他的妹妹寻找母亲
那束花是母亲最美丽的一个记忆
他要找到母亲把美丽送还给母亲
在远行的路上
母亲不能没有那个美丽的记忆

满目疮痍的山坡下
一双双大手已经在瓦砾上抠出鲜血
抠出鲜血的大手正托举一个婴儿

一个新的生命在废墟里降临
母亲用自己的死亡为他换来生的希望
我想对他说，孩子，母亲惨烈的死亡诠释的是爱
却并不证明生的荣光
你一生一世的背负必将见证
其实，有时候，死要比生简单而且容易

那天午后，一个人拥抱另一个人
那天午后，一个人与另一个紧贴额头
那天午后，我一个人泪如雨下
那天午后，你一个人走过玉树
那天午后，有无数人泪如雨下
那天午后，有无数人走过玉树
无数的脚印里装满日月，无数的脚印里盛开莲花
那天午后，玉树在一片废墟上慢慢苏醒

废墟之下，无边的草根开始萌生新的叶片
从地底下伸展它们娇嫩的手臂
就要举过地平线了
雪域的雪季已经渐渐走远
春的气息已经漫过天涯
最终，每一片草叶都会以生命的样子重新站立
天空依然很蓝云彩依然很淡
无论生还是死
每一个生命都不会错过任何一个轮回的季节
错过的只是一个献祭的日子和时刻
生命的繁衍将继续生和死的轮回将继续
爱的温暖也将继续一切的一切都将继续

2010 年 5 月 13 日玉树地震月祭

（《青海日报》，2010 年 5 月 21 日第 10 版）

四月的祈祷

郭国庆　葛建中

白头的巴颜喀拉
尚未从残冬中苏醒
她智慧的额头
还在缭绕的云雾里沉思
但，春天的潮汛
已经沿通天河从冰清玉洁的源头走来

辽阔的巴塘草原哦！
开始分娩一株株娇柔的草芽
开始繁衍一层层生命的新绿
五彩缤纷的玉树哟！
即将在春阳的指尖上绽开花蕾
即将在鲜花的海洋里纵情歌舞

四月十四日，黎明的曙光刚刚划破长空
玉树刚刚被一轮朝旭拨开她惺忪的睡眼
四月十四日，绚丽的彩霞刚刚铺满苍穹
挂着露珠的酣梦中却激荡起闷雷
氤氲着奶香的结古被摇撼的大地无情地推倒
这一刻，灾难自高天降落
这一刻，悲痛从心中升腾
——这一刻：2010 年 4 月 14 日 7 时 49 分
时间的指针刺痛了人们心灵的最深处

恬静的家园失去了鸟鸣
欢腾的乐土上没有了歌声
人们呼唤着亲人的名字
在泪水中寻找熟悉的面容

今天，让飘荡的长风
为我们的哀思插上沉重的翅膀
拍打和激荡世界的每一个角落
今天，让呜咽的江河
为我们的挽歌谱写成低回的旋律
渗透和融入每个华夏儿女的心窝
今天，让凝滞的白云
把我们的泪水凝结成洁白的绢花
开遍青海的座座山冈，条条江河
让不尽的悼念根植于我们滚烫的胸廓

哦！玉树，云端的玉树，雪山簇拥的玉树
哦！玉树，天界的玉树，三江纵横的玉树
巴颜喀拉此刻垂泪含悲，哀哀地脱帽默立
扎曲巴曲此刻悲情难抑，缓缓地呜咽饮泣

尽管惊恐的鹰群飞离了山冈
尽管暴躁的马蹄踏起了烟尘
尽管繁华的街市变成了废墟
尽管坍塌的房屋湮没了笑声

但玉树啊！依然顽强地抬起了
她那高贵的头颅
她看到滚滚烟尘也无法遮挡的黎明
迈着铿锵的脚步如约而来
她看到大爱的暖流如同春风
正汇聚到四月的三江源头

晨光中，一群群驰援而来的生命
用他们劲风般的呼唤
覆盖了被废墟掩埋的呻吟

一位额头淌着鲜血的父亲
背靠着他曾经的家园——

那一堆堆尚有余温的残砖瓦砾
他惶恐，但不失坚毅的目光
注视着眼前的一切
他强健的臂膀紧紧搂抱着
被突兀的灾情吓坏的孩子
他看到一张稚嫩的军人的脸上
正流淌着夜露般晶莹的汗滴
弯曲的脊梁上
匍匐着一位劫后余生的长者
孩子从父亲犹如城墙般坚固的臂弯里
体味着爱的暖流！
父亲从军人刚毅如铁的身上
感到了爱的力量！

一位被埋压在废墟下的藏族女孩
在熬过最漫长的一天后
被一双双温暖有力的手
从另一个世界牵回
面对身着橘黄色衣服的搜救队员
躺在担架上的小姑娘没有了恐惧
她说：我一辈子也忘不了你们

玉树，在这一刻
有多少这样感人的瞬间
就会有多少大爱的永恒
玉树，在这一刻
有多少这样涌动的暖流
就会有多少真情的呼唤

一架架神鹰从四方飞临
一辆辆汽车排起了长龙
万水千山阻隔不了无数颗赤热的心
玉树，挺住；玉树，不哭

还记得扎西科草原上潇洒的康巴歌舞

剽悍的马队
还记得文成公主庙前高耸的白塔
飞扬的经幡
还记得结古寺辉煌的金顶
结古镇广场格萨尔威武的雕像

玉树——这个令人神往的地名
呈现着清晰的年轮
承载着悠久的记忆
她秉承唐朝雍容的气韵
又赋有新时代的风采
在青藏高原深邃的天空上
她是一颗不会陨落的璀璨的星辰
玉树——必将浴火重生！

（《青海日报》，2010 年 4 月 25 日第 8 版）

玉树恋歌

辛红菱

之一

天说你是苍鹰最初与最后的归宿
云说你是文成公主回眸留下的仙境
风说你是康巴情歌里走丢的音符
雪说你是千年雪峰上最后一朵雪莲
我说你是远在天边生命的三江源头

今天黑白色的中国为你而悲伤
肃穆的没有一丝声息
每一个心为你而牵挂
每一滴泪为你轻轻流淌

今天我只想轻握你冰冷的手
给你一间炉火的温暖
为你拂去衣衫的尘雪
为你拭去眼角的泪珠

想起七月如火的赛马会
你华丽的服饰你多情的眼眸
你纯净的心灵你嘹亮的歌喉
你英俊的浅笑我如何能不低头
我如何能不落泪

落雪满空山每踏一步都是心碎
格萨尔广场上那月光坐过的台阶
如今是伤痛的入口

那一场生死的离别
那一场残酷的背叛
生命是不能深究的
你却以这样的方式刺痛了我的心

我多想看到你依旧灿烂的笑容
我多想听到你依旧妖娆的情歌
我多想看到你灿若云霞的妩媚

我多想听到你
粗犷豪放的酒歌
我魂牵梦绕的玉树啊
我从未想过
在这样的时刻
以这样的方式
与你相会
你的伤痛即是我的伤痛
你的美丽即是我的幸福
穿越千年的尘埃
穿越记忆的伤痕
我的玉树

你依然是我的神话
你依然在我梦中起舞

之二

因为天蓝所以你蓝
因为天高所以你远
哦玉树我心中圣洁的姑娘啊
你是上天遗失的珍宝
在人间化作美丽仙子
我醉在你蔚蓝的眼神
把等待化作蓝色眼泪

因为天蓝所以你美
因为天高所以云淡
哦玉树我心中的康珠拉姆啊
你的美只有上天知晓
在草原烈烈的风雪中
我要你永不枯萎褪色
把泪水化作灿烂笑容

因为天蓝所以你蓝
因为天高所以你远
哦玉树
结古寺那昨夜的钟声
恍如我那隔世的心跳
念珠上是故乡的山野
我流在你心尖的泪水
把远行的酥油灯点亮……

我要点亮你心的明灯
把痴情走成千古绝唱……

（《青海日报》，2010 年 5 月 21 日第 10 版）

散　文

见到巴桑

郭建强

直到踏上通往玉树的 214 国道之前，我都不知道谁叫巴桑，不知道她会走进我的这次采访之中。

然而，就是这么巧，仿佛老天早就打好了伏笔——在我乘车离开西宁不久，突然收到了现在天津市作协工作的诗人林雪的短信，她问我能否帮她寻找曾在西宁结识的藏族友人巴桑。她说，巴桑现已受伤，境况亟需改善。当我告诉她，我正在向玉树行进时，林雪发了一则让我内心一颤的短信："建强弟，你的电话是我平生最重要的电话了……"此时是 4 月 17 日早晨 9 点 50 分，我们刚刚到达平静的倒淌河镇。

这样，因为灾难，把我和在 2009 年春天有过一面之缘的林雪，以及未曾谋面的巴桑联系在了一起。后来，我才得知，林雪和巴桑结缘，同样是在那年春天。当时，青海电视台举办了一台纪念"三八"国际妇女节的专题诗会。林雪是节目中的诗歌朗诵者，巴桑是藏族歌舞表演者，我是前来采访的记者。而我丝毫没有意识到，我和林雪以及巴桑在一年后会因为地震而紧密地联系起来。

汽车快速而稳健地驶向巴颜喀拉。其间，我不断接到林雪的短信。我知道这是一种信任。车到结古，已是夜里 11 点钟。在通往州委、州政府的主干道上，数百辆参与抗震救灾的汽车排成了长龙，突突的马达向夜空发出了焦急的呼声。从入城处到救灾指挥部，不过几千米，我们的汽车却足足爬行了一个小时。在指挥部报到后,作家采访团在玉树州歌舞团院内安营扎寨。

而我心急如焚，只盼这第一夜快点过去。晨光终于彻底穿透了夜幕。匆匆吃过早饭，大家按照要求前往设在体育场的临时医疗救治安置点。我一边走，一边给玉树的每个朋友打电话询问巴桑的下落，却没有消息。10 点左右，我突然接到了巴桑的电话——在此之前，我怎么也打不通她的电话。巴桑说，因为充电难，她不敢轻易打开手机。

我忍住高兴劲儿，马上给林雪报告消息。

我本以为在巴掌大的结古镇寻找巴桑是件容易的事情，何况还手握巴桑的短信——那上面写着她家大致的方位呢。可是，我想错了。18 日下午，我和宋长玥沿着受损惨重的新建路，经过了玉树州民族师范学校，走到了吞噬了数十个小学生的玉树县第三完全小学。弥漫在空气中的尘土，呛得人几乎说不出话来。我们一路寻找，一路打听，却毫无消息。巴桑，巴桑，你在哪里?

我着急了，开始大声呼喊巴桑的名字。就在我筋疲力尽地回返第三完小时，一个中年藏族妇女突然走到我面前，伸出手来说:“你是郭记者吧，我是巴桑。”

我们坐在炉灶前，这时风更大了。从瓦砾中残存的树木，香炉，我大致能够判断这个曾经充满温馨的藏族院落的基本格局。“地震带走了我的妈妈和我的外甥女。”巴桑指了指身边的一位妇女说，“这是我的妹妹，她的腿也受伤了。”

巴桑的眼圈红了，但语气仍然十分平静:“遇到这样的灾难是没办法的事情。我家邻居都有伤亡的，我们应该把去西宁和其他城市治疗的机会留给伤病更重的人们。”

我已经有十多年新闻工作的经验，面对巴桑诚恳的面孔，倾听巴桑平静的讲述，被深深地感动了。巴桑在州政府工作，现在一家人只能在这吞没了两位至亲的废墟前扎下帐篷，她和她的家人的心情可想而知。巴桑再三说，自己家的困境不算什么。她坚信党和政府有能力帮助她们一家人和所有受灾群众走出阴霾。

炉火在微弱地燃烧。巴桑说，很多在外地的朋友得知玉树地震马上打电话，询问她的情况。“有些朋友在电话里说，要马上赶到玉树来，我不同意，因为这里太艰苦了。”巴桑似乎用了很大力气才说完了最后一句话。

抿着嘴唇的巴桑，眼神坚毅，她接过我递给她的一小包药品。这是我从西宁带来的，有消炎的、治感冒的和治拉肚子的。这些常用药，在此时此地却相当珍贵。我忽然感到很惭愧，我应该从西宁多带一些东西啊。后来，我才得知就在我见到巴桑之时，林雪已经联系上了身为全国工商联连锁药店委员会的副主任委员的诗人月冰。在他们的呼吁下，天津、辽宁、陕西、山西……多家药店把药品和爱心汇聚向玉树。

灾难是人间的不幸，却又是人性的试金石。

我看到了巴桑痛失亲人的不幸，却又感受到了她发自内心的光芒；更因为诗人林雪、月冰等人发起的爱心接力，而感受到了人间的温暖。我找到了巴桑，也找到了生命的一种尊严，一种希冀和一种美好。

（《青海日报》，2010 年 4 月 30 日第 9 版）

历史在这里哭泣

梅　卓

4月19日傍晚，结古镇拥堵的交通状况刚刚有所缓解，漫天黄沙也渐趋平息，当地朋友陪我们去了禅古寺。寺院位于结古镇南西航村所在的禅古山腰，建于公元12世纪，是玉树地区著名的噶玛噶举派寺院。地震之后禅古寺满目疮痍的景象刺疼了我的眼睛，沿山而上的白塔倾圮数座，描画着鲜艳图案的寺院建筑成为废墟，到处都是触目惊心的残垣断壁。

成立巴松堪布告诉我，14日凌晨，那个黑暗时刻到来时，他和另外几位僧侣正准备上早课，眨眼间，突如其来的地动山摇就把他们掩埋在了轰然倒塌的大经堂之中，不知过了多久，其他僧侣把他们挖了出来，当他重见天日后，看到尘土满天之中的寺院已经面目全非，慌乱的人群在活佛和堪布们带领下镇定下来，赶紧组织自救。粗略估计一下，全寺260位僧侣中，有23位罹难，受伤88人，260间僧舍倒塌，三座大经堂成为废墟，一座佛学院、两座闭关中心、一座护法殿夷为平地，接待室和图书室地基塌陷、墙体裂开，还有23座佛塔碎裂为瓦砾……损失的价值无法估计。

禅古寺是这次地震中受损严重的单位之一，许多救援队、消防队、医疗队都先后来进行救援，现在88名伤员中，一部分重伤者已送往成都、西宁救治。我看到他的脸颊和手背上还有血痂。成立巴松堪布特别提到温家宝总理来寺院视察灾情时给予他们的精神慰藉，温总理说发生这么大的灾难他本人非常难过，希望大家不要失去信心，将来寺院一定会重建，禅古寺的明天一定会更好。

成立巴松堪布说，温总理的话让他心中非常温暖。作为一名僧侣，看到寺院顷刻间化为乌有，就像一名失去家园的孤儿，感到无依无靠，如今有国家的强力支持，有那么多好心人的帮助，我们真的充满感激。

在我们谈话间，忽然耳畔传来熟悉的乡音，转眼一望，只见一辆刚开来的大型救灾物资卡车上拉着一条横幅：化隆县乙什扎村僧俗群众心系灾区。原来是我家乡的人啊，我们的手紧紧握在一起。村支书万玛才让告诉我，有方便面、牛奶、饼干、面粉、大米、矿泉水、火腿肠等，还有乡亲们特意赶制的340个大馍馍，总计有4万余元。我的喉头哽咽，我的家乡也是个贫困地区，对他们来说，饼干、大米、火腿肠、矿泉水都是奢侈品，平时自己是舍不得吃的，有的人家孩子考上大学都供养不起，这次能够倾其所有拿出这么多物资来救济灾区，有难同当的决心可见一斑。随着在灾区所见，其实像我家乡的这种例子比比皆是，西部尤其是藏区都是不富裕的地方，但人们心系灾区、共御灾难的精神彰显出人性中最宝贵、最美好的一面。

禅古寺是青海省级文物保护单位，这次地震中，90%建筑成为废墟，建筑文物损失最为严重。

4 月 18 日上午 8 时，第二炮兵某部赶赴禅古寺帮助挖掘被掩埋的文物。截至 20 日，共挖掘出佛像 1355 座，金佛 2 尊，唐卡 90 张，经书 5031 册，各类法器 877 件。其他文物还在抢救之中。

我们也了解到，在这次大灾难后，国家文物局立刻启动应急机制，与省文物局的专业人员一起赶赴灾区，勘察文物灾情，制订重建工作计划。希望那些珍贵的文化遗产不久将重见天日。

（《青海日报》，2010 年 4 月 30 日第 9 版）

震后：在结古的街道上走过

王永昌

时至 4 月，春天来临。这个春天与以往不同的是，玉树发生了地震。所有的心情从 4 月 14 日那天起，就紧紧地和玉树联系了起来。从媒体上看到那么多的人，那么多的爱，在很短的时间里汇聚玉树，我深为自己在大灾面前对着灾区人民而不能有所作为感到深深的惭愧。

地震发生后的第十天，我来到了玉树结古。

从玉树机场出来，看到远山白雪耀银，近处黄草萋萋，牦牛点点。轻风微来，似有春的气息迎面而至。机场里堆放着大量的物资，汽车正在忙着运送。车来车往，除了感觉忙碌，地震的印迹在这里并不明显。冒着一路的滚滚灰尘，将近结古镇时，看到了一条街的两边到处是倒塌的房子，土木结构的、钢筋水泥的，那些曾经漂亮的藏式建筑，在黎明到来的黑暗里就这样成了一堆又一堆眼前的瓦砾。废墟上，有部队官兵在忙碌着清理，绿色、蓝色的帐篷像一片荒漠中的希望之舟，驻扎在废墟边上，帐篷前有人或忧郁或迷茫地坐着，看着眼前来来往往的人，来来往往的车，不知道那一刻他们的心中在想什么。

到了结古镇，车多得令人意想不到。拉着警报的警车，轰鸣的摩托，碎了窗玻璃、挡风玻璃用纸板挡着却依然急驶的小轿车，拉着物资冒着黑烟的大卡车，把曾经宁静的玉树搅成了一锅粥。街上的人也多得令人眼花缭乱，绿衣的战士、黑衣的藏族同胞、红衣飘飘的喇嘛、扛着摄像机的记者、戴着太阳帽的志愿者，这片曾经人口并不是很多的小镇，在极短的时间了聚集了来自全国各地的人们。

黄昏。从住地出来，一路向西，真正走近了遭遇地震的地方。这时西天一片绯红，给灾后的结古染上古铜色的庄重。看到不远处一顶帐篷，里面灯光温馨，我还看到里面有擦得明亮的矮柜子，有着藏袍的女主人在帐篷里忙碌的身影。男主人弓着身子坐在帐篷前，捻动着手中的念珠，喃喃自语……夕阳的余晖里，像一尊忧伤的雕塑。继续向废墟行进，就看到那帐篷的烟筒里冒出的青烟，在微风中轻轻飘散。就是这一缕袅袅炊烟，让我感动许久。那毕竟是新生活的开始啊。无论遇到什么样的磨难，生活总还得继续。擦干眼泪，满怀希望地继续前行，是在任何灾难面前我们所做的惟一选择。似乎是每一个人，每一个民族，在内心深处总有着对新生活的向往和希望。

是夜。我们一行六人挤在一顶帐篷里，头上冷风直吹。然而我知道，一切与受灾群众所经历的比起来，或许，我们已经有着天堂般的幸福。

第二日，天空灰蒙蒙的，空气中弥漫着呛鼻的尘土味道。气温突然下降，一切仿佛还没有从地震的悲哀之中走出来。街上依然喧嚣，但街道正慢慢变得整洁起来，很多的废墟正在被清理。街边上搭起的帐篷里设立了临时邮局、电信、银行等机构。给手机充电的藏族青年男女席地而坐，各样的手机放在地上，像个二手机市场。格萨尔广场边上的帐篷里也正办理着灾后的一些事宜，长长的队伍排在志愿者报名点上，也排在遇难亲属登记点上。长长的队伍里有白顶帽有藏式毡帽也有红色太阳帽。也有颂经的声音传来，一排排酥油灯在一顶帐篷里闪烁着金色的光芒。

走在有风的结古街上，我不知道我那一刻的心情该以怎样的文字表达。我只想起那年的玉树之行，街上走过念念有词手拿念珠的藏族同胞，一脸平静与安详。店铺林立，店主人幸福而满足地倚门而立。一条条藏狗无所事事地走过街头，缓慢的脚步以至于让时间也放慢了速度。骑着摩托戴着墨镜的藏族小伙子，飞速地驶过街头，长发随风欢快地飘逸。而现在，这样的情景再也看不到了。路过的藏族同胞，满面满身灰尘，忧伤的表情甚至令人不敢多看一眼。

又一个黄昏。在扎曲河边，我鼓起勇气走进了达娃卓玛的帐篷。此时，天光发暗，帐篷里因为我的到来而亮起了借来的太阳能灯。达娃卓玛的父亲热情地端上茶水和馍馍招待我。背着9个月大孩子的达娃卓玛正忙碌着在帐篷前做饭。孩子被母亲用布条绑在后背上，竟然没有一点点的哭闹。在他的内心深处，是否也感受了人间最大的不幸，而变得懂事起来，我不得而知。而她的母亲正在清理着不远处的废墟，得知客人的到来，满身灰尘地走进帐篷，又热情地让我喝茶吃馍。这位身着藏服的女人，丝丝白发还是从遮阳帽边上散落出来。从聊天中得知，达娃卓玛在西宁的一家毛纺企业下岗后一直干着零工，她的母亲是一名临时环卫工人，她的父亲在一个工地上不幸摔伤，至今腰上还打着钢板。

他们家去年花2万元盖的房子，在这次地震中化为乌有，而达娃卓玛的奶奶和一个弟弟也在地震中永远地离开了人世。不远处，就是他们亲人与他们生死两隔的地方。逝去的人再也体会不到这个世界的美好与磨难，而活着的人们，又是有着对逝去的亲人怎样的惦念，又得以何等的勇气开始他们的新生活，并且能够微笑着走过一生的路。我只有静静地倾听，只怕多余的一句话会勾起他们内心深处最沉重的痛苦。我看不到达娃卓玛戴着口罩的脸，但从她大而淳朴的眼睛中我依然看到了坚韧与忍耐。她说，在西宁上大学的弟弟明年就要毕业了，那时只要一家人好好干活，家里一定会变得好起来的。她的母亲说起这次地震中政府对他们及时有力的救助，竖起大拇指高高地举在额头上，说了一句不标准的汉话——共产党真正好啊！

告别达娃卓玛一家，踩着废墟往回走，我看到一些已经花瓣零落的绢花，在尘土之上孤独而固执地显示着它鲜艳的颜色。在这片缺少树木和鲜花的地方，在家里摆上永不褪色的绢花，或许也是一种热爱生活的情感表达。而这些绢花的主人，又在哪里，此时此刻，是否在即将到来的明天，依然会在新家园摆上新的绢花，并有可能在小院里培育出真正的鲜花呢？以一个民族所拥有的深厚的文化血脉，以一个民族在命运面前从来就有的不屈不挠，以一个民族在灾难面前的豁达和乐观，我想一定会的。

第三日。在开始忙碌的本职工作之时，有三个穿民族中学校服的姑娘找到我们的办公地，要找五个来自甘肃的志愿者。才知道，这五个由退伍军人组成的志愿者，曾帮助姐妹三个走出困境。其中一个小姑娘的妈妈 2008 年病逝，爸爸和三姐在地震中遇难，留下一个 79 岁的奶奶。是这五位志愿者用两天时间帮助无助的她们清理出了被埋的一些东西。在即将离开玉树之时，五个志愿者通过学校送去了仅有的 200 多元现金。小姑娘要找到他们，当面表示感谢。后来从相关报道中看到小姑娘面对五个志愿者，一边说谢谢，一边流泪，在志愿者要给小姑娘送食品时，姑娘哭着跑开的描述时，我的泪水在一刹那溢满眼眶。想起达娃卓玛一家，想起这个小姑娘，想起那个上过电视的小男孩才仁旦周，都有着怎样的感恩之心。我在无言中予以他们最真诚的祝福。

此时，夜已深了。玉树的夜空，依然是吠声不断。这是玉树生命不息的象征抑或是希望重生的启示？将圆的月亮升在高空，洁净的月光洒在这片受了伤痛的土地上，柔软的月纱在夜里无声而爱怜地轻抚最初的伤痕。当我敲下这些文字的时候，我知道，我只是玉树结古镇上的过客。短短几天时间里的所见所闻用这样的文字表达，对于灾区的同胞而言，乏力而苍白。

我想起白天看到的那种再普通不过的植物——车前子，已在玉树的土地上悄然而顽强地生长发芽吐绿……

（《青海日报》，2010 年 5 月 7 日第 10 版）

玉树日记

李春雷

4 月 16 日急飞西宁

14 日早晨，青海省玉树藏族自治州发生了强烈地震。玉树是藏族居住地区，情况特殊，我是一个报告文学作家，在此国难当头之际，理应以笔为枪，冲上前线。于是，我编发了一条短信，发往中国作协，大意是如果需要，我愿意报名。没想到，几个小时后，我就收到了中国作协办公厅的电话，希望我到中国作协机关面谈。

16 日上午 10 时，我赶到中国作协，见到了李冰书记及有关领导。由于情况特殊，时间紧急，原准备派一位部队作家和我一起飞赴前线，但由于部队另有任务，只有让我一人单飞。

临别时，李书记嘱咐很多。他说，青海方面已准备好，等着我过去，明天早上一起出发。

下午，办公厅为我准备了口罩、手套、登山鞋、棉衣和洗漱用品，包括内衣、内裤等等，足足一大皮箱。

21 时 30 分左右，我登上了北京飞往西宁的班机。

到西宁曹家堡机场时，已经接近午夜了。

青海的气候比北京凉一些，下飞机时，我特意穿上了外套。青海省作协的一位青年司机在等着我，这个青春洋溢的小伙子有一个奇异的姓氏——申屠。我问申屠，明天是否一起去？他说这几天感冒，上高原很危险，领导不让去，要另雇司机。我一怔，心里忽然有了一种异样的感觉。

到宾馆住下后，已是凌晨 1 时多了。由于兴奋，我睡不着，想着灾区的很多情况还不熟悉，就赶紧打开电脑上网。可宾馆的网线有问题，又打电话叫来值班员。值班的服务员有些不高兴，这么晚了还要网聊？所以，帮我整理网线时一脸的不情愿。我也顾不了那么多了，打开网页，查看灾情报道，一直到天明。

4 月 17 日遥远的玉树

早 7 时，见到青海作协主席梅卓大姐。一起吃饭后，就出发了。玉树离西宁 800 多千米，有一条 214 国道相通。虽然是前两年才修筑的，但由于是唯一的通道，载车量大，路况不佳。

看看柳树，就知道春天的进度。昨天我在北京时，已是满城春色宫墙柳了，可这里，刚刚是“绿柳才黄半未均”。两边的大山也是黑黑的、黄黄的，山腰里是一窝窝白白的雪痕，那是冬天的记忆。梅卓告诉我，要到“五一”过后，一切才会青绿起来，五彩缤纷的时候，要等到“六一”了，青藏高原最美的季节是七八月份。

地势愈来愈高，空气稀薄。我已有胸闷的感觉。以前听别人说高原反应，总以为那是因为体质不佳。我平时注意体育锻炼，20 年没吃过药，上高原应当没有反应吧。但现在看来，不尽然，缺少氧气，是任何人也抵挡不住的。

中午在玛多吃饭，此地海拔 4300 多米。头部隐隐疼痛，气喘，但感觉无事。再往前走，是巴颜喀拉山口，海拔 4824 米，双腿沉重，如踏棉毯。我对自己说，这是最高点，过去这一关，就万事大吉了。

车很多，都是外地送来的救灾物品，空气混浊，沙粒飞起来，像金属碎片一样，在高原鲜亮的阳光下，聚聚散散、闪闪烁烁。

23 时，终于走进玉树结古镇。这时候，梅卓喊了一声：“天啊，怎么全倒了！”车灯的光影中，路旁的楼房几乎全部倒塌，还有佛塔，各种颜色的垃圾新鲜刺目，咄咄逼人。垃圾周围全是人——救人的部队官兵、市民，还有身穿暗红色衣服的“阿卡”（佛教人士）。一台台挖掘机低吼着，挥动着臂膀。

我们寄住的地方是玉树州歌舞剧院。这是一个几近倒塌的院落，一座楼已经倒掉，还有两座楼房摇摇欲坠。我们的宿营地就是垃圾旁边的一片开阔地带。

青海文联的马主席等人已在帐篷里睡下，这时又赶紧起来，打着手电筒帮我们支帐篷。

由于灾区物资紧缺，中国作协指示我们自备一切，不要给当地找任何麻烦，所以我们一行自带了全部食宿用品。

我们大都是第一次使用这些东西，支帐篷、为气垫和枕头充气、使用睡袋等，一个个笨手笨脚，特别是充气，偌大的气垫像一艘小船，全靠一个小小的充气筒，怎么也充不起来。我们几个人轮番上阵，累得气喘吁吁。

晚饭还没吃，一个个饥肠辘辘。可这时候，谁还敢奢望夜宵呢。

帐篷只有六七平方米，却睡了 5 个人。我挤在一个角角里，不敢摘帽子，更不能脱衣服。怎么也睡不着。我命令自己，闭上眼，什么也别想。可意识里乱纷纷的，像狂风中的树……

4 月 18 日结古镇

一夜无眠，我只得早早起床。

出歌舞剧院往北，是一大片废墟，房屋全倒了，一根根折断的木头怒刺向天，一块块水泥空心砖坍塌在地。有一个二层楼，主体歪斜了，外面的楼梯已经断开。一个小伙子正试图爬上二楼，去取物品。他是重庆人，在这里做生意，租住别人的房子，地震时，他一家人幸免，他从二楼跳了下来，只是摔破了脚掌。

一个壮壮实实的 40 多岁的藏族汉子走过来。他叫旦周，他的家人倒是平安，只是亲戚们死伤众多。他感叹说，他的房子是钢筋水泥结构，而亲戚们经济不宽裕，盖房时少用或不用钢筋，地震时全部粉碎性倒塌，真是可惜啊。

我们为什么借宿在歌舞剧院？原来这里有一个水窖，震前存了半窖水。现在全城水电系统全部瘫痪，有半窖水就是生命之源啊。烧什么呢？遍地是折断的木头，那是取之不尽的燃料。在这里借宿的有十多个人，大家都很节省。早晨，我只用一杯水漱口，一杯水擦脸，至于吃的，都是方便食品。

最温馨的就是那一只亲爱的铁壶了，因为它，我们每人都能喝上开水了。

早饭后，我步行赶往位于玉树军分区院内的救灾指挥部驻地。大家行色匆匆，默不作声。

在指挥部院内，我遇到一位江苏老板，他是来捐献救人所用的挖掘机械的，共 15 台，价值 2000 多万元。还遇到一位来自四川的志愿者，是个大学生。

在体育场的一个帐篷里，我采访了一位叫拉贡的藏族小伙子。他 26 岁，左右手都缠着纱布。地震时，他刚出门，只感觉眼前一阵晕眩，世界就错位了，空气里是呛人的黄土味，还有远远近近的惨叫声。他开始救人，用手刨，救到第四个人时，已是下午了，手指上全是血，他没有感觉。第四个人救出来时已经去世了，是一具尸体。他也不害怕，把尸体抬出来，整理好。这时候，一部分解放军已经来了。傍晚，他太饿了，见解放军正在吃饼干，就走过去拿着吃，大家都不说话，都是一家人。后来，想一想极后怕，抬死尸的手，血淋淋的，没有洗，也没有擦，就直接吃饼干……我用笔拼命地记着。

不好！我感到头痛脑胀，眼前金星乱转。这才突然想起，我第一次上高原，已经连续两天两夜没有睡觉了，昨天又颠簸一天，加上高原反应，实在是太困了。

采访完拉贡后，我便在体育场围墙下的干草坪上躺下来。外面嘈嘈杂杂，我已全然顾不得了。暖暖的阳光披在身上，像银白的哈达，如果能在这里睡一会儿，该多好啊。

可是我睡不着。睡不着，又不能工作，脑袋里翻江倒海。

中午勉强吃了一些食品，我和衣躺在帐篷里。别人又拿来氧气袋，帮我插到鼻孔里，这是我第一次吸氧。

可是仍睡不着。

睡不着，必须去采访。时间太紧了。

我再次拖着困乏的身体去了体育场，这里是藏族受灾群众的集中宿营区。

今天下午，我转了九个帐篷，除了采访地震中震撼的故事外，也侧重听他们讲了很多藏族的风俗人情，比如藏历年如何过，藏族婚礼的仪式等等。我感觉，作家应有别于新闻记者，记者们可以重点记录地震后发生的感人场面和故事，而作家应更深层地记录精神层面的特质，挖掘出更深层次、更长久的震撼和思考。

傍晚的时候，在兰州军区总医院帐篷外的一辆越野吉普上，我遇到了一位大校，他叫张俊，是军区医院的副院长。他给我讲了一个特别的故事：一位藏族孕妇，还有一个月就生产了，地震把房屋震塌了，被埋48个小时，战士们把她救出来后，紧急抢救，剖腹产出一个女婴，原本不会说汉语的夫妇两人学会了第一个汉语词汇：谢谢！于是，见人就说“谢谢”。

这个故事看似普通，可有着别样的内涵。

我决心开挖这个矿藏。

天晚了，回到驻地。刚才的兴奋退潮后，高原反应更强烈了。这时候，有人告诉我，一位记者因高原反应已经牺牲了，希望我注意休息。

梅卓大姐可能意识到了什么，便征求我意见，说明天与指挥部联系，用救援飞机把我送回西宁吧。我苦笑一下，哪有这么恐怖啊。

这两天我一直在大把吃药，可仍然不管用。这时，司机小贺不知从哪里找回几瓶葡萄糖，让我喝下去。我也管不了那么多，全喝下。

晚上很冷。我穿上棉外衣，又披上军大衣，臃肿得连椅子也坐不下了。可还是冷，双腿打颤。我心里一直有一个不祥的念头，我甚至有些后悔，为什么孤身一人到这里来呢。

4月19日野战医院

仍是休息不好，但已别无选择。

由于条件限制，时间太紧，要尽早写出稿子，采访团已经决定明天回西宁。我一定要坚持完这最后的一天。

今天一直在兰州军区野战医院采访。

医院在结古镇南面六七千米处。街道上都是运送救灾物资的大货车，小车根本无法通行。怎么办？梅卓大姐帮我找了一个藏族朋友，骑着摩托车，通过小路和便道，把我送了过去。

战地医院有几十顶帐篷，在城外的一个开阔地带。我终于见到了那个藏族妇女，她叫才仁求吉，24岁，瘦瘦的，脸上是浓浓的高原红。她的丈夫叫索男杰，40岁，曾是一个浪漫的吉他歌手，几年前到甘孜演出时，住在她家里，于是两人相爱，一起来到这里。他们的生活很贫苦，爱情却很甜蜜。他们不会说汉语，对外面的世界了解也不多，但通过这次灾难，他们与外面世界的壁垒一下子打通了，两个民族的情感更相融了、更相亲了……由于语言不通，一旁的藏族姑娘白玛成了我们的翻译。白玛住在西宁，说一口流利的汉语。她的母亲和妹妹在地震中受伤了，住在这里，她专程来陪护。她真诚地说，如果没有解放军，我母亲我妹妹，还有很多藏族同胞的生命就没有了。

野战医院的政委叫朱自清。他是军人，也是一个文人，今年刚刚加入中国作家协会。所以，见了我特别亲切。

中午就在医院吃饭。朱政委告诉我，由于是高原，这里无法蒸馒头，也无法蒸米饭，都是夹生的。这时，宣传处曹干事告诉我，朱政委的父亲前天去世了，他没有回去，只是让爱人和儿子代表自己回去了。

采访一直到16时才结束。

梅卓大姐正在附近的赛马场采访，这时乘车来接我。那是一个小型货车，车前面的挡风玻璃被砸碎了。

由于明天就要回去，虽然高原反应强烈，痛苦加剧，但我还是觉得应该利用这最后的时间，多搜集一些素材。

玉树的黑夜来得晚，20时还是天光大亮。

于是，我随着梅卓大姐去拜访玉树最重要的两家寺院。玉树不足30万人口，却有数百家寺院。陪同我们的是一位活佛，也是我们的作协会员。路上，他给我讲了藏传佛教的很多芳香的故事……

（中国作家网）

赴玉树日记

孙 璐 赵海燕 张 娟

2010年4月14日早上7时49分，青海省玉树藏族自治州玉树县发生7.1级强地震……时间定格在了这里，全世界关注的目光都投向了这里，所有的救援也在向这里集结……

4月15日晚20:00

赴玉树采访小组搭乘“中华思源工程扶贫基金会青海互助青稞酒有限公司玉树救灾物资车”从西宁出发。

初春的西宁散发着一个平安夜晚的温馨，十辆满载着价值54万元的棉被、方便面、矿泉水、面粉、大米等救灾物资的大货车一路西行，不停闪烁的应急灯、飞奔的速度和我们的心情一样急迫。

4月15日晚20:40

车队在西倒高速公路上行驶，路的那边是华灯初上的湟源县城，望着宁静的县城里那一片片温暖的灯光，我们在祈祷：如果这片灯火属于今晚的玉树……此时，被记者不停转换的中国之声和青海人民广播电台的“抗震救灾”专题节目里，传来了最新消息：在国外出访的胡锦涛总书记取消了后面的行程提前回国，他说：“我要和我的人民在一起。”而在此后的180天，我们在玉树灾区看到了总书记匆忙的脚步，他来到灾区最大的安置点，为大家鼓劲；他亲切地将一个孩子搂在怀中，告诉她不要哭泣；他来到刚刚恢复上课的学校，写下了“新校园，会有的！新家园，会有的！”的动情话语；他走进部队，慰问辛劳的部队官兵……当我们在车里通过电波听到温家宝总理已乘专机到达了玉树时，小小的车里空气凝结了，我们相互听到了各自的啜泣声，我们也在各自偷偷地抹着眼泪，或许，大家都不约而同地回忆起了这样的场景和画面：2008年5月的汶川，有一个老人在废墟里拾起了一双孩子的球鞋；还是这个老人，他亲自给地震中的罹难者三鞠躬……

4月15日晚22:30

在黑暗中继续西行。22点30分，对讲机里传来互助青稞酒公司老总郭守明的询问：今晚是住在共和还是继续前进？十几部对讲机里传出了同一个声音：继续！原本行动的打算是在海南州共和县休整4个小时，但一路上我们遇到了太多运送物资和救援的车队，大家都在不辞辛苦赶往灾区，都想在第一时间将物资送达。既然选择了行动，星夜兼程又算得了什么。

4月16日凌晨

9号车的车况出现了问题，师傅无不遗憾地和我们暂时话别，他留在了原地等待修理。大部队从共和出发了。高原的夜，只有应急灯如点点星光不停地在闪烁着，我们遥想着，玉树的点点星空下，我们的阿爸阿妈、兄弟姐妹和所有参加救援的仁人志士是否能够度过一个平安的夜晚？

4月16日早晨7:20

车队在奔驰中迎来了黎明。美丽的星星海一览无余地展现在我们的视野中。虽然此时车外的温度只有摄氏零下14度，但玛多的湿地、玛多的草原已经散发出了春的气息，春天是挡不住的。玛多县到了，距离结古镇不远了。

新一天开始，代表着新生和希望。从头一天晚上出发到这个早晨，一路上让我们感动和感慨的太多太多：我们看到了几百辆部队的救援车在上路；我们也看到了坐在敞篷车里的小战士虽然冻得脸色发青，但依然灿烂地笑着，露出洁白的牙齿向我们挥手致意，我们看到了民间的力量和爱心：虽然开的是QQ或长安微型面包，但车厢里塞满了各种物资；我们更看到了来自北京、河北、重庆、安徽、河南、四川、陕西、甘肃等兄弟省市的爱心救援车，还看到了来自省内的省投资公司、江苏伟业、青海煤业集团、西宁北开电器有限公司以及化隆扎西泽寺院的物资车。

“情系灾区、心系藏胞”，“抗震救灾心相连、团结起来建未来”……无数爱心汇聚成一条车河，不息地奔驰在这条用“爱”写成的路上，奔向结古镇。

4月16日中午12:30

清水河镇，距结古130多千米。当我们加完油在路边休整时，前方有人高声呼喊：想喝开水的快来，这里有！原来，清水河镇的藏族老百姓在自发地为过路的人们供开水。有一个藏族姑娘跑着为记者送水，还不停地说着“谢谢”！这个姑娘还为我们介绍，地震发生时他们这里也有强烈的震感，但没有造成损失和伤亡。

4 月 16 日下午 3:00

雁口山。一辆飞奔的车从记者的视线中划过，大家叫喊“李连杰壹基金玉树赈灾救援队”，这一行共计十几辆车。我们发现，他们的车牌统一用“抗震救灾”四个字替代。

4 月 16 日下午 4:30

我们的车队到了结古镇的边缘，大家的心情复杂得难以用语言来描述，急迫、激动、企盼、不安都不足以表达所有人的眼神和表情。无奈的是，我们要等待——进结古镇的援助车实在是太多太多了，前面堵车严重，后方排起了长龙。

4 月 16 日傍晚 7:00

短短几公里的路，竟然走得如此缓慢。随着逐渐靠近县城，眼前的景象发生着变化：老百姓的房子看起来都还好，从他们的表情看似乎生活依然如故，再往前走，房子的裂缝清晰可见，大家就在自己门口附近搭起了帐篷；随着车河缓慢地移动，眼前的景象让人心酸：昔日温馨的家园在黄昏的残阳里变成了瓦砾和废墟，失去亲人的痛楚和生活改变了方向的不知所措让许多灾区群众显得茫然。

夜幕降临，我们欣喜地看到部分受灾群众已经领取到了棉被，今夜他们将不再寒冷；更让我们动情的是，看到路边的两个卓玛生起了炉子准备自己做饭了，还不停地给车上的人打招呼：“谢谢你们，扎西德勒。”

4 月 16 日晚 20:30

从头一天出发到此时，整整 24 小时，车队终于到达了玉树县第一民族中学的操场，这里也即将成为一个集中的救援物资发放点，整整九辆车的物资被卸下，似乎每个人一直揣着那颗滚烫的心也被安放在了这里。

另据了解，到记者发稿时，青海互助青稞酒有限公司企业及员工向灾区人民捐款 1012 万元。

天佑德救援车队在将物资全部交接后踏上了归途，我们和一路走来的爱心人士就此话别。此时，已经是 17 日零点了，记者在当地热心人的带领下，找到了我们的大本营——位于结古镇民主路的玉树州军分区的大院，即抗震救灾指挥中心。几个小时后，我们将开始真正的一线采访生活。

4 月 17 日

4 月 17 日，玉树县结古镇，天气：晴，午后转阴有阵风，本报记者分成三路深入了一线。

清晨，和煦的阳光原本可以让每一个初到这里的人感受到玉树高原的温暖和宁静祥和，但就是这场突如其来的强震摧毁了往日的平静。

用行动报答爱

上午 9 点，记者来到了昔日的赛马场。地势宽阔的这里安置了 3 万多名受灾群众，还驻扎了各地的医疗队，其中，以四川的居多。在现场，十几位身背药水箱的医务人员在对帐篷逐一消毒，这样的工作他们一天要重复五六次。“我们是甘孜医疗救援队的，15 日中午到的，我们不但带来了大量的药品，而且自己的供给带的也比较充足，我们不能给当地添麻烦，更不能和受灾群众争抢食品。”医疗队队长雍措一边忙着为受灾群众的帐篷开窗通风，一边很遗憾地对记者说：“两年前，汶川地震让四川人有着切肤之痛，更是对来自各方的爱心怀感激，我们只有用行动来报答，要不是车坏在路上，我们到得会更早。”

等待奇迹

上午 11 点，采访车路过民族宾馆，坍塌的废墟上面密密麻麻站满了人，有身穿橙色消防服的中国国际救援队的队员，有身着袈裟的喇嘛，还有拿着氧气袋的医务人员。“是不是还有生命迹象？”我们冲了过去，焦灼地等待着那激动人心时刻的到来……时钟滴滴答答流淌着，漫长的等待煎熬着现场的每个人，屏住呼吸等待、等待、再等待……生命中最长的两个小时终于过去了，一名消防战士从废墟下爬出，传递出难过的消息：底下的伤者生命迹象消失，霎时，现场安静得一度让人窒息。13 点 40 分，天空下起了太阳雪……

战士们的心意

上午 11 点多，当记者步行至结古镇一条主干道的一处废墟前，“武警部队救助受灾群众就餐点”的横幅映入眼帘。在几块散落的空心砖旁，支着几口大锅，有的锅里煮的是热气腾腾的米粥，有的锅里煮着大烩菜，其中两个士兵正忙着搅着锅里的粥，其余几个在削皮、切菜，忙得不可开交，周围聚集了很多受灾群众。

原来这个临时就餐点是山西武警部队开设的。据该部队政委陈培云介绍说，他们是 4 月 14 日晚上赶到玉树展开救灾的。15 日一大早，就开设了 2 个就餐点，主要做热粥和大烩菜。“就这样的大锅，几乎每天都会煮 40 多锅。”陈政委比划着。就在我们聊天的过程中，米粥煮好了，一个战士拿着大勺，开始给大家盛粥。在这些就餐的受灾群众中，一位带着三个相差不大孩子的藏族妇女引起了记者的注意。这位藏族妇女告诉记者，她的三个儿子每一个相差不到两岁，大地震让她失去了丈夫，地震后她们娘四个最缺的就是食物，因为孩子都小，她无法走太远的路去领救济品。这两天她和孩子就住在马路斜对面的文化公园里，当听说部队在这里设置了受灾群众就餐点，于是抱着、领着孩子们来就餐了。“解放军，好！扎西德勒！”三个孩子的母亲满眼都是感激。

而记者了解到，就餐点给灾区群众供应的食物都是从部队给战士的供给中省出来的。白天，战士们从早到晚都在救助受灾群众，体力消耗很大；晚上，也只能一个挨着一个挤在部队的车上，已经很辛苦了，可为了保障就餐点灾区群众的供应，战士们每天只吃一顿热饭，两顿干馍馍加矿泉水。

“我们在灾区，不仅要抓紧救人，群众缺什么，我们就帮什么。”陈政委说：“大地震后，群众最缺的是帐篷、衣被和食物。我们能做的，就力所能及多做一点，这是我们全体官兵的心意。”

巴塘机场现场直击

上午 11 点 30 分，记者到达了巴塘机场。此时，东方航空公司的一架飞机刚刚降落，机上满载灾区急需的药品。一支精悍的部队小分队在不到 10 分钟的时间内迅速将物资卸载完毕。这支队伍是 14 日下午第一批到达灾区的四川甘孜军分区的战士们，两个连当中的 60 多个战士专门负责停机坪的货物装卸工作。11 点 40 分，一架空军的飞机载着已经完成任务的某救援队的战士飞向云端离开了玉树。而 5 分钟之后，另一架“中国空军”从天而降，运送来了灾区极缺的帐篷。巨大的机翼底下，甘孜军分区的小战士们肩扛货物在奔跑。12 点 50 分，运送部分伤员的大巴车到达机场，25 分钟后，东航的飞机已经关闭了舱门，伤员和他们的家属将在 1 小时之后到达西宁，接受最好的治疗。

镶嵌在美丽的巴塘草原的玉树机场，四周环山地形复杂，没有滑行跑道，停机坪只能容纳 4 架飞机。昔日的它有些单调和寂寥，每周仅有 3 个航班 6 个架次。而地震发生之后，在设备极其简陋的状况下，它敞开胸怀，把作用发挥到了极致。仅仅在 4 月 15 日和 16 日两天，飞机的起降次数分别达到了 44 次和 46 次，进出港人数分别达到了 4000 人次和 2000 多人次，进港货物分别达到 191 吨和 205 吨，尤其在 15 日这一天，集中转运重伤员 1300 多人。没有夜航设备的玉树巴塘机场，在空军应急设备的支持下，每晚十一二点都有货运飞机降落。地震发生后在第一时间做出迅速反应的民航西北地区管理局立即启动应急预案。副局长乔新山向记者介绍，地震后机场的供电以及通信全部中断，到 17 日中午供电依然没有恢复，通信恢复了一部分，他们一直在用柴油发电机供电。在这种条件之下，民航西北局充分调动西部 11 个机场的能量，发挥空中优势，在第一时间将省上领导、指挥部工作人员、救援部队和医疗队运送到达，确保了玉树机场这条天路的畅通，确保了空中生命线的畅通。

这里，曾经是我的家

下午 2 点，一处废墟旁，一位头发花白的藏族老阿爸在废墟上翻找东西，“这是你的家吗？”“是，家没了，三个亲人没了，我想找找他们以前用过的东西留起来。”老阿爸很平静。而记者的泪水却夺眶而出，看到记者泪流不止的样子，老阿爸却赶忙用他粗糙的手为记者抹掉了眼泪。记者：“我给你照张相吧！”老阿爸笑了，拘谨地站成了立正的姿势。

一位藏族老阿妈怀抱着儿子刚刚从土里刨出来的一束塑料花坐在高高的废墟上，她看着花，眼神许久许久都没有离开。可以想象，这些艳丽的花朵或许以前就摆在这个家庭宽敞明亮的厅堂里，每天伴随着阿妈的诵经声和香炉里散发的袅袅香烟一起构成了多么祥和温馨的场景啊！结古的蓝天下，老阿妈褶皱的脸和娇艳的花朵紧紧地贴在一起。

还有这样两个藏族小女孩，她们一起坐在自家的废墟上捧着一本刚刚挖出的影集翻看着，大姐姐一边指着，一边给自己的小妹妹说着什么，虽然记者无法听懂她们的藏语，但是知道照片里有她们的亲人。这本影集一定会将她们的记忆拉回到过去的美好时光，她们一定在回味那些跟家人在一起的日子，也一定在想念已经不能见面的亲人和亲戚。记者没有忍心上前打扰她们，只是远远拍了一张照片，但眼睛却湿润了……

街上飘过红丝带

下午 4 点左右，天气突变刮起了大风，空气中尘土飞扬，大街上来往运送物资的车辆更是川流不息。在民主路的人行道上，记者看到十几名臂戴红丝带、扛着方便面和矿泉水的中学生从身边走过。于是连忙拦住询问，原来他们是当地的中学生志愿者，他们是从救灾食品分发处领取食品和饮水后，再分头送到安置点上的老弱病残群众手中。此时，记者碰到了来自巴西电视台驻北京首席记者帕特里西亚，她用流利的汉语告诉记者她也是16日晚上刚刚赶到玉树的，于是我们相约同行。在路边，我们看到一个藏族小姑娘满脸泪痕站在临时用石头垒成的石堆旁，旁边的人告诉我们这个石堆里存放着女孩妈妈的遗体，而小姑娘央金正在等待喇嘛为妈妈念经超度。央金声音哽咽地向记者讲述了自己家地震后的情况，而更让记者感动的是这几天来央金一直在这里守候着妈妈，没有让妈妈孤零零一人在这里。面对镜头，帕特里西亚问她长大以后有什么梦想时，她突然露出了羞涩的笑容，说自己希望以后能成为一名医生，可以帮助那些需要帮助的人。

返回的路上，帕特里西亚感慨万分，她说她会及时把灾区的信息和中国人民伟大的抗灾精神传达给巴西的媒体和公众。

这些笑靥，曾花儿般绽放

下午5点，玉树县第三完全小学。曾经，这里有琅琅的读书声；曾经，这里是老师和孩子们欢乐的天堂；曾经，小扎西可能因为调皮捣蛋而在教室门口挨了老师的批评；曾经，小多杰们因为等待下课等待游戏而在上课时走了神……欢乐的日子就在大地摇动的瞬间而改了方向，一度不愿接受采访的银丁措毛老师在记者诚恳的目光下，终于艰难地开了口："那天，我刚到学校，地震就开始了，就赶紧和学生一起跑，可爱的孩子们还拉着我跑，跑了几步，一回头，教室里还有孩子，我又跑回去喊他们，庆幸的是当时到校的学生不多，大多数是值日生，如果是上课时间，3000多个孩子不可想象。刚一摇完，我们的平房教室就成了平地，老师们疯了一样地冲向倒塌的地方，用双手使劲地刨呀刨，我们当时亲手挖出来了60多个孩子，可是，有34张笑脸，从此再也看不见了……"银丁措毛老师突然沉默了，她望着操场的目光有些迷离，是不是恍惚间的她又看见了那些孩子在举着小手向她跑来，银铃般的笑声此起彼伏？银丁措毛老师转身向操场那边的帐篷走去，记者发现她的腿有些跛，"是不是在地震时受的伤？"她没有正面回答，只是告诉记者："我们收到了救灾物资，现在要等着学生们来领取，不能让孩子们饿肚子。"

北川老高

4月17日傍晚记者来到玉树州职业学校，看到一位个子不高、长相帅气的男子在指挥大家给受灾的老师和学生分发矿泉水和方便面，分发、领取都有登记，秩序井然。听他的队友都叫他老高，记者也随之称他为老高。交谈中得知，老高和他的团队来自北川，他们的组织叫作"中国心志愿者团队"。这天中午他们和1251箱矿泉水、429箱方便面等其他物资一起到了结古，通过联系对口支援玉树县文教局。"后续的志愿者和大批物资还会陆续到达，明天，我们会去废墟上帮助受灾百姓挖掘生活用品，预计我们整个团队将在这里停留15天。"老高说，"通过北川的抗震救灾，我们有经验、有方法，多挖出一些受灾百姓曾经用过的东西，对他们也是一种安慰。"

19日晚记者电话联系老高，想问问他身体如何、高海拔的气候能否适应，手机里却传来他兴奋的声音："我们刚挖出了20多万元的现金，队伍也由6人增加到30人……"

老高，全名高思发，40岁，四川绵阳人。2008年汶川地震前在拉萨做药品生意，地震发生后，丢下生意去北川参与救援，后留在北川做了全职志愿者。同年 6 月与几位志同道合的朋友创建了“中国心志愿者团队”，现任队长。

截至发稿，记者获悉，该团队从绵阳募集的价值 54357 元的物资已于 20 日 8 点 30 分出发，赶往玉树灾区。

我们是一个妈妈的孩子

4 月 18 日，玉树县结古镇的天气晴，晌午时分，记者徒步来到了结古镇团结村。相对于其他严重受损的村落，这里的情况稍微好一些。在扎满帐篷的集中居住点，记者看到了这样一些景象：炉子生起来了，烧水壶里的熬茶翻滚着，散发出诱人的香气；收拾得很干净的帐篷里，领来的方便面等食品让大家的生活有了保障，几个两三岁的孩子拿着玩具在做着游戏；藏族老阿妈在温暖阳光的照耀下转动着经筒；几个年轻的小伙子在互相鼓劲儿：“我们到那个街上去帮忙吧”“我要去当翻译”“我发动摩托车去……”

前方，有一顶帐篷特别地醒目，因为它不是蓝色的、写着“民政救灾”字样的帐篷，而是一顶白色的、上面有藏式花纹的帐篷，寻它而去，原来这里是土多一家。和他们聊天，发现他们的普通话讲得都不错，于是，我们有了以下的对话：

记者：我看到你们的精神状态都挺好。

土多：我们这里相对震得要轻一些，太幸运了！关键是党和政府对我们这样关心，军队、医生那么快就赶来了，全国人民都在支持着我们，我们相当知足，特别感激、特别感恩。

记者：这个帐房还挺大、挺宽敞的。

土多：我们 40 多个人在这里住着呢，共有 11 户人家，亲戚、邻居都有，还有一个五保户老人，都挤在一个帐篷里。

记者：为什么没有去物资发放点领取物品？

土多：没事，我们挤一挤，先让别人领，让那些受灾严重的人先领。昨天已经领了方便面，吃的没有问题了，而且附近县上的亲戚们也拿来了很多吃的。来救灾的人、政府的人都很辛苦的，我们能自己解决就自己解决，能不给大家添麻烦就不添麻烦。

记者：可是你们自己的损失也很大呀，家没了，东西也没了。

土多：已经很幸运了，很多人妻离子散，而我们家里没有伤亡，能够庆幸活在这个世上，一大家子的人能够在一起，这就是幸福！只要人在，什么都可以从头再来。

和乐观的土多一家聊完，记者突然感到几天来从未有过的轻松。有一句话是这样说的：没有国家哪里有大家，没有大家哪里有小家，而当我们在杜玉泽的带领下走进杜家的帐房，和杜家兄弟姐妹见面后，更加深深地感到：正是因为有这样可爱的人民，我们的国家才如此强大，正是他们朴实无华和宽广胸襟，在大灾面前，中华民族就能拧成一股绳，劲儿往一处使。

杜家妈妈是藏族，而父亲是汉族，因而孩子们都有一个汉族名字。就在我们到达时，二哥杜玉虎、大姐杜玉兰、二姐杜玉梅、大嫂侃卓和女儿杜彩铃都在，这个大家庭里缺了一个人，他就是在地震中罹难的大哥。

简单处理完大哥的后事后，杜家一家人几乎都投入到志愿者的行列，开始为到玉树的熟人和陌生人提供力所能及的服务。杜家最小的叫杜玉泽，是青海电视台新闻中心员工，这个开车非常棒的小伙子，14 日半夜，就开着中央电视台的转播车和央视的记者一起到达家乡，加入了青海电视台前方报道小组。这个善良之家的人们在地震发生后，缺少帐篷，缺少生活必需品，可他们一直没有去发放点领取物资，“需要东西的人太多了，我们自己克服克服，难就难点吧，大家都难……”二姐杜玉梅，反而把别人给她的东西送给了参加救援的战士，“我在街上路过发东西的地方，他们就会给我，我抱着东西走，看见那些解放军和救援队员，他们累成那样，喘着气，嘴都裂了，我心疼，那些娃娃就像我的儿子一样，他们都是家里的宝贝，爸爸妈妈的心肝，他们是为我们受苦来了，我就把吃的、水呀、手套给他们了。”我们采访时，这个朴实的女人正在想办法自己做饭，“能做就好了，我给大家做饭吃！给解放军送去！”

从我们见面的一刹那，大姐杜玉兰一直泪流满面：“我想说的心里话可多可多了，我这两天老是想哭，我心里难受啊……”原来，杜玉兰的难受是因为感动。“地震是天灾，我们受灾了，可是我们得到了太多的温暖和帮助。今天，胡锦涛总书记看我们来了，前两天温家宝总理来了，我可想对他们说：‘总书记、总理，你们的岁数都那么大了，我们这里海拔高、气候不好，你们一定要保重身体啊！’刚才我和弟弟还一起到街上等总书记了，看见车队过来，我就使劲儿喊，使劲儿喊……”

失去丈夫的侃卓是国家干部，就在我们握手话别时，她对记者说：“我们有一个伟大的祖国，我们都是祖国母亲的孩子，我们都是一个妈妈的孩子。”

俺老乡，好样的！

4 月 18 日下午的结古镇，阳光灿烂而夺目，记者一行行走在红卫路上。在街边，一个地摊引起了我们的好奇。在这个摊位上，有一堆油菜、一堆平菇、半箱苹果和若干青椒，一名藏族妇女手里提着已经买好的一袋苹果和青椒正在付钱，怎么还有青菜卖？这让记者惊讶不已，原来，在这里做卖菜生意的河南许昌人李姓夫妇在震后抢出了震前留存的货品。

记者：菜怎么卖呢？

李老板：平菇 3 元，油菜 2 元，苹果 4 元。

记者：价钱很公道啊！怎么不涨涨价？

李老板：那可是黑了心啊，怎么能这样做呢？这样大的灾害。我们只是用以前的价格把这些东西卖了，凑个路费回老家。

记者：今后有什么打算？

李老板：房子不能住了，我们在这里待得时间长就是给政府添麻烦，先回去过渡一下，等以后好了再回来。玉树有漂亮的草原，有可爱的藏族同胞，我和媳妇都很喜欢，我们还是想回来。

再往前走，我们陆续遇到了来自河南平顶山市开小卖部的小伙子，还看到了深河人朱老板夫妇，他们蹲在自家麻花店门口出售地震前就炸好的麻花。这些河南人所售的商品价格公道，和地震前没有丝毫的差别：一大包麻花 20 元钱，一瓶王老吉 3.5 元。当问起今后的打算，他们的想法和李老板没有差别：先回老家，等这段时间过去后，一定要回来，回来参加玉树的重建，回来看这里美丽的草原。

记者了解到，在红卫街做生意的基本上都是河南人，而在这条街的尽头，我们看到名字叫“发达”的小卖部已经开张了，小小的柜台前挤满了来购物的藏汉群众，老板叫朱开溪，河南人；老板娘叫拉毛，本地人。

祝你平安

4 月 17 日中午 12 点 50 分，一辆运送伤员的大巴到达机场门口，车还没有停稳，车门还没有打开，训练有素的医护人员和抬担架的战士们已经在车门口集结完毕。腰腿受伤的病人需要搀扶，小小的门口显得有些拥堵，一位漂亮的藏族姑娘挂着点滴缓缓走出来，她的脸色很苍白，神情上写满了痛楚，可她却在喊着：“我自己可以，我的伤不重，你们去扶别人吧！”一位藏族阿妈，满脸灰尘和疲乏，躺在担架上的她神情却虔诚而高贵，手里的念珠在不停转动，即便口干舌燥，她也在诵经祈祷，是的，阿妈不仅仅是为自己祈祷，她在为所有受难的同胞祈祷祈福。还有一位大哥，疼痛让他不得不在好几个人的帮助下躺上担架，他说的藏语听不懂，但是记者读懂了躺在担架上的他从下车一直到登飞机时眼角闪烁的泪花和刚毅脸庞上的会心微笑。大哥，很想告诉你：“我们知道，你是坚强的康巴汉子。”一位银发的老大娘躺在车里不能动弹，她的老伴在喊：“不能动，她的腰椎被砸了”，小战士们瞬间反应：“从窗户！窗户里抬！”就这样，老大娘平平稳稳地被大家从车窗里抬了出来……25 分钟之后，机舱舱门关闭，停机坪上所有的人，包括承担在机场运送伤员的甘肃卫生救援队的队员们，大家在祈祷：我们的同胞们，祝你们一路平安，祝你们早日康复！

亲亲我的宝贝

4 月 19 日中午，赶回西宁发稿子的记者搭乘了东航的班机，让我们欣慰的是，这趟航班中伤员已经不多了，刚刚放松了几天来极度紧张的神经，忽然间，就看到一位战士冲进了机舱并且大声地在喊：“有儿科医生吗？有急救药品吗？这里有一个 8 个月的早产儿！”顿时，机舱里紧张起来，一位女大夫怀抱着一个白色的小小的襁褓随后跟了进来。没有，儿科大夫没有，急救药品也不适合。怎么办？小战士又转身冲了出去。两三分钟后，又上来几位战士，有人高喊：“氧气袋、急救药、一次性输液管都有了。”原来，解放军第 323 医院的专业儿科医生来了，女医生名叫王小特，就在两天前，她在机场还亲手接生了一个宝宝。

王医生坐下来，轻轻地抱起了宝贝，旁边的助手和空乘人员接氧气的、打针的，都忙活开了，乘客们静静地注视着啼哭的宝贝……负责把宝贝送上来的兰州军区的战士小郑给我们讲述了宝贝出生的经历：地震发生时，宝贝和他的妈妈曲朵被压在了倒塌的房屋下，直到 18 日的傍晚，宝贝的爸爸才把她们娘俩挖出来，就在当天晚上 12 点多也就是 19 日的凌晨，妈妈曲众在已经变成废墟的家门口旁的帐篷里生下了小男孩，但这个宝贝只有 8 个月，给宝贝剪断脐带的是她的奶奶松措。天亮了，他们被邻居送到了解放军 323 医院的救治点，于是，奶奶和宝贝一起上了飞机。

起飞了，飞机有些颠簸，小宝贝微弱的哭声一直揪着所有人的心，而细心的机上工作人员已经为宝贝准备好了温度适宜的牛奶并用注射器喂着宝贝。宝贝吃着甜甜的奶，似乎进入了梦乡。一个小时后，飞机平稳地在西宁落地了，就在落地的一刹那，宝贝又开始了哭泣，而这一声哭，让所有机上的人员长长地舒了一口气：宝贝，你好厉害，你的生命力好顽强！

停机坪上，120急救车已经早早地守候在那里……

宝贝被送往青海省妇产儿童保健医院的新生儿重症监护室，到记者发稿时，他还没有度过危险期。而随后送到这家医院的宝贝的妈妈曲不，已经在医护人员的精心治疗下逐步康复。

80后，你的名字叫坚强

多杰和白玛，这两个花儿一样的孩子，今年刚刚20出头，他们的工作单位是青海大学附属医院手术麻醉科，他们俩的家都在玉树。得知地震发生，多杰在第一时间坐上了回家的班车。进入县城，那个让他亲切而又熟悉的地方、那个让他引以自豪并常常给别人炫耀的美丽草原小镇完全变了样，等待他的是满目疮痍的街道，倒塌毁坏的房屋，更让他难以接受的是从此他再也见不到妈妈和弟弟了，背部受伤的父亲还能够照料自己，这位坚强的汉子自己处理了妻子和小儿子的后事。记者眼前的白玛姑娘有着高挑的个头和白皙的皮肤，眼睛清澈，白玛在玉树的十个亲人已有七个遇难，而“弟弟就在那堆废墟底下，可是没有挖上来……”就是这样两个孩子，面对失去亲人的痛，他们同时选择了到位于结古镇最大的一个伤员安置点也就是他们单位所在的医疗队报到。多杰说：“我要多干活，这样，想妈妈和弟弟的时间就会少，为伤病员治疗的时间就会多。”而白玛，这个始终戴着口罩的姑娘，其实是在用口罩遮挡心中的悲伤，用行动证明自己的坚强。

杜彩铃是我们在上文中提到的杜家的孩子，刚刚20岁的她是西宁湟源牧校的一名学生。生性宽厚善良的彩铃和她家里的所有人一样，总是替别人想得多：“地震让我失去了爸爸，好在还有妈妈，我要坚强。但是我觉得很多小孩子很可怜，他们失去父母失去亲人，我在家里最受爸爸妈妈的宠爱，已经享受了20年的美好时光，可是那些孩子就没有了，我就是希望这些弟弟妹妹能够得到爱，得到帮助和教育，还有那些失去孩子的老人……我在西宁上学，我已经下决心了，毕业后我要回来，要回到家乡来，我要参加家乡的重建。爸爸曾经鼓励我说：青出于蓝而胜于蓝，我会用我的行动让爸爸满意，让九泉之下的爸爸看着我笑……我相信，在我接下来的路上爸爸一直会鼓励我，支持我，我会坚强地走下去，我有力气，我也会帮助每一个需要帮助的人。”

的确是这样，彩铃是这样说的更是这样做的。4月19日，彩铃和记者乘同一班飞机回西宁。飞机上，一个在废墟中出生的早产儿牵动着每一个乘客，而孩子的父母并没有乘上这次航班，只有不会汉语的奶奶松措。此时的彩铃，为大家做起了翻译，并且表示到西宁后要为孩子的奶奶送饭，因为松措一家在西宁没有亲戚。4月20日晚，忙碌的彩铃主动给记者打了电话，她告诉我们，她用行动践行着自己的诺言。

扎西桑卓，扎西失去母亲较早，没有读过几年书的他汉话却讲得不错。两年前，他们全家从玉树县农村搬到了结古镇。扎西说：“结古镇的风景很美，尤其到了夏天，四处都是绿色，每年还有热闹的赛马会。这里的人也不错，有来自湖北、湖南、河南、浙江等许多不同地方的人，大家在这里和睦相处，各自尊重彼此的信仰和生活方式，就像一个大家庭，我很喜欢”。地震前他和父亲一起做藏獒生意，还盖了房子，他很自豪地说因为藏獒，他还去过十几个城市呢，日子过得也不错。地震让扎西和父亲没有了家，那些可爱又可怜的藏獒也都被埋在了倒塌的墙底下……在为自己可爱的藏獒宝宝们哭过后，扎西做了一名志愿者，他每天奔忙着，忙着做翻译，忙着帮乡亲们救灾，尤其是帮助一些失去亲人的孤寡老人和孩子。

扎西说希望灾区尽快重建起来，希望大家都能好起来，包括自己也能好起来。“我现在讲汉语没问题，有机会的话还想再学习说英语。”

在玉树，这样的故事太多了，多得不胜枚举；在结古，泪水常常不由自主地流下，因为感动，更因为感恩……只有在这样的现场，才能真正明白“大爱”的深刻内涵；也只有在这样的非常时期，才懂得了什么叫“坚强”。谁说“80 后”只是温室里的花朵，谁说“80 后”永远也长不大，而恰恰是他们，在灾难面前如此冷静、如此大气、如此让我们高高地竖起了大拇指。因为，天塌下来他们顶得住，地陷进去他们也不哭，风雨来时他们不退缩，扛起生命他们不迷途，他们用行动让自己年轻的生命站立成树。

琅琅读书声声声是我情

在“4 · 14”玉树大地震中，玉树县几乎 90% 的房子都倒塌了，但玉树县第一民族中学却创造了一个奇迹——学校 900 多名师生，无一人伤亡。4 月 18 日下午，这所新搭建的帐篷学校里响起了琅琅的读书声，课间学生们齐聚在帐篷校舍前，举行了隆重的复学仪式。这是玉树地震灾区第二所正式复课的学校。

为什么我的眼里常含泪水

当记者徒步走了十几千米，一路打问来到玉树县第一民中时，远远就听到“为什么我的眼里常含泪水，因为我对这片土地爱得深沉”的读书声。在学校西侧的操场上，崭新的帐篷排列整齐，帐篷上分别标有“教室”“宿舍”“党员活动室”等字样。在不同年级的教室内，都有学生在上课。

记者走进九年级教室，语文老师多杰卓玛和我们聊了起来：“以前我们说‘爱国’、说‘一方有难、八方支援’，只是在说，感受不是这么深切，在亲身经历过之后才深深感受到整个国家的力量和来自各方面的爱心援助。学生们之所以能在灾后第 5 天走进教室，与党和国家及各级政府、社会各界人士的关怀和支援是分不开的。而我们要做的就是好好教书，让孩子们好好学习，懂得感恩和回报社会。”在朗诵完《我爱这土地》之后，不到半个小时的时间，学生索南文毛就写了一首题为《我爱祖国》的诗歌；而在八年级教室里，次仁尼玛老师正在给学生上藏文课，孩子们学了“撒加格言”，记者让学生德众扎西解释了这些格言，他说：“团结起来，什么困难都能克服，什么挫折都能战胜。”

奇迹就这样发生了

第一节课下课后，复学仪式正式开始。师生们集体唱着国歌，默默地注视着国旗缓缓升起，接着现场所有人低头向大地震中的逝者默哀。

校长布周才仁介绍，这所民族中学建于 1982 年，是一所寄宿制学校，学生来自玉树县的六乡三镇，全校共有 832 名学生。地震发生时，值班老师组织有序，疏散学生，创造了一个奇迹——学校 900 多名师生，无一人伤亡。除教学楼、综合楼严重受损外，女生、单身教师住宿的大楼和6排男生宿舍（平房）倒塌。地震发生后，县委、县政府迅速调来一些预备帐篷，安置留校学生。经过各级政府和救援人员的数天努力，于4月17日搭建了24顶帐篷，供学生上课。而18日，得知学校可以重新上课的消息后，就有70多名学生从乡镇赶到学校上课并参加了复学仪式。

当复学仪式结束后，学生们继续上课。玉树县主管教育的副县长白玛求吉接受了记者的采访。在采访中，这位坚强的女县长一直流着眼泪跟我们回忆起地震发生时的情景。也许是连日太劳累，白玛求吉突然开始喷鼻血了，现场的人急忙替她找纸巾擦拭并安慰她别太累，太急了，白玛求吉边擦鼻血边说："现在恨不得一下子把几天的工作干完。"

在玉树灾区，在救灾现场，像她这样的人有千千万。此时此刻，面对此情此景，采访已经不重要了，记者更想表达的是对他们的崇敬之情和劝慰：所有参加救援的亲爱的同胞们，兄弟姐妹们，请你们也歇歇吧！

（《青海广播电视报》，2010年第16期）

书 信

全省上下迅速行动起来全力投入抗震救灾斗争

4月14日中午，省委书记强卫就玉树抗震救灾工作提出要求：

全省广大党员干部和各族群众：

今天早晨，我省玉树县发生7.1级地震，当地人民的生命、财产受到了严重损失，玉树县广大党员干部和各族群众正在州委、州政府的领导指挥下，全力以赴开展抗震自救。

党中央挂念着灾区，全省人民关心着灾区。党中央、国务院已经部署抗震救灾工作，省委、省政府已经启动应急预案，全省各部门紧急行动，各方面的救援力量正迅速地赶往灾区。

现在，我们的首要任务就是要抢救生命，全力以赴，不惜一切代价救人！

我代表省委、省政府要求：

人民解放军和武警部队战士、公安干警要立即行动起来，抢救生命，救治伤员，保护人民！

全省各部门要立即行动起来，投入到抗震救灾的斗争中去！

全省广大领导干部要立即行动起来，坚守抗震救灾的各个岗位！

全省广大共产党员要立即行动起来，勇敢投身抗震救灾中，冲锋在前，发挥作用！

全省各族群众要立即行动起来，全力以赴支援灾区抗震救灾，共克时艰！

没有任何困难能够击退我们！

让我们团结起来，行动起来，万众一心去夺取胜利！

（《青海日报》，2010年4月15日）

感谢信

2010年4月14日，我省玉树藏族自治州玉树县发生里氏7.1级强烈地震，美丽的三江源顿时满目疮痍，各族群众遭遇突如其来的巨大灾难。

以人为本，人民第一。地震发生后，党中央、国务院高度重视，中央领导与人民在一起，第一时间亲临灾区，指导抗震救灾工作。国务院立即成立抗震救灾总指挥部，举全国之力组织领导抗震救灾。大灾之际，充分显示了以胡锦涛同志为总书记的党中央强大的领导、组织和动员能力，充分显示了中国共产党的伟大和社会主义制度的优越。

灾情即命令，危难见深情。人民解放军、武警部队、公安民警、消防官兵以最快的速度开赴灾区，当尖兵、打头阵，冲锋在前、无私奉献，用坚强意志和血肉之躯筑起了抵御地震灾害的钢铁长城。紧要关头，人民子弟兵和公安民警充分发挥了抢险救灾主力军、急难险重突击队和安定人心主心骨的作用，成为抗震救灾的中流砥柱。

一方有难，八方支援。全国各族人民把焦急的目光投向青海，把温暖的关怀汇入玉树，把巨大的支持送到灾区，一双双援助之手、一份份关爱之情、一声声问候之语从祖国的四面八方汇聚到玉树灾区。各兄弟省区市和港澳台地区倾情相助，各救援力量和医疗人员千里驰援，伤员救治、群众安置、学生就学得到全力帮助。危急时刻，再现了祖国大家庭的无比温暖。

人民喉舌，铁肩义胆。全国各大媒体、各地新闻单位的编辑记者，面对高寒缺氧义无返顾，纷纷奔赴抗震一线，用笔、用声音、用镜头，记录下灾区现场的每时每刻，记录下搜救生命、救治伤员等一幕幕感人的事迹，为灾区人民、为青海各族人民送来了巨大的精神和物质力量。

大爱无疆，生命至上。在灾难面前，国际社会和海内外朋友伸出了友爱之手，许多国家政要致电慰问，海内外同胞和国际友人慷慨解囊。国际社会和海内外朋友的爱心，为我省抗震救灾和灾后重建增添了精神力量。

此时此刻，在海拔近4000米的玉树灾区，在黄河、长江、澜沧江的三江源头，我们深刻感受到全国人民与我们同呼吸、共命运、心连心。青海人民善良淳朴、知恩感恩。在这里，我们代表全省557万各族人民，向党中央、国务院，向奋战在抗震救灾和灾后重建第一线的广大干部群众、人民解放军指战员、武警部队官兵、民兵预备人员、公安民警和各救援队伍，向大力支持抗震救灾和灾后重建的全国各族人民，向踊跃为灾区提供援助的港澳台同胞，海内外朋友和国际友人，表示最崇高的敬意和最衷心的感谢！

玉树不倒，青海常青。地震可以摧毁我们的房屋和家园，但摧不垮我们的精神和意志；灾难虽然夺去了我们的亲人和同胞，但夺不走我们的信心和勇气。坚强的青海各族人民在地震废墟中挺立起来，正在以不屈不挠的精神投入抗震救灾斗争。当前，抗震救灾工作已经取得了阶段性重大成果，全面转入过渡安置、恢复秩序、灾后重建的新阶段。我们坚信，有党中央、国务院的坚强领导，有人民子弟兵的无私奉献，有全国人民的大力支持，有海内外同胞和国际社会的关心帮助，经过青海各族人民的不懈努力，我们一定能夺取抗震救灾的全面胜利，早日建成一个更加美丽、更加富饶、更加和谐的社会主义新玉树！

中共青海省委
青海省人民政府
2010 年 5 月 14 日

（《青海日报》，2010 年 5 月 14 日第 1 版）

看卓措毛写给强卫的信

敬爱的强卫叔叔：

您好！

首先，我代表石家庄市玉树民族中学 286 名学生，感谢家乡政府和父老乡亲对我们的关怀与帮助。家乡政府多方协调，出钱、出力，家乡人民积极支持、配合，把我们在最短的时间里送到千里之外的石家庄市玉树民族中学上学，让我们重新拿起书本，重新聆听到老师的教诲。我们转移学校的所有学生，人人都深切感受到家乡父老乡亲无微不至的关怀和无私牵挂，我们永远都会记住家乡人民的恩情。

震前的我们是一朵朵无忧无虑的白云，无论飘到多远的地方都是那么快乐那么自在，校园里留下我们无数个足迹，不知名的鸟儿在树枝上婉转鸣唱，仿佛对我们说："要创造美好的未来，你能行！" 震后我们失去了亲人没有了家，没有了学校，再也不能像以前那样去上学。在几乎绝望的情况下，政府和人民给了我们帐篷、衣服、方便面……给了我们希望。而且安排我们到石家庄市玉树民族中学就读，为我们重新插上飞向梦想的翅膀。

我们在这儿吃得好，穿得好，对学习我们充满无限信心，我们现在什么都不缺，应有尽有。学校的老师就如父母亲一样天天对我们嘘寒问暖，在此，感谢家乡政府和父老乡亲对我们的关怀与帮助。没有你们就没有现在的我们。

在一片沙漠里，有根快要渴死的小草，在期待着春雨的归来，有一天有位仙子路过这根小草，看见小草是多么渴望生命，盼望着生命的奇迹。爱心的一滴泉水落在小草头顶，一瞬间一片冷冷清清的沙漠变成了一望无际的草原。仙子就是家乡政府和父老乡亲的爱心所化，我们就是这草原上的小草。

青海各民族爱心之花，在河北省石家庄市玉树民族中学再次绽放，家乡父老乡亲和政府对我们的恩情、期望，我们会用优异的成绩来报答。愿把洁白的哈达献给家乡政府、父老乡亲，我们会用我们最大的努力去学习，不辜负家乡政府对我们的恩情。我们相信！坚持到底一切梦想都会实现在下一秒钟。

此致

敬礼

祝：青海的明天繁荣富强、万事如意

家乡人民身体健康、扎西德勒

石家庄市玉树民族中学看卓措毛

2010 年 9 月 19 日

（《青海日报》，2010 年 10 月 12 日第 1 版）

强卫给看卓措毛的回信

看卓措毛同学：

石家庄市玉树民族中学的同学们：

你们好！你们的来信我收到了，得知你们在石家庄市玉树民族中学学习和生活都很好，我感到十分高兴和欣慰！也感谢石家庄市玉树民族中学和石家庄市人民给予你们的悉心照顾！

今年 4 月玉树发生强烈地震后，你们的家和学校都受到了不同程度的破坏。为了不耽误你们上课读书，包括河北在内的全国 7 个省市从大局出发，给同学们提供了无私的帮助和关爱，这是全国人民对玉树灾区人民的巨大支持，流淌着中华民族血浓于水的亲情温暖。你们一定要珍惜这来之不易的学习条件，怀着一颗知恩感恩和奋发进取的心面对学习和生活。

你们虽然远在千里之外，但青海家乡的父老乡亲无时无刻不在牵挂着你们，你们永远是巴塘草原上最美丽的格桑花。希望你们勤奋学习，坚强生活，立志成材，报效祖国。期待你们的好消息。

我相信，你们的新校园、新家园一定会早日建成！

我也相信，你们一定能创造奇迹、实现梦想！

祝同学们身体健康，学习进步，扎西德勒！

强　卫

2010 年 10 月 9 日

（《青海日报》，2010 年 10 月 12 日第 1 版）

索　引

众志成城　抗震救灾

（卷一）大事记·附录

B

C

D

F

G

R

S

（卷二）图　志

A

B

C

D

F

G

H

J

K

L

M

N

P

Q

R

S

T

W

X

Y

Z

（卷三）灾情灾害志·抢险救灾志

A

B

C

D

F

G

H

J

K

L

M

N

Q

R

S

T

W

X

Y

Z

（卷四）医疗防疫志·社会赈灾志

A

B

C

D

F

G

H

J

K

L

M

N

Q

R

S

T

W

X

Y

Z

（卷五）灾后重建志

A

B

C

D

E

F

G

H

J

K

L

M

N

P

Q

R

S

T

W

Z

（卷六）集体·人物

A

B

C

D

F

G

H

J

K

L

M

N

P

Q

R

S

T

W

X

Y

Z

后　记

2011 年 3 月，青海省人民政府召开《玉树大地震救灾重建志》编纂委员会（以下简称“全志委”）第一次会议，正式启动《玉树大地震救灾重建志》编纂工作。编纂伊始，即确定由全志委办公室（青海省地方志编纂委员会办公室）承编《总述》《大事记》《附录》《索引》等综合内容。2012 年 2 月，全志委办公室根据编纂力量的实际情况，将《总述》《大事记》委托省委办公厅有关人员具体撰写。

2012 年 11 月，全志委办公室对《总述》撰写提出统领全志、概括全貌，展示社会主义制度优越性、中华民族优秀品质、人民军队政治本色，突出中共中央、国务院和青海省委、省政府的坚强领导，弘扬伟大抗震救灾精神的撰写目标。6 月，印发征集《大事记》资料的通知，要求各有关单位、地区迅速报送玉树大地震救灾重建工作大事、要事资料。2013 年 4 月，全志委办公室对《大事记》编纂工作进一步提出了收录标准、收录内容、记述要素、记述程度等具体指导意见，供撰写人员参考，强调《大事记》主要记述发生在抗震救灾和灾后重建工作中对全局有重大影响的事件，力求全线贯通、全面系统，形成主要脉络。

2014 年 6 月、9 月，全志委办公室分别制订《总述》和《大事记》编纂方案，进一步确定《总述》作为全志之首，要有整体性、系统性、科学性，加强记述深度，揭示事物之间的联系，钩玄提要、高屋建瓴。在民族团结、对口支援和国家力量等内容方面浓墨重彩，宣传弘扬玉树抗震救灾精神。对《大事记》的撰写确定了“撒网、平衡、提炼、准确、适度、统一、精炼、规范”8 个词要领和必须坚持的 4 条原则，即政治站位要高，必须站在全局高度，反映整个工作全过程，突出国家力量和制度优势；严格把握资料的入志标准，正确处理全局性和平衡性；坚持以编年体为主、纪事本末体为辅，以时系事、一事一条，“黄金 72 小时”重大事项尽量具体到年、月、日、时、分；鉴于《大事记》是全志之“经”，资料收集涉及面要广、覆盖面要大，以“全”为好，凡大、要、特、新事能收尽收，以利于反映全貌，方便读者。

2016 年 2 月，《总述》《大事记》完成初稿撰写后，全志委办公室组织专人逐条、逐句进行审改，在转换工作报告、工作任务语言风格的基础上，对《总述》从宏观性和综合性两大基础特征入手，内容上进一步把握突出全局的站位，方法上注意提炼立意和消化资料，血脉贯穿，有质有文，述议结合。对《大事记》关于时间表述、事条排序、名称使用、会议文件、人物活动、重要事件记述等界定划线，统一认识。12 月，对《大事记》记述要素、详略处理、主线连续、补充资料等方方面面形成指导意见，强调与主题、主旨、主线相关的事物不遗漏，每一条目自身的主线和脉络前后照应，兼收并蓄，一以贯之。要求根据记述对象的中心、主题选取条目、安排结构，注意各个重大事件之间内在的、本质的、必然的联系。2017 年 6 月，全志委办公室成立评审小组，召开评审会议，组织专家对《总述》《大事记》进行终审和评定。会后，根据会议意见和建议，确定 1 名专家对接《总述》《大事记》，跟踪修改，补充、完善有关事条，注意重大政策、重大活动的提法、表述，加强综合记述，进一步突出主线。2018 年 9 月，全志委办公室责成专人对稿件作进一步的润色，侧重从规范领导人职务、从相关分卷中搜集大事充实内容、全面梳理剖析《大事记》的科学性等方面进行完善。

2018 年 5 月，全志委办公室对《附录》编纂工作作出安排，制定了收录文献内容、标准和收录方法，安排专人收集整理资料 150 余万字。

2020 年 7 月，全志委办公室邀请有相关经验的专家对《总述》《大事记》作了全面的文字技术修订。11 月，省地方志编纂委员会办公室主任、《玉树大地震救灾重建志》总编兼总纂杨松义主持完成对《总述》《大事记》的最后全面统改和完善工作。同时，完成《附录》内容的确定和归类分目，形成法律法规、规划方案、文件辑要、讲话摘录、专题报道、评论、文艺作品 7 个大类的审定稿。鉴于《总述》《索引》作为特殊文体的专门属性，为妥善处理其与各专志之间的关系，在付梓出版前，不再将其与各专志平行单列，《总述》改为《前言》，与《索引》仅作为《大事记 · 附录》卷的有机组成部分分列于该卷的相应位置。在《附录》内容的选编中统筹考虑全志的逻辑关系，坚持《附录》的属性，侧重选辑在中共中央、国务院坚强领导下，省委、省政府科学合理依法依规组织实施抗震救灾、灾后重建方面的内容，以及新闻媒体上弘扬正气、鼓舞士气方面的宣传报道、文学作品和新闻宣传方面的内容，适当注意了“第一”的原则，即第一篇社论、第一篇评论、第一篇诗歌等。同时，注意选取有影响的媒体如《人民日报》、新华社、《青海日报》等的资料。至此，《大事记 · 附录》完成编纂。

《玉树大地震救灾重建志（卷一）大事记 · 附录》编纂委员会

2020 年 11 月

编纂始末

2010年4月14日7时49分，一场里氏7.1级的强烈地震袭击了青海省玉树地区。面对突如其来的地震灾害，在中共中央、国务院、中央军委的坚强领导下，在全国人民的大力支持下，全省广大干部群众特别是灾区干部群众，成功展开了一场迄今为止人类在高原高寒地区规模最大、成效最显著的抗震救灾及灾后重建行动，形成和展示了“大爱同心、坚韧不拔、挑战极限、感恩奋进”的伟大玉树抗震救灾精神，创造了抗震救灾和灾后重建的玉树速度、玉树奇迹。

实践反复证明，一个民族在灾难中能够学到比平时多得多的东西。一个民族在灾难中失去的，必将在民族的进步中获得补偿。为全面、客观、系统地记述玉树大地震灾害、抗震救灾和灾后恢复重建的全过程，从伟大的抗震救灾中总结经验、汲取教训，2010年10月，中共青海省委、青海省人民政府决定编纂《玉树大地震救灾重建志》，并印发了《〈玉树大地震救灾重建志〉编纂工作方案》。根据该方案，《玉树大地震救灾重建志》共设《总述·大事记》《图志》《灾情灾害志》《抢险救灾志》《医疗防疫志》《社会赈灾志》《灾后重建志》《人物》《附录》9个分卷。12月，成立了由省委副书记、省长骆惠宁任主任，省委常委、常务副省长徐福顺任常务副主任，省、州43家有关单位为成员的《玉树大地震救灾重建志》编纂委员会（以下简称“全志委”），下设全志委办公室（设在青海省地方志编纂委员会办公室），确立了省委领导、省政府主持、全志委组织实施、分卷领受任务、各参编单位分工协作的工作体制和运行机制，形成了领导有力、责任明确、保障到位的工作格局。

2011年3月，召开第一次全志编纂委员会会议，正式启动编纂工作。5月，为提高志书的权威性，确保编纂工作不留遗憾、不留败笔、不留骂名，省人大常委会副主任、全志委副主任刘春耀专门赴京向中国地方志指导小组常务副组长朱佳木汇报青海省委、省政府建议将《玉树大地震救灾重建志》提升到国家层面的意见。7月，省政协副主席、全志委副主任韩玉贵率领承编单位主要业务人员赴四川、陕西、甘肃3个省及所属7个市县学习编纂经验。8月，省政协主席白玛，省委常委、常务副省长徐福顺分别向中共中央、国务院领导写信，并以省政府名义向国务院报送正式报告，申述升格编纂的建议。10 月，全志委制订下发了《玉树大地震救灾重建志》的总凡例、行文规范、各分卷篇目大纲（草案）。

2012 年 1 月，国务院办公厅向青海省人民政府办公厅复函，强调全面客观记述玉树大地震抗震救灾和灾后重建全过程，对于弘扬伟大的抗震救灾精神、促进民族团结，具有重要意义；明确《玉树大地震救灾重建志》具体编纂工作由青海省牵头负责，各有关地区和部门积极协助配合。2 月，省政府办公厅印发《转发国务院办公厅关于青海省编纂玉树大地震救灾重建志有关事宜复函》的通知，从提高认识、加强领导，精心组织、保证质量，协调配合、加快进度，保障经费、争取支持等方面对贯彻落实国务院要求进行部署。当月，召开第二次全志编纂委员会会议，进一步督促进度，落实任务，明确实行“一把手”工程。7 月，省政府办公厅印发成立全志专家组和工作协调组的通知。专家组由中国地方志指导小组常务副组长朱佳木任顾问，中国地方志指导小组办公室党组书记田嘉任组长，成员包括文史、民族宗教、地震技术、经济、工程技术、卫生防疫、文物保护、档案、翻译、地方志 10 个门类的 38 位专家；工作协调组由省委常委、常务副省长徐福顺任组长，16 名成员均为各相关地区和部门负责人。当月，全志委在西宁举办《玉树大地震救灾重建志》编纂培训班及篇目研讨会，邀请中国地方志指导小组办公室副主任邱新立及有关专家对 110 名参与志书编纂的人员进行培训。培训班结束后，各位专家对承编单位实行“结对子”研讨篇目和指导编纂。

2013 年 3 月，全志委办公室印发《玉树大地震救灾重建志各分卷编目大纲》，标志着编纂工作由资料收集阶段进入初稿撰写阶段。

2014 年 5 月，各分卷编纂工作陆续完成初稿撰写，在全志委办公室的指导下，将已完成的初稿送各单位征求意见，并与“结对子”的专家进行沟通、磋商，进行修改完善。

2015 年 12 月，省政府办公厅印发《关于加快推进〈玉树大地震救灾重建志〉编纂工作的通知》，对确保编纂任务及目标按期完成提出要求。

2016 年 4 月，各分卷编纂工作陆续进入初审、复审阶段。其间，全志委办公室组织 120 余人次深入各承编单位，了解情况、督促进度、协调指导，召开各种类型座谈会、业务研讨会、现场办公会、工作汇报会 150 余次，通报情况、解决问题、推动工作；编辑工作通讯、简报 70 余期，印发各种业务学习参考材料 5 万余字，有力、持续地推动编纂工作有序进行。

2017 年 2 月，各承编单位陆续报送终审稿。3 月，全志委办公室组成《玉树大地震救灾重建志》终审小组，省地方志编纂委员会办公室主任高煜担任组长、副主任杨松义任副组长，成员包括 11 名熟悉档案、保密、文化、历史、州情、地方志、统计等有关方面的专家。同时，印发《审稿验收办法》，制订标准，规范程序。在各位专家分头审阅的基础上，6 月，召开集中评审会议，分别对各分卷进行评审。评审会议后，各分卷承编单位立即根据评审会议提出的意见、建议，梳理专家意见，补充材料、核定事实，完善体例、规范记述，进行系统地修改。

2018 年 5 月，各承编单位先后完成终审后的修订任务，全志委办公室根据《审稿验收办法》，立即组织理论政策水平高、熟悉省情震情、文字能力强的专家实行“一对一”的审改把关。

2019年12月，完成审改的各分卷志稿报全志委办公室，全志委办公室即组织相关人员对志稿进行了技术审查，并将审查意见反馈各承编单位进行修改。

2020年4月，为提高志书质量，全志委办公室先后聘请省内外两位专家对志稿进行修改、润色。11月，省地方志编纂委员会办公室主任、《玉树大地震救灾重建志》总编兼总纂杨松义主持完成了最后的统改、定稿工作。在定稿的过程中，综合考虑各方面因素，将原9卷调整为卷一《大事记·附录》、卷二《图志》、卷三《灾情灾害志·抢险救灾志》、卷四《医疗防疫志·社会赈灾志》、卷五《灾后重建志》、卷六《集体·人物》6卷。

十年磨一剑，今日把示君。《玉树大地震救灾重建志》编纂工作先后历时十年，今日得以问世，是集体智慧的结晶，凝聚了全体编纂人员的心血与汗水。在整个编纂过程中，得到了青海省新闻、宣传、地震、民政、卫生、发展改革、军队、人力资源社会保障等牵头单位的大力支持，得到了中国地方志指导小组及其办公室的有力指导，得到了财政部、青海省财政厅的鼎力资助，得到了全省各单位、各部门的密切配合，得到了社会各界的关心和鞭策。在此，谨向所有为此书编纂工作做出贡献的单位和个人表示崇高的敬意和诚挚的感谢！因涉事浩繁，不足之处在所难免，敬请批评指正！

《玉树大地震救灾重建志》编纂委员会办公室

2020年11月